Tania de Miguel Magro

Garci Rodríguez de Montalvo
AMADÍS DE GAULA

CLÁSICOS UNIVERSALES PLANETA

Director literario:
GABRIEL OLIVER
catedrático de la Universidad de Barcelona

Director editorial:
RAFAEL BORRÀS BETRIU

Asesor:
CARLOS PUJOL

Garci Rodríguez de Montalvo

AMADÍS DE GAULA

Edición, introducción y notas de
VICTORIA CIRLOT
profesora de la Universidad de Barcelona

y **JOSÉ ENRIQUE RUIZ DOMÉNEC**
profesor de la Universidad Autónoma de Barcelona

Planeta

© Editorial Planeta, S. A., 1991
  Córcega, 273-279, 08008 Barcelona (España)
Diseño colección y cubierta de Hans Romberg
Ilustración cubierta: portada del «Amadís de Gaula», edición impresa en
1533 (Biblioteca de Catalunya, Barcelona)
Primera edición en esta colección: enero de 1991
Depósito Legal: B. 41.760-1990
ISBN 84-320-4885-2
Printed in Spain - Impreso en España
Talleres Gráficos «Duplex, S. A.», Ciudad de Asunción, 26-D, 08030 Barcelona

SUMARIO

AMADÍS DE GAULA

INTRODUCCIÓN

I. EL «AMADÍS» Y LA CULTURA CABALLERESCA DE SU TIEMPO

En los últimos y tristes días de su vida, Garci Rodríguez de Montalvo, regidor de Medina del Campo, sin duda debió de pensar en el alcance de su obra: esa refundición de los antiguos, y al parecer bastante deteriorados, originales de la famosa novela de caballería castellana denominada Amadís de Gaula. ¿Dónde y cómo la escribió? El autor agonizaba poco antes de 1505,[1] no pudo ver impresos ni el Amadís de Zaragoza, que es de 1508, ni las Sergas de Esplandián, que son de 1510; y por tanto nunca llegó a saborear el placer del éxito; paradójico destino para este hidalgo español si tenemos en cuenta que, como él mismo confiesa, se dedicó a la escritura —una labor durísima para un hombre sin experiencia literaria— para dejar detrás de sí «alguna sombra de memoria». Pero ¿qué se puede decir hoy sobre las intenciones de este extenso y complejo entramado narrativo? A menudo el crítico y el historiador se sienten tentados a descifrar las claves «realistas» que existen en toda obra literaria. Las del Amadís son bastante evidentes. Baste pensar en la sociedad española en la difícil encrucijada de 1492.[2] ¿Conviene seguirle hasta el fin en su búsqueda de las analogías que utiliza para sacudir las espesas mentes del europeo a comienzos del siglo XVI? No es necesario llegar tan lejos. El arte, la ciencia, la religión comienzan a perfilarse de un modo moderno, entre millones de inquietudes nuevas, incrédulas ante el pasado, frívolas sobre el auténtico valor del alma, que, sin embargo, aspiran a comprender un mundo que al tomar distancia de sí mismo ha comenzado un irreversible proceso de secularización.[3] Si ahora desvelara ese minuto de duda fatal en el que cae Rodríguez de Montalvo, algo en fin de cuentas completamente humano, es muy posible que consiguiera sustraer al lector de la fascinante pasión que significa buscar en cada momento del relato la verdad de la mentira novelesca. Ade-

---

1. Alonso Cortés, «Montalvo, el del Amadís», en *Revue Hispanique*, 1933, pp. 434-442.
2. M. A. Ladero, *España en 1492*. Madrid, 1978.
3. H. Blumenberg, *Die Legitimität der Neuzeit*. Frankfurt, 1966.

más, quizá con ese estímulo consiga superar la difícil prueba que consiste en leer más de mil páginas de una prosa cargada de frases estereotipadas tan alejada de los actuales gustos literarios; una prosa que, en cierto modo, atenta a lo que Milan Kundera llama el arte de la novela. Y ahora, superada la tentación, tengo ante mí la posibilidad de reflexionar en torno a la idea que tenía este oscuro regidor de Medina del Campo sobre la caballería del Renacimiento.[4]

El Amadís *arroja la información de que los ideales caballerescos aún no han muerto y que, en cierto modo, seguían relacionados con las exigencias del poder. La perspectiva de utilizar esta novela como fuente para el estudio de la caballería del Renacimiento, aunque a primera vista pueda parecer extraña, resulta totalmente justificada.*[5] *Nadie desconoce que se trata de una refundición, e incluso diría más: no conozco otro libro que dé la sensación de ser una copia de algo anterior, y a veces creo que quizá fuera ésa la principal intención de su autor. De todos modos, la idea de centrar la historia en el período clásico de la caballería no es caprichosa, obedece sin duda a los gustos del público europeo de finales del siglo XV, que necesitaba respuestas sencillas, circulares, perfectas, a todas las cuestiones de su existencia; desde* Il Morgante *(1483) de Luigi Pulci y el* Orlando Innamorato *(1494) de Boyardo se acostumbró a este tipo de formulaciones, aunque la inquietud que suministraban todos los detalles pertenece, de algún misterioso modo, a la imagen que la aristocracia tenía de sí misma, caminando pesadamente por una forma de vida que le conducía de manera inexorable a su propia autodestrucción.*[6] *La revelación de los entresijos morales de la alta sociedad de su tiempo es fascinante, y el autor parece tener cien ojos al registrar todos los matices de lugar y circunstancia. Rodríguez de Montalvo utiliza la novela como medio de expresión de un sinfín de ideas sobre la caballería, desde la oscuridad de la alegoría política hasta viejos fantasmas del imaginario europeo, que alteraron la mente de aquel entrañable hidalgo manchego, llamado Alonso Quijano, como de algún crítico de nuestro tiempo. Permítaseme agregar, por si el lector se sorprende de las propuestas de Rodríguez de Montalvo, que esta larguísima obra, cuya máxima as-*

4. En la línea de W. Goez, «Renaissance und Rittertum», en *Geschichtsschreibung und geistiges Leben im Mittelalter*, Festschrift für Heinz Löwe, 1978, pp. 565-584.

5. Cf. F. Cardini, «La cavalleria: una questione da riproporre?» *Annali dell'istituto di Storia*, II, 1982, pp. 46-47.

6. H. Wenzel, *Die Selbstdeutung des Adels (Die Autobiographie des späten Mittelalters und der frühen Neuzeit)*, Munich, 1980.

piración reside en fijar los valores «tocantes a la cavallería y actos della», contiene en sí misma todos los elementos que durante más de cien años habían constituido el fondo de reflexión sobre el significado político del ideal caballeresco.[7] Ella es uno de los eslabones que falta en el largo proceso que va desde Chrétien a Ariosto, y tenemos que comprenderlo, a pesar de todo. Es una necesidad histórica y, al mismo tiempo, literaria.

Lo cierto es que entre 1390 y 1520 todo cuanto se refería a la caballería fue objeto de una fuerte revisión crítica que culminó primero en Ferrara y, más tarde, en las cortes de los Reyes Católicos y Maximiliano I.[8] El resultado final de todo ello fue la creación de la figura del Ritterrenaissance, *para mantener la expresión de Christelrose Rischer,[9] en medio del sentimiento de deriva hacia lo nuevo que se instalaba en la sociedad* Quattrocentesca, *y que hoy se valora como la auténtica hechura del mundo moderno. Los caballeros de estos años comprendieron muy pronto que sus acciones volverían a ser seductoras, si conseguían articular los anhelos más secretos de pervivencia como grupo social con el valor que en otro tiempo tuvo la aventura. A través de la vida errante, caballeros como Boucicaut, Pero Niño, Jacques de Lalaing, Oswald de Wolkenstein o Götz de Berlichingen testimoniaron la acuciante necesidad que existía en su tiempo de volver a creer en algo sólido y duradero; pues cuando el hombre llega al perfecto conocimiento de sus posibilidades, desaparecen sus temores. La ilusión por recobrar la levedad de la aventura, a través de una intensa glorificación de los simulacros, contrasta con la cada vez más pesada opresión del poder autoritario.*

Las consecuencias fueron asombrosas: al desaparecer la melancolía y ser reemplazada por la vibrante y muy masculina pasión de la vida errante, el hombre se comprendió como sujeto activo de la vida y como imagen al ponerse él mismo en escena:[10] ritualismo exacerbado, sublimación del ceremonial, ajuste decisivo de la representación social, es decir, todos aquellos elementos necesarios para

7. J. Huizinga, *El otoño de la Edad Media*, Madrid, 1940.
8. Jan-Dirk Müller, *Gedechtnus. Literatur und Hofgesellschaft um Maximilian I*, Munich, 1982.
9. Ch. Rischer, *Literarische Rezeption und Kulturelles Selbstverständnis in der deutschen Literatur der «Ritterrenaissance» des 15 Jahrhunderts Untersuchungen zu Ulrich Fuetrers «Buch der Abenteuer» und dem «Ehrenbrief» des Jakob Püterich von Reichertshauren*, Stuttgart, 1973.
10. Véase Michel Stanesco, *Jeux d'errance du chevalier médiéval. Aspects ludiques de la fonction guerrière dans la littérature du Moyen Age flamboyant*, Leiden, E. J. Brill, 1988.

buscar la identidad en un mundo convertido en un verdadero laberinto.[11] *La sorpresa es aún mayor porque, en el transcurso de este diseño cultural, la literatura creó un territorio de ficción donde cupo todo tipo de preguntas sobre la vida del hombre, volviendo de esta manera a interpretar el espíritu de la caballería desde sus grandes proyectos de antaño (los que surgieron con Chrétien de Troyes y quienes le siguieron*[12]*) como el medio más adecuado de desenmascarar los instintos disimulados en los manuales humanísticos de pedagogía. Incluso en su forma más melancólica y triste, la de Thomas Malory, que, no lo olvidemos, escribe desde una prisión, la grandeza de la existencia masculina se liga íntimamente con el ideal caballeresco. Todo fue realizado con enorme habilidad, hasta el punto de concebir la caballería de forma contraria a cómo se entendió en el período clásico (en los siglos XII y XIII). La novela ya no desea crear una imagen cortesana del mundo, ni enseñar a los hombres a jugar para ser diferentes, ni siquiera aspira a preguntarse por el significado profundo de los enigmas de una cultura extraña, que se perdía en la bruma de la materia de Bretaña; tampoco busca estremecer al público con un solo misterio, aunque fuera crucial en la existencia humana; sino que se limita a reflexionar sobre el irrefragable poder del* bios *personal en el interior de una compleja estructura de sueños y deseos inconfesables.*

Esta preocupación que comparte la novela de caballería con la biografía fue la que estableció los vínculos entre ambas.[13] *¿Cómo podría buscarse de otro modo el equilibrio entre la situación y el quehacer caballeresco que aspira a lo imposible y la vida personal e íntima que lo cuestiona todo y todo lo deforma? En poco tiempo los caballeros andantes empezaron a ser conscientes de su posición en el mundo, como hombres que necesitan determinados ritos y ceremonias sociales.*[14]

Los caballeros andantes se dejaron contaminar por las propuestas procedentes de las crónicas; aunque la mayoría de los casos no tenían la menor idea del estado de sus asuntos e ignoraban cuáles eran sus responsabilidades con el aparato del Estado. Las crónicas ayudaron a suprimir esa confusión de forma tan absoluta que, desde

11.   Gustav René Hocke, *Die Welt als Labyrinth*, Hamburgo, 1987.

12.   J. E. Ruiz Doménec, *La caballería o la imagen cortesana del mundo*, Génova, 1984.

13.   H. Wenzel, *Die Autobiographie des späten Mittelalters und der frühen Neuzeit*, Munich, 1980. J. E. Ruiz Doménec, *Boucicaut, gobernador de Génova. Biografía de un caballero errante*, Génova, Istituto Colombiano, 1989.

14.   M. de Riquer, *Caballeros andantes españoles*, Madrid, 1967.

el momento que ellos se vieron en el interior del teatro social de una monarquía, empezaron a entender con claridad sus dificultades de realización al margen del entramado político.[15] *Cosa curiosa, la actitud distante y marginal de la caballería de los siglos XII y XIII —esa caballería que había surgido como protesta a las limitaciones matrimoniales de la baja nobleza*[16]*— se reemplaza por una firmeza inquebrantable en cuanto se refiere a los negocios del Estado. Ahora todo es un asunto político, de orden, lo que incluso llegó a afectar las relaciones de los caballeros con el otro sexo, oculto en la sombra que le rodeaba, y, al mismo tiempo, fomentaba sus anhelos más secretos de integración en el servicio del Estado. Esta inquietud se convirtió en una pesada carga, difícil de soportar en el caso de que los valores de la caballería no volvieran a verificar todos los axiomas de la civilización.*

La literatura de ficción reemprende así la tarea de fijar de nuevo el espíritu de la caballería como el fundamento normativo de la sociedad, al tiempo que buscaba la difusión de sus principios, con el fin de hacerlos parecer indudables y naturales a la conciencia social y humana, pensando que el encanto del ceremonial festivo era suficiente para convencer de la utilidad de sus acciones. Las líneas centrales de este proyecto pasaban por registrar minuciosamente las regiones de la personalidad masculina que fundamentaban el carácter y las arrogantes contradicciones del ideal caballeresco, con la firme convicción de que sólo en el interior de la caballería se podría hallar una «forma de vida» para la aristocracia y para las sofisticadas clases sociales nacidas de la actividad comercial.[17]

El Amadís *de Montalvo apareció en medio de este proceso cultural. Poco a poco acaparó la atención de aquel inquieto público que leía con entusiasmo a Pulci o a Boyardo: un público que se sintió aliviado al encontrar un tipo de respuestas tan sencillas y eficaces. Nunca hasta ese momento se había visto algo parecido, una novela, que con aire tan distante limitaba consciente o inconscientemente los grandes modelos del pasado (la* Vulgata *o el* Tristán *en prosa),*

---

15. U. Liebertz-Grün, *Das andere Mittelalter,* Munich, 1984. H. Wenzel, *Höfische Geschichte: Literarische Tradition und Gegenwartsdeutung in den volkssprachlichen Chroniken des hohen und späten Mittelalters,* Berna-Frankfurt, 1980.

16. E. Köhler, *Ideal und Wirklichkeit in der höfischen Epik,* Heidelberg, 1979 (trad. ital. *La avventura cavalleresca.* Bolonia, il Mulino, 1986, con prólogo de Mario Mancini).

17. Arno Borst, «Ritterliche Lebensformen im Hochmittelalter», en *Barbaren, Ketzer und Artisten,* Munich/Zürich, 1988, pp. 312-334.

mostrando gran inclinación hacia ciertas actitudes interesadas de la aristocracia de aquel entonces, a ser sermoneada por los grupos inferiores. Todo eso llenaba de misterio la obra y se comentaba entre los círculos interesados.[18] *Todos la leían con avidez, presumiendo de su conocimiento, y era utilizada en los viajes que auténticos aventureros hacían al otro lado del Atlántico. El Amadís se convirtió así en el perfecto manual de convivencia social. Rodríguez de Montalvo se vuelve elocuente cuando se le lee en este ambiente, es decir, cuando sus esquemas se insertan en el interior de unas profundas preocupaciones sobre el papel de la caballería en el Estado moderno. La idea del regidor es mostrar y explicar el abismo fatal de una civilización que está en trance de desaparecer por su propia incapacidad de renovación. El «arcaísmo» es el recurso —¿irónico?— que emplea con el fin de organizar el inmenso material heredado de las anteriores versiones; limitando su tarea, y no es poco, a buscar una estrategia unitaria, una estructura,*[19] *de cuatro elementos en sí mismos diferentes y desiguales.*

El primer elemento consiste en un conjunto de historias, cuyos protagonistas son un grupo de caballeros que tienen en común un mismo ideal: la vida errante. Por su increíble capacidad de seducción entre la aristocracia del siglo XV, Rodríguez de Montalvo se siente obligado a presentar con toda suerte de detalles el significado profundo de este fenómeno social que constituye la errancia. El elemento más difícil consiste en mantenerse fiel a la materia que refunde y a las exigencias de su público. Pero eso finalmente lo resuelve del modo más sencillo, manteniendo el arcaísmo como si se quisiera indicar que los gustos de su tiempo son los gustos de todas las épocas. Y en esta airosa salida, que evita la actualización de sus personajes con las dificultades que una decisión de este tipo le hubiera entrañado, aparecen los problemas para el lector moderno; pues estas historias caballerescas cuentan con un número elevado de personajes (no muchos como a primera vista parece), donde los hechos se suceden con una extraña lógica que el lector actual no acierta a comprender, pero que sin embargo intuye que existe. La expectación provocada por el Amadís se centra precisamente en adivinar el hilo conductor de estas historias, la razón de la trama que conduce a Amadís, Galaor, Agrajes, don Galvanes, Florestán, Angriote

18.   G. S. Williams, «The Amadis Question», en *Revue Hispanique*, XXI, 1909, pp. 1-167.

19.   F. Weber de Kurlat, «Estructura novelesca del Amadís de Gaula», en *Revista de Literaturas Modernas*, 5, 1967, pp. 29-54.

de Estraváus, Bruneo de Bonamar, Grasandor, Cuadragante y Gavarte de Valtemeroso a buscar su identidad en la vida errante. Nunca hasta este momento se habían visto unos individuos tan distinguidos, tan extraordinariamente vanidosos con sus actos, que acostumbren a vagar sin rumbo fijo, dos o tres meses al año, por una geografía extraña, en ocasiones misteriosa y llena de peligros, con lo que muy probablemente calmaban sus sueños e incluso quizá hasta se divertían. Los músculos se tensan, mientras los cuerpos inexpertos ganan en pericia. Estos caballeros se mantienen en sus creencias: en su obsesiva manía de justar para determinar quién es el mejor; en su creencia en la batalla judicial como medio de solventar los conflictos personales o políticos, en su añoranza de los torneos de los que saben que existen, pero que se hacen muy lejos, quizá en Alemania (en el Amadís hay sólo dos menciones y de pasada de este importante ejercicio caballeresco);[20] en pocas palabras, en el perfeccionamiento de eso que denominan «el arte de la caballería».[21]

Todo esto configura poco a poco el estilo de vida de estos caballeros andantes —todos ellos jóvenes, pues son célibes y no tienen responsabilidad en el interior del círculo doméstico—, que consistía en «demandar aventuras» con las que ganar honor y fama;[22] un estilo de vida que respondía sin duda a la deslumbrante fascinación por el mundo exterior y a la necesidad de comprender el valor exacto de la violencia masculina. Un tema nada agradable, pero pendiente que obliga a conducirse con suma cautela entre las exigencias sociales y la necesidad de educar una conducta hasta este momento desordenada.[23] En el Amadís, los caballeros con grandes dosis de ingenuidad recorren una geografía imaginaria donde doncellas cautivas, señoras dolientes, les reclaman para poner fin a una injusticia, casi siempre ligada con el estupro masculino o la violación, física o moral; y entonces deciden liberarlas de esos individuos que la novela denomina forçadores:[24] unos desaprensivos personajes que persisten en mantener determinadas formas en su relación con las mujeres; como ese Galpano, cuya costumbre consistía en apoderarse de todo tipo de mujeres y encerrándolas en su castillo hacer su voluntad por fuerça,[25] es decir, violarlas. El fantasma del estu-

20. *Amadís,* cap. XLI, p. 302; p. 570.
21. *Amadís,* cap. XXXI, p. 237.
22. *Amadís,* cap. XLI, p. 300.
23. G. Duby, *Mâle Moyen Age,* París, 1988, pp. 48-49.
24. *Amadís,* cap. XXVI, p. 212.
25. *Amadís,* cap. V, p. 52.

pro se clava con fuerza en la mente de este selecto grupo social, como podemos comprobar al comienzo mismo de la novela, en el espantoso sueño del rey Perión cuando siente arder sus deseos por Helisena.[26] *Este hombre se encuentra al borde de sus propias fuerzas, deslumbrado por la belleza de esa mujer, y, al mismo tiempo, preocupado por su actuación. Rodríguez de Montalvo nos hace creer que conoce los límites exactos de la relación sexual y que va a contárnosla. No lo hace, al menos abiertamente. Tan sólo dice que antes del acto el hombre se comprometió en matrimonio —el famoso matrimonio secreto*[27]*— y que gracias a él se desvanece el fantasma de la fornicación. Este comportamiento, ejemplar sin duda, indica ya desde los primeros pasos de la novela que los caballeros andantes tienen unas normas que cumplir: el código caballeresco, expresado en una larga tradición de gestos, costumbres, comportamientos que ofrece unas reglas comunes con las que afrontar el juego. Muy pocos se atreven a transgredirlas. Aquellos que lo hacen son reprobados como* soberviosos, *es decir extraños a la ética particular que rige a la caballería andante. Otros tienden a olvidarlas, pero entonces aparecen las mujeres para recordarles «aquello que es obligado, según la orden de cavallería».*[28] *Todo es deber y todo obligación. Pero algo es indudable para el grupo en su conjunto: la honra, esa vieja virtud que aflora en el manierismo español con inusitada fuerza, no es otra cosa que «negar la propia voluntad por seguir aquello a que hombre es obligado».*[29] *Así sigue la vida de estos jóvenes. Bromean con sus amigos, luchan contra los indeseables que existen en toda sociedad. Nunca están quietos. El grupo se disgrega mil veces, pero se vuelve a reunir en casa de algún rey importante, es decir, en la corte, para avivar ese comportamiento que por eso mismo se denomina cortesía; algo a lo que se resisten aquellos individuos que viven en los márgenes de la sociedad o que pretenden aprovecharse de la ambigüedad del poder monárquico. Las intrigas políticas son el verdadero azote del grupo: la prueba definitiva, lo único que puede romperlo, cosa que en ocasiones ocurre. Manos invisibles, siniestras conspiraciones enfrentan a estos hombres entre sí: amigos contra amigos, hermanos contra hermanos. Es el gran peligro, a lo que hay que prestar atención. Si los reyes estaban ciegos de estos intrigantes*

---

26. *Amadís,* cap. I, p. 14.
27. J. Ruiz de Conde, *El amor y el matrimonio secreto en los libros de caballerías,* Madrid, 1948.
28. *Amadís,* cap. LXIV, p. 542.
29. *Amadís,* cap. LXV, p. 589.

cortesanos, de estos mezcladores [30] *—y esto es algo más que un tópico tristaniano—, sus buenos vasallos, los de la cofradía de la caballería andante, deben estar más atentos de lo habitual. El Amadís es una obra que manifiesta el conflicto entre la caballería andante y la monarquía. Los reyes del siglo XV quieren escapar del embrollo caballeresco en silencio, sin dejarlo ver demasiado. No conviene excitar el comportamiento agresivo de estos muchachos de buena familia (todos son hijos de reyes, de duques o condes): es preferible entretenerlos en sus cosas; incluso, por qué no, organizarles fiestas para que puedan demostrar lo que valen; cualquier cosa que los mantenga alejados de los asuntos de gobierno. Los reyes cuentan con algo muy importante a su favor: todos los caballeros andantes se creen fielmente su palabra. Pocas veces la cuestionan. Cuando lo hacen aparece la duda, esa extraña perplejidad que los incita a pensar que los ideales caballerescos ya no conforman la imagen del mundo; ésa es la distancia que separa el* Amadís *de las obras de Chrétien de Troyes. La vida errante se convierte entonces en la momentánea evasión en un mundo que se rige por otros principios. Los reyes, como Lisuarte, son responsables de esta situación al no confiar en exceso en estos muchachos divertidos y alegres que con las caras tapadas por sus yelmos recorren la vida con la sola defensa de su capacidad técnica y moral. Por eso mismo, cuando ya no soportan más las ambiguas actitudes del poder, todos ellos se levantan contra el rey: unos, como Agrajes, con saña; otros, como Grasandor, por simple amistad; los más, por mantener vivo el ideal del grupo. Hay una honda tristeza en casi todos a la hora de tomar esta grave decisión que los conduce a implorar la ayuda de sus padres, otros reyes como el que quieren combatir. El fondo de sus almas es misterioso, como sus guiños o la firmeza de sus deseos. Los caballeros andantes del* Amadís *se miran en un mismo espejo, el hijo de Perión, que en la mayoría de las veces está lejos, ensimismado en sus cosas.*

El segundo elemento es con toda claridad un proyecto biográfico. Rodríguez de Montalvo interviene en más de una ocasión para insistir que la historia que narra es la de Amadís, y que los demás personajes son el necesario decorado para configurar sus aventuras. Es una indecisión más de su estrategia novelesca. Pero, sin duda, esta larga obra es una biografía de un caballero errante. No hay nada extraño en esta decisión, pues desde el momento en que un autor anónimo llenó de significados la vida del mariscal Boucicaut,

---

30. *Amadís* cap. LXII, p. 516.

que durante unos años fue gobernador de Génova,[31] la biografía se convirtió en el armazón del ideal caballeresco. El objetivo es el mismo, los medios bien diferentes.

La biografía de Amadís comienza con el nacimiento, la infancia y lo demás (algo completamente necesario, pues desde mediados del siglo XIV el público está cada vez más interesado en la vida infantil y sus secuelas[32]), y después de la investidura, inicia sus primeras andanzas como caballero —pobre, cautivo y extraño, según los calificativos que gusta usar al principio de su errancia[33]— que le ponen en contacto con los dos elementos que constituirán la norma de toda su existencia: el amor cortés por una princesa, una caprichosa mujer de muy alta cuna, la hija de Lisuarte, rey de Gran Bretaña, y la lealtad a las normas de la caballería andante. Desde este momento, maduro, aunque aún de corta edad, como solía ser norma en aquellos tiempos, Amadís entra de lleno en el círculo de actividad monárquica, al servicio de una dama, la mismísima reina Brisena, y como espejo de la caballería de su tiempo. La crisis, sin embargo, no tardará en llegar. Las rígidas normas sociales y morales de la caballería conducen a un equívoco que desencadena la toma de distancia de Amadís con respecto a su mundo: no cae en la locura, como el Orlando de Ariosto, sencillamente se refugia, lleno de amargura, en la Peña Pobre. Luego, pasada la prueba —pero ¿en verdad se superan estas pruebas?—, y con el nombre de Beltenebrós, regresa a la vida errante como experimento de su vida y prueba de las normas morales que la rigen. La geografía de la errancia se amplía, ahora es Alemania, Romania, Bizancio, las tierras que con el nombre del Caballero Verde y más tarde Caballero Griego tienen el privilegio de contemplar sus admirables hechos de armas. Este conjunto de acciones sólo sirven para legitimar su regreso a la corte, su deseo de integración, aunque en realidad le sitúan ante una terrible encrucijada propia del Renacimiento: obedecer y dejar de ser caballero, o mantenerse firme en sus ideales y enfrentarse al poder monárquico. Montalvo duda en este momento, aunque, fiel a las biografías del siglo XV, interviene para dar una visión diferente a lo que había sido la novela primitiva. La tragedia, el regicidio y lo demás quedarán necesariamente a un lado. La naturaleza del problema debe resolverse de otro modo. Amadís mantiene firme sus creen-

---

31. J. E. Ruiz Doménec, *Boucicaut, gobernador de Génova*, cit.
32. N. Orme, *From Childhood to Chivalry. The education of the English kings and aristocracy, 1066-1530*, Londres, 1984.
33. *Amadís*, cap. VIII, p. 62 y ss.

cias en la caballería andante, aunque no renuncia a integrarse en la corte del rey Lisuarte. El enfrentamiento entre ambos es velado, tenue, casi de salón, sin llegar a las manos, aunque la batalla podría haber sido muy cruenta (como al parecer lo fue en la versión gótica). La concordia se consigue y Amadís contrae matrimonio. Desde su rinconcillo (y utilizo aquí el irónico vocablo empleado por Rodríguez de Montalvo) de la Ínsula Firme comprende la necesidad de crear su propio imaginario político, y lo hace en la mejor de las tradiciones, como el lector puede observar en el episodio de Balán, donde el buen caballero Amadís culmina su biografía entroncándose personalmente con los planos míticos de la tradición caballeresca, la del rey Artús y los muy nobles caballeros de la Tabla Redonda, incluso se permite insinuar su importante contribución a que sus acciones determinasen la presencia más adelante de Lancelot, sin duda el mejor caballero del mundo. Todo esto no son sino tristes consuelos para un hombre que regresa a su casa a la espera de colocarse la corona sobre su cabeza, y que Montalvo con crueldad se la niega, dejándole casi solo en su ínsula, junto a otros caballeros como él (Agrajes y Grasandor) a la espera de la muerte de sus «viejos», con lo que puedan heredar el reino.

De todos modos la ficción consigue sublimar algunos planos del imaginario caballeresco. Amadís triunfa en todas las acciones que acomete, y se pone énfasis en aquellas que individuos de la vida real, como Boucicaut, habían fracasado. La terrible derrota de la caballería en Nicópolis, donde Boucicaut cae prisionero, se sustituye por la importante victoria de Amadís en la batalla de los Cien Caballeros, donde casi se destruye el poder del rey Arábigo; la infinita torpeza del mariscal francés en su gobierno genovés (que condujo entre otras cosas a vender Pisa a Florencia) se sustituye por un gobierno perfecto en la Ínsula Firme; finalmente, la derrota de la caballería francesa en Azincourt, donde Boucicaut cae prisionero de Enrique V de Inglaterra, se sustituye con la victoria ante el rey Lisuarte de la Gran Bretaña. La novela es una auténtica contrarrealidad, un experimento de ficción para mostrar lo inútil de los actos humanos, pues el resultado de una vida victoriosa como la de Amadís y la de una vida fracasada como la de Boucicaut es exactamente el mismo: el retiro obligado en un pequeño lugar de la Gran Bretaña, sometido al terrible mal del siglo XV, la melancolía.

Rodríguez de Montalvo se vuelve realmente elocuente cuando empieza a discurrir sobre cosas trascendentales. El tercer gran elemento que introduce en esta extensa novela está constituido por una serie bastante abundante de digresiones de carácter moral y político cuyo

principal objetivo reside en mostrar la falsedad de la caballería te-
rrenal. El sermoneo del medinés es la ruina de su obra. Encajados
a la fuerza, en ocasiones incluso sin demasiada conexión con la his-
toria que narra, estos ampulosos comentarios sobre las costumbres
de una época dominada por graves vicios, como la codicia y la so-
berbia, que afectan por igual a grandes y humildes,[34] constituyen
sin duda esas tópicas ideas-pensamientos que suelen asaltar en forma
de horribles pesadillas una mente provinciana, como la de este pobre
regidor —actitud que en nada impide el hecho de ser Medina del
Campo una población próspera y cercana a la inquietante Vallado-
lid de finales del siglo XV.

La postura de Rodríguez de Montalvo sobre la evolución de las
costumbres en su despiadado país se extiende gratuitamente al ideal
caballeresco. Deslumbrado por el esplendor de un pasado que desco-
noce y al mismo tiempo deseoso de desmitificarlo, plantea las dudas
de Amadís en la Peña Pobre[35] como una auténtica valoración del
Ritterrenaissance: *este tipo de hombre nuevo que se interroga con*
amargura, y cierto patetismo, sobre el valor de la vida y la muerte,
la fortuna y la desgracia, el servicio a la corte y su recompensa, y
que no comprende por qué el amor a la mujer, esa pasión que incita
a vivir y cuya ausencia provoca la más agotadora tristeza, no es
simplemente eso que creía ingenuamente en un principio, una sim-
ple comedia de la carne. Por este mismo camino, cada objeto que le
permita confirmar su acerada crítica ante el mundo exterior será
objeto de comentario, ya sea la generosidad o la indecisión política
de los reyes ante la presencia de estos jóvenes andantes, o, sencilla-
mente, la levedad del comportamiento caballeresco, eso que llama li-
viandad,[36] que sin duda entiende como el origen de la inestabili-
dad de su época.

Sería con todo una tarea inútil seguir con detalle todas las di-
gresiones de Montalvo. Si su público las aceptaba sin protestar, nadie
debería culpar a este torpe funcionario que mirase con recelo aquel
violento mundo donde se fraguaban las empresas literarias de la
aristocracia y la caballería y que desde principios del siglo XVI se
exhibe como una máscara elegante hasta llegar al espíritu que impreg-
na la Inglaterra Tudor o la Francia libertina anterior al barroco.[37]

34.	*Amadís*, cap. XXXIV, p. 260.
35.	*Amadís*, cap. XLVI, pp. 354-361.
36.	*Amadís*, cap. CIX, p. 940.
37.	J. R. Mulryne & M. Shewring, ed. *War, Literature and the Arts in Sixteenth Century Europe*, Londres, 1989.

¿A qué obedece su actitud? Es difícil saberlo. El historiador siempre se detiene ante la puerta de las intenciones personales que conducen a modelar la realidad social y política en función de los prejuicios más inconfesables. Tenemos un tenue indicio en la opinión de un contemporáneo suyo, si es que podemos estar seguros de ello. Se trata del retrato que Pedro Machuca hizo del regidor medinés (en el interior de un Descendimiento de la cruz que hoy se conserva en el Prado), donde se puede ver al característico hombre de rasgos duros que mira con acidez al mundo. Es posible que esa energía que despiden sus ojos se utilizara en más de una ocasión para probar el carácter superfluo de una existencia ligada a las andanzas caballerescas y que, siguiendo el esquema tradicional de la reprobatio al final de una exposición en apariencia favorable, determinase que las acciones de estos encumbrados y sofisticados caballeros eran tan sólo vanidad.[38] Rodríguez de Montalvo nunca se abstiene por modestia de mencionar los detalles de su participación. Después de agotar su acopio de impresiones, se permite concluir al final de su último (y más personal) libro, el cuarto, con las siguientes palabras: «donde aquí se puede notar que, faltando en las grandes roturas personas que con buena intención se muevan a poner remedio, vienen y se recreçen muertes, prisiones, robos, y otras cosas de infinitos males».[39]

Muchos quizá piensen que no deberían tenerse demasiado en cuenta sus digresiones, pues es muy posible que el primitivo Amadís careciera de ellas; pero cuando volvemos al retrato que pintó Machuca me parece ver un guiño imperceptible en los ojos de este regidor, vestido de caballero y a la moda del siglo XVI que, en la tristeza de su rostro, manifiesta el inequívoco desdén de quien espera convencer a los demás de lo inútil de una vida que no esté al servicio de una monarquía sólida y autoritaria. No creo que hubiera mucho más en su cabeza. De ahí que el misterio que despiden sus comentarios son una delicada trampa para un público que confía en la novela frente al sermón o el tratado moral de corte humanístico. Muchas vidas se torcieron al creer no ya las convulsiones emotivas de Galaor o Florestán, sino el equívoco destello moral del medinés. Cervantes, tan atento a todo lo que emergía de esta literatura, tuvo que poner manos al asunto para acabar con esa confusión, tan es-

38. Idea que desarrolló al máximo en las *Sergas de Esplandián,* cf. M. R. Lida de Malkiel, «Dos huellas del Esplandián en el Quijote y el Persiles», *Romance Philology,* IX, 1955, pp. 156-162.

39. *Amadís,* cap. CXXXII p. 1166.

pañola, entre el leve ondular de vidas imposibles (como las de Amadís) y la opaca realidad dominada por los más conservadores principios morales.

Y finalmente, las mujeres. Éste es sin duda el cuarto elemento que interviene en la refundición llevada a cabo por Rodríguez de Montalvo. El mundo femenino constituye en el Amadís un mundo aparte. Ellas permanecen al margen de la vida errante y de las intrigas políticas, sin entender demasiado bien los impulsos masculinos. Son mujeres que miran desde las finiestras y los adarves las acciones de los caballeros andantes, sus amigos y amantes, y lo hacen con preocupación y a veces incluso con espanto.[40] Esta actitud las conecta con lo mejor de la cultura cortés, donde la mujer «ventanea» con el fin de participar en el mundo masculino.[41] Naturalmente hay otras, fuera de este selecto grupo, que dedican su tiempo a tareas propiamente masculinas. Montaraces, cuyas acciones proyectan una minúscula sombra sobre el mito de Boudica en la cultura europea.[42] Es el caso de Andandona,[43] cuya brusca aparición compite con su trágico final. ¿Buscaremos otros ejemplos, siempre en esta línea y mediante susurros de lo que había sido un magnífico mito? No merece la pena. Esta novela sólo se interesa de verdad por aquellas mujeres que se muestran según las normas corteses, atendiendo las acciones masculinas, dejándose cautivar por ellas. El medinés sin embargo comparte la aversión de los moralistas por las efusiones afectivas. Le parece más fácil describir el complejísimo entramado de los sentimientos, incluso los femeninos, que aportar dos o tres ideas nuevas sobre lo que realmente siente como la parte cachée de la sociedad. Además, en el delicado asunto que necesita ordenar, la pasión femenina está fuera de lugar. Después de todo no se puede pedir a un regidor en Castilla lo que no quiso hacer un gran novelista en Ferrara.

Las mujeres en el Amadís son intuitivas, como Corisanda, la amiga de Florestán, que somete a este hombre, el de más entidad en toda la novela, a un perfecto diseño de su personalidad; abnegadas, como Aldeva, la frágil muchacha de ojos verdes que se entrega, enamorada, a Galaor; patéticas como Oriana, consumida por los celos

40.	Amadís, cap. XIII, p. 111.

41.	J. E. Ruiz Doménec, La mujer que mira. Crónicas de la cultura cortés, Barcelona, 1986.

42.	A. Fraser, Boadicea's Chariot. The Warriors Queens, Londres, 1988.

43.	Amadís, cap. LXV, p. 582.

*y por su deseo de ser la mejor de todas; brillantes, como Briolanja,
que sabe reírse de su adversidad y de su amor no correspondido;
silenciosas como Mabilia, siempre al lado de su amiga, observando
un mundo que le resulta enojoso; entrañablemente ingenuas, como
Grasinda, que, enamorada del héroe, sólo aspira a recordar el tiempo en que pudo ser suyo; inquietantes como Grovenesa, que mantiene una «mala costumbre» (nunca sabemos en realidad de qué se
trataba, lo cual demuestra a las claras que el autor no se ha leído
el* Perlesvaus *o el* Lancelot *en prosa o, en cambio, que los conoce
demasiado bien y evita este tipo de historias de campos húmedos y
paisajes fluviales* [44]*); enigmáticas como Olinda, de la que nunca se
sabe por qué logró atraer al belicoso Agrajes. Un grupo numeroso, a
veces divertido, siempre atento a las idas de los caballeros, sus amantes en secreto, ordenando sus cosas en una suave pendiente hacia el
exterior, ese espacio donde están los padres, los hombres de confianza, más allá de esos huertos donde suelen refugiarse largas tempo-
radas para recomponer su alterado espíritu o mantener peligrosas
relaciones que terminan por producirles inoportunos embarazos.* [45]
*Pocas cosas sabemos en realidad de ellas, de sus preocupaciones per-
sonales, al margen de lo que opinen de los muchachos que las aco-
san. Rodríguez de Montalvo penetra en contadas ocasiones en el espacio privado de la mujer. Lo hace tan sólo cuando Urganda la
Desconocida —una mujer oscura, vidente, que ofrece regalos «mági-
cos» a los caballeros que ella estima y que aparece y desaparece a
su antojo, como si de una bruja, hada, o diosa se tratase— acude a
la corte para vaticinar de una forma muy oscura algún aconteci-
miento futuro. Una vez expuesto el acertijo y mientras los hombres
permanecen absortos ante lo que ha dicho, ella se retira con las mujeres a sus aposentos. Entonces el novelista la sigue y podemos contemplar, aunque muy livianamente, la realidad del espacio privado
de la mujer. Ellas suelen dormir juntas, a veces incluso en la misma
cama, y aprovechan esa intimidad para hacerse confidencias y exte-
riorizar sus gestos de afecto; un afecto severamente reprimido en el
espacio público, masculino. Educadas según principios que podemos
encontrar en los consejos del caballero de La Tour Landry, saben
leer, escuchar música, discutir y sobre todo observar atentamente lo
que hacen los hombres, sus compañeros, sus antagonistas. El perfil
de sus actuaciones íntimas es el fondo de una serie de interrogantes*

---

44. Sobre las malas costumbres, cf. J. R. Ruiz Doménec, *Mujeres ante
la identidad. Siglo XII.* Bellaterra, 1987.
45. *Amadís,* cap. LIII, p. 105 y ss.

que nunca obtienen respuesta. El lugar entero que ellas frecuentan parece un inmenso enigma donde se puede perder cualquier caballero andante. El fracaso del regidor es notable, aunque no superior al de otros escritores de su tiempo. Simples destellos en medio de insinuaciones que se esfuman. ¿Por qué ese espacio privado sigue siendo tan inquietante?

JOSÉ ENRIQUE RUIZ DOMÉNEC

II.   LA ESTÉTICA LITERARIA DEL «AMADÍS»

El Amadís *de Montalvo no es una obra original. Se trata de una copia de antiguas versiones, por desgracia perdidas, salvo unos fragmentos cuya brevedad impide extraer amplias conclusiones sobre la tarea de refundición, de corrección y enmienda, realizada por el regidor de Medina del Campo. A pesar de todo, la lectura del* Amadís *proporciona una inmediata impresión de modernidad, la del siglo XVI, y se comprueba una inmensa distancia entre esta obra y sus modelos medievales. Ciertamente, la invade un tono diferente, un espíritu que muy poco tiene que ver con los antiguos relatos de caballerías. Y al mismo tiempo, al llegar al capítulo LXVIII del libro tercero, a la escena en que aparece Brontaxar de Anfania, resuenan las antiguas palabras, aquellas copiadas en un manuscrito de principios del siglo XV. La sombra del* Amadís *primitivo siempre se prolonga, cuando un crítico se enfrenta a esta extraña obra; extraña por su peculiar origen y destino. Pero no es sólo la sombra de su pasado, sino también sus deudas literarias lo que inquietan, aquellas que mantiene con la gran tradición artúrica francesa. Y sin embargo el* Amadís *no es una novela artúrica. En su estadio final, que es en el que la conocemos, en la impresión de Zaragoza de 1508, el* Amadís *se nos ofrece como una obra plenamente renacentista, donde las ruinas se han colocado en un paisaje con perspectiva. De esa combinatoria entre lo antiguo y lo moderno parece surgir la estética propia de esta obra literaria.*

La historia del Amadís de Gaula *transcurre en un escenario y en un período cronológico bien establecido en el texto. Todo ocurre en la Gran Bretaña, Escocia, la Pequeña Bretaña, esto es, en el mundo bretón, aunque no en época del rey Artús, sino antes. «No muchos años después de la passión de nuestro redemptor y salvador*

Jesuchristo fue un rey cristiano...» [1] *Así comienza la obra que renuncia a convertir la corte del rey Artús en el centro de la errancia caballeresca. El rey que gobierna Gran Bretaña es Lisuarte, y, aunque en el relato no aparezca como antepasado directo del mítico dux britonnum, hay una clara intención de relacionar ambas épocas. Las relaciones se establecen de modos diversos: se alude directamente a «la venida del muy virtuoso rey Artús»,* [2] *en otra ocasión se compara un acto del propio Amadís y el de un héroe de la tradición artúrica, el Tristán de la novela en prosa,* [3] *también se consigue el paralelismo mediante una alusión al tema del Graal,* [4] *pero el modo más eficaz de establecer los contactos entre ambos períodos consiste en situar los orígenes genealógicos de uno de los caballeros más famosos del Lancelot en prosa en uno de sus personajes.* [5] *Así, el tiempo del Amadís no es independiente, sino que se refiere al artúrico en un retroceso a una etapa anterior y, por tanto, en la búsqueda de sus orígenes. Esta penetración en el «antes» corresponde a la tendencia cíclica que se observa, de un modo generalizado, en toda la narrativa medieval, desde la visión retrospectiva en la vida del héroe a sus enfances, hasta las incursiones genealógicas por las cercanas o remotas generaciones. No obstante, el Amadís se remonta a los orígenes de todo un mundo, el artúrico, y, en ese sentido, procede de un modo semejante a cómo lo hicieron las novelas caballerescas francesas del siglo XIV. Posiblemente también respondiera a las mismas causas.*

A finales del siglo XIII el género artúrico parecía ya agotado. Las posibilidades narrativas descubiertas por Chrétien de Troyes habían sido explotadas hasta la exhaustividad en los posteriores romans octosilábicos, y reconsideradas en las grandes novelas en prosa. Otros géneros competían, pero la literatura caballeresca se resistía a morir, o, quizá mejor, renacía. El verso se empleó para contar torneos reales, y todavía hacia 1380 un cronista de profesión lo utilizó para escribir una novela artúrica, Meliador. Sin renunciar a la gran tradición, Jean Froissart ideó una manera de no tener que poner en movimiento a los Lancelot, Gauvain, Galehaut, Tristán, Guiron, Perceval, esto es, a los grandes héroes de la novela en prosa, y situó la acción «antes de que los de la Tabla Redonda fueran cono-

---

1. *Amadís*, p. 7.
2. *Amadís*, p. 17.
3. *Amadís*, cap. X, p. 81.
4. *Amadís*, cap. CXXVIII, p. 1100.
5. *Amadís*, cap. CXXIX, pp. 1118-1119.

cidos en el mundo, antes de que se tuviera conocimiento de Merlín, antes de que se supiera algo de sus profecías»; en esta novela todo sucede «nueve o diez años antes», cuando también ocurrieron «hermosas caballerías».[6] Por mucho que algunos críticos hayan querido interpretar Meliador como una obra nostálgica y anacrónica, lo cierto es que su lectura fue seguida en silencio y con placer en una de las cortes más prestigiosas de la época, la corte de Gaston Phébus conde de Foix. Pero no es éste el único relato del siglo XIV abierto a un mundo anterior al de los famosos y ya gastados caballeros de la Tabla Redonda. Se ha conservado una gigantesca historia escrita unos cincuenta años antes que manifiesta una renovación del género mediante este procedimiento. Me refiero al libro de lectura preferido de Eduardo III: Perceforest. La ubicación temporal de esta historia es más enérgica que el Meliador de Froissart y su proyecto más ambicioso: desde la llegada de Alejandro a la isla de Bretaña hasta su cristianización, abarcando así un arco temporal de siete siglos. En un extenso relato de siete libros el anónimo clérigo del condado de Hainaut dio vida a los antiguos antepasados del rey Artús, Lot, Gauvain, Lancelot, Tristán, Merlín. Perceforest es una auténtica prehistoria de la época artúrica.[7] Si esta nueva posición temporal supuso una forma de escapar a la fosilización del género y una efectiva reorientación de la novela caballeresca, habría que aceptar que el Amadís primitivo, el que leyó el canciller Pero López de Ayala, era una obra actual inscrita dentro de las nuevas corrientes de la novela caballeresca francesa del siglo XIV.[8]

Por mucho que algunos escritores abrieran un nuevo espacio temporal, huyendo así de personajes demasiado conocidos y de escenarios anquilosados, la materia artúrica hace su aparición en estas obras que corresponden a una nueva etapa de la literatura caballeresca. Nuevos sentidos conducen la errancia de los caballeros del Perceforest o del Meliador, pero hay infinidad de situaciones que re-

---

6.   Jean Froissart, *Meliador,* ed. de A. Longnon, S.A.T.F., París, 1895, vv. 28-39.

7.   J. Lods, *Le roman de Perceforest. Origines, composition, caractères, valeurs et influence,* Ginebra, Droz, 1951. *Perceforest,* Quatrième partie, t. I y II, ed. de Gilles Roussineau, T.L.F., Ginebra, Droz, 1987 (véase la introducción, t. I, pp. IX-CXIII).

8.   Para todas las menciones del *Amadís* anterior al de Montalvo, véase M. de Riquer, *Estudios sobre el Amadís de Gaula,* Barcelona, Sirmio, 1987, pp. 11-26. Para la evolución del género, B. Schmolke-Hasselmann, *Der arthurische Versroman von Chrestian bis Froissart,* Tubinga, Niemeyer, 1980.

cuerdan al Lancelot *o al* Tristán *en prosa. En el* Amadís *sucede lo mismo. Y éste es un aspecto que ha merecido una gran atención por la crítica y que ha sido resuelto con una enorme eficacia. Ya en 1909 Grace Williams dedicó un excelente estudio a las fuentes literarias del* Amadís *y, desde entonces, nadie ha dudado de la incidencia de la materia artúrica en el relato castellano. El inicio de la historia de* Amadís *y de* Tristán *es muy semejante: los padres de los héroes (el rey Perión en el* Amadís, *Rivalén en el* Tristán) *llegan a las tierras de los reyes vecinos (Garínter/Marc) y engendran un hijo en las mujeres de aquellas tierras (Helisena, hija del rey Garínter/Blanchefleur, hermana del rey Marc), fuera del matrimonio. El hijo cae en las manos de padres adoptivos (Gandales/Roald) para finalmente retornar al hogar y ser reconocido por sus parientes (Perión/Marc). Ambos realizan una primera hazaña para su padre y tío respectivamente, y en ambos casos tiene que ver con Irlanda. Si el esquema inicial de la obra parece reproducir el de la leyenda tristaniana, son muchos los pasajes que ofrecen similitudes con el* Lancelot *en prosa: las propias infancias del héroe, los sueños de Perión y la forma de resolución de su significado (Galehaut), el modo de revelación del amor de Amadís por Oriana (Lancelot por Ginebra), las características de la Ínsola Firme como espacio de prueba a los «leales amadores»* (... Val sans Retour). *En cualquier caso, como señalaba Grace Williams, si el* Lancelot *parecía el modelo fundamental del* Amadís, *otros episodios sugerían otras posibles fuentes, como, por ejemplo,* Amadas et Ydoine, *e incluso aquellas propias de la tradición literaria castellana, como* La Gran Conquista de Ultramar *o la* General Estoria.[9]

La considerable extensión del Amadís *dificulta la precisa fijación de sus fuentes. En realidad parece como si continuamente se escapara a las filiaciones literarias que, de un modo incansable, han sido trazadas por la crítica. Por ejemplo, es sorprendente comprobar cómo una de las costumbres más extrañas que se encuentran descritas en el* Amadís *constituye una imagen conocida en la tradición artúrica, al menos desde el Perlesvaus. En el Libro III,* Amadís *llega a Grecia y se encuentra con un tal Bradansidel, cuya costumbre consiste en obligar al caballero vencido a cabalgar «aviessas», es decir, del revés, «llevando la cola en la mano por freno y el escu-*

---

9. Grace Williams, «The *Amadís* Question», *Revue Hispanique*, XXI, 1909, pp. 1-154; para la relación con la tradición castellana, véase J. D. Fogelquist, *El* Amadís *y el género de la historia fingida*, Madrid, Porrúa, 1982.

do al revés».[10] *Como hace notar Martín de Riquer, Montalvo ha resumido este pasaje según se ha conservado en un fragmento del* Amadís *primitivo, donde el héroe dice a Bradansidel después de vencerle: «Vos me prometistes que me mataríades o que me faríades levar el escudo al cuello, el cospe contra suso et el blocar contra yuso, e que me faríades levar el rrabo del cavallo en la mano por freno.»* [11] *La rara figura del caballero cabalgando «al revés» había servido en* Perlesvaus *para encarnar al Caballero Cobarde; éste cabalgaba* en molt sauvage maniere, ce devant derriere e portoit le pié de son escu desus e le chief desoz.[12]

Ciertamente, la amplitud de la materia del Amadís *parece siempre susceptible de conducir a nuevas fuentes; las semejanzas se encuentran por todas partes, y hay muchas situaciones e imágenes que parecen repeticiones con las variantes propias de la intertextualidad que siempre existió en el interior del género artúrico.*[13] *Por ejemplo, en el Libro I un caballero llega a la corte del rey Lisuarte con dos objetos: una corona y un manto. El manto «conviene ... más a muger casada que a soltera; que tiene tal virtud, que el día que lo cobijare no puede aver entre ella y su marido ninguna congoxa».*[14] *La virtud del manto resulta enigmática si nos atenemos estrictamente a este texto; adquiere, sin embargo, cierta comicidad si se relaciona con el manto que se prueban las doncellas con amigos en la corte del rey Artús y que se acorta de forma irremediable manifestando de ese modo la infidelidad de las doncellas.*[15] *Éste, como tantos otros pasajes de la obra, proporciona la sensación de que más que de una fuente concreta, el* Amadís *surge de toda una tradición en la que se han madurado, a través de imágenes más o menos fijas, los modos narrativos de concebir situaciones. Y, en efecto, en la obra aparecen imágenes que no son atribuibles a una obra específica, sino que simplemente pertenecen al acervo común de la tradición artúrica. Un solo ejemplo: la visión del caballero muerto armado de todas sus armas. Amadís, Galaor y Bruneo cabalgan hacia Vindilisora. Por el camino llegan a una «encruzijada de caminos donde avía un árbol*

---

10. *Amadís,* cap. LXXII, p. 683.
11. M. de Riquer, *op. cit.,* pp. 162-163.
12. *Perlesvaus,* ed. W. Nitze y T. A. Jenkins, Chicago, 1932, p. 78, 1353-1357.
13. Ch. Méla, *La reine et le Graal. La conjointure dans les romans du Graal, de Chrétien de Troyes au Livre de Lancelot,* París, du Seuil, 1984.
14. *Amadís,* cap. XXIX, p. 227.
15. Raoul de Houdenc, *La Vengeance de Raguidel,* ed. de M. Friedwagner, Halle, 1909 (rep. Slatkine, 1975), p. 113, vv. 3928-3960.

grande, y vieron debaxo dél un cavallero muerto en un lecho asaz rico, y a los pies tenía un cirio ardiendo, y otro a la cabecera, y eran por guisa fechos que ningún viento por grande que fuesse no los podía matar; el cavallero muerto estava todo armado y sin ninguna cosa cubierto, y avía muchos golpes en la cabeça, y tenía metido por la garganta un troço de lança con el fierro que al pescueço le salía; y ambas las manos en él puestas, como que lo quería sacar...».[16] Sería inútil buscar un solo pasaje semejante a éste o determinar la fuente de donde procede. Son infinitos los relatos artúricos donde aparece la misma imagen, que además posee una lógica, es decir, provoca siempre una misma actitud en el caballero que fija su mirada en el trozo de la lanza metido en el cuerpo del muerto, y ésta es la venganza. Por ello, es esperable la respuesta de Galaor, pues, aunque todos tengan mucha prisa en llegar a Vindilisora, él no puede dejar de decir: «Yo lo juro, por la fe que de cavallería tengo, de no partir de aquí hasta saber quién es este cavallero o por qué fue muerto, y de lo vengar si la razón y justicia me lo otorgaren.»[17] Una postura razonable dentro de los tipos de comportamientos establecidos en la novela artúrica, como tantos otros que emergen en el Amadís: el constante enfrentamiento de los caballeros andantes con las «costumbres» que mantienen ciertos personajes, el necesario compromiso de otorgar un don aunque no se sepa de qué se trata, la justa por la amiga más hermosa. Son todas estas situaciones las que suscitan la impresión de un déjà vu, y de cuya creación no es responsable un autor solo, ni siquiera anónimo. Y no obstante, en algún breve episodio, en alguna rápida descripción, no sólo destaca una semejanza temática, sino un idéntico modo de escritura, que fuerza a pensar en influencias directas. Por ejemplo, un detalle tan concreto como puede ser el escudo de Bruneo de Bonamar y que en la obra se encuentra descrito en dos ocasiones, se resuelve de una forma idéntica en imagen (una doncella y delante de ella un caballero arrodillado) y en palabras (... «figurada una donzella, y ante ella un cavallero armado de ondas de oro y de cárdeno, y semejava que le demandava merced»[18] / «... una donzella figurada en el escudo, y un cavallero hincado de rodillas delante, que pareçía que le demandava merced»[19]), casi las mismas a las utilizadas para describir el escudo de Lancelot en l'ille de Joie («et el milieu ou la

---

16. *Amadís,* cap. XXIV, p. 200.
17. *Amadís,* cap. XXIV, p. 200.
18. *Amadís,* cap. LXXIX, p. 782.
19. *Amadís,* cap. CIX, p. 942.

boucle devoit estre avoit painte une royne d'argent, et devant li avoit paint un chevalier qui estoit a genouls aussi comme s'il criast mer-chi» [20]*). La semejanza de ambos escudos es tan acusada que Mar-tín de Riquer se atrevió a asegurar que «aquí el* Amadís de Gaula *se inspira directamente en un pasaje del Lancelot».* [21] *Uno casi se ve tentado a hablar de traducción: el orden de las palabras, el ritmo de la frase, los propios conceptos, parecen derivar del original fran-cés. Pero este original no tenía por qué ser necesariamente el* Lan-celot. *Encuentro en el* Perceforest *otra descripción de un escudo tan similar al de Lancelot como al de Amadís: «Et vous advertis qu'il portoit ung blancq escu armoié d'un chevalier qui estoit a ge-noulx devant la rouyne comme s'il lui requist mercy.»* [22] *En los tres escudos (Lancelot, Bruneo, el caballero del* Perceforest*) los colores son distintos (negro, verde, blanco) y, en cambio, se repite la misma figura del caballero ante la dama (reina, doncella, reina), arrodilla-do («qui estoit a genoulx», «hincado de rodillas delante») y sobre todo, «que parecía que demandava merced», «aussi comme s'il criast merchi», «comme s'il lui requist mercy». En los temas, los motivos, hasta en las expresiones y las palabras se perfilan las huellas de un pasado literario que han quedado impresas en esta obra. Surgi-da, con toda probabilidad, en una etapa de reorientación de la ma-teria, en la época de los* Perceforest *y* Meliador, *quizá fuera tam-bién permeable a otros experimentos como el ciclo troyano, quizá, como pensó Maria Rosa Lida, en lo que se refiere al armazón gene-ral;* [23] *pero no hay duda de que sus «gestos» son artúricos, enten-diendo «lo artúrico» como un arte narrativo, con su manera propia de organizar el relato; y también en este último aspecto revela el* Amadís *las huellas de lo artúrico, aunque aquí se comprueba una remodelación más intensa.*

Justamente, la construcción general del relato denota la tensión entre lo antiguo, la forma artúrica, y lo moderno, que de un modo irremediable hay que atribuir a la tarea restauradora de Montalvo. En el Amadís *sobreviven los restos de una estructura artúrica. Hay algunas formas de ordenar la historia, es decir, de crear núcleos, partes con principio y final, establecer cesuras o pausas, que la di-*

20.   H. O. Sommer, *The Vulgate Version of the Arthurian Romances. Vol. V. Le Livre de Lancelot del Lac, Part III,* Washington, 1912, p. 403, 14-16.
21.   M. de Riquer, *op. cit.* p. 177.
22.   *Perceforest,* ed. cit. IVème partie, t. I., p. 29.
23.   M. R. Lida, «El desenlace del *Amadís* primitivo», *Romance Philo-logy,* vol. VI, 1952-1953, pp. 283-289.

señan como las antiguas novelas francesas del siglo XIII. Persisten algunos elementos intactos, muy pocos; en general, el trazo se ha debilitado, bien porque se le haya desprovisto de su función inicial, ya sea porque se encuentra intensamente rectificado. Entre las formas artúricas conservadas sobresale la corte del rey Lisuarte, auténtico centro al que llegan y del que salen los caballeros, y principio y fin de conjuntos de aventuras. Posee esta corte unos rasgos que la asimilan a la corte de Artús;[24] la aparición de la Ínsola Firme no constituye una alteración de la forma artúrica, pues en la novela francesa ya se había considerado la posibilidad de apertura de dos espacios concurrentes (por ejemplo, los dos Camalot del Perlesvaus). En cambio, en el Amadís aparece con claridad un procedimiento típico de la novela artúrica, cuya función original se encuentra muy deteriorada: el empleo por parte del héroe de varios nombres. A lo largo de los cuatro libros, Amadís va cambiando de nombre: llamado por Darioleta «Amadís sin Tiempo» (cap. I), recibe de su padre adoptivo Gandales el nombre de Doncel del Mar, y así se llamará hasta el reconocimiento de su identidad por parte de sus padres, después de su primera hazaña caballeresca, la batalla judicial con el rey Abiés de Irlanda (cap. X). Al comienzo del Libro II, en su retiro a la Peña Pobre, recibe el nuevo nombre de Beltenebrós (cap. XLVIII), que utilizará hasta la batalla de Lisuarte contra Cildadán (cap. LVIII). A lo largo de casi todo el libro tercero, Amadís se hace llamar en tierras extranjeras Caballero de la Verde Espada o del Enano (cap. LXX). De regreso ya en la Gran Bretaña, Amadís se presenta como el Caballero Griego, defendiendo la hermosura de la griega Grasinda sobre todas las doncellas de la corte de Lisuarte (cap. LXXVII). Parece que los caballeros «cambian de nombre cuando les viene en gana», como decía Sancho, y, en efecto, los diversos nombres del Amadís son bastante arbitrarios. Aunque en general corresponden a etapas diferentes en su proceso vital, sería exagerado sostener que indican de un modo simbólico un proceso de iniciación y transformación del héroe, como ocurrió en las antiguas novelas francesas.[25] Así, por ejemplo, el episodio de la Peña Pobre del Libro II corresponde claramente a la segunda parte del modelo clásico en la novela artúrica, la crisis del héroe, una

---

24. F. Weber de Kurlat, «Estructura novelesca del Amadís de Gaula», en *Revista de Literaturas Modernas*, 5, 1967, pp. 29 54.

25. A, Fierz-Monnier, *Initiation und Wandlung. Zur Geschichte des altfranzösischen Romans in zwölften Jahrhundert von Chrétien de Troyes zu Renaut de Beaujeu*, Berna, 1951.

detención en su movimiento, una ruptura con lo anterior y una consecuente transformación. Pero el retiro de la civilización no sirve a Amadís para revisar sus comportamientos éticos ni morales, sino que simplemente constituye una espera a la supresión de un error, que además no procede de él. La obra se construye a partir de unos cimientos aprovechados para ir enderezándose con elementos que rectifican el diseño inicial.

La rectificación consciente y voluntaria de un procedimiento estructural artúrico la encuentro en el modo de emplear la técnica del entrelazamiento. Desde el Perlesvaus *y con mayor intensidad en el* Lancelot *en prosa, la historia se ramificaba en múltiples portadores de acción, dando así lugar a multiplicidad de historias, lo que concedía al relato una profunda complejidad narrativa y una estética particular.*[26] *En la novela en prosa el esquema estructural de la* queste *(la búsqueda de un caballero, de un objeto) facilitaba la entrada en la acción de diversos personajes, y mientras uno estaba eclipsado, desaparecido, otro lo buscaba contándose entonces sus aventuras. En el* Amadís *no faltan las búsquedas, pero no siempre se narran las historias de los que buscan. Seguimos a Galaor en su búsqueda del extraño caballero de la floresta (cap. XLI), pero nada sabemos de las aventuras de Bruneo de Bonamar y Angriote de Estraváus hasta llegar a las tierras lejanísimas donde se encuentra Amadís (cap. LXXXV). El Libro I parece la parte de la obra que con mayor fidelidad responde a la construcción fundamentada en el entrelazamiento, porque, aunque el hilo principal se centre en Amadís, se van desgajando lentamente otras ramificaciones que corresponden a otros personajes. Junto a la vida de Amadís se va desplegando la de Galaor, que recorre caminos paralelos; al lado de ellos, emerge la figura de Agrajes, el primo hermano, y de su tío Galvanes. El entrelazamiento ordena el relato de estos cuatro personajes, que pronto se amplía con la sorprendente aparición de Florestán al final de este Libro I (cap. XLII), rompiéndose así la estructura binaria. Todo un grupo parece el gran protagonista de este gigantesco relato, como se determina al final de la obra en la organización de los matrimonios; un grupo de caballeros formado por Amadís, Agrajes, Bruneo, Grasandor, Cuadragante, Florestán, Galaor, o sea, los caballeros que reciben mujeres. Y, sin embargo, las historias de estos personajes son fragmentarias, casi parecen cortadas. Montalvo no*

---

26. E. Vinaver, *The Rise of Romance*, Oxford, 1971, pp. 68-78; H. Bloch, *Etymologies and Genealogies. A Literary Anthropology of the French Middle Ages*, Chicago, 1983, pp. 212-217.

debió de encontrar el gusto al mundo laberíntico originado por el entrelazamiento. En pleno relato de la batalla del rey Lisuarte contra Galvanes sin Tierra en la Ínsola de Mongaça, el narrador interviene para afirmar: «Y porque no atañe mucho a esta istoria contar las cosas que allí passaron, pues que es de Amadís, y él no se halló en esta guerra, cessará aquí este cuento.»[27] *A Montalvo el entrelazamiento le parecía demasiado «prolixo», innecesario. Si se continúa buscando en la tradición artúrica las claves de composición de la obra, se encuentra otro elemento que en el siglo XIV sirvió para concentrar los núcleos de acción: los torneos, que en el* Amadís *están sustituidos por las batallas judiciales. En el* Perceforest *o en* Meliador *los torneos son las escenas centrales de extensos tapices.*[28] *Sirven para concluir acciones e iniciar otras; constituyen además objetos de atención en el escritor que se recrea en escenificar la acción con toda suerte de detalles. En el* Amadís *las batallas judiciales se encuentran esparcidas a lo largo de todo el relato y las primeras (la de Amadís/Abiés, Amadís/Dardán, la de Amadís y Agrajes contra el rey Abiseos y sus hijos en el reino de Sobradisa, todas ellas en el Libro I) también son elementos organizadores de una acción que se abre desde el momento en que se anuncia la batalla y se cierra cuando ésta tiene lugar. Pero lentamente se va diluyendo la función estructural de las batallas; a medida que avanza el relato se hacen más escasas, y parece como si el narrador perdiera interés en ellas. Están ahí, como un dato más, como uno de los restos antiguos de la obra. Esto sólo puede percibirse si se comparan las descripciones de las batallas en el* Amadís *con las que aparecen en los relatos caballerescos del siglo XIV, donde toda la intención narrativa se concentra precisamente en ellas. Hace ya mucho tiempo J. Huizinga advirtió acerca del carácter plástico de la literatura de la caballería «otoñal»;*[29] *en un estudio reciente, M. Stanesco ha tratado de comprender los valores de una escritura «visual», de su esfuerzo «mostrativo», entendiéndolo como un rasgo propio de la estética literaria del gótico flamígero.*[30] *El* Amadís *constituye*

---

27. *Amadís,* cap. LXVII, p. 612.

28. P. F. Dembowski, *Jean Froissart and his Meliador. Context, craft, and sense,* French Forum, Publishers Lexington, Kentucky, 1983, páginas 60-102.

29. J. Huizinga, *El otoño de la Edad Media,* Madrid, Revista de Occidente, 1946 (1a. ed. 1919), p. 426.

30. M. Stanesco, *Jeux d'errance du chevalier médiéval. Aspects ludiques de la fonction guerrière dans la littérature du Moyen Age flamboyant,* Leiden, Brill, 1988, p. 225.

un caso excepcional para comprender la distancia entre esa estética antigua y otra moderna, ya desinteresada por la reproducción plástica de la acción. Un fragmento del manuscrito de principios del siglo XV permite comparar la resolución de una escena al «modo primitivo» y a la «manera de Montalvo». Es una escena microscópica, un instante en un proceso de larga duración, pero desvela una composición resuelta según normas estéticas diferentes, aquella que dominaba aquel Amadís primitivo, y otra nueva de la que se dejó impregnar el refundidor. Se trata de la figura de Brontaxar de Anfania cabalgando por el campo de batalla. En la versión primitiva se describe del modo siguiente: «Et Amadís alçó la cabeça et vio venir contra aquella parte do él estava a Brontaxar et venía feriendo et derribando cavalleros de su espada et cuando él dexava el ferir de la espada tan bravamente tomava a manos de los braços, que non fallava cavallero que non derribase de la silla, et traýa el espada prendida por una cadena de fierro por el braço et cuando quería travar a manos dexávala et después cobrávala cuando quería, et con ella fería, et todos le dexavan el campo por do él iva et alongávanse dél...»[31] Ese ir cabalgando, combatiendo unas veces con la espada, otras dejándola colgar de la cadena y luchando con las manos, se reconstruye literalmente en la descripción donde no importa repetir, ni siquiera destruir el orden «lógico» de la acción si esto sirve para visualizar mejor la imagen. El orden de las palabras está sometido a la composición plástica, porque la escena debe ser mostrada ante los ojos de un auditorio. Estas impresiones se suprimen en la refundición de Montalvo, mucho más «ahorrativo» en su descripción: «Amadís bolvió la cabeça, y vio venir contra aquella parte do él estava a Brontaxar d'Anfania, firiendo y derribando cavalleros con su spada; y algunas vezes la dexava colgar de una cadena con que travada la tenía, y tomava a braços y a manos los cavalleros que alcançava, assí que ninguno le quedava en la silla y todos se alongavan dél fuyendo.»[32] El pasaje es mucho menos repetitivo, más sintético, pero también la imagen visual es mucho menos poderosa. El ejemplo es minúsculo, aunque creo que significativo de las exigencias de modernización de la obra original, que no sólo se aprecian en las abreviaciones. Si Montalvo resumió como se deduce de los breves fragmentos del manuscrito de principios del siglo XV, no hay duda de que también amplió allí donde le pareció bien. El re-

31. A. Rodríguez Moñino, «El primer manuscrito del *Amadís de Gaula*», *BRAE*, XXXVI, 1956, pp. 208-209.
32. *Amadís*, cap. LXVIII, p. 629.

fundidor interviene constantemente a lo largo de todo el Amadís. *En estas intervenciones se manifiesta su estilo, de corte humanista, que en muchas ocasiones también trasladó a la propia materia, tiñéndola de unos colores que, a veces, la hacen irreconoscible. Montalvo fuerza el orden de las palabras, lo somete al ritmo latino (oraciones con infinitivo, verbo al final de la frase, participios absolutos);*[33] *pero no sólo es interesante apreciar su estilo, sino también su situación en el interior de la historia narrada. Un solo ejemplo:* «Oído esto por Oriana, veniéndole en la memoria que con tan gran afición la licencia Amadís le demandara, dando entera fe aquello que el enano dixo, la su color teñida como de muerte y el coraçón ardiendo con saña, palabras muy airadas contra aquel que en ál no pensava sino en su servicio, començó a dezir, torciendo las manos una con otra, cerrándosele el coraçón de tal forma, que lágrima ninguna de sus ojos salir pudo, las cuales en sí recogidas muy más cruel y con más turable rigor le hizieron, que con mucha razón aquella fuerte Medea se pudiera comparar cuando al su muy amado marido con otra, a ella desechando, casado vio. Pues a esto los consuelos de aquella muy cuerda Mabilia, dados por el camino de la razón y verdad, ni los de su donzella de Denamarcha ninguna cosa aprovecharon; mas ella siguiendo lo que el apassionado seso de las mugeres acostumbra por la mayor parte seguir, cayó en un yerro tan grande que para su reparación la misericordia del Señor muy alto fue bien menester.»[34] *Es éste un perfecto ejemplo de la prosa de Montalvo, de un estilo ampuloso, lleno de repeticiones retóricas, que no sólo le cautivó a él, sino a generaciones posteriores. Si en la descripción de Brontaxar se mostraba despreocupado, ahora en cambio se recrea en su propia escritura. Contempla el dolor de Oriana, como se contemplan a los actores en un escenario, en una distancia que es espacial y temporal. Lo compara con el de una heroína antigua, haciendo gala de su cultura clásica, pero en realidad tan «antigua» era Oriana como Medea para el regidor de Medina del Campo. ¿No se mueven sus personajes armados a la moda de dos siglos antes? La antigüedad de la materia es un hecho consciente en el refundidor. Espectador del drama que se desarrolla ante su mirada, lo juzga con sus criterios de valoración de las cosas. Su posición en el interior del relato es semejante a la de un Ariosto, pero a diferen-*

---

33. Lapesa, *Historia de la lengua española*, Madrid, Gredos, 1988 (9.ª ed.), pp. 265-286; F. Domingo del Campo, *El lenguaje en el «Amadís de Gaula»*, Madrid, 1984.

34. *Amadís*, cap. XII, p. 293.

*cia de este último no logra colocar una lente deformante, aquella
surgida de la ironía, plenamente manierista.*

El Amadís de Gaula *es una obra híbrida, entre el goticismo
que deriva de la materia, diluido y difuminado, y una nueva estética que Garci Rodríguez de Montalvo no logró conducir hasta sus
últimas consecuencias. Sin embargo, supo absorber su propio mundo,
el de la caballería renacentista, lo cual, sin duda, motivó la fervoro-
sa acogida de la obra en décadas posteriores. Los aventureros del
Nuevo Mundo lo leían durante sus larguísimos viajes marítimos,
y sirvió de modelo para la creación de todo un género literario,
el libro de caballerías castellano. Vivió, sin embargo, un paradójico
destino: su éxito fue también su ruina, porque de su destrucción
habría de nacer en España la primera novela moderna del Occidente europeo.*

VICTORIA CIRLOT

CRITERIOS DE LA PRESENTE EDICIÓN

*La presente edición reproduce la impresión de Zaragoza de Jorge
Coci del año 1508, que se encuentra en el British Museum con la
signatura C. 20. e. 6 y que por error aparece citada en las ediciones de E. Place y J. M. Cacho Blecua como C. 20.6.*

*Las abreviaturas se han extendido sin hacerlo constar en el
texto. Se ha respetado la ortografía original, aunque haya sido
regulada y modernizada en los siguientes casos y del siguiente
modo:*

*1. Simplificación de las consonantes dobles en interior de pa-
labra sin valor fonológico (honrra = honra).*

2. La y *con valor vocálico se ha transcrito como* i *(leydas
= leídas).*

3. La u *con valor consonántico se ha resuelto en* v *y la* v *con
valor vocálico en* u.

4. La q *se ha transcrito por* c, *según los usos actuales (quan-
do = cuando).*

5. El signo tironiano ha sido sustituido por y.

*6. La puntuación y la acentuación se han fijado según los cri-
terios actuales.*

De gran utilidad para la elaboración de esta edición han sido las anteriores realizadas por Edwin Place y J. M. Cacho Blecua (cit. Bibl.), basadas ambas en la impresión de Zaragoza de 1508.

Urtx, La Cerdaña, 1989-1990. V. C. y J. E. R. D.

CRONOLOGÍA

1434 El Passo Honroso *de Suero de Quiñones.*

1438 *Comienza el reinado de Alfonso V de Portugal.*

1444 *Nace Antonio de Nebrija. Juan de Mena,* El laberinto de la fortuna.

1447 *Segundo matrimonio de Juan II con Isabel de Portugal (son los padres de Isabel la Católica).*

1451 *Nace Isabel la Católica.*

1453 *Los turcos toman Constantinopla.*

1462 *Nace Juana, hija de Enrique IV de Castilla. Comienza la guerra civil catalana.*

1465 *Carlos el Temerario, duque de Borgoña.*

1469 *El rey Enrique IV comienza la campaña granadina. Capitulaciones matrimoniales entre Isabel de Castilla y Fernando de Aragón.*

1471 *Coronación como Papa Sixto IV de Francisco della Rovere.*

1473 *Alfonso Carillo, arzobispo de Toledo, establece el primer «Estudio» en Alcalá de Henares.*

1474 *Introducción de la primera imprenta en España (Valencia). Proclamación de Isabel la Católica, reina de Castilla (13 de diciembre).*

1476 *Jorge Manrique,* Coplas por la muerte de su padre, *Batalla de Toro, en la que Fernando e Isabel derrotan a los portugueses. Diego de Valera,* Doctrinal de los príncipes.

1478 *Últimas treguas con Granada. Sixto IV establece la inquisición en España.*

1479 *Muerte de Juan II de Aragón. Fernando el Católico, rey.*

1481-1482 *Luigi Pulci,* Morgante maggiore.

1482 *Tratado de Arrás, matrimonio entre María de Borgoña y Maximiliano de Austria (abuelos paternos de Carlos V).*

Guerra de Granada: Rodrigo Ponce de León toma Alhama. Garci Rodríguez de Montalvo acude a ella, como regidor. Asedio de Loja. Se imprime el Regimiento de príncipes de Gómez Manrique.

1483   Muere Luis XI de Francia. Sube al trono Carlos VIII. Ricardo III, rey de Inglaterra. Sublevación de Boabdil contra su padre Abu-l-Hasan.

1485   Le Morthe d'Arthur de Thomas Malory, impresa por Caxton. Evangelios y epístolas de Gonzalo García de Santamaría.

1488   Bartolomé Dias dobla el cabo de Buena Esperanza.

1490   Se edita el Tirant lo Blanc de Joanot Martorell y Joan de Galba.

1492   Toma de Granada. Muerte de Lorenzo de Médicis. Descubrimiento de América. Antonio Nebrija publica Gramática sobre la lengua castellana y Diego de San Pedro la Cárcel de amor.

1494   Alejandro VI (César Borgia) otorga a Isabel y Fernando el título de Reyes Católicos.

1495   Gonzalo Fernández de Córdoba, el «Gran Capitán», desembarca en Nápoles. Matteomaria Boiardo publica Orlando innamorato. Juan de Flores, Grimalte y Gradissa.

1497   Jacobo de Benavente, Vergel de consolación. Melilla conquistada por el duque de Medina Sidonia.

1498   Balandro del sabio Merlín. Luis XII, rey de Francia. Diego de Deza, inquisidor general. Expulsión de los judíos de Navarra. Colón llega al Orinoco.

1499   Los franceses ocupan Milán. Revuelta de los mudéjares en el Albaicín de Granada. Primera edición de La Celestina de Fernando de Rojas.

1500   García Jiménez de Cisneros, Exercitatorio de la vida espiritual. Nace Carlos V.

1501   Reparto de Nápoles. Primera edición del Tristán de Leonís. Edición del Fuero real, bajo el cuidado de Alfonso Díaz de Montalvo. Edición completa de La Celestina.

1502   Segunda guerra de Nápoles. El Gran Capitán vence en Seminara. Cuarto viaje de Colón. Se funda el «Estudio» de Sevilla por Rodrigo de Santaella.

1504   Muere Isabel la Católica.

1505   Muere Garci Rodríguez de Montalvo. La Real Chancillería se traslada a Granada. Juana I, reina de Castilla. Conquista de Mazalquivir por tropas castellanas.

1506 *Muere en Valladolid Cristóbal Colón.*
1508 *Primera edición del* Amadís *(impresa por Coci en Zaragoza).* Cancionero *de Ambrosio Montesino.*
1509 *Enrique VIII, rey de Inglaterra. Conquista de Orán por Castilla.*
1510 *Aparecen* Las Sergas de Esplandián. *Fernando el Católico recibe la investidura pontificia como rey de Nápoles.*
1511 *Edición castellana del* Tirant lo Blanc *(impresa en Valladolid).* Cancionero general *de Hernando del Castillo.*

BIBLIOGRAFÍA

PRINCIPALES EDICIONES ANOTADAS

Amadís de Gaula, edición de Pascual de Gayangos (basada en la
edición de Venecia de 1533), Madrid, Biblioteca de Autores
Españoles, vol. XL, 1857 (1925).
Amadís de Gaula, edición de Felicidad Buendía (basada en la edición de Lovaina de 1551), Madrid, Aguilar, 1954.
Amadís de Gaula, edición y anotación por Edwin B. Place (que
reproduce la edición de Zaragoza de 1508), Madrid, Consejo
Superior de Investigaciones Científicas, 1959, 4 vols.
Amadís de Gaula, edición de Ángeles Cardona de Gispert y Joa-
quín Rafel Fontanals (que siguen la edición de Zaragoza de
1508). Barcelona, Bruguera, 1969.
Amadís de Gaula, edición de Juan Manuel Cacho Blecua (que reproduce la edición de Zaragoza de 1508 con algunas correcciones procedentes de las ediciones de Roma [1519], Sevilla
[1529] y Venecia [1533]), Madrid, Cátedra (col. Letras Hispá-
nicas, núm. 255 y 256), 1987.

ESTUDIOS MODERNOS

Alonso Cortés, N., «Montalvo, el del Amadís», en *Revue Hispa-
nique*, LXXXI, 1933, pp. 434-442.
Amezcua, J., «La oposición de Montalvo al mundo del Amadís
de Gaula», en *NRFH*, XXI, 1972, pp. 320-337.
Avalle-Arce, J. B., *Amadís de Gaula. el primitivo y el de Montalvo*,
Madrid, Gredos (anunciado).
— *El nacimiento de Amadís*, en «Essays on narrative fiction in the
Iberian Peninsula in honour of Frank Pierce», Oxford, 1982.

Cacho Blecua, J. M., *Amadís, heroísmo mítico cortesano*, Zaragoza, Cupsa, 1979.
— «El entrelazamiento en el Amadís y en las Sergas de Esplandián», *Studia in honorem M. Riquer*, Barcelona, 1986, I, pp. 235-271.
Curto Herrero, F., *Estructura de los libros de caballerías en el siglo XVI*, Madrid, Fundación March, 1976.
Deyermond, A. D., «The Lost Genre of Medieval Spanish Literature», en *HR*, 43, 1975, pp. 231-259.
Domingo del Campo, F., *El lenguaje en el «Amadís de Gaula»*, Madrid, Universidad Complutense, 1984.
Eisenberg, D., *Castilian Romances of Chivalry in the Sixteenth Century. A Bibliography*, Londres, Grant & Cutler, 1979.
— *Romances of Chivalry in the Spanish Golden Age*, Newart, Delaware, Juan de la Cuesta, 1982.
Fogelquist, J. D., *El Amadís y el género de la historia fingida*, Madrid, Porrúa, 1982.
Gili Gaya, S., *Amadís de Gaula*, Barcelona, 1956.
González, E. R. - Roberts, Jeniffer, T., «Montalvo's recantation revised», en *BHS*, LV, 1978, pp. 203-210.
König, B., «Amadís und seine Bibliographen. Untersuchungen zu frühen Ausgaben des Amadís de Gaula», en *Romanistiches Jahrbuch*, XIV, 1963, pp. 294-309.
Le Gentil, P., «Pour l'interpretation de l'Amadís», en *Mélanges J. Sarrailh*, 1966, pp. 47-54.
Lida de Malkiel, M. R., «El desenlace del Amadís primitivo», en *Estudios de Literatura Española y comparada*, Buenos Aires, 1969, pp. 149-156.
Pierce, F., *Amadís de Gaula*, Boston, 1976.
Place, E. B., «El «Amadís» de Montalvo como manual de cortesanía en Francia», en *RFE*, XXXVIII, 1954, pp. 151-169.
— «¿Montalvo autor o refundidor del Amadís IV y V?», en *Homenaje a Rodríguez Moñino*, Madrid, 1966, pp. 77-80.
Porro, N. R., «La investidura de armas en el Amadís de Gaula», en *Cuadernos de Historia de España*, LVII-LVIII, 1973, pp. 331-408.
Riquer, Martín de, «Las armas en el Amadís de Gaula», en *BRAE*, LX, 1980, pp. 331-427.
— *Estudios sobre el Amadís de Gaula*, Barcelona, Sirmio, 1987.
Rodríguez-Moñino, A. - Millares, Carlo, «El primer manuscrito del Amadís de Gaula», en *BRAE*, XXXVI, 1956, pp. 199-225.
Roubaud, S., «La forêt attente: amour et mariage dans les romans de chevalerie», en *Amours légitimes, amours ilégitimes en Espagne (XVI-XVII siècle)*, París, 1985, pp. 251-267.

Roussinovich de Sole, Y., «El elemento mítico-simbólico en el Amadís de Gaula. Interpretación de su significado», en *Thesaurus,* XXIX, 1974, pp. 129-168.

Scudieri Ruggieri, J., *Cavalleria e cortesia nella vita e nella cultura di Spagna,* Módena, Mucchi, 1980.

Weber de Kurlat, F., «Estructura novelesca del Amadís de Gaula», en *Revista de Literaturas Modernas,* 5, 1967, pp. 29-54.

Williams Grace, S., «The Amadís question», en *Revue Hispanique,* XXI, 1909, pp. 1-167.

AMADÍS DE GAULA

PRÓLOGO

CONSIDERANDO los sabios antiguos que los grandes hechos de las armas en scripto dexaron cuán breve fue aquello que en efecto de verdad en ellas passó, assí como las batallas de nuestro tiempo que nos fueron vistas nos dieron clara esperiença y noticia, quisieron sobre algún cimiento de verdad componer tales y tan estrañas hazañas, con que no solamente pensaron dexar en perpetua memoria a los que aficionados fueron, mas aquellos por quien leídas fuessen en grande admiración, como por las antiguas historias de los griegos y troyanos y otros que batallaron paresce por scripto. Assí lo dize el Salustio,[1] que tanto los hechos de los de Atienas fueron grandes, cuanto los sus scriptores lo quisieron crescer y ensalçar. Pues si en el tiempo destos oradores, que más en las cosas de fama que de interesse ocupavan sus juizios y fatigavan sus spíritus, acaesciera aquella santa conquista que el nuestro muy esforçado rey hizo del reino de Granada,[2] ¡cuántas flores, cuántas rosas en ella por ellos fueran sembradas, assí en lo tocante al esfuerço de los cavalleros, en las rebueltas, escaramuças y peligrosos combates y en todas las otras cosas de afruentas y trabajos, que para la tal guerra se aparejaron, como en los esforçados razonamientos del gran rey a los sus altos hombres en las reales tiendas ayuntados, y las obedientes respuestas por ellos dadas y, sobre todo, las grandes alabanças, los crescidos loores que meresce por haver emprendido y acabo jornada tan cathólica! Por cierto, creo yo, que assí lo verdadero como lo fingido que por ellos fuera recontado en la fama de tan gran príncipe, con justa causa sobre tan ancho y verdadero cimiento, pudiera en las nubes tocar, como se puede creer que por

1. La obra de Salustio se conocía en España a finales del siglo XV a través de dos traducciones: la de Vasco de Guzmán (mediados siglo XV) y la de Francisco Vidal de Noya (1493, realizada a partir de la anterior).

2. El prólogo se escribió, por tanto, en una fecha posterior al 2 de enero de 1492.

los sus sabios coronistas, si les fuera dado seguir la antigüedad
de aquel estilo en memoria a los venideros, por scripto dexaran, poniendo con justa causa en mayor grado de fama y
alteza verdadera los sus grandes hechos, que los de los otros
emperadores, que con más afición que con verdad que los
nuestros rey y reina fueron loados; pues que tanto más lo
merescen, cuanto es la diferencia de las leyes que tuvieron,
que los primeros sirvieron al mundo, que les dio el gualardón, y los nuestros al Señor dél, que con tan conoçido amor
y voluntad ayudar y favorescerlos quiso, por los hallar tan
dignos en poner en esecución con mucho trabajo y gasto lo
que tanto su servicio es; y si por ventura algo acá en olvido
quedare, no quedará ante la su real majestad, donde les tiene
aparejado el gualardón que por ello merescen.

Otra manera de más convenible crédito tuvo en la su historia aquel grande historiador Titus Livius [3] para ensalçar la
honra y fama de los sus romanos, que apartándolos de las
fuerças corporales les llegó al ardimiento y esfuerço del coraçón; porque si en lo primero alguna duda se halla, en lo
segundo no se hallaría, que si él por muy estremado esfuerço dexó en memoria la osadía del que el braço se quemó, y
de aquel que de su propia voluntad se lançó en el peligroso
lago, ya por nos fueron vistas otras semejantes cosas de
aquellos que menospreciando las vidas quisieron recebir la
muerte, por a otros las quitar, de guisa que por lo que vimos
podemos creer lo suyo que leímos, ahunque muy estraño nos
parezca. Pero, por cierto, en toda la su grande historia no se
hallará ninguno de aquellos golpes espantosos, ni encuentros
milagrosos que en las otras historias se hallan, como de aquel
fuerte Héctor se recuenta, y del famoso Achiles, del esforçado Troilos y del valiente Ajaz Thalamón, y de otros muchos
de que gran memoria se haze, según el afición de aquellos
que por escripto los dexaron. Assí éstas como otras más cercanas a nos de aquel señalado duque Godofré de Bullón [4]
en el golpe de espada, que en la puente de Antiocho dio y

3.   Tito Livio, *Décadas* (alusión a los episodios de Cayo Mucio y de
Horacio Cocles). Esta obra fue traducida de una versión francesa por Pero
López de Ayala (segunda mitad del siglo XIV) y el propio cronista de los
Reyes Católicos, Fernando del Pulgar, la cita como modelo.
4.   La historia de Godofredo de Bullón se encuentra en *La Gran Con-
quista de Ultramar* (principios del siglo XIV), impresa por vez primera en
Salamanca en 1503.

del turco armado, que cuasi dos pedaços fizo seyendo ya rey de Jherusalem. Bien se puede y deve creer aver avido Troya, y ser cercada y destruida por los griegos, y assí mesmo ser conquistada Jherusalem con otros muchos lugares por este duque y sus compañeros, mas semejantes golpes que éstos atribuyámoslos, más a los escriptores, como ya dixe, que aver en efecto de verdad passados. Otros uvo de más baxa suerte que escrivieron, que no solamente edificaron sus obras sobre algún cimiento de verdad, mas ni sobre el rastro della. Estos son los que compusieron las historias fengidas en que se hallan las cosas admirables fuera de la orden de natura, que más por nombre de patrañas que de crónicas con mucha razón deven ser tenidas y llamadas.

Pues veamos agora si las afruentas de las armas que acaescen son semejantes a aquella que cuasi cada día vemos y passamos, y ahun por la mayor parte desviadas de la virtud y buena conciencia, y aquellas que muy estrañas y graves nos parescen sepamos ser compuestas y fengidas, ¿qué tomaremos de las unas y otras, que algún fruto provechoso nos acarreen? Por cierto, a mi ver, otra cosa no, salvo los buenos enxemplos y doctrinas, que más a la salvación nuestra se allegaren, porque seyendo permitido de ser imprimida en nuestros coraçones la gracia del muy alto Señor para a ellas nos llegar, tomemos por alas con que nuestras ánimas suban a la alteza de la gloria para donde fueron criadas.

E yo esto considerando, desseando que de mí alguna sombra de memoria quedasse, no me atreviendo a poner el mi flaco ingenio en aquello que los más cuerdos sabios se ocuparon, quísele juntar con estos postrimeros que las cosas más livianas y de menor substancia escrivieron, por ser a él según su flaqueza más conformes, corrigiendo estos tres libros de Amadís, que por falta de los malos escriptores, o componedores,[J] muy corruptos y viciosos se leían, y trasladando y enmendando [b]

---

5. «Componer, entre los impressores, es ir juntando las letras o caracteres que las van sacando de sus apartados» (*TLE*, voz *«componer»*) (Sebastián de Covarrubias, *Tesoro de la lengua castellana o Española*, ed. M. de Riquer. Barcelona, Alta Fulla, 1987).

6. Trasladando y enmendando: «Trasladar. Vale algunas veces interpretar alguna escritura de una lengua en otra, y también vale copiar y éste se llama traslado» (*TLE*, voz *«trasladar»*). «Enmendar. Corregir el hierro. Emiendas o emendaciones, las correcciones de las erratas de los libros» (*TLE*, voz *«emendar»*).

el libro cuarto con las *Sergas de Esplandián* su hijo, que hasta
aquí no es en memoria de ninguno ser visto, que por gran
dicha paresció en una tumba de piedra, que debaxo de la
tierra en una hermita, cerca de Constantinopla fue hallada,
y traído por un úngaro mercadero a estas partes de España,
en letra y pargamino tan antiguo, que con mucho trabajo se
pudo leer por aquellos que la lengua sabían; en los cuales
cinco libros como quiera que hasta aquí más por patrañas
que por crónicas eran tenidos, son con las tales emiendas
acompañados de tales enxemplos y doctrinas, que con justa
causa se podrán comparar a los livianos y febles saleros de
corcho, que con tiras de oro y de plata son encarcelados y
guarnescidos, porque assí los cavalleros mancebos como los
más ancianos hallan en ellos lo que a cada uno conviene. E
si por ventura en esta mal ordenada obra algún yerro paresciere de aquellos que en lo divino y humano son prohibi-
dos, demando humilmente dello perdón, pues que teniendo
y creyendo yo firmemente todo lo que la Sancta Iglesia tiene
y manda, más la simple discreción que la obra fue dello
causa.

AQUÍ comiença el primero libro del esforçado y virtuoso cavallero Amadís, hijo del rey Perión de Gaula y de la reina Helisena, el cual fue corregido y emendado por el honrado y virtuoso cavallero Garci-Rodríguez de Montalvo, regidor de la noble villa de Medina del Campo, y corregióle de los antiguos originales que estavan corruptos y mal compuestos en antiguo estilo, por falta de los diferentes y malos escriptores, quitando muchas palabras superfluas y poniendo otras de más polido y elegante estilo tocantes a la cavallería y actos della.

COMIENÇA LA OBRA

NO muchos años después de la passión de nuestro redemptor y salvador Jesuchristo fue un rey cristiano en la Pequeña Bretaña por nombre llamado Garínter, el cual, seyendo en la ley de la verdad, de mucha devoción y buenas maneras era acompañado. Este rey ovo dos fijas en una noble dueña su muger, y la mayor fue casada con Languines, rey de Escocia, y fue llamada la Dueña de la Guirnalda, porque el rey su marido nunca la consintió cubrir sus fermosos cabellos sino de una muy rica guirnalda, tanto era pagado de los ver. De quien fueron engendrados Agrajes y Mabilia, que ansí del uno como cavallero, y della como donzella, en esta grand historia mucha mención se haze. La otra fija, que Helisena fue llamada, en grand cuantía mucho más hermosa que la primera fue. Y comoquiera que de muy grandes príncipes en casamiento demandada fuesse, nunca con ninguno dellos casar le plugo; antes su retraimiento y santa vida dieron causa a que todos beata perdida la llamassen, considerando que persona de tan gran guisa, dotada de tanta hermosura, de tantos grandes por matrimonio demandada, no le era conveniente tal cotilo de vida tomar. Pues este dicho rey Garínter, seyendo en asaz crescida edad, por dar descanso a su ánimo algunas vezes a monte y a caça iva. Entre las cuales, saliendo un día desde una villa suya, que Alima

se llamava, seyendo desviado de las armadas, y de los caçadores, andando por la floresta sus oras rezando, vio a su siniestra una brava batalla de un solo cavallero, que con dos
se combatía; él conosció los dos cavalleros que sus vassallos
eran, que por ser muy sobervios y de malas maneras, y muy
emparentados, muchos enojos dellos avía recibido. Mas aquel
que con ellos se combatía no lo pudo conoscer, y no se fiando tanto en la bondad del uno que el miedo de los dos le
quitasse, apartándose dellos la batalla mirava, en fin de la
cual por mano de aquél los dos fueron vencidos y muertos.
Esto fecho, el cavallero se vino contra el rey, y como solo le
viesse díxole:

—Buen hombre, ¿qué tierra es ésta que assí son los cavalleros andantes salteados?

El rey le dixo:

—No os maravilléis de esso, cavallero, que assí como en
las otras tierras ay buenos cavalleros y malos, assí los ay en
ésta, y estos que dezís no solamente a muchos han fecho
grandes males y desaguisado, mas ahún al mismo rey su
señor, sin que dellos justicia fazer pudiesse, por ser muy em-
emparentados han fecho enormes agravios y también por esta
montaña tan espessa donde se acogían.

El cavallero le dixo:

—Pues a esse rey que dezís vengo yo a buscar de luenga
tierra y le trayo nuevas de un su gran amigo, y si sabéis
dónde hallarlo pueda, ruégoos que me lo digáis.

El rey le dixo:

—Comoquier que acontesca no dexaré de os dezir la verdad: sabed ciertamente que yo soy el rey que demandáis.

El cavallero, quitando el escudo y yelmo, y dándolo a su
escudero, le fue a abraçar, diziendo ser él el rey Perión de
Gaula, que mucho le avía desseado conoscer.

Mucho fueron alegres estos dos reyes en se aver assí juntado, y hablando en muchas cosas se fueron a la parte donde
los caçadores eran, para se acoger a la villa; pero antes les
sobrevino un ciervo, que de las armadas muy cansado se co-
lara, tras el cual los reyes ambos al más correr de sus cavallos fueron pensándolo matar, mas de otra manera les acaeció: que saliendo de unas espessas matas un león delante dellos, el ciervo alcançó y mató, y aviéndole abierto con sus
muy fuertes uñas, bravo y mal continente contra los reyes se
mostrava. Y como ansí el rey Perión le viesse, dixo:

—Pues no estaréis tan sañudo que parte della caça no nos dexéis.

Y tomando sus armas descendió del cavallo, que adelante espantado del fuerte león ir no quería, poniendo su escudo delante, la espada en la mano, al león se fue, que las grandes bozes que el rey Garínter le dava no lo pudieron estorvar. El león assí mesmo dexando la presa contra él se vino, y juntándose ambos teniéndole el león debaxo en punto de le matar, no perdiendo el rey su gran esfuerço, heriéndole con su espada por el vientre lo hizo caer muerto ante sí, de que el rey Garínter mucho espantado entre sí dezía:

—No sin causa tiene aquél fama del mejor cavallero del mundo.

Esto fecho, recogida toda la compaña, hizo en dos palafrenes cargar el león y el ciervo y llevarlos a la villa con gran plazer. Donde seyendo de tal huésped la reina avisada, los palacios de grandes y ricos atavíos y las mesas puestas fallaron; en la una más alta se sentaron los reyes y en otra junto con ella Elisena, su hija, y allí fueron servidos como en casa de tan buen hombre ser devía. Pues estando en aquel solaz,[7] como aquella infanta tan hermosa fuesse y el rey Perión por el semejante, y la fama de sus grandes cosas en armas por todas las partes del mundo divulgadas, en tal punto y ora se miraron, que la gran honestidad y santa vida della no pudo tanto que de incurable y muy gran amor presa no fuesse, y el rey assimismo della, que fasta estonces su coraçón sin ser sojuzgado a otra ninguna libre tenía, de guisa que assí el uno como el otro estuvieron todo el comer cuasi fuera de sentido. Pues alçadas las mesas, la reina se quiso acojer a su cámara, y levantándose Helisena cayóle de la halda un muy hermoso anillo, que para se lavar del dedo quitara, y con la gran turbación no tuvo acuerdo de lo allí tornar, y baxóse por tomarlo; mas el rey Perión, que cabe ella estava, quísogelo dar, así que las manos llegaron a una sazón, y el rey tomóle la mano y apretósela. Helisena tornó muy colorada, y mirando al rey con ojos amorosos le dixo passito que le agradeçía aquel servicio.

7. Comentario de Juan de Valdés sobre el *Amadís*: «Pues assí lo queréis, sin salir de los dos primeros capítulos os mostraré todo lo que pedís. Quanto a los vocablos, no me plaze que dize estando en aquel solaz, por estando en aquel plazer o regozijo.» (*Diálogo de la Lengua*, p. 175.)

—¡Ay, señora —dixo él—, no será el postrimero, mas todo el tiempo de mi vida será empleado en vos servir!

Ella se fue tras su madre con tan gran alteración, que cuasi la vista perdida llevava, de lo cual se siguió que esta infanta no pudiendo sufrir aquel nuevo dolor que con tanta fuerça al viejo pensamiento vencido avía, descubrió su secreto a una donzella suya, de quien mucho fiava, que Darioleta avía nombre, y con lágrimas de sus ojos y más del coraçón, le demandó consejo en cómo podría saber si el rey Perión otra muger alguna amasse, y si aquel tan amoroso semblante que a ella mostrado avía, si le viniera en la manera, y con aquella fuerça que en su coraçón avía sentido. La donzella, espantada de mudança tan súpita en persona tan desviada de trato semejante, aviendo piedad de tan piadosas lágrimas, le dixo:

—Señora, bien veo yo que según la demasiada passión que aquel tirano amor en vos ha puesto, que no ha dexado en vuestro juizio lugar donde consejo ni razón aposentados ser puedan, y por esto siguiendo yo no a la que a vuestro servicio devo, mas a la voluntad y obediencia, haré aquello que mandáis, por la vía más honesta que mi poca discreción y mucha gana de os servir fallar pudieren.

Entonces partiéndose della se fue contra la cámara donde el rey Perión alvergava, y halló su escudero a la puerta con los paños que le quería dar de vestir, y díxole:

—Amigo, id vos a hazer ál, que yo quedaré con vuestro señor y le daré recaudo.

El escudero pensando que aquello por más honra se hazía, dióle los paños y partióse de allí. La donzella entró en la cámara do el rey estava en su cama, y como la vio, conosció ser aquella con quien avía visto más que con otra a Helisena hablar, como que en ella más que en otra alguna se fiava, y creyó que no sin algún remedio para sus mortales desseos allí era venida, y estremeciéndosele el coraçón, le dixo:

—Buena donzella, ¿qué es lo que queréis?

—Daros de vestir —dixo ella.

—Esso al coraçón avía de ser —dixo él—, que de plazer y alegría muy despojado y desnudo está.

—¿En qué manera? —dixo ella.

—En que viniendo yo a esta tierra —dixo el rey— con entera libertad, solamente temiendo las aventuras que de las armas ocurrir me podían, no sé en qué forma, entrando en esta casa destos vuestros señores, soy llagado de herida mortal, y si vos, buena donzella, alguna melezina para ella me procurássedes, de mí seríades muy bien gualardonada.

—Cierto, señor —dixo ella—, por muy contenta me ternía en hazer servicio a tan alto hombre y tan buen cavallero como vos sois, si supiesse en qué.

—Si me vos prometéis —dixo el rey— como leal donzella de lo no descubrir, sino allí donde es razón, yo os lo diré.

—Dezidlo sin recelo —dixo ella—, que enteramente por mí guardado vos será.

—Pues amiga señora —dixo él—, dígovos que en fuerte hora yo miré la gran hermosura de Helisena, vuestra señora, que atormentado de cuitas y congoxas soy hasta en punto de la muerte, en la cual si algún remedio no hallo no se me podrá escusar.

La donzella, que el coraçón de su señora enteramente en este caso sabía, como ya arriba oístes, cuando esto oyó fue muy alegre y díxole:

—Mi señor, si me vos prometéis [8] como rey en todo guardar la verdad a que más que ningún otro que no lo sea obligado sois, y como cavallero, que según vuestra fama por la sostener tantos afanes y peligros avrá passado, de la tomar por muger, cuando tiempo fuere, yo la porné en parte donde no solamente vuestro coraçón satisfecho sea, mas el suyo, que tanto o por ventura más que él es en cuita y en dolor dessa mesma llaga herido, y si esto no se haze, ni vos la cobraréis, ni yo creeré ser vuestras palabras de leal y honesto amor salidas.

El rey, que en su voluntad estava ya emprimida la permissión de Dios para que desto se siguiesse lo que adelante oiréis, tomo la espada que cabe sí tenía, y poniendo la diestra mano en la cruz, dixo:

—Yo juro en esta cruz y espada con que la orden de cavallería recebí de hazer esso que vos donzella me pedís, cada que por vuestra señora Helisena demandado me fuere.

—Pues agora holgad —dixo ella—, que yo compliré lo que dixe.

---

8. «Paréceme también mal aquella manera de dezir: si me vos prometéis por si vos me prometéis y aquello: de lo no descubrir por de no descubrirlo» (270). (Juan de Valdés, *Diálogo de la Lengua*, p. 176.)

Y partiéndose dél se tornó a su señora, y contándole lo
que con el rey concertara, muy grande alegría en su ánimo
puso, y abraçándola, le dixo:

—Mi verdadera amiga, cuándo veré yo la ora que en mis
braços tenga aquel que por señor me avéis dado.

—Yo os lo diré —dixo ella—. Ya sabéis, señora, cómo aquella cámara en que el rey Perión está tiene una puerta que a
la huerta sale,[9] por donde vuestro padre algunas vezes se sale
a recrear, que con las cortinas agora cubierta está, de que yo
la llave tengo; pues cuando el rey de allí salga, yo la abriré,
y seyendo tan noche que los del palacio sossieguen, por allí
podremos entrar sin que de ninguno sentidas seamos, y cuando sazón sea de salir, yo vos llamaré y tornaré a vuestra cama.

Helisena que esto oyó, fue atónita de plazer, que no pudo
hablar, y tornando en sí díxole:

—Mi amiga, en vos dexo toda mi hazienda, ¿mas cómo
se hará lo que dezís, que mi padre está dentro en la cámara
con el rey Perión, y si lo sintiesse seríamos todos en gran
peligro?

—Esso —dixo la donzella— dexad a mí, que yo lo reme-
diaré.

Con esto se partieron de su habla, y passaron aquel día
los reyes y la reina y la infanta Helisena en su comer y
cenar como ante, y cuando fue noche, Darioleta apartó el
escudero del rey Perión, y díxole:

—¡Ay, amigo, dezidme si sois hombre hidalgo!

—Sí soy —dixo él—, y ahún hijo de cavallero; mas ¿por
qué lo preguntáis?

—Yo os lo diré —dixo ella—, porque quería saber de vos
una cosa, y ruégoos, por la fe que a Dios devéis y al rey
vuestro señor, me la digáis.

—Por Sancta María —dixo él—, toda cosa que yo supiere
vos diré, con tal que no sea daño de mi señor.

—Esso vos otorgo yo —dixo la donzella—, que ni vos preguntaré en daño suo, ni vos terníades razón de me lo dezir;
mas lo que yo quiero saber es que me digáis cuál es la donzella que vuestro señor ama de estremado amor.

9. «En el estilo mesmo no me contenta donde de industria pone el
verbo a la fin de la cláusula, lo qual haze muchas vezes, como aquí: tiene
una puerta que a la huerta sale, por dezir que sale a la huerta.» (Juan de
Valdés, *Diálogo de la Lengua*, p. 176.)

—Mi señor —dixo él— ama a todas en general, mas cierto no le conozco ninguna que él ame de la guisa que dezís.

En esto hablando llegó el rey Garínter donde ellos estavan hablando, y vio a Darioleta con el escudero, y llamándola le dixo:

—Tú ¿qué tienes que hablar con el escudero del rey?

—Por Dios, señor, yo os lo diré: él me llamó y me dixo que su señor ha por costumbre de dormir solo, y cierto que siente mucho empacho con vuestra compañía.

El rey se partió della y fuesse al rey Perión y díxole:

—Mi señor, yo tengo muchas cosas de librar en mi hazienda, y levántome a la hora de los maitines, y por vos no dar enojo tengo por bien que quedéis solo en la cámara.

El rey Perión le dixo:

—Hazed, señor, en ello como vos más pluguiere.

—Assí plaze a mí —dixo él.

Entonces conoció él que la donzella le dixera verdad, y mandó a sus reposteros que luego sacassen su cama de la cámara del rey Perión. Cuando Darioleta vio que assí, en efecto, viniera lo que desseava, fuese a Helisena, su señora, y contógelo todo como passara.

—Amiga señora —dixo ella—, agora creo, pues que Dios assí lo endereça, que esto que al presente yerro parece, adelante será algún grand servicio suyo, y dezidme lo que haremos, que la grand alegría que tengo me quita grand parte del juizio.

—Señora —dixo la doncella—, hagamos esta noche lo que concertado está, que la puerta de la cámara que vos dixe yo la tengo abierta.

—Pues a vos dexo el cargo de me llevar cuando tiempo fuere.

Assí estuvieron ellos hasta que todos se fueron a dormir.

CAPÍTULO PRIMERO

Cómo la infanta Helisena y su donzella Darioleta fueron a la cámara donde el rey Perión estava

COMO la gente fue sossegada, Darioleta se levantó y tomó a Helisena assí desnuda como en su lecho estava, solamente la camisa y cubierta de un manto, y salieron ambas a la huerta, y el lunar hazía muy claro. La donzella miró a su señora, y abriéndole el manto, católe el cuerpo y dixo riendo:

—Señora, en buena hora nasció el cavallero que vos esta noche avrá.

Y bien dezían que ésta era la más hermosa donzella de rostro y de cuerpo que entonces se sabía.

Helisena se sonrió y dixo:

—Assí lo podéis por mí dezir, que nascí en buena ventura en ser llegada a tal cavallero.

Assí llegaron a la puerta de la cámara. Y comoquiera que Helisena fuese a la cosa que en el mundo más amava, tremíale todo el cuerpo y la palabra que no podía hablar, y como en la puerta tocaron para la abrir, el rey Perión que assí con la gran congoxa que en su coraçón tenía, como con la esperança en que la donzella le puso, no avía podido dormir, y aquella sazón ya cansado y del sueño vencido adormescióse, y soñava que entravan en aquella cámara por una falsa puerta y no sabía quién a él iva, y le metía las manos por los costados, y sacándole el coraçón le echava en un río. Y él dezía: ¿por qué fezistes tal crueza? No es nada esto, dezía él, que allá vos queda otro coraçón que vos yo tomaré, ahunque no será por mi voluntad. El rey, que gran cuita en sí sentía, despertó despavorido y començóse a santiguar. A esta sazón avían ya las donzellas la puerta abierto, y entravan por ella, y como lo sintió, temióse de traición por lo que soñara, y levantando la cabeça vio por entre las cortinas abierta la puerta, de lo que él nada no sabía, y con el lunar que por ella entrava vio el bulto de las donzellas. Assí que saltando de la cama do yazía, tomó su espada y escudo y fue contra aquella parte do visto las avía. Y Darioleta, cuando assí lo vido, díxole:

—¿Qué es esso, señor? Tirad vuestras armas, que contra nos poca defensa os ternán.

El rey, que la conosció, miró y vio a Helisena su muy amada, y echando la espada y su escudo [10] en tierra, cubrió-

10.   «Quanto a las cosas ... nuestro autor de Amadís, unas vezes por descuido y otras no sé por qué, dize cosas tan a la clara mentirosas, que de ninguna manera las podéis tener por verdaderas. Descuidóse también en que, no acordándose que aquella cosa que cuenta era muy secreta y passava en casa de la dama, haze que el rey Perión arroge en tierra el espada y el escudo luego que conoce a su señora, no mirando que, al ruido que harían, de razón avían de despertar los que dormían cerca y venir a ver qué cosa era.» (Juan de Valdés, *Diálogo de la Lengua,* p. 178.)

se de un manto que ante la cama tenía con que algunas vezes
se levantava, y fue a tomar a su señora entre los braços, y
ella le abraçó como aquel que más que a sí amava. Darioleta le dixo:

—Quedad, señora, con esse cavallero, que ahunque vos
como donzella hasta aquí de muchos vos defendistes, y él
assí mesmo de muchas otras se defendió, no bastaron vuestras fuerças para vos defender el uno del otro.

Y Darioleta miró por la espada do el rey la havía arroja-
do y tomóla en señal de la jura y promessa que le avía hecho
en razón del casamiento de su señora, y salióse a la huerta.
El rey quedó solo con su amiga, que a la lumbre de tres hachas que en la cámara serían la mirava paresciéndole que toda
la fermosura del mundo en ella era junta,[11] teniéndose por
muy bien aventurado en que Dios a tal estado le traxera, y
assí abraçados se fueron a echar en el lecho. Donde aquella
que tanto tiempo con tanta fermosura y joventud demandada de tantos príncipes y grandes hombres se avía defendido, quedando con libertad de donzella, en poco más de un
día, cuando el su pensamiento más de aquello apartado y
desviado estava, el cual amor rompiendo aquellas fuertes ataduras de su honesta y concreta vida gela fizo perder, quedando de allí adelante dueña.

Por [12] donde se da entender que ansí las mugeres apartando sus pensamientos de las mundanales cosas, despreciando la grand fermosura de que la natura las dotó, la fresca
juventud que en mucho grado la acrescienta, los vicios y deleites que con las sobradas riquezas de sus padres esperavan

11. «También es descuido, dezir que el rey mirava la hermosura del
cuerpo de Elisena con la lumbre de tres antorchas que stavan ardiendo
en la cámara, no acordándose que avía dicho que no avía otra claridad
en la cámara sino la que de la luna entrava por entre la puerta, y no
mirando que no ay muger, por deshonesta que sea, que la primera vez
que se vee con un hombre, por mucho que lo quiera, se dexe mirar de
aquella manera.» (Juan de Valdés, *Diálogo de la Lengua*, p. 178.)

12. Primera digresión del narrador. La crítica conviene en atribuir
estas digresiones moralizantes, cada vez más abundantes a medida que
va avanzando la obra, a Montalvo, debido a la homogeneidad del estilo
retórico y a la ideología. Destaca en este pasaje la repetición de gerun-
dios: *apartando/despreciando, ofresciendo/veyendo, escusándose/recogiendose/tomán-
dolo, veyendo, mirando;* la colocación del infinitivo antes del verbo: *guardarse quiso, reparar quiso, contar se podían,* dentro de la tendencia general
de situar el verbo al final de la frase y dentro de una oración muy larga.

gozar, quieren por salvación de sus ánimas ponerse en las
casas pobres encerradas, ofresciendo con toda obediencia sus
libres voluntades, a que subjetas de las agenas sean, veyendo passar su tiempo sin ninguna fama ni gloria del mundo,
como saben que sus hermanas y parientes lo gozan, assí
deven con mucho cuitado atapar las orejas, cerrar los ojos,
escusándose de ver parientes y vezinos, recogiéndose en las
devotas contemplaciones, en las oraciones sanctas, tomándolo por verdaderos deleites, assí como lo son, porque con
las fablas, con las vistas su sancto propósito dañan, do no
sea assí como lo fue el desta fermosa infanta Helisena, que
en cabo de tanto tiempo que guardarse quiso, en sólo un momento veyendo la grand fermosura de aquel rey Perión, fue
su propósito mudado de tal forma, que si no fuera por la
discreción de aquella donzella suya, que su honra con el matrimonio reparar quiso, en verdad ella de todo punto era determinada de caer en la peor y más baxa parte de su deshonra, assí como otras muchas que en este mundo contar se
podían, por se no guardarde lo ya dicho lo fizieron, y adelante farán no lo mirando.

Pues assí estando estos dos amantes en su solaz, Helisena preguntó al rey si su partida sería breve, él le dixo:

—¿Por qué, mi señora, lo preguntáis?

—Porque esta buena ventura —dixo ella— que en tanto
gozo y descanso a mis mortales deseos ha puesto, ya me amenaza con la gran tristura y congoxa que vuestra absencia me
porná a ser por ella más cerca de la muerte que no de la
vida.

Oídas por él estas razones, dixo:

—No tengáis temor deso, que ahunque este mi cuerpo de
vuestra presencia sea partido, el mi coraçón junto con el vuestro quedará, que a entrambos dará esfuerço, a vos para sufrir, y a mí para cedo me tornar, que yendo sin él no ay
otra fuerça tan dura que detenerme pueda.

Darioleta, que vio ser sazón de ir de allí, entró en la cámara, y dixo:

—Señora, sé que otra vez os plugo comigo más que no
agora, mas conviene que os levantéis y vayamos, que ya tiempo es.

Helisena se levantó, y el rey le dixo:

—Yo moraré aquí más que no creéis, y esto será por vos,
y ruégoos que se le no olvide este lugar.

Ellas se fueron a sus camas y él quedó en su cama muy pagado de su amiga, pero espantado del sueño que ya oístes, y por él avía más cuita de se ir a su tierra, donde avía a la sazón muchos sabios que semejantes cosas sabían soltar y declarar, y ahun él mismo sabía algo que cuando más moço aprendiera. En este vicio y plazer moró allí el rey Perión diez días, folgando todas las noches con aquella su muy amada amiga, en cabo de los cuales acordó, forçando su voluntad y las lágrimas de su señora, que no fueron pocas, de se partir. Assí despedido del rey Garínter y de la reina, armado de todas armas, cuando quiso su espada ceñir no la halló, y no osó preguntar por ella, comoquiera que mucho le dolía porque era muy buena y fermosa; esto fazía porque sus amores con Helisena descubiertos no fuessen, y por no dar enojo al rey Garínter, y mandó a su escudero que otra espada le buscasse, y assí armado solamente las manos y la cabeça, encima de su cavallo no con otra compaña sino de su escudero, se puso en el camino derecho de su reino. Pero antes fabló con el Darioleta, diziéndole la gran cuita y soledad en que a su amiga dexava, y él le dixo:

—¡Ay mi amiga, yo vos la encomiendo como a mi propio coraçón!

Y sacando de su dedo un muy hermoso anillo de dos que él traía, tal el uno como el otro, gelo dio que le levasse y traxiesse por su amor. Assí que Elisena quedó con mucha soledad y con grande dolor de su amigo, tanto que si no fuera por aquella donzela que la esforçava mucho, a gran pena se pudiera sufrir, mas haviendo sus fablas con ella algún descanso sentía.

Pues assí fueron passando su tiempo fasta que preñada se sentió, perdiendo el comer, el dormir y la su muy hermosa color. Allí fueron las cuitas y los dolores en mayor grado, y no sin causa, porque en aquella sazón era por ley establecido que cualquiera muger por de estado grande y señorío que fuesse, si en adulterio se fallava, no le podía en ninguna guisa escusar la muerte. Esta tan cruel costumbre y péssima duró hasta la venida del muy virtuoso rey Artús,[13] que fue el mejor rey de los que allí reinaron, y la revocó al tiempo que mató en batalla ante las puertas de París al Floyán. Pero muchos

13. *La historia de los Reyes de Bretaña* de Godofredo de Monmouth fue difundida en España a través de la *General Estoria* (partes II-IV).

reyes reinaron entre él y el rey Lisuarte, que esta ley sostuvieron. Y comoquiera que aquellas palabras que el rey Perión en su espada prometiera, como se vos ha dicho, ante Dios sin culpa fuesse, no lo era ante el mundo, haviendo sido tan ocultas; pues pensar de lo fazer saber a su amigo no podía ser, que como él tan mançebo fuesse y tan orgulloso de coraçón que nunca tomava folgança en ninguna parte sino por ganar honra y fama, que nunca su tiempo en otra cosa passava sino andar de unas partes a otras como cavallero andante. Assí que por ninguna guisa ella remedio para su vida fallava, no le pesando tanto por perder la vista del mundo con la muerte, como la de aquel su muy amado señor y verdadero amigo; mas aquel muy poderoso Señor, por permissión del cual todo esto passava, para su santo servicio, puso tal esfuerço y discreción a Darioleta, que ella bastó con su ayuda de todo lo reparar, como agora lo oiréis.

Havía en aquel palacio del rey Garínter una cámara apartada, de bóveda, sobre un río que por allí passava, y tenía una puerta de fierro pequeña por donde algunas vezes al río salían las donzellas a folgar, y estava yerma que en ella no alvergava ninguno, la cual por consejo de Darioleta, Elisena a su padre y madre para reparo de su mala disposición y vida solitaria, que siempre procurava tener, demandó, y para rezar sus horas sin que de ninguno estorvada fuesse, salvo de Darioleta, que sus dolencias sabía, que la sirviesse y la acompañasse, lo cual ligeramente por ellos le fue otorgado, creyendo ser su intención solamente reparar el cuerpo con más salud, y el alma con vida más estrecha, y dieron la llave de la puerta pequeña a la donzella, que la guardasse y abriesse cuando su fija por allí se quisiesse solazar. Pues aposentada Elisena allí donde oídes con algo de más descanso por se ver en tal lugar, que a su pareçer antes allí que en otro algún su peligro reparar podía, ovo consejo con su donzella qué se faría de lo que pariesse.

—¿Qué, señora? —dixo ella—. Que padesca, porque vos seáis libre.

—¡Ay, santa María! —dixo Elisena—; y ¿cómo consentiré yo matar aquello que fué engendrado por la cosa del mundo que yo más amo?

—No curéis desso —dixo la donzella—; que si vos mataren no dexarán a ello.

—Ahunque yo como culpada muera —dixo ella—, no querrán que la criatura inocente padezca.

—Dexemos agora de fablar más en ello —dixo la donzella—, que gran locura sería por salvar una cosa sin provecho, condenássemos a vos y a vuestro amado, que sin vos no podría bivir; y vos biviendo y él, otros hijos havréis que el deseo déste vos fará perder.

Como esta donzella muy sesuda fuesse, y por la merced de Dios guiada, quiso antes de la priessa tener el remedio. Y fue assí desta guisa: que ella ovo cuatro tablas tan grandes, que assí como arca una criatura con sus paños encerrar pudiesse, y tanto larga como una espada, y hizo traer ciertas cosas para un betún con que las pudiesse juntar, sin que en ella ninguna agua entrasse, y guardólo todo debaxo de su cama sin que Elisena lo sentiese, fasta que por su mano juntó las tablas con aquel rezio betún, y la fizo tan igual, y tan bien formada como la fiziera un maestro. Entonces la mostró a Elisena, y dixo:

—¿Para qué vos pareçe que fue esto fecho?

—No sé —dixo ella.

—Saberlo heis —dixo la donzella— cuando menester será.

Ella dixo:

—Poco daría por saber cosa que se faze ni dize, que cerca estoy de perder mi bien y alegría.

La donzella ovo gran duelo de ansí la ver, y veniéndole las lágrimas a los ojos se le tiró delante, porque la no viesse llorar. Pues no tardó mucho que a Elisena le vino el tiempo de parir, de que los dolores sintiendo como cosa tan nueva, tan estraña para ella, en grande amargura su coraçón era puesto, como aquella que le convenía no poder gemir ni quexar, que su angustia con ello se doblava; mas en cabo de una pieça quiso el Señor poderoso que sin peligro suyo un fijo pariesse, y tomándolo la donzella en sus manos vido que era fermoso si ventura oviesse, mas no tardó de poner en execución lo que convenía según de antes lo pensara, y embolvióle en muy ricos paños, y púsolo cerca de su madre, y traxo allí el arca que ya oístes, y díxole Elisena:

—¿Qué queréis fazer?

—Ponerlo aquí y lançarlo en el río —dixo ella—, y por ventura guareçer podrá.

La madre lo tenía en sus braços llorando fieramente y diziendo:

—¡Mi hijo pequeño, cuán grave es a mí la vuestra cuita!

La donzella tomó tinta y pergamino, y fizo una carta que

dezía: «Este es Amadís Sin Tiempo, hijo de rey». Y sin tiempo dezía ella porque creía que luego sería muerto, y este nombre era allí muy preciado porque así se llamava un santo a quien la donzella lo encomendó. Esta carta cubrió toda de cera, y puesto en una cuerda gela puso al cuello del niño. Elisena tenía el anillo que el rey Perión le diera cuando della se partió, y metiólo en la misma cuerda de la cera, y ansí mesmo poniendo el niño dentro en el arca le pusieron la espada del rey Perión que la primera noche que ella con él durmiera la echó de la mano en el suelo, como ya oístes, y por la doncella fue guardada, y ahunque el rey la falló menos, nunca osó por ella preguntar, porque al rey Garínter no oviesse enojo con aquellos que en la cámara entravan.

Esto así fecho, puso la tabla encima tan junta y bien calafeteada que agua ni otra cosa allí podría entrar, y tomándola en sus braços y abriendo la puerta, la puso en el río y dexóla ir; y como el agua era grande y rezia, presto la passó a la mar, que más de media legua de allí no estava. A esta sazón el alva parescía, y acaesció una fermosa maravilla, de aquellas que el Señor muy alto cuando a él plaze suele fazer: que en la mar iva una barca en que un cavallero de Escocia iva con su muger, que de la pequeña Bretaña llevava parida de un hijo que se llamaba Gandelín, y el cavallero havía nombre Gandales, y yendo a más andar su vía contra Escocia, seyendo ya mañana clara vieron el arca que por el agua nadando iva, y llamando cuatro marineros les mandó que presto echassen un batel y aquello le traxessen, lo cual prestamente se fizo, comoquiera que ya el arca muy lexos de la barca passado havía. El cavallero tomó el arca y tiró la cobertura y vió el donzel que en sus braços tomó y dixo: éste de algún buen lugar es.

Y esto dezía él por los ricos paños y el anillo y la espada, que muy fermosa le paresció, y començó a maldezir la muger que por miedo tal criatura tan cruelmente desamparado havía, y guardando aquellas cosas rogó a su muger que lo fiziesse criar, la cual hizo darle la teta de aquella ama que a Gandelín su hijo criaba; y tomóla con gran gana de mamar, de que el cavallero y la dueña mucho alegres fueron. Pues así caminaron por la mar con buen tiempo endereçado, fasta que aportados fueron a una villa de Escocia, que Antalia havía nombre, y de allí partiendo llegaron a un castillo suyo de los buenos de aquella tierra, donde fizo criar el donzel como si su hijo propio fuesse, y así lo creían todos que lo fuesse, que de los marineros no se pudo saber su fazienda, porque en la barca, que era suya, a otras partes navegaron.

CAPÍTULO II

CÓMO EL REY PERIÓN SE IVA POR EL CAMINO CON SU ESCUDERO, CON CORAÇÓN MÁS ACOMPAÑADO DE TRISTEZA QUE DE ALEGRÍA

PARTIDO el rey Perión de la pequeña Bretaña, como ya se vos contó, de mucha congoxa era su ánimo muy atormentado, así por la grand soledad que de su amiga sentía, que la mucho de coraçón amava, como por el sueño que ya oístes, que en tal sazón le sobreviniera. Pues llegado en su reino embió por todos sus ricos hombres y mandó a los obispos que consigo traxessen los más sabidores clérigos que en sus tierras havía, esto para que aquel sueño le declarassen.

Como sus vasallos de su venida supieron, así los llamados como muchos de los otros a él se vinieron con gran deseo de le ver, que de todos era muy amado, y muchas veces eran sus coraçones atormentados oyendo las grandes afrentas en armas a que él se ponía, temiendo de lo perder, y por esto deseavan todos tenerlo consigo; mas no lo podían acabar, que su fuerte coraçón no era contento sino cuando el cuerpo ponía en los grandes peligros. El rey fabló con ellos en el estado del reino, y en las otras cosas que a su hazienda cumplían, pero siempre con triste semblante, de que a ellos gran pesar redundava, y despachados los negocios, mandó que a sus tierras se bólvlessen, y fizo quedar consigo tres clérigos que supo que más sabían en aquello qu'él deseava, y tomándolos consigo, se fue a su capilla, y allí en la hostia sagrada les fizo jurar que en lo que él les preguntasse la verdad le dixiessen, no temiendo ninguna cosa por grave que se les mostrasse. Esto fecho, mandó salir fuera al capellán, y él quedó solo con ellos. Entonces les contó el sueño como es ya devisado, y dixo que gelo soltassen, lo que dello le podía ocurrir. El uno d'éstos, que Ungán el Picardo avía nombre, que era el que más sabía, dixo:

—Señor, los sueños es cosa vana, y por tal deven ser te-

nidos, pero pues vos plaze que en algo éste vuestro tenido
sea, dadnos plazo en que lo ver podamos.

—Así sea —dixo el rey—, y tomad doze días para ello.

Y mandólos apartar, que no se fablassen ni viessen en
aquel plazo. Ellos echaron sus juizios y firmezas cada uno
como mejor supo, y llegado el tiempo viniéronse para el rey,
el cual tomó aparte a Alberto de Campaña, y díxole:

—Ya sabéis lo que me jurastes, agora dezid.

—Pues vengan los otros —dixo el clérigo—, y delante dellos lo diré.

—Vengan —dixo el rey.

Y fízolos llamar. Pues seyendo todos juntos, aquél dixo:

—Señor, yo te diré lo que entiendo. A mí parece de la
cámara que era bien cerrada y que viste por la menor puerta della entrar, sinifica estar este tu reino cerrado y guardado que por alguna parte dél te entrará alguno para te algo
tomar, y ansí como la mano te metía por los costados, y sacava el coraçón, y lo echava en un río, así te tomará villa o
castillo y lo porná en poder de quien haver no lo podrás.

—¿Y el otro coraçón —dixo el rey— que me dezía que me
quedava y me lo faría perder sin su grado?

—Esso —dixo el maestro— pareçe que otro entrará en tu
tierra a te tomar lo semejante, más constreñido por fuerça
de alguno que gelo mande que de su voluntad, y en este caso
no sé, señor, qué más vos diga.

El rey mandó al otro, que Antales havía nombre, que dixiesse lo que fallava. Él otorgó en todo lo que el otro havía
dicho:

—Sino tanto que mis suertes me muestran que es ya fecho,
y por aquel que te más ama; y esto me faze maravillar, porque ahun agora no es perdido nada de tu reino, y si lo fuere
no sería por persona que te mucho amase.

Oído esto por el rey sonrióse un poco, que le pareció que
no avía dicho nada. Mas Ungán el Picardo, que mucho más
que ellos sabía, baxó la cabeça y rióse, más de coraçón, ahunque lo fazía pocas vezes, que de su natural era hombre esquivo y triste. El rey miró en ello y díxole:

—Agora, maestro, dezid lo que supiéredes.

—Señor —dixo él—, por ventura yo vi cosas que no es menester de las manifestar sino a ti solo.

—Pues sálganse todos fuera —dixo él.

Y cerrando las puertas quedaron ambos. El maestro dixo:

—Sabe, rey, que de lo que me yo reía fue de aquellas palabras que en poco toviste, que dixo que ya era fecho por aquel que te más ama. Agora te quiero dezir aquello que muy encubierto tienes, y piensas que ninguno lo sabe. Tú amas en tal lugar donde ya la voluntad cumpliste, y la que amas es maravillosamente fermosa.

Y díxole todas las faciones della como si delante la tuviera.

—Y de la cámara en que vos veíades encerrado esto claro lo sabéis, y cómo ella, queriendo quitar de vuestro coraçón y del suyo aquellas cuitas y congoxas, quiso sin vuestra sabiduría entrar por la puerta de que te no catavas, y las manos que a los costados metía, es el juntamiento de ambos, y el coraçón que sacava sinifica fijo o fija que avrá de vos.

—Pues maestro —dixo el rey—, ¿qué es lo que muestra que lo echava en un río?

—Esso, señor —dixo él—, no lo quieras saber, que te non tiene pro alguno.

—Todavía —dixo él— me lo dezid y no temáis.

—Pues que así te plaze —dixo Ungán—, quiero de ti fiança que por cosa que aquí diga no avrás saña de aquella que tanto te ama en ninguna sazón.

—Yo lo prometo —dixo el rey.

—Pues sabe —dixo él— que lo que en el río víades lançar es que será así echado el hijo que de vos oviere.

—Y el otro coraçón —dixo el rey— que me queda ¿qué será?

—Bien deves entender —dixo el maestro— lo uno por lo otro, que es que avréis otro fijo y por alguna guisa lo perderéis contra la voluntad de aquella que agora vos fará el primero perder.

—Grandes cosas me havéis dicho —dixo el rey—, y a Dios plega por su merced que lo postrimero de los fijos no valga tan verdadero como lo que de la dueña que yo amo me dixistes.

—Las cosas ordenadas y permetidas de Dios —dixo el maestro— no las puede ninguno estorvar ni saber en qué pararán, y por esto los hombres no se deven contristar ni alegrar con ellas, porque muchas veces así lo malo como lo bueno que dellas a su parecer ocurrirles puede, sucede de otra forma que ellos esperavan. Y tú, noble rey, perdiendo de tu memoria todo esto que aquí con tanta afición has querido saber, recoge en ella de siempre rogar a Dios, que en esto y en todo lo ál faga lo que su santo servicio sea, porque aquello sin dubda es lo mejor.

El rey Perión quedó muy satisfecho de lo que deseava saber, y mucho más deste consejo de Ungán el Picardo, y siempre cabe sí lo tuvo, haziéndole mucho bien y mercedes. Y saliendo al palacio falló una donzella más garnida de atavíos que fermosa, y díxole:

—Sábete, rey Perión que cuando tu pérdida cobrares, perderá el señorío de Irlanda su flor.

Y fuese, que no la pudo detener. Ansí quedó el rey pensando en esto y otras cosas.

El autor dexa de fablar desto y torna [14] al donzel que Gandales criava, el cual el Donzel del Mar se llamava, que ansí le pusieron nombre y criábase con mucho cuidado de aquel caballero don Gandales y de su mujer, y fazíase tan fermoso que todos los que lo veían se maravillavan. Y un día cavalgó Gandales armado, que en gran manera era buen cavallero y muy esforçado, y siempre se acompañara con el rey Languines, en el tiempo que las armas se guiavan, y ahunque el rey de seguirlas dexasse, no lo hizo él así, antes las usava mucho, y yendo así armado como vos digo halló una donzella que le dixo:

—¡Ay, Gandales, si supiessen muchos altos hombres lo que yo agora, cortarte ían la cabeça!

—¿Por qué? —dixo él.

—Porque tú guardas la su muerte —dixo ella.

Y sabed que ésta era la donzella que dixo al rey Perión que cuando fuesse su pérdida cobrada perdería el señorío de Irlanda su flor. Gandales, que lo no entendía, dixo:

—Donzella, por Dios vos ruego que me digas qu'es esso.

—No te lo diré —dixo ella—, mas todavía así averná.

Y partiéndose dél se fue su vía. Gandales quedó cuidando en lo que dixera, y a cabo de una pieça viola tornar muy aína en su palefrén, diziendo a grandes bozes:

—¡Ay, Gandales, acórreme que muerta soy! Et cató y vió venir empós della un cavallero armado con su espada en la

---

14. Fórmula característica *(dexa de fablar desto y torna...)* de la técnica de entrelazamiento, iniciada en la novela en prosa francesa de principios del siglo XIII.

mano, y Gandales firió el cavallo de las espuelas y metióse entre ambos, y dixo:

—Don cavallero, a quien Dios dé mala ventura, ¿qué queréis a la donzella?

—¡Cómo! —dixo él—, ¿queréisla vos amparar a ésta que por engaño me trae perdido el cuerpo y el alma?

—De esso no sé nada —dixo Gandales—, mas amparar vos la he yo, porque mujeres no han de ser por esta vía castigadas, ahunque lo merezcan.

—Agora lo veréis —dixo el cavallero.

Y metiendo su espada en la vaina tornóse a una arboleda donde estava una donzella muy hermosa, que le dio un escudo y una lança, y diose a correr contra Gandales, y Gandales a él, y firiéronse con las lanças en los escudos, así que bolaron en pieças, y juntáronse de los cavallos y de los cuerpos de consuno tan bravamente, que cayeron a sendas partes, y los cavallos con ellos, y cada uno se levantó lo más presto que pudo, y ovieron su batalla así a pie, mas no duró mucho, que la donzella que fuía se metió entre ellos y dixo:

—Cavalleros, estad quedos.

El cavallero que tras ella venía quitóse luego afuera, y ella le dixo:

—Venid a mi obediencia.

—Iré de grado —dixo él—, como a la cosa del mundo que más amo.

Y echando el escudo del cuello y la espada de la mano, hincó los inojos ante ella; y Gandales fue ende mucho maravillado; y ella dixo al cavallero que ante sí tenía:

—Dezid aquella donzella de so el árbol que se vaya luego; sino que le tajaredes la cabeça.

El cavallero se tornó contra ella y díxole:

—¡Ay, mala, yo me maravillo que la cabeça no te tiro!

La donzella vio que su amigo era encantado, y subió en su palefrén llorando, y fuese luego. La otra donzella dixo:

—Gandales, yo vos gradezco lo que fezistes; id a buena ventura, que si este cavallero me erró, yo le perdono.

—De vuestro perdón no sé —dixo Gandales—, mas la batalla no le quito si se no otorga por vencido.

—Quitaréis —dixo la donzella—, que si vos fuéssedes el mejor cavallero del mundo, haría yo que él vos venciesse.

—Vos haréis lo que pudiéredes —dixo él—, mas yo no lo

quitaré si me no dezís por qué dixistes que guardava muerte de muchos altos hombres.

—Antes os lo diré —dixo ella—, porque a este cavallero amo yo como a mi amigo, y a ti como a mi ayudador.

Estonces lo apartó, y díxole:

—Tú me farás pleito como leal cavallero, que otro por ti nunca lo sabrá fasta que te lo yo mande.

El así lo otorgó, y díxole:

—Dígote de aquel que hallaste en la mar que será flor de los cavalleros de su tiempo; éste fará estremecer los fuertes; éste començará todas las cosas y acabará a su honra en que los otros fallescieron; éste fará tales cosas que ninguno cuidaría que pudiessen ser començadas ni acabadas por cuerpo de hombre; éste hará los sobervios ser de buen talante; éste avrá crueza de coraçón contra aquellos que se lo merecieren, y ahún más te digo, que éste será el cavallero del mundo que más lealmente manterná amor y amará en tal lugar cual conviene a la su alta proeza; y sabe que viene de reyes de ambas partes. Agora te ve —dixo la donzella—, y cree firmemente que todo acaecerá como te lo digo y si lo descubres venirte ha por ello más de mal que de bien.

—¡Ay, señora! —dixo Gandales—, ruégovos por Dios que me digáis dónde vos fallaré para hablar con vos en su hazienda.

—Esto no sabrás tú por mí ni por otro —dixo ella.

—Pues dezidme vuestro nombre, por la fe que devéis a la cosa del mundo que más amáis.

—Tú me conjuras tanto que te lo diré; pero la cosa que yo más amo sé que más me desama que en el mundo sea, y éste es aquel más hermoso cavallero con quien te combatiste; mas no dexo por esso yo de lo traer a mi voluntad sin que él otra cosa hazer pueda. Y sabe que mi nombre es Urganda la Desconocida; agora me cata bien y conósceme si pudieres.

Y él que la vio donzella de primero, que a su parecer no passava de diez y ocho años, viola tan vieja y tan lassa que se maravilló como en el palafrén se podía tener; y començóse a santiguar de aquella maravilla. Cuando ella assí lo vio metió mano a una buxeta, que en el regaxo traía. Y poniendo la mano por sí tornó como de primero, y dixo:

—¿Parécete que me hallarías ahunque me buscasses? Pues yo te digo que no tomes por ello afán; que si todos los

del mundo me demandassen, no me hallarían si yo no quisiesse.

—Assí Dios me salve, señora —dixo Gandales—, yo assí lo
creo. Mas ruégovos por Dios que vos membréis del donzel
que es desamparado de todos sino de mí.

—No pienses en esso —dixo Urganda— que esse desamparado será amparo y reparo de muchos, y yo lo amo más
que tú piensas, como quien atiende dél cedo haver dos ayudas en que otro no podría poner consejo, y él rescibirá dos
gualardones, donde será muy alegre; y agora te encomiendo
a Dios que ir me quiero, y más aína me verás que piensas.

Y tomó el yelmo y escudo de su amigo para gelo levar.
Y Gandales, que la cabeça le vio desarmada, parecióle el
más fermoso cavallero que nunca viera. Y assí se partieron
de en uno.

Donde dexaremos a Urganda ir con su amigo y contarse
ha de don Gandales, que partido de Urganda tornóse para
su castillo y en el camino halló la donzella que andava con
el amigo de Urganda, que estava llorando cabe una fuente.
Y como vio a Gandales, conociólo y dixo:

—¿Qué es esso, cavallero, cómo no vos hizo matar aquella alevosa a quien ayudávades?

—Alevosa no es ella —dixo Gandales—; mas buena y sabida; y si fuéssedes cavallero yo vos haría comprar bien la
locura que dixistes.

—¡Ay, mezquina —dixo ella—, cómo sabe a todos engañar!

—Y ¿qué engaño vos fizo? —dixo él.

—Que me tomó aquel fermoso cavallero que vistes; que
por su grado más comigo haría vida que con ella.

—Esse engaño así lo hizo —dixo él—, pues que fuera de
razón y de conciencia vos y ella lo tenéis, según me paresce.

—Como quiera que sea —dixo ella—, si puedo yo me vengaré.

—Desvarío pensáis —dixo Gandales—, en querer enojar
aquella que no solamente antes que lo obréis, mas que lo
penséis, lo sabrá.

—Agora os id —dixo ella—, que muchas vezes los que más
saben caen en los lazos más peligrosos.

Gandales la dexó, y fue como antes su camino, cuidando
en la hazienda de su donzel; y llegando al castillo, ante que
se desarmasse, lo tomó en sus braços y començólo de besar,
viniéndole las lágrimas a los ojos, diziendo en su coraçón:

—Mi fermoso hijo, si querrá Dios que yo llegue al vuestro buen tiempo.

En esta sazón havía el donzel tres años, y su gran hermosura por maravilla era mirada; y como vio a su amo llorar, púsole las manos ante los ojos como que gelos quería limpiar, de que Gandales fue alegre considerando que, seyendo en más edad, más se dolería de su tristeza; y púsole en tierra y fuese a desarmar; y dende adelante con mejor voluntad curava dél tanto, que llegó a los cinco años. Entonces le hizo un arco a su medida y otro a su hijo Gandalín; y fazíalos tirar ante sí; y assí lo fue criando fasta la edad de siete años.

Pues a esta sazón el rey Languines, passando por su reino con su mujer y toda la casa de una villa a otra, vínose al castillo de Gandales, que por aí era el camino, donde fue muy bien festejado. Mas a su Donzel del Mar y a su fijo Gandalín y a otros donzeles mandólos meter en un corral, porque no le viessen; y la reina, que en lo más alto de la casa posava mirando de una finiestra, vio los donzeles que con sus arcos tiravan, y al Donzel del Mar entre ellos tan apuesto y tan fermoso, que mucho fue de lo ver maravillada; y violo mejor vestido que todos, assí que parescía el señor; y de que no vio ninguno de la compaña de don Gandales a quien preguntasse, llamó sus dueñas y donzellas, y dixo:

—Venid y veréis la más fermosa criatura que nunca fue vista.

Pues estándole mirando todas como a una cosa muy estraña y crecida en fermosura, el donzel ovo sed, y poniendo su arco y saetas en tierra, fuese a un caño de agua a bever, y un donzel mayor que los otros tomó su arco y quiso tirar con él, mas Gandalín no lo consentía, y el otro lo empuxó rezio. Gandalín dixo:

—¡Acorredme, Donzel del Mar!

Y como lo oyó, dexó de bever y fuese contra el gran donzel, y él le dexó el arco y tomólo con su mano y dixo:

—En mal punto feriste mi hermano.

Y diole con él por cima de la cabeça gran golpe según su fuerça, y traváronse ambos; assí que el gran donzel mal parado començó a fuir y encontró con el ayo que los guardava y dixo:

—¿Qué has?

—El Donzel del Mar —dixo— me firió.

Entonces fue a él con la correa y dixo:

—¿Cómo, Donzel del Mar, ya sois osado de ferir los moços? Agora veréis cómo vos castigaré por ello.

El hincó los inojos ante él y dixo:

—Señor, más quiero que me vos hiráis que delante de mí sea ninguno osado de hazer mal a mi hermano.

Y viniéronle las lágrimas a los ojos.

El ayo ovo manzilla, y díxole:

—Si otra vez lo fazéis, yo vos faré bien llorar.

La reina vio bien todo esto y maravillóse porque aquél llamavan Donzel del Mar.

CAPÍTULO III

CÓMO EL REY LANGUINES LLEVÓ CONSIGO AL DONZEL DEL MAR Y A GANDALÍN, HIJO DE DON GANDALES

Assí estando en esta sazón entró el rey y Gandales, y dixo la reina:

—Dezid, don Gandales, ¿es vuestro fijo aquel fermoso donzel?

—Sí, señora —dixo él.

—Pues ¿por qué —dixo ella— lo llaman el Donzel del Mar?

—Porque en la mar nació —dixo Gandales— cuando yo de la Pequeña Bretaña venía.

—Por Dios, poco vos pareçe —dixo la reina.

Esto dezía por ser el donzel a maravilla fermoso, y don Gandales havía más de bondad que de fermosura. El rey, que el donzel mirava, y muy fermoso le pareçió, dixo:

—Fazeldo aquí venir, Gandales, y yo lo quiero criar.

—Señor —dixo él—, sí faré; mas ahún no es en edad que se deva partir de su madre.

Entonces fue por él y tráxolo, y díxole:

—Donzel del Mar, ¿queréis ir con el rey mi señor?

—Yo iré donde me vos mandardes —dixo él— y vaya mi hermano comigo.

—Ni yo quedaré sin él —dixo Gandalín.

—Creo, señor —dixo Gandales— que los avréis de llevar ambos, que se no quieren partir.

—Mucho me plaze —dixo el rey.

Entonces lo tomó cabe sí, y mandó llamar a su fijo Agrajes, y díxole:

—Fijo, estos donzeles ama tú mucho, que mucho amo yo a su padre.

Cuando Gandales esto vio, que ponían al Donzel del Mar en mano de otro que no valía tanto como él, las lágrimas le vinieron a los ojos y dixo entre sí: «Fijo hermoso, que de pequeño començaste andar en aventura y peligro, y agora te veo en servidumbre de los que a ti podrían servir, Dios te guarde y enderece en aquellas cosas de su servicio y de tu gran honra y haga verdaderas las palabras que la sabia Urganda de ti me dixo, y a mí dexe llegar a tiempo de las tus grandes maravillas que en las armas prometidas te son.»

El rey, que los ojos llenos de agua le vio, dixo:

—Nunca pensé que érades tan loco.

—No lo so tanto como cuidáis —dixo él—, mas si os pluguiere, oídme un poco ante la reina.

Entonces mandaron apartar a todos, y Gandales les dixo:

—Señores, sabed la verdad deste donzel que leváis que lo yo fallé en la mar.

Y contóles por cual guisa, y también dixera lo que de Urganda supo si no por el pleito que fizo.

—Agora fazed con él lo que devéis, que, assí Dios me salve, según el aparato que él traía yo creo que es de muy gran linaje.

Mucho plugo al rey en lo saber, y preció al cavallero que lo tan bien guardara; y dixo a don Gandales:

—Pues que Dios tanto cuidado tuvo en lo guardar, razón es que lo tengamos nos en lo criar y hazer bien cuando tiempo será.

La reina dixo:

—Yo quiero que sea mío, si os pluguiere, en tanto que es en edad de servir mugeres; después será vuestro.

El rey se lo otorgó.

Otro día mañana se partieron de allí, levando los donzeles consigo, y fueron su camino. Pero dígoos de la reina que fazía criar el Donzel del Mar con tanto cuidado y honra como si su fijo propio fuesse. Mas el trabajo que se con él tomaba no era vano, porque su ingenio era tal, y condición tan noble, que muy mejor que otro ninguno y más presto todas las cosas aprendía. El amava tanto caça y monte, que si lo dexassen nunca dello se apartara tirando con su arco y cevando los canes. La reina era tan agradada de cómo él servía, que lo no dexava quitar delante su presencia.

El autor aquí torna a contar del rey Perión y de su amiga Elisena. Como ya oístes, Perión estava en su reino después que ovo fablado con los clérigos que el sueño le soltaron, y muchas vezes pensó en las palabras que la donzella le dixera, mas no las pudo entender. Pues passando algunos días, estando en su palacio entró una donzella por la puerta y diole una carta de Elisena su amiga, en que le fazía saber cómo el rey Garínter, su padre, era muerto y ella estava desanparada, que la oviesse piedad, que la reina de Escocia, su hermana, y el rey, su marido, le querían tomar la tierra. El rey Perión comoquiera que de la muerte del rey Garínter pesar grande oviesse, fue alegre en pensar de ir a ver a su amiga, donde nunca perdía desseo, y dixo a la donzella:

—Agora os id y dezid a vuestra señora que sin me detener un solo día seré luego con ella.

La donzella se tornó muy alegre. El rey, aderecando la gente que era necessaria, partió luego al derecho camino donde Elisena era; y tanto anduvo por sus jornadas, que llegó a la Pequeña Bretaña, donde falló nuevas que Languines avía todo el señorío de la tierra, salvo aquellas villas que su padre a Elisena dexara, y sabiendo que ella era en una villa que Acarte se dezía, fuese allá, y si fue bien recebido, no es de contar, y por el semejante ella dél, que se mucho amavan. El rey le dixo que fiziese llamar todos sus amigos y parientes porque la quería por muger tomar. Elisena assí lo fizo con gran gozo de su ánimo, porque en aquello consistía todo el fin de sus desseos.

Sabido por el rey Languines la venida del rey Perión, y cómo con Elisena casar quería, mandó llamar todos los hombres buenos de la tierra, y levándolos consigo se fue para él. Haviéndose ambos con buen talante saludado y recebido y las bodas y fiestas celebradas, acordaron los reyes de se bolver en sus reinos. Y caminando el rey Perión con Elisena su muger, passando cabe una ribera donde aposentar querían, el rey se fue solo suso por la ribera, pensando cómo sabría de Elisena lo del fijo que los clérigos le dixeran cuando le absolvieron el sueño, y tanto anduvo en este pensar, que llegó a una hermita, donde travando el cavallo a un árbol entró a fazer oración, y vio dentro della un hombre viejo vestido de paños de orden, y dixo al rey:

—Cavallero, ¿es verdad que el rey Perión está casado con la fija del rey nuestro señor?

—Verdad es —dixo él.

—Mucho me plaze —dixo el hombre bueno—, que yo sé cierto que della es muy amado de todo su coraçón.

—¿Por dónde lo sabéis vos? —dixo él.

—Por su boca —dixo el buen hombre.

El rey, pensando saber lo que desseava, fízosele conoçer y dixo:

—Ruégoos que me digáis lo que della sabéis.

—Gran yerro faría en ello —dixo el hombre bueno—, y vos me terníades por ereje si lo que en confessión se dixo yo lo manifestasse; baste lo que os digo, que de amor verdadero y leal os ama, pero quiero que sepáis lo que una donzella al tiempo que a esta tierra venistes me dixo, que me parescía muy sabia, y no lo puedo entender: Que de la Pequeña Bretaña saldrían dos dragones que ternían su señorío en Gaula, y sus coraçones en la Gran Bretaña, y de allí saldrían a comer las bestias de las otras tierras, y que contra unas serían muy bravos y feroces, y contra otras mansos y omildosos, como si uñas ni coraçones no tuviessen, y yo fue muy maravillado de lo oír. Pero no porque sepa la razón dello.

El rey se maravilló, y ahunque al presente no lo entendiesse, tiempo fue que claro lo conosció ser assí verdad. Y assí se despidió el rey Perión del hermitaño, y tornóse a las tiendas en que a su muger y compaña avía dexado, donde aquella noche con gran vicio quedó. Estando en su lecho en gran plazer, díxole a la reina lo que los maestros avían declarado de su sueño y que le rogava le dixiese si avía parido algún fijo. La reina que esto oyó ovo tan gran vergüença que quisiera su muerte, y nególe diziendo que nunca pariera. Assí que el rey no pudo aquella vez saber lo que quería. Otro día partieron dende y anduvieron por sus jornadas fasta que llegaron en el reino de Gaula, y plugo a todos los de la tierra con la reina, que era muy noble dueña, y allí folgó el rey algo más que solía, y ovo en ella un fijo y una hija, al hijo llamaron Galaor y a la hija Melicia; cuando el niño ovo dos años y medio fue assí que el rey su padre era en una villa cabe la mar que Bangil avía nombre, y estando él a una finiestra sobre una huerta, y la reina por ella holgando con sus dueñas y donzellas, teniendo el niño cabe sí, que ya començava andar, vieron entrar por un postigo que a la mar salía un jayán con una muy gran maça en su mano, y era tan grande y dessemejado que no avía hombre que lo viesse que se dél no espantasse, y assí lo hizieron la reina y su compaña, que las unas huían entre los árboles y las otras se dexavan caer en tierra atapando los ojos por le no ver. Mas el gigante endereçó contra el niño, que desamparado y solo le vio, y llegando a él tendió el niño los braços riendo, y tomóle entre los suyos, diziendo:

—Verdad me dixo la donzella.

Y tornóse por donde viniera, y entrando en una barca se fue por la mar.

La reina, que le vio ido y que el niño le llevava, dio grandes gritos, mas poco le aprovechó; mas su duelo y de todos fue tan grande, que como quiera que el rey mucho dolor tenía por no aver podido socorrer su hijo, viendo que remedio no avía, baxóse a la huerta para remediar a la reina, que se estava matando que le venía en la memoria el otro hijo que en la mar avía lançado, y agora que con éste pensaba remediar su gran tristeza verlo perdido por tal ocasión, no teniendo esperança de jamás lo cobrar, hazía las mayores ravias del mundo. Mas el rey la llevó consigo y la hizo acoger a su cámara, y cuando más asossegada la vio, dixo:

—Dueña, agora conozco ser verdad lo que los clérigos me dixeron, que éste era el postrimero coraçón, y dezidme la verdad, que según en la sazón que fue no devéis ser culpada.

La reina, comoquiera que con gran vergüença, contóle todo lo que del primero hijo le acontesciera, de cómo lo echara en la mar.

—No toméis enojo —dixo el rey—, pues que a Dios plugo que destos dos hijos poco gozássemos, que yo espero en El que tiempo verná que por alguna buena dicha algo dellos sabremos.

Este gigante que el donzel levó era natural de Leonís y avía dos castillos en una ínsola, y llamávase él Gandalás, y no era tan fazedor de mal como los otros gigantes; antes era de buen talante, fasta que era sañudo, mas después que lo era hazía grandes cruezas. El se fue con su niño hasta en cabo de la ínsola a do avía un hermitaño, buen hombre de santa vida. Y el gigante que aquella ínsola fiziera poblar de christianos mandávale dar elemosna para su mantenimiento, y dixo:

—Amigo, este niño vos doy que lo criéis y enseñéis de todo lo que conviene a cavallero, y dígoos que es fijo de rey y reina, y defiéndoos que nunca seáis contra él.

El hombre bueno le dixo:

—Di, ¿por qué feziste esta crueza tan grande?

—Esto te diré yo —dixo él—. Sábete que queriendo yo entrar en una barca para me combatir con Albadán, el jayán bravo que a mi padre mató y me tiene tomado por fuerça la peña de Galtares, que es mía, fallé una donzella que me dixo: «Esso que tú quieres se ha de acabar por el hijo del rey Perión de Gaula, que avrá mucha fuerça y ligereza más que tú.» Y yo le pregunté si dezía verdad. «Esto verás tú —dixo ella— en la sazón que los dos ramos de un árbol se juntarán, que agora son partidos.»

Desta manera quedó este donzel llamado Galaor en poder del hermitaño, y lo que dél avino adelante se contará.

A esta sazón que las cosas passavan, como de suso avéis oído, reinava en la Gran Bretaña un rey llamado Falangriz, el cual muriendo sin heredero dexó un hermano de gran bondad de armas y de mucha discreción, el cual avía nombre Lisuarte, que con la hija del rey de Denamarcha nuevamente casado era, que avía nombre Brisena, y era la más hermosa donzella que en todas las ínsolas del mar se fallava. Y comoquiera que de muchos altos príncipes demandada fuesse y su padre con temor de unos no la osava dar a ninguno dellos, veyendo ella a este Lisuarte y saviendo sus buenas maneras y grande esfuerço, a todos desechando con él se casó, que por amores la servía. Muerto este rey Falangriz, los altos hombres de la Gran Bretaña, sabiendo las cosas que este Lisuarte en armas avía hecho, y por la su alta proeza tan gran casamiento avía alcançado, embiaron por él para que el reino tomasse.

CAPÍTULO IV

CÓMO EL REY LISUARTE NAVEGÓ POR LA MAR, Y APORTÓ AL REINO DE ESCOCIA DONDE CON MUCHA HONRA FUE RECEBIDO

LA embaxada oída por el rey Lisuarte, ayudándole su suegro con gran flota en la mar entró, por donde navegando fue aportado en el reino de Escocia, donde con mucha honra del rey Languines recebido fue. Este Lisuarte traía consigo a Brisena su muger, y una hija que en ella ovo cuando en Denamarcha morara, que Oriana avía nombre, de hasta diez años, la más hermosa criatura que se nunca vio, tanto que ésta fue la que sin par se llamó, porque en su tiempo ninguna ovo que le igual fuesse, y porque de la mar enojada andava acordó de la dexar allí, rogando al rey Languines y a la reina que gela guardassen. Ellos fueron muy alegres dello, y la reina dixo:

—Creed que la yo guardaré como su madre lo haría.

Y entrando Lisuarte en sus naos con mucha priessa, en la Gran Bretaña arribado fue, y halló algunos que lo estorvaron, como hazer se suele en semejantes casos, y por esta causa no se membró de su hija por algún tiempo, y fue rey con gran trabajo que aí tomó, y fue el mejor rey que ende ovo, ni que mejor mantuviesse la cavallería en su derecho hasta que el rey Artur reinó, que passó a todos los reyes de bondad que ante dél fueron, ahunque muchos reinaron entre el uno y el otro.

El auctor dexa reinando a Lisuarte con mucha paz y sossiego en la Gran Bretaña, y torna al Donzel del Mar, que en esta sazón era de XII años, y en su grandeza y miembros parescía bien de quinze. El servía ante la reina, y assí della como de todas las dueñas y donzellas era mucho amado; mas de que allí fue Oriana, la hija del rey Lisuarte, diole la reina al Donzel del Mar que la sirviesse, diziendo:

—Amiga, éste es un donzel que os servirá.

Ella dixo que le plazía. El donzel tovo esta palabra en su coraçón de tal guisa que después nunca de la memoria la apartó, que sin falta, assí como esta historia lo dize, en días de su vida no fue enojado de la servir y en ella su coraçón fue siempre otorgado, y este amor turó cuanto ellas turaron, que assí como la él amava assí amava ella a él, en tal guisa que una hora nunca de amar se dexaron. Mas el Donzel del Mar, que no conoscía ni sabía nada de cómo le ella amava, teníase por muy osado en aver en ella puesto su pensamiento según la grandeza y hermosura suya, sin cuidar de ser osado a le dezir una sola palabra, y ella que lo amava de coraçón guardávase de fablar con él más que con otro, porque ninguna cosa sospechassen. Mas los ojos avían gran plazer de mostrar al coraçón la cosa del mundo que más amavan. Assí bivían encubiertamente sin que de su hazienda ninguna cosa el uno al otro se dixessen.

Pues passando el tiempo, como os digo, entendió el Donzel del Mar en sí que ya podría tomar armas si oviese quien le hazer cavallero; y esto desseava él considerando que él sería tal y haría tales cosas por donde muriesse, o biviendo su señora le preciaría; y con este desseo fue al rey que en una huerta estava, y, hincados los inojos, le dixo:

—Señor, si a vos pluguiesse, tiempo sería de ser yo cavallero.

El rey dixo:

—¡Cómo, Donzel del Mar!, ¿ya os esforçáis para mantener cavallería? Sabed que es ligero de aver y grave de mantener. Y quien este nombre de cavallería ganar quisiere y mantenerlo en su honra, tantas y tan graves son las cosas que ha de fazer, que muchas vezes se le enoja el coraçón, y si tal cavallero es que por miedo o codicia dexa de hazer lo que conviene, más le valdría la muerte que en vergüença bivir, y por ende ternía por bien que por algún tiempo os sufráis.

El Donzel del Mar le dixo:

—Ni por todo esso no dexaré yo de ser cavallero, que si en mi pensamiento no tuviesse de complir esso que avéis dicho, no se esforçaría mi coraçón para lo ser. Y pues a la vuestra merced soy criado, complid en esto comigo lo que devéis; si no buscaré otro que lo faga.

El rey, que temió que assí lo haría, dixo:

—Donzel del Mar, yo sé cuándo os será menester que lo seáis y más a vuestra honra y prométoos que lo haré; y en tanto ataviarse han vuestras armas y aparejos. Pero ¿a quién cuidávades vos ir?

—Al rey Perión —dixo él—, que me dizen que es buen cavallero y casado con la hermana de la reina mi señora, y hazerle he saber cómo era criado della, y con esto pensava yo que de grado me armaría cavallero.

—Agora —dixo el rey— estad, que cuando sazón fuere honradamente lo seréis.

Y luego mandó que le aparejassen las cosas a la orden de cavallería necessarias, y hizo saber a Gandales todo cuanto con su criado le contesciera, de que Gandales fue muy alegre, y enbióle por una donzella la espada y el anillo y la carta embuelta en la cera como lo hallara en el arca donde a él halló. Y estando un día la hermosa Oriana con otras dueñas y donzellas en el palacio holgando, en tanto que la reina dormía era allí con ellas el Donzel del Mar, que sólo catar no osava a su señora, y dezía entre sí: «¡Ay, Dios! ¿Por qué vos plugo de poner tanta beldad en esta señora y en mí tan gran cuita y dolor por causa della? En fuerte punto mis ojos la miraron, pues que perdiendo la su lumbre, con la muerte pagarán aquella gran locura en que al coraçón han puesto.»

Y assí estando, cuasi sin ningún sentido, entró un donzel y díxole:

—Donzel del Mar, allí fuera está una donzella estraña que os trae donas y os quiere ver.

El quiso salir a ella, mas aquella que lo amava, cuando la oyó, estremeciósele el coraçón, de manera que si en ello alguno mirara, pudiera bien ver su gran alteración; mas tal cosa no la pensavan. Y ella dixo:

—Donzel del Mar, quedad y entre la donzella, y veremos las donas.

El estuvo quedo, y la donzella entró. Y ésta era la que embiava Gandales, y dixo:

—Señor Donzel del Mar, vuestro amo Gandales vos saluda mucho, assí como aquel que os ama, y embíaos esta espada y este anillo y esta cera, y ruégaos que trayáis esta espada en cuanto vos durare por su amor.

El tomó las donas y puso el anillo y la cera en su regaço, y començó a desenbolver de la espada un paño de lino que la cubría, maravillándose cómo no traía vaina, y en tanto Oriana tomó la cera que no creía que aí otra cosa oviese, y díxole:

—Esto quiero yo destas donas.

A él pluguiera más que tomara el anillo, que era uno de los hermosos del mundo. Y catando la spada entró el rey, y dixo:

—Donzel del Mar, ¿qué os paresce dessa espada?

—Señor, parésceme muy hermosa, mas no sé por qué está sin vaina.

—Bien ha XV años —dixo el rey— que la no ovo.

Y tomándole por la mano se apartó con él y díxole:

—Vos queréis ser cavallero, y no sabéis si de derecho os conviene, y quiero que sepáis vuestra hazienda como yo lo sé.

Y contóle cómo fuera en la mar hallado con aquella espada y anillo en el arca metido, assí como lo oístes. Dixo él:

—Yo creo lo que me dezís, porque aquella donzella me dixo que mi amo Gandales me embiava esta espada, y yo pensé que errara en su palabra en me no dezir que mi padre. Mas a mí no pesa de cuanto me dezís, sino por no conoscer mi lenaje, ni ellos a mí. Pero yo me tengo por hidalgo, que mi coraçón a ello me esfuerça. Y ahora, señor, me conviene más que ante cavallería, y ser tal que gane honra y prez, como aquel que no sabe parte de donde viene, y como si todos los de mi linaje muertos fuessen, que por tales los cuento, pues me no conoscen, ni yo a ellos.

El rey creyó que sería hombre bueno y esforçado para todo bien; y estando en estas hablas, vino un cavallero que le dixo:

—Señor, el rey Perión de Gaula es venido en vuestra casa.

—¿Cómo en mi casa? —dixo el rey.

—En vuestro palacio está —dixo el cavallero.

El fue allá muy aína, como aquel que sabía honrar a todos; y como se vieron, saludáronse ambos, y Languines le dixo:

—Señor, ¿a qué venistes a esta tierra tan sin sospecha?

—Vine a buscar amigos —dixo el rey Perión—, ca los he menester agora más que nunca, que el rey Abiés de Irlanda me guerrea; y es con todo su poder en mi tierra, y acógese en la desierta y viene con él Daganel su coermano, y ambos han tan gran gente ayuntada contra mí, que mucho me son menester parientes y amigos, assí por aver en la guerra mucha gente de lo mío perdido, como por me fallescer otros muchos en que me fiava.

Languines le dixo:

—Hermano, mucho me pesa de vuestro mal; y yo vos faré ayuda como mejor pudiere.

Agrajes era ya cavallero, y fincando los inojos ante su padre, dixo:

—Señor, yo vos pido un don.

Y él, que lo amava como a sí, dixo:

—Fijo, demanda lo que quisieres.

—Demándoos, señor, que me otorguéis que yo vaya a defender a la reina mi tía.

—Yo lo otorgo —dixo él—, y te embiaré lo más honradamente y más apuesto que yo pudiere.

El rey Perión fue ende muy alegre. El Donzel del Mar que aí estava mirava mucho al rey Perión, no por padre, que no lo sabía, mas por la gran bondad de armas que dél oyera dezir, y más desseava ser cavallero de su mano que de otro ninguno que en el mundo fuesse. Y creyó que el ruego de la reina valdría mucho para ello; mas hallándola muy triste por la pérdida de su hermana, no le quiso hablar, y fuese donde su señora Oriana era, y hincados los inojos ante ella, dixo:

—Señora Oriana, ¿podría yo por vos saber la causa de la tristeza que la reina tiene?

Oriana que assí vio ante sí aquel que más que a sí amava, sin que él ni otro alguno lo supiesse, al coraçón gran sobresalto le occurrió, y díxole:

—¡Ay, Donzel del Mar!, esta es la primera cosa que me demandastes, y yo la faré de buena voluntad.

—¡Ay, señora! —dixo él—, que yo no soy tan osado ni dino de a tal señora ninguna cosa pedir, sino hazer lo que por vos me fuere mandado.

—Y ¡cómo! —dixo ella— ¿tan flaco es vuestro coraçón, que para rogar no basta?

—Tan flaco —dixo él— que en todas las cosas contra vos me deve fallescer, sino en vos servir como aquel que sin ser suyo es todo vuestro.

—Mío —dixo ella—, ¿desde cuándo?

—Desde cuando os plugo —dixo él.

—Y ¿cómo me plugo? —dixo Oriana.

—Acuérdese, señora —dixo el Donzel—, que el día que de aquí vuestro padre partió me tomó la reina por la mano y poniéndome ante vos dixo: «Este donzel os doy que os sirva»; y dexistes que os plazía; desde estonces me tengo y me terné por vuestro para os servir, sin que otra ni yo mismo sobre mi señorío tenga en cuanto biva.

—Essa palabra —dixo ella— tomastes vos con mejor entendimiento que a la fin que se dixo, mas bien me plaze que assí sea.

El fue tan atónito del plazer que ende ovo que no supo responder ninguna cosa; y ella vio que todo señorío tenía sobre él; y dél se partiendo, se fue a la reina y supo que la causa de su tristeza era por la pérdida de su hermana, lo cual tornando al Donzel del Mar le manifestó. El Donzel le dixo:

—Si a vos, señora, pluguiesse que yo fuesse cavallero, sería en ayuda de essa hermana de la reina, otorgándome vos la ida.

—Y si la yo no otorgasse —dixo ella—, ¿no iríades allá?

—No —dixo él—, porque este mi vencido coraçón sin el favor de cúyo es, no podría ser sostenido en ninguna afrenta, ni ahun sin ella.

Ella se rió con buen semblante, y díxole:

—Pues que assí os he ganado, otórgoos que seáis mi cavallero, y ayudéis aquella hermana de la reina.

El donzel le besó las manos y dixo:

—Pues qu'el rey mi señor, no me ha querido hazer cavallero, más a mi voluntad lo podría agora ser deste rey Perión a vuestro ruego.

—Yo faré en ello lo que pudiere —dixo ella—, mas menester será de lo dezir a la infanta Mabilia, que su ruego mucho valdrá ante el rey su tío.

Entonces se fue a ella y díxole cómo el Donzel del Mar quería ser cavallero por mano del rey Perión, y que avía menester para ello el ruego suyo dellas. Mabilia, que muy animosa era, y al Donzel amava de sano amor, dixo:

—Pues hagámoslo por él, que lo meresce, y véngase a la capilla de mi madre armado de todas armas, y nos le haremos compañía con otras donzellas; y queriendo el rey Perión cavalgar para se ir, que según he sabido será antes del alva, yo le embiaré rogar que me vea, y allí hará el nuestro ruego, que mucho es cavallero de buenas maneras.

—Bien dezís —dixo Oriana—; y llamando entrambas al Donzel le dixeron cómo lo tenían acordado. El se lo tuvo en merced. Assí se partieron de aquella habla en que todos tres fueron acordados; y el Donzel llamó a Gandalín y díxole:

—Hermano, lleva mis armas todas a la capilla de la reina encubiertamente, que pienso esta noche ser cavallero, y porque en la hora me conviene de aquí partir, quiero saber si querrás irte conmigo.

—Señor, yo os digo que a mi grado nunca de vos seré partido.

Al Donzel le vinieron las lágrimas a los ojos, y besóle en la faz y díxole:

—Amigo, agora haz lo que te dixe.

Gandalín puso las armas en la capilla en tanto que la reina cenava; y los manteles alçados, fuese el Donzel a la capilla y armóse de sus armas todas, salvo la cabeça y las manos, y hizo su oración ante el altar, rogando a Dios que assí en las armas como en aquellos mortales desseos que por su señora tenía le diesse vitoria. Desque la reina fue a dormir, Oriana y Mabilia con algunas donzellas se fueron a él por le acompañar; y como Mabilia supo que el rey Perión quería cavalgar, embióle dezir que la viesse ante. El vino luego, y díxole Mabilia:

—Señor, hazed lo que os rogare Oriana, hija del rey Lisuarte.

El rey dixo que de grado lo haría, que el merescimiento de su padre a ello le obligava. Oriana vino ante el rey, y como la vio tan hermoso bien creía que en el mundo su igual no se podría hallar, y dixo:

—Yo os quiero pedir un don.

—De grado —dixo el rey— lo haré.

—Pues hacedme esse mi Donzel cavallero.

Y mostróselo, que de rodillas ante el altar estava. El rey vio el Donzel tan hermoso que mucho fue maravillado, y llegándose a él dixo:

—¿Queréis recebir orden de cavallería?

—Quiero —dixo él.

—En el nombre de Dios, y El mande que tan bien empleada en vos sea y tan crescida en honra como El os crescíó en fermosura.

Y poniéndole la espuela diestra, le dixo:

—Agora sois cavallero y la espada podéis tomar.

El rey la tomó y diógela, y el Donzel la ciñó muy apuestamente. Y el rey dixo:

—Cierto, este acto de os armar cavallero según vuestro gesto y aparencia con mayor honra lo quisiera aver fecho. Mas yo espero en Dios que vuestra fama será tal, que dará testimonio de lo que con más honra se devía hazer.

Y Mabilia y Oriana quedaron muy alegres y besaron las manos al rey, y encomendando el Donzel a Dios se fue su camino.

Aqueste fue el comienço de los amores deste cavallero y desta infanta, y si al que lo leyere estas palabras simples le parescieren, no se maraville dello, porque no sólo a tan tierna edad como la suya, mas a otras que con gran discreción muchas cosas en este mundo passaron, el grande y demasiado amor tuvo tal fuerça, que el sentido y la lengua en semejantes autos les fue turbado. Assí que con mucha razón ellos en las dezir y el autor en más polidas no las escrevir deven ser sin culpa, porque a cada cosa se deve dar lo que le con-

viene. Seyendo armado cavallero el Donzel del Mar, como
de suso es dicho, y queriéndose despedir de Oriana su señora, y de Mabilia y de las otras donzellas que con él en la
capilla velaron, Oriana que le parescía partírsele el coraçón,
sin se lo dar a entender, le sacó aparte y le dixo:

—Donzel del Mar, yo os tengo por tan bueno que no creyo
que seáis hijo de Gandales; si ál en ello sabéis, dezídmelo.

El Donzel le dixo de su hazienda aquello que del rey Languines supiera, y ella, quedando muy alegre en lo saber, lo
encomendó a Dios. Y él falló a la puerta del palacio a Gandalín que le tenía la lança y escudo y el cavallo, y cavalgando en él se fue su vía, sin que de ninguno visto fuesse, por
ser ahun de noche, y anduvo tanto que entró por una floresta, donde el medio día passado comió de lo que Gandalín le
llevava; y seyendo ya tarde oyó a su diestra parte unas bozes
muy dolorosas, como de hombre que gran cuita sentía; y fue
aína contra allá; y en el camino halló un cavallero muerto, y
passando por él vio otro que estava mal llagado y estava
sobre él una muger que le hazía dar las bozes, metiéndole
las manos por las llagas; y cuando el cavallero vio al Donzel
del Mar, dixo:

—¡Ay, señor cavallero, acorredme! Y no me dexéis assí
matar a esta alevosa.

El Donzel le dixo:

—Tiraos afuera, dueña, que os no conviene lo que hazéis.

Ella se apartó, y el cavallero quedó amortecido, y el Donzel del Mar decendió del cavallo, que mucho desseava saber
quién fuesse, y tomó al cavallero en sus braços, y tanto que
acordado fue, dixo:

—¡O, señor, muerto soy y llevadme donde aya consejo
de mi alma.

El Donzel le dixo:

—Señor cavallero, esforçad, y dezidme si os pluguiere qué
fortuna es esta en que estáis.

—La que yo quise tomar —dixo el cavallero—; que yo siendo rico y de gran linaje casé con aquella muger que vistes
por grande amor que le avía, seyendo ella en todo al contrario. Y esta noche passada ívaseme con aquel cavallero que
allí muerto yaze, que le nunca vi sino esta noche que se apo-
sentó comigo; y después que en batalla lo maté, díxele que
la perdonaría si jurava de me no fazer más tuerto ni deshonra; y ella assí lo otorgó. Mas de que vio írseme tanta sangre

de las feridas que no tenía esfuerço, quísome matar, metiendo en ellas las manos; assí que soy muerto, y ruégoos que me llevéis aquí adelante donde mora un hermitaño que curará de mi alma.

El Donzel lo hizo cavalgar ante Gandalín; y cavalgó y fuéronse yendo contra la hermita. Mas la mala muger mandara dezir a tres hermanos suyos que viniessen por aquel camino con recelo de su marido que tras ella iría, y éstos encontráronla, y preguntaron cómo andava assí. Ella dixo:

—¡Ay, señores, acorredme, por Dios, que aquel mal cavallero que allí va mató ésse que aí véis y a mi señor lleva tal como muerto! Id tras él y mataldo, y a un hombre que consigo lleva, que hizo tanto mal como él.

Esto dezía ella porque muriendo ambos no se sabría su maldad, que su marido no sería creído. Y cavalgando en su palafrén se fue con ellos por se los mostrar. El Donzel del Mar dexara ya el cavallero en la hermita y tornava a su camino, mas vio cómo la donzella venía con los tres cavalleros, que dezían:

—Estad, traidores, estad.

—Mentís —dixo él—, que traidor no soy; ante me defenderé bien de traición, y venid a mí como cavalleros.

—¡Traidor! —dixo el delantero—, todos te devemos hazer mal, y assí lo faremos.

El Donzel del Mar, que su escudo tenía y el yelmo enlazado, dexóse ir al primero, y él a él, y heriólo en el escudo tan duramente que se lo passó y el braço en que lo tenía, y derribó a él y al cavallo en tierra tan bravamente, que el cavallero ovo la espalda diestra quebrada y el cavallo de lla gran caída la una pierna; de guisa que el uno ni el otro se pudieron levantar, y quebró la lança; y echó mano a su espada que le guardara Gandales, y dexóse ir a los dos, y ellos a él; y encontráronle en el escudo, que gelo falsaron, mas no el arnéo,[15] que fuerte era, y el Donzel hirió al uno por

---

15. El concepto *arnés* aparece en los Libros I y II como sinónimo de loriga *(haubert)* y no con su significado más habitual de conjunto de armas defensivas. El tipo de armamento mencionado en toda la obra corresponde, en general, al del siglo XIII: yelmo con visera *(Topfhelm)*, loriga de mallas, escudo con brocal, lanza, espada, hacha; también se citan las fojas, hojas, láminas de metal, documentadas ya en Europa a fines del XIII. No se encuentra ninguna innovación armamentisca del siglo XIV (ristre, bacinete). El tipo de combate descrito en este pasaje sigue fiel-

cima del escudo y cortóselo fasta la embraçadura, y la espada alcançó en el ombro, de guisa que con la punta le cortó la carne y los huessos, que el arnés no le valió; y al tirar la espada fue el cavallero en tierra, y fuese al otro que lo hería con su espada, y dióle por cima del yelmo, y hirióle de tanta fuerça en la cabeça, que le hizo abraçar con la cerviz del cavallo, y dexóse caer por le no atender otro golpe, y la alevosa quiso fuir, mas el Donzel del Mar dio bozes a Gandalín que la tomasse. El cavallero que a pie estava dixo:

—Señor, no sabemos si esta batalla fue a derecho o a tuerto.

—A derecho no podía ser —dixo él— que aquella muger mala matava a su marido.

—Engañados somos —dixo él—, y dadnos segurança y sabréis la razón por qué os acometimos.

—La segurança —dixo— os doy, mas no os quito la batalla.

El cavallero le contó la causa por qué a él vinieron. El Donzel se santiguó muchas vezes de lo oír, y díxoles lo que sabía.

—Y vees aquí su marido en esta hermita, que assí como yo os lo dirá.

—Pues que assí es —dixo el cavallero— nos seamos en la vuestra merced.

—Esso no haré yo si no juráis como leales cavalleros que llevaréis este cavallero herido a su muger con él a casa del rey Languines, y diréis cuanto della acontesció, y que la embía un cavallero novel que oy salió de la villa donde él es, y que mande hazer lo que por bien tuviere.[16]

Esto otorgaron los dos, y el otro después que muy malo lo sacaron debaxo del cavallo.

---

mente los elementos propios del motivo del combate singular fijado en la épica y novela francesa del siglo XII (espolear los caballos, golpear con la lanza, derribar del caballo, quebrar la lanza, echar mano a la espada).

16. La aventura concluye según el modo habitual en el roman artúrico francés: vencido el caballero y concedida la merced, deberá acudir a la corte —en este caso, la del rey Languines— para confesarse conquistado por un caballero que no quiere revelar su nombre.

CAPÍTULO V

CÓMO URGANDA LA DESCONOCIDA TRAXO UNA LANÇA AL DONZEL DEL MAR

DEJÓ el Donzel del Mar su escudo y yelmo a Gandalín y fuese su vía, y no anduvo mucho que vio venir una donzella en su palafrén y traía una lança con una trena; y vio otra donzella que con ella se juntó, que por otro camino venía, y viniéronse ambas fablando contra él, y como llegaron, la donzella de la lança le dixo:

—Señor, tomad esta lança, y dígoos que ante de tercero día haréis con ella tales golpes, por que libraréis la casa onde primero salistes.

El fue maravillado de lo que dezía, y dixo:

—Donzella, la casa ¿cómo puede morir ni bivir?

—Assí será como lo yo digo —dixo ella—; y la lança os do por algunas mercedes que de vos espero. La primera será cuando hizierdes una honra a un vuestro amigo, por donde será puesto en la mayor afrenta y peligro que fue puesto cavallero passados ha diez años.

—Donzella —dixo él—, tal honra no haré yo a mi amigo, si Dios quisiere.

—Yo sé bien —dixo ella— que así acaescerá como lo yo digo.

Y dando de las espuelas al palafrén se fue su vía; y sabed que ésta era Urganda la Desconocida.[17] La otra donzella quedó con él y dixo:

—Señor cavallero, soy de tierra estraña y si quisierdes, aguardaros he fasta tercero día, y dexaré de ir donde es mi señora.

—Y ¿dónde sois os? —dixo él.

—De Denamarcha —dixo la donzella.

Y él conosció que dezía verdad en su lenguaje, que algunas veces oyera hablar a su señora Oriana cuando era más niña, y dixo:

---

17. La crítica ha señalado la semejanza de este personaje, Urganda la Desconocida, y la Dama del Lago del *Lancelot du Lac*. En *A*, Urganda se caracteriza por su función profética y, como aparece en este pasaje, por proporcionar armas al héroe.

—Donzella, bien me plaze si por afán no lo tuvierdes.

Y preguntóle si conoscía la donzella que la lança le dio. Ella dixo que la nunca viera sino entonces. Mas que le dixera que la traía para el mejor cavallero del mundo; —y díxome que después que de vos se partiessen que os hiziesse saber cómo era Urganda la Desconoscida, y que mucho os ama.

—¡Ay, Dios —dixo él—, cómo soy sin ventura en la no conoscer; y si la dexo de buscar, es porque ninguno la hallará sin su grado!

Y assí anduvo con la donzella fasta la noche, que halló un escudero en la carrera que le dixo:

—Señor, ¿hazia dó is?

—Voy por este camino —dixo él.

—Verdad es —dixo el escudero—; mas si aposentar os queréis en poblado converná que lo dexéis, que de aquí a gran pieça no se hallará sino una fortaleza que es de mi padre y allí se os hará todo servicio.

La donzella le dixo que sería bien; y él se lo otorgó. El escudero los desvió del camino para los guiar, y esto hazía por una costumbre que avía aí adelante en un castillo por do el cavallero avía de ir; y quería ver lo que faría, que nunca viera combatir cavallero andante. Pues allí llegados, aquella noche fueron muy bien servidos. Mas el Donzel del Mar no dormía mucho, que lo más de la noche estuvo contemplando en su señora donde se partiera, y a la mañana armóse y fue su vía con su donzella y el escudero. Su huésped le dixo que le haría compañía hasta un castillo que avía delante; assí anduvieron tres leguas; y vieron el castillo, que muy hermoso parescía, que estava sobre un río, y avía una puente levadiza y en cabo della una torre muy alta y hermosa. El Donzel del Mar preguntó al escudero si aquel río tenía otra passada sino por la puente. El dixo que no, que todos passavan por ella, —y nos por aí vamos passar.

—Pues vía delante —dixo él.

La donzella passó y los escuderos después, y el Donzel del Mar a la postre; y iva tan firmemente pensando en su señora, que todo iva fuera de sí. Como la donzella entró tomáronla .vi. peones por el freno, armados de capellinas y coraças, y dixeron:

—Donzella, conviene que juréis, si no, sois muerta.

—¿Qué juraré?

—Jurarás de no hazer amor a tu amigo en ningún tiempo
si no os promete que ajudará al rey Abiés contra el rey Perión.

La donzella dio bozes diziendo que la querían matar. El
Donzel del Mar fue allá, y dixo:

—Villanos malos, ¿quién os mandó poner mano en dueña
ni donzella, endemás en ésta que va en mi guarda?

Y llegándose al mayor dellos le travó de la hacha, y dióle
tal ferida con el cuento que lo batió en tierra; los otros començáronlo a ferir, mas él dio al uno tal golpe que lo hendió hasta ojos y herió a otro en el ombro y cortóle hasta los
huessos de los costados. Cuando los otros vieron estos dos
muertos de tales golpes, no fueron seguros, y començaron a
huir; y él tiró al uno la hacha, que bien media pierna le cortó,
y dixo a la donzella:

—Id adelante, que mal ayan cuantos tienen por derecho
que ningún villano ponga mano en dueña ni en donzella.

Entonce fueron adelante por la puente y oyeron del otro
cabo a la parte del castillo gran rebuelta. Dixo la donzella:

—Gran ruido de gente suena; y yo sería en que tomássedes vuestras armas.

—No temáis —dixo él—, que en parte donde las mugeres
son maltratadas, que deven andar seguras, no puede aver
hombre que nada valga.

—Señor —dixo ella—, si las armas no tomáis no osaría passar más adelante.

El las tomó y passó delante, y entrando por la puerta del
castillo vio un escudero que venía llorando y dezía:

—¡Ay, Dios, cómo matan al mejor cavallero del mundo,
porque no haze una jura que no puede tener con derecho!

Y passando por él, vio el Donzel del Mar al rey Perión,
que le hiziera cavallero, assaz maltratado, que le avían muerto el cavallo y dos cavalleros con .x. peones sobre él armados que lo herían por todas partes; y los cavalleros le dezían:

—Jura, si no, muerto eres.

El Donzel les dixo:

—Tiraos afuera, gente mala, sobervia, no pongáis mano
en el mejor cavallero del mundo, que todos por él moriréis.

Entonces se partieron de los otros el un cavallero, y cinco
peones, y veniendo contra él le dixeron:

—A vos assí conviene que juréis o sois muerto.

—¿Cómo —dixo él— juraré contra mi voluntad? Nunca será, si Dios quisiere.

Ellos dieron bozes al portero que cerrasse la puerta. Y el Donzel se dexó correr al cavallero, y hiriólo con su lança en el scudo de manera que lo derribó en tierra por encima de las ancas del cavallo, y al caer dió el cavallero con la cabeça en el suelo, que se le torció el pescueço y fue tal como muerto; y dexando los peones que lo herían fue para el otro y passóle el escudo y el arnés y metióle la lança por los costados, que no ovo menester maestro. Cuando esto vio el rey Perión que de tal manera era acorrido, esforçóse de se mejor defender, y con su espada grandes golpes en la gente de pie dava. Mas el Donzel del Mar entró tan desapoderadamente entre ellos con el cavallo y heriendo con su espada de tan mortales y esquivos golpes, que los más dellos hizo caer por el suelo. Assí con esto como con lo que el rey hazía, no tardó mucho en ser todos destroçados, y algunos que fuir pudieron subiéronse al muro; mas el Donzel se apeó del cavallo y fue tras ellos, y tan grande era el miedo que llevavan que no le osando esperar se dexavan caer de la cerca ayuso, salvo dos dellos, que se metieron en una cámara. Y el Donzel, que los seguía, entró empós dellos, y vio en un lecho un hombre tan viejo que de allí no se podía levantar, y dezía a bozes:

—Villanos malos, ¿ante quién huís?

—Ante un cavallero —dixeron ellos— que haze diabluras, y a muerto a vuestros sobrinos ambos y a todos nuestros compañeros.

El Donzel dixo a uno dellos:

—Muéstrame a tu señor, si no, muerto eres.

El le mostró el viejo que en el lecho yazía.

El se començó a santiguar y dixo:

—Viejo malo, ¿estás en el passo de la muerte y tienes tal costumbre? Si agora pudiésedes tomar armas, provaros ía que érades traidor y assí lo sois a Dios y a vuestra alma.

Entonces hizo semblante que le quería dar con el espada, y el viejo dixo:

—¡Ay, señor, merced; no me matéis!

—Muerto sois —dixo el Donzel del Mar, si no juráis que tal costumbre nunca más en vuestra vida mantenida será.

El lo juró.

—Pues agora me dezid por qué manteníades esta costumbre.

—Por el rey Abiés de Irlanda —dixo él—, qu'es mi sobrino, y yo no le puedo ayudar con el cuerpo, quisiérale ayudar con los cavalleros andantes.

—Viejo falso —dixo el Donzel—, ¿qué han de aver los cavalleros en vuestra ayuda ni estorvo?

Entonces dio del pie al lecho y tornólo sobre él, y encomendándole a todos los diablos del infierno se salió al corral, y fue a tomar uno de los cavallos de los cavalleros que matara, y tráxole al rey y dixo:

—Cavalgad, señor, que poco me contento deste lugar ni de los que en él son.

Entonces cavalgaron y salieron fuera del castillo y el Donzel del Mar no tiró su yelmo porque el rey no lo conosciesse, y siendo ya fuera dixo el rey:

—Amigo, señor, ¿quién sois que me acorristes seyendo cerca de la muerte y me tirastes de mi estorvo muchos cavalleros andantes, y los amigos de las donzellas que por aquí passassen, que yo soy aquel contra quien de jura avían?

—Señor —dixo el Donzel del Mar—, yo soy un cavallero que ove gana de os servir.

—Cavallero —dixo él—, esto veo yo bien, que apenas podría hombre hallar otro tan buen socorro; pero no os dexaré sin que os conozca.[18]

—Esso no tiene a vos ni a mí pro.

—Pues ruégoos por cortesía que os tiréis el yelmo.

El abaxó la cabeça y no respondió; mas el rey rogó a la donzella que se lo tirasse, y ella le dixo:

—Señor, hazed el ruego del rey, que tanto lo dessea.

Pero él no quiso, y la donzella le quitó el yelmo contra su voluntad, y como el rey le vio el rostro conosció ser aquél el donzel que él armara cavallero por ruego de las donzellas; y abraçándolo dixo:

—Por Dios, amigo, agora os conozco yo mejor que ante.

—Señor —dixo él—, yo bien os conoscí que me distes honra de cavallería; lo que si a Dios pluguiere os serviré en vues-

18. La ocultación del nombre es un motivo propiamente artúrico, pero, a diferencia de lo que ocurre en el roman francés, en *A*, es rápidamente desvelado, como en este caso, de modo que el motivo carece en esta obra de función narrativa y adquiere más bien un carácter estereotipado. El yelmo al que se alude en *A*. corresponde al tipo cerrado que cubría totalmente cabeza y rostro (*Topfhelm*) con sólo unos agujeros para la respiración y unas rajas para la visión (*visera*).

tra guerra de Gaula, tanto que otorgado me fuere, y hasta
entonces no quisiera dárosme a conoscer.

—Mucho os lo agradezco —dixo el rey—, que por mi hazéis tanto que más ser no puede, y do muchas gracias a Dios
que por mí fue hecha tal obra.

Esto dezía por le aver hecho cavallero, que del deudo que
le avía ni lo sabía ni lo pensava.

Hablando en esto llegaron a dos carreras, y dixo el Donzel del Mar:

—Señor, ¿cuál destas queréis seguir?

—Esta que va a la siniestra parte —dixo él—, que es la derecha para ir a mi tierra.[19]

—A Dios vais —dixo él—, que tomaré yo la otra.

—Dios vos guíe —dixo el rey—, y miémbreos lo que me
prometistes, que vuestra ayuda me ha quitado la mayor parte
del pavor; y me pone en esperança de con ella ser remediada mi pérdida.

Entonces se fue su vía, y el Donzel quedó con la donzella, la cual le dixo:

—Señor cavallero, yo os aguardé por lo que la donzella
que la lança os dio me dixo: que la traía para el mejor cavallero del mundo; y tanto he visto que conozco ser verdad.
Agora quiero tornar a mi camino por ver aquella mi señora
que vos dixe.

—Y ¿quién es ella? —dixo el Donzel del Mar.

—Oriana, la hija del rey Lisuarte —dixo ella.

Cuando él oyó mentar a su señora estremeciósele el coraçón tan fuertemente que por poco cayera del cavallo, y
Gandalín que así lo vio atónito abraçóse con él; y el Donzel
dixo:

—Muerto soy del coraçón.

La donzella dixo cuitando que otra dolencia fuesse:

—Señor cavallero, desarmaos, que gran cuita ovistes.

—No es menester —dixo él—, que a menudo he este mal.

El escudero que ya oístes dixo a la donzella:

—¿Vais a casa del rey Languines?

—Sí —dixo ella.

19. Situación típica del *chevalier errant,* la de encontrarse ante dos
caminos, el de la derecha y el de la izquierda: el roman artúrico llenó
de significado su elección. La imagen espacial se reproduce de modo
idéntico en este pasaje del *A.*

—Pues yo os faré compañía —dixo él—, que tengo de ser aí a plazo cierto.

Y despidiéndose del Donzel del Mar, se tornaron por la vía que allí vinieron; y él se fue por su camino donde la ventura lo guiava.

El autor aquí dexa de hablar del Donzel del Mar y torna a contar de don Galaor, su hermano, que el gigante ovo llevado. Don Galaor que con el hermitaño se criava, como ya oístes, seyendo ya en edad de diez y ocho años, hízose valiente de cuerpo y membrudo; y siempre leía en unos libros que el buen hombre le dava de los fechos antiguos que los cavalleros en armas passaron; de manera que cuasi con aquello como con lo natural con que nasciera fue movido a gran deseo de ser cavallero; pero no sabía si de derecho lo devía ser, y rogó mucho al hombre bueno que lo criava que gelo dixiesse. Mas él, sabiendo cierto que en siendo cavallero se avía de combatir con el gigante Albadán, viniéronle las lágrimas a los ojos, y díxole:

—Mi fijo, mejor sería que tomássedes otra vía más segura para vuestra alma que poneros en las armas y en la orden de cavallería, que muy trabajosa es de mantener.

—Mi señor —dixo él—, muy mal podría yo seguir aquello que contra mi voluntad tomasse; y en esto que mi coraçón se otorga, si Dios me diere ventura, yo lo passaré a su servicio; que fuera desto no querría que la vida me quedasse.

El hombre bueno, que vio su voluntad, díxole:

—Pues que assí es, yo os digo verdaderamente que si por vos no se pierde, que por vuestro linaje no se perderá, que vos sois hijo de rey y de reina; y esto no lo sepa el gigante que vos lo dixe.

Cuando Galaor esto oyó fue muy alegre que más ser no podía, y dixo:

—El pensamiento que yo fasta aquí tenía por grande en querer ser cavallero, tengo agora por pequeño, según lo que me havéis dicho.

El hombre bueno, temiendo que se le no fuesse, embió a dezir al jayán cómo aquel su criado estava en edad y con gana de ser cavallero, que mirasse lo que le convenía. Oído esto por él, cavalgó y fuese allá, y halló a Galaor muy hermoso y valiente, más que su edad lo requería, y díxole:

—Fijo, yo sé que queréis ser cavallero, y quiérovos llevar comigo, y trabajaré como lo seis mucho a vuestra honra.

—Padre —dixo él—, en esso será mi voluntad del todo complida.

Entonces le hizo cavalgar en un cavallo para lo levar. Pero
antes se despidió del hombre bueno hincados los inojos ante
él, rogándole que le oviesse memoria. El hombre bueno llorava, y besávale muchas vezes; y dándole su bendición se
fue con el gigante. Y llegados a su castillo, fízole armas a su
mesura; y hazíale cavalgar y bofordar por el campo; y diole
dos esgremidores que le desembolviessen y le soltassen con
el escudo y espada, y hízole aprender todas las cosas de
armas que a cavallero convenían; en esto le detuvo un año,
que el gigante vio que le bastava para que sin empacho podría ser cavallero.

Aquí dexa el autor de contar desto, porque en su lugar
mención se hará de lo que este Galaor hizo. Y torna a contar
de lo que sucedió al Donzel del Mar después que del rey
Perión y de la donzella de Denamarcha y del castillo del
viejo se partió. Anduvo dos días sin aventura fallar, y al tercero día, a la hora de mediodía, llegó a vista de un muy hermoso castillo, que era de un cavallero que Galpano havía nombre, que era el más valiente y esforçado en armas que en
todas aquellas partes se fallava, assí que mucho dudado y
temido de todos era. Y junta su gran valentía con la fortaleza
del castillo, tal costumbre mantenía aquel hombre muy sobervio devía mantener, siguiendo más el servicio del enemigo
malo, que de aquel alto Señor que tan señalado entre todos los
otros lo hiziera, que era lo que agora oiréis. Las dueñas y donzellas que por allí passavan fazíalas subir al castillo, y haziendo dellas su voluntad por fuerça, havíanle de jurar que en
tanto que él biviesse no tomassen otro amigo; y si no lo hazían descaveçábalas. Y a los cavalleros por el semejante, que
se havían de combatir con dos hermanos suyos; y si era tal
que los venciesse, combatiessen con él. Y él era de tanta bondad en armas, que le no osavan en el campo atender. Y fa-
zíales jurar que se llamassen «el vencido de Galpano», o les
cortava las cabeças; y tomándoles cuanto traían se havían de
ir de pie. Mas ya Dios enojado que tan gran crueza tanto
tiempo passasse, otorgó a la fortuna que procediendo contra
él aquellos que en muchos tiempos con gran sobervia, con
deleites demasiados tanto a su plazer y a pesar de todos sostenida havía, en pequeño espacio de tiempo tornado fuesse
al contrario, pagando aquellos malos su maldad, y a los otros

como ellos dando temeroso enxemplo, con que se emendassen, como agora vos será contado.

CAPÍTULO VI

CÓMO EL DONZEL DEL MAR SE COMBATIÓ CON LOS PEONES
DEL CAVALLERO, QUE GALPANO SE LLAMAVA, Y DESPUÉS CON
SUS HERMANOS DEL SEÑOR DEL CASTILLO Y CON EL MESMO
SEÑOR Y LO MATÓ SIN D'ÉL HAVER PIEDAD

PUES llegando el Donzel del Mar cerca del castillo vio venir contra él una donzella haziendo muy gran duelo, y con ella un escudero y un donzel que la aguardavan. La donzella era muy hermosa y de hermosos cabellos, y ívalos messando. El Donzel del Mar le dixo:

—Amiga, ¿qué es la causa de tan gran cuita?

—¡Ay, señor —dixo ella—; es tanto el mal que vos lo no puedo dezir!

—Decídmelo —dixo él—, y si con derecho vos puedo remediar, fazerlo he.

—Señor —dixo ella—, yo vengo con mandado de mi señor a un cavallero mançebo de los buenos que agora se saben, y tomáronme allí cuatro peones, y llevándome al castillo fue escarnida de un traidor, y sobre todo hízome jurar que no haya otro amigo en tanto que él biva.

El Donzel la tomó por el freno, y díxole:

—Venid comigo, y daros he derecho si puedo.

Y tomándola por la rienda se fue con ella fablando, diziéndole quién era el cavallero a quien el mandado llevava.

—Saberlo heis —dixo ella— si me vengáis; y dígovos que es él tal que havrá mucha cuita cuando mi deshonra él supiere.

—Derecho es —dixo el Donzel del Mar.

Assí llegaron donde los cuatro peones eran, y díxoles el Donzel del Mar:

—Malos traidores, ¿por qué fezistes mal a esta donzella?

—Por cuanto ovimos miedo —dixeron ellos— de le vos dar derecho.

—Agora lo veréis —dixo él, y metió mano a la espada y dexóse ir a ellos y dio a uno que alçava una acha para lo ferir tal golpe, que el braço le cortó y le echó en tierra. El

cayó dando bozes. Después hirió a otro por las narizes al
través que le cortó fasta las orejas. Cuando los dos esto vieron, començaron de fuir contra un río por una xara espessa.
El metió su espada en la vaina y tomó la donzella por el
freno, y dixo:

—Vamos adelante.

La donzella le dixo:

—Aquí cerca ay una puerta donde vi dos cavalleros
armados.

—Sea —dixo él—, que verlos quiero. Estonces dixo: —Donzella venid empós de mí y non temáis. Y entrando por la
puerta del castillo vio un cavallero armado ante sí que cavalgava en un cavallo; y salido fuera echaron tras él una
puerta colgadiza. Y el cavallero le dixo con gran sobervia:

—Venid, recebiréis vuestra deshonra.

—Dexemos esso —dixo el Donzel— al que saberlo puede;
mas pregúntoos si sois el que fizo fuerça a esta donzella.

—No —dixo el cavallero—, mas que lo fuesse, ¿qué sería
por ende?

—Vengarlo yo —dixo él— si pudiesse.

—Pues ver quiero yo cómo os combatís.

Y dexóse a él ir cuanto el cavallo levarlo pudo, y fallesció de su golpe. Y el Donzel del Mar lo firió con su lança
en el escudo tan fuertemente, que ninguna arma que traxiesse le aprovechó. Y passóle el fierro a las espaldas, y dio con
él muerto en tierra, y sacando la lança dél, se fue a otro cavallero que contra él venía, diziendo:

—En mal punto acá entrastes.

Y el cavallero lo firió en el escudo, que gelo passó; mas
detúvose el fierro en el arnés, que era fuerte; mas él lo firió
de guisa con su lança en el yelmo y derribógelo de la cabeça; y el cavallero fue a tierra sin detenencia ninguna. Y como
assí se vió, començó a dar grandes bozes y salieron tres peones armados de una cámara, y díxoles:

—Matad a este traidor.

Ellos le firieron el cavallo de manera que lo derribaron
con él; mas levantándose muy sañudo de su cavallo que le
mataran, fue ferir al cavallero con su lança en la cara, que el
fierro salió entre la oreja y el pescueço y cayó luego, y tornó
a los de pie que le ferían y lo havían llagado en la una espalda, donde perdía mucha sangre; mas tanta era su saña
que lo no sentía; y firió con su espada aquel que lo llagara

por la cabeça, de manera que la oreja le cortó, y la faz, y cuanto le alcançó; y la spada descendió fasta los pechos; y los otros dos fueron contra el corral, diziendo a grandes bozes:

—Venid, señor, venid, que todos somos muertos.

El Donzel del Mar cavalgó en el cavallo del cavallero que matara, y fue empós dellos y vio a una puerta un cavallero desarmado que le dixo:

—¿Qué es esso, cavallero?; ¿venistes aquí a me matar mis hombres?

—Vine —dixo él— por vengar esta donzella de la fuerça que aquí le fizieron, si fallare aquel que gela fizo.

La donzella dixo:

—Señor, ésse es por quien yo soy escarnida.

El Donzel del Mar le dixo:

—Ay, cavallero sobervio, lleno de villanía, agora compraréis la maldad que fezistes. Armadvos luego, si no, matar vos he assí desarmado; que con los malos como vos no se devía tener templança.

—Ay, señor —dixo la donzella—, matalde a esse traidor y no deis lugar a que más mal faga, que ya todo sería a vuestro cargo.

—Ay, mala —dixo el cavallero—; en punto malo vos él creyó, que con vos vino.

Y entróse en un gran palacio, y dixo:

—Vos, cavallero, atendedme, y no fuyáis, que en ninguna parte me podréis guareçer.

—Yo vos digo —dixo el Donzel del Mar— si vos yo de aquí fuyere, que me no dexéis en ningún lugar de los más guardados.

Y no tardó mucho que lo vio venir encima de un cavallo blanco, y él todo armado que le no falleçía nada, y venía diziendo:

—Ay, cavallero mal andante, en mal punto vistes la donzella; que aquí perderéis la cabeça.

Cuando el Donzel se oyó amenazar, fue muy sañudo y dixo:

—Agora guarde cada uno la suya, y el que la no amparare piérdala.

Entonces se dexaron correr al gran ir de los cavallos, y feriéronse con sus lanças en los escudos, que luego fueron falsados; y los arneses assí mesmo, y los fierros metidos por

la carne, y juntáronse de los cuerpos y escudos y yelmos uno
con otro, tan bravamente, que ambos fueron a tierra. Pero
tanto le vino bien al Donzel, que levó las riendas en la mano,
y Galpano se levantó muy maltrecho, y metieron mano a
sus espadas y pusieron los escudos ante sí, y firiéronse tan
bravo, que espanto ponían a los que los miravan. De los escudos caían en tierra muchas rachas, y de los arneses muchas
pieças, y los yelmos eran abollados y rotos; assí que la plaça
donde lidiavan era tinta de sangre. Galpano que se sintió de
una ferida que tenía en la cabeça, que la sangre le caía sobre
los ojos, se tiró a fuera por los limpiar, mas el Donzel del
Mar, que muy ligero andava y con gran ardimiento, díxole:

—¿Qué es esso, Galpano? No te conviene covardía, ¿no
te miembras que te combates por tu cabeça, y si la malguar-
dares, la perderás?

Galpano le dixo:

—Súfrete un poco y folguemos, que tiempo hay para nos
combatir.

—Esso no ha menester —dixo el Donzel—, que yo no me
combato contigo por cortesía, mas por dar emienda aquella
donzella que deshonraste.

Y fuelo luego ferir tan bravamente por cima del yelmo
que las rodillas ambas le fizo hincar, y levantóse luego, y
començóse a defender, pero no de guisa que el Donzel no
le traxiesse a toda su voluntad, que tanto era ya cansado,
que apenas la espada ponía tener, y no entendía sino en se
cubrir de su escudo, el cual en el braço le fue todo cortado,
que nada dél no le quedó. Entonces, no teniendo remedio,
començó de fuir por la plaça acá y allá ante la espada del
Donzel del Mar, que lo no dexava folgar, y Galpano quiso
fuir a la torre, donde havía hombres suyos. Mas el Donzel
del Mar lo alcançó por unas gradas y tomándole por el yelmo
le tiró tan rezio, que le hizo caer en tierra estendido, y el
yelmo le quedó en las manos, y con la espada le dio tal golpe
en el pescueço, que la cabeça fue del cuerpo apartada; y dixo
a la donzella:

—De hoy más podéis haver otro amigo si quisierdes, que
este a quien jurastes despachado es.

—Merced a Dios y a vos —dixo ella—, que lo matastes.

El quisiera subir a la torre, mas vio alçar el escalera, y
cavalgó en el cavallo de Galpano, que muy fermoso era, y
dixo:

—Vayamos de aquí.

La donzella le dixo:

—Cavallero, yo levaré la cabeça deste que me deshonró, y darla he a quien el mandado lievo de vuestra parte.

—No la levéis —dixo él—, que vos será enojo; mas levad el yelmo en lugar della.[20]

La donzella lo otorgó, y mandó a su escudero que lo tomasse, y luego salieron del castillo y fallaron la puerta abierta de los que por allí havían fuído.

Pues estando en el camino dixo el Donzel del Mar:

—Dezidme quién es el cavallero a quien el mandado leváis.

—Sabed —dixo ella— que es Agrajes, fijo del rey de Escocia.

—Bendito sea Dios —dixo él—, que yo pude tanto que él no recibiesse este enojo, y dígovos, donzella, que es el mejor cavallero mançebo que yo agora sé, y si por él tomastes deshonra, él la hará bolver en honra. Y dezilde que se le encomienda un su cavallero, el cual en la guerra de Gaula hallará si él ý fuere.

—Ay, señor —dixo ella—, pues lo tanto amáis, ruégoos que me otorguéis un don.

El dixo:

—Muy de grado.

—Pues —dixo la donzella— dezidme vuestro nombre.

—Donzella —dixo él—, mi nombre no queráis agora saber y demandad otro don que yo cumplir pueda.

—Otro don —dixo ella— no quiero yo.

—Sí Dios me ayude —dixo él—, no sois en ello cortés en querer de ningún hombre saber nada contra su voluntad.

—Todavía —dixo ella— me lo dezid si queréis ser quito.

Cuando él esto vio que no podía ál fazer, dixo:

—A mi llaman el Donzel del Mar.

Y partiéndose della lo más presto que pudo, entró en su camino. La donzella fue muy gozosa en saber el nombre del cavallero. El Donzel del Mar iva muy llagado y salíale tanta sangre, que la carrera era tinta della, y el cavallo, que era

---

20. Amadís rectifica la costumbre de las doncellas del roman artúrico de llevar la cabeza del caballero vencido en el arzón de la silla (como por ejemplo ocurre en la novela artúrica francesa) al proponerle la sustitución del yelmo por la cabeza, lo que parece mucho más civilizado y alejado del posible ritual de las cabezas cortadas.

blanco, parescía bermejo por muchos lugares, y andando hasta la hora de las vísperas vio una fortaleza muy hermosa, y venía contra él un cavallero desarmado, y como a él llegó, díxole:

—Señor, ¿dónde tomastes estas llagas?

—En un castillo que acá dexo —dixo el Donzel.

—Y esse cavallo, ¿cómo lo ovistes?

—Ovelo por el mío que me mataron —dixo el Donzel.

—Y el cavallero cuyo era ¿qué fue dél?

—Ay, perdió la cabeça —dixo el Donzel.

Entonces descendió del cavallo por le besar el pie. Y el Donzel lo desvió de la estribera, y el otro besóle la falda del arnés, y dixo:

—Ay, señor, vos seáis bien venido, que por vos he cobrado toda mi honra.

—Señor cavallero —dixo el Donzel—, ¿sabéis dónde me curassen destas llagas?

—Si sé —dixo él—, que en esta mi casa vos curará una donzella mi sobrina mejor que otra que en esta tierra haya.

Estonces descavalgaron y fueron entrar en la torre, y el cavallero le dixo:

—Ay, señor, que esse traidor que matastes me ha tenido año y medio muerto y escarnido que no tomé armas, que él me fizo perder mi nombre y jurar que me no llamasse sino el su vencido, y por vuestra causa soy a mi honra tornado.

Allí pusieron al Donzel del Mar en un rico lecho, donde fue curado de sus llagas por mano de la donzella, la cual le dixo que le daría sano tanto que de caminar se escusasse algunos días. Y él dixo que en todo su consejo siguiría.

CAPÍTULO VII

CÓMO AL TERCERO DÍA QUE EL DONZEL DEL MAR SE PARTIÓ
DE LA CORTE DEL REY LANGUINES, VINIERON AQUELLOS TRES
CAVALLEROS QUE TRAÍAN UN CAVALLERO EN UNAS ANDAS,
Y A SU MUGER ALEVOSA

AL tercero día que el Donzel del Mar se partió de casa del rey Languines, donde fue armado cavallero, llegaron aí los tres cavalleros que llevavan la dueña falsa y al cavallero su marido mal llagado en unas andas. Y los tres cavalleros pusieron en la mano del rey la dueña de parte de un cavallero novel. Y contáronle cuanto dél aveniera. El rey se santiguó muchas veces en oír tal traición de muger, y gradeçió mucho al cavallero que la embiara, que ninguno no sabía que el Donzel del Mar era cavallero, sino su señora Oriana y las otras que ya oístes, antes cuidavan que ido era a ver a su amo Gandales. El rey dixo al cavallero de las andas:

—Tan alevosa como lo es vuestra muger non deve bivir.

—Señor —dixo él—, vos fazed lo que devéis, mas yo nunca consentiré matar la cosa del mundo que más amo.

Y despedido del rey, se fizo llevar en sus andas.

El rey dixo a la dueña:

—Por Dios, más leal vos era aquel cavallero que vos a él; mas yo faré que compréis vuestra deslealtad.

Y mandóla quemar.

El rey se maravilló mucho quién sería el cavallero que allí los fiziera venir, y dixo el escudero con quien el Donzel del Mar se aposentara en su castillo:

—¿Por ventura si será un cavallero novel que aguardamos yo y una donzella de Denamarcha, que hoy aquí llegó?

—Y ¿qué cavallero es? —dixo el rey.

—Señor —dixo el escudero—, él es muy niño, y tan fermoso que es maravilla de lo ver, y vile fazer tanto en armas en poca de hora, que si ha ventura de bevir, será el mejor cavallero del mundo.

Estonces contó cuanto dél viera, y cómo librara al rey Perión de muerte.

—¿Sabéis vos —dixo el rey— cómo ha nombre?

—No, señor —dixo él—, que él se encubre mucho además.

Estonces ovo el rey y todos más gana de lo saber que ante. Y el escudero dixo:

La donzella anduvo mas con él que no yo.

—¿Es aquí la donzella? —dixo el rey.

—Sí —dixo él—, que viene a demandar la fija del rey Lisuarte.

Luego mandó que ante él viniesse, y contó cuánto dél viera, y cómo lo aguardara por lo que la donzella que le dio la lança dixo que la traía para el mejor cavallero que agora la podría en mano tener.

—Tanto sé yo dél —dixo ella—, mas de su nombre no sé nada.

—¡Ay, Dios!, ¿quién sería? —dixo el rey.

Mas su amiga no dudava quién podría ser, porque la donzella le havía contado cómo la venía a demandar para la llevar consigo. Y assí como jelo nombró sintió en sí gran alteración, porque creído tuvo que el rey daría lugar que la llevasse a su padre, y ida no sabría nuevas tan contino de aquel que más que a sí mesma quería. Assí pasaron seis días que dél no supieron nuevas. Y estando el rey fablando con su fijo Agrajes, que se quería partir a Gaula con su compaña, entró una donzella por la puerta y hincó los inojos ante ellos, y dixo:

—Señor, oídme un poco ante vuestro padre.

Entonces tomó en sus manos un yelmo con tantas feridas d'espada que ningún lugar sano en él havía, y diólo Agrajes y dixo:

—Señor, tomad este yelmo en lugar de la cabeça de Galpano, y dóvoslo de parte de un cavallero novel, aquel a quien más conviene traer armas que a otro cavallero que en el mundo sea, y este yelmo vos embía él porque deshonró una donzella que iva en vuestro mandado.

—Cómo —dixo él—, ¿muerto es Galpano por mano de un cavallero? Por Dios, donzella, maravillas me dezís.

—Cierto, señor —dixo ella—; aquel conquirió y mató cuantos havía en su castillo, y a la fin se combatió con él solo y cortóle la cabeça, y por ser enojosa de traer me dixo que bastava el yelmo.

—Cierto —dixo el rey—, aquél es el cavallero novel que por aquí passó, que por cierto sus cavallerías estrañas son de otras.

Y preguntó a la donzella si savía cómo havía nombre.

—Sí, señor —dixo ella—, mas esto fue con gran arte.

—Por Dios, decídmelo —dixo el rey—, que mucho me faréis alegre.

—Sabed, señor —dixo ella—, que ha nombre el Donzel del Mar.

Cuando esto oyó el rey fue maravillado, y todos los otros, y dixo:

—Si él fue demandar quien lo fiziesse cavallero no deve ser culpado, que mucho ha que me lo rogó, y yo lo tardé, y hize mal de tardar cavallería a quien della tan bien obra.

—Ay —dixo Agrajes—, ¿dónde le podría fallar?

—El se vos encomienda mucho —dixo la donzella—, y mándavos dezir por mí que lo fallaréis en la guerra de Gaula, si aí fuéredes.

—¡Ay, Dios, qué buenas nuevas me dezís! —dixo Agrajes—; agora he más talante de me ir, y si lo yo fallo nunca a mi grado dél seré partido.

—Derecho es —dixo la donzella—, que él mucho vos ama.

Grande fue el alegría que todos ovieron de las buenas nuevas del Donzel del Mar, mas sobre todos fue la de su señora Oriana, ahunque más que ninguno lo encubría. El rey quiso saber de las donzellas por cuál manera lo fizieron cavallero, y ellas gelo contaron todo. Y dixo él:

—Más cortesía falló en vos que en mí, pues yo no lo tardava sino por su pro, que lo vía muy moço.

La donzella contó Agrajes el mandado que le traía de aquella que la historia contará adelante. Y él se partió con muy buena compaña para Gaula.

CAPÍTULO VIII

Cómo el rey Lisuarte embió por su fija a casa del rey Languines y él gela embió con su fija Mabilia, y acompañadas de cavalleros y dueñas y donzellas

Después de diez días que Agrajes fue partido llegaron aí tres naos, en que venía Galdar de Rascuil con cient cavalleros del rey Lisuarte y dueñas y donzellas para llevar a Oriana. El rey Languines lo acogió bien, que lo tenía por buen cavallero y muy cuerdo. El le dixo el mandado del rey su señor, cómo embiava por su hija, y demás desto Galdar dixo al rey de parte del rey Lisuarte que le rogava embiasse con Oriana a Mabilia su hija, que assí como ella mesma sería tratada y honrada a su voluntad. El rey fue muy alegre dello, y ataviólas muy bien y tuvo al cavallero y a las dueñas y donzellas en su corte algunos días haziéndoles muchas fiestas y mercedes, y fizo adereçar otras naves y bastecerlas de las cosas necessarias, y fizo aparejar cavalleros y dueñas y donzellas, las que le paresció que convenían para tal viaje. Oriana, que vio que este camino no se podía escusar, adereçó de recoger sus joyas, y andándolas recogiendo vio la cera que tomara al Donzel del Mar y membróse dél y viniéronle las lágrimas a los ojos y apretó las manos con cuita de amor que la forçava, y quebrantó la cera, y vio la carta que dentro stava, y leyéndola falló que dezía: «Éste es Amadís sin Tiempo, hijo de rey». Ella, que la carta vio, estuvo pensando un poco, y entendió que el Donzel del Mar havía nombre Amadís y vio que era hijo de rey; tal alegría nunca en coraçón de persona entró como en el suyo, y llamando a la doncella de Denamarcha le dixo:

—Amiga, yo vos quiero dezir un secreto que le no diría sino a mi coraçón, y guardadle como poridad de tal alta donzella como yo soy y del mejor cavallero del mundo.

—Assí lo faré —dixo ella—, y señora, no dudéis de me dezir lo que faga.

—Pues, amiga —dixo Oriana—, vos os id al cavallero novel que sabéis y dígovos que lo llaman el Donzel del Mar, y fallarlo heis en la guerra de Gaula, y si vos antes llegáredes, atendeldo y luego que lo vierdes dadle esta carta y dezidle que aí fallará su nombre, aquel que se scrivieron en ella cuando fue echado en la mar, y sepa que sé yo que es hijo de rey y que pues él era tan bueno cuando no lo savía, agora pune de ser mejor, y dezilde que mi padre embió por mí y me lievan a él, que le embío yo dezir que se parta de la guerra de Gaula y se vaya luego a la Gran Bretaña, y pune de bivir con mi padre fasta que le yo mande lo que faga.

La donzella con este mandado que oís fue della despedida y entrada en el camino de Gaula, de la cual se fablará en su tiempo. Oriana y Mabilia con dueñas y donzellas, acomendándolas el rey y la reina a Dios, fueron metidas en las naos; los marineros soltaron las áncoras y tendieron sus velas, y como el tiempo era endereçado passaron presto en la Gran Bretaña, donde muy bien recebidas fueron.

El Donzel del Mar estuvo llagado quinze días en casa del cavallero y de la donzella su sobrina que le curava. En cabo de los cuales comoquiera que las feridas ahún rezientes fuessen, no quiso aí más detenerse y partióse un domingo de mañana, y Gandalín con él, que nunca dél se partió. Esto era en el mes de abril, y entrando por una floresta oyó cantar las aves, y veía flores a todas partes, y como él tanto en poder de amor fuesse, membróse de su amiga y començó a dezir:

—Ay, cativo Donzel del Mar, sin linaje y sin bien, ¿cómo fueste tan osado de meter tu coraçón y tu amor en poder de aquella que vale más que las otras todas de bondad y fermosura y de linaje? ¡O cativo!, por cualquier destas tres cosas no devía ser osado el mejor cavallero del mundo de la amar, que más es ella fermosa que el mejor cavallero en armas, y más vale la su bondad que la riqueza del mayor hombre del mundo, y yo cativo que no sé quién so, que bivo con trabajo de tal locura que moriré amando sin jelo osar dezir.

Assí fazía su duelo y iva tan atónito, que no catava sino a las cervizes de su cavallo, y miró en una spessura de la floresta y vio un cavallero armado en su cavallo aguardando un su enemigo, el cual havía oído todo aquel duelo que el Donzel del Mar fazía, y como vio que se callava, parósele delante y dixo:

—Cavallero, a mí paresce que más amades vuestra amiga que a vos, despreciándovos mucho y loando a ella; quiero que me digáis quién es y amarla he, pues que vos no sois tal para servir tan alta señora y tan fermosa según lo que a vos he oído.

Dixo el Donzel:

—Señor cavallero, la razón vos obliga a dezir lo que dezís, pero lo demás no lo sabréis en ninguna manera. Y más vos digo, que de la vos amar no podríades dello ganar ningún buen fruto.

—De venir a hombre afán y peligro —dixo el cavallero— por buena señora, en gloria lo devo recebir, porque a la fin sacará dello el gualardón que espera. Y pues hombre en tan alto lugar ama como vos, no se devría de enojar de cosa que le aveniesse.

El Donzel del Mar fue confortado de cuanto le oyó dezir, y tovo que bien fazía a él esta razón, y quiso ir adelante, mas el otro le dixo:

—Estad quedo, cavallero, que todavía conviene que me digáis lo que vos pregunto, por fuerça o de grado.

—Dios no me ayude —dixo el Donzel— si a mi grado lo vos sabréis ni de otro por mi mandado.

—Pues luego sois en la batalla —dixo el cavallero.

—Más me plaze desso —dixo el Donzel del Mar— que de lo dezir.

Estonces enlazaron sus yelmos y tomaron los escudos y las lanças, y queriéndose apartar para su justa, llegó una donzella que les dixo:

—Estad, señores, estad, y decidme unas nuevas si las sabéis, que yo vengo a gran priessa y no puedo atender el fin de vuestra batalla.

Ellos preguntaron qué quería saber.

—Si vio alguno de vos —dixo ella— un cavallero novel que se llama el Donzel del Mar.

—¿Y qué lo queréis? —dixo él.

—Tráyole nuevas de Agrajes, su amigo, el hijo del rey de Escocia.

—Aguardad un poco —dixo el Donzel del Mar—, que yo vos diré dél.

Y fue para el cavallero que le dava bozes que se guardasse, y el cavallero lo firió en el escudo tan bravamente, que la lança fue en pieças por el aire. Mas el Donzel del Mar, que lo acertó en lleno, dio con él y con el cavallo en tierra, y el cavallo se levantó y quiso fuir, mas el Donzel del Mar lo tomó y diógelo diziendo:

—Señor cavallero, tomad vuestro cavallo y no queráis saber de ninguno nada contra su voluntad.

El tomó el cavallo, mas no pudo tan aína cavalgar, que era maltrecho de la caída. El Donzel del Mar tornó a la donzella y díxole:

—Amiga, ¿conoscéis este por quien preguntáis?

—No —dixo ella—, que lo nunca vi; mas díxome Agrajes que él se me daría a conoscer tanto que le dixiesse que era suya.

—Verdad es —dixo él—, y sabed que yo soy.

Estonces desenlazó el yelmo y la donzella, que le vio el rostro dixo:

—Cierto, creo yo que dezís verdad, que a maravilla os oí loar de fermosura.

—Pues dezidme —dixo él—, ¿dónde dexastes Agrajes?

—En una ribera —dixo la donzella— cerca de aquí, donde tiene su compaña para entrar en la mar y passar a Gaula, y quiso ante saber de vos porque con él passéis.

—Dios gelo gradezca —dixo él—, y agora guiad y vamos lo ver.

La donzella entró por el camino y no tardó mucho que vieron en la ribera las tiendas y los cavalleros cab'ellas, y seyendo ya cerca oyeron empós de sí unas bozes diziendo:

—Tornad, cavallero, que todavía conviene que me digáis lo que vos pregunto.

El tornó la cabeça y vio al cavallero con quien ante justara, y otro cavallero con él, y tomando sus armas fue contra ellos, que traían las lanças baxas y al más correr de los cavallos. Y los de las tiendas lo vieron ir tan bien puesto en la silla, que fueron maravillados. Y ciertamente podéis creer que en su tiempo no ovo cavallero que más apuesto en la silla pareciesse, ni más fermoso justasse, tanto que en algunas partes donde se él quería encubrir por ello fue conoscido; y los dos cavalleros le firieron con sus lanças en el escudo que gelo falsaron, mas el arnés no, que era fuerte, y las lanças fueron quebradas, y firió al primero que ante dumbara y encontróle tan fuertemente que dio con él en tierra y le quebró un braço y quedó como muerto, y perdió la lança, mas puso luego mano a la espada y dexóse ir al otro que lo fería, y dióle por cima del yelmo, assí que la espada llegó a la cabeça, y como por ella tiró, quebraron los lazos y sacógelo de la cabeça, y alçó el espada por lo ferir y el otro alçó el escudo, y el Donzel del Mar detovo el golpe, y passando la espada a la mano siniestra travóle del escudo y tirógelo del cuello y dióle con él encima de la cabeça, que el cavallero cayó en tierra atordido.

Esto hecho, dio la armas a Gandalín y fuese con la donzella a las tiendas Agrajes, que se mucho maravillava quién sería el cavallero que tan presto a los dos cavalleros havía vencido, y fue contra él y conoscióle y díxole:

—Señor, vos seáis muy bien venido.

El Donzel del Mar descendió de su cavallo y fuéronse ambos abraçar. Y cuando los otros vieron que aquél era el Donzel del Mar, fueron con él muy alegres. Y Agrajes le dixo:

—Ay, Dios, que mucho vos deseava ver.

Y luego lo levaron a su tienda, y lo fizo desarmar y mandó que le traxiessen allí los cavalleros, que en el campo maltrechos quedavan. Y cuando ante él vinieron, díxoles:

—Por Dios, gran locura començastes en cometer batalla con tal cavallero.

—Verdad es —dixo el del braço quebrado—, mas ya fue hoy tal hora que lo tuve en tan poco, que no creía fallar en él ninguna defensa.

Y contó cuanto con él le aveniera en la floresta, sino el duelo que lo no osó dezir. Mucho rieron todos de la paciencia del uno y de la gran sobervia del otro. Aquel día folgaron allí con mucho plazer, y otro día cavalgaron y anduvieron tanto que llegaron a Palingues, una buena villa que era puerto de mar, frontera de Gaula, y allí entraron en las naos de Agrajes, y con el buen viento que fazía passaron presto

la mar, y llegaron a otra villa de Gaula, que Galfán havía
nombre, y de allí se fueron por tierra a Baladín, un castillo
donde el rey Perión era, donde mantenía su guerra haviendo mucha gente perdida, que con su venida dellos muy alegre fue, y hízoles dar buenas posadas, y la reina Elisena fizo
dezir a su sobrino Agrajes que la viniesse a ver. El llamó al
Donzel del Mar y otros dos cavalleros para ir allá. El rey Perión cató el Donzel y conosciólo que aquél era el que él fiziera cavallero y el que le acorriera en el castillo del viejo, y
fue contra él y dixo:

—Amigo, vos seáis muy bien venido, y sabed que en vos
he yo gran esfuerço, tanto que no dubdo ya mi guerra, pues
vos he en mi compañía.

—Señor —dixo él—, en la vuestra ayuda me havréis vos
cuanto mi persona durare y la guerra haya fin.

Assí hablando llegaron a la reina, y Agrajes le fue besar
las manos, y ella fue con él muy alegre. Y el rey le dixo:

—Dueña, veis aquí el muy buen cavallero de que vos yo
hablé, que me sacó del mayor peligro en que nunca fue; éste
vos digo que améis más que a ningún otro cavallero.

Y ella le vino abraçar. Y él hincó los inojos ante ella y
dixo:

—Señora, yo soy criado de vuestra hermana y por ella
vengo a vos servir, y como ella misma me podéis mandar.

La reina gelo gradesció con mucho amor, y catávalo como
era tan fermoso, y membrándose de sus fijos que havía perdido veniéronle las lágrimas a los ojos. Assí que llorava por
aquel que ante ella estava y no lo conoscía. Y el Donzel del
Mar le dixo:

—Señora, no lloréis, que presto seréis tornada en vuestra
alegría con la ayuda de Dios y del rey y deste cavallero vuestro sobrino, y yo que de grado vos serviré.

Ella dixo:

—Mi buen amigo, vos que sois cavallero de mi hermana,
quiero que poséis en mi casa y allí vos darán las cosas que
oviéredes menester.

Agrajes lo quería llevar consigo, pero rogáronle el rey y
la reina tanto que lo ovo de otorgar. Assí quedó en guarda
de su madre, donde le fazían mucha honra.

El rey Abiés y Daganel su coermano supieron las nuevas
destos que llegaron al rey Perión. Y dixo el rey Abiés, que
era a la sazón el más preciado cavallero que sabían:

—Si el rey Perión ha coraçón de lidiar y es esforçado, agora querrá batalla con nos.

—No lo fará —dixo Daganel— porque se recela mucho de vos.

Galain, el duque de Normandía que aí era, dixo:

—Yo vos diré cómo lo fará; cavalguemos esta noche yo y Daganel y al alva pareceremos cabe la su villa con razonable número de gente, y el rey Abiés quede con la otra gente en la floresta de Galpano ascondido, y desta guisa le daremos esfuerço a que osará salir, y nosotros, mostrando algún temor, punaremos de los poner en la floresta fasta donde el rey estuviere, y assí se perderán todos.

—Bien dezís —dixo el rey Abiés—, y assí se faga.

Pues luego fueron armados con toda la gente y entraron en la floresta Daganel y Galain, que el consejo diera, y passaron bien adelante donde el rey quedava, y assí estuvieron toda la noche, mas la mañana venida fueron el rey Perión y su muger a ver qué fazía el Donzel del Mar; y fallaronlo que se levantava y lavava las manos, y viéronle los ojos bermejos y las fazes mojadas de lágrimas, assí que bien parescía que durmiera poco de noche, y sin falta assí era, que membrándose de su amiga considerando la gran cuita que por ella le venía sin tener ninguna esperança de remedio, otra cosa no esperava sino la muerte. La reina llamó a Gandalín y díxole:

—Amigo, ¿qué ovo vuestro señor que me paresce en su semblante ser en gran tristeza?; ¿es por algún descontentamiento que aquí aya havido?

—Señora —dixo él—, aquí recibe él mucha honra y merced, mas él ha assí de costumbre que llora durmiendo, assí como agora veis que en él parece.

Y en cuanto assí estavan, vieron los de la villa muchos enemigos y bien armados cabe sí, y davan bozes: ¡Armas, armas! El Donzel del Mar, que vio la buelta, fue muy alegre y el rey le dixo:

—Buen amigo, nuestros enemigos son aquí.

Y él dixo:

—Armémosnos y vayámoslos ver.

Y el rey demandó sus armas y el Donzel las suyas, y desque armados fueron, y a cavallo, fueron a la puerta de la villa, donde fallaron a Agrajes que mucho se aquexava porque la no abrían, que éste fue uno de los cavalleros del

mundo más bivo de coraçón y más acometedor en todas las
afruentas, y si assí la fuerça como el esfuerço le ayudara, no
oviera otro ninguno que de bondad de armas le passara; y
como llegaron, dixo el Donzel del Mar:

—Señor, mandadnos abrir la puerta.

Y el rey, a quien no plazía menos de se combatir, mandó
que la abriessen y salieron todos los cavalleros, y como vieron sus enemigos tantos, algunos aí huvo que dezían ser locura acometerlos. Agrajes firió el cavallo de las espuelas diziendo:

—Agora haya mala ventura el que se más sufriere.

Y moviendo contra ellos, vio ir delante al Donzel del Mar,
y movieron todos de consuno. Daganel y Galain, que contra
sí los vieron venir, aparejáronse de recebirlos, assí como aquellos que mucho desamavan. El Donzel del Mar se firió con
Galain que delante venía y encontróle tan fuertemente, que
a él y al cavallo derribó en tierra y ovo la una pierna quebrada, y quebró la lança; y puso luego mano a su espada y
dexóse correr a los otros como león sañudo, faziendo maravillas en dar golpes a todas partes, assí que no quedava cosa
ante la su espada que a la tierra derribarlos fazía, a unos
muertos y a otros feridos; mas tantos le firieron que el cavallo no podía salir con él a ninguna parte, assí que estava con
gran priessa. Agrajes que lo vio, llegó allí con algunos de los
suyos y hizo gran daño en los contrarios. El rey Perión llegó
con toda la gente muy esforçadamente, como aquel que con
voluntad de ferirlos gana tenía, y Daganel lo recibió con los
suyos muy animosamente. Assí que fueron los unos y los
otros mezclados en uno. Allí veríades al Donzel del Mar haziendo cosas estrañas, derribando y matando cuantos ante sí
hallava, que no havía hombre que lo osasse atender, y metíase en los enemigos haziendo dellos corro, que parescía un
león bravo. Agrajes cuando le vio estas cosas hazer, tomó
consigo muy más esfuerço que de ante tenía, y dixo a grandes bozes por esforçar su gente:

—Cavalleros, mirad al mejor cavallero y más esforçado
que nunca nasció.

Cuando Daganel vio cómo destruía su gente, fue para el
Donzel del Mar como buen cavallero y quísole ferir el cavallo, porque entre los suyos cayesse, mas no pudo, y dióle el
Donzel tal golpe por cima del yelmo que por fuerça quebraron los lazos y saltóle de la cabeça.

El rey Perión, que en socorro del Donzel del Mar llegava, dio a Daganel con su espada tal herida, que lo hendió hasta los dientes. Estonces se vencieron los de la Desierta y de Normandía, huyendo do el rey Abiés estava, y muchos dezían:

—Ay, rey Abiés, ¿cómo tardas tanto que nos dexas matar?

Y yendo assí heriendo en los enemigos, el rey Perión y su compaña, no tardó mucho que paresció el rey Abiés de Irlanda con todos los suyos, y venían diziendo:

—Agora a ellos, no quede hombre que no matéis, y punad de entrar con ellos en la villa.

Cuando el rey Perión y los suyos vieron sin sospecha aquellos de que no sabían parte, mucho fueron espantados, que eran ya cansados, y no tenían lanças, y sabían que aquel rey Abiés era uno de los mejores cavalleros del mundo, y el que más dudavan; mas el Donzel del Mar les començó a dezir:

—Agora, señores, es menester de mantener vuestra honra. Y agora pareçerán aquellos en que hay vergüença.

Y hízolos todos recoger, que andavan esparcidos, y los de Irlanda vinieron ferir tan bravamente que fue maravilla, como aquellos que holgados llegavan, y con gran coraçón de mal hazer. El rey Abiés no dexó cavallero en la silla en cuanto le duró la lança, y desque la perdió echó mano a su espada y començó a herir con ella tan bravamente, que a sus enemigos hazía tomar espanto, y los suyos fueron teniendo con él, heriendo y derribando en los enemigos, de manera que los del rey Perión no lo pudiendo ya sufrir retraíanse contra la villa.

Cuando el Donzel del Mar vio que la cosa se parava mal, començó de hazer con mucha saña mejor que antes, porque los de su parte no huyessen con desacuerdo, y metíase entre la una gente y la otra, y heriendo y matando en los de Irlanda dava lugar a los suyos que las espaldas del todo no bolviessen. Agrajes y el rey Perión, que lo vieron en tan gran peligro y tanto hazer, quedaron siempre con él. Assí que todos tres eran amparo de los suyos y con ellos tenían harto que hazer los contrarios, que el rey Abiés metía adelante su gente veyendo el vencimiento, porque abueltas dellos entrasse en la villa, donde esperava ser su guerra acabada. Y con esta priessa que oís, llegaron a la puerta de la villa, donde si por estos tres cavalleros no fuera, juntos los unos y los otros entraran, mas ellos sufrieron tantos golpes y tantos dieron, que por maravilla fue poderlo sofrir. El rey Abiés, que creyó que su gente dentro con ellos era, passó adelante y no le vino assí, de que mucho pesar ovo, y más de Daganel y Galain, que supo que eran muertos, y llegó a él un cavallero de los suyos, y díxole:

—Señor, ¿vedes aquel cavallero del cavallo blanco?; no haze sino maravillas y él ha muerto vuestros capitanes y otros muchos.

Esto dezía por el Donzel del Mar, que andava en el cavallo blanco de Galpano. El rey Abiés se llegó más y dixo:

—Cavallero, por vuestra venida es muerto el hombre del mundo que yo más amava. Pero yo haré que lo compréis caramente si vos queréis más combatir.

—De me combatir con vos —dixo el Donzel del Mar— no es hora, que vos tenéis mucha gente y holgados, y nos muy poca y ésta muy cansada, que sería maravilla de vos poder resistir. Mas si vos queréis vengar como cavallero esso que dezís y mostrar la gran valentía de que sois loado, escoged en vuestra gente los que más vos contentaren y yo en la mía, y seyendo iguales podríades ganar más honra que no con mucha sobra de gente y sobervia demasiada venir a tomar lo ageno sin causa ninguna.

—Pues agora dezid —dixo el rey Abiés— de cuántos queréis que sea la batalla.

—Pues que en mí lo dexáis —dixo el Donzel—, moveros he otro partido, y podrá ser que más os agrade: vos tenéis saña de mí por lo que he fecho y yo de vos por lo que en esta tierra hazéis, pues en nuestra culpa no hay razón porque ninguno otro padezca, y sea la batalla entre mí y vos, y luego si quisiéredes, con tal que vuestra gente assegure, y la nuestra también, de se no mover hasta en fin della.

—Assí sea —dixo el rey Abiés.

Y fizo llamar diez cavalleros, los mejores de los suyos, y con otros diez que el Donzel del Mar dio asseguraron el campo que por mal ni por bien que les acontesciesse no se moverían. El rey Perión y Agrajes le defendían que no fuesse la batalla hasta en la mañana, porque lo veían mal herido, mas estorvar no se lo pudieron, porque él desseava la batalla más que otra cosa. Y esto era por dos cosas. Una, por se provar con aquel que tan loado por el mejor cavallero del mundo era. Y la otra, porque si lo venciesse, sería la guerra partida, y podría ir a ver a su señora Oriana, que en ella era todo su coraçón y sus desseos.

CAPÍTULO IX

CÓMO EL DONZEL DEL MAR FIZO BATALLA CON EL REY ABIÉS SOBRE LA GUERRA QUE TENÍA CON EL REY PERIÓN DE GAULA

CONCERTADA la batalla entre el rey Abiés y el Donzel del Mar, como havéis oído, los de la una parte y de la otra, veyendo que todo lo más del día era passado, acordaron contra la voluntad dellos ambos que para otro día quedasse. Assí para ataviar sus armas como para remediar algo las heridas que tenían, y porque todas las gentes de ambas partes estavan tan maltratadas y cansadas, desseavan la folgança para su reposo, cada uno fue acogido a su posada. El Donzel del Mar entró por la villa con el rey Perión y Agrajes, y levava la cabeça desarmada, y todos dezían:

—¡Ay, buen cavallero, Dios te ayude y de honra, que puedas acabar lo que has començado! ¡Ay, qué fermosura de cavallero; en éste es cavallería bien empleada, pues que sobre todos la mantiene en la su gran alteza!

Y llegado al palacio del rey, vino una donzella que dixo al Donzel del Mar:

—Señor, la reina vos ruega que vos no desarmés sino en vuestra posada donde os atiende.

Esto fue por consejo del rey, y dixo:

—Amigo, id a la reina, y vaya con vos Agrajes, que vos haga compañía.

Estonces se fue el rey a su aposentamiento y el Donzel y Agrajes al suyo, donde fallaron la reina y muchas dueñas y donzellas, que los desarmaron. Pero no consintió la reina que en el Donzel ninguna la mano pusiesse sino ella, que lo desarmó y le cubrió de un manto. En esto llegó el rey y vio que el Donzel era llagado, y dixo:

—¿Por qué no alongávades más el plazo de la batalla?

—No era menester —dixo el Donzel—, que no he llaga porque de hazer la dexe.

Luego le curaron de las llagas y les dieron de cenar. Otro día se vino de mañana la reina a ellos con todas sus damas y hallólos hablando con el rey y començóse la missa, y dicha,

armóse el Donzel del Mar no de aquellas armas que en la
lid el día ante traxera, que no quedaron tales que pudiessen
algo aprovechar, mas de otras muy más hermosas y fuertes,
y despedido de la reina y de las dueñas y donzellas cavalgó
en un cavallo folgado que a la puerta le tenían. Y el rey Perión le llevava el yelmo y Agrajes el escudo y un cavallero
anciano, que se llamava Agonón, que muy preciado fuera
en armas, la lança, que por la su gran bondad passada, assí
en esfuerço como en virtud, era el tercero con el rey y con
hijo de rey. Y el escudo que él llevava havía el campo de
oro y dos leones en él azules, el uno contra el otro, como si
se quisiessen morder. Y saliendo por la puerta de la villa,
vieron al rey Abiés sobre un gran cavallo negro todo armado, sino que ahun no enlazara su yelmo. Los de la villa y
los de la hueste todos se ponían donde mejor la batalla ver
pudiessen, y el campo era ya señalado y el palenque fecho
con muchos cadahalsos en derredor dél. Estonces enlazaron
sus yelmos y tomaron los escudos. Y el rey Abiés echó un
escudo al cuello que tenía el campo indio y en él un gigante
figurado, y cabe él un cavallero que le cortava la cabeça; estas
armas traía porque se combatiera con un jayán que su tierra
le entrava y jela yermava toda, y assí como la cabeça le cortó,
assí la traía figurada en su escudo; y desque ambos tomaron
sus armas salieron todos del campo, encomendando a Dios
cada uno al suyo, y se fueron acometer sin ninguna detenencia a gran correr de los cavallos, como aquéllos que eran
de gran fuerça y coraçón; a las primeras heridas fueron todas
sus armas falsadas, y quebrando las lanças juntáronse uno
con otro, assí los cavallos como ellos, tan bravamente que
cada uno cayó a su parte y todos creyeron que eran muertos, y los troços de las lanças tenían metidos por los escudos
que los hierros llegavan a las carnes, mas como ambos fuessen muy ligeros y bivos de coraçón, levantáronse presto, y
quitaron de sí los pedaços de las lanças, y echando mano a
las espadas, se acometieron tan bravamente, que los que al
derredor estavan havían espanto de los ver. Pero la batalla
parecía desigual, no porque el Donzel del Mar no fuesse
bien hecho y de razonable altura, mas el rey Abiés era tan
grande que nunca halló cavallero que él mayor no fuesse un
palmo, y sus miembros no pareçían sino de un gigante; era
muy amado de su gente y havía en sí todas buenas maneras, salvo que era sobervio más que devía.

La batalla era entre ellos tan cruel y con tanta priessa, sin se dexar holgar, y los golpes tan grandes, que no pareçían sino de veinte cavalleros. Ellos cortavan los escudos, haziendo caer en el campo grandes rachas, y abollavan los yelmos y desguarnecían los arneses. Assí que bien hazía el uno al otro su fuerça y ardimiento conoscer. Y la su gran fuerça y bondad de las espadas hizieron sus armas tales que eran de poco valor, de manera que lo más cortavan en sus carnes, que en los escudos no quedava con que cubrir ni ampararse pudiessen, y salía dellos tanta sangre que sostenerse era maravilla, mas tan grande era el ardimiento que consigo traían que cuasi dello no se sentían. Assí duraron en esta primera batalla hasta hora de tercia, que nunca se pudo conoscer en ellos flaqueza ni covardía, sino que con mucho ánimo se combatían, mas el sol que las armas les calentava puso en ellos alguna flaqueza de cansancio, y a esta sazón el rey Abiés se tiró un poco a fuera y dixo:

—Estad y enderecemos nuestros yelmos, y si quisierdes que algo folguemos, nuestra batalla no perderá tiempo, y comoquier que te yo desame mucho, te precio más que a ningún cavallero con quien me yo combatiesse, mas de te yo preciar no te tiene pro que te no faga mal, que mataste aquel que yo tanto amava y pónesme en gran vergüença de me durar tanto en batalla ante tantos hombres buenos.

El Donzel del Mar dixo:

—Rey Abiés, ¿desto se te haze vergüença y no de venir con gran sobervia a hazer tanto mal a quien no te lo meresce?; cata que los hombres, specialmente los reyes, no han de hazer lo que pueden mas lo que deven, porque muchas vezes acaesce que el daño y la fuerça que a los que se lo no merescieron quieren hazer, a la fin caer sobre ellos y perderlo todo, y aun la vida a bueltas, y si agora querrías que te dexasse holgar, assí lo quisieran otros a quien tú, sin se lo otorgar, mucho apremiavas, y porque sientas lo que a ellos sentir hazías, aparéjate, que no holgarás a mi grado.

El rey tomó su spada, y lo poco del escudo, y dixo:

—Por tu mal hazes este ardimiento que él te pone en este lago [21] donde no saldrás sin perder la cabeça.

—Agora haz tu poder —dixo el Donzel del Mar—, que no

21. *Lago:* «Algunas vezes vale mazmorra, que es lugar profundo y seco, como el lago de los leones» (*TLE,* voz «*lago*»).

folgarás hasta que tu muerte se llegue o tu honra sea acabada.

Y cometiéronse muy más sañudos que ante, y tan bravo se herían como si estonces començaran la batalla y aquel día no ovieran dado golpe. El rey Abiés, como muy diestro fuesse por el gran uso de las armas, combatíase muy cuerdamente, guardándose de los golpes y hiriendo donde más podía dañar. Las maravillas que el Donzel hazía en andar ligero y acometedor y en dar muy duros golpes le puso en desconcierto todo su saber, y a mal de su grado no le podiendo ya sufrir perdía el campo, y el Donzel del Mar le acabó de deshazer en el braço todo el escudo, que nada dél le quedó, y cortávale la carne por muchas partes, assí que la sangre le salía mucha y ya no podía herir, que la spada se le rebolvía en la mano. Tanto fue aquexado que bolviendo cuasi las espaldas andava buscando alguna guarida con el temor de la espada, que tan crudamente la sentía. Pero como vio que no havía sino muerte, bolvió tomando su spada con ambas las manos y dexóse ir al Donzel, cuidándolo ferir por cima del yelmo, y él alçó el escudo, donde recibió el golpe, y la spada entró tan dentro por él que la no pudo sacar, y tirándose a fuera dióle el Donzel del Mar en descubierto en la pierna isquierda tal herida que la meitad della fue cortada, y el rey cayó tendido en el campo. El Donzel fue sobre él y tirándole el yelmo, díxole:

—Muerto eres, rey Abiés, si te no otorgas por vencido.

El dixo:

—Verdaderamente muerto soy, mas no vencido, y bien creo que me mató mi sobervia, y ruégote que me hagas segura mi compaña sin que daño reciban y levarme han a mi tierra, y yo perdono a ti y a los que mal quiero, y mando entregar al rey Perión cuanto le tomo, y ruégote que me fagas haver confessión, que muerto soy.

El Donzel del Mar cuando esto le oyó, ovo dél muy gran duelo a maravilla. Pero bien sabía que lo no oviera el otro dél si más pudiera. Todo esto passado, como oído havéis, se juntaron todos los de la hueste y de la villa que eran todos seguros. Y el rey Abiés mandó dar al rey Perión cuanto le tomara, y él le asseguró toda su gente hasta que lo llevassen a su tierra, y recebidos todos los sacramentos de la santa Iglesia el rey Abiés salióle el alma, y sus vassallos lo llevaron a su tierra con grandes llantos que por él hazían.

Tomado el Donzel del Mar por el rey Perión y Agrajes y los otros grandes de su partida, y sacado del campo con aquella gloria que los vencedores en tales autos levar suelen, no solamente de honra mas de restitución de un reino a quien perdido lo tenía, a la villa con él se van. Y la donzella de Denamarcha que de parte de Oriana a él venía, como ya se vos dixo, llegara allí al tiempo que la batalla se començó, y como vio que tanto a su honra la acabara, llegose a él y díxole:

—Donzel del Mar, hablad comigo a parte y dezirvos he de vuestra hazienda más que vos sabéis.

El la recibió bien y apartóse con ella yendo por el campo, y la donzella le dixo:

—Oriana, vuestra amiga, me embía a os y os doy de su parte esta carta en que está vuestro nombre escripto.

El tomó la carta, mas non entendió nada de lo que dixo. Assí fue alterado cuando a su señora oyó mentar, antes se le cayó la carta de la mano y la rienda en la cerviz del cavallo, y estava como fuera de sentido. La donzella demandó la carta que en el campo estava a uno de los que la batalla havían mirado, y tornó a él estando todos mirando lo que acaeçiera y maravillándose cómo assí se havía turbado el Donzel con las nuevas de la donzella, y cuando ella llegó, díxole:

—¿Qué es esso, señor; tan mal recebís mandado de la más alta donzella del mundo, de aquella que vos mucho ama y me hizo sufrir tanto afán en vos buscar?

—Amiga —dixo él—, no entendí lo que me havéis dicho con este mal que me ocurrió, como ya otra vez ante vos me acaesció.

La donzella dixo:

—Señor, no ha menester encubierta conmigo, que yo só más de vuestra hazienda y de la de mi señora que os sabéis, que ella assí lo quiso y dígovos que si la amáis, que no hazéis tuerto, que ella vos ama tanto que de ligero no se podría contar, y sabed que la llevaron a casa de su padre y embíaos a dezir que tanto que desta guerra os partáis, vayáis a la Gran Bretaña y procuréis de morar con su padre fasta que os ella mande, y dízevos que sabe cómo sois hijo de rey, y que no es ella, por ende, menos alegre que vos, y que pues no conoçiendo a vuestro linaje érades tan bueno, que trabajés de lo ser agora mucho mejor.

Y entonces le dio la carta, y díxole:

—Veis aquí esta carta en que está escripto vuestro nombre, y ésta levastes al cuello cuando os echaron en la mar.

El la tomó y dixo:

—¡Ay carta, cómo fuestes bien guardada por aquella señora cuyo es mi corazón, por aquella por quien yo muchas vezes al punto de la muerte soy llegado; mas si dolores y angustias por su causa hove, en muy mayor grado de gran alegría soy satisfecho! ¡Ay, Dios, señor, y cuándo veré yo el tiempo en que servir pueda aquella señora esta merced que me haze!

Y leyendo la carta conosció por ella que el su derecho nombre era Amadís. La donzella le dixo:

—Señor, yo me quiero luego tornar a mi señora, pues que recaudé su mandado.

—¡Ay, donzella —dixo el Donzel del Mar—, por Dios!, folgad aquí hasta al tercero día, y de mí no vos partáis por ninguna guisa, y yo vos levaré donde vos pluguiere.

—A vos vine —dixo la donzella— y no faré ál sino lo que mandardes.

Acabada la habla fuese luego el Donzel del Mar para el rey y Agrajes que lo atendían, y entrando por la villa dezían todos:

—Bien venga el cavallero bueno, por quien havemos cobrado honra y alegría.

Assí fueron hasta el palacio y hallaron en la cámara del Donzel del Mar a la reina con todas sus dueñas y donzellas haziendo muy gran alegría, y en los braços dellas fue él tomado de su cavallo y desarmado por mano de la reina. Y vinieron maestros que le curaron de las feridas, y ahunque muchas eran, no havía ninguna que mucho empacho le diesse. El rey quisiera que él y Agrajes comieran con él, mas no quiso sino con su donzella por le hacer honra, que bien veía que ésta podía remediar gran parte de sus angustias. Assí holgó algunos días con gran plazer, en especial con las buenas nuevas que le vinieron, tanto que ni el trabajo passado, ni las llagas presentes no le quitaron que se no levantasse y anduviesse por una sala hablando siempe con la donzella, que por él era detenida, que se no partiesse hasta que podiesse tomar armas y la levasse. Mas un caso maravilloso que a la sazón le acaesció fue causa que, tardando él algunos días, la donzella sola de allí partida se fue, como agora oiréis.

CAPÍTULO X

CÓMO EL DONZEL DEL MAR FUE CONOSCIDO POR EL REY PERIÓN, SU PADRE, Y POR SU MADRE ELISENA

AL comienço ya se contó cómo el rey Perión dio a la reina Elisena, seyendo su amiga, uno de dos anillos que él traía en su mano, tal el uno como el otro, sin que en ellos ninguna diferencia paresciesse, y cómo al tiempo que el Donzel del Mar fue en el río lançado en el arca llevó al cuello aquel anillo, y cómo después le fue dado con la espada al Donzel por su amo Gandales. Y el rey Perión havía preguntado a la reina algunas vezes por el anillo, y ella, con vergüença que no supiesse dónde le pusiera, dezíale que lo havía perdido. Pues assí acaesció que, passando el Donzel del Mar por una sala hablando con su donzella, vio a Milicia, hija del rey, niña que estava llorando, y preguntóle qué havía. La niña dixo:

—Señor, perdí un anillo que el rey me dio a guardar en tanto que él duerme.

—Pues yo vos daré —dixo él— otro, tan bueno o mejor que le deis.

Estonces sacó de su dedo un anillo y dióselo. Ella dixo:

—Este es el que yo perdí.

—No es —dixo él.

—Pues es el anillo del mundo que más le paresce —dixo la niña.

—Por esto está mejor —dixo el Donzel del Mar—, que en lugar del otro le daréis.

Y dexándola se fue con la donzella a su cámara y acostóse en un lecho y ella en otro que ende havía. El rey despertó y demandó a su hija que le diesse el anillo, y ella le dio aquel que tenía. El lo metió en su dedo creyendo que el suyo fuesse, mas vio yazer a un cabo de la cámara el otro que su hija perdió, y tomándolo juntólo con el otro y vio que era el que él a la reina havía dado, y dixo a la niña:

—¿Cómo fue esto deste anillo?

Ella, que mucho le temía, dixo:

—Por Dios, señor, el vuestro perdí yo, y passó por aquí

el Donzel del Mar, y como vio que yo llorava dióme esse que él traía y yo pensé que el vuestro era.

El rey ovo sospecha de la reina, que la gran bondad del Donzel del Mar, junto con la su muy demasiada hermosura, no la oviessen puesto en algún pensamiento indevido, y tomando su espada entró en la cámara de la reina, y cerrada la puerta dixo:

—Dueña, vos me negastes siempre el anillo que os yo diera, y el Donzel del Mar halo dado agora a Milicia; ¿cómo pudo ser esto que veisle aquí? Dezidme de qué parte le huvo, y si me mentís vuestra cabeça lo pagará.

La reina, que muy airado lo vio, cayó a sus pies y díxole:

—¡Ay, señor; por Dios, merced, pues de mí mal sospecháis! Agora vos diré la mi cuita, que hasta aquí vos ove negado.

Entonces començó de llorar muy rezio, firiendo con sus manos en el rostro, y dixo cómo echara a su hijo en el río y que llevara consigo el espada y aquel anillo.

—¡Para Santa María! —dixo el rey—, yo creo que éste es nuestro hijo.

La reina tendió las manos, diziendo:

—¡Assí pluguiesse al Señor del mundo!

—Agora vamos allá os y yo —dixo el rey—, y preguntémosle de su fazienda.

Luego fueron entrambos solos a la cámara donde él estava y falláronlo durmiendo muy assossegadamente, y la reina no hazía sino llorar por la sospecha que tanto contra razón della se tomava. Mas el rey tomó en su mano la espada, que a la cabecera de la cama era puesta, y catándola la conosció luego como aquel que con ella diera muchos golpes y buenos, y dixo contra la reina:

—Por Dios, esta espada conosco yo bien, y agora creo más lo que me dixistes.

—¡Ay, señor! —dixo la reina—, no le dexemos más dormir, que mi coraçón se aquexa mucho.

Y fue para él y tomándole por la mano tiróle un poco contra sí diziendo:

—Amigo señor, acorredme en esta priessa y congoxa en que estoy.

El despertó y vióla muy reziamente llorar y dixo:

—Señora, ¿qué es esso que havéis?; si mi servicio puede

algo remediar, mandádmelo, que fasta la muerte se cumplirá.

—Ay, amigo —dixo la reina—, pues agora nos acorred con vuestra palabra en dezir cúyo fijo sois.

—Assí Dios me ayude —dixo él— no lo sé, que yo fue hallado en la mar por gran aventura.

La reina cayó a sus pies toda turbada y él hincó los inojos ante ella y dixo:

—¡Ay, Dios!, ¿qué es esto?

Ella dixo llorando:

—Hijo, ves aquí tu padre y madre.

Cuando él esto oyó, dixo:

—¡Santa María!, ¿qué será esto que oyo?

La reina, teniéndolo entre sus braços, tornó y dixo:

—Es, fijo, que quiso Dios por su merced que cobrássemos aquel yerro que por gran miedo yo hize; y, mi hijo, yo como mala madre vos eché en la mar, y veis aquí el rey que vos engendró.

Estonces hincó los inojos y les besó las manos con muchas lágrimas de plazer, dando gracias a Dios porque assí le havía sacado de tantos peligros para en la fin le dar tanta honra y buena ventura con tal padre y madre. La reina le dixo:

—Fijo, ¿sabéis vos si avéis otro nombre sino éste?

—Señora, sí sé —dixo él—, que al partir de la batalla me dio aquella donzella una carta que llevé embuelta en cera cuando en la mar fue echado, en que dize llamarme Amadís.

Estonces, sacándola de su seno, gela dio y vieron cómo era la mesma que Darioleta por su mano escriviera, y dixo:

—Mi amado hijo, cuando esta carta se scrivió era yo en toda cuita y dolor, y agora soy en toda holgança y alegría; ¡bendito sea Dios!, y de aquí adelante por este nombre vos llamad.

—Assí lo haré —dixo él.

Y fue llamado Amadís, y en otras muchas partes Amadís de Gaula.[22] El plazer que Agrajes, su primo, con estas nue-

22. «Pero, acordándose que el valeroso Amadís no sólo se había contentado con llamarse Amadís a secas, sino que añadió el nombre de su reino y patria, por hacerla famosa y se llamó Amadís de Gaula, así quiso, como buen caballero, añadir al suyo el nombre de la suya y llamarse *don Quijote de la Mancha,* con que, a su parecer, declaraba muy vivo su linaje y patria, y la honraba con tomar sobrenombre della.» (*Don Quijote de la Mancha,* ed. de M. de Riquer, Barcelona, Planeta, 1980, I, 1, p. 38.)

vas ovo, y todos los otros del reino, sería escusado de dezir, que hallando los fijos perdidos, ahunque revesados y mal condicionados sean, reciben los padres y los parientes consolación y alegría. Pues mirad qué tal podía ser con él, que en todo el mundo era un claro y luziente espejo.

Assí que, dexando de más hablar en esto, contaremos lo que después acaesció. La donzella de Denamarcha dixo:

—Amadís, señor, yo me quiero ir con estas buenas nuevas de que mi señora havrá gran plazer, y vos quedad a dar gozo y alegría aquellos ojos que por desseo vuestro tantas lágrimas han derramado.

A él le vinieron las lágrimas a los ojos, que a hilo por la faz le caían, y dixo:

—Mi amiga, a Dios vayáis encomendada y a vos encomiendo mi vida; que la hayáis piedad, que a mi señora no sería osado de la pedir según la gran merced que me agora hizo, y yo seré allá a la servir muy presto con otras tales armas como en la batalla del rey Abiés tuve, por donde me podéis conoçer, si no oviere lugar para lo saber de mí.

Agrajes assimesmo se despidió dél, diziéndole cómo la donzella a quien él dio la cabeça del Galpano en vengança de la deshonra que le hizo, le traxo mandado de Olinda su señora, fija del rey Vavain de Nuruega, que luego la fuesse a ver. La cual él ganara por amiga al tiempo que él y su tío don Galvanes fueron en aquel reino. Este don Galvanes era hermano de su padre, y porque no havía más heredad de un pobre castillo, llamávanle Galvanes sin Tierra, y díxole:

—Señor primo, más quisiera yo vuestra compañía que otra cosa, mas mi coraçón, que en mucha cuita es, no me dexa sino que vaya a ver aquella que cerca o lexos siempre en su poder estó, y quiero saber de os dónde os podría hallar cuando buelva.

—Señor —dixo Amadís—, creo que me hallaréis en la casa del rey Lisuarte, que me dizen allí ser mantenida cavallería en la mayor alteza que en ninguna casa de rey ni emperador que en el mundo haya, y ruégovos que me encomendéis al rey vuestro padre y madre, y que assí como a vos en su servicio me pueden contar por la criança que me fizieron.

Estonces se despidió Agrajes del rey y de la reina su tía, y cavalgando con su compaña, y el rey y Amadís con él, por le hazer honra, saliendo por la puerta de la villa, encontraron una donzella que tomando al rey por el freno le dixo:

—Miémbrate, rey, que te dixo una donzella que, cuando cobrasses tu pérdida, perdería el señorío de Irlanda su flor, y cata si dixo verdad, que cobraste este fijo que perdido tenías y murió aquel esforçado rey Abiés, que la flor de Irlanda era. Y ahún más te digo, que la nunca cobrará por señor que aí haya hasta que venga el buen hermano de la señora, que hará aí venir soberviosamente por fuerça de armas parias de otra tierra, y éste morirá por mano de aquel que será muerto por la cosa del mundo que él más amara. Este fue Morlote de Irlanda, hermano de la reina de Irlanda, aquel que mató Tristán de Leonís sobre las parias que al rey Mares de Cornualla, su tío, demandava. Y Tristán murió después por causa de la reina Iseo, que era la cosa del mundo que él más amava.[23] Y esto te embía a dezir Urganda, mi señora.

Amadís le dixo:

—Donzella, dezid a vuestra señora que se le encomienda mucho el cavallero a quien dio la lança, y que agora veo ser verdad lo que me dixo: que con ella libraría la casa donde primero salí, que libré al rey mi padre que en punto de muerte estava.

La donzella se fue su vía. Y Agrajes, despedido del rey y de Amadís, donde le dexaremos fasta su tiempo.

El rey Perión mandó llegar cortes, porque todos viessen a su fijo Amadís, donde se fizieron muchas alegrías y juegos en honor y servicio de aquel señor que Dios les diera, con el cual y con su padre esperavan bivir en mucha honra y descanso. Allí supo Amadís cómo el gigante llevara a don Galaor su hermano, y puso en su voluntad de punar mucho por saber qué se hiziera y le cobrar por fuerça de armas o en otra cualquier manera que menester fuesse. Muchas cosas se fizieron en aquellas cortes y muchos y grandes dones el rey en ellas dio, que sería largo de contar. En fin de las cuales, Amadís habló con su padre diziendo que él se quería ir a la Gran Bretaña, que pues no tenía necessidad, le diesse licencia. Mucho trabajó el rey y la reina por lo detener, mas por ninguna vía pudieron, que la gran cuita que por su se-

23. Alusión a la leyenda tristaniana conocida en España desde 1300 aproximadamente, y de la que se conserva el *Tristán de Leonís* (s. XV). La profecía de Urganda se construye a partir del pensamiento figural según el cual todo «signo» se proyecta hacia un futuro: el rey Abiés de Irlanda se «repetirá» en Morlote de Irlanda, como Amadís en Tristán.

ñora passava no le dexava ni dava lugar a que otra obediencia tuviesse sino aquella que su coraçón sojuzgava, y tomando consigo solamente a Gandalín y otras tales armas como
las que el rey Abiés le despedaçara en la batalla, assí se partió, y anduvo tanto fasta que llegó a la mar, y entrando en
una fusta passó en la Gran Bretaña y aportó a una buena
villa, que havía nombre Bristoya, y allí supo cómo el rey Lisuarte era en una su villa, que se llamava Vindilisora, y que
stava muy poderoso y muy acompañado de buenos cavalleros,
y que todos los más reyes de las ínsolas le obedecían. El partió de allí y entró en su camino, mas no anduvo mucho por
él, que halló una donzella que le dixo:

—¿Es éste el camino de Bristoya?

—Sí —dixo él.

—¿Por ventura sabéis si fallaría allí alguna fusta que pudiesse passar en Gaula?

—¿A qué vais allá? —dixo él.

—Voy a demandar por un buen cavallero fijo del rey de
Gaula, que ha nombre Amadís y no ha mucho que se conosció con su padre.

El se maravilló y dixo:

—Donzella, ¿por quién sabéis os esso?

—Por aquella que las cosas esconder no se le pueden, y
supo antes su hazienda que él ni su padre, que es Urganda
la Desconocida, y hale tanto menester que si por él no, por
otro ninguno puede cobrar lo que mucho dessea.

—A Dios merced —dixo él—, porque aquella a quien han
menester todos me haya menester a mí. Sabed, donzella, que
yo soy el que demandáis, y agora vamos por do quisierdes.

—¡Cómo! —dixo ella—; ¿os sois el que yo busco?

—Yo soy sin falta —dixo él.

—Pues seguidme —dixo la donzella— y llevarvos he donde
es mi señora.

Amadís dexó su camino y entró por el que la donzella le
guiava.

CAPÍTULO XI

Don Galaor estando con el gigante, como vos contamos, aprendiendo a cavalgar y a esgremir y todas las otras cosas que a cavallero convenían, seyendo ya en ello muy diestro, y el año complido que el gigante por plazo le pusiera, él le dixo:

—Padre, agora vos ruego que me fagáis cavallero, pues yo he atendido lo que mandastes.

El gigante que lo vio ser ya tiempo, díxole:

—Hijo, plázeme de lo fazer, y dezidme quién es vuestra voluntad que lo haga.

—El rey Lisuarte —dixo él—, de quien tanta fama corre.

—Yo vos llevaré aí —dixo el gigante.

Y al tercero día, teniendo todo el aparejo, partieron de allí y fueron su camino, y al quinto día halláronse cerca de un castillo muy fuerte que estava sobre una agua salada, y el castillo havía nombre Bradoid y era el más fermoso que havía en toda aquella tierra, y era assentado en una alta peña, y de la una parte corría aquella agua y de la otra havía un gran tremedal, y de la parte del agua no podían entrar sino por barca, y de contra el tremedal havía una calçada tan ancha que podía ir una carreta y otra venir, mas a la entrada del tremedal havía una puente estrecha y era echadiza, y cuando la alçavan quedava el agua muy fonda, y a la entrada de la puente estavan dos olmos altos, y el gigante y Galaor vieron debaxo dellos dos donzellas y un escudero, y vieron un cavallero armado sobre un cavallo blanco con unas armas de leones, y llegara a la puente que estava alçada y no podía passar, y dava bozes a los del castillo. Galaor dixo contra el gigante:

—Si vos pluguiere, veamos qué fará aquel cavallero.

Y no tardó mucho que vieron contra el castillo del cabo de la puente dos cavalleros armados y diez peones sin armas, y dixeron al cavallero qué quería.

—Querría —dixo él— entrar allá.

—Esso no puede ser —dixeron ellos—, si ante con nosotros no vos combatís.

—Pues por ál no puede ser —dixo él—, hazed baxar la puente y venid a la justa.

Los cavalleros fizieron a los peones que la baxassen, y el uno dellos se dexó correr al que llevava su lança baxa, y el cavallo tan rezio cuanto llevarle pudo. Y el de las armas de los leones movió contra él, y firiéronse ambos bravamente; el cavallero del castillo quebró su lança y el otro le firió tan duramente, que lo metió en tierra, y el cavallo sobre él, y fue para el otro que en la puente entrava, y juntáronse ambos de los cuerpos de los cavallos que las lanças falleçieron de los encuentros, y el de fuera encontró tan fuerte al del castillo, que a él y al cavallo derribó en el agua y el cavallero fue luego muerto, y él passó la puente, y fuese yendo contra el castillo, y los villanos alçaron la puente, y las donzellas desde fuera dávanle bozes que le alçavan la puente, y él, que bolvía a ellos, vio venir contra sí tres cavalleros muy bien armados, que le dixeron:

—En mal punto acá passastes, ca vos converná morir en el agua como muere el que vale más que vos.

Y dexáronse todos tres a él correr, y firiéronle tan bravamente que el cavallo le fizieron aginollar y cerca stuvo de caer, y quebraron las lanças y quedó de los dos llagado, mas él firió al uno dellos de manera que armadura que traxiesse no le aprovechó, que la lança entró por el un costado y salió por el otro el fierro con un pedaço del asta, y metió mano a su spada muy bravamente y fue ferir los dos cavalleros, y ellos a él, y començaron entre sí una peligrosa batalla; mas el de las armas de los leones, que se temía de muerte, punó de se librar dellos y dio al uno tal golpe de la espada en el braço diestro, que gelo hizo caer en tierra con la espada, y començó a fuír contra el castillo, diziendo a grandes bozes:

—Acorred, amigos, que matan a vuestro señor.

Y cuando el de los leones oyó dezir que aquél era el señor, quexóse más de lo vencer, y dióle un tal golpe por cima del yelmo que la espada le metió por la carne, de que el cavallero fue tan desarmado que perdía las striberas y cayera, si se no abraçara al cuello del cavallo, y tomóle por el yelmo y sacógelo de la cabeça, y el cavallero quiso huir pero vio que el otro estava entre él y el castillo.

—Muerto sois —dixo el de los leones [24]—, si por preso no vos otorgáis.

Y él, que ovo gran miedo de la espada que ya sintiera en la cabeça, dixo:

—Ay, buen cavallero, merced, no me matéis; tomad mi espada y otórgome por preso.

Mas el de los leones, que vio salir cavalleros y peones armados del castillo, tomóle por el brocal del escudo y púsole la punta de la espada en el rostro y dixo:

—Mandad aquéllos que se tornen, si no mataros he.

El les dio bozes que se tornassen, si su vida querían; ellos veyendo su gran peligro assí lo hizieron, y díxole más:

—Fazed a los peones que echen la puente.

Y luego lo mandó. Entonces le tomó consigo y passó la puente con él, y el del castillo, que vio las donzellas, conosció la una, que era Urganda la Desconoscida, y dixo:

—¡Ay, señor cavallero, si me no amparáis de aquella donzella, muerto soy!

—Sí Dios me ayude —dixo él— esso no faré yo; antes haré de vos lo que ella mandare.

Entonces dixo a Urganda:

—Veis aquí el cavallero señor del castillo; ¿qué queréis que le faga?

—Cortadle la cabeça, si os no diere mi amigo que allá tiene preso en el castillo y si me no metiere en mano la donzella que le fizo tener.

—Assí sea —dixo él.

Y alçó la espada por le espantar, mas el cavallero dixo:

—¡Ay, buen señor, no me matéis; yo faré cuanto ella manda!

—Pues luego sea —dixo él— sin más tardar.

Entonces llamó a uno de los peones y díxole:

—Ve a mi hermano y dile, si me quiere ver bivo, que trayá luego el cavallero que allá está y la donzella que le traxo.

24. «Pues si acaso su majestad preguntare quién la hizo, diréisle que *el Caballero de los Leones*, que de aquí adelante quiero que en éste se trueque, cambie, vuelva y mude el que hasta aquí he tenido de *el Caballero de la Triste Figura*, y en esto sigo la antigua usanza de los andantes caballeros, que se mudaban los nombres cuando querían, o cuando les venía a cuento.» (*Don Quijote de la Mancha*, II, 17, p. 705.)

Esto fue luego fecho, y venido el de los leones, le dixo:

—Cavallero, veis allí vuestra amiga, amalda, que mucho afán passó por vos sacar de prisión.

—Sí amo —dixo él—, más que nunca.

Urganda le fue abraçar, y él a ella.

—¿Pues qué faréis de la donzella? —dixo el cavallero de los leones.

—Matarla —dixo Urganda—, que mucho la sufrí.

Y hizo un encantamento de manera que ella se iva trimiendo a meter en el agua.

Mas el cavallero dixo:

—Señora, por Dios, no muera esta donzella, pues por mí fue presa.

—Yo la dexaré esta vez por vos, mas si me yerra, todo lo pagará junto.

El señor del castillo dixo:

—Señor, pues complí lo que mandastes, quitadme de Urganda.

Ella le dixo:

—Yo os quito por la honra deste que vos venció.

El de los leones preguntó a la donzella por qué de su grado se metía en el agua.

—Señor —dixo ella—, parescíame que tenía de cada parte una hacha ardiendo que me quemavan, y quería con el agua guarescer.

El se começó a reír y dixo:

—Por Dios, donzella, gran locura es la vuestra en fazer enojo a quien tan bien vengarse puede.

Galaor, que todo lo viera, dixo al gigante:

—Este quiero que me faga cavallero, que si el rey Lisuarte es tan nombrado, será por su grandeza, mas este cavallero meresce serlo por su gran esfuerço.

—Pues llegad a él —dixo el gigante—, y si lo no fiziere será por su daño.

Galaor se fue donde el de las armas de los leones seía so los olmos, y en su compañía consigo llevava cuatro escuderos y dos donzellas, y como llegó salváronse ambos y Galaor dixo:

—Señor cavallero, demándoos un don.

Él, que lo vio más hermoso que nunca otro visto havía, tomólo por la mano y dixo:

—Sea con derecho y yo vos lo otorgo.

—Pues ruégoos por cortesía que me fagáis cavallero sin más tardar, y quitarm'eis de ir al rey Lisuarte donde agora iva.

—Amigo —dixo él—, gran desvarío faríades en dexar para tal honra el mejor rey del mundo y tomar a un pobre cavallero como lo yo soy.

—Señor —dixo Galaor— la su grandeza del rey Lisuarte no me porná a mí esfuerço assí como lo fará la vuestra gran valentía que aquí os vi fazer. Y complid lo que me prometistes.

—Buen escudero —dixo él—, de cualquiera otro que demandéis seré yo muy más contento que deste que en mí no cabe ni a vos es honra.

A la sazón Urganda llegó a ellos como que no avía oído nada y dixo:

—Señor, ¿qué vos paresce deste donzel?

—Parésceme —dixo él— el más hermoso que nunca vi, y demándame un don que a él ni a mí cumple.

—Y ¿qué es? —dixo ella.

—Que le faga cavallero —dixo él—, seyendo puesto en camino para lo ir a pedir al rey Lisuarte.

—Ciertamente —dixo Urganda— en el dexar de ser cavallero le vernía mayor daño que pro, y a él digo que no vos quite el don y a vos que lo cumpláis. Y dígoos que cavallería será en él mejor empleada que en ninguno de cuantos agora ay en todas las ínsulas del mar fueras ende uno solo.

—Pues que assí es —dixo él—, en el nombre de Dios sea, y agora nos vamos a alguna iglesia para tener la vigilia.

—No es necessario —dixo Galaor—, que ya oy he oído missa y vi el verdadero Cuerpo de Dios.

—Esto basta —dixo el de los leones.

Y poniéndole la espuela diestra, y besándolo le dixo:

—Agora sois cavallero, y tomad la espada de quien más vos agradará.

—Vos me la daréis —dixo Galaor—, que de otro ninguno no la tomaría a mi grado.

Y llamó a hun escudero que le traxiesse una espada que en la mano tenía. Mas Urganda dixo:

—No vos dará essa, sino aquella que está colgada deste árbol, con que seréis más alegre.

Entonces miraron todos al árbol; no vieron nada. Ella començó a reír de gana y dixo:

—Por Dios, bien ha diez años que allí está, que la nunca vio ninguno que por aquí passasse y agora la verán todos.

Y tornando a mirar, vieron la espada colgada de un ramo del árbol, y parescía muy hermosa, y tan fresca como si entonces se pusiera, y la vaina muy ricamente labrada de seda y de oro. El de las armas de los leones la tomó y ciñóla a Galaor diziendo:

—Tan hermosa espada convenía a tan hermoso cavallero, y cierto que vos no desama quien de tan luengo tiempo os la guardó.

Galaor fue della muy contento y dixo al de las armas de los leones:

—Señor, a mí conviene ir a un lugar que escusar no puedo. Mucho desseo vuestra compañía más que de otro cavallero ninguno, si a vos pluguiere, y dezidme dónde vos fallaré.

—En casa del rey Lisuarte —dixo él—, donde seré alegre de vos ver, porque es razón de ir allí porque ha poco que fue cavallero y tengo en tal casa de ganar alguna honra, como vos.

Galaor fue desto muy alegre y dixo a Urganda:

—Señora donzella, mucho os gradezco esta espada que me distes; acordadvos de mí como de vuestro cavallero.

Y despedido dellos, se tornó a donde dexara el gigante que escondido quedara en una ribera de un río.

En este medio tiempo que esto passó, fablava una donzella de Galaor con la otra de Urganda, y della supo cómo aquel cavallero era Amadís de Gaula, fijo del rey Perión, y cómo Urganda, su señora, le hizo venir allí que a su amigo de aquel castillo sacasse por fuerça de armas, qu'el su gran saber no le aprovechava para ello porque la señora del castillo, que de aquella arte mucho sabía, lo tenía primero encantado, y no se temiendo del saber de Urganda quisiéronse assegurar de la fuerça de las armas con aquella costumbre que el cavallero de los leones venció y passó la puente, como se vos ha contado; y por esto le tenían allí su amigo, que allí traxera una donzella sobrina de la señora del castillo, aquella que ya oístes que en el agua se quería afogar. Assí quedaron Urganda y el cavallero fablando una parte de aquel día, y ella le dixo:

—Buen cavallero, ¿no sabéis a quién armastes cavallero?

—No —dixo él.

—Pues razón es que lo sepáis, que él es de tal coraçón y vos assí mesmo, que si vos topássedes no os conosciendo, sería gran mala ventura. Sabed que es fijo de vuestro padre y madre, y éste es el que el gigante les tomó siendo niño de dos años y medio, y es tan grande y fermoso como agora vedes, y por amor vuestro y suyo guardé tanto tiempo para él aquella espada; y dígovos que hará con ella el mejor comienço de cavallería que nunca fizo cavallero en la Gran Bretaña.

Amadís se le hincheron los ojos de agua, de plazer, y dixo:

—¡Ay, señora!, dezidme dónde lo fallaré.

—No ha agora menester —dixo ella— que lo busquéis, que todavía conviene que passe lo que está ordenado.

—¿Pues podrélo ver aína?

—Sí —dixo ella—, mas no os será tan lijero de conoscer como pensáis.

El se dexó de preguntar más en ello, y ella con su amigo se fue su vía; y Amadís con su escudero por otro camino con intención de ir a Vindilisora, donde era a la sazón el rey Lisuarte.

Galaor llegó donde era el gigante y díxole:

—Padre, yo soy cavallero; loores a Dios y al buen cavallero que lo fizo.

Dixo él:

—Hijo, desso so yo muy alegre y demándoos un don.

—Muy de grado —dixo él— lo otorgo, con tanto que no sea estorvo de ir yo a ganar honra.

—Hijo —dixo el gigante—, antes, si a Dios pluguiere, será en gran acrecentamiento della.

—Pues pedilde —dixo él—, que yo lo otorgo.

—Hijo —dixo él—, algunas vezes me oístes dezir cómo Albadán el gigante mató a traición a mi padre y le tomó la Peña de Galtares que deve ser mía. Demándovos que me dois derecho dél, que otro ninguno como vos me lo puede dar, y acordadvos de la criança que en vos hize y cómo pornía mi cuerpo a la muerte por vuestro amor.

—Esse don —dixo Galaor— no es de pedirle vos a mí; antes le demando yo a vos que me otorguéis essa batalla, pues tanto os cumple, y si della vivo saliere, todas las otras cosas que más vuestra honra y provecho sean, fasta que esta vida pague aquella gran deuda en que vos es, yo estó aparejado de hazer, y luego vamos allá.

—En el nombre de Dios —dixo el gigante.

Entonces entraron en el camino de la Peña de Galtares y no anduvieron mucho que encontraron con Urganda la Desconoscida y saludáronse cortésmente, y dixo a Galaor:

—¿Sabéis quién vos hizo cavallero?

—Sí —dixo él—; el mejor cavallero de que nunca oí fablar.

—Verdad es —dixo ella—, y más vale que vos pensáis, y quiero que sepáis quién es.

Entonces llamó a Gandalaz el gigante, y dixo:

—Gandalaz, ¿no sabes tú que este cavallero que criaste es hijo del rey Perión y de la reina Helisena, y por las palabras que te yo dixe le tomaste y le as criado?

—Verdad es —dixo él.

Entonces dixo a Galaor:

—Mi amado fijo, sabed que aquel que os fizo cavallero es vuestro hermano y es mayor que vos dos años, y cuando le vierdes honralde como al mejor cavallero del mundo y punad de le parescer en el ardimento y buen talante.

—¿Es verdad —dixo Galaor— que el rey Perión es mi padre y la reina mi madre, y que soy hermano de aquel tan buen cavallero?

—Sin falta —dixo ella— es.

—A Dios merced —dixo él—, agora os digo que soy puesto en mucho mayor cuidado que ante y la vida en mayor peligro, pues me conviene ser tal que esto que vos, donzella, dezís, assí ellos como todos los otros con razón lo devan creer.

Urganda se despidió dellos, y el gigante y Galaor anduvieron su vía como ante, y preguntando Galaor al gigante quién era aquella tan sabida donzella y él contándole como era Urganda la Desconoscida, y que se llamava assí porque muchas vezes se trasformava y desconoscía, llegaron a una ribera, y por ser la calor grande acordaron de en ella folgar en una tienda que armaron, y no tardó que vieron venir una donzella por un camino, y otra por otro, assí que se juntaron cabe la tienda y cuando vieron el gigante, quisieron fuir, mas don Galaor salió a ellas y fízolas tornar asegurándolas, y preguntó dónde ivan. La una le dixo:

—Voy por mandado de una mi señora a ver a una batalla muy estraña de un solo cavallero que se ha de combatir con el fuerte gigante de la Peña de Galtares, para que le lleve las nuevas della.

La otra donzella dixo:

—Maravíllome de lo que dezís que aya cavallero que tan gran locura osasse acometer, y, ahunque mi camino a otra parte es, ir quiero con vos por ver cosa tan fuera de razón.

Ellas que se ivan, díxoles Galaor:

—Donzellas, no vos curéis de aí llegar que nosotros vamos a ver essa batalla, y id en nuestra compañía.

Ellas gelo prometieron y mucho folgavan de le ver tan fermoso con aquellos paños de novel cavallero, que muy más apuesto le fazían, y todos juntos allí comieron y folgaron, y Galaor sacó aparte al gigante, y díxole:

—Padre, a mí plazería mucho que me dexéis ir a fazer mi batalla, y sin vos llegaré más aína.

Esto dezía él porque no supiessen que él era el que la avía de hazer y no sospechassen que con su esfuerço quería acometer tan gran cosa. El gigante lo otorgó contra su voluntad, y Galaor se armó y entró en el camino, y las donzellas ambas con él, y tres escuderos del gigante que mandó ir con él, que levavan las armas y lo que avía menester, y assí anduvo tanto que llegó a dos leguas de la Peña de Galtares, y allí le anocheció en una casa de un hermitaño, y sabiendo que era de orden se confessó con él. Y cuando le dixo que iva a fazer aquella batalla, fue muy espantado, y díxole:

—¿Quién os pone en tan gran locura como ésta, que en toda esta comarca no ay tales diez cavalleros que le osassen acometer, tanto es bravo y espantoso y sin ninguna merced?; y vos seyendo en tal edad poneros en tal peligro, perder queréis el cuerpo y ahun el alma, que aquellos que conoscidamente se ponen en la muerte podiéndolo escusar, ellos mismos se matan.

—Padre —dixo don Galaor—, Dios fará de mí su voluntad, pero la batalla no la dexaré por ninguna vía.

El hombre bueno començó a llorar, y díxole:

—Fijo, Dios vos acorra y esfuerçe, pues en esto otra cosa no queréis fazer, y plázeme en vos fallar de buena vida.

Y Galaor le rogó que rogasse a Dios por él. Allí se aposentaron aquella noche, y otro día, aviendo oído missa, armóse Galaor y fuese contra la Peña que ante sí veía muy alta y con muchas torres fuertes, que fazian el castillo parescer muy hermoso y maravilla. Las donzellas, preguntaron a Galaor si conoscía el cavallero que la batalla avía de fazer. Él les dixo:

—Creo que ya le vi.

Galaor preguntó a la donzella que de parte de su señora venía a ver la batalla, que le dixesse quién era.

—Esto no puede saber otro sino el cavallero que se ha de combatir.

Y fablando en esto llegaron al castillo, y la puerta fallaron cerrada. Galaor llamó, y parescieron dos hombres sobre la puerta, y díxoles:

—Decid a Albadán que está aquí un cavallero de Gandalaz, que viene a se combatir con él, y si allá tarda, que ni salirá hombre ni entre que le yo no mate si puedo.

Los hombres se rieron y dixeron:

—Este rencor durará poco, porque o tú fuirás o perderás la cabeça.

Y fuéronlo dezir al gigante, y las donzellas se llegaron a Galaor y dixeron:

—Amigo señor, ¿sois vos el lidiador desta batalla?

—Sí —dixo él.

—¡Ay, señor! —dixeron ellas—, Dios os ayude y lo dexe acabar a vuestra honra, que gran fecho començáis, y quedá en buena ora, que no osaremos atender al gigante.

—Amigas, no temáis y ved por lo que venistes o vos tornad a casa del hermitaño, que yo aí seré si aquí no muero.

La una dixo:

—Cualquier mal que avenga ver quiérolo porque vine.

Entonces, apartándose del castillo, se metieron en una orilla de una floresta donde esperavan de fuir si mal fuesse al cavallero.

CAPÍTULO XII

CÓMO GALAOR SE COMBATIÓ CON EL GRAN GIGANTE SEÑOR DE LA PEÑA DE GALTARES Y LO VENCIÓ Y MATÓ

AL gigante fueron las nuevas, y no tardó mucho que luego salió en un cavallo, y él parescía sobre él tan gran cosa que no ay hombre en el mundo que mirarlo osasse, y traía unas fojas de fierro [25] tan grandes que desde la garganta fasta

---

25. Las *fojas de fierro* estaban compuestas de láminas de metal rígido y servían para la defensa corporal, combinándose con la cota de mallas (loriga o arnés). En el *A.* aparecen como una defensa única y exclusiva de los gigantes.

la silla le cobrían y un yelmo grande además muy claro y
una gran maça de fierro muy pesada con que fería. Mucho
fueron espantados los escuderos y las donzellas de lo ver, y
Galaor no era tan esforçado que entonces gran miedo no
oviesse. Mas cuanto más a él se acercava más le perdía. El
jayán le dixo:

—Cativo cavallero, ¿cómo osas atender tu muerte, que te
no verá más el que acá te embió?, y aguarda y verás cómo
sé ferir de maça.

Galaor fue sañudo y dixo:

—Diablo, tú serás vencido y muerto con lo que yo trayo
en mi ayuda, que es Dios y la razón.

El jayán movió contra él, que no parescía sino una torre.
Galaor fue a él con su lança baxa al más correr de su cavallo y encontróle en los pechos de tal fuerça, que la una estribera le hizo perder, y la lança quebró; el jayán alçó la maça
por lo ferir en la cabeça, y Galaor passó tan aína que lo no
alcançó sino en el brocal del escudo, y quebrando los braçales y el tiracol gelo fizo caer en tierra, y a pocas Galaor oviera caído tras él; y el golpe fue tan fuerte dado, que el braço
no pudo la maça sostener y dio en la cabeça de su mismo
cavallo, assí que lo derribó muerto, y él quedó debaxo, y
queriéndose levantar, aviendo salido dél a gran afán, llegó
Galaor y diole de los pechos del cavallo y passó sobre él
bien dos vezes antes que se levantasse, y a la hora tropeçó
el cavallo de Galaor en el del gigante, y fue a caer de la otra
parte. Galaor salió dél luego, que se veía en aventura de
muerte, y puso mano a la espada que Urganda le diera, y
dexóse ir al jayán que la maça tomava del suelo, y diole con
la espada en el palo della y cortóle todo, que no quedó sino
un pedaço que le quedó en la mano, y con aquél lo firió el
jayán de tal golpe por cima del yelmo, que la una mano le
fizo poner en tierra, que la maça era fuerte y pesada, y el
que fería de gran fuerça, y el yelmo se le torció en la cabeça; mas él como muy ligero y de vivo coraçón fuesse, levantóse luego y tornó al jayán, el cual le quiso ferir otra vez,
pero Galaor, que mañoso y ligero andava, guardóse del golpe
y diole en el braço con la espada tal ferida, que gelo cortó
cabe el ombro, y descendiendo la espada a la pierna, le cortó
cerca de la meitad. El jayán dio una gran boz y dixo:

—¡Ay, cativo, escarnido soy por un hombre solo!

Y quiso abraçar a Galaor con gran saña, mas no pudo ir

adelante por la gran ferida de la pierna y sentóse en el suelo. Galaor tornó a lo ferir, y como el gigante tendió la mano por lo travar, diole un golpe que los dedos le echó en tierra con la meitad de la mano y el jayán, que por lo travar se avía tendido mucho, cayó y Galaor fue sobre él y matólo con su espada y cortóle la cabeça. Entonces vinieron a él los escuderos y las donzellas, y Galaor les mandó a los escuderos que levassen la cabeça a su señor; ellos fueron alegres y dixeron:

—Por Dios, señor, él fizo en vos buena criança, que vos ganastes el prez y él la vengança y el provecho.

Galaor cavalgó en un cavallo de los escuderos, y vio salir del castillo diez cavalleros en una cadena metidos, que le dixeron:

—Venid a tomar el castillo, que vos matastes el jayán y nos los que le guardavan.

Galaor dixo a las donzellas:

—Señoras, quedemos aquí esta noche.

Ellas dixeron que les plazía. Entonces fizo quitar la cadena a los cavalleros, y acogéronse todos al castillo, donde avía fermosas casas, y en una dellas se desarmó, y diéronle de comer, y a sus donzellas con él. Assí folgaron allí con gran plazer mirando aquella fuerça de torres y muros que maravillosas les parescían. Otro día fueron allí asonados todos los de la tierra en derredor, y Galaor salió a ellos y ellos lo recibieron con gran alegría, diziéndole que pues él ganara aquel castillo matando al jayán que por fuerça y gran premia los mandava, que a él querían por señor. El gelo gradesció mucho. Pero díxoles que ya sabían cómo aquella tierra era de derecho de Gandalaz, y que él, como su criado, avía allí venido a la ganar para él, que le obedesciessen por señor como eran obligados y que él los trataría mansa y honradamente.

—El sea bien venido —dixeron ellos—, que como nuestro natural y como cosa suya propia terná cuidado de nos hazer bien, que este otro que matastes como agenos y estraños nos tratava.

Galaor tomó omenaje de dos cavalleros, los que más honrados le paresció, para que venido Gandalaz le entregassen el castillo, y tomando sus armas y las donzellas y un escudero de los dos que allí traxo, entró en el camino de la casa del hermitaño, y allí llegado, el hombre bueno fue muy alegre con él, y díxole:

—Fijo bienaventurado, mucho devéis amar a Dios, que El vos ama, pues quiso que por vos fuesse fecha tan fermosa vengança.

Galaor, tomando dél su bendición y rogándole que le oviesse memoria en sus oraciones, entró en su camino. La una donzella le rogó que le otorgasse su compañía. Y la otra dixo:

—No vine aquí sino por ver cima desta batalla, y vi tánto que terné que contar por donde fuere; agora quiérome ir a casa del rey Lisuarte por ver un cavallero mi hermano que aí anda.

—Amiga —dixo Galaor—, si aí viéredes un cavallero mancebo que trae unas armas de unos leones, dezilde qu'el donzel que él fizo cavallero se le encomienda, y que yo punaré de ser hombre bueno y si le yo viere, dezirle he más de mi fazienda y de la suya que él sabe.

La donzella se fue su vía, y Galaor dixo a la otra que, pues él avía sido el cavallero que la batalla fiziera, que le dixesse quién era su señora que la allí avía embiado.

—Si lo vos queréis saber —dixo ella—, seguidme y mostrárvosla he de aquí a cinco días.

—Ni por esso —dixo él— no quedaré de lo saber, que yo os seguiré.

Assí anduvieron fasta que llegaron a dos carreras, y Galaor que iva delante, se fue por una pensando que la donzella fuera tras él, mas ella tomó la otra y esto era a la entrada de la floresta llamada Brananda, que parte el condado de Clara y de Gresca, y no tardó mucho, Galaor oyó unas bozes diziendo:

—¡Ay, buen cavallero, valedme!

El tornó el rostro y dixo:

—¿Quién da aquellas bozes?

El escudero dixo:

—Entiendo que la donzella que de nos se apartó.

—¡Cómo! —dixo Galaor—, ¿partióse de nos?

—Sí, señor —dixo él—, por aquel otro camino va.

—Por Dios, mal la guardé.

Y enlazando el yelmo y tomando el escudo y la lança, fue cuanto pudo donde las bozes oía, y vio un enano feo encima de un cavallo y cinco peones armados con él de capellinas y hachas, y estava firiendo con un palo que en la mano tenía a la donzella. Galaor llegó a él y dixo:

—Ve, cosa mala y fea, Dios te dé mala ventura.

Y tornó la lança a la mano siniestra y fue a él y tomándole el palo, diole con él tal herida, que cayó en tierra todo atordido; los peones fueron a él y firiéronlo por todas partes y él dio a uno tal golpe del palo en el rostro, que lo batió en tierra, y firió a otro con la lança en los pechos, que le tenía metida la hacha en el escudo y no la podía sacar, que lo passó de la otra parte, y cayó y quedó en él la lança, y sacó la hacha del escudo y fue para los otros, mas no le osaron atender y fuyeron por unas matas tan espessas que no pudo ir tras ellos, y cuando bolvió, vio cómo el enano cavalgara, y dixo:

—Cavallero, en mal punto me feristes y matastes mis hombres.

Y dio del açote al rocín y fuese cuanto más pudo por una carrera. Galaor sacó la lança del villano y vio que estava sana, de que le plugo, y dio las armas al escudero y dixo:

—Donzella, id vos delante y guardarvos he mejor.

Y assí tornaron al camino, donde a poco rato llegaron a un río que avía nombre Bran y no se podía passar sin barca; la donzella que iva delante falló el barco y passó de la otra parte, y en tanto que Galaor atendió el barco, llegó el enano qu'él firiera y venía diziendo:

—A la fe, don traidor, muerto sois y dexaréis la donzella que me tomastes.

Galaor vio que con él venían tres cavalleros bien armados y en buenos cavallos.

—¡Cómo! —dixo el uno dellos—; ¿todos tres iremos a uno solo? Yo no quiero ayuda ninguna.

Y dexóse a él ir lo más rezio que pudo; y Galaor que ya sus armas tomara, fue contra él y firiéronse de las lanças, y el cavallero del enano le falsó todas sus armas, mas no fue la ferida grande, y Galaor lo firió tan bravamente, que lo lançó de la silla, de que los otros fueron maravillados y dexáronse a él correr entrambos de consuno, y él a ellos, y el uno erró su golpe, y él fizo en el escudo su lança pieças, y Galaor lo firió tan duramente qu'el yelmo le derribó de la cabeça y perdió las estriberas y estuvo cerca de caer. Mas el otro tornó y firió a Galaor con la lança en los pechos, y quebró la lança, y ahunque Galaor sintió el golpe, mucho no le falsó el arnés; entonces metieron todos mano a las espadas y començaron su batalla, y el enano dezía a grandes bozes:

—Matalde el cavallo y no fuirá.

Y Galaor quiso ferir al que derribara el yelmo, y el otro alçó el escudo y entró por el braçal bien un palmo y alcançó con la punta en la cabeça al cavallero y fendiólo fasta las quexadas assí que cayó muerto; cuando el otro cavallero vio este golpe fuyó, y Galaor en pos dél y firióle con su espada por cima del yelmo y no le alcançó bien, y descindió el golpe al arzón de çaga y levóle un pedaço y muchas mallas del arnés,[26] mas el cavallero firió rezio al cavallo de las espuelas y echó el escudo del cuello por se ir más aína. Cuando Galaor ansí lo vio ir, dexólo y quiso mandar colgar al enano por la pierna, mas violo ir fuyendo en su cavallo cuanto más pudo, y tornóse al cavallero con quien ante justara, que iva ya acordando, y díxole al cavallero:

—De vos me pesa más que de los otros, porque a guisa de buen cavallero vos quisistes combatir; no sé por qué me acometistes que no os lo merescí.

—Verdad es —dixo el cavallero—; mas aquel enano traidor nos dixo que le firiérades y le matárades sus hombres y le tomárades a fuerça una donzella que se quería con él ir.

Galaor le mostró la donzella que lo atendía de la otra parte del río, y dixo:

—Vedes la donzella, y si la yo forçara, no me atendiera, mas veniendo en mi compañía erróse de mí en esta floresta y él la tomó y la fería con un palo muy mal.

—¡Ay traidor! —dixo el cavallero—, en mal punto me hizo acá venir si lo yo fallo!

Galaor le fizo dar el cavallo, y díxole que atormentasse al enano, que era traidor. Entonces passó en el barco de la otra parte y entró en el camino en guía de la donzella, y cuando fue entre nona y bísperas mostróle la donzella un castillo muy hermoso encima de un valle, y díxole:

—Allí iremos nos a alvergar.

Y anduvieron tanto fasta que a él llegaron, y fueron muy bien recebidos como en casa de su madre de la donzella que era, y díxole:

—Señora, honrad este cavallero como al mejor que nunca escudo echó al cuello.

---

26. El arnés estaba confeccionado a base de mallas, pequeñas piezas metálicas clavadas en un soporte de tela o cuero, por lo que se podían *llevar*, o sea, desclavar y tirar al suelo.

Ella dixo:
—Aquí le haremos todo servicio y plazer.

La donzella le dixo:
—Buen cavallero, para que yo pueda complir lo que os he prometido avéisme de aguardar aquí y luego bolveré con recaudo.

—Mucho os ruego —dixo él— que no me detengáis, que se me haría mucha pena.

Ella se fue y no tardó mucho que no bolviesse, y díxole:
—Agora cavalgad, y vayamos.

—En el nombre de Dios —dixo él.

Entonces tomó sus armas, y cavalgando en su cavallo se fue con ella, y anduvieron siempre por una floresta, y a la salida della les anocheció, y la donzella, dexando el camino que levavan, tomó por otra parte, y passada una pieça de la noche, llegaron a una fermosa villa que Grandares havía nombre, y desque llegaron a la parte del alcáçar, dixo la donzella:

—Agora decindamos y venid empós de mí, que en aquel acáçar vos diré lo que tengo prometido.

—¿Pues levaré mis armas? —dixo él.

—Sí —dixo ella—, que no sabe hombre lo que avenir puede.

Ella se fue delante y Galaor empós della fasta que llegaron a una pared, y dixo la donzella:

—Subid por aquí y entrad ende, que yo iré por otra parte y acudiré a vos.

El subió suso a gran afán y tomó el escudo y yelmo, y baxóse a yuso, y la donzella se fue. Galaor entró por una huerta, y llegó a un postigo pequeño que en el muro del acáçar estava, y estovo allí un poco hasta que lo vio abrir, y vio la donzella y otra con ella, y dixo a Galaor:

—Señor cavallero, antes que entréis conviene que me digáis cúyo hijo sois.

—Dexad vos desso —dixo él—, que yo tengo tal padre y madre que hasta que más valga no osaría dezir que su hijo soy.

—Todavía —dixo ella— conviene que me lo digáis, que no será de vuestro daño.

—Sabed que soy fijo del rey Perión y de la reina Helisena, y ahún no ha siete días que os lo no supiera dezir.

—Entrad —dixo ella.

Entrado, fiziéronlo desarmar y cubriéronle un manto y saliéronse de allí, y la una iva detrás y la otra delante y él en medio, y entrando en un gran palacio y muy hermoso, donde yazían muchas dueñas y donzellas en sus camas, y si alguna preguntava quién iva aí, respondieron ambas las donzellas. Assí passaron hasta una cámara que con el palacio se contenía, y entrando dentro vio Galaor seer en una cámara de muy ricos paños una hermosa donzella que sus cabellos hermosos peinava, y como vio a Galaor puso en su cabeça una hermosa guirlanda, y fue contra él diziendo:

—Amigo, vos seáis bien venido como el mejor cavallero que yo sé.

—Señora —dixo él—, y vos muy bien hallada, como la más hermosa donzella que yo nunca vi.

Y la donzella que lo allí guió, dixo:

—Señor, veis aquí mi señora, y agora soy quita de la promessa; sabed que ha nombre Aldeva, y es hija del rey de Serolís y hala criado aquí la muger del duque de Bristoya, que es hermana de su madre.

Desí dixo a su señora:

—Yo vos do al hijo del rey Perión de Gaula, ambos sois fijos de reyes y muy hermosos; si vos mucho amáis, no vos lo terná ninguno a mal.

Y saliéndose fuera, Galaor folgó con la donzella aquella noche a su plazer, y sin que más aquí vos sea recontado, porque en los autos semejantes, que a buena conciencia ni a virtud no son conformes, con razón deve hombre por ellos ligeramente passar, teniéndolos en aquel pequeño grado que merescen ser tenidos. Pues venida la ora en que le convino salir de allí, tomó consigo las donzellas y tornóse donde las armas dexara, y armándose salió a la huerta y falló aí el enano que oístes, y díxole:

—Cavallero, en mal punto acá entrastes, que yo os faré morir y a la alevosa que aquí os traxo.

Entonces dio bozes:

—Salid, cavalleros, salid, que un hombre sale de la cámara del duque.

Galaor subió en la pared y acogióse a su cavallo, mas no tardó mucho que el enano con gente salió por una puerta que abrieron, y Galaor, que entre todos le vio, dixo entre sí:

—¡Ay, cativo, muerto soy si me no vengo deste traidor de enano!

Y dexóse a él ir por lo tomar; mas el enano se puso detrás de todos en su rocín. Y Galaor con la gran ravia que levava metióse por entre todos, y ellos lo començaron a ferir de todas partes; cuando él vio que no podía passar, firiólos tan cruelmente que mató dos dellos en que quebró la lança. E metió mano a la espada y dávales mortales golpes, de manera que algunos fueron muertos y otros feridos; mas ante que de la priessa fuese salido le mataron el cavallo; él se levantó a gran afán, que le ferían por todas partes. Pero desque fue en pie, escarmentólos de manera que ninguno era osado de llegar a él. Cuando el enano lo vio ser a pie, cuidólo ferir de los pechos del cavallo, y fue a él lo más rezio que pudo; y Galaor se tiró un poco a fuera y tendió la mano y tomóle por el freno y dióle tal ferida de la mançana de la espada en los pechos, que lo derribó en tierra y de la caída fue assí atordido, que la sangre le salió por las orejas y por las narizes, y Galaor saltó en el cavallo y al cavalgar perdió la rienda, y salióse el cavallo con él de la priessa, y como era grande y corredor, ante que la cobrasse se alongó una buena pieça, y como las riendas ovo quísose tornar a los ferir, mas vio a la finestra de una torre su amiga, que con el manto le hazía señas que se fuesse. El se partió dende, porque la gente avía ya mucha sobrevenido, y anduvo fasta entrar en una floresta. Entonces dio el escudo y yelmo a su escudero; algunos de los hombres dezían que sería bueno seguirle; otros que nada aprovecharía, pues era en la floresta, pero todos estavan espantados de ver cómo tan bravamente se havía combatido. El enano, que maltrecho stava, dixo:

—Levadme al duque y yo le diré de quién deve tomar la vengança.

Ellos le tomaron en braços y le subieron donde el duque era, y contóle cómo fallara la donzella en la floresta, y porque la quería traer consigo avía dado grandes bozes, y que acudiera en su ayuda un cavallero, y le avía muerto sus hombres y a él ferido con el palo, y que él después lo siguiera con los tres cavalleros por le tomar la donzella, y cómo los desbaratara y venciera; finalmente le contó cómo la donzella le traxera allí, y lo avía metido en su cámara. El duque le dixo si conoscería la donzella; él dixo que sí. Entonces las mandó allí venir todas las que estavan en el castillo, y como el enano entre ellas la vio, dixo:

—Esta es por quien vuestro palacio es deshonrado.

—¡Ay, traidor! —dixo la donzella—, mas tú me ferías mal y me mandavas ferir a tus hombres, y aquel buen cavallero me defendió, que no sé si es éste o si no.

El duque fue muy sañudo y dixo:

—Donzella, yo faré que me digáis la verdad.

Y mandóla poner en prisión; pero por tormentos ni males que le fizieron nunca nada descubrió, y allí la dexó estar con grande angustia de Aldeva, que la mucho amava y no sabía con quién lo fiziesse saber a don Galaor su amigo.

El autor dexa aquí de contar desto, y torna a fablar de Amadís, y lo deste Galaor dirá en su lugar.

CAPÍTULO XIII

Cómo Amadís se partió de Urganda la Desconoscida y llegó a una fortaleza, y de lo que en ella le avino

PARTIDO Amadís de Urganda la Desconoscida con mucho plazer de su ánimo en aver sabido que aquel que fiziera cavallero era su hermano y porque creía ser cedo donde su señora era, que ahunque la no viesse le sería gran consuelo ver el lugar donde estava, anduvo tanto contra aquella parte por una floresta sin que poblado fallasse, que en ella le anocheçió, y en cabo de una pieça vio lexos un fuego que sobre los árboles parescía, y fue contra allá pensando fallar aposentamiento. Entonces desviándose del camino, anduvo fasta que llegó a una fermosa fortaleza que en una torre della parescían por las finiestras aquellas lumbres que de candelas eran, y oyó bozes de hombres y mugeres como que cantavan, y hazían alegrías. El llamó a la puerta, mas no le oyeron, y dende a poco los de la torre miraron por entre las almenas y viéronle que llamava. Y díxole un cavallero:

—¿Quién sois que a tal hora llamáis?

El le dixo:

—Señor, soy un cavallero estraño.

—Assí paresce —dixo el del muro— que sois estraño, que dexáis de andar de día y andáis de noche, mas creo que lo fazéis por no aver razón de os combatir, que agora no fallaréis sino los diablos.

Amadís le dixo:

—Si en vos algún bien oviesse, algunas vezes veríades andar de noche a los que menos fazer no pueden.

—Agora os id —dixo el cavallero—, que no entraréis acá.

—Sí me ayude Dios —dixo Amadís—, yo cuido que no querríades hombre que algo valiesse en vuestra compañía. Pero querría antes que me vaya saber cómo avéis nombre.

—Yo te lo diré —dixo él—, con tal que cuando me fallares te combatas comigo.

Amadís, que sañudo estava, otorgógelo. El cavallero dixo:

—Sabe que yo he nombre Dardán, que no puedes aver esta noche tan mala que no sea muy peor el día que comigo encontrares.

—Pues yo quiero —dixo Amadís— salir luego desta promessa y alúmbrennos con estas candelas a que nos combatamos.

—¿Cómo —dixo Dardán— por yo ir a la batalla de tal como vos avía de tomar armas de más de noche?; mal aya quien espuelas calçasse ni armas vistiesse por ganar honra della.

Entonces se partió del muro y Amadís fue su camino.

Aquí retrata el autor de los sobervios y dize: Sobervios, ¿qué queréis?, ¿qué pensamiento es el vuestro?; ruégovos que me digáis la hermosa persona, la gran valentía, el ardimiento del coraçón, si por ventura lo heredastes de vuestros padres, o lo comprastes con las riquezas, o lo alcançastes en las escuelas de los grandes sabios, o lo ganastes por merced de los grandes príncipes; cierto es que diréis que no. Pues ¿dónde lo ovistes?; parésceme a mí que de aquel Señor muy alto donde todas las buenas cosas ocurren y vienen. Y a este señor, ¿qué gracias, qué servicios en pago dello le dais? Cierto, no otros ningunos sino despreciar los virtuosos y deshonrar los buenos, maltratar los de sus órdenes santas, matar los flacos con vuestras grandes sobervias y otros muchos insultos en contra de su servicio. Creyendo a vuestro pareçer que assí como con esto la fama, la honra deste mundo ganáis, que assí con una pequeña penitencia en el fin de vuestros días la gloria del otro ganaréis. ¡O, qué pensamiento tan vano y tan loco, haviendo passado vuestro tiempo en las semejantes cosas sin arrepentimiento, sin la satisfación que a vuestro Señor devéis, guardarlo todo junto para aquella triste y peligrosa hora de la muerte, que no sabéis cuándo ni en qué forma os verná! Diréis vos que el poder y la gracia de

Dios es muy grande, junto con su piedad: verdad es. Mas assí el vuestro poder havía de ser para forçar con tiempo vuestra ira y saña y vos quitar de aquellas cosas que El tanto tiene aborreçidas, porque haziéndovos dinos, dinamente el su perdón alcançar pudiéssedes, considerando que no sin causa el cruel infierno fue por El establescido.

Mas quiero yo agora dexar esto aparte que no veis, y ponerme en razón con vosotros en lo presente que havemos visto y leído. Dezime, ¿por qué causa fue derribado del Cielo en el fondo abismo aquel malo Lucifer? No por otro sino por su gran sobervia. Y aquel fuerte gigante Membrot que primero todo el humanal linaje señoreó, ¿por qué fue de todos ellos desamparado, y como animalia bruta sin sentido alguno, fueron por los desiertos sus días consumidos? No por ál, salvo porque con su gran sobervia quiso hazer una escalera a manera de camino pensando por ella sobir y mandar los cielos. ¿Pues por qué diremos que fue por Hércoles asolada y destruída la gran Troya, y muerto aquel su poderoso rey Laumedón? [27] No por otra cosa sino por la sobervia embaxada que por sus mensajeros a los cavalleros griegos embió, que a salva fe al su puerto de Simeonta arribaron. Muchos otros que por esta mala y malvada sobervia perecieron en este mundo y en el otro, contarse podrían con que esta razón ahún más autorizada fuesse. Pero porque seyendo más prolixa más enojosa de leer sería, se dexa de recontar. Solamente vos será a la memoria traído si estos que en el cielo y en la tierra, donde tan gran poder y honra tuvieron, por la sobervia fueron perdidos, deshonrados y dañados, ¿qué fruto ay en aquellas viles palabras dichas por Dardán y por otros semejantes? ¿Qué mando en lo uno ni en lo otro tienen o ocurrirles puede?; la historia vos lo mostrará adelante.

Partido Amadís con gran saña de aquel muy sobervio cavallero Dardán, fuese por la floresta buscando algún mato aparejado donde alvergar pudiesse. Y assí yendo oyó ante sí hablar, y yendo presto, aguijando más su cavallo, halló dos donzellas en sus palafrenes, y dos donçellas y un escudero con ellas. El se llegó a ellas y saludólas. Y ellas le preguntaron

---

27. La historia del rey Laumedón, que por soberbia negó a Jasón y a Hércules el reposo en el puerto de Troya, se narra en la *General Estoria* (2.ª parte) y en las *Sumas de historia troyana* de Leomarte.

dónde venía a tal hora armado. El les contó cuanto le acontecçiera desque fuera noche.

—¿Sabéis os —dixeron ellas— cómo ha nombre esse cavallero?

—Sí sé —dixo él—, que él me lo dixo y dixo que havía nombre Dardán.

—Verdad es —dixeron ellas— que él ha nombre Dardán el Sobervio, y éste es el más sobervioso cavallero que ay en esta tierra.

—Yo lo creo bien —dixo Amadís.

Y las donzellas le dixeron:

—Señor cavallero, nos tenemos aquí cerca nuestro aposentamiento; quedad con nos.

Amadís se lo otorgó, y yendo de consuno hallaron dos tendejones armados onde las donzellas de aposentarse havían; y allí descendieron, y desarmándose Amadís, mucho fueron las donzellas alegres de su fermosura, y cenaron con mucho plazer, y hizieron para él un tendejón donde durmiesse, y en tanto preguntáronle las donzellas dónde iva.

—Contra casa del rey Lisuarte —dixo él.

—Y nos allá imos —dixeron ellas— por ver cómo acaescerá a una dueña que era una de las buenas de su manera desta tierra y más fijadalgo, y cuanto en el mundo ha tiene metido en prueva de una batalla, y ha de parescer en estos diez días ante el rey Lisuarte con quien haga por ella su batalla; mas no sabemos qué le acaescerá, que éste contra quien se ha de defender es agora el mejor cavallero que hay en la Gran Bretaña.

—¿Quién es ésse —dixo Amadís— que tanto precian de armas onde tantos buenos ay?

—El mesmo de que agora vos partistes —dixeron ellas—: Dardán el Soberbio.

—¿Por qué razón —dixo él— ha de ser esta batalla?, dezídmelo assí Dios vos vala.

—Señor —dixeron ellas—, este cavallero ama una dueña desta tierra que fue hija de un cavallero que fue casado con esta otra dueña, y la amada dixo a su amigo Dardán que jamás le haría amor si la no llevase a casa del rey Lisuarte y dixesse que el aver de su madrastra devía ser suyo, y que sobre esta razón se combatiesse con quien dixesse el contrario, y fízolo él assí como lo mandó su amiga; y la otra dueña no fuera tan bien razonada como le fuera menester y dixo que daría provador ante el rey por sí, y esto fizo por el gran derecho que tiene, cuidando hallar quien lo mantuviesse por ella; mas Dardán es tan buen cavallero de armas, que, a tuerto que a derecho, todos dudan su batalla.

Amadís fue muy alegre con estas nuevas porque el cavallero fuera contra él sobervio y que podría vengar su saña teniendo drecho y porque la batalla se faría delante su señora Oriana, y comenzó a pensar en ello muy firmemente. Las donzellas pararon mientes en su cuidado y la una dellas dixo:

—Señor cavallero, ruégoos yo mucho por cortesía que nos digáis la razón de vuestro pensamiento, si buenamente dezirse puede.

—Amigas —dixo él—, si me vos prometéis como leales donzellas de me tener poridad de a ninguno lo dezir, yo os lo diré de grado.

Ellas se lo otorgaron y él dixo:

—Yo me pensava de combatir por aquella dueña que me dixistes, y assí lo haré, mas no quiero que ninguno lo sepa.

Las donzellas se lo tovieron en mucho, pues que tanto se lo havían loado en armas, y dixeron:

—Señor, vuestro pensamiento es bueno y de gran esfuerço; Dios mande que venga a bien.

Y fuéronse a dormir a sus tendejones, y a la mañana cavalgaron y entraron en su camino, y las donzellas le rogaron que, pues un viaje llevavan y en aquella floresta, andavan algunos hombres de mala suerte, que se no partiesse de su compaña. El se lo otorgó.

Estonces se fueron de consuno hablando en muchas cosas y las donzellas le rogaron, pues que assí Dios los havía juntado, que les dixesse su nombre. El se lo dixo y les encomendó que persona ninguna lo supiesse. Pues caminando como oís alvergando en despoblado, siendo viciosos en sus tiendas con la provisión que las donzellas llevavan, acaeçióles que vieron dos cavalleros armados so un árbol, que cavalgavan en sus cavallos y se pusieron ante ellos en el camino, y el uno dellos dixo al otro:

—¿Cuál destas donzellas queréis vos, y tomaré yo la otra?

—Yo quiero esta donzella —dixo el cavallero.

—Pues yo esta otra.

Y tomó cada uno la suya:

Amadís les dixo:

—¿Qué es esso, señores?; ¿qué queréis a las donzellas?

Dixeron ellos:

—Hazer como de nuestras amigas.

—¿Tan ligeramente las queréis llevar —dixo él— sin les plazer?

—¿Pues quién nos las tirará? —dixeron ellos.

—Yo —dixo Amadís—, si puedo.

Estonces tomó su yelmo y escudo y lança, y dixo:

—Agora conviene que dexéis las donzellas.

—Ante veréis —dixo el uno— cómo sé justar.

Y dexáronse ir ambos a gran correr de los cavallos y heriéronse con sus lanças bravamente. El cavallero quebró su lança y Amadís lo herió tan duramente, que lo derribó por cima del cavallo, la cabeça ayuso y los pies arriba, y quebrándole los lazos del yelmo le salió de la cabeça. El otro cavallero vínose contra él muy rezio y herióle de guisa que falsándole las armas, lo llagó, mas la llaga no fue grande y quebró la lança. Amadís erró el encuentro y juntáronse uno con otro, assí los cavallos como los escudos, y Amadís travó dél y sacándolo de la silla lo batió en tierra y assí quedaron los cavalleros a pie y los cavallos sueltos. Amadís tomó delante sí las donzellas y fueron por su camino hasta que llegaron a una ribera donde mandaron armar sus tendejones y que les diessen de comer, pero antes qu'él descendiesse llegaron los cavalleros con quien justara y dixéronle:

—Conviene que defendáis las donzellas con la espada, assí como con la lança, si no, llevarlas hemos.

—No llevaréis —dixo él— en tanto que las defender pueda.

—Pues dexad la lança —dixeron ellos— y hayamos la batalla.

—Esso faré yo —dixo él— con que vengáis uno a uno.

Y dando su lança a Gandalín echó mano a su spada y fue al uno dellos, el que de herir más se preciava, y començaron su batalla; mas a poca de hora fue el cavallero tan maltratado, que a su compañero le convino socorrerle, ahunque lo contrario prometiera. Y Amadís, que lo vio, dixo:

—¿Qué es esso, cavallero?; ¿no mantenéis verdad?, dígovos que no vos precio nada.

El cavallero llegó holgado, y como era valiente herió a Amadís de grandes golpes. Mas él, que con ambos en la batalla se vía, no quiso ser perezoso y herió aquel que holgado llegara de toda su fuerça en el yelmo, y salió el golpe en soslayo, assí que baxó al ombro y cortóle las correas del arnés, con la carne y huessos, y cayósele la espada de la mano. El cavallero túvose por muerto y comenzó de huir, y fuese para el otro y diole en el escudo al través en derecho del puño, y cortóle tanto que llegó fasta la mano, y hendiósela hasta el braço, y el cavallero dixo:

—¡Ay, señor, muerto soy!

Estonces dexó caer la espada de la mano y el escudo del cuello, y Amadís le dixo:

—No ha esso menester, que no vos dexaré si no juráis que nunca tomaréis dueña ni donzella contra su voluntad.

El cavallero lo juró luego, y él hízole meter la spada en la vaina y echar el escudo al cuello, y dexólo ir donde guareçiesse. Amadís se tornó a las donzellas donde estavan cabe los tendejones, y dixéronle:

—Cierto, señor cavallero, escarnidas fuéramos si por vos no fuera, en quien ay más bondad de lo que cuidávamos, y en gran esperança somos que no solamente seréis satisfecho de las sobervias palabras que Dardán vos dixo, más ahún la dueña lo será de la gran afrenta en que está puesta, si la fortuna guiare que por ella toméis la batalla.

Amadís ovo vergüença porque assí lo loavan, y desarmándose comieron y holgaron una pieça. Y tornando a su camino anduvieron tanto por él, que llegaron a un castillo y aí alvergaron con una dueña que les mucha honra hizo. Y otro día caminaron sin cosa que de contar sea les acaeçiesse hasta que llegaron a Vindilisora, donde era el rey Lisuarte, y llegando cerca de la villa dixo Amadís a las donzellas:

—Amigas, yo no quiero ser de ninguno conocido, y hasta que venga el cavallero a la batalla quedaré aquí en algún lugar encubierto; embiad conmigo un donzel destos que sepa de mí y me llame cuando tiempo será.

—Señor —dixeron ellas—, de aquí al plazo no quedan sino dos días, si os pluguiere, quedaremos nosotras con vos y ternemos en la villa quien nos diga cuándo el cavallero aí será venido.

—Assí se haga —dixo él.

Estonces se apartaron del camino y hizieron armar sus tendejones junto cabe una ribera. Y las donzellas dixeron que ellas querían llegar a la villa y tornarse luego. Amadís cavalgó en su cavallo, assí desarmado como estava, y Gandalín con él, y fueron a un otero donde a ellos les pareçió que la villa mejor ver podrían, y allí cerca havía un gran camino.

Amadís se assentó al pie de un árbol y començó a mirar la villa y vio las torres y los muros asaz altos y dixo en su coraçón:

—¡Ay, Dios!, ¿dónde está allí la flor del mundo? ¡Ay, villa, cómo eres agora en gran alteza por ser en ti aquella señora que entre todas las del mundo no ha par en bondad ni hermosura, y ahun digo que es más amada que todas las que donadas son, y esto provaré yo al mejor cavallero del mundo, si me della fuesse otorgado!

Después que a su señora ovo loado, un tan gran cuidado le vino que las lágrimas fueron a sus ojos venidas, y fallesciéndole el coraçón cayó en un gran pensamiento, que todo estava estordeçido, de guisa que de sí ni de otro sabía parte. Gandalín vio venir por el gran camino una compaña de dueñas y cavalleros, y que venían contra donde su señor estava, y fue a él y díxole:

—Señor, ¿no veis esta compaña que aquí viene?

Mas él no respondió nada, y Gandalín le tomó por la mano y tiróle contra sí. Y él acordó sospirando muy fuertemente, y tenía la faz toda mojada de lágrimas, y díxole Gandalín:

—Assí me ayude Dios, señor, mucho me pesa de vuestro pensar que tomáis tal cuidado cual otro cavallero del mundo no tomaría, y devríades haver duelo de vos y tomar esfuerço como en las otras cosas tomáis.

Amadís le dixo:

—¡Ay, amigo Gandalín, qué sufre mi coraçón!; si me tú amas, sé que antes me consejarías muerte que bivir en tan gran cuita desseando lo que no veo.

Gandalín no se pudo sofrir de no llorar, y díxole:

—Señor, esto es gran malaventura amor tan entrañable, que, assí me ayude Dios, yo creo que no hay tan buena ni tan hermosa que a vuestra bondad igual sea, y que la no hayáis.

Amadís que esto oyó, fue muy sañudo y díxole:

—Ve, loco sin sentido, ¿cómo osas dezir tan gran desvarío?; ¿havía yo de valer, ni otro ninguno, tanto como aquella en quien todo el bien del mundo es?, y si otra vez lo dizes, no irás comigo un passo.

Gandalín dixo:

—Alimpiad vuestros ojos y no os vean assí aquellos que vienen.

—¡Cómo! —dixo él—, ¿viene alguno?

—Sí —dixo Gandalín.

Estonces le mostró las dueñas y los cavalleros que ya cerca del otero venían. Amadís cavalgó en su cavallo y fue contra ellos, y saludólos, y ellos a él, y vio entre ellos una dueña asaz hermosa y bien guarnida que muy fieramente llorava. Amadís le dixo:

—Dueña, Dios os haga alegre.

—Y a vos dé honra —dixo ella—, que alegría tengo agora mucho alongada, si me Dios consejo no pone.

—Dios le ponga —dixo él—. Mas ¿qué cuita es la que havéis?

—Amigo —dixo ella—, tengo cuanto he en aventura y prueva de una batalla.

Y él entendió luego que aquélla era la dueña que le dixeron, y díxole:

—Dueña, ¿havéis quién por vos la haga?

—No —dixo ella—, y mi plazo es mañana.

—Pues ¿cómo cuidáis en ello hazer? —dixo él.

—Perder cuanto he —dixo ella— si en casa del rey no hay alguno que haya de mí duelo y tome esta batalla por merced y por mantener derecho.

—Dios os dé buen consejo —dixo Amadís—, que me plazería mucho, assí por vos como porque desamo ésse que contra os es.

—Dios vos haga hombre bueno —dixo ella— y dé a vos y a mí cedo dél vengança.

Amadís se fue a sus tendejones y la dueña con su compaña a la villa, y las donzellas llegaron a poco rato y contáronle cómo Dardán era ya en la villa, bien ataviado de hazer su batalla. Y Amadís les contó cómo halló la dueña, y lo que passaron. Aquella noche holgaron, y al alva del día las donzellas se levantaron y dixeron a Amadís cómo se ivan a la villa y que le embiarían dezir lo que hazía el cavallero.

—Con vos quiero ir —dixo él—, por estar más llegado, y cuando Dardán al campo saliere, venga la una a me lo dezir.

Y luego se armó y se fueron todos de consuno, y seyendo cerca de la villa, quedó Amadís al cabo de la floresta, y las donzellas se fueron.

El descavalgó de su cavallo y tiró el yelmo y el escudo, y estovo esperando. Y sería esto al salir del sol.

A esta hora que oís cavalgó el rey Lisuarte con gran compaña de hombres buenos y fuese a un campo que havía entre la villa y la floresta, y allí vino Dardán muy armado sobre un hermoso cavallo, y traía a su amiga por la rienda, la más ataviada que él llevar la pudo, y assí se paró con ella ante el rey Lisuarte, y dixo:

—Señor, manda entregar a esta dueña de aquello que deve ser suyo, y si ay cavallero que diga que no, yo lo combatiré.

El rey Lisuarte mandó luego a la otra dueña llamar, y vino ante él y díxole:

—Dueña, ¿havéis quién se combata por os?

—Señor, no —dixo ella llorando.

Y el rey ovo della muy gran duelo, porque era buena dueña. Dardán se paró en la plaça donde havía de atender hasta hora de tercia assí armado, y si no viniesse a él ningún cavallero, darle ía el rey su juizio, que assí era costumbre. Cuando las donzellas assí lo vieron, fue la una cuanto más pudo a lo dezir a Amadís. El cavalgó y tomando sus armas dixo a Gandalín y a la donzella que se fuessen por otra parte, y que si él a su honra de la batalla se partiesse, que se fuessen a los tendejones, que allí acudiría él, y luego salió de la floresta todo armado y encima de un cavallo blanco, y él se iva hazia donde era Dardán adereçando sus armas. Cuando el rey y los de la villa vieron al cavallero salir de la floresta, mucho se maravillaron quién sería, que ninguno lo pudo conoçer, mas dezían que nunca vieron cavallero que tan hermoso pareçiesse armado y a cavallo. El rey dixo a la dueña reutada:

—Dueña, ¿quién es aquel cavallero que quiere sostener vuestra razón?

—Assí me Dios ayude —dixo ella—, no sé que le nunca vi que me miembre.

Amadís entró en el campo donde estava Dardán y díxole:

—Dardán, agora mantén razón de tu amiga, que yo defenderé la otra dueña con el ayuda de Dios, y quitarme he de lo que te prometí.

—Y ¿qué me prometiste? —dixo él.

—Que me combatiría contigo —dixo Amadís—, y esto fue por saber tu nombre cuando fueste villano contra mí.

—Agora vos precio menos que ante —dixo Dardán.

—Agora me no pesa de cosa que me digáis —dixo Amadís—, que cerca estoy de me vengar, dándome Dios ventura.

—Pues venga la dueña —dixo Dardán— y otórguete por su cavallero, y véngate si pudieres.

Estonces llegó el rey y los cavalleros por ver lo que passava; y Dardán dixo a la dueña:

—Este cavallero quiere la batalla por vos; ¿otorgáisle vuestro derecho?

—Otorgo —dixo ella—, y Dios le dé ende buen gualardón.

El rey miró a Amadís y vio que tenía el scudo falsado por muchos lugares y al derredor cortado de golpes de spada, y dixo contra los otros cavalleros:

—Si aquel cavallero estraño demandasse escudo, dárselo ían con derecho.

Mas tanto havía Amadís la cuita de se combatir con Dardán, que en otro no tenía mientes, teniendo aquellas suzias palabras que le dixera en la memoria muy más frescas y rezientes que cuando passaron, en que todos devían tomar enxemplo y poner freno a sus lenguas, especialmente con los que no conoscen, porque de lo semejante muchas vezes ha acaeçido grandes cosas de notar. El rey se tiró a fuera y todos los otros. Y Dardán y Amadís movieron contra sí de lueñe, y los cavallos eran corredores y ligeros, y ellos de gran fuerça que se hirieron con sus lanças tan bravamente, que sus armas todas falsaron, mas ninguno no fue llagado, y las lanças fueron quebradas y ellos se juntaron de los cuerpos de los cavallos, y con los scudos tan bravamente que maravilla era, y Dardán fue en tierra de aquella primera justa, mas de tanto le vino bien, que llevó las riendas en la mano, y Amadís passó por él y Dardán se levantó aína y cavalgó como aquel que era muy ligero, y echó mano a su espada muy bravamente. Cuando Amadís tornó hazia él su cavallo, violo estar de manera de lo acometer, y echó mano a la espada, y fuéronse ambos acometer tan bravamente, que todos se espantavan en ver tal batalla, y las gentes de la villa estavan por las torres y por el muro y por los lugares donde los mejor podían ver combatir, y las casas de la reina eran sobre el muro y havía aí muchas finiestras donde estavan muchas dueñas y donzellas, y vían la batalla de los cavalleros que les pareçía espantosa de ver, que ellos se hirían por cima de los yelmos, que eran de fino azero, de manera que a todos pareçía que les ardían las cabeças, según el gran huego que dellos salía, y de los arneses y otras armas hazían caer en tierra muchas pieças y mallas y muchas rajas de los escudos.

Assí que su batalla era tan cruda, que muy gran espanto tomavan los que la vían; mas ellos no quedavan de se ferir por todas partes, y cada uno mostrava al otro su fuerça y ardimiento. El rey Lisuarte que los mirava, comoquiera que por muchas cosas de afrenta passado oviesse por su persona, y visto por sus ojos, todo le parescía tanto como nada, y dixo:

—Esta es la más brava batalla que hombre vio, y quiero ver qué fin havrá, y haré figurar en la puerta de mi palacio aquel que la victoria oviere, que lo vean todos aquellos que ovieren de ganar honra.

Andando los cavalleros con mucho ardimiento en su batalla, como oídes, heriéndose de muy grandes golpes sin sólo un poco folgar, Amadís, que mucha saña tenía de Dardán, y que en aquella casa de aquel rey donde su señora era, esperava morar, porque por su mandado la sirviesse, veyendo que el cavallero tanto se le detenía, començóle a cargar de grandes y duros golpes, como aquel que si alguna cosa valía, allí más que en otra parte donde su señora no fuesse lo quería mostrar, de manera que antes que la tercia llegasse conoçieron todos que Dardán havía lo peor de la batalla, pero no de manera que se no defendiesse tan bien que no estava allí tan ardid, que con él osasse combatir. Mas todo no valía nada, que el cavallero estraño no fazía sino mejorar en fuerça y ardimiento, y feríolo tan fuertemente como en el comienço, que todas [28] dezían que nada le menguava sino su cavallo, que ya no era tan valiente como era menester. Y otrosí aquel con quien se combatía, que muchas vezes tropeçavan, y inojavan con ellos, que a duro los podían sacar de passo, y Dardán, que mejor se cuidava combatir de pie que de cavallo, dixo a Amadís:

—Cavallero, nuestros cavallos nos fallescen, que son muy cansados, y esto haze durar mucho nuestra batalla, y yo creo que si anduviéssemos a pie, que pieça ha que te havría conquistado.

Esto dezía tan alto que el rey y cuantos con él eran lo oían. Y el cavallero estraño ovo ende muy gran vergüença, y dixo:

—Pues te tú crees mejor defender de pie que de cavallo,

28. No parece necesaria la enmienda de Place a *Zaragoza* de *todas* por *todos* (I, 119-788), Z, fol. 27 v°.

apeémonos y defiéndete, que lo has menester, ahunque no me paresce que cavallero deve dexar su cavallo en cuanto pudiere estar en él.

Assí que luego descendieron de los cavallos sin más tardar, y tomó cada uno lo que le quedava de su escudo y con gran ardimiento se dexaron ir el uno al otro, y hiriéronse muy más bravamente que ante, que era maravilla de los mirar. Pero de mucho havía muy gran mejoría el cavallero estraño, que se podía mejor a él llegar, y heríalo de muy grandes golpes, y muy a menudo, que no le dexava folgar, pero veía que le era menester, y muchas vezes lo hazía rebolver de uno y de otro cabo, y algunas aginollar, tanto que todos dezían:

—Locura demandó Dardán cuando quiso descender a pie con el cavallero, que se no podía a él llegar en su cavallo, que era muy cansado.

Assí traía el cavallero estraño a Dardán a toda su voluntad, que ya punava más en se guardar de los golpes que en herir, y fuese tirando a fuera contra el palacio de la reina, y las donzellas y todos dezían que moriría Dardán si más en la batalla porfiasse. Cuando fueron debaxo de las finiestras dezían todos:

—¡Santa María, muerto es Dardán!

Estonces oyó hablar Amadís a la donzella de Denamarcha, y conocióla en la habla, y cató suso, y vio a su señora Oriana que estava en una finiestra, y la donzella con ella, y assí como la vido, assí la espada se le rebolvió en la mano, y su batalla y todas las otras cosas le fallescieron por la ver.[29] Dardán ovo ya cuanto de vagar, y vio que su enemigo catava a otra parte, y tomando la espada con ambas las manos diole un tal golpe por cima del yelmo que gelo hizo torcer en la cabeça. Amadís por aquel golpe no dio otro ni hizo sino enderesçar su yelmo, y Dardán lo començó a herir por todas partes. Amadís lo hería pocas vezes, que tenía el pensamiento mudado en mirar a su señora. A esta hora començó a mejorar Dardán y él a empeorar, y la donzella de Denamarcha dixo:

—En mal punto vio aquel cavallero acá alguna, que a sí

29. Frente al *topos cortés* ocurre aquí todo lo contrario: la visión de la dama no aumenta la fuerza del caballero, sino que se descuida de la batalla.

perdiendo fizo cobrar a Dardán, que al punto de la muerte llegado era. Cierto, no deviera el cavallero a tal hora su obra fallescer.

Amadís que lo oyó ovo tan gran vergüença, que quisiera ser muerto con temor que creería su señora que havía en él covardía, y dexóse ir a Dardán y heriólo por cima del yelmo de tan fuerte golpe, que le hizo dar de las manos en tierra, y assí tomóle por el yelmo y tiró tan rezio que gelo sacó de la cabeça, y diole con él tal herida que lo hizo caer atordido, y dándole con la mançana de la espada en el rostro, le dixo:

—Dardán, muerto eres si a la dueña no das por quita.

Él le dixo:

—¡Ay, cavallero, merced, no muera; yo la do por quita!

Estonces se llegó el rey y los cavalleros y lo oyeron. Amadís, que con vergüença estava de lo que le acontesciera, fue cavalgar en su cavallo y dexóse ir lo más que pudo contra la floresta. El amiga de Dardán llegó allí donde él tan maltrecho estava, y díxole:

—Dardán, de hoy más no me cates por amiga, vos ni otro que en el mundo sea, sino aquel buen cavallero que agora hizo esta batalla.

—¡Cómo! —dixo Dardán—; ¿yo soy por ti vencido y escarnido y quiéresme desamparar por aquel que en tu daño y en mi deshonra fue? Por Dios, bien eres muger, que tal cosa dices, y yo te daré el gualardón de tu aleve.

Y metiendo mano a su espada que ahún tenía en su cinta, diole con ella tal golpe que le echó la cabeça a los pies; de sí estovo un poco pensando y dixo:

—¡Ay, cativo!; ¡qué hize que maté la cosa del mundo que más amava!; mas yo vengaré su muerte.

Y tomando la espada por la punta la metió por sí, que lo no pudieron acorrer ahunque se en ello trabajaron. Y como todos se llegassen a lo ver, por maravilla no fué ninguno empós de Amadís para lo conoçer. Mas de aquella muerte plugo mucho a todos los más, porque ahunque este Dardán era el más valiente y esforçado cavallero de toda la Gran Bretaña, su sobervia y mala condición fazían que lo no empleasse sino en injuria de muchos, tomando las cosas desaforadas, teniendo en más su fuerça y gran ardimiento del coraçón que el juicio del Señor muy alto, que con muy poco del su poder haze que los muy fuertes de los muy flacos vencidos y deshonrados sean.

CAPÍTULO XIV

CÓMO EL REY LISUARTE HIZO SEPULTAR A DARDÁN Y A SU AMIGA, Y HIZO PONER EN SU SEPULTURA LETRAS QUE DEZÍAN LA MANERA CÓMO ERAN MUERTOS

Assí esta batalla vencida en que Dardán y su amiga tan crueles muertes ovieron, mandó el rey traer dos monumentos y hízolos poner sobre leones de piedra, y allí pusieron a Dardán y a su amiga en el campo que la batalla fuera, con letras que cómo havía passado señalavan. Y después a tiempo fue allí puesto el nombre de aquel que lo venció, como adelante se dirá, y preguntó el rey qué se fiziera el cavallero estraño. Mas no le supieron dezir sino que se fuera al más correr de su cavallo contra la floresta.

—¡Ay —dixo el rey—, quién tal hombre en su compaña haver pudiesse!, que demás del su gran esfuerço, yo creo que es muy mesurado, que todos oístes el abiltamiento que le dixo Dardán, y ahunque en su poder lo tuvo, no quiso matarlo, pues bien creo yo que entendió él en el talante del otro que le no oviera merced si assí lo tuviera.

En esto hablando se fue a su palacio, hablando él y todos del cavallero estraño. Oriana dixo a la donzella de Denamarcha:

—Amiga, sospecho en aquel cavallero que aquí se combatió que es Amadís, que ya tiempo sería de venir, que, pues le embié mandar que se viniesse, no se detenía.

—Cierto —dixo la donzella—; yo creo que él es, y yo me deviera hoy membrar cuando vi el cavallero que traía un cavallo blanco, que sin falta un tal le dexé yo cuando de allá partí.

Desí dixo:

—¿Conocistes qué armas traía?

—No —dixo ella—, que el escudo era despintado de los golpes; mas pareçióme que havía el campo de oro.

—Señora —dixo la donzella—, él tuvo en la batalla del rey Abiés un escudo que havía el campo de oro y dos leones azules en él alçados uno contra otro, mas aquel escudo fue allí todo desfecho y mandó hazer luego otro tal, y díxome que aquél traería cuando acá viniesse, y creo que aquél es.

—Amiga —dixo Oriana—, si es éste, o verná o embiará a la villa, y os salid allá más lexos que soléis por ver si hallaréis su mandado.

—Señora —dixo ella—, assí lo faré.

Y Oriana dixo:

—¡Ay, Dios, qué merced me haríades si él fuesse!, porque agora ternía lugar de le poder hablar.

Assí passaron su habla las dos. Y torna a contar de Amadís lo que le avino. Cuando Amadís partió de la batalla fuese por la floresta tan ascondidamente que ninguno supo dél nueva, y llegó tarde a los tendejones, donde halló a Gandalín y a las donzellas que tenían guisado de comer, y descendiendo del cavallo lo desarmaron y las donzellas le dixeron cómo Dardán matara a su amiga y después a sí y por cuál razón. El se santiguó muchas vezes de tan mal caso y luego se sentaron a comer con mucho plazer; pero Amadís nunca partía de su memoria cómo haría saber a su señora su venida y qué le mandava hazer. Alçados los manteles levantóse, y apartando a Gandalín le dixo:

—Amigo, vete a la villa y trabaja cómo veas a la donzella de Denamarcha, y sea muy escondidamente, y dile cómo yo soy aquí; que me embíe dezir qué haré.

Gandalín acordó, por ir más encubierto, de se ir a pie; y assí lo hizo; y llegando a la villa, fuese al palacio del rey, y no estuvo aí mucho que vio la donzella de Denamarcha, que no hazía sino ir y venir. El se llegó a ella y saludóla, y ella a él, y católo más y vio que era Gandalín, y díxole:

—Ay, mi amigo, tú seas muy bien venido; ¿y ónde es tu señor?

—Ya hoy fue tal hora que lo vistes —dixo Gandalín—, que él fue el que venció la batalla, y déxole en aquella floresta ascondido y embíame a vos que le digáis qué hará.

—El sea bien venido a esta tierra —dixo ella—, que su señora será con él muy alegre, y vente empós de mí, y si te alguno preguntare, di que eres de la reina de Escocia, que traes su mandado a Oriana y que vienes a buscar a Amadís, que es en esta tierra, para andar con él, y assí quedarás después en su compañía sin que ninguno sospeche nada.

Assí entraron en el palacio de la reina, y la donzella dixo contra Oriana:

—Señora, veis aquí un escudero que vos trae mandado de la reina de Escocia.

Oriana fue ende muy alegre, y mucho más cuando vio que era Gandalín; y hincando los inojos ante ella, le dixo:

—Señora, la reina vos embía mucho a saludar como aquella que vos ama y precia y a quien plazería de vuestra honra y no falleçería por ella de la acresçentar.

—Buena ventura haya la reina —dixo Oriana—, y mucho agradezco sus encomiendas; vente a esta finiestra y dezirme has más.

Estonces se apartó con él y hízole assentar cabe sí, y díxole:

—Amigo, ¿dónde dexas a tu señor?

—Déxole en aquella floresta —dixo él— onde se fue anoche cuando venció la batalla.

—Amigo —dixo ella—, ¿qué es dél, assí hayas buena ventura?

—Señora —dixo él—, es dél lo que vos quisiéredes, como aquel que es todo vuestro y por vos muere, y su alma padesce lo que nunca cavallero.

Y començó de llorar, y dixo:

—Señora, él no passará vuestro mandado por mal ni por bien que le avenga, y por Dios, señora, aved dél merced, que la cuita que hasta aquí sufrió en el mundo no hay otro que la sofrir pudiesse; tanto, que muchas vezes esperé caérseme delante muerto haviendo ya el coraçón desfecho en lágrimas, y si él oviesse ventura de bivir, passaría a ser el mejor cavallero que nunca armas traxo, y por cierto, según las grandes cosas que por él desque fue cavallero han passado a su honra, assí lo es agora; mas a él falleçió ventura cuando vos conosció, que morirá antes de su tiempo. Y cierto más le valiera morir en el mar, donde fué lançado, sin que sus parientes lo conoscieran, pues que le veen morir sin que socorrerle puedan.

Y no fazía sino llorar, y dixo:

—Señora, cuida será esta muerte de mi señor y muchos se dolerán dél si assí, sin socorro alguno, padesciesse más de lo passado.

Oriana dixo llorando y apretando sus manos y sus dedos unos con otros:

—¡Ay, amigo Gandalín, por Dios, cállate, no me digas ya más, que Dios sabe cómo me pesa si crees tú lo que dizes!; que antes mataría yo mi coraçón y todo mi bien, y su muerte querría yo tan a duro como quien un día solo no biviría si él muriesse, y tú culpas a mí porque sabes la su cuita y no la mía, que si la supiesses, más te dolerías de mí y no me culparías; pero no pueden las personas acorrer en lo que dessean, antes aquello acaesce de ser más desviado, quedando en su lugar lo que les agravia y enoja, y assí viene a mí de tu señor, que sabe Dios, si yo pudiesse, con qué voluntad pornía remedio a sus grandes desseos y míos.

Gandalín le dixo:

—Fazed lo que devéis si lo amáis, que él os ama sobre todas las cosas que hoy son amadas; y, señora, agora le mandad cómo faga.

Oriana le mostró una huerta que era de yuso de aquella finiestra donde fablavan, y díxole:

—Amigo, ve a tu señor y dile que venga esta noche muy escondido y entre en la huerta, y aquí debaxo es la cámara donde yo y Mabilia dormimos, que tiene cerca de tierra una finiestra pequeña con una redezilla de fierro, y por allí le fablaremos, que ya Mabilia sabe mi coraçón.

Y sacando un anillo muy hermoso de su dedo, le dió a Gandalín que lo llevasse a Amadís porque ella lo amava más que otro anillo que tuviesse, y dixo:

—Ante que te vayas, verás a Mabilia que te sabrá muy bien encubrir, que es muy sabida, y entrambos diréis que le traéis nuevas de su madre, assí que no sospecharán ninguna cosa.

Oriana mandó llamar a Mabilia que viesse aquel escudero de su madre, y cuando ella vio a Gandalín entendió bien la razón; y Oriana se fue a la reina su madre, la cual le preguntó si aquel escudero se tornaría presto a Escocia, porque con él embiaría donas a la reina.

—Señora —dixo ella—, el escudero viene a buscar a Amadís, el fijo del rey de Gaula, el buen cavallero de que aquí mucho hablan.

—¿Y ónde es ésse? —dixo la reina.

—El escudero dize —dixo ella— que ha más de diez meses que falló nuevas que venía para acá y maravíllase cómo lo no falla.

—Assí Dios me ayude —dixo la reina— a mí plazería mucho de ver tal cavallero en compaña del rey mi señor, que le sería gran descanso en los muchos fechos que de tantas partes le salen, y yo os digo que si él aquí viene, que no quedara de ser suyo por cosa que él demandare y el rey pueda complir.

—Señora —dixo Oriana—, de su cavallería no sé más de lo que dizen, mas dígoos que era el más hermoso donzel que se sabía al tiempo que en la casa del rey de Escocia servía ante mí y ante Mabilia y ante otras.

Mabilia, que con Gandalín quedara, díxole:

—Amigo, ¿es ya tu señor en esta tierra?

—Señora —dixo él—, sí; y mandóos mucho saludar como a la cormana del mundo que más ama, y él fue el cavallero que aquí venció la batalla.

—¡Ay, Señor Dios —dixo ella—, bendito seas porque tan buen cavallero heziste en nuestro linaje y nos le diste a conoscer!

Assí dixo a Gandalín:

—Amigo, ¿qué es dél?

—Señora —dixo él—, sería bien, si fuerça de amor no fuesse, que nos le tiene muerto, y, por Dios, señora, acorrelde y ayudalde, que verdaderamente si algún descanso no ha en sus amores, perdido es el mejor cavallero que ay en vuestro linaje ni en todo el mundo.

—Por mí no fallescerá —dixo ella— en lo que yo pudiere; agora te ve y salúdamelo mucho y dile que venga como mi señora manda y tú podrás hablar con nosotras como escudero de mi madre cada que menester será.

Gandalín se partió de Mabilia con aquel recaudo que a su señor llevava, y él le atendía esperando la vida o la muerte, según las nuevas traxesse, que sin falta a aquella sazón era tan cuitado que sus fuerças no bastavan para se sufrir, que el gran descanso que en se ver tan cerca donde su señora era avía recebido, se le avía tornado en tanto desseo de la ver y con el desseo en tanta cuita y congoxa, que era llegado al punto de la muerte, y como vio venir a Gandalín fue contra él, y dixo:

—Amigo Gandalín, ¿qué nuevas me traéis?

—Señor, buenas —dixo él.

—¿Viste la donzella de Denamarcha?

—Sí vi.

—¿Y supiste della lo que he de hazer?

—Señor —dixo él—, mejores son las nuevas que vos pensáis.

El se estremeçió todo de plazer y dixo.

—Por Dios, dímelas aína.

Gandalín le contó todo lo que con su señora passara, y

las hablas que passaron ambos, y lo que su cormana Mabilia le dixo, y la habla que concertada dexava, assí que nada quedó que le no dixesse. El plazer grande que él desto ovo ya lo podéis considerar, y dixo a Gandalín:

—Mi verdadero amigo, tú fueste más sabido y osado en mi hecho que lo yo fuera, y esto no es de maravillar, que lo uno y lo otro tiene muy acabadamente tu padre, y agora me di si sabes bien el lugar donde mandó que yo fuesse.

—Sí, señor —dixo él—, que Oriana me lo mostró.

—¡Ay, Dios! —dixo Amadís—, ¿cómo serviré yo a esta señora la gran merced que me haze agora?; no sé por qué de mi cuita me quexe.

Gandalín le dió el anillo, y dixo:

—Tomad este anillo que os embía vuestra señora, porque era el que ella más amava.

El lo tomó viniéndole las lágrimas a los ojos, y besándolo le puso en derecho del coraçón y estuvo una pieça que hablar no pudo; otrosí metiólo en su dedo y dixo:

—¡Ay, anillo, cómo anduviste en aquella mano que en el mundo otra que tanto valiesse hallar se podría!

—Señor —dixo Gandalín—, id vos a las donzellas y sed alegre, porque este cuidado os destruye y podrá hazer mucho daño en vuestros amores.

El assí lo hizo, y en aquella cena habló más y con más plazer que solía, de que ellas eran muy alegres, que éste era el cavallero del mundo más gracioso y agradable, cuando el pensamiento y pesar no le dava estorvo, y venida la hora del dormir, acostáronse en sus tendejones como solían; mas viniendo el tiempo convenible, levantóse Amadís, y falló que Gandalín tenía ya los cavallos ensillados y sus armas aparejadas, y armóse, que no sabía cómo le podría acontescer, y cavalgando se fueron contra la villa y llegando a un montón de árboles que cerca de la huerta estava, que Gandalín esse día avía mirado, descavalgaron y dexaron allí los cavallos y fuéronse a pie y entraron en la huerta por un portillo que las aguas avían hecho; y llegando a la finiestra, llamó Gandalín muy passo. Oriana, que se no cuidó de dormir, que lo oyó, levantóse y llamó a Mabilia, y díxole:

—Creo que aquí es vuestro cormano.

—Mi cormano es él —dixo ella—, mas vos avéis en él más parte que todo su linaje.

Entonces se fueron ambas a la finiestra y pussieron dentro unas candelas que gran lumbre davan y abriéronla. Amadís vio a su señora a la lumbre de las candelas, paresciéndole tanto de bien, que no ay persona que creyesse que tal fermosura en ninguna muger del mundo podría caber. Ella era vestida de unos paños de seda india, obrada de flores de oro muchas y espessas, y estava en cabellos, que los avía muy hermosas a maravilla, y no los cubría sino con una guirnalda muy rica; y cuando Amadís assí la vio, estremescióse todo con el gran plazer que en verla uvo; y el coraçón le saltava mucho, que holgar no podía. Cuando Oriana assí lo vio, llegóse a la finiestra, y dixo:

—Mi señor, vos seáis muy bien venido a esta tierra, que mucho os hemos desseado y avido gran plazer de vuestras buenas nuevas venturas, assí en las armas como en el conoscimiento de vuestro padre y madre.

Amadís, cuando esto oyó, ahunque atónito estava, esforçándose más que para otra afruenta ninguna, dixo:

—Señora, si mi discreción no bastare a satisfazer la merced que me dezís y la que me fezistes en la embiada de la donzella de Denamarcha, no os maravilléis dello, porque el coraçón muy turbado y de sobrado amor preso, no dexa la lengua en su libre poder; y porque assí como con vuestra sabrosa membrança todas las cosas sojuzgar pienso, assí con vuestra vista soy sojuzgado sin quedar en mí sentido alguno para que en mi libre poder sea; y si yo, mi señora, fuesse tan dino o mis servicios lo meresciessen, demandarvos ía piedad para este tan atribulado coraçón antes que del todo con las lágrimas desfecho sea; y la merced que os, señora, pido no para mi descanso, que las cosas verdaderamente amadas cuanto más dellas se alcança mucho más el desseo y cuidado se aumenta y cresce, mas porque feneciendo del todo, feneçería aquel que en ál no piensa sino en vos servir.

—Mi señor —dixo Oriana—, todo lo que me dezís creo yo sin duda, porque mi coraçón en lo que siente me muestra ser verdad, pero dígovos que no tengo a buen seso lo que hazéis en tomar tal cuita como Gandalín me dixo, porque dello no puede redundar sino ser causa de descubrir nuestros amores, de que tanto mal nos podría occurrir, o que feneciendo la vida del uno, la del otro sostener no se pudiesse. Y por esto os mando, por aquel señorío que sobre vos tengo, que poniendo templança en vuestra vida la pongáis en la mía, que nunca piensa sino en buscar manera cómo vuestros desseos ayan descanso.

—Señora —dixo él—, en todo haré yo vuestro mandado sino en aquello que mis fuerças no gastan.

—¿Y qué es esso? —dixo ella.

—El pensamiento —dixo él—, que mi juizio no puede resistir aquellos mortales desseos de quien cruelmente es atormentado.

—Ni yo no digo —dixo ella— que del todo lo apartéis, mas que sea con aquella medida que os no dexéis assí perescer ante los hombres buenos, porque la vida asolando ya conoscéis lo que se ganará, como tengo dicho; y, mi señor, yo os digo que quedéis con mi padre si vos lo él rogare, porque las cosas que vos ocurrieren hagáis por mi mandado; y de aquí adelante fablad comigo sin empacho, diziéndome las cosas que vos más agradaren, que yo haré lo que mi possibilidad fuere.

—Señora —dixo él—, yo soy vuestro y por vuestro mandado vine: no haré sino aquello que mandáis.

Mabilia se llegó y dixo:

—Señora, dexadme aver alguna parte desse cavallero.

—Llegad —dixo Oriana—, que verlo quiero en tanto que con él habléis.

Entonces le dixo:

—Señor cormano, vos seáis muy bien venido, que gran plazer nos havéis dado.

—Señora cormana —dixo él—, y vos muy bien hallada, que en cualquiera parte que os yo viesse era obligado a os querer y amar, y mucho más en ésta, donde acatando el deudo havréis piedad de mí.

Dixo ella:

—En vuestro servicio porné yo mi vida y mis servicios, pero bien sé, según lo que desta señora conoscido tengo, que escusados pueden ser.

Gandalín, que la mañana vido llegar, dixo:

—Señor, como quiera que vos dello no plega, el día, que cerca viene, nos costriñe a partir de aquí.

Oriana dixo:

—Señor, agora vos id, y fazed como vos he dicho.

Amadís, tomándole las manos, que por la red de la ventana Oriana fuera tenía, limpiándole con ellas las lágrimas que por el rostro le caían, besándogelas muchas vezes, se par-

tió dellas, y cavalgando en sus cavallos, llegaron antes que
el alva rompiesse a los tendejones, donde, desarmándose, fue
en su lecho acostado sin que de ninguno sentido fuese. Las
donzellas se levantaron y la una quedó por fazer compañía
a Amadís y la otra se fue a la villa; y sabed que ambas eran
hermanas y primas cormanas de la dueña por quien Amadís
la batalla fiziera. Amadís durmió fasta ser el sol salido, y levantándose llamó a Gandalín y mandó que se fuesse a la
villa, assí como su señora y Mabilia lo avían mandado. Gandalín se fue y Amadís quedó fablando con la donzella, y no
tardó mucho que vio venir la otra que a la villa fuera, llorando fuertemente y al más andar de su palafrén. Amadís
dixo:

—¿Qué es esso, mi buen amiga? ¿Quién vos hizo pesar?
Que sí me Dios ayude, ello será muy bien emendado, si ante
no pierdo el cuerpo.

—Señor —dixo ella—, en vos es todo el remedio.

—Agora lo dezid —dixo él—; si os no diere derecho, otra
vez no fagáis compaña a cavallero estraño.

Cuando esto oyó la donzella díxole:

—Señor, la dueña nuestra cormana, por quien la batalla
fezistes está presa, que el rey le manda que faga allí ir el
cavallero que por ella se combatió; si no, que no saldrá de la
villa en ninguna guisa; y bien sabéis vos que lo no puede
fazer, que nunca fue sabidora de vos, y el rey vos manda buscar por todas partes con mucha saña contra ella, creyendo
que por su sabiduría sois escondido.

—Más quisiera —dixo él— que fuera de otra guisa, porque
yo no soy de tanta nombradía para me fazer conoscer a tan
alto hombre, y dígovos que ahunque todos los de su casa
me fallaran, yo no diera un passo solo para ir allá si por
fuerça no, mas no puedo estar de no fazer lo que quisierdes,
que mucho vos amo y precio.

Ellas se le fincaron de inojos delante gradeciéndogelo
mucho.

—Agora se vaya —dixo él— una de vos a la dueña y díga-
le que saque partido del rey que no demandará al cavallero
cosa contra su voluntad, y yo seré aí mañana a la tercia.

La donzella se tornó luego y dixogelo a la dueña, con
que la fizo muy alegre, y fuese ante el rey y díxole:

—Señor, si otorgáis que no pediréis cosa al cavallero contra su voluntad, será aquí mañana a tercia; y si no, ni le avré

yo ni vos le conosceréis que sí Dios me ayude, yo no sé quién es ni por cuál razón por mí se quiso combatir.

El rey lo otorgó, que gran gana avía de lo conoscer. Con esto se fue la dueña, y las nuevas sonaron por el palacio y por la villa diziendo: aquí será mañana el buen cavallero que la batalla venció. Y todos avían dello gran plazer porque desamavan a Dardán por su sobervia y mala condición; y la donzella se tornó a Amadís y le dixo cómo el partido era otorgado con el rey como la dueña lo avía pedido.

CAPÍTULO XV

CÓMO AMADÍS SE DIO A CONOSCER AL REY LISUARTE Y A LOS GRANDES DE SU CORTE Y FUE DE TODOS MUY BIEN RECEBIDO

AMADÍS folgó aquel día con las donzellas, y otro día por la mañana armóse y cavalgando en su cavallo, solamente levando consigo las donzellas, se fue contra la villa. El rey estava en su palacio, que no sabía por dónde el cavallero viniesse. Amadís se fue a la posada de la dueña y como lo vio fincó los inojos ante él, y dixo:

—¡Ay, señor, todo cuanto yo he, vos me lo distes!

El levantóla y dixo:

—Dueña, vayamos ante el rey, y dándovos por quita, seré yo libre para me bolver donde de ir tengo.

Entonces se quitó el yelmo y el escudo y tomó consigo la dueña y las donzellas y fuese al palacio, y por do ivan dezían todos: éste es el buen cavallero que venció a Dardán.

El rey que lo oyó, salió a él con gran compaña de cavalleros y cuando le vio, fue contra él los braços tendidos, y díxole:

—Amigo, vos seáis bien venido, que mucho os avemos desseado.

Amadís fincó los inojos ante él y dixo:

—Señor, Dios os mantenga en honra y en alegría.

El rey le tomó por la mano y díxole:

—Sí me ayude Dios, y'os tengo por el mejor cavallero del mundo.

—Señor —dixo él—, con más razón se puede dezir ser vos el rey que en el mundo más vale; mas, dezidme, ¿es la dueña quita?

—Sí —dixo él—, y tanto os deve gradescer esta venida como la batalla que fezistes, que no salería desta villa fasta que aquí vos traxera.

—Señor —dixo Amadís—, toda cosa que vos fagáis faréis derecho, mas creed que la dueña nunca supo quién la batalla fizo sino agora.

Mucho se maravillavan todos de la gran fermosura deste Amadís y de cómo seyendo tan moço pudo vencer a Dardán, que tan valiente y esforçado era, que en toda la Gran Bretaña le dudavan y temían. Amadís dixo al rey:

—Señor, pues vuestra voluntad es satisfecha y la dueña quita, a Dios quedáis encomendado y vos sois el rey del mundo a quien yo ante serviría.

—¡Ay, amigo! —dixo el rey—, esta ida no faréis vos tan cedo si me no quisierdes fazer muy grande pesar.

Dixo él:

—Dios me guarde desso; antes, sí Dios me ayude, tengo en coraçón de os servir si yo fuesse tal que lo meresciesse.

—Pues assí es —dixo el rey—, ruégovos mucho que que déis oy aquí.

—El lo otorgó sin mostrar que le plazía. El rey le tomó por la mano y levólo a una fermosa cámara donde le fizo desarmar y donde todos los otros cavalleros que allí de gran cuenta venían se desarmavan, que éste era el rey del mundo que los más honrava y más dellos tenía en su casa; y fízole dar un manto que cobriesse, y llamando al rey Arbán de Norgales y al conde de Glocestre, díxoles:

—Cavalleros, fazed compaña a este cavallero, que bien paresce de compaña de hombres buenos.

Y él se fue a la reina y díxole que tenía en su casa el buen cavallero que la batalla venciera.

—Señor —dixo la reina—, mucho me plaze. ¿Y sabéis cómo ha nombre?

—No —dixo el rey—, que por el prometimiento que fize no lo he osado preguntar.

—Por ventura —dixo ella—, ¿si será el hijo del rey Perión de Gaula?

—No sé —dixo el rey.

—Aquel escudero —dixo la reina— que con Mabilia está fablando anda en busca dél y dize que ha fallado nuevas que venía a esta tierra.

El rey le mandó llamar y díxole:

—Venid empós de mí y sabré si conoscéis un cavallero que en mi palacio está.

Gandalín se fue con el rey y como él sabía lo que avía de fazer, tanto que vio a Amadís, fincó los enojos ante él, y dixo:

—¡Ay, señor Amadís, mucho ha que vos demando!

—Amigo Gandalín —dixo él—, tú seas bien venido. ¿Y qué nuevas ay del rey de Scocia?

—Señor —dixo él—, muy buenas, y de todos vuestros amigos.

Él lo fue abraçar y dixo:

—Agora, mi señor, no es menester de os encubrir, que vos sois aquel Amadís fijo del rey Perión de Gaula, y la vuestra conoscencia y suya fue cuando matastes en batalla aquel preciado rey Abiés de Irlanda, por donde le restituistes en su reino que ya cuasi perdido tenía.

Entonces se llegaron todos por lo ver más que ante, que ya dél sabían aver fecho tales cosas en armas cuales otro ninguno podía fazer. Assí passaron aquel día faziéndole todos mucha honra; y la noche venida lo llevó consigo a su posada el rey Arbán de Norgales por consejo del rey y díxole que trabajasse mucho cómo le fiziesse quedar en su casa. Aquella noche alvergó Amadís con el rey Arbán de Norgales muy servido y a su plazer. El rey Lisuarte fabla con la reina diziéndole cómo no podía detener a Amadís y que él avía mucho a voluntad que hombre en el mundo tan señalado quedasse en su casa, que con los tales eran los príncipes muy honrados y temidos, y que no sabía qué manera para ello tuviesse.

—Señor —dixo la reina—, mal contado sería a tan grande hombre como vos que, veniendo tal cavallero a vuestra casa, della se partiesse sin le otorgar cuanto él demandasse.

—No me demanda nada —dixo el rey—, que todo gelo otorgaría.

—Pues yo vos diré lo que será: rogádgelo, o alguno de vuestra parte, y si lo no fiziere decilde que me venga a ver ante que se parta, y rogarle he, con mi hija Oriana y con su cormana Mabilia, que lo mucho conoscen desde la sazón que era donzel y las servía; y dezirl'é que todos los otros cavalleros son vuestros y queremos que él sea de nosotras para lo que oviéremos menester.

—Mucho bien lo dezís —dixo él—, y por esse camino sin

duda quedará, y si lo no fiziesse, con razón podríamos dezir ser más corto de criança que largo de esfuerço.

El rey Arbán de Norgales habló aquella noche con Amadís, pero no pudo dél alcançar ninguna esperança que quedaría, y otro día se fueron ambos a oír missa con el rey y desque fue dicha, Amadís se llegó a despedir del rey, y el rey le dixo:

—Cierto, amigo, mucho me pesa de vuestra ida y por la promessa que hizo no oso demandarvos nada que no sé si os pesaría, pero la reina ha gana que la veáis ante que os vais.

—Esso haré muy de grado —dixo él.

Entonces le tomó por la mano y fuese donde la reina estava y díxole:

—Ved aquí el hijo del rey Perión de Gaula.

—Sí me Dios salve, señor —dixo ella—, yo he mucho plazer y él sea muy bien venido.

Amadís le quiso besar las manos; mas ella lo fizo sentar cabe sí, y el rey se tornó a sus cavalleros, que muchos en el patín dexava; la reina habló con Amadís en muchas cosas, y él la respondía muy sagazmente, y las dueñas y donzellas eran muy maravilladas en ver la su gran fermosura, y él no podía alçar los ojos que no catasse a su señora Oriana, y Mabilia le vino abraçar como si lo no oviera visto. La reina dixo a su fija:

—Recebí vos este cavallero que vos tan bien sirvió cuando era donzel, y sirvirá agora cuando cavallero, si le no falta mesura; y ayudadme a rogar todas lo que yo le pidiere.

Entonces le dixo:

—Cavallero, el rey mi señor quisiera mucho que quedáredes con él y no lo ha podido alcançar; agora quiero ver qué tanta más parte tienen las mugeres en los cavalleros que los hombres, y ruégovos yo que seáis mi cavallero y de mi hija y de todas estas que aquí veis; en esto faréis mesura y quitarnos eis de afrenta con el rey en le demandar para nuestras cosas ningún cavallero, que teniendo a vos todos los suyos escusar podremos.

Y llegaron todas a gelo rogar, y Oriana le fizo seña con el rostro que lo otorgasse; la reina le dixo:

—Pues cavallero, ¿qué faréis en esto de nuestro ruego?

—Señora —dixo él—, ¿quién faría ál sino vuestro mandado, que sois la mejor reina del mundo demás destas señoras todas?; yo, señora, quedo por vuestro ruego y de vuestra hija, y después de todas las otras; mas dígovos que no seré de otro sino vuestro. Y si al rey en algo sirviere, será como vuestro y no como suyo.

—Assí vos recebimos yo y todas las otras —dixo la reina.

Luego lo embió dezir al rey, el cual fue muy alegre y embió al rey Arbán de Norgales que gelo traxesse y assí lo fizo, y venido ante él, abraçándolo con gran amor, le dixo:

—Amigo, agora soy muy alegre en aver acabado esto que tanto desseava, y cierto yo tengo gana que de mí recebáis mercedes.

Amadís gelo tuvo en merced señalada. Desta manera que oís quedó Amadís en la casa del rey Lisuarte por mandado de su señora.

Aquí el autor dexa de contar desto y torna la istoria a hablar de don Galaor. Partido don Galaor de la compaña del duque de Bristoya, donde le fiziera tanto enojo el enano, fuese por aquella floresta que llamavan Arnida y anduvo fasta cerca hora de bísperas sin saber dónde fuesse ni fallar poblado alguno, y aquella hora él alcançó un gentil escudero que iva encima de un muy galán rocín, y el cavallero Galaor, que una muy grande y terrible llaga llevava, la cual uno de los tres cavalleros que el enano a la barca traxo le fiziera y compliendo su voluntad con la donzella se le avía mucho empeorado, díxole:

—Buen escudero, ¿sabríades me dezir dónde podría ser curado de una ferida?

—Un lugar sé yo —dixo el escudero—, mas allí no osan ir tales como vos, y si van salen escarnidos.

—Dexemos esso —dixo él—; ¿avría allí quien de la llaga me curasse?

—Antes creo —dixo el escudero— que fallaréis quien otras os faga.

—Mostradme dónde es —dixo Galaor— y veré de qué me queréis espantar.

—Esso no faré yo si no quisiere —dixo él.

—O tú lo mostrarás —dixo Galaor— o yo te faré que lo muestres, que eres tan villano que cosa que en ti se faga la meresces con razón.

—No podéis vos hazer cosa —dixo él— por donde a tan mal cavallero y tan sin virtud yo faga plazer.

Galaor metió mano a la espada por le poner miedo y dixo:

—O me tú guiarás o dexarás aquí la cabeça.

—Yo vos guiaré —dixo el escudero— donde vuestra locura sea castigada y yo vengado de lo que me fazéis.

Entonces fue por el camino y Galaor empós dél fuera del camino, y andando cuanto una legua llegaron a una fermosa fortaleza que era en un valle cubierto de árboles.

—Veis aquí —dixo el escudero— el lugar que os dixe; dexame ir.

—Vete —dixo él—, que poco me pago de tu compañía.

—Menos os pagaréis della —dixo él— antes de mucho.

Galaor se fue contra la fortaleza y vio que era nuevamente fecha; y llegando a la puerta vio un cavallero bien armado en su cavallo y con él cinco peones assimismo armados, y dixeron contra Galaor:

—¿Sois vos el que traxo nuestro escudero preso?

—No sé —dixo él— quién es vuestro escudero, mas yo fize venir aquí uno lo peor y de peor talente que nunca en hombre vi.

—Bien puede ser esso —dixo el cavallero—; mas vos, ¿qué demandáis aquí?

—Señor —dixo Galaor—, ando mal llagado de una ferida y quería que me curassen della.

—Pues entrad —dixo el cavallero.

Galaor fue adelante, y los peones le cometieron por un cabo y el cavallero por el otro, y fue para él un villano, y Galaor, sacándole de las manos una hacha, tornó al cavallero y dióle con ella tan gran golpe que no ovo de menester maestro, y dio por los peones de tal guisa que mató los tres dellos y los dos fuyeron al castillo, y Galaor empós dellos, y su escudero le dixo:

—Tomad, señor, vuestras armas, que muy gran buelta oyo en el castillo.

El assí lo hizo y el escudero tomó un escudo de los muertos y una hacha y dixo:

—Señor, contra los villanos ayudarvos he, pero en cavallero no porné mano, que perdería para siempre de no ser cavallero.

Galaor le dixo:

—Si yo hallo el buen cavallero que busco, presto te haré cavallero.

Y luego fueron adelante y vieron venir dos cavalleros y diez peones, y tornaron a los dos que fuían; y el escudero que allí a Galaor guiara estava a una ventana dando bozes diziendo:

—¡Mataldo, mataldo!, mas guardad el cavallo y será para mí.

Galaor cuando esto oyó, crescido de gran enojo se dexó correr contra ellos y ellos a él, y quebraron sus lanças, pero al que Galaor encontró no ovo de menester tomar armas, y tornó contra el otro la espada en la mano con gran ardimento, y del primero golpe que le dio lo derribó del cavallo, y tornó muy presto contra los peones y vio cómo el escudero avía muerto dos dellos, y él le dixo:

—Mueran todos, que traidores son.

Y ansí lo fizieron que ninguno escapó. Cuando esto vio el escudero que a la ventana estava mirando, fue sobir a gran priessa contra una torre por una escalera, diziendo a bozes:

—Señor, armadvos, si no muerto sois.

Galaor fue para la torre y ante que llegasse vio venir un cavallero todo armado, y al pie de la torre le tenían un cavallo y quería cavalgar. Galaor, que del suyo descendiera porque no pudo entrar so un portal, llegó a él y travando de la rienda dixo:

—Cavallero, no cavalguéis, que no soy de vos assegurado.

El cavallero bolvió a él el rostro y dixo:

—¿Vos sois el que ha muerto mis cormanos y la gente deste mi castillo?

—No sé por quién dezís —dixo Galaor—; mas dígoos que aquí he fallado la peor gente y más falsa que nunca vi.

—Por buena fe —dixo el cavallero—, el que vos matastes mejor es que vos, y vos lo compraréis caramente.

Entonces se dexaron ir el uno al otro así a pie como estavan y ovieron su batalla muy cruda, que mucho era buen cavallero el del castillo, y no havía hombre que la viesse que se no maravillasse; y assí anduvieron feriéndose una gran pieça. Mas el cavallero, no podiendo ya sofrir los grandes y duros golpes de Galaor, començó a fuir y él empós dél, y assí fue so un portal, pensando saltar de una finiestra a un andamio, y con el peso de las armas no pudo saltar adonde quería y ovo de caer ayuso en unas piedras, y tan alto era que se fizo pedaços; y Galaor, que assí lo vio caer, tornose

maldiziendo el castillo y los moradores. Assí estando oyó
bozes en una cámara que dezían:

—¡Señor, por merced, no me dexéis aquí!

Galaor llegó a la puerta y dixo:

—Pues abrid.

Y dixo:

—Señor, no puedo, que soy presa en una cadena.

Galaor dio del pie a la puerta y, derribándola, entró dentro y falló una hermosa dueña que tenía a la garganta una
cadena gruessa, y díxole ella:

—Señor, ¿qué es del señor del castillo y de la otra gente?
El dixo:

—Todos son muertos. Y que él viniera allí a buscar quien
de una llaga lo curasse.

—Yo vos curaré —dixo ella—; y sacadme deste cativerio.

Galaor quebró el candado y sacó la dueña de la cámara;
pero antes ella tomó de una arquita dos boxetas que allí el
señor del castillo tenía con otras cosas para aquel menester,
y fuéronse a la puerta del castillo, y allí halló Galaor el primero con que justara, que ahún estava bullendo, y traxo su
cavallo por cima dél una pieça, y salieron fuera del castillo;
Galaor cató la dueña y vio que era a maravilla fermosa, y
díxole:

—Señora, yo os delibré de prisión y so yo en ella caído si
me vos no acorréis.

—Acorreré —dixo ella— en todo lo que mandardes, que si
de otra guisa lo fiziesse, de mal conoscimiento sería, según
la gran tribulación donde me sacastes.

Con estas tales razones amorosas y de buen talante, y con
las mañas de don Galaor, y con las de la dueña, que por
ventura a ellas conformes eran, pusieron en obra aquello que
no sin gran empacho deve ser en castillo puesto; finalmente,
aquella noche alvergaron en la floresta con unos caçadores
en sus tendejones, y allí le curó la dueña de la ferida y del
buen desseo que le avía mostrado, y contóle cómo siendo
ella hija de Lelois el Flamenco, a quien entonces avía dado
el rey Lisuarte el condado de Clara, y de una dueña que por
amiga avía tenido.

—Y estando aí —dixo ella— con mi madre en un monesterio que es cerca de aquí, aquel sobervioso cavallero que
matastes me demandó en casamiento, y porque mi madre lo
despreció aguardó un día que yo folgava con otras donzellas

y tomóme y levóme en aquel castillo, y poniéndome en aquella muy áspera prisión me diço: «Vos me desechastes de marido, en que mi fama y honra fue de vos muy menoscabada, y dígovos que d'aquí no saliréis fasta que vuestra madre y vos y vuestros parientes me rueguen que vos tome por muger.» Y yo que más que otra cosa del mundo le desamava, tomé por mejor remedio, confiando en la merced de Dios, de estar allí en aquella pena algún tiempo, que para siempre la tener siendo con él casada.

—Pues, señora —dixo Galaor—, ¿qué faré de vos, que yo ando mucho camino y en cosa que os sería enojo aguardarme?

—Que me levéis —dixo ella— al monesterio donde es mi madre.

—Pues guiad —dixo Galaor— y yo os seguiré.

Entonces entraron en el camino y llegaron al monesterio ante qu'el sol puesto fuesse, donde assí la donzella como Galaor fueron con mucho plazer recebidos, y muy mejor desque la donzella les contó las estrañas cosas que en armas avían fecho. Allí reposó Galaor a ruego de aquellas señoras.

El autor aquí dexa de contar desto y torno a hablar de Agrajes, de lo que le sucedió después que vino de la guerra de Gaula.

CAPÍTULO XVI

EN QUE TRATA LO QUE AGRAJES VIO DESPUÉS QUE VINO DE LA GUERRA DE GAULA Y ALGUNAS COSAS DE LAS QUE HIZO

AGRAJES, buelto de la guerra de Gaula al tiempo que Amadís aviendo en batalla muerto al rey Abiés de Irlanda y averse conoscido con su padre y madre, como se os ha contado, teniendo aparejado para en Nueruega passar donde su señora Olinda era, fue un día a correr monte, y seyendo en la ribera de la mar encima de una peña, súpitamente un granizo con grandíssimo viento sobrevino, de que la mar en desigualada manera embravescer hizo; por la cual una nao rebuelta muchas vezes con la fuerça de las ondas en peligro de ser anegada vio. A gran piedad él movido, la noche viniendo, grandes fuegos hizo acender porque la señal dellos causa de la salvación de la gente de la nao fuesse, atendien-

do él allí la fin que de aquel gran peligro redundasse. Finalmente, la fuerça de los vientos, la sabiduría de los mareantes y, sobre todo, la misericordia del verdadero Señor, aquella fusta que muchas vezes por perdida se tuvo, al puerto,
siendo salva, fizieron arribar. De donde sacadas unas donzellas con gran turbación del presente peligro, a Agrajes, que
encima de las peñas estava dando bozes a sus monteros que
con gran diligencia los ayudassen, fueron entregadas, el cual
las embió a unas caserías cerca donde su alvergue tenía.

Pues salida la gente de la nao y aposentados en aquellas
casas, después de aver cenado al derredor de los grandes fuegos que Agrajes les mandara fazer, muy fieramente dormían.
En este medio tiempo, aposentadas las donzellas por su mandado en la su misma cámara, porque más honra y servicio
las donzellas recebiessen, ahún por él no eran vistas. Mas
seyendo ya la gente assossegada, como cavallero mancebo
desseoso de ver mugeres más para las servir y honrar que
para fazer su coraçón sujeto en otra parte que ante estava,
quiso por entre las puertas de la cámara mirar lo que fazían;
y viéndolas seer aderredor de un fuego fablando con mucho
plazer en el remedio del peligro passado, conosció entre ellas
aquella fermosa infanta Olinda, su señora, hija del rey de
Nueruega; porque él, assí en el reino de su padre como en el
suyo della y en otras partes, muchas cosas en armas avía
fecho, aquella que su coraçón seyendo libre con tanta fuerça
cativado y sojuzgado tenía, que atormentado de grandes congoxas y cuidados muchas de sus fuerças quebradas eran, atrayendo a sus ojos infinitas lágrimas. Pues alterado con tal vista,
occurriéndole en la memoria en el gran peligro que la viera
y la parte donde sin ella veía, como fuera de sentido, dixo:

—¡Ay, Santa María, valme, que ésta es la señora de mi
coraçón!

Lo cual por ella oído, no sospechando lo que era, a una
su donzella mandó saber qué fuesse aquello. Esta, pues,
abriendo la puerta, allí a Agrajes, como trasportado, vio estar;
el cual faziéndosele conoscer, y ella diziéndolo a su señora,
no menos alegre se faziendo que él estava, le mandó allí entrar, donde, después de muchos autos amorosos entre ellos
passados, dando fin a sus grandes desseos, aquella noche con
gran plazer y gran gozo de sus ánimos passaron. Y estuvo
allí aquella compaña en mucho descanso seis días, en tanto
que la mar amansada fuesse, y todos ellos tuvo Agrajes con

su señora, sin que persona de los unos ni otros lo sintiessen, sino sus donzellas. Pues entonces supo él cómo Olinda passava a la Gran Bretaña por bevir en la casa del rey Lisuarte con la reina Brisena, donde su padre la embiava; y él le dixo cómo estava aparejado para passar en Nueruega, donde ella era, y que, pues Dios le avía dado tal dicha, que su viaje se bolvería donde el suyo era, por la servir y ver a su cormano Amadís, que allí pensava hallar. Olinda gelo gradesció mucho y le ruegó y mandó que assí lo fiziesse.

Esto concertado, en cabo de aquellos seis días, seyendo la mar en tanta bonança que sin ningún peligro por ella navegar podrían, acogéronse todos a la mar; despidiéndose de Agrajes fueron su vía, y sin entrevallo alguno que estorvo les diesse, llegaron en la Gran Bretaña, donde de la mar salidos y a la villa de Vindilisora llegados, donde el rey Lisuarte era, assí dél como de la reina y de su fija y de todas las otras dueñas y donzellas, Olinda muy bien recebida fue, considerando ser de tan alto lugar y sobrada fermosura.

Agrajes, que en la ribera del mar quedara mirando aquel nao en que aquella su muy amada señora iva, cuando la ovo perdido de vista, tornóse a Briantes, aquella villa donde el rey Languines, su padre, era; y fallando allí don Galvanes sin tierra, su tío, fabló que sería bueno irse a la corte del rey Lisuarte, donde tantos cavalleros buenos bivían, porque allí más que en otra parte honra y fama podrían ganar, lo cual se perdía todo en aquella tierra, donde no podían exercitar sus coraçones sino con gentes de poco prez de armas. Don Galvanes, que buen cavallero era, desseoso de ganar honra, no le impidiendo ningún señorío que de governar oviesse, porque él no posseía sino solamente un castillo, tomó por bien de fazer aquel camino que Agrajes su sobrino le dixera; y despedidos del rey Languines, entrando en la mar solamente consigo sus armas y cavallos y sendos escuderos, el tiempo endereçado que fazía los arribó en poco espacio de tiempo en la Gran Bretaña, en una villa que avía nombre Brestoya, y de allí partiendo y caminando por una floresta, a la salida della encontraron una donzella, la cual les preguntó si sabían que aquel camino fuese a la peña de Galtares.

—No —dixeron ellos—; mas ¿por qué lo preguntáis? —dixo Agrajes.

—Por saber —dixo ella— si fallaré aí un buen cavallero que me porná remedio a una gran cuita que comigo trayo.

—Errada is —dixo Agrajes—, que en essa peña que vos dezís no hallaréis otro cavallero sino aquel bravo gigante Albadán, que si vos cuita leváis, segund sus malas obras, él la doblará.

—Si vos supiéssedes lo que yo, no lo terníades —dixo ella— por yerro, que el cavallero que yo demando se combatió con esse gigante y lo mató en batalla de uno por otro.

—Cierto, donzella —dixo Galvanes—, maravillas nos dezís, que ningún cavallero con ningún gigante se tomasse, en demás con aquel que es el más bravo y esquivo que ay en todas las ínsolas del mar, si no fue el rey Abiés de Irlanda que se combatió con uno, él armado y el gigante desarmado, y lo mató; y aun assí lo tuvieron a la mayor locura del mundo.

—Señores —dixo la donzella—, más a guisa de buen cavallero lo fizo este otro que yo digo.

Entonces les contó cómo fuera la batalla y ellos fueron maravillados, y Agrajes preguntó a la donzella si sabía el nombre del cavallero que tal esfuerço acometiera.

—Sí sé —dixo ella.

—Pues ruégovos mucho —dixo Agrajes—, por cortesía, que nos lo digáis.

—Dígovos —dixo ella— que ha nombre don Galaor y es fijo del rey de Gaula.

Agrajes se estremeció todo y dixo:

—¡Ay, donzella, cómo dezís las nuevas del mundo que más alegre me fazen en saber de aquel cormano que más por muerto que por bivo tenía!

Entonces contó a don Galvanes lo que sabía de Galaor, cómo lo tomara el gigante y que fasta allí no supiera dél ningunas nuevas.

—Cierto —dixo Galvanes—, la vida dél y de su hermano Amadís no ha seído sino maravilla y el comienço de sus armas, tanto que dudo si en el mundo otros que a ellos igualen se pudiessen fallar.

Agrajes dixo a la donzella:

—Amiga, ¿qué queréis vos a esse cavallero que buscáis?

—Señor —dixo ella—, querría que acorriesse a una donzella que por él es presa, y fízola prender un enano traidor, la más falsa criatura que ay en todo el mundo.

Estonces les contó todo cuanto a Galaor con el enano le avino, assí como es ya contado, pero de lo de Aldeva su amiga no les dixo nada.

—Y, señores, porque la donzella no quiere otorgar con lo que el enano dize, el duque de Bristoya jura que la fará quemar de aquí a diez días, y esto es gran cuita de las otras dueñas si la donzella, con miedo de la muerte, quiera condenar alguna dellas diziendo que levó a Galaor allí a aquella fin. Y de los diez días son passados los cuatro.

—Pues que assí es —dixo Agrajes— no passéis más adelante, que nos haremos lo que Galaor haría; si no fuere en fuerça, será en voluntad; y agora nos guiad en el nombre de Dios.

La donzella tornó por el camino que havía venido y ellos la seguían, y llegaron a la casa del duque el día antes que la donzella havían de quemar, a la sazón que el duque se assentava a comer; y descendiendo de los cavallos, entraron assí armados donde él estava. El duque los saludó, y ellos a él, y díxoles que comiessen.

—Señor —dixeron ellos—, antes os diremos la razón de nuestra venida.

Y don Galvanes le dixo:

—Duque, vos tenéis una donzella presa por palabras falsas y malas que vos dixo un enano, y mucho os rogamos la mandéis soltar, pues no os tiene culpa; y si sobre esto fuere menester batalla, nos la defenderemos a otros dos cavalleros que la recuesta tomar querrán.

—Mucho havéis dicho —dixo el duque.

Y mandó llamar al enano, y díxole:

—¿Qué dizes a esto que estos cavalleros dizen, que me heziste prender la donzella con falsedad y que lo pornán en batalla? Dígote que conviene que hayas quien te defienda.

—Señor —dixo el enano—, yo havré quien haga verdad cuanto yo dixe.

Estonces llamó un cavallero, su sobrino, que era fuerte y membrudo, que no pareçía haver deudo con él, y díxole:

—Sobrino, conviene que mantengas mi razón contra estos cavalleros.

El sobrino dixo:

—Cavalleros, ¿qué dezís vos contra este leal enano que tomó gran deshonra del cavallero que la donzella aquí traxo? ¿Por ventura sois vos? Y provar os ía qu'él fizo tuerto al enano y que la falsa donzella deve morir, porque lo metió en la cámara del duque.

Agrajes, que más se aquexava, dixo:

—Cierto, de nos no es ninguno aquél, ahunque le querríamos pareçer en sus fechos, ni en él no ovo tuerto, y yo os lo combatiré luego; y la donzella digo que no deve morir, y que el enano fue contra ellos desleal.

—Pues luego sea la batalla —dixo el sobrino del enano.

Y pidiendo sus armas se armó y cavalgó en un buen cavallo, y dixo contra Agrajes:

—Cavallero, agora Dios mandasse que fuessedes vos el que aquí traxo la donzella, que yo le faría comprar su desmesura.

—Cierto —dixo Agrajes—, él se ternía en poco de se combatir con tales dos como vos, sobre cualquier razón, cuanto más sobre ésta, en que derecho manternía.

El duque dexó de comer y fuese con ellos y metiólos en un campo donde ya algunas otras pruevas fueron allí lidiadas. Y díxoles:

—La donzella que yo tengo presa no pongo en razón de vuestra batalla, pues que a ella no atañe el tuerto que el enano recibió.

—Señor —dixo Agrajes—, vos la prendistes por lo qu'el enano dixo, y yo digo que vos dixo falsedad; y si yo este cavallero venciere que mantiene su razón, dárnosla heis con derecho.

—Ya vos dixe lo mío —dixo el duque—, y no faré más.

Y saliéndose de entre ellos, se fueron acometer a gran correr de los cavallos y feriéronse bravamente de las lanças, que luego fueron quebradas, y juntados de los cuerpos de los cavallos y de los escudos, cayeron ellos a sendas partes y cada uno se levantó bravamente, y con gran saña que se havían, pusieron mano a sus espadas y acometiéronse a pie, dándose tan grandes y duros golpes, que todos los que miravan eran maravillados. Las espadas eran cortadoras y los cavalleros de gran fuerça, y en poca de hora fueron sus armas de tal guisa paradas, que no havía en ellas mucha defensa; los scudos eran cortados por muchas partes y los yelmos abollados. Galvanes vio andar a su sobrino esforçado y ligero y más acometedor qu'el otro, y fue muy alegre, y si ante lo preciava, agora mucho más. Y Agrajes tenía tal maña, que ahunque al comienço muy bivo se mostrasse por donde parecía ser muy presto cansado, manteníase en tal forma en su fuerça, que mucho más ligero y cometedor se mostrava al cabo, assí que en algunas partes fue al principio en tan poco tenido, que a la fin ovo la victoria de la batalla; pues assí lo catando, Galvanes vio cómo el sobrino del enano se tiró afuera y dixo contra Agrajes:

—Asaz nos combatimos, y paréçeme que no es culpado el cavallero por quien vos combatís ni mi tío el enano, que de otra guisa la batalla no durara tanto, y si quisiéredes, pártase, dándole al cavallero y al enano.

—Cierto —dixo Agrajes—, el cavallero es leal y el enano falso y malo, y no vos dexaré hasta que vuestra boca diga; y punad de os defender.

El cavallero mostró su poder, mas poca pro le tuvo, que era ya llagado mucho. Y Agrajes lo fería de grandes golpes y a menudo; y el cavallero no entendía en ál sino en se cubrir de su scudo. Cuando el duque assí lo vio en aventura de muerte, ovo gran pesar, que lo mucho amava, y fuese yendo contra su castillo por lo no ver matar, y dixo:

—Agora juro que no faré a cavallero andante sino todo escarnio.

—Loca guerra cometistes —dixo Galvanes— en vos tomar con los cavalleros andantes que quieren emendar los tuertos.

A esta sazón vino a caer a los pies de Agrajes el cavallero y él le tiró el yelmo y dióle grandes golpes de la mançana de la espada en el rostro, y dixo:

—Conviene que digáis que el enano fizo tuerto al cavallero.

—¡Ay, buen cavallero —dixo el otro—, no me matéis!; y yo digo del cavallero porque vos combatistes que es bueno y leal y prométovos de hazer quitar la donzella de prisión, mas, ¡por Dios!, no queráis que diga del enano, que es mi tío y me crió, que es falso.

Esto oían todos los que al derredor miravan. Agrajes ovo duelo del cavallero y dixo:

—Por el enano no haría yo nada, mas por vos, que os tengo por buen cavallero, haré yo tanto que os daré por quito, quitando a la donzella de la prisión a vuestro poder.

El cavallero lo otorgó. El duque, que nada desto oía, iva ya cerca del castillo y tomólo Galvanes por el freno y mostróle al sobrino del enano a los pies de Agrajes, y dixo:

—Aquél, muerto es, o vencido; ¿qué nos dezís de la donzella?

—Cavallero —dixo el duque—, más sois que loco si pensáis que yo faga de la donzella sino lo que tengo acordado y jurado.

—¿Y qué jurastes os? —dixo Galvanes.

—Que la quemaría mañana —dixo el duque—, si me no dixiesse a qué metió el cavallero en mi palacio.

—¡Cómo! —dixo Galvanes—, ¿no nos la daréis?

—No —dixo el duque—; ni os detengáis más en este lugar, si no yo mandaré en ello ál hazer.

Estonces se llegaron muchos de su compaña y Galvanes tiró la mano del freno y dixo:

—Vos nos amenazáis y no quitades la donzella, que es urecho; yo os desafío, po ende, por mí y por todos los cavalleros andantes que me ayudar quisieren.

—Y yo desafío a os y a todos ellos —dixo el duque—, y en mal punto andarán por mi tierra.

Don Galvanes se tornó donde Agrajes estava y dixo lo que con el duque passara y cómo eran sus desafiados, de que fué muy sañudo, y dixo:

—Tal hombre como éste, en que derecho no se puede alcançar, no devría ser señor de tierra.

Y cavalgando en su cavallo, dixo contra el sobrino del enano:

—Miémbreseos lo que me prometistes en lo de la donzella y complidlo luego a vuestro poder.

—Yo faré todo lo que en mí es dixo él.

Esto era ya cerca de bísperas, que a tal hora se partió la batalla; y luego se partieron de allí y entraron en una floresta que llamavan Arunda, y dixo Galvanes:

—Sobrino, nos hemos desafiado al duque; aguardemos aquí y prenderlo hemos, y alguno otro de que passare.

—Bien es —dixo Agrajes.

Estonces se desviaron de la carrera y metiéronse en una mata espessa, y allí descendieron de los cavallos y embiaron los escuderos a la villa que les traviessen lo que havían menester; assí alvergaron aquella noche. El duque fue muy sañudo contra la donzella mas que ante, y fízola venir ante sí y díxole que curasse de su alma, que otro día sería quemada si le luego no dixesse la verdad del cavallero; pero ella no quiso dezir nada. El sobrino del enano hincó los inojos ante el duque y díxole la promessa que hiziera, rogándole por Dios que la donzella le diesse; mas esto fuera escusado, que ante perdería todo su estado que quebrar lo que jurara. Al cavallero pesó mucho, porque quisiera quitar su omenaje. Pues otro día de mañana mandó el duque traer ante sí la donzella, y dixo:

—Descoged en el fuego o en dezir lo que os pregunto,
que de una déstas no podéis escapar.

Dixo ella:

—Haréis vuestra voluntad, mas no razón.

Estonces la mandó el duque tomar a doze hombres armados y dos cavalleros armados con ellos, y él cavalgó en un
gran cavallo solamente un bastón en la mano, y fuese con
ellos a quemar la donzella a la orilla de la floresta; y allí
llegados, dixo el duque:

—Agora le poned fuego y muera con su porfía.

Esto todo vieron muy bien don Galvanes y su sobrino,
que estavan en reguarda, no de aquello, mas de otra cualquier cosa en que al duque enojar pudiessen; y como armados estavan, cavalgaron presto y mandaron a un escudero
que no entendiesse sino en tomar la donzella y la poner en
salvo. Y partiendo par'allá vieron el huego y cómo querían
ya la donzella echar, mas ella ovo tan gran miedo que dixo:

—Señor, yo diré la verdad.

Y el duque, que se allegava por la oír, vio cómo venían
por el campo don Galvanes y Agrajes, y dezían a grandes
bozes:

—Dexar os conviene la donzella.

Los dos cavalleros salieron a ellos y encontráronse con
sus lanças muy bravamente. Pero los cavalleros del duque
fueron ambos a tierra y el que Galvanes derribó no ovo menester maestro. El duque metió su compaña entre sí y ellos.
Y Galvanes le dixo:

—Agora verás la guerra que tomaste.

Y dexáronse a él ir; y el duque dixo a sus hombres:

—Mataldes los cavallos y no se podrán ir.

Mas los cavalleros se metieron entre ellos tan bravamente, heriendo a todas partes con sus spadas y tropellándolos
con los cavallos, assí que los sparzieron por el campo, los
unos muertos y los otros tollidos, y los que quedavan huyeron a más andar. Cuando esto vio el duque, no fue seguro y
començóse de ir contra la villa cuanto más pudo, y Galvanes fue tras él una pieca diziendo:

—Estad, señor duque, y veréis con quién tomastes omezillo.

Mas él no hazía sino huir y llamar a grandes bozes que le
acorriessen; y tornándose Galvanes y su sobrino, hallaron que
el escudero tenía la donzella en su palafrén y él en un cava-

llo de los cavalleros muertos, y fuéronse con ella hazia la
floresta. El duque se armó con toda su compaña y llegando
a la floresta no vido los cavalleros, y partió los suyos cinco a
cinco a todas partes y él se fue con otros cinco por una carrera y quexóse mucho de andar tanto que, siendo en cima
de un valle, miró a baxo y violos cómo ivan con su donzella, y el duque dixo:

—Agora a ellos, y no guarezcan

Y fueron al más ll de los cavallos. Galvanes, que assí los
vio, dixo:

—Sobrino, parezca vuestra bondad en os saber defender,
que éste es el duque y los de su compaña; ellos son cinco,
ni por esso no se sienta en nos covardía.

Agrajes, que muy esforçado era, dixo:

—Cierto, señor tío, seyendo yo con os, poco daría por
cinco de la mesnada del duque.

En esto llegó y díxoles:

—En mal punto me deshonrastes, y pésamo que no seré
vengado en matar tales como vos.

Galvanes dixo:

—Agora a ellos.

Estonces se dexaron correr unos a otros y heriéronse de
las lanças en los escudos tan duramente, que luego fueron
quebradas, mas los dos se tuvieron tan bien que los no pudieron mover de las sillas, y echando mano a sus spadas se
herieron de grandes golpes como aquellos que lo bien sabían
hazer. Y los del duque los acometían bravamente, assí que
la batalla de las espadas era entre ellos brava y cruda. Agrajes
fue herir al duque con gran saña y herióle so la visera del
yelmo, y fue el golpe tan rezio que, cortándole el yelmo, le
cortó las narizes hasta las hazes. Y el duque, teniéndose por
muerto, começó de huir cuanto más pudo, y Agrajes empós
dél, y no lo pudiendo alcançar tornó y vio cómo su tío se
defendía de los cuatro, y dixo entre sí: «¡Ay, Dios, guarda tan
buen cavallero destos traidores!» Y fuelos herir bravamente,
y Galvanes herió al uno assí que la espada le hizo caer de la
mano, y como lo vio embraçado, tomóle por el brocal del
escudo y tiróle tan rezio que lo derribó en tierra, y vio que
Agrajes derribara uno de los otros, y dexóse ir Galvanes a
los dos que lo ferían, mas ellos no atendieron, que huyendo
por la floresta, no los pudieron alcançar; y tornando donde la
donzella era, le preguntaron si havía aí cerca algún poblado.

—Sí —dixo ella—; que ay una fortaleza de un cavallero que se llama Olivas, que, por ser enemigo del duque por un su cormano que le mató, vos acogerá de grado.

Estonces los guió hasta que a ella llegaron; el cavallero los acogió muy bien, y mucho mejor cuando supo lo que les acaeçiera. Pues otro día se armaron y tomaron su camino, mas Olivas los sacó aparte y díxoles:

—Señores, el duque me mató un primo cormano, buen cavallero, a mala verdad, y yo quiérolo reutar ante el rey Lisuarte; demándovos consejo y ayuda como a cavalleros que se andan poniendo en las grandes afrentas por mantener lealtad y hazer que la mantengan los que sin temor de Dios y de sus vergüenças la quebrantan.

—Cavallero —dixo Galvanes—, obligado sois a la demanda dessa muerte que dezís, si feamente se hizo, y nosotros a vos ayudar si menester fuere, teniendo vos a ello justa causa, y assí lo haremos si el duque en la batalla algunos cavalleros querrá meter, porque, como vos, lo desamamos y somos sus desafiados.

—Mucho os lo agradezco —dixo él— y quiérome ir con vos.

—En el nombre de Dios —dixeron ellos.

Estonces se armó y metióse con ellos en el camino de Vindilisora, donde el rey Lisuarte cuidavan hallar.

CAPÍTULO XVII

CÓMO AMADÍS ERA MUY BIEN QUISTO EN CASA DEL REY LISUARTE, Y DE LAS NUEVAS QUE SUPO DE SU HERMANO GALAOR

CONTADO se vos ha cómo Amadís quedó en casa del rey Lisuarte por cavallero de la reina al tiempo que en la batalla mató aquel sobervio y valiente Dardán, y allí, assí del rey como de todos, era muy amado y honrado; y un día embió por él la reina para le hablar, y estando ante ella, entró por la puerta del palacio una donzella, hincando los inojos ante la reina dixo:

—Señora, ¿es aquí un cavallero que trae las armas de leones?

Ella entendió luego que lo dezía por Amadís, y dixo:

—Donzella, ¿qué lo queréis?

—Señora —dixo ella—, yo le trayo mandado de un novel cavallero que ha fecho el más alto y grande comienço de cavallería que nunca hizo cavallero en todas las ínsolas.

—Mucho dezís —dixo la reina—, que muchos cavalleros ay en las ínsolas y vos no sabréis hacienda de todos.

—Señora —dixo la donzella—, verdad es; mas cuando supiéredes lo que éste hizo, otorgaréis en mi razón.

—Pues ruégoos —dixo la reina— que lo digáis.

—Si yo viesse —dixo ella— el muy buen cavallero qu'el más que todos los otros precia, yo le diría esto y otras muchas cosas que le manda dezir.

La reina, que ovo talante de lo saber, dixo:

—Veis aquí el buen cavallero que demandáis, y dígoos verdaderamente que él es.

—Señora —dixo la donzella—, yo lo creo, que tan buena señora como vos no diría sino verdad.

Desí, dixo contra Amadís:

—Señor, el hermoso donzel que fezistes cavallero ante el castillo de Baldoid cuando vencistes los dos cavalleros de la puente y los tres de la calçada y prendistes el señor del castillo y sacastes por fuerça de armas al amigo de Urganda, mándasevos encomendar assí como aquel que tiene en lugar de señor, y embíavos dezir que el punará de ser hombre bueno o pagará con la muerte, y que si él fuere tal en el prez y en la honra de cavallería, que vos dirá de su fazienda más de lo que agora vos sabéis; y si tal no saliere que le devéis preciar, que se callará.

En esto Amadís se membró luego que era su hermano, y las lágrimas le vinieron a los ojos, en que pararon mientes todas las dueñas y donzellas que aí estavan, y su señora más que todas, de que muy maravillada fue, considerando si por ella le podía venir cuita tal que llorar le fiziesse, que aquello no de dolor, mas de gran plazer le aviniera; la reina dixo:

—Agora nos dezid del comienço del cavallero que tanto loáis.

—Señora —dixo la donzella—, el primero lugar donde recuesta tomó fue en la Peña de Galtares, combatiéndose con aquel bravo y fuerte Albadán llamado, al cual en campo de uno por otro, venció y mató.

Estonces contó la batalla cómo passó y ella la viera y la razón por qué fuera.

La reina y todos fueron mucho maravillados de cosa tan estraña.

—Donzella —dixo Amadís—, ¿sabéis vos contra dónde fue el cavallero cuando al gigante mató?

—Señor —dixo ella—, yo me partí dél después que la batalla venció y le dexé con otra donzella que lo havía de guiar a una su señora, que la allí embiara, y no vos puedo dezir más.

Y partióse de allí.

La reina dixo:

—Amadís, ¿sabéis quién sea aquel cavallero?

—Señora, sé, ahunque lo no conosco.

Estonces le dixo cómo era su hermano, y cómo lo llevara el gigante siendo niño, y lo que Urganda dél le dixera.

—Cierto —dixo la reina—, estrañas dos maravillas son la criança vuestra y suya, y cómo pudo ser que a vuestro linaje conosciéssedes ni ellos a vos, y mucho me plazería de ver tal cavallero en compaña del rey mi señor.

Assí estuvieron hablando, como oís, una gran pieça. Mas Oriana, que de lexos estava, no oía nada dello y estava muy sañuda porque viera Amadís llorar, y dixo contra Mabilia:

—Llamad a vuestro cormano y sabremos qué fue aquello que le avino.

Ella lo llamó. Y Amadís se fue para ellas, y cuando se vio ante su señora, todas las cosas del mundo se le pusieron en olvido; y dixo Oriana con semblante airado y turbado:

—¿De quién os membrastes con las nuevas de la donzella, que os hizo llorar?

Él se lo contó todo como a la reina lo dixera. Oriana perdió todo su enojo y tornó muy alegre, y díxole:

—Mi señor, ruégoos que me perdonéis, que sospeché lo que no devía.

—¡Ay, señora! —dixo él—, no ay que perdonar, pues que nunca en mi coraçón entró saña contra vos.

Demás desto le dixo:

—Señora, plégaos que vaya a buscar mi hermano y lo traya aquí en vuestro servicio, que de otra guisa no verná él.

Y esto dezía Amadís por le traer, que mucho le desseava, y porque le parescía que holgaría mucho sin buscar algunas aventuras donde pres y honra ganasse. Oriana le dixo:

—Assí Dios me ayude, yo sería muy alegre que tal cavallero aquí viniesse y morássedes de consuno, y otórgovos la ida, mas dezildo a la reina y parezca que por su mandado is.

El jelo gradesció muy humildosamente, y fuese a la reina y dixo:

—Señora, bien sería que oviéssemos aquel cavallero en compañía del rey.

—Cierto —dixo ella—; yo sería dello muy alegre si se puede hazer.

—Sí puede —dixo él—, dándome os, señora, licencia que lo busque y lo traya, que de otra forma no lo havremos acá sin que mucho tiempo passe qu'él haya ganado más honra.

—En el nombre de Dios —dixo ella—, yo os otorgo la ida con tal que hallándolo os vengáis.

Amadís fue muy alegre, y despidiéndose della y de su señora y de todas las otras, se fue a su posada, y otro día de mañana, después de haver oído missa, armóse y subió en su cavallo con solo Gandalín, que las otras armas le levava, y entró en su camino. Por donde anduvo fasta la noche, que alvergó en casa de un infançón viejo; y otro día, siguiendo el camino entró en una floresta, y haviendo ya las dos partes del día por ella andado, vio venir una dueña que traía consigo dos donzellas y cuatro escuderos, y traían un cavallero en unas andas y ellos lloravan todos fieramente. Amadís llegó a ella y dixo:

—Señora, ¿qué leváis en estas andas?

—Llevo —dixo ella— toda mi cuita y mi tristura, que es un cavallero con quien era casada, y va tan mal llagado, que cuido que morirá.

El se llegó a las andas y alçó un paño que le cobría, y vio dentro un cavallero asaz grande y bien hecho; mas de su hermosura no parecía nada, que el rostro havía negro y hinchado y en muchos lugares ferido; y poniendo la mano en él, dixo:

—Señor cavallero, ¿de quién recebistes este mal?

El no respondió y bolvió un poco la cabeça; desí dixo a la dueña:

—¿De quién ovo este cavallero tanto mal?

—Señor —dixo ella—, de un cavallero que guarda una puente [30] acá adelante por este camino, que nos queriendo

---

30. La costumbre *(costume)* de guardar un paso (vado, puente), en un principio motivo literario de la novela artúrica, se convirtió en una práctica lúdica ejercitada por la caballería en el siglo xv.

passar, dixo que ante convenía que dixiesse si era de casa del rey Lisuarte, y mi señor dixo que por qué lo quería saber. El cavallero le dixo: «Porque no passará por aquí ninguno que suyo sea que no lo mate.» Y mi señor le preguntó que por qué desamava tanto cavalleros del rey Lisuarte. «Yo le desamo mucho y le querría tener en mi poder para dél me vengar.» El le respondió que por qué tanto lo desamava. Dixo él: «Porque tiene en su casa el cavallero que mató aquel esforçado Dardán; y por éste recebirá de mí y de otros muchos deshonra.» Y cuando esto oyó mi marido, pesándole de aquellas palabras que el cavallero dezía, le dixo: «Sabed que yo soy suyo y su vasallo, que por os ni por otro no lo negaría.» Estonces el cavallero de la puente, con gran enojo que dél ovo, tomó sus armas lo más presto que él pudo y començaron su batalla, muy cruda y fiera a maravilla, y a la fin mi señor fue tan maltrecho como agora os, señor, véis; y el cavallero creyó que muerto era y mandónos que lo levássemos a casa del rey Lisuarte el tercero día.

Amadís dixo:

—Dueña, dadme uno destos escuderos qu'el cavallero me muestre, que pues él recibió este daño por amor de mí, a mí conviene más que a otro vengarle.

—¡Cómo! —dixo ella—, ¿vos sois aquel por quien él desama al rey Lisuarte?

—Aquel so yo —dixo—; y si puedo, yo faré que no desame a él ni a otro.

—¡Ay, buen cavallero —dixo ella—, Dios os guíe buen viaje y os esfuerçe!

Y dándole un escudero que con él fuesse, se despidieron. Y la dueña siguió su camino como ante y Amadís el suyo, y tanto anduvo que llegaron a la puente y vio cómo el cavallero jugava a las tablas con otro, y luego dexó el juego y vínose contra él encima de un cavallo y armado de todas sus armas, y dixo:

—Estad, cavallero, no entréis la puente si ante no juráis.

—¿Y qué juraré? —dixo él.

—Si sois de casa del rey Lisuarte; y si suyo sois, yo vos faré perder la cabeça.

—No sé yo desso —dixo Amadís—; mas dígoos que soy de su casa y cavallero de la reina, su mujer, mas esto no ha mucho.

—¿Desde cuándo lo sois? —dixo el cavallero de la puente.

—Desde cuando vino aí una dueña reutada.

—¡Cómo! —dixo el cavallero—, ¿sois vos el que por ella se combatió?

—Yo la fize alcançar su derecho —dixo Amadís.

—Para mi cabeça —dixo el cavallero— yo vos faga perder la vuestra cabeça si puedo, que vos matastes uno de los mejores de mi linaje.

—Yo no lo maté —dixo Amadís, mas hízele quitar la soberviosa demanda que él fazía y él se mató como malo descreído.

—No ha esso pro —dixo el cavallero—, que por vos fue muerto y no por otro, y vos moriréis por él.

Estonces movió contra él al más correr de su cavallo, y Amadís a él; y heriéronse ambos de las lanças en los escudos y fueron luego quebradas, mas el cavallero de la puente fue en tierra sin detenencia ninguna, de que él fue muy maravillado que assí tan ligero lo darribara. Y Amadís, que el yelmo se le torcía en la cabeça, endereçólo, y en tanto ovo el cavallero lugar de sobir en el cavallo y diole tres golpes de la espada antes que Amadís a la suya echasse mano, pero echando a ella mano fue para el cavallero y heriólo por la orilla del yelmo contra hondón y cortóle dél una pieça, y la espada llegó al pescueço, y cortóle tanto, que la cabeça no se pudo sofrir y quedó colgada sobre los pechos, y luego fue muerto. Cuando esto vieron los de la puente, huyeron. El escudero de la dueña fue espantado por tales dos golpes, uno de lança y otro de la espada. Amadís le dixo:

—Agora te ve y di a tu señora lo que viste.

Cuando él esto oyó, luego se fue su vía, y Amadís passó la puente sin más allí se detener; y anduvo por el camino hasta que salió de la floresta y entró en una muy hermosa vega y muy grande a maravilla, y pagóse mucho de las yervas verdes que vio a todas partes, como aquel que florescía en la verdura y alteza de los amores; y cató a su diestra y vio un enano de muy disforme gesto que iva en un palafrén, y llamándolo le preguntó dónde venía. El enano le respondió y dixo:

—Vengo de casa del conde de Clara.

—Por ventura —dixo Amadís—, ¿viste tú allá un cavallero novel que llaman Galaor?

—Señor, no —dixo el enano—; mas sé dónde será este tercero día el mejor cavallero que en esta tierra entró.

Oyendo esto Amadís, dixo:

—¡Ay, enano, por la fe que a Dios deves!, liévame allá y verlo he.

—Sí llevaré —dixo el enano—, con tal que me otorgués un don, y iréis comigo donde vos le demandare.

Amadís, con gran desseo que tenía de saber de Galaor, su hermano, dixo:

—Yo te le otorgo.

—En el nombre de Dios —dixo el enano— sea nuestra ida; y agora vos guiaré donde veréis el muy buen cavallero y muy esforçado en armas.

Estonces dixo Amadís:

—Yo te ruego por mi amor que tú me lieves por la carrera que más aína vayamos.

—Yo lo faré —dixo él.

Y luego dexaron aquel camino, y tomando otro anduvieron todo aquel día sin aventura hallar, y tomóles la noche cabe una fortaleza.

—Señor —dixo el enano—, aquí alvergaréis, donde ay una dueña que vos hará servicio.

Amadís llegó a aquella fortaleza y halló la dueña, que lo muy bien alvergó, dándole de cenar y un lecho asaz rico en que durmiesse, mas esso no fizo él, que su pensar fue tan grande en su señora que cuasi no durmió nada de la noche; y otro día, despedido de la dueña, entró en la guía del enano y anduvo fasta medio día, y vio un cavallero que se combatía con dos, y llegando a ellos les dixo:

—Estad, señores, si vos pluguiere, y dezidme por qué os combatís.

Ellos se tiraron afuera, y el uno de los dos dixo:

—Porque éste dize que él solo vale tanto para acometer un gran hecho como nos ambos.

—Cierto —dixo Amadís—, pequeña es la causa, que el valor de cualquiera no haze perder el del otro.

Ellos vieron que dezía buena razón y dexaron la batalla y preguntaron a Amadís si conoscía él al cavallero que se combatiera por la dueña en casa del rey Lisuarte, por que fue muerto Dardán el buen cavallero.

—¿Y por qué lo preguntáis? —dixo él.

—Porque lo querríamos hallar —dixeron ellos.

—No sé —dixo Amadís— si lo dezís por bien o por mal. Pero yo le vi no ha mucho en casa del rey Lisuarte.

Y así partióse dellos y fuese su camino.

Los cavalleros hablaron entre sí, y dando de las espuelas a los cavallos fueron empós de Amadís; y él, que los vio venir, tomó sus armas, y ni él ni ellos traían lanças, que las quebraran en sus justas. El enano le dixo:

—¿Qué es esso, señor?; ¿no veis que los cavalleros son tres?

—No me curo —dixo él—, que si me cometen a sin razón, yo me defenderé si pudiere.

Ellos llegaron y dixeron:

—Cavallero, queremos pediros un don, y dádnoslo, si no, no vos partiréis de nos.

—Antes os le daré —dixo él— si con drecho fazerlo puedo.

—Pues dezidnos —dixo el uno—, como leal cavallero, dónde cuidáis que hallaremos el cavallero por quien Dardán fue muerto.

El, que no podía ál fazer sino dezir verdad, dixo:

—Yo soy, y si supiera que tal era el don, no os lo otorgara por no me loar dello.

Cuando los cavalleros lo oyeron, dixeron todos:

—¡Ay, traidor, muerto sois!

Y metiendo mano a las espadas se dexaron a él ii muy bravamente. Amadís metio mano a su spada como aquel que era de gran coraçón, y dexóse a ellos ir muy sañudo por los haver quitado de su batalla y lo acometían tan malamente, y herió al uno dellos por cima del yelmo de tal golpe que le alcançó en el ombro que las armas con la carne y huessos fue todo cortado hasta descendir la espada a los costados; assí quedándole el braço colgado cayó del cavallo ayuso; y dexóse ir a los dos que le ferían bravamente y dio al uno por el yelmo tal golpe que se lo hizo saltar de la cabeça, y la spada descendió al pescueço y cortóle todo lo más dél, y cayó el cavallero. El otro, que esto vio, començó de huir contra donde viniera. Amadís que lo vio en cavallo corredor y que se le alongava, dexó de lo seguir y tornó a Gandalín. El enano le dixo:

—Cierto, señor, mejor recaudo llevo para el don que me promctistes que yo creía, y agora vamos adelante.

Assí fueron aquel día alvergar a casa de un hermitaño, donde ovieron muy pobre cena. En la mañana tornó al camino por donde el enano guiava y anduvo hasta hora de tercia y allí le mostró el enano, en un valle hermoso, dos

pinos altos y debaxo dellos un cavallero todo armado sobre
un gran cavallo, y dos cavalleros que andavan por el campo
tras sus cavallos, que fuían, que el cavallero del pino los havía
derribado; y debaxo del otro pino yazía otro cavallero acostado sobre su yelmo y su escudo cabe sí y más de veinte
lanças al derredor del pino, y cerca dél dos cavallos ensillados. Amadís, que los mirava, dixo al enano:

—¿Conosces tú estos cavalleros?

El enano le dixo:

—¿Veis, señor, aquel cavallero que yace acostado al pino?

—Veo —dixo él.

—Pues aquél es —dixo el enano— el buen cavallero que
demostraros havía.

—¿Sabes su nombre? —dixo Amadís.

—Sí sé, señor, que se llama Angriote d'Estraváus, y es el
mejor cavallero que os yo en gran parte podría mostrar.

—Agora me di por qué tiene allí tantas lanças.

—Esso os diré yo —dixo el enano—. El amava una dueña
desta tierra y ella no a él, pero tanto la guerreó que sus parientes por fuerça jela metieron en poder. Y cuando en su
poder la huvo, dixo que se tenía por el más rico del mundo.
Ella le dixo: «No os ternéis por cortés en haver assí una
dueña por fuerça; bien me podéis haver, pero nunca de grado
mi amor havréis, si ante no fazéis una cosa.» «Dueña —dixo
Angriote—, ¿es cosa que yo pueda fazer?» «Sí —dixo ella.»
«Pues mandaldo, que yo lo compliré fasta la muerte.» La
dueña, que lo mucho desamava, cuidó de lo poner donde
muriesse o cobrasse tantos enemigos, que con ellos se defendería dél, y mandóle que él y su hermano guardasen este
valle de los pinos de todos los cavalleros andantes que por
él passassen y que les fiziessen prometer por fuerça d'armas
que, pareciendo en la corte del rey Lisuarte, otorgarían ser
más fermosa la amiga de Angriote que las suyas dellos; y si
por aventura este cavallero, su hermano, que veis a cavallo,
fuesse vencido, que no se pudiesse sobre esta razón más combatir, y toda la recuesta queda en Angriote solo y guardassen un año el valle; y assí lo guardan los cavalleros de día,
y a la noche alvergan en un castillo que yaze tras aquel otero
que veis. Pero dígoos que ha tres meses que lo començaron,
que ahun fasta aquí nunca Angriote metió mano en cavallero, que su hermano los ha todos conquistado.

—Yo creo —dixo Amadís— que me dizes verdad, que yo

oí dezir en casa del rey Lisuarte que fuera aí cavallero que
otorgara aquella dueña por más fermosa que su amiga, y
cuido que ha nombre Grovenesa.

—Verdad es —dixo el enano—; y, señor, pues complí con
vos, tenedme lo que me prometistes, y id comigo onde havéis de ir.

—Muy de grado —dixo Amadís—; ¿cuál es la drecha carrera?

—Por el valle —dixo el enano—; mas no quiero que por
ella vamos, pues tal embaraço tiene.

—No te cures desso —dixo él.

Estonces se metió adelante y a la entrada del valle halló
un escudero que le dixo:

—Señor cavallero, no passéis más adelante si no otorgáis
que es más fermosa la amiga de aquel cavallero que al pino
es acostado que la vuestra.[31]

—Si Dios quisiere —dixo Amadís—, tan gran mentira nunca
otorgaré si por fuerça no me lo hazen dezir o la vida no me
quitan.

Cuando esto le oyó el escudero, dixole:

—Pues tornaos, si no haveros eis con ellos a combatir.

Dixo Amadís:

—Si me ellos cometen, yo me defenderé si puedo.

Y passó adelante sin temor ninguno.

CAPÍTULO XVIII

De cómo Amadís se combatió con Angriote y con su
hermano y los venció, los cuales guardavan un passo
de un valle en que defendían que ninguno tenía más
hermosa amiga que Angriote

Assí como el hermano de Angriote lo vio, tomó sus armas
y fue yendo contra él y dixo:

—Cierto, cavallero, gran locura hezistes en no otorgar lo
que vos demandaron, que vos havréis a combatir comigo.

31. Escena típica de la literatura artúrica la del combate por «la
amiga más hermosa» y que genera motivos como el de «la conquista del
gavilán», o «la caza del ciervo blanco», donde la situación ya se encuentra problematizada en Chrétien de Troyes.

—Más me plaze desso —dixo Amadís— que de otorgar la mayor mentira del mundo.

—Y yo sé —dixo el cavallero— que lo otorgaréis en otra parte donde vos será mayor vergüença.

—No lo cuido yo assí —dixo él—, si Dios quisiere.

—Pues guardaos —dixo el cavallero.

Estonces fueron al más correr de sus cavallos el uno contra el otro y heriéronse en los escudos, y el cavallero falsó el escudo a Amadís, mas detóvose en el arnés y la lança quebró, y Amadís lo encontró tan duramente, que lo lançó por cima de las ancas del cavallo; y el cavallero, que era muy valiente, tiró por las riendas, assí que las quebró y llevólas en las manos y dió de pescueço y de espaldas en el suelo, y fue tan maltratado que no supo de sí ni de otra parte. Amadís dició a él y quitóle el yelmo de la cabeça y viole desacordado que no hablava, y tomándole por el braço tiróle contra sí y el cavallero acordó y abrió los ojos, y Amadís le dixo:

—Muerto sois, si vos no otorgáis por preso.

El cavallero, que la espada vio sobre su cabeça, temiendo la muerte, otorgóse por preso. Estonces cavalgó en su cavallo, que vio que Angriote cavalgava y tomava sus armas y le embiava una lança con su escudero. Amadís tomó la lança y fue para el cavallero, y él vino contra él al más correr de su cavallo y heriéronse con las lanças en los escudos, assí que fueron quebradas, sin que otro mal se hiziessen, y passaron por sí muy hermosos cavalleros que en muchas partes otros tales no se hallarían. Amadís echó mano a su espada y tornó el cavallo contra él, y Angriote le dixo:

—Estad, señor cavallero, no vos aquexéis de la batalla de las espadas, que bien la podréis haver y creo que será vuestro daño.

Esto dezía él porque pensava que en el mundo no havía cavallero mejor feridor de espada que lo él era.

—Y justemos hasta que aquellas lanças nos fallezcan o el uno de nos caiga del cavallo.

—Señor —dixo Amadís—, yo he que hazer en otra parte y no puedo tanto detenerme.

—¡Cómo! —dixo Angriote—, ¿tan ligero os cudáis de mí partir?; no lo tengo yo assí, pero ruégoos mucho que antes de las espadas justemos otra vez.

Amadís se lo otorgó, pues que le plazía, y luego se fueron ambos y tomaron sendas lanças, las que les más conten-

taron, y alongándose uno de otro se dexaron venir contra sí
y hiriéronse de las lanças muy bravamente; y Angriote fue
en tierra y el cavallo sobre él, y Amadís, que passava, tropeçó en el cavallo de Angriote y fue caer con él de la otra
parte, y un troço de la lança, que por el escudo le avía entrado, con la fuerça de la caída entróle por el arnés y por la
carne, mas no mucho; él se levantó muy ligero, como aquel
que para sí no quería la vergüença, de más sobre caso de su
señora, y tiró aina de sí el troço de la lança, y poniendo
mano a la espada se dexó ir contra Angriote, que le vio con
su espada en la mano, y Angriote le dixo:

—Cavallero, yo os tengo por buen mancebo y ruégoos que
antes que más mal recibáis otorguéis ser más hermosa mi
amiga que la vuestra.

—Callad —dixo Amadís—, que tal mentira nunca será por
mi boca otorgada.

Entonces se fueron acometer y herir con las espadas de
tan fuertes golpes que espanto ponían assí a los que miravan
como a ellos mismos que los recebían, considerando entre
sí poderlos sofrir; mas esta batalla no pudo durar mucho,
que Amadís se combatía por razón de la hermosura de su
señora, donde oviera él por mejor ser muerto que fallescer
un punto de lo que devía, y començó de dar golpes de toda
su fuerça tan duramente, que la gran sabiduría ni la gran
valentía de herir d'espada no le tovo pro a Angriote, que
en poca de ora lo sacó de toda su fuerça, y tantas vezes le
hizo descendir la espada a la cabeça y al cuerpo que por
más de veinte lugares le salía ya la sangre; cuando Angriote
se vio en aventura de muerte tiróse afuera assí como pudo,
y dixo:

—Cierto, cavallero, en vos ha más bondad que hombre
puede pensar.

—Otorgadvos por preso —dixo Amadís—, y será vuestro
pro, que estáis tan maltratado que aviendo la batalla fin, la
avría vuestra vida y pesar me ía dello, que vos precio más
de lo que vos cuidáis.

Esto dezía él por la su gran bondad de armas y por la
cortesía de que usara con la dueña teniéndola en su poder.
Angriote, que más no pudo, dixo:

—Yo me vos otorgo por preso, assí como al mejor cavallero del mundo y assí como se deven otorgar todos los que
oy armas traen, y dígoos, señor cavallero, que lo no tomo

por mengua, mas por gran pérdida, que oy pierdo la cosa del mundo que más amo.

—No perderéis —dixo Amadís— si yo puedo, que muy desaguisado sería si aquella gran mesura que contra essa que dezís usastes no sacasse el pago y galardón que meresce, y vos le avréis, si yo puedo, más cedo que ante. Esto os prometo yo como leal cavallero cuanto torne de una demanda en que voy.

—Señor —dixo Angriote—, ¿ónde os hallaré?

—En casa del rey Lisuarte —dixo Amadís—, que aí bolveré, Dios queriendo.

Angriote lo quisiera llevar a su castillo, mas él no quiso dexar el camino que ante levara; y despedido dellos se puso en la guía del enano para le dar el don que le prometiera; y anduvo cinco días sin aventura fallar; en cabo dellos mostróle el enano un muy hermoso castillo y muy fuerte maravilla, y díxole:

—Señor, en aquel castillo me avéis a dar el don.

—En el nombre de Dios —dixo Amadís—, yo te le daré si puedo.

—Essa confiança tengo yo —dixo el enano—, y más después que he visto vuestras grandes cosas; señor, ¿sabéis cómo ha nombre este castillo?

—No —dixo él—, que nunca en esta tierra entré.

—Sabed —dixo el enano— que ha nombre Valderín.

Y assí hablando llegaron al castillo, y el enano dixo:

—Señor, tomad vuestras armas.

—¡Cómo! —dixo Amadís—, ¿serán menester?

—Sí —dixo él—; que no dexan dende salir tan ligeramente los que aí entran.

Amadís tomó sus armas y metióse adelante, y el enano y Gandalín empós dél; y cuando entró por la puerta cató a uno y a otro cabo, mas no vio nada, y dixo contra el enano:

—Despoblado me semeja este lugar. [32]

—Por Dios —dixo él—, a mí también.

—¿Pues para qué me traxiste aquí o qué don quieres que te dé?

El enano le dixo:

—Cierto, señor, yo vi aquí el más bravo cavallero y más

---

32. La *gaste cité* del roman francés: un paisaje devastado, yermo, despoblado, por lo general, por obra de un encantamiento.

fuerte en armas que cuido ver, y mató allí en aquella puerta dos cavalleros, y el uno dellos era mi señor, y a éste mató tan crudamente como aquel en quien nunca merced ovo; y yo os quisiera pedir la cabeça de aquel traidor que lo mató, que ya aquí traxe otros cavalleros para le vengar, y ¡mal pecado! dellos prendieron muerte y otros cruel prisión.

—Cierto, enano —dixo Amadís—, tú hazes lealtad, mas no devrías traer los cavalleros si les ante no dixesses con quién se avían a combatir.

—Señor —dixo el enano—, el cavallero es muy conoscido por uno de los bravos del mundo, y si lo dixesse no sería ninguno tan ardid que comigo osasse venir.

—¿Y sabes cómo ha nombre?

—Sí sé —dixo el enano—, que se llama Arcaláus el Encantador.

Amadís cató a todas partes y no vio ninguno, y apeóse de su cavallo y atendió fasta las bísperas, y dixo:

—Enano, ¿qué quieres que faga?

—Señor —dixo él—, la noche se viene y no tengo por bien que aquí alverguemos.

—Cierto —dixo Amadís— d'aquí no partiré fasta que el cavallero venga o alguno que dél me diga.

—Por Dios, yo no quedaré aquí —dixo el enano—, que he gran miedo, que me conosce Arcaláus y sabe que yo puno de le fazer matar.

—Todavía —dixo Amadís— aquí quedarás, y no me quiero quitar del don si puedo.

Y Amadís vio un corral adelante y entró por él, mas no vio ninguno, y vio un lugar muy escuro, con unas gradas que so tierra ivan; y Gandalín llevava el enano porque le no fuesse, que gran miedo avía, y díxole Amadís:

—Entremos por estas gradas y veremos qué hay allá.

—Ay, señor —dixo el enano—, merced, que no ay cosa por que yo entrasse en lugar tan espantoso, y, por Dios, dexadme ir, que mi coraçón se me espanta mucho.

—No te dexaré —dixo Amadís— fasta que ayas el don que te prometí o veas cómo fago mi poder.

El enano, que gran miedo avía, dixo:

—Dexadme ir, y yo os quito el don y téngome por contento dél.

—En cuanto en mí fuere —dixo Amadís— yo te no mando quitar el don, ni digas después que falté de lo que devía fazer.

—Señor, a vos do por quito y a mí por pagado —dixo él—;
y yo vos quiero atender fuera por donde venimos fasta ver
si is.

—Vete a buena ventura —dixo Amadís— y yo fincaré aquí
esta noche fasta la mañana esperando el cavallero.

El enano se fue su vía y Amadís descendió por las gradas, y fue adelante que ninguna cosa veía, y tanto fue por
ellas ayuso que se falló en un llano; y era tan escuro que no
sabía dónde fuesse, y fue assí adelante y topó en una pared,
y trayendo las manos por ella dio en una barra de fierro en
que estava una llave colgada y abrió un canado de la red, y
oyó una boz que dezía:

—Ay, Señor Dios, ¿hasta cuándo será esta grand cuita?
¡Ay, muerte, ónde tardas do serías tanto menester!

Amadís escuchó una pieça y no oyó más, y entró dentro
por la cueva, su escudo al cuello y el yelmo en la cabeça, y
la espada desnuda en la mano; y luego se halló en un fermoso palacio donde avía una lámpara que le alumbrava, y
vio en una cama seis hombres armados que durmían y tenían cabe sí escudos y hachas; y él se llegó y tomó una de
las hachas y passó adelante y oyó más de cien bozes altas
que dezían:

—Dios, Señor, embíanos la muerte, porque tan dolorosa
cuita no suframos.

El fue muy maravillado de las oír, y al ruido de las bozes
despertaron los hombres que dormían, y dixo uno a otro:

—Levántate y toma el açote y haz callar aquella cativa
gente que no nos dexan folgar en nuestro sueño.

—Esso haré yo de grado —dixo él—, y que lazeren el sueño
de que me despertaron.

Entonces se levantó muy presto, y tomando el açote vio
ir delante sí a Amadís, de lo que muy maravillado fue en lo
allí ver, y dixo:

—¿Quién va allá?

—Yo voy —dixo Amadís.

—¿Y quién sois? —dixo el hombre.

—Soy un cavallero estraño —dixo Amadís.

—¿Pues quién vos metió acá sin licencia alguna?

—No ninguno —dixo Amadís—, que yo me entré.

—¿Vos? —dixo él—; esto fue en mal punto para vos, que
converná que seáis luego metido en aquella cuita que son
aquellos cativos que dan tan grandes bozes.

Y tornándose cerró presto la puerta, y despertando a los otros dixo:

—Compañeros, veis aquí un mal andante cavallero que de su grado acá entró.

Entonces dixo el uno dellos, que era carcelero y avía el cuerpo y la fuerça muy grande en demasía:

—Agora me dexad con él, que yo le porné con aquellos que allí yazen.

Y tomando una hacha y una adarga se fue contra él, y dixo:

—Si dudas tu muerte, dexa tus armas, y si no, atiéndela, que presto desta mi hacha la avrás.

Amadís fue sañudo en se oír amenazar y dixo:

—Yo no daría por ti una paja, que comoquier que seas grande y valiente, eres malo y de mala sangre, y fallescerte ha el coraçón.

Y luego alçaron las hachas y firiéronse ambos con ellas; el carcelero le dio por cima del yelmo y entró la hacha bien por él; y Amadís le dio en el adarga assí que gela passó, y el otro que se tiró afuera llevó la hacha en el adarga, y puso mano a la espada, y dexóse ir a él y cortóle la asta de la hacha; el otro, que era muy valiente, cuidó lo meter so sí, mas de otra guisa le vino, que en Amadís avía más fuerça que en ninguno otro que se hallasse en aquel tiempo; el carcelero le cogió entre sus braços y punaba por lo derribar, y Amadís le dio de la mançana de la espada en el rostro, que le quebrantó la una quixada y derribólo ante sí atordido y firiólo en la cabeça de guisa que no ovo menester maestro; los otros que los miravan dieron bozes que lo no matasse; si no qu'él sería muerto.

—No sé cómo averná —dixo Amadís—, mas déste seguro seré.

Y metiendo la espada en la vaina sacó la hacha de la adarga y fue a ellos que contra él por lo ferir todos juntos venían, y descargaron en él sus golpes cuanto más rezio pudieron, pero él firió al uno que fasta los meollos lo fendió y dio con él a sus pies, y dio luego a otro que le más aquexava por el costado y abriógelo assí que lo derribó, y travó a otro de la hacha tan rezio que dió con él de inojos en tierra, y assí éste como el otro que lo querían ferir demandáronle merced, que los no matasse.

—Pues dexad luego las armas —dixo Amadís— y mostradme esta gente que da bozes.

Ellos las dexaron y fueron luego ante él; Amadís oyó gemir y llorar en una cámara pequeña, y dixo:

—¿Quién yaze aquí?

—Señor —dixeron ellos—, una dueña que es muy cuitada.

—Pues abrid essa puerta —dixo él— y verla he.

El uno dellos tornó do yazía el gran carcelero y tomándole dos llaves que en la cinta tenía, abrió la puerta de la cámara, y la dueña, que cuidó qu'el carcelero fuesse, dixo:

—Ay, varón, por Dios, avé merced de mí y dame la muerte, y no tantos martirios cuales me dades.

Otrosí dixo:

—¡O, rey, en mal día fue yo de vos tan amada, que tan caro me cuesta vuestro amor!

Amadís ovo della gran duelo, que las lágrimas le vinieron a los ojos, y dixo:

—Dueña, no soy el que pensáis; antes aquel que os sacará de aquí si puedo.

—¡Ay, Santa María! —dixo— ¿quién sois vos que acá entrar pudistes?

—Soy un cavallero estraño —dixo él.

—¿Pues qué se hizo el gran cruel carcelero y los otros que guardavan?

—Lo que será de todos los malos que se no emiendan —dixo él.

Y mandó a uno de los hombres que le traxesse lumbre, y él assí lo hizo, y Amadís vio la dueña con una gruessa cadena a la garganta y los vestidos rotos por muchas partes, que las carnes se le parescían, y como ella vio que Amadís con piedad la mirava, dixo:

—Señor, comoquiera que assí me veáis, ya fue tiempo que era rica como hija de rey que soy, y por rey soy en aquesta cuita.

—Dueña —dixo él—, no vos quexéis, que estas tales son bueltas y autos de la fortuna porque ninguno las puede fuir ni dellas apartar; y si es persona que algo vale aquel por quien este mal sofrís y sostenéis, vuestra pobreza y baxo traer se tornará riqueza, y la cuita, en gran alegría; pero en lo uno ni en lo otro poco nos devemos fiar.

Y hízole tirar la cadena y mandó que le truxessen algo con que se pudiesse cobrir; y el hombre que las candelas llevava traxo un manto de scarlata que Arcaláus avía dado aquel su carcelero. Amadís la cubrió con él, y tomándola por

la mano la sacó fuera al palacio, diziéndole que no temiesse
de allí bolver si ante a él no matassen; y levándola consigo
llegaron donde el gran carcelero y los otros muertos estavan, de que ella fue muy espantada, y dixo:

—¡Ay, manos, cuántas feridas, cuántas cruezas avéis hecho
y dado a mí y a otros que aquí yazen sin que lo meresciessen!; y ahunque vosotros la vengança no sintáis, siéntelo
aquella desventurada de ánima que os sostenía.

—Señora —dixo Amadís—, tanto que os ponga con un mi
escudero, yo tornaré a los sacar todos que ninguno quede.

Assí fueron adelante, y llegando a la red vino allí un hombre y dixo al que las candelas llevava:

—Dízeos Arcaláus que dó es el cavallero que acá entró: si
lo matastes o si es preso.

El ovo tan gran miedo que no habló y las candelas se le
cayeron de las manos; Amadís las tomó y dixo:

—No ayas miedo, ribaldo; ¿de qué temes siendo en mi
guarda?; ve adelante.

Y subieron por las gradas hasta salir al corral y vieron
que gran pieça de la noche era passada y el lunar era muy
claro; cuando la dueña vio el cielo y el aire fue muy leda a
maravilla, como quien no lo avía gran tiempo visto, y dixo:

¡Ay, buen cavallero, Dios te guarde y de el galardón
que en me sacar de aquí meresces!

Amadís la levava por la mano y llegó donde dexara a
Gandalín, mas no le falló y temióse de lo aver perdido, y
dixo:

—Si el mejor escudero del mundo es muerto, por él se
hará la mayor y más cruel vengança que nunca se fizo, si yo
bivo.

Estando assí oyó dar unas bozes, y yendo allá halló al
enano que dél se partiera, colgado por la pierna de una viga,
y de yuso dél un fuego con cosas de malos olores, y vio a
otra parte a Gandalín, que ahún éste atándolo estava, y queriéndolo desatar dixo:

—Señor, acorred ante el enano, que muy cuitado es.

Amadís assí lo hizo, que sosteniéndole en su braço, con
la espada cortó la cuerda, y púsolo en el suelo y fue a desatar a Gandalín, diziendo:

—Cierto, amigo, no te preciava tanto como yo el que te
aquí puso.

Y fuese a la puerta del castillo y fallóla cerrada de una

puerta colgadiza, y como vio que no podía salir, apartóse al un cabo del corral donde avía un poyo, y sentóse allí con la dueña, y tovo consigo a Gandalín y al enano y los dos hombres de la cárcel. Gandalín le mostró una casa donde metieran su cavallo, y fue allá, y quebrando la puerta, hallólo ensillado y enfrenado, y tráxolo cabe sí; y de grado quisiera bolver por los presos, mas ovo recelo que la dueña no recebiesse daño de Arcaláus, pues ya en el castillo era, y acordó de esperar el día, y preguntó a la dueña quién era el rey que la amava y por quién aquella gran cuita sufría.

—Señor —dixo ella—, siendo este Arcaláus muy grande enemigo del rey de quien yo soy amada y sabiéndolo él, no podiendo dél aver vengança, acordó de la tomar en mí, creyendo que éste era el mayor pesar que le hazía; y como quiera que ante mucha gente me tomasse, metióse comigo en un aire tan escuro que ninguno me pudo ver; esto fue por sus encantamentos qu'él obra; y púsome allí donde me fallastes, diziendo que padesciendo yo en tal tenebregura, y aquel que me ama en me no ver ni saber de mí, holgava su coraçón con aquella vengança.

—Dezidme —dixo Amadís—, si vos pluguiere, quién es esse rey.

—Arbán de Norgales —dixo la dueña—; no sé si dél avéis noticia.

—A Dios merced —dixo Amadís—, qu'él es el cavallero del mundo que yo más amo; agora no he de vos tanta piedad como ante, pues que por uno de los mejores hombres del mundo lo sufristes, por aquel que con doblada alegría y honra vuestra voluntad será satisfecha.

Hablando en esto y en otras cosas estuvieron allí hasta la mañana que el día fue claro; entonces vio Amadís a las finiestras un cavallero que le dixo:

—¿Sois vos el que me matastes mi carcelero y mis hombres?

—¡Cómo! —dixo Amadís—, ¿vos sois aquel que injustamente matáis cavalleros y prendéis dueñas y donzellas? Cierto, yo os tengo por el más desleal cavallero del mundo, por aver más crueza que bondad.

—Ahún vos no sabéis —dixo el cavallero— toda mi crueza; mas yo haré que la sepáis ante de mucho y haré que no os trabajéis de emendar ni retraer cosa que yo haga a tuerto o a derecho.

Y tiróse de la finiestra y no tardó mucho que lo vio salir al corral muy bien armado y encima de un gran cavallo; y él era uno de los grandes cavalleros del mundo que gigante no fuesse; Amadís lo catava creyendo que en él avía gran fuerça por razón, y Arcaláus le dixo:

—¿Qué me catas?

—Cátote —dixo él— porque según tu parescer podrías ser hombre muy señalado si tus malas obras no lo estorvassen y la deslealtad que has gana de mantener.

—A buen tiempo —dixo Arcaláus— me traxo la fortuna, si de tal como tú avía de ser reprehendido.

Y fue para él, su lança baxa, y Amadís assí mesmo, y Arcaláus lo firió en el escudo y fue la lança en pieças, y juntáronse los cavallos y ellos uno con otro tan bravamente, que cayeron a sendas partes, mas luego fueron en pie, como aquellos que muy bivos y esforçados eran; y firiéronse con las espadas de tal guisa que fue entre ellos una tan cruel y brava batalla, que ninguno lo podría creer si no la viesse, que duró mucho por ser ambos de tan gran fuerça y ardimento, pero Arcaláus se tiró afuera y dixo:

—Cavallero, tú estás en aventura de muerte y no sé quién eres; dímelo porque lo sepa, que yo más pienso en te matar que en vencer.

—Mi muerte —dixo Amadís— está en la voluntad de Dios, a quien yo temo; y la tuya en la del diablo, que es ya enojado de te sostener y quiere que el cuerpo a quien tantos vicios malos ha dado, con el ánima perezca; y, pues desseas saber quién yo soy, dígote que he nombre Amadís de Gaula y soy cavallero de la reina Brisena; y agora punad de dar cima a la batalla, que os no dexaré más folgar.

Arcaláus tomó su escudo y su espada y firiéronse ambos de muy fuertes y duros golpes, assí que la plaça era sembrada de los pedaços de sus escudos y de las mallas de las armas; y siendo ya la ora de tercia, que Arcaláus avía perdido mucha de su fuerça, fue a dar un golpe por cima del yelmo a Amadís, y no podiendo tener la espada salióle de la mano y cayó en tierra, y como la quiso tomar puxóle Amadís tan rezio que le fizo dar con las manos en el suelo, y como se levantó diole con la espada un tal golpe por cima del yelmo, que le atordesció; cuando Arcaláus se vio en aventura de muerte, començó de fuir contra un palacio donde saliera, y Amadís empós dél, y ambos entraron en el palacio,

mas Arcaláus se acogió a una cámara, y a la puerta della
estava una dueña que catava cómo se combatían. Arcaláus,
desque en la cámara fue, tomó una espada y dixo contra
Amadís:

—Agora entra y combátete comigo.

—Mas combatámonos en este palacio, que es mayor —dixo
Amadís.

—No quiero —dixo Arcaláus.

—¡Cómo! —dixo Amadís— ¿ende te crees amparar?

Y poniendo el escudo ante sí entró con él, y alçando la
espada por lo ferir perdió la fuerça de todos los miembros y
el sentido, y cayó en tierra tal como muerto; Arcaláus dixo:

—No quiero que muráis de otra muerte sino désta.

Y dixo a la dueña que los mirava:

—¿Parésceos, amiga, que me vengaré bien deste cavallero?

—Parésceme —dixo ella— que vos vengaréis a vuestra voluntad.

Y luego desarmó a Amadís, que no sabía de sí parte, y
armóse él de aquellas armas y dixo a la dueña:

—Este cavallero no le mueva de aquí ninguno por cuanto
vos amades, y assí lo dexad fasta que el alma le sea salida.

Y salió así armado al corral y todos cuidaron que lo matara; y la dueña que de la cárcel saliera hazía gran duelo,
mas en el de Gandalín no es de fablar; y Arcaláus dixo:

—Dueña, buscad otro que de aquí os saque, que el que
vistes desempachado es.

Cuando por Gandalín fue esto oído, cayó en tierra tal
como muerto. Arcaláus tomó la dueña, y dixo:

—Venid comigo y veréis cómo muere aquel malaventurado que comigo se combatió.

Y levándola donde Amadís estava, le dixo:

—¿Qué os paresce, dueña?

Ella començó agramente a llorar, y dixo:

—¡Ay, buen cavallero, cuánto dolor y tristeza será a muchos buenos la tu muerte!

Arcaláus dixo a la otra dueña, que era su muger:

—Amiga, desque este cavallero sea muerto, fazed tornar
essa dueña a la cárcel donde él la sacó; y yo me iré a casa
del rey Lisuarte y diré allá cómo me combatí con éste, que
de su voluntad y la mía fue acordado de tomar esta batalla
con tal condición que el vencedor tajasse al otro la cabeça y

lo fuesse dezir aquella corte dentro de quince días; y desta
manera ninguno terná razón de me demandar esta muerte,
y yo quedaré con la mayor gloria y alteza en las armas que
aya cavallero en todo el mundo en aver vencido a éste que
par no tenía.

Y tornándose al corral fizo poner en la cárcel escura a
Gandalín y al enano. Gandalín quisiera que lo matara y ívalo
llamando: ¡traidor, que mataste al más leal cavallero que nasció! Mas Arcaláus lo mandó llevar a sus hombres rastrando
por la pierna, diziendo:

—Si te matasse no te daría pena; allá dentro la avrás muy
mayor que la mesma muerte.

Y cavalgando en el cavallo de Amadís, levando consigo
tres escuderos, se metió en el camino donde el rey Lisuarte
era.

CAPÍTULO XIX

Cómo Amadís fue encantado por el rey Arcaláus porque
él quiso desencantar y sacar de prisión a la dueña
Grindalaya y a otros, y cómo escapó de los
encantamentos que Arcaláus le havía hecho

GRINDALAYA, que assí avía nombre la dueña presa, hazía
muy gran duelo sobre Amadís, que lástima era de la
oír, diziendo a la muger de Arcaláus y a las otras dueñas
que con ella estavan:

—¡Ay, mis señoras!; ¿no miráis qué hermosura de cavallero y en qué tan tierna edad era uno de los mejores cavalleros del mundo?; ¡mal ayan aquellos que encantamientos
saben, que tanto mal y daño a los buenos pueden hazer!; ¡o,
Dios mío, que tal quieres sufrir!

La muger de Arcaláus, que tanto como su marido era sojuzgado a la crueza y a la maldad, tanto lo era ella a la virtud y piedad, y pesávale muy de coraçón de lo que su marido hazía, y siempre en sus oraciones rogava a Dios que lo
emendasse, consolava la dueña cuanto podía, y estando assí,
entraron por la puerta del palacio dos donzellas y traían en
las manos muchas candelas encendidas, y pusieron dellas a
los cantos de la cámara donde Amadís yazía; las dueñas que
allí eran no las pudieron fablar ni mudarse de donde esta-

van; y la una de las donzellas sacó un libro de una arqueta que so el sobaco traía y començó a leer por él; y respondíale una boz algunas vezes; y leyendo desta guisa una pieça, al cabo respondiéronle muchas bozes juntas dentro en la cámara, que más parescían de ciento; entonces vieron cómo salía por el suelo de la cámara rodando un libro como que viento lo levasse; y paró a los pies de la donzella; y ella lo tomó y partiólo en quattuor partes, y fuelas quemar en los cantos de la cámara donde las candelas ardían; y tornóse donde Amadís estava, y tomándolo por la diestra mano, le dixo:

—Señor, levantadvos, que mucho yazéis cuitado.

Amadís se levantó y dixo:

—¡Santa María!, ¿qué fue esto que por poco fuera muerto?

—Cierto, señor —dixo la donzella—, tal hombre como vos no devía assí morir, que ante querrá Dios que a vuestra mano morran otros que mejor lo merescen. Y tornáronse ambas las donzellas por donde vinieran sin más dezir; Amadís preguntó por Arcaláus qué se ficiera; y Grindalaya le contó cómo fuera encantado y todo lo que Arcaláus dixera, y cómo era ido armado de sus armas y en su cavallo a la corte del rey Lisuarte a dezir cómo le matara. Amadís dixo:

—Yo bien sentí cuando me él desarmó, mas todo me parescía como en sueños.

Y luego se tornó a la cámara y armóse de las armas de Arcaláus, y salió del palacio y preguntó qué fizieran a Gandalín y al enano; Grindalaya le dixo que los metieran en la cárcel. Amadís dixo a la muger de Arcaláus:

—Guardadme esta dueña como vuestra cabeça fasta que yo torne.

Entonces baxó por la escalera y salió al corral; cuando los hombres de Arcaláus assí armado lo vieron, fuyeron, y asparziéronse a todas partes; y él se fue luego a la cárcel; y entró en el palacio donde los hombres matara, y de allí llegó a la prisión en que estavan los presos; y el lugar era muy estrecho y los presos muchos; y avía más en largo de cien braçadas y en ancho una y media, y era assí escuro como de donde claridad ni aire podía entrar, y eran tantos que ya no cabían. Amadís entró por la puerta y llamó a Gandalín, mas él estava como muerto; y cuando oyó su boz, estremesció se y no cuidó que era él, que por muerto lo tenía y pensava que él estava encantado. Amadís se aquexó más y dixo:

—Gandalín, ¿dónde eres? ¡Ay, Dios, qué mal hazes en me no responder!

Y dixo contra los otros:

—Dezidme, por Dios, si es bivo el escudero que acá metieron.

El enano, que esto oyó, conosció que era Amadís y dixo:

—Señor, acá yazemos y bivos somos, ahunque mucho la muerte hemos desseado.

El fue muy alegre en lo oír y tomó candelas que cabe la lámpara del palacio estavan, y encendídolas, tornó a la cárcel y vio dónde Gandalín y el enano eran y dixo:

—Gandalín, sal fuera, y tras ti todos cuantos aquí están, que no quede ninguno; y todos dezían:

—¡Ay, buen cavallero!, Dios te dé buen galardón porque nos acorriste.

Entonces sacó de la cadena a Gandalín, que era el postrero, y tras él al enano, y a todos los otros que allí estavan cativos, que fueron ciento y quinze, y los treinta cavalleros; y todos ivan tras Amadís a salir a fuera de la cueva, diziendo:

—¡Ay, cavallero bien aventurado, que assí salió nuestro Salvador Jesu Christo de los infiernos cuando sacó sus servidores; Él te dé las gracias de la merced que nos hazes.

Assí salieron todos al corral, donde veyendo el sol y el cielo se fincaron de rodillas las manos altas, dando muchas gracias a Dios, que tal esfuerço diera aquel cavallero para los sacar de lugar tan cruel y tan esquivo. Amadís los mirava aviendo muy grand duelo de los ver tan maltrechos, que más parescían en sus semblantes muertos que bivos; y vio entre ellos uno asaz grande y bien hecho, ahunque la probeza lo desemejasse; éste vino contra Amadís y dixo:

—Señor cavallero, ¿quién diremos que nos libró desta cruel cárcel y tenebregura espantosa?

—Señor —dixo Amadís—, yo vos lo diré de muy buen grado. Sabed que he nombre Amadís de Gaula, hijo del rey Perión, y soy de la casa del rey Lisuarte y cavallero de la reina Brisena, su muger; y veniendo en busca de un cavallero me traxo aquí un enano, por un don que le prometí.

—Pues yo —dixo el cavallero— de su casa soy, y muy conoscido del rey y de los suyos, donde me vi con más honra que agora estó.

—¿De su casa sois? —dixo Amadís.

—Sí soy, cierto —dixo el cavallero—, y de allí salí cuando
fue puesto en esta mala ventura donde me sacastes.

—Y ¿cómo avéis nombre? —dixo Amadís.

—Brandoivas —dixo él.

Cuando Amadís lo oyó, ovo con él muy gran plazer y
fuelo abraçar y dixo:

—A Dios merced, por querer me dar lugar que de tan
cruda pena os sacasse, que muchas vezes al rey Lisuarte oí
fablar de vos, y a todos los de la corte, en tanto que yo allí
estuve, loando vuestras virtutes y cavallerías, y aviendo gran
sentimiento en nunca saber nuevas de vuestra vida.

Assí que todos los presos fueron ante Amadís, y dixéronle:

—Señor, aquí somos en la vuestra merced, que nos mandéis fazer, que de grado lo faremos, pues que tanta razón
para ello ay.

—Amigos —dixo él—, que cada uno se vaya donde le más
agradare y más provecho sea.

—Señor —dixeron ellos—, aunque vos no nos conozcáis,
ni sepáis de qué tierra somos, todos os conoscemos para os
servir, y cuando fuere sazón de os ayudar, no esperaremos
vuestro mandado, que sin él acudiremos donde quiera que
seáis.

Con esto se fueron cada uno su vía cuanto más pudieron, que bien menester lo avían. Amadís tomó consigo a
Brandoivas y dos escuderos suyos que allí presos fueron, y
fuese donde la muger de Arcaláus con otras mugeres estava,
y falló con ella a Grindalaya, y dixo:

—Dueña, por vos y por estas vuestras mugeres dexo de
quemar este castillo, que la gran maldad de vuestro marido
me dava a ello causa, pero dexarse ha por aquel acatamiento que los cavalleros deven a las dueñas y donzellas.

La dueña le dixo llorando:

—Dios es testigo, señor cavallero, el dolor y pesar que mi
ánimo siente en lo que Arcaláus mi señor faze; mas no puedo
yo sino como a marido obedescerle y rogar a Dios por él;
en vuestra mesura es de fazer contra mí lo que, señor, quisiéredes.

—Lo que yo faré —dixo él— es lo que dicho tengo, mas
ruégovos mucho nos fagáis dar unos paños ricos para esta
dueña, que es de gran guisa, y para este cavallero unas armas,
que aquí le fueron tomadas las suyas, y un cavallo; y si desto

sentís agravio, no se demandará, sino lo que yo llevaré, las armas de Arcaláus por las mías y su cavallo por el mío; y bien os digo que la espada qu'él me lieva querría más que todo esto.

—Señor —dixo la dueña—, justo es lo que demandáis, y que lo no fuesse, conosciendo vuestra mesura lo haría de grado.

Entonces mandó traer las mesmas armas de Brandoivas y fízole dar un cavallo; y a la dueña metió en su cámara y vestióla de unos paños suyos asaz buenos, y tráxola ante Amadís y rogóle que comiesse ante que se fuese; él lo otorgó; pues la dueña gelo hizo dar lo mejor que aver se pudo. Grindalaya no podía comer, antes se quexava mucho por se ir del castillo, de que Amadís y Brandoivas se reían de gana, y mucho más del enano, que estava tan espantado que ni podía comer ni fablar y la color tenía perdida. Amadís le dixo:

—Enano, ¿quieres que esperemos a Arcaláus y dart'é el don que me soltaste?

—Señor —dixo él—, tan caro me cuesta éste, que a vos ni a otro ninguno nunca don pediere en cuanto biva; y vayamos de aquí antes que el diablo acá lo torne, que no me puedo sofrir sobre esta pierna de que stuve colgado, y las narizes llenas de la piedraçufre que debaxo me puso, que nunca he hecho sino esternudar y ahun otra cosa peor.

Grande fue la risa que Amadís y Brandoivas y ahun las dueñas y donzellas huvieron con lo que él dixo; y desque los manteles alçaron, Amadís se despedió de la muger de Arcaláus, y ella lo acomendó a Dios y dixo:

—Dios ponga avenencia entre mi señor y vos.

—Cierto, dueña —dixo Amadís—, ahunque la no tengo con él la terné con vos, que lo merescéis.

Ya tiempo fue que esta palabra que allí dixo aprovechó mucho a la dueña, assí como en el cuarto libro desta istoria os será contado. Entonces cavalgaron en sus cavallos y la dueña en un palafrén, y saliendo del castillo anduvieron todo aquel día de consuno fasta la noche, que alvergaron en casa de un infançón que a cinco leguas del castillo morava, donde les fue hecha mucha honra y servicio; y otro día oyendo missa despedidos del huésped, entraron en su camino, y Amadís dixo a Brandoivas:

—Buen señor, yo ando en busca de un cavallero como

vos dixe, y vos andáis fatigado; bien será que nos partamos.

—Señor —dixo él—, a mí me conviene ir a la corte del rey Lisuarte, y si mandardes, aguardarvos he.

—Mucho vos lo agradezco —dixo Amadís—, mas a mí conviene andar solo y poner essa dueña en el lugar donde quiera ir.

—Señor —dixo ella—, yo iré con este cavallero adonde él va, porque aí fallaré aquel por quien yo fue presa, que avrá plazer con mi vista.

—En el nombre de Dios —dixo Amadís—, y a Dios vayáis encomendados.

Assí se partieron como oís; y Amadís dixo al enano:

—Amigo, ¿qué farás de ti?

—Lo que vos mandardes —dixo él.

—Lo que yo mando —dixo Amadís— es que hagas lo que te más plugiere.

—Señor —dixo él—, pues en mí lo dexáis, querría ser vuestro vasallo para os servir, que no siento yo agora con quien mejor bevir pueda.

—Si a ti plaze —dixo Amadís—, así haze a mí, y yo te recibo por mi vasallo.

El enano le besó la mano. Amadís anduvo por el camino como la ventura lo guiaba, y no tardó mucho que encontró una de las donzellas que le guarescieran llorando fuertemente, y díxole:

—Señora donzella, ¿por qué lloráis?

—Lloro —dixo ella— por una arqueta que me tomó aquel cavallero que allí va, y a él no tiene pro, aunque por lo que en ella va fue escapado de muerte no ha tres días el mejor cavallero del mundo, y por otra mi compañera que otro cavallero lleva por fuerça para la deshonrar.

Esta donzella no conosció a Amadís por el yelmo que avía puesto, cuando de más lueñe avía los cavalleros visto; y como aquello oyó, passó por ella y alcançó al cavallero y díxole:

—Cierto, cavallero, no is como cortés en fazer que la donzella tras vos vaya llorando; conséjovos que la desmesura cesse y tornalde su arca.

El cavallero començó de reír, y Amadís le preguntó:

—¿Por qué reís?

—De vos me río —dixo él—, que vos tengo por sandio en dar consejo a quien no os lo demanda ni fará nada de lo que dixerdes.

—Podría ser —dixo Amadís— que no os verná bien dello, y dalde su arca, pues a vos no tiene pro.

—Paresce —dixo el cavallero— que me amenazáis.

—Amenázaos vuestra gran sobervia —dixo Amadís—, que vos pone en hazer esta fuerça a quien no devíades.

El cavallero puso el arqueta en un árbol y dixo:

—Si vuestra osadía es tal como las palabras, venid por ella y dalda a su dueño.

Y bolvió la cabeça del cavallo contra él.

Amadís, que ya con saña estava, fue para él, y él vino cuanto más pudo a lo ferir, y encontróle en el escudo que gelo falsó, mas no passó el arnés, que era fuerte, y quebró la lança; y Amadís lo encontró tan duramente, que lo derribó en tierra y el cavallo sobre él, y fue tan maltrecho que se no pudo levantar. Amadís tomó el arca, y dióla a la donzella, y dixo:

—Atended aquí en tanto que socorra a la otra.

Entonces fue cuanto pudo por donde vio al cavallero, y a poco rato hallólo entre unos árboles donde tenía atado su cavallo y el palafrén de la donzella y el cavallero con ella, y forçándola para la deshonrar, y ella dava grandes bozes, y llevávala por los cabellos a una mata, y ella dezía con gran cuita:

—¡Ay, traidor, enemigo mío!, aína mueras de mala muerte por esto que me hazes, en assí me querer deshonrar, de mí no recibiendo daño.

En esto estando, llegó Amadís dando bozes y diziendo que dexasse la donzella; y el cavallero que lo vio, fue luego a tomar sus armas, y cavalgó en su cavallo y dixo:

—En mal punto me estorvastes de hazer mi voluntad.

—Dios confunda tal voluntad —dixo Amadís—, que assí haze perder la vergüença a cavallero.

—Cierto si me no vengasse de vos —dixo el cavallero— nunca traería armas.

—El mundo perdería muy poco —dixo Amadís— en que las desmamparéssedes, pues con tanta vileza usáis dellas, forçando las mugeres, que muy guardadas deven ser de los cavalleros.

Entonces se acometieron al más correr de los cavallos, y encontráronse tan duramente, que fue maravilla; y el cavallero quebró su lança, mas Amadís lo lançó por cima del arzón trasero, y dio del yelmo en el suelo, y como el cuerpo

todo cayó sobre el pescueço, torciógelo de tal guisa que
quedó más muerto que bivo; y Amadís, que assí le vio tan
maltrecho, traxo el cavallo sobre él, diciendo:

—Assí perderéis el celo deshonesto.

Y dixo a la donzella:

—Amiga, déste ya no temeréis.

—Assí me paresce, señor —dixo ella—, mas temo de otra
donzella mi compañera, a quien tomaron una arqueta, que
no reciba algún daño.

—No temáis —dixo Amadís—, que yo gela hize dar, y veis-
la que viene con mi escudero.

Estonces se tiró el yelmo, y la donzella lo conoçió y él a
ella, que ésta era la que le levó, viniendo él de Gaula, a Urganda la Desconoçida cuando sacó a su amigo por fuerça
de armas del castillo de Baldoid; y descendiendo del cavallo
la fue a abraçar, y assí lo hizo a la otra desque llegó, y dixéronle:

—Señor, si supiéramos que tal defendedor teníamos, poco
temiéramos de ser forçadas, y bien podéis dezir que si vos
acorrimos fue por vuestro mereçimiento, que nos acorristes.

—Señoras —dixo Amadís—, en mayor peligro era yo, y
ruégoos que me digáis cómo lo supistes.

La donzella, que por la mano lo alçara, le dixo:

—Señor, mi tía Urganda me mandó bien ha diez días que
trabajasse por llegar allí aquella hora para vos librar.

—Dios gelo agrezca —dixo él—, y yo lo serviré en lo que
mandare y quisiere, y a vos, que tan bien lo hezistes, y ved
si soy para más menester.

—Señor —dixeron ellas—, tornad a vuestro camino que por
nos dexastes, y nosotras iremos el nuestro.

—A Dios vayáis —dixo él—; encomendadme mucho a vuestra señora, y dezilde que ya sabe que soy su cavallero.

Las donzellas se fueron su camino, y Amadís tornó al
suyo, donde quedará por contar lo que Arcaláus hizo.

CAPÍTULO XX

CÓMO ARCALÁUS LLEVÓ NUEVAS A LA CORTE DEL REY LISUARTE CÓMO AMADÍS ERA MUERTO Y DE LOS GRANDES LLANTOS QUE EN TODA LA CORTE POR ÉL SE FIZIERON, EN SPECIAL ORIANA

ANDUVO tanto Arcaláus después que se partió de Amadís, donde lo dexó encantado, en su cavallo y armado de sus armas, que a los diez días llegó a casa del rey Lisuarte, una mañana cuando el sol salía; y a esta sazón el rey Lisuarte cavalgara con muy grande compaña; y andava entre su palacio y la floresta, y vio como venía Arcaláus contra él; y cuando conocieron el cavallo y también las armas, todos cuidaron que Amadís era. Y el rey fue a él muy alegre, mas siendo más cerca vieron que no era el que pensavan, que él traía el rostro y las manos desarmadas, y fueron maravillados. Arcaláus fue ante el rey y dixo:

—Señor, yo vengo a vos porque hize tal pleito de parescer aquí a contar cómo maté en una batalla un cavallero, y cierto yo vengo con vergüença porque antes de otros que de mí querría ser loado; pero no puedo ál hazer, que tal fue la conveniencia d'entre él y mí que el vencedor cortasse la cabeça al otro, y se presentasse ante vos hoy en este día; y mucho me pesó que me dixo que era cavallero de la reina. Y yo le dixe que, si me matasse, que matava a Arcaláus, que assí he nombre. Y él dixo que havía nombre Amadís de Gaula; assí que él de aquesta guisa recibió la muerte, y yo quedé con la honra y pres de la batalla.

—¡Ay, Santa María, val! —dixo el rey— ¡muerto es el mejor cavallero y más esforçado del mundo; ¡ay, Dios señor!, ¿por qué os plugo de hazer tan buen comienço y en tal cavallero?

Y començó de llorar muy esquivo llanto, y todos los otros que allí stavan. Arcaláus se tornó por do viniera asaz con enojo, y maldezíanle los que lo veian, rogando y haziendo petición a Dios que le diese cedo mala muerte; y ellos mismos gela dieran, si no porque según su razón no havía causa ninguna para ello. El rey se fue para su palacio muy pensoso y triste a maravilla. Y las nuevas sonaron a todas

partes fasta llegar a casa de la reina; y las dueñas que oyeron
ser Amadís muerto, començaron de llorar, que de todas era
muy amado y querido. Oriana, que en su cámara seía, embió
a la donzella de Denamarcha que supiesse qué cosa era aquel
llanto que se fazía. La donzella salió, y como lo supo, bolvió
firiendo con sus palmas en el rostro y llorando muy fieramente catava a Oriana, y díxole:

—¡Ay, señora, qué cuita y qué gran dolor!

Oriana se estremeçió toda y dixo:

—¡Ay, Santa María, si es muerto Amadís!

La donzella dixo:

—¡Ay, cativa, que muerto es!

Y falleçiéndole a Oriana el coraçón cayó en tierra amorteçida. La donzella, que assí la vio, dexó de llorar y fuese a
Mabilia, que fazía muy gran duelo messando sus cabellos, y
díxole:

—Señora Mabilia, acorred a mi señora, que se muere.

Ella bolvió la cabeça y vio a Oriana yazer en el estrado
como si muerta fuesse; y ahunque su cuita era muy grande,
que más no podía ser, quiso remediar lo que convenía y mandó a la donzella que la puerta de la cámara cerrasse, porque
ninguno assí no la viesse, y fue a tomar a Oriana entre sus
braços y hízole echar agua fría por el rostro, con que luego
acordó ya cuanto, y como hablar pudo dixo llorando:

—¡Ay, amigas!, por Dios no estorvéis la mi muerte si mi
descanso desseáis, y no me hagáis tan desleal que sola una
hora biva sin aquel que no con mi muerte, mas con mi gana,
él no pudiera bevir ni tan sola una hora.

Otrosí dixo:

—¡Ay, flor y espejo de toda cavallería, que tan grave y
estraña es a mí la vuestra muerte, que por ella no solamente
yo padeçeré, mas todo el mundo, en perder aquel su gran
caudillo y capitán, assí en las armas como en todas las otras
virtudes, donde los que en él biven enxemplo podían tomar!;
mas si algún consuelo al mi triste coraçón consuelo da, no
es sino que no pudiendo él sufrir tan cruel herida, despidiéndose de mí se va para el vuestro, que ahunque en la tierra
fría es su morada, donde desfechos y consumidos serán aquel
gran encendimiento de amor que seyendo en esta vida apartados, con tanta afición, sostenían, muy mayor en la otra
seyendo juntos, si possible fuesse de les ser otorgado, sos-
ternán.

Estonces se amorteció de tal guisa que de todo en todo cuidaron que muerta fuesse, y aquellos sus muy fermosos cabellos tenía muy rebueltos y tendidos por la tierra, y las manos tenía sobre el coraçón donde la raviosa muerte le sobrevenía, padeçiendo en mayor grado aquella cruel tristeza que los plazeres y deleites hasta allí en sus amores havido havían, assí como en las semejantes cosas de aquella cualidad continuamente acaesce. Mabilia, que verdaderamente cuidó que muerta era, dixo:

—¡Ay, Dios señor!, no te plega de yo más bivir, pues las dos cosas que en este mundo más amaba son muertas.

La donzella le dixo:

—Por Dios, señora, no fallezca a tal hora vuestra discreción, y acorred a lo que remedio tiene.

Mabilia, tomando esfuerço, se levantó, y tomando a Oriana la pusieron en su lecho. Oriana sospiró estonces y meneava los braços a una y a otra parte como qu'el alma se le arrancasse. Cuando esto vio Mabilia, tomó del agua y tornó a gela echar por el rostro y por los pechos y hízola abrir los ojos y acordar algo más, y díxole:

—¡Ay, señora!, qué poco seso éste, que assí os dexáis morir con nuevas tan livianas como aquel cavallero traxo, no sabiendo por verdad, el cual o por le demandar aquellas armas o cavallo a vuestro amigo, o quiçá por gelo haver furtado, las podría alcançar, que no por aquella vía que él lo dixo, que no le hizo Dios tan sin ventura a vuestro amigo para tan presto assí del mundo lo sacar; lo que vos haréis, si de vuestra cuita tan grande algo se sabe, será perderos para siempre.

Oriana se esforçó algún tanto más, y tenía los ojos metidos en la finiestra donde ella hablara con Amadís al tiempo que allí primero llegó, y dixo con boz muy flaca, como aquella que las fuerças havía perdidas:

—¡Ay, finiestra, qué cuita es a mí aquella hermosa habla que en ti fue hecha; yo sé bien que no durarás tanto que en ti otros dos hablen tan verdadera y desengañada habla! Otrosí dixo: —¡Ay, mi amigo, flor de todos los cavalleros cuantos perdieron acorro y defendimiento en vuestra muerte, y qué cuita y dolor a todos ellos será, mas a mí mucho mayor y más amargosa, como aquella que muy más que suya vuestra era!; que assí como en vos era todo mi gozo y mi alegría, assí vos faltando es tornado al revés de graves y incompor-

tables tormentos; mi ánimo asaz será fatigado hasta que la
muerte, que yo tanto desseo, me sobrevenga, la cual seyendo causa que mi ánima con la vuestra se junte de muy mayor
descanso que la atribulada vida me será ocasión.

Mabilia, con semblante sañudo, le dixo:

—¿Cómo, señora, pensáis vos que si yo estas nuevas creyesse, que ternía esfuerço para ninguno consolar? No es assí
pequeño ni liviano el amor que a mi cormano tengo; antes,
assí Dios me salve, si con razón lo pudiesse creer, a vos ni a
cuantos en este mundo que bien le quieren no daría ventaja
de lo que por su muerte se devía mostrar y hazer; assí que
lo que hazéis es sin ningún provecho, y podría mucho daño
acarrear, pues que con ello muy presto se podría descubrir
lo que tan encelado tenemos.

Oriana, oyendo esto, le dixo:

—Desso ya poco cuidado tengo, que agora tarde o aína
no puede tardar de ser a todos manifiesto, ahunque yo pune
de lo encobrir, que quien bevir no dessea, ningún peligro
temer puede, ahunque le viniesse.

En esto que oís estuvieron todo aquel día, diziendo la
donzella de Denamarcha a todos cómo Oriana no se osava
apartar de Mabilia, porque se no matasse, tan grande cuita
era la suya; mas la noche venida, con más fatiga la passaron, que Oriana se amortescía muchas vezes, tanto que nunca
al alva la pensaron llegar; tanto era el pensamiento y cuita
que en el coraçón tenía. Pues otro día, a la hora que los manteles al rey querían poner, entró Brandoivas por la puerta
del palacio, llevando a Grindalaya por la mano, como aquella que afición le tenía, que mucho plazer a los que lo cono-
cían dio, porque gran pieça de tiempo havía passado que dél
ningunas nuevas supieran, y ambos hincaron los inojos ante
el rey. El rey, que lo mucho preciava, dixo assí:

—Brandoivas, seáis muy bien venido; ¿cómo tardastes
tanto que mucho os hemos desseado?

A la razón qu'el rey le dezía respondió y dixo:

—Señor, fue metido en tan gran prisión donde no pudiera salir en ninguna guisa, sino por el muy buen cavallero
Amadís de Gaula, que por su cortesía sacó a mí y a esta
dueña y a otros muchos, haziendo tanto en armas cual otro
ninguno fazer pudiera, y oviéralo muerto por el mayor engaño que se nunca vio el traidor de Arcaláus; pero fue acorrido de dos donzellas que lo no devieran amar poco.

El rey, cuando esto oyó, levantóse presto de la mesa y dixo:

—Amigo, por la fe que a Dios devéis y a mí, que me digáis si es bivo Amadís.

—Por essa fe, señor, que dezís, digo que es verdad que le dexé bivo y sano ahún no ha diez días; mas ¿por qué lo preguntáis?

—Porque nos vino a dezir anoche Arcaláus que lo matara —dixo el rey; y contóle por cual guisa lo havía contado.

—¡Ay, Santa María! —dixo Brandoivas—, ¡qué mal traidor!, pues peor se le paró el pleito que él cuidava.

Estonces contó al rey cuanto les aconteçiera con Arcaláus, que nada faltó, como lo ya havéis oído ante desto. El rey y todos los de su casa cuando lo oyeron, fueron tan alegres que lo más no podían ser, y mandó que levassen a la reina a Grindalaya y le contasse nuevas del su cavallero. La cual assí della como de todas las otras fue con mucho amor y gran alegría recebida por las buenas nuevas que les dixo. La donzella de Denamarcha, que las oyó, fue cuanto más pudo a las dezir a su señora, que de muerta a biva la tornaron, y mandóle que fuesse a la reina y les embiasse la dueña, porque Mabilia la quería hablar, y luego lo hizo, que Grindalaya se fue a la cámara de Oriana y dixoles todas las buenas nuevas que traía. Ellas le hizieron mucha honra, y no quisieron que en otra parte comiesse sino a su mesa, por tener lugar de saber más por estenso aquello que tan gran alegría a sus coraçones, que tan tristes havían estado, les dava; mas cuando Grindalaya les venía a contar por dónde Amadís havía entrado en la cárcel, y cómo matara los hombres carceleros, y la sacara a ella de donde tan cuitada estava, y la batalla que con Arcaláus oviera, y todo lo otro que passara, a gran piedad havía sus amigos mover. Assí como oío estavan en su comer tornada la su gran tristeza en mucha alegría. Grindalaya se despidió dellas y tornóse donde la reina estava, y halló allí al rey Arbán de Norgales, que la mucho amava, que la andava a buscar, sabiendo que allí era venida. El plazer que ambos ovieron no se vos podría contar. Allí fue acordado entre ellos que ella quedasse con la reina, pues que no fallaría en ninguna parte otra casa que tan honrada fuesse. Y Arbán de Norgales dixo a la reina cómo aquella dueña era hija del rey Adroid de Serelois, y que todo el mal que recibiera havía sido a su causa dél, que le pedía

por merced la tomasse consigo, pues ella quería ser suya.
Cuando la reina esto oyó, mucho le plugo de en su compañía la recebir, assí por las buenas nuevas que de Amadís de
Gaula traxera, como por ser persona de tan alto lugar. Y tomándola por la mano, como a hija de quien era, la hizo seer
ante sí, demandándole perdón si la no havía tanto honrado,
que la causa dello fuera no la conoçer. También supo la reina
cómo esta Grindalaya tenía una hermana muy hermosa donzella, que Aldeva havía nombre, que en casa del duque de
Bristoya se havía criado, y mandó la reina que luego gela
traxessen, para que en su casa biviesse, porque la desseava
mucho ver. Esta Aldeva fue la amiga de don Galaor, aquella
por quien él recibió muchos enojos del enano que ya oístes
dezir.

Assí como oís estava el rey Lisuarte y toda su corte mucho
alegres y con desseo de ver a Amadís, que tan gran sobresalto
les pusieron aquellas malas nuevas que les dél havían dicho;
de los cuales dexará la historia de hablar, y contará de don
Galaor, que ha mucho que dél no se dixo ni hizo memoria.

CAPÍTULO XXI

CÓMO DON GALAOR LLEGÓ A UN MONESTERIO MUY LLAGADO Y STUVO ALLÍ QUINZE DÍAS, EN FIN DE LOS CUALES FUE SANO, Y LO QUE DESPUÉS LE SUCEDIÓ

DON Galaor estuvo quinze días llagado en el monesterio
donde la donzella qu'él sacara de prisión lo llevó, en
cabo de los cuales, seyendo en disposición de tomar armas,
se partió de allí, y anduvo por un camino donde la ventura
lo guiava, que su voluntad no era de ir más a un cabo que a
otro, y a la hora de medio día hallóse en un valle donde
havía una fuente, y halló cabe ella un cavallero armado, mas
no tenía cavallo ni otra ninguna bestia, de que fue maravillado, y díxole:

—Señor cavallero, ¿cómo venistes aquí a pie?

El cavallero de la fuente le respondió:

—Señor, yo iva por esta floresta a un mi castillo, y fallé
unos hombres que me mataron el cavallo y ove de venir aquí
a pie muy cansado, y assí havré de tornar al castillo, que no
saben de mí.

—No tornaréis —dixo don Galaor— sino cavalgando en aquel palafrén de mi escudero.

—Muchas mercedes —dixo él—, pero antes que nos vayamos quiero que sepáis la gran virtud desta fuente, que no ay en el mundo tan fuerte ponçoña que contra esta agua fuerça tenga; y muchas vezes acaesce bever aquí algunas bestias emponçoñadas y luego revientan, assí que todas las personas desta comarca vienen aquí a guarescer de sus enfermedades.

—Cierto —dixo don Galaor—, maravilla es lo que dezís, y yo quiero bever de tal agua.

—¿Y quién haría ende ál? —dixo el cavallero de la fuente—, que seyendo en otra parte la devríades buscar.

Estonces descavalgó Galaor y dixo a su escudero:

—Desciende y bevamos.

El escudero lo hizo y acostó las armas a un árbol. El cavallero de la fuente dixo:

—Idos a bever, que yo terné el cavallo.

El fue a la fuente por bever, y en tanto que bevían enlazó el yelmo y tomó el escudo y la lança de don Galaor, y cavalgando en el cavallo le dixo:

—Don cavallero, yo me voy, y quedad aquí vos hasta que a otro engañéis.

Galaor, que bevía, alçó el rostro y vio como el cavallero se iva, y dixo:

—Cierto, cavallero, no solamente me fezistes engaño, mas gran deslealtad, y esso os provaré yo si me aguardáis.

—Esso quede —dixo el cavallero— para cuando hayáis otro cavallo y otras armas con que os combatáis.

Y dando de las espuelas al cavallo, se fue su vía.

Galaor quedó con gran saña, y en cabo de una pieça que estuvo pensando, cavalgó en el palafrén en que las armas le traían y fuese por la vía que el cavallero fue, y llegando donde el camino en dos partes se apartava, y estuvo allí un poco, que no sabía por dónde fuesse, y vio por el un camino venir una donzella a gran priessa encima un palafrén, y atendióla hasta que llegasse donde él estava, y llegando dixo:

—Donzella, ¿por ventura vistes un cavallero que va en un cavallo vayo y lieva un escudo blanco y una flor bermeja?

—Y ¿qué lo queréis os? —dixo la donzella.

Galaor le respondió y dixo:

—Aquellas armas y cavallo que son mías, y querríalas cobrar si pudiesse, pues tan vilmente me las tomó.

—¿Cómo vos las tomó? —dixo la donzella.

El gelo contó todo cómo aviniera.

—Pues, ¿qué le haríades assí desarmado? —dixo ella—, que según creo, él no vos las tomó para las tornar.

—No querría —dixo Galaor— sino juntarme con él.

—Pues si me otorgáis un don —dixo ella— yo vos juntaré con él.

Galaor, que mucho desseava hablar al cavallero, otorgógelo.

—Agora me seguid —dixo ella.

Y bolviendo por do viniera, fue por el camino, y Galaor empós della; pero la donzella fue una pieça delante, que el palafrén de Galaor no andava tanto porque levava a él y a su escudero, y anduvo bien tres leguas que la no vio, y passando una arboleda de espessos árboles vio la donzella que contra él venía, y Galaor se fue a ella; mas la donzella andava con engaño, qu'el cavallero era su amigo y fuele dezir cómo llevava a Galaor, que le tomasse las otras armas que llevava. El se metió en una tienda assí armado como estava y dixo a la donzella que allí gelo levasse, que sin peligro lo podría matar o escarneçer. Pues yendo assí como oís, llegaron a la tienda, y la donzella dixo:

—Allí está el cavallero que demandáis.

Galaor descavalgó y fue para allá, mas el otro, que a la puerta estava, dixo:

—No fezistes acá buena venida, que havrés a dar estas otras armas o seréis muerto.

—Cierto —dixo don Galaor—, de tan desleal cavallero como vos no me temo nada.

El cavallero alçó la espada por lo herir, y Galaor segurado del golpe, que seyendo muy ligero y de tan gran esfuerço tuvo para ello tiento, y perdiendo el otro el golpe, que fue en vazío, dióle por cima del yelmo tan dura herida, que los inojos hincó en tierra, y assí tomóle por el yelmo y tiró tan de rezio que gelo arrancó de la cabeça y fízolo caer tendido. El cavallero dio muy grandes bozes a su amiga que lo socorriesse, y ella que lo oyó, vino cuanto pudo a la tienda, diziendo a grandes bozes:

—Estad quedo, cavallero, que éste es el don que os demandé.

Pero Galaor lo havía herido con la saña que tenía, de tal guisa, que no ovo menester maestro. Cuando la donzella lo vio muerto dixo:

—¡Ay, cativa, que mucho tardé, y cuidando engañar a otro engañé a mí!

Desí dixo contra Galaor:

—¡Ay, cavallero, de mala muerte seáis muerto!, que mataste la cosa que en el mundo más amava; mas tú morirás por él, qu'el don que me prometiste te lo demandaré en parte donde no podrás de la muerte fuir, ahunque más fuerças tengas. Y si no me lo das, por todas partes serás de mí pregonado y abiltado.

Galaor le respondió y dixo:

—Si yo cuidara que vos tanto havía de pesar, no lo matara, ahunque bien lo merescía, y deviérades antes acorrer.

—Yo hize el yerro —dixo ella—, y yo lo emendaré, que haré dar tu vida por la suya.

Galaor cavalgó en su cavallo, y el escudero tomó las armas, y partióse de allí; y seyendo alongado cuanto una legua, bolvió la cara a la mano diestra y vio cómo la donzella venía tras él, y como a él llegó, díxole:

—Señora donzella, ¿dónde queréis ir?

—Con vos —dixo ella—, fasta llegar donde me déis el don que prometido me tenéis y vos haga morir de mala muerte.

—Mejor sería —dixo don Galaor— tomar de mí otra emienda, cual os más quisierdes, que no essa que dezís.

—Otra emienda —dixo ella— no havrá, sino dar vuestra alma por la suya o quedar por traidor y falso.

Assí se fue Galaor su camino y la donzella con él, que nunca ál hazía sino denostarle. Y en cabo de tres días entraron en una floresta, que Angaduza havía nombre.

El autor aquí dexa de hablar desto para lo contar en su lugar. Y torna a Amadís, que partido de las donzellas de Urganda, como os ya contamos, anduvo hasta medio día, y saliendo de una floresta por donde caminava, hallóse en un llano, en que vio una hermosa fortaleza, y vio ir por el llano una carreta, la mayor y más hermosa que nunca vio, y llevávanla doze palafrenes, y iva cubierta por cima de un xamete bermejo, assí que se no podía ver nada de lo que dentro era. Esta carreta era guardada de ocho cavalleros armados de todas cuatro partes. Amadís, como la vio, fue contra ella con gana de saber qué fuesse aquello; y llegando a ella, salió a él un cavallero que le dixo:

—Tirad os afuera, señor cavallero, y no seáis osado de aí llegar.

—Yo no llego por mal —dixo Amadís.

—Comoquiera que sea —dixo el otro—, no vos trabajés dello, que no sois tal que deváis ver lo que aí va; y si en ello porfiardes, costaros ha la vida, que vos havéis de combatir con nosotros; y aquí ay tales que con su sola persona vos lo defenderían cuanto más todos de consuno.

—No sé nada de su bondad; mas todavía, si puedo, veré lo que en la carreta va.

Estonces tomó sus armas, y los dos cavalleros que delante venían fueron para él, y él a ellos. El uno lo firió en el escudo de guisa que quebró su lança, y el otro falleçió de su golpe. Amadís derribó al que le encontró, sin detenencia ninguna; y tornando al otro que por él havía passado, lo encontró tan fuertemente que dio con él y con el cavallo en el suelo, y queriendo ir contra la carreta, vinieron otros dos cavalleros contra él al más correr de los cavallos, y fue para ellos, y herió al uno tan fuertemente que le no sirvió armadura que traxiesse, y dio al otro por cima del yelmo con la spada tal golpe que le hizo abraçar al cuello del cavallo, que ningún sentido le quedó. Cuando los cuatro vieron a sus compañeros vencidos de un solo cavallero, mucho fueron espantados en ver cosa tan estraña, y movieron de consuno y con gran ira contra Amadís por lo herir; pero antes que ellos llegassen havía derribado al otro en tierra, y ellos lo ferieron de tal manera los unos en el escudo y los otros falleçieron de los encuentros; mas al que delante venía fue Amadís por lo herir de la espada, y el otro llegó tan rezio que se encontraron con los escudos y los yelmos tan fuertemente, que el cavallero cayó del cavallo muy desacordado, que de sí parte ninguna no sabía, y los tres cavalleros tornaron sobre él y diéronle grandes golpes, y al uno dellos que la lança traía, soltó Amadís la espada de la mano y travólo della tan rezio, que gela llevó de las manos, y fue dar con ella al uno dellos tal golpe en la garganta, que el fierro y el fuste salió al pescueço y dio con él en tierra muerto, y luego se dexó correr cuanto más pudo a los dos, y herió al uno en el yelmo tan duramente de toda su fuerça, que gelo derribó de la cabeça, y Amadís le vio el rostro que era muy viejo, y ovo dél duelo, y dixo:

—Cierto, señor cavallero, ya devíades dexar esto en que andáis, que si hasta aquí no ganastes honra, de aquí adelante la edad vos escusa de ganarla.

El cavallero le dixo:

—Amigo señor, ante es al contrario, que a los mancebos conviene de ganar honra y prez, y a los viejos de la sostener en cuanto pudieren.

Oídas por Amadís las razones del viejo, le dixo:

—Yo tengo por mejor lo que vos, cavallero, dezís que lo que yo dixe.

Ellos en estas razones estando, alçó Amadís la cabeça y vio cómo el otro cavallero que quedava iva al más andar de su cavallo huyendo contra el castillo, y vio los otros que se pudieron levantar andar empós de sus cavallos, y fuese a la carreta, y alçando el xamete metió la cabeça dentro, y vio un monumento de piedra mármol, y en la cobertura de suso ser una imagen de rey con corona en la cabeça y de paños reales vestido, y tenía la corona hendida hasta la cabeça, y la cabeça fasta el pescueço, y vio una dueña seer en un lecho, y una niña cabe ella, y parescióle tan hermosa más que otra ninguna de cuantas havía visto de sus días, y dixo a la dueña:

—Señora, ¿por qué tiene esta figura assí el rostro partido?

La dueña lo catò y vio que no era de su compaña, y díxole:

—¿Qu'es esso, cavallero?; ¿quién vos mandó mirar esto?

—Yo —dixo él—, que huve gana de ver lo que aquí andava.

—Y los nuestros cavalleros ¿qué hizieron aí? —dixo ella.

—Fiziéronme más de mal que de bien —dixo él.

Estonces alçando la dueña el paño vio a los unos muertos y a los otros que andavan tras los cavallos, de que muy turbada fue, y dixo:

—¡Ay, cavallero, maldita sea la hora en que fuestes nascido, que tales diabluras havéis hecho!

—Señora —dixo él—, vuestros cavalleros me acometieron; mas si vos pluguiere, dezidme lo que vos pregunto.

—Si me Dios ayude —dixo la dueña—, ya por mí no lo sabréis, que mal soy de vos escarnida.

Cuando Amadís con tanto enojo la vio, partióse de allí y fuese su vía por donde ante iva. Los cavalleros de la dueña metieron los muertos en la carreta; y ellos con gran vergüença cavalgaron y fuéronse contra el castillo. El enano preguntó a Amadís qué viera en la carreta. Amadís gelo dixo, que no pudiera saber nada de la dueña.

—Si ella fuera cavallero armado —dixo el enano—, aína os lo dixera.

Amadís se calló, y fuese adelante, y cuanto una legua anduvo, vio venir empós de sí el cavallero viejo que él derribara, y dávale bozes que atendiesse. Amadís estuvo quedo, y el cavallero llegó desarmado, y dixo:

—Señor cavallero, vengo a vos con mandado de la dueña que en la carreta vistes, que os quiere emendar la descortesía que vos dixo, y ruegaos que alverguéis en el castillo esta noche.

—Buen señor —dixo Amadís—, yo la vi con tanta passión por lo que con vosotros me conteçió, que más enojo mi vista que plazer le daría.

—Creed, señor —dixo el cavallero—, que la haréis muy alegre con vuestra tornada.

Amadís, que el cavallero vio en tal edad que no devía mentir, y la afición con que gelo rogava, bolvióse con él hablando, preguntándole si sabía por qué la figura de piedra tenía assí la cabeça partida; pero él no gelo quiso dezir; mas llegando cerca del castillo, dixo que se querría adelantar porque la dueña supiesse su venida. Amadís anduvo más despacio y llegó a la puerta, sobre la cual estava una torre y vio a una finiestra della la dueña y la niña fermosa, y la dueña le dixo:

—Entrad, señor cavallero, que mucho os gradeçemos vuestra venida.

—Señora —dixo él—, muy contento soy yo en vos dar ante plazer que enojo.

Y entró en el castillo; y yendo adelante oyó una gran buelta de gente en un palacio, y luego salieron dél cavalleros armados y otra gente de pie, y venían diziendo:

—Estad, cavallero, y sed preso, si no muerto sois.

—Cierto —dixo él—, en prisión de tan engañosa gente yo no entraré a mi grado.

Estonces enlazó el yelmo, y no pudo tomar el escudo con la priessa que le dieron, y començáronle a herir por todas partes; pero él en cuanto el cavallo le turó, defendióse muy bravamente derribando ante sus pies los que a derecho golpe alcançava; y como se vio muy ahincado por ser la gente mucha, fuese yendo contra un cobertizo que en el corral stava, y allí metido hazía maravillas en se defender; y vio cómo prendieron al enano y a Gandalín, y cobró más coraçón que ante tenía para se defender; pero como la gente mucha fuesse y le herían por todas partes de tantos golpes que a las vezes le hazían hincar los inojos en tierra, no pudiera ya por ninguna guisa escapar de ser muerto; que a prisión no le tomaran porque él havía muerto de los contrarios seis dellos, y otros que eran mal feridos; mas Dios y la su gran lealtad le socorrieron muy bien en esta guisa. Que la niña hermosa que la batalla mirava y le viera hazer cosas tan estrañas, ovo dél gran piedad, y llamando a una su donzella dixo:

Amiga, a tan gran piedad me ha movido la gran valentía de aquel cavallero, que más querría que toda esta nuestra gente muriesse que él solo; y venid comigo.

—Señora —dixo la donzella—, ¿qué querés hazer?

—Soltar los mis leones —dixo ella—, que maten aquellos que en tal estrecho tienen el mejor cavallero del mundo; y yo vos mando como a mi vasalla que los soltéis, pues que otro ninguno si vos no, lo podría hazer; que no han de otro conoscimiento; y yo vos sacaré de culpa.

Y tornóse para la dueña. La donzella fue a soltar los leones, que eran dos y muy bravos, metidos en una cadena; y salieron al corral; y ella dando bozes que se guardassen dellos, diziendo que ellos se havían soltado; mas ante que la gente huir pudiesse, a los que alcançar pudieron hiziéronlos pieças entre sus agudas y fuertes uñas.

Amadís, que la gente vio que fuían al muro y a las torres y quedava dellos libre, en tanto que los fuertes leones se empachavan en los que tenían ante sí, fuese luego lo más que pudo a la puerta del castillo, y saliendo fuera cerróla tras sí, de guisa que los leones quedaron dentro; y él se assentó en una piedra muy cansado, como aquel que havía muy bien guerreado; su espada desnuda en la mano, de la cual quebrara hasta un tercio della. Los leones andavan por el corral a una y otra parte y acudían a la puerta por salir; la gente del castillo no osavan hazer, ni la donzella que los guardava, que ellos eran tan encarniçados y sañudos, que a ninguno obediencia tenían; assí que los que estavan dentro no sabían qué hazer; y acordaron que la dueña rogasse al cavallero que abriesse la puerta, creyendo que antes por ella por ser muger que por otro alguno lo haría; pero ella, considerando la grande y mala desmesura que le havía fecho, no se atrevía a le pedir cosa por merced, mas no esperando otro ningún remedio, púsose a la finiestra y dixo:

—Señor cavallero, comoquiera que os hayamos muy malamente errado sin tener conocimiento, vença vuestra humil cortesía contra nuestra culpa, y si vos pluguiere, abrid la puerta a los leones, porque saliendo ellos fuera, nosotros quedaremos sin temor libres de peligro, y juntamente con esto se vos hará toda aquella emienda que pertenezca hazerse del yerro que vos hezimos y cometimos; ahunque vos quiero también dezir que mi intención y voluntad no fue sino por tener os en fuertes cárceles preso.

El respondió con muy manso hablar:

—Esso, dueña, no havía de ser por tal guisa como lo hezistes, que de grado fuera yo vuestro, assí como soy de todas las dueñas y donzellas que mi servicio han menester.

—Pues, señor —dixo ella—, ¿no abriréis la puerta?

—No, sí Dios me ayude —dixo Amadís—, ni de mí havréis esta cortesía.

La dueña se tiró llorando de la finiestra; la niña hermosa le dixo:

—Señor cavallero, aquí ay tales que no tienen culpa en el mal que recebistes; antes merescen gracias por lo que vos no sabéis.

Amadís se afecionó mucho della y dixo:

—Amiga hermosa, ¿queréis vos que abra la puerta?

—Mucho os lo gradeçeré —dixo ella.

Amadís iva a la abrir, y la niña dixo:

—Señor cavallero, atended un poco, y diré a la dueña que os haga atreguar destos que acá son.

Amadís la preció mucho y túvola por discreta; pues la dueña aseguró y dixo que daría luego a Gandalín y el enano. Y el cavallero viejo que ya oístes dixo a Amadís que tomasse un escudo y una maça porque con ello podría matar los leones al salir de la puerta.

—Esso quiero yo —dixo Amadís— para otra cosa, y Dios no me ayude si yo mal hiziere a quien tan bien me ayudó.

—Cierto, señor —dixo el cavallero—, bien cataréis lealtad a los hombres, pues que assí la tenéis a las bestias fieras.

Estonces le lançaron la maça y el escudo, y Amadís metió en la vaina lo que de la espada le quedara y embraçó el escudo, y con la maça en la mano fue abrir la puerta. Los leones como la sintieron abrir acudieron allí y salieron muy rezios al campo, y Amadís quedó acostado a la una parte y entróse en el castillo; y luego la dueña y toda la otra gente baxaron de lo alto y se vinieron a él y él fue para ellos, y todos lo recibieron muy bien, y le traxieron a Gandalín y al enano. Amadís dixo a la dueña:

—Señora, yo perdí aquí mi cavallo, si por él me mandáis dar otro; si no, irm' é a pie.

—Señor —dixo la dueña—, desarmadvos, y holgaréis aquí esta noche, pues es tarde, que cavallo havréis, que muy desaforado sería ir a pie a tal cavallero.

Amadís lo tuvo por bien, y luego fue desarmado en una cámara, y diéronle un manto que cubriesse, y leváronlo a las finiestras, donde la dueña y la niña lo atendían. Mas cuando assí lo vieron fueron mucho maravilladas de su gran hermosura, y siendo en edad tan tierna hazer cosas tan estrañas en armas. Amadís acatava la niña, que le pareçía muy hermosa ademas; desí dixo a la dueña:

—Dezidme, señora, si vos pluguiere: ¿por qué la figura que en la carreta vi havía la cabeça partida?

—Cavallero —dixo ella—, si otorgáis de hazer en ello lo que devéis, dezirvoslo he, si no, dexar me he dello.

—Dueña —dixo él—, no es razón que se otorgue de hazer lo que hombre no sabe, pero sabiéndolo, si es cosa que a cavallero toque, que con razón tomar se deva, por mí no se dexará.

La dueña le dixo que dezía muy bien, y mandó apartar de allí todas las dueñas y donzellas y a la otra gente. Tomó la niña cabe sí y dixo:

—Señor cavallero, aquella figura de piedra que vistes se hizo en remembrança de su padre desta hermosa niña, el cual yaze metido en el monumento que es en la carreta, que fue rey coronado, y estando en su real silla en una fiesta, llegó allí un hermano suyo, y diziéndole que le no parecería a él menos aquella corona en su cabeça seyendo entrambos de un abolorio, y sacando una espada, que debaxo de su manto traía, herióle por cima de la corona, y hendióle la cabeça como lo allí vistes figurado; y como de ante tuviesse aquella traición pensada, traía consigo muchos cavalleros, de manera que muerto el rey, y dél no quedando otro hijo ni hija, sino esta niña, presto cobró el reino, el cual en su poder tiene; y a la sazón tenía en guarda el cavallero viejo que aquí vos hizo venir a esta niña; y huyó con ella, y tráxomela a este castillo, porque es mi sobrina; y después ove el cuerpo de su padre y cada día lo pongo en la carreta, y vo con él por el campo; y juré de le no mostrar sino al que por fuerça

de armas lo viesse; y ahunque lo vea no le diré la razón
dello, si no otorgare de vengar tan gran traición; y si vos,
buen cavallero, por lo que la razón y virtud vos obliga, queréis en cosa tan justa emplear aquella tan gran valentía y esfuerço de coraçón que Dios en vos puso, teniendo a vos, cierto seguiré mi estilo fasta que halle otros dos cavalleros que
he menester para que todos tres se combatan con aquel traidor y dos fijos suyos sobre esta causa, que tal pleito es entr'ellos de se no partir de en uno, antes ser de consuno en la
batalla, si demandada les fuere.

—Dueña —dixo Amadís—, vos hazéis derecho en buscar
cómo será vengada la mayor traición de que nunca oí hablar; y cierto el que la hizo no puede durar mucho sin ser
escarnido, que Dios no lo querrá sufrir, y si vos pudiéssedes
acabar que ellos viniessen a la batalla uno a uno, con el
ayuda de Dios yo la tomaría.

—Esso no lo harán ellos —dixo la dueña.

—Pues, ¿qué os plaze —dixo él— que yo faga?

—Que seáis aquí —dixo ella— de oy en un año, si fuéredes bivo y en vuestro libre poder; y para entonces yo terné
los dos cavalleros y seréis vos el tercero.

—Muy de grado —dixo Amadís— lo haré, y no os pongáis
en trabajo de los buscar, que yo cuido de los traer para aquel
plazo, y tales que manternán muy bien todo derecho.

Y esto dezía él porque creía aver ya fallado para entonces a su hermano don Galaor y Agrajes su cormano, que con
ellos bien osaría cometer un gran hecho.

Mucho lo gradescieron la dueña y la niña, diziéndole que
procurasse de los buscar muy buenos, porque assí convenían
que fuessen; que toviesse por cierto que aquel mal rey y sus
hijos eran de los valientes y esforçados cavalleros que en el
mundo avía. Amadís les dixo:

—Si yo hallasse un cavallero que demando, no me trabajaría mucho por tercero, ahunque ellos más esforçados sean.

—Señor —dixo la dueña—, ¿dónde sois y dónde os buscaremos?

—Dueña —dixo Amadís—, soy de casa del rey Lisuarte y
cavallero de la reina Brisena, su muger.

—Pues agora —dixo ella— nos vayamos a comer, que sobre
tal concierto buena pro nos hará.

Luego se entraron en un muy fermoso palacio donde gelo
dieron bien concertado, y cuando fue sazón de dormir lleva-

ron a Amadís a una cámara donde alvergase, y solamente quedó con él la donzella que los leones soltara, y díxole:

—Señor cavallero, aquí ay quien os fizo ayuda, ahunque lo no sabéis.

—Y ¿qué fue esso? —dixo Amadís.

—Fue —dixo ella— quitaros de la muerte que bien cerca teníades con los leones que por mandado de aquella niña hermosa, mi señora, yo solté aviendo piedad del mal que os hazían.

Amadís se maravilló de la discreción de persona de tan poca edad y dixo:

—Cierto, donzella, yo creo que si bive, avrá en sí dos cosas muy estremadas de las otras, que serán ser muy hermosa y de gran seso.

Amadís dixo:

—Cierto assí me paresce, y dezilde que yo gelo gradezco mucho, y que me tenga por su cavallero.

—Señor —dixo la donzella—, mucho me plaze de lo que me dezís, y ella será muy alegre tanto que de mí lo sepa.

Y saliéndose de la cámara, quedó Amadís en su lecho, y Gandalín y el enano, que en otra cama yazían a los pies de su señor, oyeron bien lo que hablaron, y el enano, que no sabía la hazienda de su señor y de Oriana, pensó que amava aquella niña tan hermosa, y porque se della havía pagado se obligava por su cavallero; assí que este entendimiento no le hiziera menester a Amadís por muy gran cosa que por él fue sazón de ser llegado a muy cruel muerte, como adelante se contará. Passada aquella noche y la mañana venida, levantóse Amadís, y oyó missa con la dueña; desí preguntó cómo avían nombre aquellos con quien se avían de combatir. Ella le dixo:

—El padre se llama Aviseos, y el hijo mayor Darasión y otro Dramis, y todos tres son de gran hecho de armas.

—Y la tierra —dixo Amadís—, ¿cómo ha nombre?

—Sobradisa —dixo ella—, que comarca con Serolois, y de la otra parte la cerca la mar.

Entonces se armó, y cavalgando en un cavallo que la dueña le dio, queriéndose despedir, vino la niña hermosa con una rica espada en sus manos, que de su padre fuera, y dixo:

—Señor cavallero, traed por mi amor esta espada en tanto que os durare, y Dios vos ayude con ella.

Amadís gelo gradesció riendo, y dixo:

—Amiga señora, vos me tened por vuestro cavallero para hazer todas las cosas que vuestro pra y honra sean.

Ella holgó mucho de aquello y bien lo mostró en el semblante. El enano, que todo lo mirava, dixo:

—Cierto, señora, no ganastes poco, pues que tal cavallero por vos avéis.

CAPÍTULO XXII

DE CÓMO AMADÍS SE PARTIÓ DEL CASTILLO DE LA DUEÑA, Y DE LO QUE LE SUCEDIÓ EN EL CAMINO

AMADÍS se despidió de la dueña y de la niña, y entró en su camino, y anduvo tanto sin aventura hallar, que llegó a la floresta que se llamava Angaduza; el enano iva delante, y por el camino que ellos ivan venía un cavallero y una donzella, y siendo cerca dél, el cavallero puso mano a su espada y dexóse correr al enano por le tajar la cabeça. El enano, con miedo, dexóse caer del rocín, diziendo:

—¡Acorredme, señor, que me matan!

Amadís que lo vio, corrió muy aína, y dixo:

—¿Qué es esso, señor cavallero?; ¿por qué me queréis matar mi enano?; no fazés como cortés en meter mano en tan cativa cosa; demás ser mío, y no me lo aver demandado a derecho; no pongáis mano en él, que amparáoslo he yo.

—De vos lo amparar —dixo el cavallero— me pesa; mas todavía conviene que la cabeça le taje.

—Antes avréis la batalla —dixo Amadís.

Y tomando sus armas, cubiertos de sus escudos, movieron contra sí al más correr de sus cavallos; y encontráronse en los escudos tan fuertemente, que los falsaron, y las lorigas también, y juntáronse los cavallos, y ellos de los cuerpos y de los yelmos, de tal guisa que cayeron a sendas partes grandes caídas; pero luego fueron en pie y començaron la batalla de las espadas, tan cruel y tan fuerte que no avía persona que la viesse que delo no fuesse espantado; y assí lo era el uno del otro, que nunca fasta allí hallaron quien en tan gran estrecho sus vidas pusiesse. Assí anduvieron hiriéndose de muy grandes y esquivos golpes una gran pieça del día, tanto que sus escudos eran rajados y cortados por muchas partes, y assí mesmo lo eran los arneses, en que ya muy poca defensa en ellos avía, y las espadas tenían mucho lugar de llegar a menudo y con daño de sus carnes, pues los yelmos no quedavan sin ser cortados y abollados a todas partes; y siendo muy cansados, tiráronse a fuera, y dixo el cavallero a Amadís:

—Cavallero, no sufráis más de afán por este enano, y dexadme hazer dél lo que quiero, y después yo os lo emendaré.

—No habléis en esso —dixo Amadís—, qu'el enano ampararlo he yo en todas guisas.

—Pues cierto —dixo el cavallero—, o yo moriré o la su cabeça avrá aquella donzella que me la pidió.

—Yo vos digo —dixo Amadís— que antes será perdida una de las nuestras.

Y tomando su escudo y espada se tornó a lo ferir con gran saña, porque assí sin causa y con tal sobervia quería el cavallero matar al enano que gelo no merescía; mas si él fue bravo, no falló flaco al otro; antes se vino a él con gran denuedo, y diéronse muy fuertes golpes, punando cada uno de fazer conoscer al otro su esfuerço y valentía; assí que ya no se esperavan de sí sino la muerte; pero aquel cavallero stava muy maltrecho, mas no tanto que se no combatiesse con gran esfuerço. Pues estando en esta gran priessa que oís, llegó acaso un cavallero todo armado donde la donzella estava, y como la batalla vio, començóse a santiguar diziendo que desque nasciera nunca avía visto tan fuerte lid de dos cavalleros, y preguntó a la donzella si sabía quién[33] fuessen aquellos cavalleros.

—Sí —dixo ella—, que yo los fize juntar, y no me puedo ende partir sino alegre, que mucho me plazería de cualquiera dellos que muera, y mucho más de entrambos.

—Cierto, donzella —dixo el cavallero—, no es esse buen desseo ni plazer, antes es de rogar a Dios por tan buenos dos hombres, mas dezidme, ¿por qué los desamáis tanto?

—Esso vos diré —dixo la donzella—: aquel que tiene el escudo más sano es el hombre del mundo que más desamava a Arcaláus, mi tío, y de quien más dessea la muerte, y ha nombre Amadís; y este otro con quien se combate se llama Galaor, y matóme el hombre del mundo que yo más amava, y teníame otorgado un don, y yo andava por gelo pedir

33. El relativo *quien* se utilizó para singular y plural hasta el primer cuarto del s. XVII.

donde la muerte le viniesse; y como conoscí al otro cavallero, que es el mejor del mundo, demandéle la cabeça de aquel
enano; assí que este Galaor, que muy fuerte cavallero es por
me la dar, y el otro por la defender, son llegados a la muerte, de que yo gran gloria y plazer recibo.

El cavallero que esto oyó, dixo:

—¡Mal aya muger que tan gran traición pensó para fazer
morir los mejores dos cavalleros del mundo!

Y sacando su espada de la vaina dióle un golpe tal en el
pescueço, que la cabeça le fizo caer a los pies del palafrén, y
dixo:

—Toma este galardón por tu tío Arcaláus, que en la cruel
prisión me tuvo, donde me sacó aquel buen cavallero.

Y fue, cuanto el cavallo levarle pudo, dando bozes, diziendo:

—Estad, señor Amadís, que esse es vuestro hermano don
Galaor, el que vos buscáis.

Cuando Amadís lo oyó, dexó caer la espada y el escudo
en el campo y fue contra él, diziendo:

—¡Ay, hermano, buena ventura aya quien nos hizo conoscer!

Galaor dixo:

—¡Ay, cativo, malaventurado!, ¿qué he hecho contra mi
hermano y mi señor?

Y hincándosele de inojos delante le demandó llorando
perdón.

Amadís lo alçó y abraçólo, y dixo:

—Mi hermano, por bien empleado tengo el peligro que
con vos passé, pues que fue testimonio que yo provasse vuestra tan alta proeza y bondad.

Entonces se desenlazaron los yelmos por folgar, que muy
necessario les era; el cavallero les contó lo que la donzella
dixera y cómo la él matara.

—Buena ventura vos ayás —dixo Galaor—, que agora soy
quito de su don.

—Cierto, señor —dixo el enano—; más me plaze a mí que
assí seáis del don quito, que por la guisa que lo començáva-
des; mas mucho me maravillo por qué ella me desamava,
que la nunca vi.

Galaor contó cuanto con ella y con su amigo le aviniera,
como lo ya avéis oído, y el cavallero les dixo:

—Señores, mal llagados sois; ruégovos que cavalguéis y

nos vayamos a un mi castillo, que es aquí cerca, y guaresce-
réis de vuestras heridas.

—Dios os dé buenaventura —dixo Amadís— por lo que por
nos hazéis.

—Cierto, señor; yo por bienaventurado me tengo en vos
servir, que vos me sacastes de la más cruel y esquiva prisión
en que nunca hombre fue.

—¿Dónde fue esso? —dixo Amadís.

—Señor —dixo él—, en el castillo de Arcaláus el Encantador, que yo soy uno de los muchos que de allí salieron por
vuestra mano.

—¿Cómo avéis nombre? —dixo Amadís.

—Llámanme —dixo él— Baláis, y por mi castillo, que Carsante se llama, soy llamado Baláis de Carsante, y mucho vos
ruego, señor, que os vayáis comigo.

Don Galaor dixo:

—Vayamos con este cavallero que os tanto ama.

—Vayamos, hermano —dixo Amadís—, pues que os plaze.

Entonces cavalgaron como mejor pudieron y llegaron al
castillo, donde hallaron cavalleros y dueñas y donzellas que
con gran amor los recibieron; y Baláis les dixo:

—Amigos, vedes que traigo toda la flor de la cavallería
del mundo: el uno es Amadís, aquel que de la dura prisión
me saco; el otro, su hermano don Galaor, y hallélos en tal
punto, que si Dios por su merced no me levara aquella vía,
muriera el uno dellos, o por ventura entrambos; servildos y
honraldos como devéis.

Entonces los tomaron de sus cavallos y los levaron a una
cámara, donde fueron desarmados y puestos en ricos lechos;
y allí fueron curados por dos sobrinas de la muger de Baláis, que mucho de aquel menester savían; mas la dueña
su tía fue delante Amadís y con mucha humildad le gradesció lo que por su marido havía hecho en le sacar de la
prisión de Arcaláus. Pues allí estando, como oís, Amadís
contó a Galaor cómo avía salido de la casa del rey Lisuarte por le buscar, y que avía prometido de lo llevar allí, y
rogóle que con él se fuesse, pues que en todo el mundo no
avía casa tan honrada ni donde tantos hombres buenos mo-
rassen.

—Señor hermano —dixo don Galaor—, todo lo que os pluguiere tengo yo de seguir y hazer, ahunque por dicho me
tenía de no ser en essa parte conoscido hasta que mis obras

les dieran testimonio como en alguna cosa parescieran a las
vuestras, o morir en la demanda.

—Cierto, hermano —dixo Amadís—; por esso no lo dexéis,
que vuestra gran fama es allá tal que ya la mía, si alguna es,
se iva escuresciendo.

—¡Ay, señor —dixo don Galaor—, por Dios, no digáis cosa
tan desaguisada, que no solamente con la obra, mas ni con
el pensamiento no podría alcanzar ni llegar a las vuestras
grandes fuerças!

—Agora dexemos esto —dixo Amadís—, que en lo vuestro
y mío de razón, según la gran bondad de nuestro padre, no
deve aver ninguna diferencia.

Y luego mandó al su enano que luego se fuesse a casa
del rey Lisuarte, y besando por él las manos a la reina, le
dixesse de su parte cómo avía hallado a Galaor, y tanto que
de las llagas fuessen guaridos se partirían par allá. El enano,
cumpliendo el mandado de su señor, se puso en el camino
de Vindilisora, donde el rey a la sazón era, con toda su cavallería, muy acompañado.

CAPÍTULO XXIII

DE CÓMO EL REY LISUARTE, SALIENDO A CAÇA COMO OTRAS
VEZES SOLÍA, VIO VENIR POR EL CAMINO TRES CAVALLEROS
ARMADOS, Y DE LO QUE CON ELLOS LE ACAESCIÓ

COMO el rey Lisuarte era muy caçador y montero fuese,
siendo desocupado de otras cosas que más a su estado
convenían, salía muchas vezes a caçar en una floresta que
cabe la villa de Vindilisora estava, que, por ser muy guardada, muchos venados y otras animalias brutas avía; y siempre
acostumbrava ir en paños de monte, proveyendo a cada cosa
con aquello que le convenía. Y estando un día en sus armadas cerca de un gran camino, vio venir por él tres cavalleros
armados, y embió a ellos un escudero que les dixesse de su
parte que se viniessen a él, lo cual por ellos sabido, desviando del camino entraron en la floresta a la parte donde el
escudero los guiava; y sabed que éstos eran don Galvanes
sin Tierra y Agrajes, su sobrino, y Olivas que con ellos iva
para reutar al duque de Bristoya, y levavan la donzella consigo que salvaron de la muerte cuando la querían quemar; y

cuando cerca del rey fueron, conosció muy bien a don Galvanes, y díxole:

—Don Galvanes, mi buen amigo, seades muy bien venido.

Y fuelo abraçar, diziéndole:

—Mucho me plaze con vos.

Y assí con buen talente recibió a los otros, que él era el hombre del mundo que con más afición y honra recebía los cavalleros que a su corte venían; don Galvanes le dixo:

—Señor, veis aquí a Agrajes, mi sobrino, y yo vos lo do por uno de los mejores cavalleros del mundo, y si tal no fuesse, no le daría a tan alto hombre como vos, a quien tantos buenos y preciados sirven.

El rey, que ya avía oído loar mucho las cosas de Agrajes, fue muy alegre con él, y abraçóle y dixo:

—Cierto, buen amigo, mucho devo agradescervos esta venida, y a mí tenerme por culpado sabiendo vuestro gran valor, en no vos aver rogado que la fiziéssedes.

El rey conosció muy bien a Olivas, que era de la su misnada, y dixo:

—Amigo Olivas, mucho ha que vos no vi; cierto, tan buen cavallero como vos sois, no querría que de mí fuesse partido.

—Señor —dixo él—, las cosas que por mí han passado sin mi voluntad, me dieron causa de os no aver visto ni servido, y agora no vengo tan fuera dellas que me no convenga tomar mucha afruenta y trabajo.

Entonces le contó cómo el duque de Bristoya le matara su cormano, de que el rey ovo pesar porque fuera buen cavallero, y dixo a Olivas:

—Amigo, yo oyo lo que dezís, y assí me lo dezid en mi corte, y darse ha plazo al duque que venga a responder.

Y tomándolos consigo, dexando la caça, se fue con ellos a la villa; y por el camino supo cómo aquella donzella que traían la avian librado de la muerte que por causa de don Galaor le querían dar; y el rey les dixo cómo Amadís le avía ido a buscar, y el gran sobresalto en que Arcaláus les pusiera diziendo que lo avía muerto. Agrajes fue mucho maravillado de lo oír, y dixo al rey:

—Señor, ¿sabéis cierto ser bivo Amadís?

—Sélo cierto —dixo.

Y contóle cómo lo supiera de Brandoivas y de Grindalaya.

—Y no lo devéis dudar, pues que yo en mi voluntad estoy

satisfecho, que no daría a ninguno ventaja de dessear su vida
y honra.

—Assí lo creemos —dixo Agrajes—; que según su gran valor
bien meresce del vuestro ser querido y amado con aquella
afición que los buenos lo bueno dessean.

Llegado el rey con estos cavalleros al su palacio, las nuevas de su venida fueron luego en la casa de la reina sabidas,
de que muchas ovieron plazer; mas sobre todas la hermosa
Olinda, amiga de Agrajes, que lo amava como a sí misma;
después lo fue Mabilia, su hermana, que como de su venida
supo, salióse a la cámara de la reina, y encontróse con Olinda, y díxole:

—Señora, ¿no os plaze mucho de la venida de vuestro hermano?

—Sí plaze —dixo Mabilia—, que lo mucho amo.

—Pues pedid a la reina que lo haga venir, y verlo hedes,
porque de vuestro plazer redundará parte a las que bien vos
queremos.

Mabilia se fue a la reina y díxole:

—Señora, bien será que veáis Agrajes mi hermano y a don
Galvanes mi tío, pues que a vuestro servicio vienen, y yo
tengo desseo de los ver.

—Amiga —dixo la reina—, esso haré yo de grado, que muy
alegre estoy de ver tales dos cavalleros en casa del rey mi
señor.

Y luego mandó a una donzella que de su parte rogasse
al rey que gelos embiasse para los ver; la donzella se lo dixo,
y el rey les dixo a ellos:

—La reina vos quiere ver; bien será que allá vayáis.

Cuando Agrajes lo oyó, mucho fue ledo, porque esperava ver aquella su señora, a quien él tanto amava, donde todo
su coraçón y sus desseos eran; también le plugo a don Galvanes, por ver la reina y sus dueñas y donzellas, no porque
a ninguna de estremado amor amasse; así que fueron luego
ante la reina, que los muy bien acogió, y haziéndolos seer
ante sí hablava con ellos en muchas cosas, mostrándoles
amor, como aquella que sin falta era una de las dueñas del
mundo que más sesudamente hablava con hombres buenos;
por causa de lo cual muy preciada y amada era, no solamente de aquellos que la conoscían, mas ahun de los que la
nunca vieran, que esta tal preminencia la humanidad en los
grandes tiene sin que otro gasto en ello ponga más de lo que

la virtud y nobleza a ello les obliga; y a los que al contrario
lo hazen, al contrario les viene aquellos; que en las cosas
temporales por peor se deve contar que es ser desamados y
aborrescidos. Olinda se llegó a Mabilia considerando que
Agrajes allí acudiría; mas él, que con la reina hablava, no
podía partir los ojos de aquella donde su coraçón era. La
reina, que pensó que a su hermana Mabilia mirava con desseo de la hablar, díxole:

—Buen amigo, id a vuestra hermana, que os tiene mucho
desseado.

Agrajes fuese a ella, y recibiéronse con aquel verdadero amor de hermanos que se mucho aman, que pocas vezes
con el nombre concuerda; y Olinda lo saludó mucho más
con el coraçón que con el semblante, retrayendo la razón a
la voluntad, que assimesmo duramente se puede hazer, si
no es en medio la gran discreción de que esta donzella dotada era. Agrajes fizo seer a su hermana entre él y su amiga, porque en tanto que allí estuviesse nunca los ojos della
apartasse, que gran consuelo y descanso su vista le dava.
Assí estovo con ellas hablando, mas como el su pensamiento y los ojos en su señora puestos eran, muy poco el juizio entendía de lo que su hermana le hablava. Assí que no
dava respuesta ni recabdo a sus preguntas. Mabilia, que
muy cuerda era, sintiólo luego, conosciendo amar su hermano más que a ella a Olinda, y Olinda a él, según lo que ante
ella le avía dicho, y se aver sentado con ella por razón de la
hablar; y como a este hermano como a sí mesma amasse,
pensó que pues en todo le havía de buscar plazer, que más
en aquello que en otra cosa ninguna le podría agradar, y
díxole:

—Señor hermano, llamad a mi tío, que de grado querría
hablarle.

Agrajes plugo dello mucho, y dixo contra la reina:

—Señora, sea la vuestra merced de nos embiar acá esse
cavallero, para que su sobrina le hable.

La reina le mandó ir, y Mabilia fue contra él y quísole
besar las manos, mas él las tiró a sí y la abraçó, y dixo:

—Sobrina señora, sentémonos, y preguntarvos he cómo
vos halláis en esta tierra.

—Señor —dixo ella—, vayámonos aquella finiestra, que no
quiero que mi hermano oya la mi poridad.

Y Galvanes dixo riendo:

—Cierto mucho me plaze, que no es él tal que deve oír tan buena poridad como es la vuestra y la mía.

Y fuéronse para la finiestra, y Agrajes quedó con su señora como lo él desseava; y viéndose solo con ella dixo:

—Señora, por complir lo que me mandastes, y porque en otra parte mi coraçón reposo no hallava, soy venido aquí a vos servir, que vuestra vista será para mí galardón de las cuitas y mortales desseos que continuo padezco.

—¡Ay, amigo señor! —dixo ella—, el plazer que con vuestra venida mi coraçón siente, aquel Señor que todo lo sabe es dello testigo; que siendo vos de mí absente, no podría aver bien ni vicio ahunque todas las cosas del mundo oviesse a mi voluntad. Yo cuido que no venistes a esta tierra sino por mí; y yo devo trabajar de vos dar ende el galardón.

—¡Ay, señora! —dixo Agrajes—, todo lo que fizierdes en lo vuestro se haze, que esta vida nunca cessará de ser puesta contra todos los del mundo en vuestro servicio, y a todos ellos teniendo a vos por señora, terná por estraños.

—Amigo señor —dixo ella—, vos sois tal que a todos ellos ganaréis, y a mí que vos nunca fallesceré, que, sí Dios me ayude, mucho soy alegre de cómo vos veo loar a todos aquellos que de vuestras grandes cosas noticia tienen.

Agrajes baxó los ojos con vergüença de se oír loar, y ella se dexó dello y díxole:

—Amigo, pues aquí sois, ¿cómo haredes?

—Como vos mandardes —dixo él—, que yo no vengo a esta tierra sino por hazer vuestro mandado.

—Pues yo quiero —dixo ella— que andéis aquí con vuestro cormano Amadís, que yo sé que vos ama de grande amor, y si vos él consejare que seades de la mesnada del rey, fazeldo.

—Señora —dixo él—, en todo me hazedes gran merced, que dexando lo vuestro aparte no ay cosa en que más plazer yo sienta que en poner mi hazienda en consejo de mi cormano.

Pues assí hablando esto que oídes, llamólos la reina, y fueron los cavalleros ambos ante ella; y la reina conosció bien a don Galvanes del tiempo que fuera infanta morando en el reino de Dennamarcha, donde era natural, que assí allí como en el reino de Nueruega muchas cavallerías él havía hecho, por donde era tenido en reputación de muy buen cavallero. En tanto que la reina hablava con don Galvanes, Oriana habló con Agrajes, que lo mucho conoscía y lo amava, assí

por saber que Amadís lo quería y preciava, como por se tener
ella por cosa de su padre y madre, que la criaron con mucha
honra al tiempo qu'el rey Lisuarte en su poder la dexó, como
vos hemos contado, y díxole:

—Mi buen amigo, gran plazer nos avéis dado con vuestra
venida, especial a vuestra ermana, que tanto lo avía menester, que si supiéssedes lo que con ella passé de las nuevas
de la muerte de Amadís vuestro cormano, por maravilla lo
terníades.

—Cierto, señora —dixo él—; con gran razón mi hermana
de tal cosa se devía sentir, y no solamente ella, mas todos
los que de su linaje somos, pues qu'él muriendo, moría el
principal caudillo de nosotros y el mejor cavallero que nunca
escudo echó al cuello ni tomó lança en la mano, y su muerte fuera vengada o acompañada de otras muchas.

—¡Mala muerte muera —dixo Oriana— aquel traidor de Arcaláus, que mucho nos supo hazer gran pesar!

Hablando en esto los llamaron de parte del rey, y fueron
allá; y halláronlo que quería comer, y hízolos sentar a una
mesa donde estavan otros cavalleros de gran cuento, y poniendo los manteles, entraron por la puerta del palacio dos
cavalleros, y fincaron los inojos ante el rey, y él los saludó.
El uno dellos dixo:

—Señor, ¿es aquí Amadís de Gaula?

—No —dixo el rey—; mas mucho nos plazería que lo fuesse.

—Cierto, señor —dixo el cavallero—; y yo mucho sería alegre de lo hallar, como quien por él atiende de cobrar el alegría de que agora soy muy apartado.

—Y ¿cómo avéis nombre? —dixo el rey.

Respondió:

—Angriote d'Estraváus, y este otro es mi hermano.

El rey Arbán de Norgales, que oyó ser aquél Angriote,
levantóse de la mesa y fue a él, que ahún de inojos ante el
rey estava, y levantándolo por la mano, dixo:

—Señor, ¿conoscéis Angriote?

—No —dixo el rey—; que lo nunca vi.

—Cierto, señor; pues los que lo conoscen le tienen por
uno de los mejores cavalleros en armas de toda vuestra tierra.

El rey se levantó y díxole:

—Buen amigo, perdonadme si vos no hize la honra que
vuestro valor meresce; la causa dello fue no os conoscer, y
plázeme mucho con vos.

—Muchas mercedes —dixo Angriote—; y así me placería a mí en os servir.

—Amigo —dixo el rey—, ¿dónde conoscéis vos a Amadís?

—Señor, yo lo conozco, mas no ha mucho; y cuando lo conoscí, mucho me costó caro, fasta ser llagado al punto de la muerte. Mas el que el daño me hizo, me puso la melezina que para lo ganar más conveniente era; como aquel que es el cavallero del mundo de mejor talante.

Entonces contó allí cuanto con él le aviniera, como el cuento lo ha mostrado. El rey dixo a Arbán que levasse consigo Angriote, y él assí lo hizo, y lo sentó a la mesa cabe sí; y aviendo ya comido, hablando en muchas cosas, entró Ardián, el enano de Amadís, y Angriote que lo vido, dixo:

—¡Ay, enano, tú seas bien venido! ¿Dónde dexas a tu señor Amadís, con quien yo te vi?

—Señor —dixo el enano—, dondequier que lo yo dexo mucho vos ama y os precia.

Entonces se fue al rey, y todos callaron por oír lo que diría, y dixo:

—Señor, Amadís se os manda mucho encomendar y manda saludar a todos sus amigos.

Cuando ellos oyeron las nuevas de Amadís, en gran manera fueron alegres. El rey dixo:

—Enano, si te Dios ayude, dinos dónde dexas Amadís.

—Señor —dixo él—, déxole donde queda sano y con salud, y si más dél saber queréis ponedme ante la reina, y dezirlo he.

—Ni por esso se quedará de las no saber —dixo el rey.

Y mandó venir allí a la reina, la cual luego vino con hasta quinze de sus dueñas y donzellas; y tales aí ovo que bendezían al enano, porque fuera causa que ellos a sus amigas viessen. El enano fue ante ella y dixo:

—Señora, el vuestro cavallero Amadís vos manda besar las manos, y embíaos dezir que halló a don Galaor, qu'él demandava.

—¿Es verdad? —dixo la reina.

—Señora, es verdad —dixo el enano— sin duda; mas en su conoscencia oviera de aver gran desaventura si Dios a la sazón no traxera por allí un cavallero que Baláis se llama.

Entonces les contó todo cuanto aviniera, y cómo Baláis matara la donzella que los havía juntado para que se matassen; de que fue del rey y de todos muy loado. La reina dixo al enano:

—Amigo, ¿dónde los dexaste tú?

—Yo los dexé en un castillo de aquel Baláis.

—¿Qué tal te paresció don Galaor? —dixo la reina.

—Señora —dixo él—, es uno de los más hermosos cavalleros del mundo; y si junto con mi señor lo véis, a duro podríades conoscer cuál es el uno o el otro.

—Cierto —dixo la reina—; mucho me plazería que ya fuessen aquí.

—Tanto que guaridos sean —dixo el enano—, se vernán, y aquí los tengo de atender.

Y contóles entonces todo cuando le aviniera Amadís en tanto que le él aguardara. Mucho fueran alegres el rey y la reina y los cavalleros todos con estas buenas nuevas; mas sobre todos lo fue Agrajes, y no quedava de preguntar al enano. El rey rogó y mandó a los que allí eran que se no partiessen de la corte hasta que Amadís y Galaor viniessen, porque tenía pensado de hazer unas cortes muy honradas; y ellos gelo otorgaron y loaron mucho; y mandó a la reina que embiasse por las más hermosas donzellas y de mayor guisa que aver pudiesse, porque demás de ser ella bien acompañada, por causa dellas vernían muchos cavalleros de gran valor a la servir, a quien él haría mucha honra y grandes partidos y mercedes.

CAPITULO XXIV

DE CÓMO AMADÍS Y GALAOR Y BALÁIS SE DELIBERARON PARTIR PARA EL REY LISUARTE, Y DE LAS AVENTURAS QUE LES ENDE VINIERON

AMADÍS y Galaor estuvieron en casa de Baláis de Carsante hasta que fueron guaridos de sus llagas; y acordaron de se ir a casa del rey Lisuarte antes que en otras aventuras se entremetiessen; y Baláis, que de aquella casa mucho desseava ser, especial teniendo conoscimiento con estos dos tales cavalleros, rogóles que lo levassen consigo, lo cual de grado le fue por ellos otorgado; y oyendo missa, armáronse todos tres, y entraron en el derecho camino de Vindilisora, donde el rey era; y anduvieron tanto por él, que en cabo de cinco días llegaron a una encruzijada de caminos donde avía un árbol grande, y vieron debaxo dél un cavallero muerto en un lecho asaz rico, y a los pies tenía un cirio ardiendo, y otro a la cabecera, y eran por guisa fechos que ningún viento por grande que fuesse no los podía matar; el cavallero muerto estava todo armado y sin ninguna cosa cubierto, y avía muchos golpes en la cabeça, y tenía metido por la garganta un troço de lança con el fierro que al pescueço le salía; y ambas las manos en él puestas, como que lo quería sacar; mucho fueron maravillados de ver el cavallero de tal forma. Y preguntaron por su fazienda de grado, mas no vieron persona ninguna ni lugar alderredor donde lo supiessen. Amadís dixo:

—No sin gran causa está de tal guisa aquí este cavallero muerto, y si tardássemos, no tardaría de venir alguna ventura.

Galaor dixo:

—Yo lo juro, por la fe que de cavallería tengo, de no partir de aquí hasta saber quién es este cavallero o por qué fue muerto, y de lo vengar si la razón y justicia me lo otorgaren.

Amadís, que con gran desseo aquel camino hazía esperando ver a su señora, a quien prometiera de se tornar tanto que a don Galaor hallasse, pesóle desto, y dixo:

—Hermano, mucho me pesa de lo que prometistes; que he recelo de se vos hazer aquí gran detenencia.

—Hecho es —dixo Galaor.

Y descendiendo del cavallo se assentó cabe el lecho, y los otros dos assimesmo, que lo no avían de dexar solo. Esto sería ya entre nona y bísperas; y estando catando el cavallero, y diziendo Amadís que pusiera allí las manos por sacar el troço de la lança en tanto qu'él fuelgo tenía, y bien espirando assí se le avía quedado, no tardó mucho que vieron venir por uno de los caminos un cavallero y dos escuderos; y el uno traía una donzella ante sí en un cavallo, y el otro le traía su escudo y yelmo; y la donzella llorava fuertemente, y el cavallero la fería con la lança en la cabeça, que levava en la mano. Assí passaron cabe el lecho donde el cavallero muerto yazía; y cuando la donzella vido los tres compañeros, dixo:

—¡Ay, buen cavallero que ende muerto yazes!; si tú bivo fueras, no me consintieras de tal guisa levar; que primero el tu cuerpo fuera puesto en todo peligro; y más valiera la muerte dessos tres que la tuya sola.

El cavallero que la levava con más saña la firió de la asta de la lança, assí que la sangre por el rostro le corría; y pasaron tan presto adelante, que era maravilla.

—Agora os digo —dixo Amadís— que nunca vi cavallero tan villano como éste en querer ferir la donzella de tal guisa; y si Dios quisiere, esta fuerça no dexaré yo passar.

Y dixo:

—Galaor, hermano, si yo tardaro, id vos a Vindilisora, que yo al seré si puedo, y Baláis os fará compañía.

Entonces cavalgando en su cavallo tomó sus armas, y dixo a Gandalín:

—Vete empós de mí.

Y fuese a más andar tras el cavallero, que ya lueñe iva. Galaor y Baláis quedaron allí hasta que fue noche cerrada. Entonces llegó un cavallero que por el camino venía por donde Amadís fuera, y venía gemiendo de una pierna, y armado de todas armas; y dixo contra Galaor y Baláis:

—¿Sabedes vos quién es un cavallero que por este camino que vengo va corriendo?

—¿Por qué lo preguntáis? —dixeron ellos.

—Porque sea de mala muerte —dixo él—; que assí va bravo, que paresce que todos los diablos van con él.

—Y ¿qué braveza os hizo? —dixo don Galaor.

—Porque me no quiso dezir —dixo él— dónde tan rezio iva, travéle del freno, y dixe que me lo dixesse o se combatiesse comigo; él me dixo con saña que pues le no dexava, que más tardaría en me lo dezir que en se librar de mí por batalla; y apartándose de mí corrimos uno contra otro, y firióme tan duramente, que dio comigo y con el cavallo en tierra, y hízome esta pierna tal como véis.

Ellos començaron a reír, y dixo don Galaor:

—Sofriros otra vez mejor en no querer saber hazienda de ninguno contra su grado.

—¡Cómo! —dixo el cavallero—, ¿reídes os de mí? Cierto, yo faré que seáis de peor talante.

Y fue donde estavan los cavallos y dio con la espada un gran golpe al de Galaor en el rostro que le fizo enarmonar y quebrar las riendas y fuir por el campo; y el cavallero quiso hazer lo semejante al de Baláis, mas él y Galaor tomaron sus lanças y ivan contra él y gelo estorvaron. El cavallero se fue diziendo:

—Si al otro cavallero hize desmesura y la pagué, assí lo pagaréis vos en os reír de mí.

—No me ayude Dios —dixo Baláis— si no dais vuestro cavallo por aquel que soltastes.

Y cavalgó presto, diziendo a don Galaor que otro día sería allí con él, si ventura no gelo quitasse.

—A Dios vais —dixo él.

Don Galaor quedó solo con el cavallero muerto, que a su escudero mandó ir tras el cavallo, y estovo guardando hasta que de la noche passaron más de cinco horas. Entonces, del sueño vencido, puso su yelmo a la cabeçera y el escudo encima de sí; adormescióse, y assí estuvo una gran pieça; mas cuando recordó, no vio lumbre ninguna de los cirios que ante ardían, ni halló el cavallero muerto, de que mucho pesar ovo; y dixo contra sí: «cierto yo no me devía trabajar en lo que los otros hombres buenos, pues que no sé hazer sino dormir, y por ello dexé de complir mi promessa; mas yo me daré la pena que mi negligencia meresce, que avré de buscar a pie aquello que estando quedo saber sin ningún trabajo pudiera». Y pensando cómo podría tomar el rastro de los que allí vinieran, oyó relinchar un cavallo, y fuese para allá, y cuando a aquella parte llegó donde lo oyera, no halló nada, mas luego tornó a oír algo más lexos otro cavallo, y siguió todavía aquel camino; y cuando anduvo una pieça, rompió el alva, y vio ante sí dos cavalleros armados, y el uno dellos apeado, y estava leyendo unas letras que en una piedra eran escritas, y dixo al otro:

—Endonado me fizieron venir aquí, que esto poco recado me paresce.

Y cavalgando en su cavallo se ivan entrambos; Galaor los llamó y dixo:

—Señores cavalleros, ¿saberme íades dezir quién llevó un cavallero muerto que yazía so el árbol de la encruzijada?

—Cierto —dixo el uno dellos—, no sabemos ál, sino que passada la media noche vimos ir tres donzellas y diez escuderos que levavan unas andas.

—Pues, ¿contra dónde fueron? —dixo Galaor.

Ellos le mostraron el camino, y partiéndose dél, él se fue por aquella vía; y a poco rato vio contra sí venir una donzella, y díxole:

—Donzella, ¿por ventura sabéis quién levó un cavallero muerto de so el árbol de la encruzijada?

—Si me vos otorgáis de vengar su muerte, que fue gran dolor a muchos y a muchas, según su gran bondad, dezirvoslo he.

—Yo lo otorgo —dixo él—, que según en vos paresce, justamente se puede esta vengança tomar.

—Esso es muy cierto —dixo ella—; y agora me seguid y cavalgad en este palafrén, y yo a las ancas.

Y ella quisiera que él fuera en la silla, mas por ninguna guisa lo quiso hazer, y cavalgando empós della fueron por do la donzella guiaba; y seyendo alexos cuanto dos leguas de allí, vieron un muy hermoso castillo, y la donzella dixo:

—Allí hallaremos lo que demandáis.

Y llegando a la puerta del castillo, dixo la donzella:

—Entrad vos y yo me iré; y dezidme cómo havéis nombre y dónde os podré fallar.

—Mi nombre —dixo él— es don Galaor, y cuido que en casa del rey Lisuarte antes que en otra parte me hallaréis.

Ella se fue y Galaor entró en el castillo, y vio yazer el cavallero muerto en medio del corral, y hazían muy gran duelo sobre él; y llegándose a un cavallero viejo de los que aí stavan, le preguntó quién era el cavallero muerto.

—Señor —dixo él—, era tal que todo el mundo con mucha razón se devría doler dél.

—Y ¿cómo havía nombre? —dixo Galaor.

—Antebón —dixo él—, y era natural de Gaula.

Galaor ovo más piedad dél que ante, y dixo:

—Ruégoos que me digáis la causa por qué fue muerto.

—De grado os lo diré —dixo él—. Este cavallero vino en esta tierra, y por su bondad fue casado con aquella dueña que sobre él llora, que es señora deste castillo, y ovieron una muy fermosa hija, que fue amada de un cavallero que cerca de aquí mora en otra fortaleza, mas ella desamávalo a el más que a otra cosa. Y el cavallero muerto acostumbrava de salir muchas veces al árbol de la encruzijada, porque allí siempre acudían muchas aventuras de cavalleros andantes, y con desseo de emendar aquellas que contra razón passassen, en que hizo tanto en armas que en estas tierras era muy loado; y seyendo allí un día, passó a caso aquel cavallero que a su hija amava, y passando por él se fue al castillo donde la donzella con esta su madre quedara, que por este corral con otras mugeres trebejava; y tomándola por el braço, se salió fuera antes que la puerta le pudiessen cerrar, y la levó a su castillo; la donzella no hazía sino llorar, y el cavallero le dixo:

—Amiga, pues que yo soy cavallero y vos mucho amo, ¿por cuál razón no me tomaréis en casamiento, teniendo más riqueza y estado que vuestro padre?

—No —dixo ella—, por mi grado; antes terné una jura que a mi madre hize.

—Y ¿qué jura es?

—Que no casasse ni hiziesse amor sino con cavallero loado en armas, como aquel con quien ella casara, que es mi padre.

—Por esso no lo dexaréis, que yo no so menos esforçado que vuestro padre, y ante de tercero día lo sabréis.

Estonces salió armado en su cavallo del castillo, y fuese al árbol de la encruzijada, donde a la sazón halló este cavallero apeado de su cavallo y sus armas cabe sí, y llegándose a él, sin le hablar, heriólo con la lança por la garganta assí como vedes, ante que él pudiesse tomar sus armas, y cayó en tierra por ser el golpe mortal, y el cavallero descendió estonces y diole con la espada todos aquellos golpes que véis que tiene, hasta que lo mató.

—Sí Dios me ayude —dixo Galaor—, el cavallero fue muerto a gran sinrazón, y todos se havrían dél doler; y agora me dezid por qué lo ponen de tal guisa so el árbol de la encruzijada.

—Porque passan por aí muchos cavalleros andantes, y cuéntanles esto que vos yo he dicho, si por ventura viniesse aí tal que lo vengasse.

—Pues ¿por qué lo dexan assí solo? —dixo Galaor.

—Siempre estavan —dixo el cavallero— con él cuatro escuderos hasta anoche, que fuyeron dende porque el otro cavallero los embió amenazar, y por esto lo truximos.

—Mucho me pesa —dixo don Galaor— que os no vi.

—¡Cómo! —dixo el otro—, ¿sois vos el que allí dormíades acostado a su yelmo?

—Soy —dixo él.

—Y ¿por qué quedastes aí? —dixo el cavallero.

—Por vengar aquel muerto, si con razón lo pudiesse fazer —dixo Galaor.

—¿Estáis en aquel propósito agora?

—Sí, cierto —dixo él.

—¡Ay, señor! —dixo el cavallero—, Dios por su merced os lo dexe acabar a vuestra honra.

Y tomándolo por la mano lo llegó al lecho, y hizo callar todos los que el duelo hazían, y dixo contra la dueña:

—Señora, este cavallero dize que a su poder vengará la muerte de vuestro marido.

Ella se le cayó a los pies por gelos besar, y dixo:

—¡Ay, buen cavallero! Dios te dé el gualardón, qu'él no ha en esta tierra pariente ni amigo que dello se trabaje, que es de tierra estraña, pero cuando era bivo muchos se le mostravan.

Galaor dixo:

—Dueña, por ser él de la tierra que yo soy, tengo más sabor de le vengar, que yo soy natural de donde él era.

—Amigo señor —dixo la dueña—, ¿por ventura sois vos el hijo del rey de Gaula que dezía mi señor que era en casa del rey Lisuarte?

—Nunca fue en su casa —dixo él—; mas dezidme quién lo mató y dónde lo podré hallar.

—Buen señor —dixo ella—, dezíroslo he y fazeros he allá guiar, mas he gran recelo, según el peligro, que dudéis de lo cometer, como otros que allá he embiado lo fizieron.

—Dueña —dixo él—, por esso s'estreman los buenos de los malos.

La dueña mandó a dos donzellas que lo guiassen.

—Señora —dixo Galaor—, yo vengo a pie.

Y contóle cómo el cavallo perdiera, y dixo:

—Mandadme dar en qué vaya.

—De grado lo faré —dixo ella—, a tal pleito que si lo no vengardes que me bolváis el cavallo.

—Yo lo otorgo —dixo Galaor.

CAPÍTULO XXV

CÓMO GALAOR VENGÓ LA MUERTE DEL CAVALLERO QUE HAVÍAN HALLADO MALAMENTE MUERTO AL ÁRBOL DE LA ENCRUZIJADA

DIÉRONLE un cavallo y fuese con las donzellas; y anduvieron tanto que llegaron a una floresta y vieron en ella una fortaleza que estava sobre una peña muy alta; y las donzellas le dixeron:

—Señor, allí avedes a vengar al cavallero.

—Vayamos aí —dixo—, y dezidme qué nombre ha el que lo mató.

—Palingues —dixeron ellas.

En esto llegaron al castillo y vieron la puerta cerrada. Galaor llamó, y viniendo un hombre armado sobre la puerta, y dixo:

—¿Qué queréis?

—Entrar allá —dixo Galaor.

—Esta puerta —dixo el otro— no es sino para salir los que acá están.

—Pues, ¿por dónde entraré? —dixo él.

—Yo vos lo mostraré —dixo el otro—, mas he miedo que trabajaré en vano y no osaréis entrar.

—Sí me ayude Dios —dixo Galaor—, ya querría ser allá dentro.

—Agora lo veremos —dixo él—, si vuestro esfuerço es tal como el desseo, y descendid del cavallo y llegadvos de pie aquella torre.

Galaor dio el cavallo a las donzellas y púsose donde le dixeron; y no tardó mucho que vieron al cavallero y otro más grande en somo de la torre bien armado, y començaron a desembolver una devanadera y echaron de suso un cesto grande atado en unas rezias cuerdas, y dixeron:

—Cavallero, si acá queréis entrar, éste es el camino.

—Si yo en el cesto entrare —dixo Galaor—, ¿ponerme heis allá suso en salvo?

—Sí, verdaderamente —dixeron ellos—, mas después no vos asseguramos.

Estonces entró en el cesto y dixo:

—Pues tirad, que en vuestra palabra me asseguro.

Ellos començáronlo a subir, y las donzellas que lo miravan dixeron:

—¡Ay, buen cavallero! Dios te guarde de traición, que cierto yaze en el tu coraçón grande esfuerço.

Assí tiraron los cavalleros a Galaor encima de la torre; y seyendo suso, salió muy lijero del cesto y metióse con ellos en la torre. Ellos le dixeron:

—Cavallero, conviene que juréis de ayudar al señor deste castillo contra los que demandaren la muerte de Antebón, o no saliréis de aquí.

—¿Es alguno de vos el que lo mató? —dixo Galaor.

—¿Por qué lo preguntáis? —dixeron ellos.

—Porque querría hazerle conoçer la gran traición que en ello hizo.

—¿Cómo sois tan loco? —dixeron los cavalleros—; ¿estáis en nuestro poder y amenazádesle? Pues agora compraréis vuestra locura.

Y poniendo mano a sus espadas fueron para él muy airadamente; y Galaor metió mano a su spada, y diéronse de grandes golpes por cima de los yelmos y escudos, que los dos cavalleros eran valientes; y Galaor, que se vía en aventura, punava por los llegar a la muerte.

Las donzellas, que abaxo eran, oían las feridas que se davan, y dezían:

—¡Ay, Dios! ¿Qué puede ser del buen cavallero que se ya combate?

Y la una dixo:

—No nos partamos de aquí fasta ver la cima deste fecho.

Galaor se combatía tan bravamente, que en mucho espanto ponía a los cavalleros; y dexóse correr al uno y diole un golpe de toda su fuerça por cima del yelmo, que la espada llegó a la cabeça y entró bien por ella dos dedos, y tirándola contra sí dio con él de inojos en tierra. Otrosí començóle a cargar de tan duros golpes, que por feridas que el otro le diesse nunca lo dexó hasta que lo mató, y tornó luego sobre el otro, y como se vio con él solo, quiso fuir, mas alcançólo y travándole por el brocal del escudo lo tiró tan rezio contra sí, que lo derribó ante sus pies, y diole tales golpes de la espada que no ovo menester maestro. Esto assí hecho, puso la spada en la vaina y echó los cavalleros de la torre, diziendo a las donzellas que mirassen si alguno de aquéllos era Palingues; ellas dixeron:

—Señor, éstos están mal parados para los conoçer, pero bien creemos que ninguno lo es.

Estonce Galaor se baxó por el escalera de la torre, y entrando en un palacio vio una donzella hermosa que estava diziendo:

—Palingues, ¿por qué fuís si eres tan esforçado que a mi padre matasses en batalla, como lo tú dizes? Atiende este cavallero que viene.

Galaor miró adelante y vio un cavallero muy armado de todas armas que quería abrir una puerta de otra torre y no podía; y por las palabras de la donzella hermosa conoçió ser aquel el qu'él buscava. Y ovo plazer y dixo:

—Palingues, no te cale que fuyas, ni que tomes esfuerço, que ahunque le tomes, no escaparás en ninguna parte.

Estonces fue para él; y el otro, que más no pudo, tornó assimesmo a lo herir, y diole un gran golpe por cima del brocal del escudo, que entró la espada por el una mano, assí que la no podía sacar; y Galaor lo herió en descubierto en el braço derecho, que le cortó la manga de la loriga, y el braço cabe el codo, y gelo echó en tierra, y Palingues quiso fuir a una cámara y cayó a la puerta atravessado. Galaor lo tomó por la pierna y tráxolo rastrando, y quitóle el yelmo de la cabeça, y feriólo con su espada, diziendo:

—Toma esto por la traición que feziste en matar a Antebón.

Y fendióle hasta los dientes; otrosí metió la espada en la vaina, y la donzella hermosa, que aquellas palabras oyera, vino contra él y díxole:

—¡Ay, buen cavallero! Dios te haga bivir en honra, que vengaste a mi padre y la fuerça que a mí se hizo.

Galaor la tomó por la mano, y dixo:

—Cierto, amiga hermosa, bien devía haver vergüença quien a tan hermoso pareçer hiziesse pesar, que sí Dios me ayude, mucho más valéis para ser servida que enojada.

Otrosí dixo:

—Amiga señora, ¿ay algunos en el castillo de que me tema?

—Señor —dixo ella—, no quedan aquí sino gente de servicio, y todos serán en la vuestra merced.

—Pues vayamos —dixo él— a hazer entrar dos donzellas de vuestra madre que por su mandado me guiaron aquí.

Estonces la tomó por la mano, y llegando a la puerta del castillo la abrieron y hallaron aí las donzellas que atendían; y la una le traía el cavallo, y fiziéronlas entrar; y cuando descavalgaron abraçaron a su señora con gran plazer, y preguntáronle si era vengada la muerte de su padre.

—Sí —dixo ella—, merced a Dios y a este buen cavallero que la vengó, lo que otro ninguno no pudiera hazer.

Y luego se fueron juntas adonde Galaor estava, que ya se quitara el escudo y el yelmo, y viéronle tan niño y tan hermoso, que mucho fueron maravilladas; y la donzella a quien él acorrió se pagó dél mucho más que de ninguno otro que jamás viera, y fuele abraçar diziendo:

—Amigo señor, yo os devo más amar que a otra persona alguna, y de grado querría saber, si vos pluguiere, quién sois.

—Soy natural —dixo él— donde era vuestro padre.

—Pues dezidme vuestro nombre.

—A mí llaman don Galaor —dixo él.

—A Dios merced —dixo ella—, que de tal cavallero fue vengado mi padre, que os mentava muchas vezes y a otro buen cavallero, vuestro hermano, que se llama Amadís, y dezía que sois hijos del rey de Gaula, cuyo vasallo él fue.

A esta sazón andavan las donzellas por el castillo buscando con las otras mugeres para les dar de comer; y estavan don Galaor y la donzella, que Brandueta havía nombre, solos hablando en lo que oídes, y como ella era muy hermosa y él codicioso de semejante vianda, antes que la comida viniesse ni la mesa fuesse puesta, descompusieron ellos ambos una cama que en el palacio era donde estavan, haziendo dueña aquella que de antes no lo era, satisfaziendo a sus desseos, que en tan pequeño espacio de tiempo mirándose el uno al otro la su floresciente y fermosa juventud muy grandes se havían fecho.

Las mesas puestas y todo adereçado, salieron Galaor y la donzella al corral, y debaxo de un árbol que allí estava les dieron de comer; y Brandueta le contó allí como Palingues, con miedo suyo y de su hermano Amadís, ponía tan gran guarda en aquel castillo, pensando que, pues Antebón su padre era su natural, que a ellos ante que otros ningunos era dada la vengança de su muerte. Después que allí holgaron con mucho plazer, y porque Brandueta se congoxava por salir del castillo y ir a ver a su madre, Galaor teniéndolo por bien, acordaron de se ir luego, ahunque ya era tarde, y luego cavalgaron en sus palafrenes; y metidos al camino llegaron a casa de la dueña su madre, a dos horas andadas de la noche, la cual, ya por una de las donzellas que delante fuera, sabía todo lo que passara; y assí ella, como toda la otra gente, hombres y mugeres, los aguardavan en el corral donde Antebón muerto yazía, haziendo grandes alegrías porque tan complida y honradamente fuera su muerte vengada; y Galaor descendió en los braços de la señora, diziendo:

—Señor cavallero, este castillo es vuestro, y todos faremos lo que mandáredes.

Estonces lo hizo desarmar y leváronlo a una rica cámara donde havía un lecho de hermosos paños. Allí alvergó aquella noche mucho a su plazer, porque Brandueta, considerando que dexándolo solo no era complida la gran honra que merecía, cuando vio tiempo aparejado se fue para él, y a las vezes durmiendo y otras fablando y folgando, estuvieron de consuno fasta cerca del día, que ella a su cama se tornó.

CAPÍTULO XXVI

Cómo recuenta lo que le acaeçió a Amadís yendo en recuesta de la donzella que el cavallero maltratada la llevava

AMADÍS, que iva tras el cavallero que a la donzella por fuerça levava y la iva heriendo, anduvo mucho por lo alcançar; y antes que lo alcançasse, encontróse con otro cavallero armado en su cavallo, que le dixo:

—¿Qué cuita avedes tan grande que con tanta priessa os faze venir?

—¿A vos qué os faze —dixo Amadís— de yo ir aína ni passo?

—Si fuídes ante alguno, ampararvos he yo.

—No he agora menester vuestra defensa —dixo Amadís.

El cavallero le tomó por el freno, y dixo:

—Conviene que me lo digáis; si no, sois en la batalla.

—Más me plaze desso —dixo Amadís—, porque más tardaré de os lo dezir que de me quitar de os por essa vía; que según vuestra desmesura, no os podría dezir tanto que más no quisiéssedes saber.

El cavallero se tiró afuera, y vino para él al más ir de su cavallo, y Amadís a él, y el cavallero le encontró reziamente en el escudo, que la lança fue en pieças; y Amadís lo herió tan duramente, que lo derribó en tierra y el cavallo sobr'él, y el cavallero se herió tan mal en una pierna, que apenas se pudo levantar; passando por él, fue adelante por su camino. Y éste fue el cavallero que soltó el cavallo a don Galaor. Y Amadís se aquexó tanto de andar que alcançó el cavallero que la donzella levava, y dixo:

—Gran pieça ha que fuestes desmesurado, y agora os ruego que lo no seáis.

—Y ¿qué desmesura fago yo? —dixo el cavallero.

—La mayor que podíades —dixo Amadís—, que levades la donzella forçada, y demás ferídesla.

—Pareçe —dixo el cavallero— que me queréis castigar.

—No vos castigo —dixo él—, mas digos lo que es vuestra pro.

—Entiendo que lo será más vuestra en os tornar por do venistes.

Amadís ovo saña, y fue para el escudero, y díxole:

—Dexad la donzella, si no muerto sois.

El escudero, con miedo, púsola en el suelo. El cavallero dixo:

—Don cavallero, gran locura tomastes.

—Agora lo veremos —dixo Amadís.

Y baxando las lanças se herieron de tal guisa, que fueron quebradas, y el cavallero fue en tierra, y tanto que cayó levantóse aína, y Amadís fue a él por lo ferir con los pechos del cavallo. El otro dixo:

—Estad, señor, que por ser yo desmesurado no lo seáis os, y haved de mí merced.

—Pues jurad —dixo Amadís— que a dueña ni a donzella no forçaréis contra su voluntad ninguna cosa.

—Muy de grado —dixo el cavallero.

Amadís que llegó a él para le tomar la jura, el otro que la spada tenía en la mano, herióle con ella en el vientre del cavallo, que lo fizo caer con él. Amadís salió luego dél, y poniendo mano a la espada se dexó a él correr tan sañudo que maravilla era. Y el cavallero le dixo:

—Agora vos faré ver que en mal punto aquí venistes.

Amadís, que gran ira levava, no le respondió, mas herióle en el yelmo so la visera, y cortóle dél tanto que la spada llegó al rostro, assí que las narizes con la meitad de la faz le cortó, y cayó el cavallero; mas él, no contento, tajóle la cabeça, y metiendo su espada en la vaina se fue a la donzella a tal hora que ya era noche cerrada y el lunar fazía claro. Ella le dixo:

—Señor cavallero, Dios os dé honra por el acorro que me feziste, y más si le diéredes fin, que es levarme a un castillo donde yo querría ir; que no ha cosa por que a tal hora cometiesse ningún camino.

—Donzella —dixo él—, yo os levaré y de grado.

Estando en esto llegó Gandalín, y Amadís le dixo:

—Dame aquel cavallo del cavallero, pues qu'el mío me mató, y toma tú la donzella en el palafrén, y vayamos adelante, donde nos guiare.

Assí fueron dexando aquel camino a tomar otro que la

donzella sabía. Amadís le preguntó si sabía el nombre del
cavallero muerto del árbol de la encruzijada. Ella dixo que
sí, y contóle toda su fazienda y la razón de su muerte, que
lo bien sabía. En esto llegaron a una ribera seyendo ya la
media noche, y porque a la doncella prendía gran sueño, a
ruego della acordaron de allí dormir alguna pieça; y descendiendo de las bestias, pusieron el manto de Gandalín en que
ella durmiesse; y Amadís acostado a su yelmo se echó cerca
della, y Gandalín de la otra parte. Pues durmiendo todos
como oídes, llegó a caso un cavallero que venía por la ribera descontra suso, y como assí los vio púsose en su cavallo
encima dellos, y metió el cuento de la lança entre los braços
de la donzella, y hízola despertar; y como vio el cavallero
armado, cuidó que era el que la aguardava, y levantóse so-
ñolienta y dixo:
—¿Queréis, señor, que andemos?
—Quiero —dixo el cavallero.
—En el nombre de Dios —dixo ella.
El cavallero se baxó y tomándola por el braço la puso
ante sí, y començó de ir.
—¿Qué es esso? —dixo ella—; mejor me levara el escudero.
No levará —dixo él—, pues quisistes os ir comigo.
Ella cató ante sí y vio a Amadís que muy fuerte dormía,
y dio bozes:
—¡Ay, señor, acorredme, que me lleva no sé quién!
El cavallero dio de las spuelas al cavallo, y fuese con ella
cuanto más pudo. Amadís despertó a las bozes de la donzella, y vio cómo el cavallero la levava, de que mucho pesar
ovo, y llamó apriessa a Gandalín que le diesse el cavallo, y
en tanto enlazó el yelmo y tomó el escudo y la lança; y cavalgando se fue por donde el otro viera ir; y no anduvo
mucho que se falló entre unos árboles muy espessos, donde
perdió la carrera, que no sabía dónde ir; pero que él era el
cavallero del mundo más sofrido, crecióle gran saña contra
sí, diziendo:
—Agora digo que la donzella puede bien dezir que tanto
la fize de tuerto como de amparamiento, que si de un força-
dor la defendí, dexéla en poder de otro.
Y assí anduvo una gran pieça por el campo, haziendo a
su cavallo más mal que merecía; y a poco rato oyó sonar un
cuerno, y fuese yendo contra aquella parte, cuidando que allí

havía acudido el cavallero; y no tardó que halló ante sí una hermosa fortaleza en un otero alto, y velávanla muy fuertemente, y llegándose a ella vio el muro alto y las torres fuertes, mas la puerta havía bien cerrada. Los veladores, que le vieron, preguntáronle qué hombre era que a tal hora andava armado.

—Soy un cavallero —dixo él.

—Y ¿qué demandáis? —dixeron ellos.

—Demando —dixo él— un cavallero que me tomó una donzella.

—No lo vimos —dixeron los de suso.

Amadís se fue en derredor del castillo, y de la otra parte halló un postigo abierto, y vio al cavallero que levara la donzella a pie, y sus hombres que le desensillavan el cavallo, que no cabía por el postigo de otra guisa. Amadís cuidó qu'él era, y dixo:

—Señor cavallero, atended un poco y nos vos acojedes; antes me decid si sois vos el que me tomó una mi donzella.

—Si la yo traxe —dixo él—, mal la guardastes os.

—Forçástesmela por engaño —dixo Amadís—, que de otra guisa no fuera tan ligero de lo hazer, y cierto no fuestes aí cortés, ni ganastes aí prez de cavallero.

El cavallero le dixo:

—Amigo, yo tengo la donzella, que de su voluntad quiso venirse comigo; y tengo que le no fize fuerça.

—Señor cavallero —dixo Amadís—, mostrámela, y si ella esso dize, dexaré de la demandar.

—Yo os la mostraré mañana acá dentro, si quisierdes entrar con la costumbre del castillo.

—Y ¿qué costumbre es éssa?

—Mañana vos lo dirán, y no la ternéis en poco si a ella vos aventuráis

—Si agora la quisiesse ver, ¿acogerme ían dentro?

—No —dixo el cavallero—, por ser de noche; mas si al día aguardáredes, veremos lo que aí haredes.

Y cerrando el postigo se acogió dentro. Y Amadís se tiró afuera so unos árboles, donde descendió del cavallo y estuvo con Gandalín hablando en muchas cosas fasta la mañana; y el sol salido, vio abrir la puerta; y cavalgando en su cavallo llegóse a ella, y vio estar un cavallero todo armado en un gran cavallo. Y el portero que guardava le dixo:

—Señor cavallero, ¿queréis acá entrar?

—Quiero —dixo Amadís—, que por esso vengo aquí.

—Pues ante vos diré —dixo el portero— la costumbre, porque os no quexéis. Y dígovos de tanto que ante que entréis, vos havéis de combatir con aquel cavallero, y si vos vence, juraréis de hazer mandado de la señora deste castillo; si no, echaros han en una esquiva prisión, y ahunque vos vençáis no vos dexaremos salir, y havedes de ir delante donde hallaréis a otra puerta otros dos cavalleros. Y más adentro otros dos cavalleros, y con todos vos havéis de combatir por tal pleito como el del primero; y si fuéredes tan bueno que a vuestra honra lo passedes, demás de ganar gran prez de armas, hazeros han derecho de lo que demandardes.

—Cierto —dixo Amadís—, si vos verdad dezís, caramente lo comprara quien de aquí lo levare; mas comoquier que ello sea, todavía quiero ver la donzella que acá me tienen, si puedo.

Estonces se metió por la puerta del castillo, y el cavallero le dio bozes que se guardasse, y dexóse a él correr, y Amadís a él, y heriéndose de las lanças en los escudos, y el cavallero quebrantó su lança, y Amadís le puso en tierra tan bravamente, que le quebrantó el braço diestro, y tornó sobre él, y poniéndole la lança en los pechos dixo:

—Muerto sois, si no vos otorgáis por vencido.

El cavallero dixo:

—Señor, merced.

Y mostróle el braço quebrado. Amadís passó por él y fuese adelante, y vio a la otra puerta dos cavalleros armados, y dixéronle:

—Entrad, cavallero, si connusco vos queréis combatir, si no, seréis preso.

—Cierto —dixo él—, ante me combatiré que ser preso endonado.

Y cubriéndose de su escudo baxó su lança y dexóse a ellos correr, y ellos a él, y el uno falleçió de su golpe, y el otro lo herió en el escudo de guisa que gelo falsó y heriólo en el braço siniestro y quebró la lança en pieças. Amadís le herió tan duramente, que batió a él y al cavallo en tierra, y fue assí tordido de la caída que no supo de sí parte, y dexóse ir al otro, que quedara de cavallo, y encontróle con la lança sin fierro, que quedara en el escudo del otro, en el yelmo, de guisa que gelo sacó de la cabeça, y el cavallero lo herió en el brocal del escudo en soslayo; assí quel encuentro no prendió y quedó allí la lança sana; y pusieron mano a las espadas y diéronse grandes golpes, y Amadís le dixo:

—Cierto, cavallero, locura hazéis en vos combatir con la cabeça desarmada.

—La mi cabeça —dixo él— la guardaré yo mejor que os la vuestra.

—Agora pareçerá —dixo Amadís.

Estonces lo herió encima del escudo de tan fuerte golpe, que la espada entró por él, y el cavallero perdió las estriberas, y oviera de caer. Amadís, que assí embaraçado lo vio, diole de llano con la espada en la cabeça, de que muy atordido fue, y púsole la mano en el ombro y dixo:

—Cavallero, mal guardastes la cabeça, que la perdiérades si os diera el golpe a derecho.

El cavallero dexó caer la spada de la mano, y dixo:

—No quiero perder mi cuerpo con más locura, pues que ya una vez me lo distes, y id adelante.

Amadís le demandó la lança, que yazía en el suelo, y él gela dio; y llegando a la otra puerta vio dentro en el castillo dueñas y donzellas suso en el muro, y oyó que dezían:

—Si este cavallero passa la puente a pesar de los tres, havrá fecho la mayor cavallería del mundo.

Estonces salieron a él los tres cavalleros muy bien armados y en fermosos y grandes cavallos, y el uno le dixo:

—Cavallero, sed preso o jurad que haréis mandado de la señora del castillo.

—Preso no seré —dixo Amadís— en tanto que me defender pueda; ni la voluntad de la señora no sé cual es.

—Pues agora os guardad —dixeron ellos.

Y fueron todos de consuno a lo herir tan bravamente, que lo hovieran a derribar con el cavallo. Amadís herió al uno tan rezio, que le metió el fierro de la lança por los costados, y allí quebró su lança, assí como los otros las quebraran en él; y metiendo mano a las spadas se herieron tan bravamente, que los que los miravan, eran mucho maravillados, que los tres cavalleros eran valientes y usados en armas, y aquel que ante sí tenían no quería la vergüença para sí. La batalla fue brava, mas no duró mucho, que Amadís, mostrando sus fuerças, les dava tales golpes, que la espada les hazía llegar a las carnes y a las cabeças; assí que en poca de hora los paró tales que le no podían sufrir, y huyeron contra el castillo, y él empós dellos, y como los aquexava, el uno dellos descendió del cavallo, y Amadís le dixo:

—No os cale descendir, que os no dexaré si no vos otorgáis por vencido.

—Cierto, señor, esso haré yo de grado —dixo él—; y todos los que con os se combatieren lo devrían ser según lo que hazéis.

Y diole su espada. Amadís jela tornó y fue empós de los otros que vio entrar en un gran palacio, y vio a la puerta dél bien veinte dueñas y donzellas, y la más hermosa dellas dixo:

—Estad, señor cavallero, que mucho havéis fecho.

Amadís estuvo quedo y dixo:

—Señora, pues otórguense por vencidos.

—Y a vos ¿qué os haze? —dixo la dueña.

—Porque me dixeron a la puerta que me convenía matar o vencer, que de otra guisa no alcançaría mi drecho.

—Mas dixeron os —dixo la dueña— que si acá entrássedes a fuerça dellos, que vos farían drecho de lo que demandássedes, y agora dezid lo que os pluguiere.

—Yo demando —dixo él— una donzella que me tomó un cavallero en una ribera donde de noche durmía, y la traxo a este castillo a su pesar.

—Agora, assentad os —dixo ella—, y venga el cavallero y diga su razón y vos la vuestra, y cada uno havrá su derecho; y descendid un poco en tanto que viene el cavallero.

Amadís descendió de su cavallo y la dueña lo sentó cabe sí, y díxole:

—¿Conoçedes vos un cavallero que se llama Amadís?

—¿Por qué lo preguntáis? —dixo él.

—Porque toda esta guarda que vistes en este castillo por él es puesta; y bien os digo que si él acá entrasse, que no saldría de aquí por ninguna guisa fasta que se oviesse de quitar de una cosa que prometió.

—Y ¿qué fue esso? —dixo él.

—Yo os lo diré —dixo la dueña— por pleito que a todo vuestro poder le fagades partir de lo que prometió, quier por armas, quier por otra cosa, pues lo no fizo con derecho.

Amadís dixo:

—Yo os digo, dueña, que cualquiera cosa que Amadís haya prometido, en que tanto sea le faré yo quitar a todo mi poder.

Ella, que no entendía a qué fin era dicho, dixo:

—Pues agora sabed, señor cavallero, que esse Amadís que vos yo hablo prometió a Angriote d'Estraváus que le haría haver a su amiga, y desta promessa le hazed vos partir, pues que tal juntamiento, más por voluntad que por fuerça, quiere Dios y la razón que se faga.

—Cierto —dixo Amadís—, vos dezides razón, y si puedo yo le haré quitar.

La dueña gelo gradesció mucho. Pero él no menos contento era, porque cumpliendo su promesa se quitava della.

—Y dezid —díxole—, ¿por ventura sois vos, señora, aquella que Angriote ama?

—Señor —dixo ella—, yo soy.

—Cierto, señora —dixo él—, a Angriote tengo yo por uno de los buenos cavalleros del mundo, y al mi cuidar no ha tan alta dueña que se no devía preciar de haver tal cavallero, y esto no lo digo por no atener lo que prometí, mas dígolo porque él es mejor cavallero que esse que le dio la promesa.

CAPÍTULO XXVII

CÓMO AMADÍS SE COMBATIÓ CON EL CAVALLERO QUE LA DONZELLA LE HAVÍA FURTADO ESTANDO DURMIENDO, Y DE CÓMO LO VENCIÓ

MIENTRA que esto hablavan vino a ellos un cavallero todo armado, sino la cabeça y las manos. El era grande y membrudo y asaz bien hecho para haver gran fuerça; y dixo contra Amadís:

—Señor cavallero, dízenme que demandáis una donzella que yo aquí traxe; y yo no vos forcé de nada, que ella se quiso venir conmigo ante que quedar convusco; y assí tengo que no he por qué vos la dar.

—Pues mostrádmela —dixo Amadís.

—Yo no he por qué vos la mostrar —dixo el cavallero—, mas si dezís que no deve ser mía, provarvoslo he por batalla.

—Cierto —dixo Amadís—, esso provaré yo a quien quiera, que la os no devedes haver con derecho, si la donzella no se otorga en ello.

—Pues sed vos en la batalla —dixo el cavallero.

—Mucho me plaze —dixo Amadís.

Agora sabed que este cavallero havía nombre Gasinán, y

era tío, hermano de su padre, de la amiga de Angriote, y era el pariente del mundo que ella más amava. Y por ser el mejor cavallero de armas de su linaje, traía su hazienda por seso dél; y traxéronle a este Gasinán un gran cavallo, y él tomó sus armas. Y Amadís otrosí cavalgó y tomó las suyas, y la dueña, que Grovenesa havía nombre, dixo:

—Tío, yo vos loaría que no passasse esta batalla, que mucho pesar havría de cualquiera de vos que mal le avenga, que vos sois el hombre del mundo que yo más amo; y esse cavallero me juró que faría quitar a Amadís de lo que prometió a Angriote.

—Sobrina —dixo Gasinán—, ¿cómo cuidades vos que él ni otro pudiessen tirar al mejor cavallero del mundo de no complir su voluntad?

Grovenesa le dixo:

—Assí me ayude Dios, yo tengo a éste por el mejor cavallero del mundo, y si tal no fuesse, no entrara acá por fuerça de armas.

—¡Cómo! —dixo Gasinán—, ¿tanto lo preciáis os por passar las puertas a aquellos que las guardavan?; cierto él hizo buena cavallería, mas yo por esso no lo temo mucho; y si en él ha bondad agora lo veréis, y Dios no me ayude si yo la donzella dexo en cuanto defenderla pueda.

Grovenesa se tiró afuera, y ellos partieron contra sí al más ir de los cavallos, las lanças baxas, y heriéronse en los escudos tan bravamente, que luego fueron quebradas, y ellos se juntaron de los scudos y yelmos de consuno tan duramente que maravilla era; y Gasinán, que menos fuerça havía, fue fuera de la silla, y dio gran caída, mas él se levantó luego como aquel que era de gran fuerça y coraçón, y metió mano a la spada y fuese yendo contra un pilar de piedra que estava alto en medio del corral, que allí cuidó que le no haría Amadís mal de cavallo, y si a él se llegasse, que jele podría matar. Amadís se dexó ir a él por lo ferir, y Gasinán le dio con el spada en el rostro del cavallo, de que Amadís fue muy sañudo, y quísolo ferir de toda su fuerça, y Gasinán se tiró afuera, y el golpe dio en el pilar, que de fuerte piedra era, assí que cortó una pieça dél; mas el spada fue quebrada en tres pieças; cuando él assí la vio ovo gran pesar, como quien estava en peligro de muerte, y ál no tenía con que se defender; y lo más presto que pudo descendió de su cavallo. Gasinán que assí lo vio, dixo:

—Cavallero, otorgad la donzella por mía; si no, muerto sois.

—Esso no será —dixo él— si ante ella no dize que le plaze.

Estonces se dexó ir a él Gasinán, y començólo de ferir por todas partes, como aquel que era de gran fuerça y havía sabor de ganar la donzella. Mas Amadís se cubría tan bien de su escudo y con tanto tiento, que todos los más golpes recibía en él, y otros le fazía perder y algunas vezes le dava con los puños de la espada, que en la mano le quedó, tales golpes que le fazía rebolver de una y de otra parte, y le torcía a menudo el yelmo en la cabeça. Assí anduvieron gran pieça en la batalla, tanto que las dueñas y donzellas se espantavan de cómo lo podía Amadís sufrir sin tener con qué firiesse; pero desque se vio descubierto por muchos lugares de su loriga y menguado de su escudo, púsolo todo en aventura de muerte, y dexóse ir con gran saña a Gasinán, tan presto qu'el otro no pudo ni tovo tiempo de lo ferir, y abraçáronse ambos punando cada uno por derribar al otro; y assí anduvieron una pieça, que nunca Amadís lo dexó que dél se soltasse: y seyendo cerca de una gran piedra que en el corral havía, puso Amadís toda su fuerça, que muy mayor que ninguno pudiera pensar la tenía, ahunque de gran cuerpo no era, y dio con él encima della tan gran caída que Gasinán fue todo atordido, que no se meneava con pie ni con mano. Amadís tomó el spada presto que le cayera de la mano, y cortándole los lazos del yelmo tirógelo de la cabeça; y el cavallero acordó ya cuanto más; pero no de guisa que levantarse pudiesse, y díxole:

—Don cavallero, mucho pesar me hezistes sin derecho, y agora me vengaré dello.

Y alçó la spada como que lo quería herir. Y Grovenesa dio grandes bozes, diziendo:

—¡Ay, buen cavallero, por Dios merced, no sea assí!

Y fue contra él llorando.

Cuando Amadís vido que le tanto pesava, fizo mayor semblante de lo matar y dixo:

—Dueña, no me roguéis que lo dexe, qu'él me ha fecho tanto pesar que por ninguna guisa dexaré de le cortar la cabeça.

—¡Ay, señor cavallero! —dixo ella—; por Dios, mandad todo lo que vuestra voluntad fuere que nos hagamos, en tal que no muera, y luego será complido.

—Dueña —dixo él—, en el mundo no ha cosa porque lo yo dexasse, sino por dos cosas si las os quisierdes hazer.

—¿Qué cosas son? —dixo ella.

—Dadme la donzella —dixo él—, y os me juraréis como leal dueña que iréis a la primera corte qu'el rey Lisuarte fiziere, y allí me daréis un don cual yo pidiere.

Ganisán, que stava ya más acordado y se vio en tan gran peligro, dixo:

—¡Ay, sobrina, por Dios merced, y no me dexéis matar, y haved duelo de mí, fazed lo quel cavallero dize!

Ella lo otorgó como Amadís lo pedía. Estonce dexó al cavallero y dixo:

—Dueña, yo os estaré bien en el don que os prometí, y vos tened en la vuestra jura, y no temáis que os yo demande cosa que sea contra vuestra honra.

—Muchas mercedes —dixo ella— que os sois tal que farés todo derecho.

—Pues agora venga la donzella que yo demando.

La dueña la fizo venir, y fue hincar los inojos ante Amadís, y dixo:

—Cierto, señor, mucho afán havéis levado por mí; y comoquier que Gasinán me traxesse a engaño, conozco que me quiere bien, pues quiso ante combatirse que darme por otra guisa.

—Amiga señora —dixo Gasinán—, si vos paresce que vos amé, sí me Dios ayude, parésscevos gran verdad y ruégovos mucho que quedéis comigo.

—Assí lo haré —dixo ella—, plaziendo a este cavallero.

—Cierto, donzella —dixo Amadís—, vos escogides uno de los buenos cavalleros que podríades fallar; pero si esto no es vuestro plazer, luego me lo dezid y no me culpéis de cosa que dello vos avenga.

—Señor —dixo ella—, yo gradezco mucho a Dios porque aquí me dexáis.

—En el nombre de Dios —dixo Amadís.

Entonces demandó su cavallo, y Grovenesa quisiera que quedara allí aquella noche, mas él no lo hizo; y cavalgando en él, despedido della, mandó levar a Gandalín las pieças de la espada; salió del castillo; mas antes Gasinán le rogó que la suya levasse, y él gelo gradesció mucho, y tomóla; y Grovenesa le hizo dar una lança; y assí entró en el derecho camino del árbol de la encruzijada, que allí cuidava fallar a Galaor y a Baláis.

CAPÍTULO XXVIII

BALÁIS de Carsante se fue empós del cavallero que soltó el cavallo de don Galaor, el cual iva ya muy lueñe, y ahunqu'él mucha priessa por lo alcançar se dio, tomóle ante la noche, que muy escura vino, y anduvo hasta la media noche; entonces oyó unas bozes ante sí en una ribera, y fue para allá, y falló cinco ladrones que tenían una donzella que la querían forçar; y el uno dellos la levava por los cabellos a la meter entre unas peñas, y todos eran armados de fachas y lorigas. Baláis que lo vio, dixo a grandes bozes:

—¡Villanos, malos, traidores!, ¿qué queréis a la donzella?; dexalda; si no, todos sois muertos.

Y dexóse ir a ellos y ellos a él; y hirió al uno con la lança por los pechos y salióle el hierro a las espaldas, y la lança quebrada, quedando el ladrón muerto. Mas los cuatro le firieron de guisa que el cavallo cayó luego entr'ellos, y él salió dél lo más aína que pudo, como aquel que era esforça-do y buen cavallero; y metió mano a su espada, y los ladro-nes se dexaron correr a él, y firiéronle de todas partes, por do mejor podían, y él firió a uno, que más a mano falló, por cima de la cabeça, que la fendió fasta el pescueço, y dio con él muerto en tierra; y dexando colgar la espada de la cade-na tomó muy presto la facha que al villano se le cayera, y fue contra los otros, que veyendo los grandes golpes que dava, se le acogían a un tremadal que la entrada tenía estre-cha; pero antes alcançó al uno con la facha en los lomos, que le cortó la carne y huessos hasta la ijada; y passando sobre él fue a los dos que se le acogieran al tremadal, y allí havía un fuego grande, y los ladrones se pusieron de la otra parte, bueltos los rostros contra él, que no avía por dónde huyessen. Baláis se cubrió de su escudo y fue para ellos, y los ladrones le hirieron de grandes golpes por cima del yelmo, assí que la una mano le hizieron poner en tierra; mas él se levantó bravamente, como aquel que era de gran cora-çón, y dio al uno con la hacha tal herida, que la media ca-beça le derribó y dio con él en el huego. El otro, cuando se

vio solo, dexó caer la hacha de las manos y paróse ante él
de inojos, y dixo:

—¡Ay, señor, por Dios, merced!; no me matéis, que según
lo mucho que he andado en este mal oficio, con el cuerpo
perdería el ánima.

—Yo te dexo —dixo Baláis—; pues que tu discreción basta
para conoscer que en tal vida eras perdido, que tomes aquella con que al contrario serás reparado.

Assí lo hizo este ladrón, que después fue hombre bueno
de buena vida, y fue hermitaño. Esto assí fecho, Baláis se salió
del tremadal donde la donzella quedara, que muy alegre con
su vista fue en le ver sano; y gradescióle mucho lo que por
ella hiziera en la quitar de aquellos malos hombres que la
querían escarnir; y él la preguntó cómo la havían tomado
aquellos malos hombres.

—En un passo de un monte —dixo ella— que es acá suso
desta floresta, que ellos guardavan; y allí me mataron dos
escuderos que ivan comigo, y traxéronme aquí por me tener
presa para fazer su voluntad.

Baláis vio la donzella que era muy hermosa, y pagóse
mucho della, y díxole:

—Cierto, señora; si ellos vos tuvieran presa como vuestra
hermosura tiene a mí, nunca de allí saliérades.

—Señor cavallero —dixo ella—, si yo, perdiendo mi casti-
dad por la vía que los ladrones trabajavan, la gran fuerça
suya me quitava de culpa, otorgándola a vos de grado, ¿cómo
sería ni podría ser desculpada? Lo que fasta aquí hezistes fue
de buen cavallero; ruégovos yo que la fuerça de las armas
les deis por compañía la mesura y virtud a que tan obligado
sois.

—Mi buena señora —dixo él—, no tengáis en nada las palabras que os dixe; que a los cavalleros conviene servir y
codiciar a las donzellas y querellas por señoras y amigas, y
ellas guardarse de errar como lo vos queréis hazer; porque
comoquiera que al comienço en mucho tenemos aver alcançado lo que dellas desseamos, mucho más son de nosotros
preciadas y estimadas cuando con discreción y bondad se
defienden, resistiendo nuestros malos apetitos, guardando
aquello que perdiéndolo ninguna cosa les quedaría que de
loar fuesse.

La donzella se le humilló por le besar las manos, y dixo:

—En tanto más se deve tener este socorro de la honra

que el de la vida que me avéis hecho, cuanto más es la diferencia de lo uno a lo otro.

—Pues agora —dixo Baláis—, ¿qué mandáis que haga?

—Que nos alonguemos destos hombres muertos —dixo ella—, hasta quel día venga.

—¿Cómo será esso? —dixo él—, que me mataron el cavallo.

—Iremos —dixo ella— en este mi palafrén.

Entonces cavalgó Baláis y tomó la donzella en las ancas, y alongáronse una pieça, donde hallaron un prado cerca de un camino cuanto una echadura de arco, y allí alvergaron hablando en algunas cosas; y contóle Baláis la razón por qué tras el cavallero venía; y venida la mañana, armóse y cavalgaron en el palafrén, y fuéronse al camino, pero no vio rastro de ninguno que por allí oviesse passado, y dixo a la donzella:

—Amiga, ¿qué haré de vos, que no puedo por ninguna guisa quitarme desta demanda?

—Señor —dixo ella—, vayamos por esta carrera hasta que algún lugar hallemos; y allí quedando yo, iréis vos en el palafrén.

Pues moviendo de allí, como oís, a poco rato vieron venir un cavallero que la una pierna traía encima de la cerviz del cavallo, y llegando más cerca, púsola en la estribera, y firiendo el cavallo de las espuelas se vino a Baláis y dióle una tal lançada en el escudo que a él y la donzella derribó en tierra, y dixo:

—Amiga, de vos me pesa que caístes; mas llevarvos he yo donde se emendará, que éste no es tal para que merezca llevaros.

Baláis se levantó muy aína, y conosció que aquél era el cavallero que él demandava, y poniendo su escudo ante sí, con la espada en la mano, dixo:

—Don cavallero, vos fuistes bienandante que perdí mi cavallo, que, sí Dios me ayude, yo vos hiziera pagar la villanía que anoche fezistes.

—¡Cómo! —dixo el cavallero—, ¿vos sois el uno de los que de mí se rieron? Cierto, yo haré tornar sobre vos el escarnio.

Y dexóse correr a él la lança a sobremano y dióle un tal golpe en el escudo que gelo falsó. Baláis le cortó la lança por cabe la mano; y el cavallero metió mano a su espada, y fuele dar un golpe por cima del yelmo que fizo la espada entrar por él bien dos dedos; y Baláis se tendió contra él y echóle las manos en el escudo, y tiró por él tan fuertemente que la silla se torció y el cavallero cayó ante él; y Baláis fue sobre él, y quitándole los lazos del yelmo, le dio por el rostro y por la cabeça con la mançana de la espada grandes golpes, assí que le atordesció. Y como vido que en él no avía defendimiento ninguno, tomó la espada y dio con ella en una piedra tantos golpes que la hizo pieças, y metió la suya en la vaina; y tomó el cavallo del cavallero y puso la donzella en su palafrén, y fuese su vía contra el árbol de la encruzijada; y hallaron en el camino unas casas de dos dueñas que santa vida hazían, donde tomaron de aquella su pobreza algo que comiessen, que muchas bendiciones a Baláis echavan porque avía muerto aquellos ladrones, que mucho mal por toda aquella tierra hazían; assí continuaron su camino hasta que llegaron al árbol de la encruzijada, donde hallaron a Amadís, que entonces avía llegado, y no tardó mucho que vieron como don Galaor venía.

Pues allí juntos todos tres ovieron entre sí muy gran plazer en aver acabado sus aventuras tanto a sus honras, y acordaron de alvergar aquella noche en un castillo de un cavallero muy honrado, que era padre de la donzella que Baláis llevava cerca dende, y assí lo hizieron; que a él llegados, fueron muy bien recebidos y servidos de todo lo que menester avían; y otro día de mañana, después que oyeron missa, armáronse, y cavalgando en sus cavalgos, dexando la donzella en el castillo con su padre, entraron en el derecho camino de Vindilisora. Baláis dava el cavallo a don Galaor, como gelo prometiera, mas él no lo quiso tomar, assí porque el suyo perdiera por cobrarle como por aver él otro ganado.

CAPÍTULO XXIX

CÓMO EL REY LISUARTE HIZO CORTES, Y DE LO QUE EN ELLAS LE AVINO

CON las nuevas qu'el enano traxo al rey Lisuarte de Amadís y don Galaor fue muy alegre, teniendo en voluntad de hazer cortes las más honradas y de más cavalleros que nunca en la Gran Bretaña se fizieran, solamente esperando a Amadís y Galaor. Paresció ante el rey un día Olivas a se quexar del duque de Bristoya, que un su cormano le matara aleve. El rey, avido su consejo con los que desto más sabían, puso plazo de un mes al duque que a responder viniesse, y que si por ventura quisiesse meter en esta recuesta dos cavalleros consigo, que Olivas los tenía de su parte tales que con toda igualeza de linaje y bondad podrían mantener razón y derecho. Esto fecho, mandó el rey apercebir a todos sus altos hombres que fuessen con él el día de Sancta María de setiembre a las cortes; y la reina asimesmo a todas las dueñas y donzellas de gran guisa.

Pues seyendo todas en el palacio con gran alegría hablando en las cosas que en las cortes se avían de ordenar, no sabiendo ni pensando cómo en los semejantes tiempos la fortuna movible quiere con sus asechanças cruelmente ferir, porque a todos sea notorio el pensamiento de los hombres no venir con aquella certinidad que ellos esperan, acaesció de entrar en el palacio una donzella estraña asaz bien guarnida, y un gentil donzel que la acompañava; y descendiendo de un palafrén preguntó cuál era el rey; él dixo:

—Donzella, yo soy.

—Señor —dixo ella—, bien semejáis rey en el cuerpo, mas no sé si lo seréis en el coraçón.

—Donzella —dixo él—, esto vedes vos agora, y cuando en lo otro me provardes, saberlo eis.

—Señor —dixo la donzella—, a mi voluntad respondéis, y miémbreseos esta palabra que me dais ante tantos hombres buenos, porque yo quiero provar el esfuerço de vuestro coraçón cuando me fuere menester; y yo oí dezir que queréis tener cortes en Londres por Santa María de setiembre, y allí donde muchos hombres buenos havrá, quiero ver si sois tal que con razón deváis ser señor de tan gran reino y tan famosa cavallería.

—Donzella —dixo el rey—, pues que mi obra a mi poder se hará mejor que el dicho, tanto más plazer avré cuanto más hombres buenos fueren aí presentes.

—Señor —dixo la donzella—, si assí son los fechos como los dichos, yo me tengo por muy bien contenta; y a Dios seáis encomendado.

—A Dios vayáis, donzella —dixo el rey.

Y assí la saludaron todos los cavalleros.

La donzella se fue su vía. Y el rey quedó fablando con

sus cavalleros; pero dígoos que no ovo ý tal a que mucho
no pesasse daquello qu'el rey prometiera, temiendo que la
donzella lo querría poner en algún gran peligro de su persona; y el rey era tal, que por grande que fuesse no lo dudaría
por no ser envergonçado; y él era tan amado de todos los
suyos, que antes quisieran ser ellos puestos en gran afrenta y
vergüença que vérgelo a él padescer; y no tuvieron por guisado que un tan alto príncipe diesse assí endonado, sin más
deliberación, su palabra a estraña muger, seyendo obligado a la complir y no certificado de lo que ella le quería demandar.

Pues aviendo en muchas cosas hablado, queriéndose la
reina acoger a su palacio, entraron por la puerta tres cavalleros, los dos armados de todas armas, y el uno desarmado,
y era grande y bien hecho, y la cabeça cuasi toda cana, pero
fresco y fermoso según su edad. Este traía ante sí una arqueta pequeña; y preguntó por el rey, y mostrárongelo; entonces descendió de su palafrén y fue hincar los inojos ante él
con el arqueta en sus manos, y díxole:

—Dios vos salve, señor, assí como al príncipe del mundo
que mejor promesa ha fecho, si la tenedes.

El rey dixo:

—Y ¿qué promessa es ésta o por qué me lo dezís?

—A mí dixeron —dixo el cavallero— que queríades mantener cavallería en la mayor alteza y honra que ser pudiesse;
y porque desto tal son muy pocos los príncipes que dello se
trabajan, es lo vuestro mucho más que lo suyo de loar.

—Cierto, cavallero —dixo el rey—; essa promessa terné yo
cuanto la vida tuviere.

—Dios vos lo dexe acabar —dixo el cavallero—; y porque
oí dezir que queríades tener cortes en Londres de muchos
hombres buenos, tráyovos aquí lo que para tal hombre como
vos y tal fiesta conviene.

Entonces, abriendo el arqueta, sacó della una corona de
oro tan bien obrada y con tantas piedras y aljófar, que fueron muy maravillados todos en la ver; y bien parescía que
no devía ser puesta en cabeça sino de muy gran señor. El
rey la catava mucho con sabor de la aver para sí; y el cavallero le dixo:

—Creed, señor, que esta obra es tal que ninguno de cuantos oy saben labrar de oro y poner piedras no la sabrían
mirar.

—Sí me Dios ayude —dixo el rey—, yo lo tengo assí.

—Pues como quiera —dixo el cavallero— que su obra y fermosura sea tan estraña, otra cosa en sí tiene que mucho más es de preciar, y esto es que siempre el rey que en su cabeça la pusiere será mantenido y acrescentado en su honra; que así lo hizo aquel para quien fue hecha hasta el día de su muerte. Y de entonces acá nunca rey la tuvo en su cabeça; y si vos, señor, la quisierdes aver, dárvosla he por cosa que será reparo de mi cabeça, que la tengo en aventura de perder.

La reina, que delante estava, dixo:

—Cierto, señor, mucho vos conviene tal joya como essa, y dad por ella todo lo que el cavallero pidiere.

—Y vos, señora —dixo él—, comprarme hedes un muy hermoso manto que aquí trayo.

—Sí —dixo ella—, muy de grado.

Luego sacó de la arqueta un manto, el más rico y mejor obrado que se nunca vio; que demás de las piedras y aljófar de gran valor que en él avía, eran en él figuradas todas las aves y animalias del mundo, tan sotilmente que por maravilla lo miravan; la reina dixo:

—Sí Dios me vala, amigo, paresce que este paño no fue por otra mano fecho sino por la de aquel Señor que todo lo puede.

—Cierto, señora —dixo el cavallero—; bien podéis creer sin falta que por mano y consejo de hombre fue este paño fecho; mas muy caramente se podría agora hallar quien otro semejante hiziesse.

Y dixo:

—Ahún más vos digo, que conviene este manto más a muger casada que a soltera; que tiene tal virtud, que el día que lo cobijare no puede aver entre ella y su marido ninguna congoxa.

—Cierto —dixo la reina—; si ello es verdad, no puede ser comprado por precio ninguno.

—Desto no podéis ver la verdad si el manto no ovierdes —dixo el cavallero.

Y la reina, que mucho al rey amava, ovo sabor de aver el manto, porque entre ellos fuessen los enojos escusados; y dixo:

—Cavallero, daros he yo por este manto lo que quisierdes.

Y el rey dixo:

—Demandad por el manto y por la corona lo que vos pluguiere.

—Señor —dixo el cavallero—, yo vo a gran cuita emplazado de aquel cuyo preso soy, y no tengo espacio para me detener ni para saber cuánto estas donas valen; mas yo seré con vos en las cortes de Londres, y entre tanto quede a vos la corona y a la reina el manto, por tal pleito que por ello me déis lo que vos yo demandare, o me lo tornéis, y avréislo ya ensayado y provado; que bien sé que de mejor talante que agora entonces me lo pagaréis.

El rey dixo:

—Cavallero, agora creed que vos avréis lo que demandardes, o el manto y la corona.

El cavallero dixo:

—Señores cavalleros y dueñas, ¿oís vos bien esto que el rey y la reina me prometen, que me darán mi corona y mi manto o aquello que les yo pediere?

—Todos lo oímos —dixeron ellos.

Entonces se despidió el cavallero, y dixo:

—A Dios quedéis, que yo voy a la más esquiva prisión que nunca hombre tuvo.

Y el uno de los dos cavalleros armados tiró su yelmo en tanto que allí estuvo, y parescía assaz mancebo y hermoso; pero el otro no lo quiso tirar, y tovo la cabeça abaxada ya cuanto; parescía tan grande y tan desmesurado, que no avía en casa del rey cavallero que le igual fuesse con un pie; así se fueron todos tres, quedando en poder del rey el manto y la corona.

CAPÍTULO XXX

De cómo Amadís y Galaor y Baláis se vinieron al palacio del rey Lisuarte, y de lo que después les avino

PARTIDOS Amadís y Galaor del castillo de la donzella, y Baláis con ellos, anduvieron tanto por su camino que sin contraste alguno llegaron a casa del rey Lisuarte, donde fueron con tanta honra y alegría recebidos del rey y de la reina y de todos los de la corte, cual nunca lo fueran en ninguna sazón otros cavalleros en parte donde llegassen: a Galaor, porque le nunca vieran y sabían sus grandes cosas en armas, por oídas, que avía hecho; y Amadís, por la nueva de su muerte que allí llegara, que según de todos era muy amado, no se creían verle bivo. Assí que tanta era la gente que por los mirar salían, que apenas podían ir por las rúas ni entrar en el palacio. Y el rey los tomó a todos tres y hízolos desarmar en una cámara, y cuando las gentes los vieron desarmados, tan hermosos y apuestos y en tal edad, maldezían a Arcaláus que a tales dos hermanos quisiera matar, considerando que no biviera el uno sin el otro. El rey embió dezir a la reina por un donzel que recebiesse muy bien aquellos dos cavalleros, Amadís y Galaor, que la ivan a ver. Entonces los tomó consigo, y Agrajes, que los tenía abraçados a cada uno con su braço, y tan alegre con ellos que más ser no podía, y fuese con ellos a la cámara de la reina, y don Galvanes y el rey Arbán con él; y cuando entraron por la puerta, vio Amadís a Oriana su señora, y estremeciósele el coraçón con gran plazer, pero no menos lo ovo ella, assí que cualquiera que lo mirara lo pudiera muy claro conoscer; y como quiera que ella muchas nuevas dél oyera, ahún sospechava que no era bivo, y cuando sano y alegre lo vio, membrándose de la cuita y del duelo que por él oviera, las lágrimas le vinieron a los ojos sin su grado; dexando ir a la reina ante sí, detúvose ya cuanto y alimpió los ojos, que lo no vido ninguno, porque todos tenían mientes en mirar los cavalleros; Amadís hincó los inojos ante la reina, tomando a Galaor por la mano, y dixo:

—Señora, vedes aquí el cavallero que me embiastes buscar.

—Mucho soy dello alegre —dixo ella.

Y alçándolo por la mano lo abraçó, y luego a don Galaor.

El rey le dixo:

—Dueña, quiero que partáis comigo.

—Y ¿que? —dixo ella.

—Que me déis a Galaor —dixo él—, pues que Amadís es vuestro.

—Cierto, señor —dixo ella—, no me pedís poco, que nunca tan gran don se dio en la Gran Bretaña; mas assí es derecho, pues que vos sois el mejor rey que en ella reinó.

Y dixo contra Galaor:

—Amigo, ¿qué vos paresce que faga, que me vos pide el rey mi señor?

—Señora —dixo él—, parésceme que toda cosa que tan gran señor pida se le deve dar si aver se puede, y vos avéis a mí para vos servir en esto y en todo, fueras la voluntad de mi hermano y mi señor Amadís, que yo no haré ál sino lo que él mandare.

—Mucho me plaze —dixo la reina— de hazer mandado de vuestro hermano, que luego avré yo parte en vos, assí como en él que es mío.

Amadís le dixo:

—Señor hermano, fazed mandado de la reina, que assí vos lo ruego yo, y assí me plaze agora.

Entonces Galaor dixo contra la reina:

—Señora, pues que yo soy libre desta voluntad agena que tanto poder sobre mí tiene, agora me pongo en la vuestra merced que haga de mí lo que más le pluguiere.

Ella le tomó por la mano, y dixo contra el rey:

—Señor, agora os do a don Galaor que me pedistes, y dígovos que lo amedes según la gran bondad que en él ha, que no será poco.

—Sí me ayude Dios —dixo el rey—; yo creo que a duro podría ninguno amar a él ni a otro tanto, que el amor a la su gran bondad alcançasse.

Cuando esta palabra oyó Amadís, paró mientes contra su señora y sospiró, no teniendo en nada lo que el rey dezía, considerando ser mayor el amor que tenía a su señora que la bondad de sí mismo, ni de todos aquellos que armas traían.

Pues assí como oídes quedó Galaor por vasallo del rey en tal hora, que nunca por cosas que después vinieron entre Amadís y el rey, dexó de lo ser, assí como lo contaremos adelante. Y el rey se assentó cabe la reina y llamaron a Galaor que fuesse ante ellos para le hablar; Amadís quedó con Agrajes su cormano; Oriana y Mabilia y Olinda estavan juntas aparte de las otras todas, porque eran las más honradas y que más valían. Mabilia dixo contra Agrajes:

—Señor hermano, traednos esse cavallero que hemos desseado mucho.

Ellos se fueron para ellas; y como ella sabía muy bien con qué melezinas sus coraçones podían ser curados, metióse entre ellas ambas, y puso a la parte de Oriana Amadís, y a la de Olinda Agrajes, y dixo:

—Agora estoy entre las cuatro personas deste mundo que yo más amo.

Cuando Amadís se vio ante su señora, el coraçón le saltava de una y otra parte, guiando los ojos a que mirassen la cosa del mundo que él más amava; y llegóse a ella con mucha humildad, y ella lo salvó; y tendiendo las manos por entre las puntas del manto, tomóle las suyas dél, y apretógelas ya cuanto en señal de le abraçar, y díxole:

—Mi amigo, qué cuita y qué dolor me hizo passar aquel traidor que las nuevas de vuestra muerte traxo. Creed que nunca muger fue en tan gran peligro como yo. Cierto, amigo señor, esto era con gran razón, porque nunca persona tan gran pérdida hizo como yo perdiendo a vos; que assí como soy más amada que todas las otras, assí mi buena ventura quiso que lo fuesse de aquel que más que todos vale.

Cuando se Amadís oyó loar de su señora, baxó los ojos a tierra, que sólo catar no la osava; y parescióle tan hermosa que el sentido alterado la palabra en la boca le hizo morir; assí que no respondió. Oriana, que los ojos en él hincados tenía, conosciólo luego, y dixo:

—¡Ay, amigo señor!; ¿cómo vos no amaría más que otra cosa, que todos los que vos conoscen os aman y precian?, y seyendo yo aquella que vos más amáis y preciáis, en mucho más que todos ellos es gran razón que yo vos tenga.

Amadís, que ya algo su turbación amansava, le dixo:

—Señora, de aquella dolorosa muerte que cada día por vuestra causa padezco, pido yo que vos doláis, que de la otra que se dixo ante, si me viniesse sería en gran descanso y consolación puesto; y si no fuesse, señora, este mi triste coraçón con aquel gran desseo que de serviros tiene sostenido, que contra las muchas y amargas lágrimas que dél salen con gran fuerça, la su gran fuerça resiste, ya en ellas sería del todo deshecho y consumido, no porque dexe de conocer ser los sus mortales desseos en mucho grado satisfechos en que solamente vuestra memoria dellos se acuerde, pero como a la grandeza de su necessidad se requiere mayor merced de la que él meresce para ser sostenido y reparado, si ésta presto no viniesse, muy presto será en la su cruel fin caído.

Cuando estas palabras Amadís dezía, las lágrimas caían a hilo de sus ojos por las hazes, sin que ningún remedio en ellas poner pudiesse; que a esta sazón era él tan cuitado, que si aquel verdadero amor que en el tal desconsuelo le ponía, no le consolara con aquella esperança que en los semejantes estrechos a los sus sojuzgados suele poner, no fuera maravilla de ser en la presencia de su señora su ánima dél despedida.

—¡Ay, mi amigo!, por Dios no me habléis —dixo Oriana— en la vuestra muerte, que el coraçón me fallesce, como quien una hora sola después dela bivir no espero; y si yo del mundo he sabor, por vos que en él bivís lo he. Ésto que me dezís sin ninguna duda lo creo yo por mí mesma, que soy en vuestro estado, y si la vuestra cuita mayor que la mía paresce, no es por ál, sino porque seyendo en mí el querer como lo es en vos, y fallesciéndome el poder que a vos no fallesce para traer en efecto aquello que nuestros coraçones tanto dessean, muy mayor el amor y el dolor en vos más que en mí se muestra; mas como quiera que avenga, yo os prometo que si la fortuna o mi juizio alguna vía de descanso no os muestra, que la mi flaca osadía la fallará, que si della peligro nos ocurriere, sea antes con desamor de mi padre y de mi madre y de otros, que con el sobrado amor nuestro nos podría venir, estando como agora suspensos, padesciendo y sufriendo tan graves y crueles desseos como de cada día se nos aumentan y sobrevienen.

Amadís que esto oyó, sospiró muy de coraçón, y quiso hablar, mas no pudo; y a ella, que le paresció ser todo trasportado, tomóle por la mano y llególe a sí, y díxole:

—Amigo señor, no vos desconortéis, que yo haré cierta la promessa que os doy, y, en tanto, no os partáis destas cortes que el rey mi padre quiere hazer, qu'él y la reina os lo rogarán, que saben cuánto con vos serán más honradas y ensalçadas.

Pues a esta sazón que oídes, la reina llamó a Amadís y hízolo sentar cabe don Galaor; y las dueñas y donzellas los miravan diziendo que assaz obrara Dios en ambos que los hiziera más hermosos que otros cavalleros y mejores en otras bondades; y semejávanse tanto que a duro se podían conoscer, sino que don Galaor era algo más blanco, y Amadís havía los cabellos crespos y ruvios, y el rostro algo más encendido, y era más membrudo algún tanto. Assí estuvieron hablando con la reina una pieça, hasta que Oriana y Mabilia hizieron señal a la reina que les embiasse a don Galaor, y ella le tomó por la mano y dixo:

—Aquellas donzellas vos quieren, que las no conoscedes, pero sabed que la una es mi hija, y la otra vuestra prima cormana.

El se fue para ellas, y cuando vido la gran hermosura de Oriana muy espantado fue, que no pudiera pensar que ninguna en tanta perfición la pudiera alçar; y sospechó que según la gran bondad de Amadís su hermano y la afición de morar en aquella casa más que en otra ninguna que en él avía visto, no le venía sino porque a él más que a otro ninguno era dado de amar persona tan señalada en el mundo. Ellas le salvaron y recibieron con muy buen talante, diziéndole:

—Don Galaor, vos seades muy bien venido.

—Cierto, señoras, yo no viniera aquí en estos cinco años, si no fuera por aquel que hazía venir aquellos todos que armas traen, assí por fuerça como por buen talante, que lo uno y otro es en él más complidamente que en ninguno de cuantos oy biven.

Oriana alçó los ojos, y catando Amadís sospiró; y Galaor, que la mirava, conosció ser su sospecha más verdadera de lo que ante pensava, pero no porque otra cosa sintiesse, sino paresçerle que con más razón su hermano avía de ser amado de aquélla que otro ninguno. Pues hablando con ellas en muchas cosas, llegó el rey y estuvo allí con gran alegría hablando y riendo, porque de su plazer a todos cupiesse parte; y tomándolos consigo, se salió al gran palacio, donde muchos altos hombres y cavalleros de gran prez estavan; y hallando puestas las mesas, se assentaron a comer. Y el rey mandó assentar a una dellas Amadís y Galaor y Galvanes sin Tierra, y Agrajes, sin que otro cavallero alguno con ellos estuviesse; y assí como estos cuatro cavalleros se hallaron en aquel comer juntos, assí después en muchas partes lo fueron, donde sufrieron grandes peligros y afrentas en armas, porque éstos se acompañaron mucho con el gran deudo y amor que se habían; y ahunque don Galvanes no toviese deudo sino con sólo Agrajes, Amadís y Galaor nunca lo llamavan si no tío, y él a ellos sobrinos, que fue gran causa de acrescentar mucho en su honra y estima, según adelante se contará.

CAPÍTULO XXXI

CÓMO EL REY LISUARTE FUE A HAZER SUS CORTES A LA CIBDAD DE LONDRES

COMO a este rey Lisuarte, Dios por su merced de infante deseredado por fallescimiento de su hermano el rey Falangris, a él rey de la Gran Bretaña hizo, assí puso en la voluntad (como por Él sean permitidas y guiadas todas las cosas) a tantos cavalleros, tantas infantas hijas de reyes y otros muchos de estrañas tierras, de gran guisa y alto linaje, que con gran afición a le servir viniessen, no se teniendo ya ninguno en su voluntad por satisfecho si suyo no se llamasse; y porque las semejantes cosas según nuestra flaqueza grandes sobervias atraen, y con ellas muy mayor el desagradescimiento y desconoscimiento de aquel Señor que las da, por él fue otorgado a la fortuna, que poniéndole algunos duros entrevalos que escuresciessen esta gloria tan clara en que estava el su coraçón amollentado y en toda blandura puesto fuesse, porque siguiendo más el servicio del dador de las mercedes que el apetito dañado que ellas acarrean, en aquel grande estado y mucho mayor fuesse sostenido, y haziéndolo al contrario, con más alta y más peligrosa caída le atormentasse. Pues queriendo este rey que la gran excelencia de su estado real a todo el mundo fuesse notoria, con acuerdo de Amadís y Galaor y Agrajes y de otros preciados cavalleros de su masnada, ordenó que dentro de cinco días todos los grandes de sus reinos en Londres, que a la sazón como una águila encima de lo más de la cristiandad estava, a cortes viniessen como antes lo havía pensado y dicho, para dar orden en las cosas de la cavallería, como con más excelencia que en ninguna casa otra de emperador ni rey los autos della en la suya sostenidos y aumentados fuessen; mas allí donde él pensava que todo el mundo se le avía de humillar, allí le sobrevinieron las primeras asechanças de la fortuna, que su persona y reinos pusieron en condición de ser partidos, como agora vos será contado.

Partió el rey Lisuarte de Vindilisora con toda la cavallería, y la reina con sus dueñas y donzellas a las cortes que en la cibdad de Londres se avían de juntar; la gente paresció en tanto número, que por maravilla se devría contar. Avía entre ellos muchos cavalleros mancebos ricamente armados y ataviados, y muchas infantas hijas de reyes y otras donzellas de gran guisa, que dellos muy amadas eran, por las cuales grandes justas y fiestas por el camino fizieron. El rey havía mandado que le llevassen tienda y aparejos, porque no entrassen en poblado, y se aposentassen en las vegas cerca de las riberas y fuentes de que aquella tierra muy bastada era. Así, por todas las vías se les aparejava la más alegre y más graciosa vida que nunca fasta allí tuvieran, porque aquel tan duro y cruel contraste venido sobre tanto plazer con mayor angustia y tristeza de sus ánimos sentido fuesse. Pues assí llegaron aquella gran cibdad de Londres, donde tanta gente hallaron, que no parescía sino que todo el mundo allí asonado era. El rey y la reina con toda su compaña fueron a descalvalgar en sus palacios, y allí en una parte ellos mandó posar a Amadís y a Galaor y Agrajes y don Galvanes, otros algunos de los más preciados cavalleros, y las otras gentes en muy buenas posadas, que los aposentadores del rey de antes les avían señalado. Assi holgaron aquella noche y otros dos días con muchas danças y juegos, que en el palacio y fuera en la cibdad se hizieron, en los cuales Amadís y Galaor eran de todos tan mirados, y tanta era la gente que por los ver acudían donde ellos andavan, que todas las calles eran ocupadas, tanto que muchas vezes dexavan de salir de su aposentamiento.

A estas cortes que oís vino un gran señor, más en estado y señorío que en dignidad y virtudes, llamado Barsinán, señor de Sansueña, no porque vasallo del rey Lisuarte fuese, ni mucho su amigo ni conoscido mas por lo que agora oiréis. Sabed que estando este Barsinán en su tierra llegó ý Arcaláus el encantador, y díxole:

—Barsinán, señor, si tú quisiesses, yo daría orden como fuesses rey sin que gran afán ni trabajo en ello oviesses.

—Cierto —dixo Barsinán—, de grado tomaría yo cualquiera trabajo que me ende venir pudiesse, en tal que rey pudiesse ser.

—Tú respondes como sesudo —dixo Arcaláus—, y yo haré que lo seas si creerme quisieres y me fizieres pleito que me harás tu mayordomo mayor, y me lo no tollerás todo el tiempo de mi vida.

—Esso haré yo muy de grado —dixo Barsinán—; y dezidme por cuál guisa se puede hazer lo que me dezís.

—Yo vos lo diré —dixo Arcaláus—; idvos a la primera corte qu'el rey Lisuarte fiziere, y llevad gran compaña de cavalleros, que yo prenderé al rey en tal forma que de ninguno de los suyos pueda ser socorrido; y aquel día avré a su fija Oriana, que vos daré por muger; y en cabo de cinco días embiaré a la corte del rey su cabeça. Entonces punad vos por tomar la corona del rey, que seyendo él muerto y su hija en vuestro poder, que es la derecha heredera, no avrá persona que vos contrallar pueda.

—Cierto —dixo Barsinán—, si vos esso hazedes, yo vos faré el más rico y poderoso hombre de cuantos comigo fueren.

—Pues yo haré lo que digo —dixo Arcaláus.

Por esta causa que oídes, vino a la corte este gran señor de Sansueña, Barsinán. Al cual el rey salió con mucha compaña a recebir, creyendo que con sana y buena voluntad era su venida; y mandóle aposentar y a toda su compañía, y dar las cosas todas que menester oviessen; mas dígoos que viendo él tan gran cavallería, y sabido el leal amor que el rey Lisuarte avía, mucho fue arrepentido de tomar aquella empresa, creyendo que a tal hombre ninguna adversidad le podía empecer. Pero, pues que ya en ello estava, acordó de esperar el cabo, porque muchas vezes lo que impossible paresce, aquello con no pensado consejo muy más presto que lo possible en efecto viene. Y hablando con el rey le dixo:

—Rey, yo oí dezir que hazíades estas grandes cortes, y vengo aí por vos hazer honra; que yo no tengo tierra de vos, sino de Dios, que a mis antecessores y a mí libremente la dio.

—Amigo —dixo el rey—, yo os lo agradezco mucho, y lo galardonaré en lo que a vos tocare, que a mi mano venga, que cierto mucho so alegre en ver tan buen hombre como vos sois; y comoquiera que yo tengo muchos altos hombres de gran guisa, antes vuestro voto que el suyo me plazerá de tomar, creyendo que con aquella voluntad que de vuestra tierra partistes para me visitar, con ella guiaréis vuestro consejo y mi provecho y honra.

—Desso podéis vos ser cierto —dixo Barsinán—, que en lo que yo cupiere seréis de mí consejado según el propósito y desseo que aquí me hizo venir.

El dezía en esto verdad; mas el rey Lisuarte, que a otra fin lo echava, mucho gelo gradesció.

Entonces mandó armar tiendas para sí y para la reina

fuera de la villa, en un gran campo, y dexó sus casas a Barsinán en que morasse; y habló con él muchas cosas de las que tenía pensado de fazer en aquellas cortes, en especial saber el arte de la cavallería; y loávale mucho todos sus cavalleros, diziéndole sus grandes bondades. Mas sobre todos le ponía delante lo de Amadís y don Galaor, su hermano, como de los dos mejores cavalleros que en todo el mundo en aquella sazón podían hallar; y dexándole en los palacios se fue a las tiendas, donde la reina ya estava; y mandó dezir a sus buenos hombres que otro día fuessen allí con él todos, que les querría dezir la razón por qué los havía juntado. Barsinán y su compaña ovieron muy abastadamente todas las cosas que menester ovieron; mas dígovos que aquella noche no la durmió él assosegado, pensando en la gran locura que havía hecho, creyendo que a tan buen hombre como lo era el rey y que tal poder tenía, que la gran sabiduría de Arcaláus ni el poder de todo el mundo le podrían empeçer.

Otro día de mañana vistió el rey sus paños reales, cuales para tal día le convenían, y mandó que le traxessen la corona que el cavallero le dexara y que dixiessen a la reina que se vistiesse el manto. La reina abrió el arqueta en que todo estava con la llave que ella siempre en su poder tuvo, y no halló ninguna cosa dello, de que muy maravillada fue, y començóse de santiguar, y embiólo dezir al rey, y cuando lo supo, mucho le pesó; pero no lo mostró assí, ni lo dio a entender; y fuese para la reina y, sacándola aparte, díxole:

—Dueña, ¿cómo guardastes tan mal cosa que tanto a tal tiempo nos convenía?

—Señor —dixo ella—, no sé qué diga en ello, sino que el arqueta hallé cerrada; y yo he tenido la llave, sin que de persona la haya fiado; pero dígovos tanto que esta noche me pareció que vino a mí una donzella, y díxome que le mostrasse el arqueta; y yo en sueños gela mostrava, y demandávame la llave, y dávajela, y ella abría el arqueta, y sacava della el manto y la corona, y tornando a cerrar ponía la llave en el lugar que ante estava; y cobríase el manto, y ponía la corona en la cabeça, pareciéndole tan bien que muy gran sabor sentía yo en la catar, y dezíame: aquel y aquella cúyo será reinarán ante de cinco días en la tierra del poderoso que se agora trabaja de la defender, y de ir conquistar las agenas tierras; y yo le preguntava: ¿quién es ésse?; y ella me dezía: al tiempo que digo lo sabrás; y desaparecía ante mí, llevando la corona y el manto. Pero dígovos que no puedo entender si esto me avino en sueños o en verdad.

El rey lo tovo por gran maravilla, y dixo:

—Agora os dexad ende, y no lo habléis con otro.

Y saliendo ambos de la tienda se fueron a la otra acompañados de tantos cavalleros y dueñas y donzellas que por maravilla lo tuviera cualquiera que lo viesse; y sentóse el rey en una muy rica silla y la reina en otra algo más baxa, que en un estrado de paños de oro stavan puestas. Y a la parte del rey se pusieron los cavalleros, y de la reina sus dueñas y donzellas. Y los que más cerca del rey estavan eran cuatro cavalleros que él más preciava. El uno era Amadís y el otro Galaor, y Agrajes y Galvanes sin Tierra. Y a sus spaldas estava Arbán, rey de Norgales, todo armado con su espada en la mano y con él dozientos cavalleros armados.

Pues assí estando todos callados, que ninguno hablava, levantóse en pie una hermosa dueña ricamente guarnida, y levantáronse con ella hasta doze dueñas y donzellas todas del su mismo atavío vestidas, que esta costumbre tenían las dueñas de gran guisa, y los ricos hombres de llevar a los suyos en semejantes fiestas bien vestidos como sus propios cuerpos. Pues aquella fermosa dueña fue ante el rey y ante la reina con tal compaña y dixo:

—Señores, oídme y dezirvos he un pleito que he contra aquel cavallero que aí está.

Y tendió la mano contra Amadís, y començando su razón dixo:

—Yo fue gran tiempo demandada por Angriote d'Estraváus, que aí presente es —y contó todo cuanto con él le aviniera, y por cuál razón lo hizo guardar el valle de los pinos—; y avino assí que le fizo dexar el valle por fuerça de armas un cavallero que se llama Amadís, y dízenme que seyendo ellos en amistad, le prometió que a todo su poder faría que Angriote me oviesse, y yo puse mi guarda en mi castillo cual me plugo, y cual cuidé que ningún cavallero estraño la podía passar.

Y dixo allí cuál era la costumbre, assí como el cuento lo ha devisado. Otrosí dixo:

—Señor, toda aquella guarda que vos digo ha passado esse cavallero que aí está a vuestros pies.

Y esto dezía ella por Amadís, no sabiendo ella cuál fuesse.

—Y desque esse cavallero en mi castillo entró, prometióme de su plazer de hazer quitar Amadís de aquel don que a Angriote prometiera, a todo su leal poder, agora por fuerça de armas o por otra cualquier vía; y luego después desta promesa se combatió esse cavallero en el castillo con un mi tío que aquí está.

Y contó allí por cuál razón la batalla fuera, y lo que en ella les avino; y muchos cataron estonces a Gasinán, que de antes en él no paravan mientes, cuando oyeron dezir que havía osado combatirse con Amadís; y cuando la dueña vino a contar cima de su batalla, dixo cómo su tío fuera vencido, y estava en punto de perder la vida, y cómo ella havía demandado en don al cavallero que lo no matasse.

—Y, señores —dixo ella—, por mi ruego lo dexó, a tal pleito que yo viniesse a la primera corte que vos hiziéssedes, y le diesse un don cual él lo demandasse; y yo por cumplir soy venida a esta corte, que ha sido la primera, y digo ante vos qu'él se atenga en lo que me prometió, y yo cumpliré lo que él demandare si por mí acabarse puede.

Amadís se levantó entonces y dixo:

—Señor, la dueña ha dicho verdad en nuestras promesas, que assí passaron; y yo le otorgo ante vos que haré quitar Amadís de lo que prometió a Angriote; y déme ella el don como lo prometió.

La dueña fue dello muy alegre, y dixo:

—Agora pedid lo que quisierdes.

Amadís le dixo:

—Lo que yo quiero es que caséis con Angriote y lo améis assí como vos él ama.

—¡Santa María, valme! —dixo ella—; ¿qué es esto que me dezís?

—Buena señora —dixo Amadís—, dígoos que caséis con tal hombre cual deve casar dueña fermosa y de gran guisa como lo vos sois.

—¡Ay, cavallero! —dixo—; y ¿cómo tenéis assí vuestra promessa?

—Yo no vos prometí cosa que no os atenga —dixo él—; que si prometí de fazer quitar Amadís de la promesa que hizo a Angriote, en esto lo hago, que yo soy Amadís, y dole su don que le otorgué; y assí atengo cuanto dixe a vos y a él.

La dueña se maravilló mucho y dixo contra el rey:

—Señor, ¿es verdad que este buen cavallero es Amadís?
—Sin falla, sí —dixo el rey.

—¡Ay, mezquina, —dixo ella—, cómo fue engañada!; agora
veo que por seso ni por arte no puede hombre fuir las cosas
que a Dios plazen; que yo me trabajé cuanto más pude por
ser partida de Angriote, no por desgrado que dél tengo, ni
porque dexe de conoçer que su gran valor no merezca señorear mi persona, mas por ser mi propósito en tal guisa que,
biviendo en toda honestidad, deliberé sojeta no me hiziesse,
y cuando más dél apartada cuido estar, estonces me veo tan
junta como vedes.

El rey dixo:

—Sí Dios me ayude, amiga; vos devíades ser alegre desta
avenencia, que os sois hermosa y de gran guisa, y él es hermoso cavallero y mancebo; y si vos sois muy rica de aver,
él lo es de bondad y virtud, assí en armas como en todas las
otras buenas maneras que buen cavallero deve haver, y por
esto me pareçe ser con gran razón conforme vuestro casamiento y el suyo; y assí creo que les pareçerá a cuantos en
esta corte son.

La dueña dixo:

—Y vos, señora reina, que una de las más principales mugeres del mundo en seso y en bondad Dios hizo, ¿qué me
dezides?

—Dígovos —dixo ella— que según es loado y preciado Angriote entre los buenos, mereçe ser señor de una gran tierra
y amado de cualquier dueña que él amasse.

Amadís le dixo:

—Mi buena señora, no creáis que por acidente ni afición
hize aquella promessa a Angriote; que si tal fuera, más por
locura y liviandad que por virtud me deviera ser reputado;
mas conoçiendo su gran bondad en armas, que a mí muy
caro me oviera de costar, y la gran afición y amor que él
vos tiene, tuve por guisado que no solamente yo, mas todos
aquellos que buen conocimiento tienen devríamos procurar
cómo él de aquella passión, y vos del poco conocimiento que
dél teníades, fuéssedes remediados.

—Cierto, señor —dixo ella—; en vos ha tanta bondad que
no os dexaría dezir sino verdad ante tantos hombres buenos; y pues lo vos por tan bueno tenéis, y el rey y la reina
mi señores, yo sería muy loca si dél no me pagasse, ahunque tal pleito sobre mí no tuviesse, de que con derecho no

me puedo partir, y védesme aquí, fazed de mi a vuestra guisa.

Amadís la tomó por la mano, y llamando a Angriote le dixo delante de quinze cavalleros de su linaje que con él vinieron:

—Amigo, yo vos prometí que os faría haver vuestra amiga a todo mi poder, y dezidme si es ésta.

—Esta es —dixo Angriote— mi señora, y cuyo yo soy.

—Pues yo os entrego della —dixo Amadís— por pleito que os caséis ambos, y la honréis y améis sobre todas las otras del mundo.

—Cierto, señor —dixo Angriote—; desso vos creeré yo muy bien.

El rey mandó al obispo de Salerna que los llevasse a la capilla y les diesse las bendiciones de Santa Iglesia; y assí se fueron Angriote y la dueña y todos los de su linaje con el obispo a la villa, donde se hizo con mucha solemnidad el casamiento. Que podemos dezir que no los hombres, mas Dios, veyendo la gran mesura de que Angriote con aquella dueña usó, cuando la en su libre poder tuvo, y no quiso contra su voluntad hazer aquello que en el mundo más desseava, antes con gran peligro de su persona se puso por su mandado donde por Amadís fue puesto muy cerca de la muerte; que quiso que una tan gran resistencia hecha por la razón contra la voluntad tan desordenada, sin aquel mérito que merecía y tanto él desseava, no quedasse.

CAPÍTULO XXXII

CÓMO EL REY LISUARTE, ESTANDO AYUNTADAS LAS CORTES, QUISO SABER SU CONSEJO DE LOS CAVALLEROS DE LO QUE FAZER LE CONVENÍA

CON sus ricos hombres el rey Lisuarte quedó por les hablar, y díxoles:

—Amigos, assí como Dios me ha hecho más rico y más poderoso de tierra y gente que ninguno de mis vezinos, assí es razón que, guardando su servicio, procure yo de hazer mejores y más loadas cosas que ninguno dellos; y quiero que me digáis todo aquello que vuestros juizios alcançaren, por donde pueda a vos y a mí en mayor honra sostener; y dígovos que lo assí haré.

Barsinán, señor de Sansueña, que en el consejo estava, dixo:

—Buenos señores, ya havéis oído lo que el rey vos encarga; yo ternía por bien, si a él le pluguiesse, que dexándovos aparte, sin la su presencia, determinássedes lo que demanda, porque más sin empacho vuestros juizios fuessen en la razón guiados, y después el suyo tomasse aquello que más a su querer conforme fuesse.

El rey dixo que dezía guisado, y rogándole a él que con ellos quedasse, se passó a otra tienda, y ellos quedaron en aquella que estavan. Estonces dixo Serolois el Flamenco, que a la sazón conde de Clara era:

—Señores, en esto qu'el rey nos mandó que le aconsejemos, conoçido y manifiesto está lo que más cumple para que su grandeza y honra guardada y ensalçada sea; en esta guisa los hombres en este mundo no pueden ser poderosos sino por aver grandes gentes o grandes thesoros; pero como los thesoros sean para buscar y pagar las gentes, que esto es la más conveniente cosa de las temporales en que gastar se deven, bien se muestra referirse todo a la mucha compaña como lo más principal con que los reyes y grandes, no solamente son amparados y defendidos, mas sojuzgar y señorear lo ajeno como lo suyo propio; y por esto, buenos señores, yo ternía por guisado que otro consejo, si éste no, el rey nuestro señor no tomasse, haziendo buscar a todas partes los buenos cavalleros, dándoles abundosamente de lo suyo, amándolos y haziéndoles honra; y con esto los estraños de otras tierras se moverían a lo servir, esperando que su trabajo alcançaría el fruto que mereçe; que hallaréis si en vuestras memorias vos recogierdes, nunca hasta hoy haver sido ninguno grande ni poderoso sino aquellos que los famosos cavalleros buscaron y tuvieron en su compañía, y que con ellos gastando sus thesoros alcançaron otros muy mayores de los agenos.

No ovo aí hombre en el consejo que por bueno no tuviesse esto qu'el conde dixera, y en ello se otorgaron. Cuando Barsinán, señor de Sansueña, vio cómo todos en aquello se otorgavan, pesóle de coraçón, porque por aquella vía muy a duro podía en efecto venir lo qu'él pensava, y dixo:

—Cierto, nunca vi tantos hombres buenos que tan locamente otorgassen a una palabra, y dezirvos he por qué. Si este vuestro señor haze lo qu'el conde de Clara dixo, ante

que dos años passen serán en vuestra tierra tantos cavalleros
straños que no solamente el rey les dará aquello que a vosotros de dar avía, mas queriéndoles agradar y contentar como
a las cosas nuevas naturalmente se faze, vosotros seréis olvidados, y en mucho menos tenidos; assí que mirad bien y
con más acuerdo lo que devedes aconsejar, que a mí no me
atañe más de ser muy pagado y contento, pues que aquí me
fallo, que mi consejo os fuesse muy provechoso.

Algunos ovo aí embidiosos y codiciosos, que se atuvie-
ron a este consejo, assí que luego la discordia entre ellos fue;
por donde acordaron que el rey viniesse y con su gran discreción escogiesse lo mejor. Pues él venido, oyendo enteramente en lo que estavan, y la diferencia que tenían, claramente se le representó la razón ante sus ojos, y dixo:

—Los reyes no son grandes solamente por lo mucho que
tienen, mas por lo mucho que mantienen, que con su sola
persona ¿qué harían? Por ventura, no tanto como otro; ni
con ella ¿qué bastaría? Pero governar su estado, ya vos lo
pododos entender, ¿serían poderosas las muchas riquezas,
para le quitar de cuidado? Cierto, no; si gastadas no fuessen
allí donde se deve; luego bien podemos juzgar qu'el buen
entendimiento y esfuerço de los hombres es el verdadero thesoro; ¿queréislo saber? mirad lo que con ellos fizo aquel
grande Alixandre, aquel fuerte Julio César y aquel orgulloso
Aníbal, y otros muchos que contar se podrían, que seyendo
en su voluntad liberales, de dinero muy ricos y muy ensalçados, con sus cavalleros en este mundo fueron repartiéndo-
lo por ellos, según que cada uno merecía; y si algo en ello
de más o de menos ovo, puédese creer que por la mayor
parte lo hizieron, pues que tan lealmente de los más dellos
servidos y acatados fueron. Assí que, buenos amigos, no solamente he por bueno procurar y haver buenos cavalleros,
mas que vosotros con todo cuidado me los trayáis y alleguéis,
que seyendo yo más honrado y más temido de los estraños,
más honrados y guardados vosotros seréis, y si en mí alguna
virtud oviere, nunca olvidaré por los nuevos a los antiguos,
y luego me nombrad aquí todos los que por mejores conoçéis destos que al presente en mi corte son venidos, porque
ante que della partan en nuestra compañía queden.

Esto se fizo luego; que tomándolos el rey por un escripto, los mandó a su tienda llamar cuando hovo comido; y allí
les rogó que le otorgassen leal compañía, y se no partiessen

de su corte sin su mandado; y él les prometió de los querer
y amar y hazer mucha honra y merced, de guisa que guardando sus possessiones, de lo suyo propio dél fuessen sus
estados mantenidos. Todos lo que allí eran lo otorgaron, fueras ende Amadís, que por cavallero ser de la reina, con alguna causa dello escusarse pudo. Esto assí hecho, la reina dixo
que la escuchassen, si les pluguiesse, que los quería hablar.
Estonces se llegaron todos y callaron por oír lo que diría.
Ella dixo al rey:

—Señor, pues que tanto havéis ensalçado y honrado los
vuestros cavalleros, cosa guisada sería que assí lo haga yo a
las mis dueñas y donzellas, y por su causa a todas en general por doquiera y en cualquier parte que estén; y para esto
pido a vos y a estos hombres buenos que me otorguéis un
don, que en semejantes fiestas se deven pedir y otorgar las
buenas cosas.

El rey miró los cavalleros y dixo:

—Amigos, ¿qué haremos en esto que la señora reina pide?

—Que se le otorgue —dixeron ellos— todo lo que demandare.

—¿Quién hará aí ál —dixo don Galaor—, sino servir a tan
buena señora?

—Pues que assí vos plaze —dixo el rey—, séale el don otorgado, ahunque sea grave de hazer.

—Assí sea —dixeron todos ellos.

Esto oído por la reina, dixo:

—Lo que vos demando en dones es que siempre sean de
vosotros las dueñas y donzellas muy guardadas y defendidas
de cualquiera que tuerto o desaguisado les hiziere. Y assimesmo que, si caso fuere que aya prometido algún don a
hombre que vos le pida, y otro don a dueña o donzella, que
antes el dellas seáis obligados a complir, como parte más
flaca y que más remedio ha menester; y assí lo haziendo
serán con esto las dueñas y donzellas más favorecidas y guardadas por los caminos que anduvieren, y los hombres desmesurados ni crueles no osarán hazerles fuerça ni agravio,
sabiendo que tales defendedores por su parte y en su favor
tienen.

Oído esto por él, fue muy contento del don que la reina
pidió, y todos los cavalleros que delante estavan; y assí lo
mandó el rey guardar como ella lo pidía, y assí se guardó
en la Gran Bretaña por luengos tiempos, que jamás cavalle-

ro ninguno lo quebrantó, por aquellos que en ella sucedieron; pero de cómo fue quebrado no vos lo contaremos, pues que al propósito no haze.

CAPÍTULO XXXIII

CÓMO ESTANDO EL REY LISUARTE EN GRAN PLAZER, SE HUMILLÓ ANTE ÉL UNA DONZELLA CUBIERTA DE LUTO A PEDIRLE MERCED TAL, QUE FUE POR ÉL OTORGADA

CON tal compaña estando el rey Lisuarte en tanto plazer como oídes, queriendo ya la fortuna començar su obra con que aquella gran fiesta en turbación puesta fuesse, entró por la puerta del palacio una donzella asaz hermosa cubierta de duelo, y hincando los inojos ante el rey, le dixo:

—Señor, todos han plazer sino yo sola, que he cuita y tristeza, y la no puedo perder sino por vos.

—Amiga —dixo el rey—, ¿qué cuita es essa que havéis?

—Señor —dixo ella—, por mi padre y mi tío, que son en prisión de una dueña, donde nunca los fará sacar hasta que le den dos cavalleros tan buenos en armas como uno que ellos mataron.

—Y ¿por qué lo mataron? —dixo el rey.

—Porque se alabava —dixo ella— que él solo se combatiría con ellos dos, con gran orgullo y sobervia que en sí havía; y ahincólos tanto que, de sobrada vergüença constreñidos, ovieron de entrar con él en un campo, donde, seyendo los dos vencedores, el cavallero quedó muerto. Esto fue ante el castillo de Galdenda. La cual, seyendo señora del castillo, mandó luego prender a mi padre y tío, jurando de los no soltar porque le mataran aquel cavallero que ella tenía para hazer una batalla. Mi padre le dixo: «Dueña, por esso no me detengáis ni a este mi hermano, que essa batalla yo la faré.» «Cierto —dixo ella—, no sois os tal para que mi justicia segura fuesse; y dígoos que de aquí no saliréis hasta que me trayáis dos cavalleros que cada uno dellos sea tan bueno y tan provado en armas como el que matastes, porque con ellos se remedie el daño que del muerto me vino.»

—¿Sabéis os —dixo el rey— dónde quiere la dueña que se haga la batalla?

—Señor —dixo la donzella—, esso no sé yo, sino que veo

a mi padre y mi tío presos contra toda justicia, donde sus amigos no los pueden valer.

Y comenzó de llorar muy agramente. Y el rey, que muy piadoso era, ovo della gran duelo, y díxole:

—Agora me dezid si es lueñe donde essos cavalleros son presos.

—Bien irán y vernán en cinco días —dixo la donzella.

—Pues escoged aquí dos cavalleros cuales vos agradaren y irán convusco.

—Señor —dixo ella—, yo soy de tierra estraña y no conozco a ninguno, y si os pluguiere iré a la reina, mi señora, que me conseje.

—¡En el nombre de Dios! —dixo él.

Ella se fue a la reina y contóle su razón, assí como al rey la contara, y a la cima dixo cómo le dava dos cavalleros que con ella fuessen, que le pedía por merced, pues ella no los conoscía, por la fe que devía a Dios y al rey jelos escogiesse ella aquellos que mejor pudiessen su gran cuita remediar.

—¡Ay, donzella! —dixo la reina—, de guisa me rogastes que lo havré de hazer, mas mucho me pesa de los apartar de aquí.

Estonces hizo llamar a Amadís y a Galaor, y ellos vinieron ante ella; y dixo contra la donzella:

—Este cavallero es mío, y este otro del rey; y dígoos que estos dos son los mejores que yo sé aquí ni en otro lugar.

La donzella preguntó cómo havían nombre; la reina dixo:

—Este ha nombre Amadís, y el otro Galaor.

—¡Cómo, señor! —dixo la donzella—, ¿vos sois Amadís, el muy buen cavallero que par no tiene entre todos los otros?; por Dios, agora se puede acabar lo que yo demando, tanto que allá con vuestro hermano lleguéis; y dixo a la reina:

—Señora, por Dios os pido que le roguéis que la ida comigo fagan.

La reina gelo rogó, y gela encomendó mucho. Amadís cató contra su señora Oriana, por ver si otorgava aquella ida. Y ella, haviendo piedad de aquella donzella, dexó caer las luvas de la mano en señal que lo otorgava; que assí lo tenían entre ambos concertado; y como esto vido, dixo contra la reina que le plazía de hazer su mandado. Ella les rogó que se tornassen lo más presto que ser pudiesse. Y defendióles, que por otra ninguna cosa que escusar pudiessen no tardassen en la venida. Amadís se llegó a Mabilia, que estava con Oriana hablando, como que della se quería despedir, y Oriana le dixo:

—Amigo, sí Dios me vala, mucho me pesa en vos haver otorgado la ida, que mi coraçón siente en ello gran angustia; quiera Dios que sea por bien.

—Señora —dixo Amadís—, aquel que tan hermosa os fizo vos dé siempre alegría, que doquiera que yo sea, vuestro soy para os servir.

—Amigo señor —dixo ella—, pues que ya no puede ser ál, a Dios vayáis encomendado, y Él vos mantenga y dé honra sobre todos los cavalleros del mundo.

Estonces se partieron de allí, y fuéronse armar; y despedidos del rey y de sus amigos, entraron en el camino con la donzella. Assí anduvieron por donde la donzella los guiava hasta ser medio día passado, que entraron en una floresta que Malaventurada se llamava, porque nunca entró en ella cavallero andante que buena dicha ni ventura oviesse, ni estos dos no se partieron della sin gran pesar; y tanto que alguna cosa comieron de lo que sus escuderos levavan, tornaron a su camino hasta la noche, que hazía lunar claro. La donzella se aquexava mucho, y no fazía sino andar. Amadís le dixo:

—Donzella, ¿no queréis que holguemos alguna pieça?

—Quiero —dixo ella—; mas será adelante, donde fallaremos unas tiendas con tal gente que mucho plazer vuestra vista les dará; y venid vuestro passo, y yo iré a fazer cómo alverguéis.

Estonces se fue la donzella, y ellos se detenían algo más; pero no anduvieron mucho que vieron dos tiendas cerca del camino, y hallaron la donzella y otras con ella, que los atendía, y dixo:

—Señores, en esta tienda descavalgad y descansaréis, que hoy traxistes gran jornada.

Ellos assí lo hizieron, y hallaron servientes que les tomaron las armas y los cavallos, y leváronlo todo fuera. Amadís les dixo:

—¿Por qué nos leváis las armas?

—Porque, señor —dixo la donzella—, havéis de dormir en la tienda donde las ponen.

Y seyendo assí desarmados, sentados en un tapete esperando la cena, no passó mucho que dieron sobre ellos fasta quinze hombres entre cavalleros y peones bien armados; y entraron por la puerta de la tienda, diziendo:

—Sed presos; si no, muertos sois.

Cuando esto oyó Amadís, levantóse y dixo:

—¡Para Santa María, hermano!, traídos somos a engaño a la mayor traición del mundo.

Estonces se juntaron de consuno, y de grado se defendieran, mas no tenían con qué. Los hombres les pusieron las lanças a los pechos y a las espaldas y a los rostros. Y Amadís estava tan sañudo que la sangre le salía por las narizes y por los ojos; y dixo contra los cavalleros:

—¡Ay, traidores!, vos vedes bien cómo es; que si nos armas tuviéssemos, de otra guisa se partiría el pleito.

—No vos tiene esso pro —dixo un cavallero—; sed presos. Dixo Galaor:

—Si lo fuéremos, serlo hemos con gran traición, y esto provaré yo a los dos mejores de vosotros, y ahún dexaría venir tres, en tal que me diéssedes mis armas.

—No ha menester aquí prueva —dixo el cavallero—; que si más en este caso habláis, recibiréis daño.

—¿Qué queréis? —dixo Amadís—; que antes seremos muertos que presos, en demás de traidor.

El cavallero se tornó a la puerta de la tienda y dixo:

—Señora, no se quieren dar a prisión; ¿matarlos hemos? Ella dixo:

—Estad un poco, y si no hizieren mi voluntad, tajadles las cabeças.

La dueña entró en la tienda, que era muy fermosa y estava muy sañuda, y dixo a los cavalleros del rey Lisuarte:

—Sed mis presos; si no, muertos seréis.

Amadís se calló, y Galaor le dixo:

—Hermano, agora no havemos que dudar, pues la dueña lo quiere.

Y dixo contra la dueña:

—Mandadnos dar, señora, nuestras armas y cavallos, y si vuestros hombres no nos pudieren prender, estonces nos pornemos en vuestra prisión, que agora en lo ser no hazemos nada por vos según en la forma que estamos.

—No os creeré —dixo ella— esta vez; mas conséjoos que seáis mis presos.

Ellos lo otorgaron, pues vieron que no podían más fazer. Desta guisa que oís fueron otorgados en su prisión sin que la dueña supiesse quién eran, que la donzella no lo quiso dezir, porque sabía cierto que en la hora los haría matar, de lo cual se ternía por la donzella más sin ventura del mundo, en que por su causa tales dos cavalleros muriessen; y más quisiera la muerte que haver hecho aquella jornada; pero no pudo ya más hazer de lo tener secreto. La dueña les dixo:

—Cavalleros, agora que mis presos sois, os quiero mover un pleito, que si lo otorgáis, dexaros he libres; de otra guisa, creed que vos haré poner en una tan esquiva prisión, que os será más grave que la muerte.

—Dueña —dixo Amadís—, tal puede ser el pleito que sin mucha pena lo otorgaremos, y tal que si es nuestra vergüença, antes sofriremos la muerte.

—De vuestra vergüença —dixo ella— no sé yo; pero si vos otorgáis que os despidiréis del rey Lisuarte en llegando donde él está, y diréis que lo fezistes por mandado de Madasima, la señora de Gantasi, mandaros he soltar; — y que ella lo haze porque él tiene en su casa al cavallero que mató al buen cavallero Dardán.

Galaor le dixo:

—Señora, si esto mandáis porque el rey aya pesar, no lo tengáis assí, que nosotros somos dos cavalleros que por agora no tenemos sino essas armas y cavallos, y como en su casa aya otros muchos de gran valor que le sirven, poco dará él por nosotros que estemos o que nos vamos; y a nosotros es esso muy gran vergüença, tanto que por ninguna guisa lo haremos.

—¡Cómo! —dixo ella—, ¿ante queréis ser puestos en aquella prisión que apartaros del más falso rey del mundo?

—Dueña —dixo Galaor—, no os conviene lo que dezís, que el rey es bueno y leal, y no ha en el mundo cavallero a quien yo no provasse que en él no ha punto de falsedad.

—Cierto —dixo la dueña—, en mal punto lo amáis tanto

Y mandó que les atassen las manos.

—Esso haré yo de grado —dixo un cavallero—, y si lo mandáis les tajaré las cabeças.

Y travó Amadís del un braço; mas él lo tiró a sí, y fue por le dar con el puño en la cabeça; y el cavallero se desvió, y alcançándolo en los pechos fue el golpe tan grande que lo derribó a sus pies todo estordido. Estonces fue una gran buelta en la tienda, llegándose todos por lo matar; mas un cavallero viejo que aí estava, metió mano a su espada y començó de amenazar aquellos que lo querían herir, y hízolos tirar afuera; pero antes dieron en la spalda diestra a Ama-

dís una lançada, mas no fue grande, y aquel cavallero viejo
dixo contra la dueña:

—Vos hazéis la mayor diablura del mundo en tener cavalleros fijosdalgo en vuestra prisión y dexarlos matar.

—¿Cómo no matarán —dixo ella— al más loco cavallero
del mundo, que en mal punto fizo tal locura?

Galaor dixo:

—Dueña, no consentiremos que nuestras manos ate sino
vos, que sois dueña y muy hermosa, y somos vuestros presos, y conviene de vos catar obediencia.

—Pues que assí es —dixo ella—, yo lo haré.

Y tomándoles las manos gelas hizo atar reziamente con
una correa; y haziendo desarmar las tiendas, poniéndolos en
sendos palafrenes assí atados, y hombres que los levavan las
riendas, començaron de caminar; y Gandalín y el escudero
de Galaor ivan a pie, atados en una soga; y assí anduvieron
toda la noche por aquella floresta. Y dígovos que estonces
desseava Amadís su muerte, no por la mala andança en que
estava, que mejor que otro sabía sufrir las semejantes cosas,
mas por el pleito que la dueña les demandava, que si lo no
hiziesse, ponerle ían en tal parte donde no pudiesse ver a su
señora Oriana; y si lo otorgasse, assimesmo della se allonga-
va, no pudiendo bivir en la casa de su padre; y con esto iva
tan atónito que todo lo ál del mundo le escaecia. El cavallero viejo que lo librara, cuidó que de la ferida iva maltrecho,
y dolióse dél mucho, porque la donzella que allí los traxera
le havía dicho que aquél era el más valiente y más esforçado cavallero en armas que en todo el mundo havía; y esta
donzella era hija de aquel cavallero, y havíale rogado que,
por Dios y por merced, trabajasse de los guardar de muerte,
que ella sería por todo el mundo culpada y la ternían por
traidora; y dixo cómo aquél era Amadís de Gaula y el otro
Galaor, su hermano, que al gigante matara. El cavallero sabía
muy bien a qué fin los havían allí traído, y havía dellos muy
gran duelo por ver tratarlos de tal guisa, en ser tales cavalleros en armas, y desseava mucho salvarlos de la muerte, si
pudiesse, que tan allegada y cercana les veía; y llegándose a
Amadís, le dixo:

—¿Sentides vos mal de vuestra llaga, o cómo ides?

Amadís, cuando lo oyó assí al cavallero fablar, alçó el rostro y vio que era el cavallero viejo que en la tienda lo librara de los otros cavalleros que matarle quisieran, y díxole:

—Amigo señor, yo no he llaga de que me duela; mas duélome de una donzella que a tan gran engaño nos traxo, veniendo nosotros en su ayuda, y fazernos tan gran traición.

—¡Ay, señor! —dixo el cavallero—, verdad es que engañados fuestes, y por ventura yo sé más de vuestra hazienda de lo que vos cuidáis, y sí Dios me ayude y guarde de mal, cómo vos pornía reparo si alguna manera para ello hallar pudiesse; y quiéroos dar un consejo que será bueno, que si lo tomáis, no vos verná dello mal; que si vos conocen sabiendo quién sois, no ha en vos sino la muerte, que en el mundo no ha cosa que della vos escape; mas hazed agora assí: Vos sois muy hermoso, y fazed buen semblante, y llegarvos he a la dueña tanto que le aya dicho que sois el mejor cavallero del mundo; y requerilda de casamiento, o de haver su amor en otra guisa, que ella es muger que ha su coraçón cual le plaze, y entiendo que por vuestra bondad, o por la fermosura, que muy estremada tenéis, alcançaréis una destas dos cosas, y si la quisiere otorgar, punad que sea muy aína, porque ella tiene de embiar desde onde hoy fuéremos a dormir, a saber de vuestros nombres, y quiéroos más dezir de cierto, que la donzella que vistes que aquí os ha traído no gelo ha querido dezir, negando que lo no sabe; por esta vía y con la que yo ayudare, podría ser que libres fuéssedes.

Amadís, que más temía a su señora Oriana que la muerte, dixo al cavallero:

—Amigo, Dios puede hazer de mí su voluntad; mas esso nunca será, ahunque me ella rogasse y por ello fuesse quito.

—Cierto —dixo el cavallero—, por maravilla lo tengo, que estáis en punto de muerte y no trabajáis por cualquier manera de haver guarida.

—Tal guarida —dixo Amadís— yo no tomaré si Dios quiere; mas fablad con esse otro cavallero, que con más derecho que mí lo podéis loar.

El cavallero se fue estonces a Galaor y hablóle por aquella manera que lo dixera a su hermano; y él fue muy alegre cuando lo oyó, y dixo:

—Señor cavallero, si vos guisáis que yo sea juntado a la dueña, siempre seremos en vuestra honra y mandado.

—Agora me dexad ir fablar con ella —dixo el cavallero—; yo cuido algo hazer.

Estonces passó delante, y llegando a la dueña dixo:

—Señora, vos leváis aquí presos y no sabéis a quién.

—¿Por qué me lo dizes? —dixo ella.

—Porque leváis el mejor cavallero de armas que yo agora sé, y más complido de todas buenas maneras.

—No sea Amadís —dixo la dueña—, aquel que tanto yo querría quitar la vida.

—No, señora —dixo el cavallero—, que no lo digo sino por este que aquí adelante viene, que demás de su gran bondad es el más hermoso cavallero mancebo que yo nunca vi, y sois contra él desmesurada, y no lo hagáis, que es gran villanía; que como quiera que sea preso, nunca vos lo mereció, ante lo es por el desamor que a otro havéis. Honralde y mostralde buena cara, y podrá ser que por allí lo traéredes a lo que os plaze ante que por otra vía.

—Pues atenderlo quiero —dixo ella—, y veré qué hombre es.

—Veréis —dixo el cavallero— uno de los más hermosos cavalleros que nunca vistes.

A esta sazón juntó Amadís con Galaor, y díxole:

—Galaor hermano, véoos con gran saña y en peligro de muerte; ruégoos que esta vez os atengáis a mi consejo.

—Assí lo haré —dixo él—, y Dios ponga en vos más vergüença que miedo.

La dueña tovo el palafrén y atendiólo y viólo mejor que de noche lo viera, y pareçióle el más fermoso del mundo, y dixo:

—Cavallero, ¿cómo os va?

—Dueña —dixo él—, vame como no os iría si fuéssedes en mi poder como lo yo soy en el vuestro, porque os faría mucho servicio y plazer, y vos no sé a qué causa lo fazéis comigo todo al contrario, no os lo mereciendo, que mejor vos sería para vuestro cavallero, y os servir y amar como a mi señora, que no para estar metido en prisión, que tan poca pro os trae.

La dueña, que lo mirava, fue dél muy pagada, más que de ninguno que visto ni tratado oviesse, y díxole:

—Cavallero, si vos yo quisiesse tomar por amigo y quitar desta prisión, ¿dexaríades por mí la compañía del rey Lisuarte y diríades que por mí la dexávades?

—Sí —dixo Galaor—; y dello vos haré cualquier pleito que demandardes. Assí lo hará aquel otro mi compañero, que no salirá de lo que yo mandare.

—Mucho soy ende alegre, y agora me otorgad lo que decís

ante todos estos cavalleros, y yo os otorgaré de hazer luego vuestra voluntad, y quitaré a os y vuestro compañero de prisión.

—Mucho soy contento —dixo Galaor.

—Pues quiero —dixo la dueña— que todo se otorgue ante una dueña donde hoy iremos alvergar, y en tanto asseguradme que vos no partáis de mí, y desataros han las manos y iréis sueltos.

Galaor llamó a Amadís y díxole que él le otorgasse de se no partir de la dueña. Y él lo otorgó. Y luego les mandó desatar las manos; y Galaor dixo:

—Pues mandad soltar nuestros escuderos, que se no partirán de nos.

Y assimesmo fueron sueltos; y diéronles un palafrén sin silla en que fuessen.

Assí fueron todo aquel día; y Galaor hablando con Madasima; y al sol puesto llegaron al castillo que llamavan Abiés, y la señora los acogió muy bien, que mucho se amavan entrambas dueñas. Madasima dixo:

—Galaor, ¿queréisme otorgar el pleito que avemos puesto?

—Quiero de grado —dixo él—; y otorgadme vos lo que me prometistes.

—¡En el nombre de Dios! —dixo la dueña.

Entonces llamó a la señora del castillo y a dos cavalleros fijos suyos que ý eran con ella, y díxoles:

—Quiero que séais vosotros testigos de un pleito que con estos cavalleros fago.

Y dixo por don Galaor:

—Este cavallero es mi preso y quiero hazer dél mi amigo; y assí lo es el otro su compañero; y soy convenida con ellos en esta guisa: que ellos se partan del rey Lisuarte y le digan que por mí lo fazen y que yo les quité la prisión dexándolos libres; y que vos y vuestros hijos seáis con ellos ante el rey Lisuarte, y veades cómo lo cumplen, y si no, que digáis y publiquéis lo que passa, porque todos lo sepan; y desto les doy plazo de diez días.

—Buen amiga —dixo la señora del castillo—, a mí me plaze de hazer lo que dezís, tanto que ellos lo otorguen.

—Assí lo otorgamos nos —dixo don Galaor—; y esta dueña compla lo que de su parte dize.

—Esso —dixo ella— luego se hará.

Assí quedaron como oís. Y aquella noche yugo don

Galaor [34] con Madasima, que muy hermosa y muy rica era, y
hijadalgo; mas no de tan buen precio como devía; y ella fue
más pagada dél que de ninguno otro que jamás viesse; y a
la mañana mandóles dar sus cavallos y armas; y quitándoles
la prisión se fue camino de Gantasi, que assí avía nombre su
castillo, y ellos entraron en el camino de Londres, onde era
el rey Lisuarte, muy alegres en aver assí escapado de tal traición; y porque cuidavan salir de su promessa mucho a su
honra; y aquella noche alvergaron en casa de un hermitaño,
donde ovieron muy pobre cena; y otro día continuaron su
camino.

CAPÍTULO XXXIV

EN QUE SE DEMUESTRA LA PERDICIÓN DEL REY LISUARTE Y DE TODOS SUS ACAESCIMIENTOS A CAUSA DE SUS PROMESAS, QUE ERAN LÍCITAS DE SER DENEGADAS

CON muchos cavalleros y dueñas y donzellas estando el
rey Lisuarte y la reina Brisena, su muger, en sus tiendas, al cuarto día que de allí partieran Amadís y Galaor, entró
por la puerta el cavallero qu'el manto y la corona le dexara,
como ya oístes, y hincando los inojos ante el rey, le dixo:

—Señor, ¿cómo no tenéis la hermosa corona que os dexé;
y vos, señora reina, el rico manto?

El rey se calló, que ninguna respuesta le quiso dar, y el
cavallero dixo:

—Mucho me plaze que os no pagastes dello, pues que me
quitarán de perder la cabeça o el don que por ello me avíades a dar; y pues assí es, mandádmelo dar, que me no puedo
detener en ninguna guisa.

Cuando esto oyó, pesóle fuertemente, y dixo:

34. A pesar de las numerosas aventuras amorosas de Galaor y la
falta de fidelidad a una única dama, el Quijote lo excusa de la siguiente
manera: «Señor, una golondrina sola no hace verano. Cuanto más que
yo sé que de secreto estaba ese caballero muy bien enamorado, fuera de
aquello de querer a todas bien cuantas bien le parecían, era condición
natural, a quien no podía ir a la mano. Pero, en resolución, averiguado
está muy bien que él tenía una sola a quien él había hecho señora de su
voluntad, a la cual se encontraba muy a menudo y muy secretamente,
porque se preció de secreto caballero.» (I, 13, p. 131.)

—Cavallero, el manto ni la corona no os la puedo dar, que lo he todo perdido; y más me pesa por vos, que tanto os hazía menester, que por mí, maguer que mucho valía.

—¡Ay, cativo, muerto so! —dixo el cavallero.

Y començó a hazer un duelo tan grande que maravilla era, diziendo:

—¡Cativo de mí, sin ventura, muerto soy y de la peor muerte que nunca murió cavallero que la tan poco meresciesse!

Y caíanle las lágrimas por las barbas, que eran blancas como la lana blanca. El rey ovo dél gran piedad, y díxole:

—Cavallero, no temáis de vuestra cabeça, que toda cosa que yo aya, vos la avréis para la guarescer, que assí os lo he prometido y así lo terné.[35]

El cavallero se le dexó caer a sus pies para gelos besar, mas el rey lo alçó por la mano, y dixo:

—Agora pedid lo que os plazerá.

—Señor —dixo él—, verdad es que me ovistes a dar mi manto y mi corona o lo que por ello vos pidiesse. Y Dios sabe, señor, que mi pensamiento no era demandar lo que agora pediré; y si otra cosa para mi remedio en el mundo oviesse, no vos enojaría en ello; mas no puedo ý ál fazer; mas bien sé que vos será muy grave de dar; mas tan grave sería que tal hombre como vos fallesciesse de su lealtad; a vos pesará de me lo dar y a mí de lo recebir.

—Agora, demandad —dixo el rey—; que tan cara cosa no será que yo aya que la vos no ayades.

—Muchas mercedes —dixo el cavallero—; mas es menester que me hagáis asegurar de cuantos agora son en vuestra corte que me no harán tuerto ni fuerça sobre mi don, y por vos mismo me asseguraréis, que de otra guisa ni vuestra verdad sería guardada ni yo sería satisfecho si por una parte se me diesse y por otra me lo quitassen.

—Guisado es —dixo el rey— lo que pedides, y así lo otorgo y mándolo pregonar.

Entonces el cavallero dixo:

—Señor, yo no podría ser quito de muerte sino por mi

35. El rey había aceptado un *don contraignant* (otorgar un don sin saber en qué consiste) siguiendo la conducta habitual del rey en la novela artúrica; en este capítulo se insistirá sobre los posibles aspectos negativos de tal tipo de conducta.

corona y mi manto o por vuestra hija Oriana, y agora
me dad dello lo que quisierdes, que yo más querría lo que
vos di.

—¡Ay, cavallero! —dixo el rey—, mucho me avedes pedido.

Y todos ovieron muy gran pesar que más ser no podía;
pero el rey, que era el más leal del mundo, dixo:

—No vos pese, que más conviene la pérdida de mi fija
que falta de mi palabra; porque lo uno daña a pocos y lo
otro al general; donde redondaría mayor peligro, porque las
gentes no seyendo seguras de la verdad de sus señores, muy
mal entre ellos el verdadero amor se podría conservar; pues
donde éste no ay, no puede aver cosa que mucha pro tenga.

Y mandó que luego le traxessen allí su hija.

Cuando la reina y las dueñas y donzellas esto oyeron,
començaron a hazer el mayor duelo del mundo; mas el rey
las mandó acoger a sus cámaras, y mandó a todos los suyos
que no llorassen, so pena de perder su amor, diziendo:

—Agora averná de mi hija lo que Dios tuviere por bien;
mas la mi verdad no será a mi saber falsedad.

En esto llegó la muy hermosa Oriana ante el rey como
atónita, y cayéndole a los pies, le dixo:

—Padre, señor, ¿qué es esto que queréis fazer?

—Fágolo —dixo el rey— por no quebrar mi palabra.

Y dixo contra el cavallero:

—Véis aquí el don que pedistes, ¿queréis que vaya con
ella otra compaña?

—Señor —dixo el cavallero—, no trayo comigo sino dos cavalleros y dos escoderos, aquellos con que vine a vos a Vindilisora, y otra compaña no puedo llevar; mas yo vos digo
que no ha de qué temer hasta que la yo ponga en la mano
de aquel a quien la he de dar.

—Vaya con ella una donzella —dixo el rey—, si quisierdes, porque más honra y honestidad sea, y no vaya entre
vos sola.

El cavallero lo otorgó. Cuando Oriana esto oyó, cayó
amortescida; mas esto no ovo menester, qu'el cavallero la
tomó entre sus braços, y llorando, que semejava hazerlo contra su voluntad, y dióla a un escudero que estava en un rocín
muy grande y mucho andador, y poniéndola en la silla se
puso él en las ancas, y dixo el cavallero:

—Tenelda, no caya, que va tollida, y Dios sabe que en

toda esta corte no ha cavallero que más pese que a mí deste hecho.

Y el rey hizo venir la donzella de Denamarcha, y mandóla poner en un palafrén, y dixo:

—Id con vuestra señora y no la dexéis por mal ni por bien que vos avenga en cuanto con ella os dexaren.

—¡Ay, cativa! —dixo ella—, nunca cuidé hazer tal ida.

Y luego movieron ante el rey; y el gran cavallero y muy membrudo que en Vindilisora no quiso tirar el yelmo, tomó a Oriana por la rienda; y sabed que éste era Arcaláus el Encantador; y al salir del corral sospiró Oriana muy fuertemente, como si el coraçón se le partiesse, y dixo assí como tollida:

—¡Ay, buen amigo!, en fuerte punto se otorgó el don, que por esto somos vos y yo muertos.

Esto dezía por Amadís, que le otorgara la ida con la donzella, y los otros cuidaron que por ella y por su padre lo dixera; mas los que la levavan entraron luego en la floresta, andando con ella a gran priessa hasta que dexaron aquel camino y entraron en un hondo valle. El rey cavalgó en un cavallo y un palo en la mano, guardando que ninguno los contrariasse, pues que él les avía assegurado. Mabilia, que a unas finiestras estava haziendo muy gran duelo, vio cerca del muro passar Ardián, el enano de Amadís, que iva en un gran rocín y ligero; llamólo con gran cuita que tenía, y dixo:

—Ardián amigo, si amas a tu señor, no huelgues día ni noche hasta que lo falles y le cuentes esta malaventura que aquí es fecha; y si lo no fazes, serle ías traidor, qu'es cierto que lo querría agora más saber que aver esta cibdad por suya.

—¡Para Santa María! —dixo el enano—; él lo sabrá lo más aína que ser pudiere.

Y dando del açote al rocín, se fue por el camino que viera ir a su señor a más andar.

Mas agora os contaremos lo que a esta sazón acontesció al rey cuando así él estava a la entrada de la floresta, como oístes, haziendo tornar todos los cavalleros que allá salían, teniendo consigo veinte cavalleros, vio venir la donzella a quien él avia el don prometido, diziendo que le provasse, y que sabría más del esfuerço de su coraçón; y venía en un palafrén que andava aína, y traía a su cuello una espada muy bien guarnida y una lança con un hierro muy hermoso y la asta pintada, y llegando al rey le dixo:

—Señor, Dios vos salve, y dé alegría y coraçón que me
atengáis lo que me prometistes en Vindilisora ante vuestros
cavalleros.

—Donzella —dixo el rey—, yo havía más menester alegría
de la que tengo; mas comoquier que esté, bien me membra
lo que os dixe, y assí lo cumpliré.

—Señor —dixo ella—, con essa esperança vengo yo a vos
como al más leal rey del mundo; y agora me vengad de un
cavallero que va por esta floresta, que mató a mi padre al
mayor aleve del mundo, y forçóme a mí, y encantóle de tal
guisa que no puede morir si el más honrado hombre del
reino de Londres no le da un golpe con esta lança y otro
con esta espada, y la espada diera él a guardar a una su
amiga, cuidando que le mucho amava; pero no era assí, que
muy mortalmente lo desamava; y diómela a mí y la lança,
para con que me vengasse dél; y yo sé que si por vuestra
mano no, que el más honrado sois, por otra no puede ser
muerto; y si la vengança os atrevierdes hazer, avedes de ir
solo, porque yo le prometí de le dar oy un cavallero con
que se combatiesse, y a esta causa es allí venido, cuidando
que la espada y la lança no la podría yo aver; y es tal el
pleito entre nos, que si él venciere que le perdone mi quexa,
y si fuere vencido que haga dél mi voluntad.

—¡En el nombre de Dios! —dixo el rey—; yo quiero ir con
vusco.

Y mandó traer sus armas, y armóse aína, y cavalgó en su
cavallo, que él mucho preciava; y la donzella le dixo que
ciñesse la espada que ella traía. Y él, dexando la suya, que
era la mejor del mundo, tomó la otra y echó su escudo al
cuello; y la donzella le levó el yelmo y la lança pintada; y
fuése con ella, defendiendo a todos que ninguno fuesse tan
osado que tras él pensasse de ir; y assí anduvieron un rato
por la carrera; mas la donzella gela hizo dexar y guió por
otra parte, cerca de unos árboles que estavan donde entraran los que levavan a Oriana. Y allí vio estar el rey un cavallero todo armado sobre un cavallo negro, y al cuello un escudo verde y el yelmo otro tal. La donzella dixo:

—Señor, tomad vuestro yelmo, que vedes allí el cavallero
que vos dixe.

Él lo enlazó luego y tomando la lança dixo:

—Cavallero sobervio y de mal talante, agora os guardad.

Y abaxando la lança y el cavallero la suya, se dexaron

correr contra sí cuanto los cavallos los podían levar; y firiéronse de las lanças en los escudos, assí que luego fueron quebradas; y la del rey quebró tan ligero, que sólo no la sintió en la mano, y cuidó que fallesciera de su golpe, y puso mano a la espada, y el cavallero a la suya, y firiéronse por cima de los yelmos, y la espada del cavallero entró bien la media por el yelmo del rey; mas la del rey quebró luego por cabe la mançana, y cayó el fierro en el suelo; entonces conosció que era traición; y el cavallero le començó a dar golpes por todas partes a él y al cavallo. Y cuando el rey vio que el cavallo le matava, fuese abraçar con él, y el otro assimesmo con él, y tiraron por sí tan fuerte, que cayeron en tierra, y el cavallero cayó debaxo, y el rey tomó la espada que el otro perdiera de la mano y començóle a dar con ella los mayores golpes que podía. La donzella, que esto vido, dio grandes bozes, diziendo:

—¡Ay, Arcaláus, acorre, que mucho tardas y dexas morir tu cormano!

Cuando el rey assí estava por matar el cavallero, oyó un gran estruendo, y bolvió la cabeça y vio diez cavalleros que contra él venían corriendo, y uno venía delante diziendo a grandes bozes:

—Rey Lisuarte, muerto eres, que nunca un día reinarás ni tomarás corona en la cabeça.

Cuando esto oyó el rey, fue muy espantado, y temióse de ser muerto; y dixo con gran esfuerço que siempre tuvo y tenía:

—Bien puede ser que moriré, pues tanta avantaja me tenéis; mas todos moriréis por mí como traidores y falsos que sois.

Y llegando aquel cavallero al más correr de su cavallo, dio al rey de toda su fuerça una tal lançada en el escudo, que sin detenencia ninguna de más poderse valer le puso las manos en tierra. Mas luego fue levantado como aquel que se quería amparar fasta la muerte, que muy cercana assí la tenía, y dióle tan cruel golpe de la espada en la pierna del cavallo que gela cortó toda, y el cavallero cayó so el cavallo, que luego dieron todos sobre él; y él se defendía bravamente; mas defensa no tovo aí menester, que él fue malparado de los pechos de los cavallos, y los dos cavalleros que eran a pie abraçáronse con él y sacáronle la espada de las manos; después tiráronle el escudo del cuello y el yelmo de la ca-

beça y echáronle una gruessa cadena a la garganta, en que
avía dos ramales, y fiziéronle cavalgar en un palafrén; y, tomándole sendos cavalleros por los ramales, començáronse de
ir con él; y llegando entre los árboles de un valle, hallaron
Arcaláus que tenía a Oriana y a la donzella de Denamarcha;
y el cavallero que iva ante el rey dixo:

—Cormano, vedes aquí el rey Lisuarte.

—Cierto —dixo él—; buena venida fue ésta, y yo haré que
nunca dél tema ni de los de su casa.

—¡Ay, traidor! —dixo el rey—, bien sé yo que harías tú
toda traición; esso te haría yo conoscer, ahunque vo mal llagado, si te agora comigo quisiesses combatir.

—Cierto —dixo Arcaláus—, por vencer tal cavallero como
vos, no preciaría yo más.

Assí movieron todos de consuno por aquella carrera, que
se partía en dos lugares, y Arcaláus llamó a un su donzel y
díxole:

—Vete a Londres cuanto pudieres y di a Barsinán que se
trabaje de ser rey, que yo le terné lo que le dixe, que todo
es ya guisado.

El donzel se fue luego, y Arcaláus dixo a su compaña:

—Idvos a Daganel con diez cavalleros destos y levad a
Lisuarte y meteldo en la mi cárcel, y yo levaré a Oriana con
estos cuatro, y mostrarle he dónde tengo mis libros y mis
cosas en Montealdín.

Ésta era de los más fuertes castillos del mundo. Pues allí
fueron partidos los diez cavalleros con el rey y los cinco con
Oriana, en que iva Arcaláus, dando a entender que su persona valía tanto como cinco cavalleros.

¿Qué diremos aquí, emperadores, reyes y grandes que en
los altos estados sois puestos? Este rey Lisuarte en un día
con su grandeza el mundo pensava señorear, y en este mismo
día, perdida la hija sucessora de sus reinos, él preso, deshonrado, encadenado, en poder de un encantador malo,
cruel, se vio, sin darse remedio. Guardaos, guardaos, tened
conoscimiento de Dios, que ahunque los grandes y altos estados da, quiere que la voluntad y el coraçón muy humildes
y baxos sean, y no en tanto tenidos que las gracias y los servicios que Él meresce sean en olvido puestos, sino aquello
con que sostenerlos pensáis, que es la gran sobervia, la demasiada cobdicia, aquello que es el contrario de lo que Él
quiere vos lo hará perder con semejante deshonra. Y, sobre

todo, considerad los sus secretos y grandes juizios, que se yendo este rey Lisuarte tan justo, tan franco, tan gracioso, permetióle serle venido tan cruel revés, ¿qué hará contra aquellos que todo esto al contrario tienen? ¿Sabéis qué? Que assí como su voluntad fue deste cruel peligro miraglosamente se remediasse, acatando merescer algo dello las sus buenas obras, assí a los que las no hazen ni ponen mesura en sus maldades, en este mundo los cuerpos y en el otro las ánimas serán perdidos y dañados. Pues ya el muy poderoso Señor, contento en aver dado tan duro açote a este rey, queriendo mostrar que assí para abaxar lo alto y lo alçar sus fuerças bastan, puso en ello el remedio que agora oiréis.

CAPÍTULO XXXV

Cómo Amadís y Galaor supieron la traición hecha, y se deliberaron de procurar, si pudiessen, la libertad del rey y de Oriana

Veniendo Amadís y Galaor por el camino de Londres, donde no menos peligro de muerte avían recebido estando en la prisión de la dueña señora del castillo de Gantasi, seyendo a dos leguas de la cibdad, vieron venir Ardián el enano cuanto más el rocín lo podía levar; Amadís, que lo conosció, dixo:

—Aquél es mi enano, y no me creáis si con cuita de alguno no viene, porque nos demanda.

El enano llegó a ellos y contóles todas las nuevas, cómo llevavan a Oriana.

—¡Ay, Santa María, val! —dixo Amadís—; y ¿por dónde van los que la lievan?

—Cabo la villa es el más derecho camino —dixo el enano.

Amadís firió el cavallo de las espuelas y començó de ir cuanto más podía así tollido, que sólo no podía hablar a su hermano, que iva empós dél; assí passaron entrambos cabe la villa de Londres cuanto los cavallos los podían levar, que sólo no catavan por nada, sino Amadís que preguntava a los que veía por dónde levavan a Oriana, y ellos gelo mostravan; passando Gandalín por so las finiestras donde estava la reina y otras muchas mugeres, la reina lo llamó y lançóle la espada del rey, que era una de las mejores que nunca cavallero ciñera, y díxole:

—Da esta espada a tu señor, y Dios le ayude con ella, y di a él y a Galaor qu'el rey se fue de aquí oy en la mañana con una donzella, y no tornó ni sabemos dónde lo levó.

Gandalín tomó la espada y fuese cuanto más pudo; y Amadís, que no catava por dónde iva, con la gran cuita y pesar, erró el passo de un arroyo, y cuitando saltar de la otra parte, el cavallo, que cansado era, no lo pudo complir y cayó en el lodo; Amadís descendió y tirólo por el freno, y allí lo alcançó Gandalín y dióle la espada del rey, y díxole las nuevas dél como la reina lo dixera; y tomando el cavallo de Gandalín tornó al camino, y Galaor fue su passo, en cuanto él cavalgó y halló un rastro por donde parescía aver ido cavalleros, y atendió a su hermano; y dexando la carrera acojéronse al rastro, y a poco rato encontraron unos leñadores, y aquéllos vieran toda la ventura del rey y de Oriana, mas no supieron quién eran, ni a ellos se osaron allegar; antes se escondieron en las matas más espessas; y el uno dellos dixo:

—Cavalleros, ¿venís vos de Londres?

—Y ¿por qué lo preguntáis? —dixo Galaor.

—Porque si ha de allá menos cavallero o donzella —dixo él—, que nos vimos aquí una aventura.

Entonces les dixeron cuanto vieran de Oriana y del rey; y ellos conoscieron luego qu'el rey fuera preso a traición, y díxoles Amadís:

—¿Sabéis quién eran y quién prendió a esse rey?

—No —dixo él—; mas oí a la donzella que lo aquí traxo llamar a grandes bozes a Arcaláus.

—¡Ay, señor Dios! —dixo Amadís—, plégavos de me juntar con aquel traidor.

Los villanos les fueron mostrar por dónde levaron los diez cavalleros al rey y los cinco a Oriana. Y dixo el villano:

—El uno de los cinco era el mejor cavallero que nunca vi.

—¡Ay! —dixo Amadís—, aquél es el traidor de Arcaláus.

Y dixo a Galaor:

—Hermano, señor, id vos empós del rey, y Dios guíe a mí y a vos.

Y firiendo el cavallo de las espuelas, se fue por aquella vía; y Galaor por la que al rey levavan a cuanto más andar podía.

Partido Amadís de su hermano, cuitóse tanto de andar que cuando el sol se quería poner le cansó el cavallo tanto, que de passo no lo podía sacar; y yendo con mucha congoxa vio a la mano diestra, cabo una carrera, un cavallero muerto, y estava cabo él un escudero, que tenía por la rienda un gran cavallo. Amadís se legó a él y díxole:

—Amigo, ¿quién mató esse cavallero?

—Matóle —dixo el escudero— un traidor que acá va y lieva las más fermosas donzellas del mundo forçadas; y matóle no por otra razón, sino por le preguntar quién eran; y yo no puedo aver quien me ayude a lo levar de aquí.

Amadís le dixo:

—Yo te dexaré este mi escudero que te ayude, y dame esse cavallo, y prométote de darte dos cavallos mejores por él.

El escudero gelo otorgó. Amadís subió en el cavallo, que era muy hermoso, y dixo a Gandalín:

—Ayuda al escudero, y tanto que pongáis al cavallero en algún poblado, tórnate a este camino y vente empós de mí.

Y partiendo de allí, començó de se ir por el camino cuanto podía; y hallóse ya cerca del dia en un valle donde vio una hermita, y fue allá por saber si morava aí alguno; y hallando un hermitaño le preguntó si passaron por allí cinco cavalleros que levavan dos donzellas.

—Señor —dixo el hombre bueno—; no passaron, que los yo viesse; mas ¿vistes vos un castillo que allá queda?

—No —dixo Amadís—; y ¿por qué lo dezís?

—Porque —dixo él— agora se va de aquí un donzel, mi sobrino, que me dixo que alvergara aí Arcaláus el encantador, y traía unas hermosas donzellas forçadas.

—¡Por Dios! —dixo Amadís—, pues esse traidor busco yo.

—Cierto —dixo el hermitaño—, él ha fecho mucho mal en esta tierra, y Dios saque tan mal hombre del mundo, o lo emiende; mas ¿no traéis otra ayuda?

—No —dixo Amadís—, sino la de Dios.

—Señor —dixo el hermitaño—, ¿no dezís que son cinco y Arcaláus, que es el mejor cavallero del mundo y más sin pavor?

—Sea él cuanto quisiere —dixo Amadís—, que él es traidor y sobervio, y assí lo serán los que le aguardan, y por esto no les dudaré.

Entonces le preguntó quién era la donzella; Amadís gelo dixo. El hermitaño dixo:

—¡Ay, Santa María vos ayude!, que tan buena señora no sea en poder de tan mal hombre.

—¿Avedes alguna cebada —dixo Amadís— para este cavallo?

—Sí —dixo él—, y de grado os la daré.

Pues en tanto que el cavallo comía, preguntóle Amadís cúyo era el castillo. El hombre bueno le dixo:

—De un cavallero que Grumen se llama, primo cormano de Dardán, aquel que en casa del rey Lisuarte fue muerto, y cuido que por esso acogería aí los que desaman al rey Lisuarte.

—Agora vos encomiendo a Dios —dixo Amadís—, y ruégovos que me ayáis mientes en vuestras oraciones, y mostradme el camino que al castillo guía.

El hombre bueno gelo mostró; y Amadís anduvo tanto que llegó a él, y vio que avía el muro alto, y las torres espessas, y llegóse a él, mas no oyó hablar ninguno dentro, y plúgole, que bien cuidó que Arcaláus no sería ahún salido; y anduvo el castillo alderredor, y vio que no havía más de una puerta; entonces se tiró a fuera entre unas peñas, y apeándose del cavallo tomóle por la rienda, y estovo quedo, teniendo siempre los ojos en la puerta, como aquel que no havía sabor de dormir. A esta sazón rompía el alva, y cavalgando en su cavallo tiróse más a fuera por un valle, que ovo recelo, si visto fuesse, de poner sospecha que no saldrían los del castillo, cuidando ser más gente; y subió en un otero cubierto de grandes y espessas matas. Entonces vio salir por la puerta del castillo un cavallero, y subióse en otro otero más alto. Y cató la tierra a todas partes. Después tornóse al castillo, y no tardó mucho que vio salir Arcaláus y sus cuatro compañeros, muy bien armados. Y entre ellos la muy hermosa Oriana, y dixo:

—¡Ay, Dios!, agora y siempre me ayude y me guíe en su guarda.

En esto se llegó tanto Arcaláus que passó cabo donde él estava; y Oriana iva diziendo:

—Amigo señor, ya nunca os veré, pues que ya se me llega la mi muerte.

A Amadís le vinieron las lágrimas a los ojos; y descendiendo del otero lo más aína qu'él pudo, entró con ellos en un gran campo, y dixo:

—¡Ay, Arcaláus traidor, no te conviene levar tan buena señora!

Oriana, que la boz de su amigo conosció, estremescióse toda; mas Arcaláus y los otros se dexaron a él correr, y él a ellos, y firió Arcaláus, que delante venía, tan duramente que lo derribó en tierra por sobre las ancas del cavallo; y los otros le firieron, y dellos fallescieron de sus encuentros; y Amadís passó por ellos, y tornando muy presto su cavallo, firió a Grumen, el señor del castillo, que era uno dellos, de tal guisa qu'el fierro y el fuste de la lança le salló de la otra parte, y cayó luego muerto, y fue la lança quebrada. Después metió mano a la espada del rey y dexóse ir a los otros; y metióse entre ellos tan bravo y con tanta saña, que por maravilla era los golpes que les dava. Y assí le crescía la fuerça y el ardimento en andar valiente y ligero que le parescía, si el campo todo fuesse lleno de cavalleros, que le no podían durar y defender ante la su buena espada. Haziendo él estas maravillas que oídes, dixo la donzella de Denamarcha contra Oriana:

—Señora, acorrida sois, pues aquí es el cavallero bien aventurado, y mirad las maravillas que haze.

Oriana dixo entonces:

—¡Ay, amigo!, Dios vos ayude y guarde, que no ay otro en el mundo que nos acorra ni más vala.

El escudero que la tenía en el rocín dixo:

—Cierto; yo no atenderé en mi cabeça los golpes que los yelmos y las lorigas no pueden detener ni resistir.

Y poniéndola en tierra, se fue fuyendo cuanto más pudo.

Amadís, que entre ellos andava trayéndolos a su voluntad, dio al uno tal golpe en el braço que jelo derribó a tierra; éste començó de fuir dando bozes con la ravia de la muerte, y fué para otro que ya el yelmo de la cabeça le derribara, y fendióle hasta el pescueço. Cuando el otro cavallero vio tal destruición en sus compañeros, començó de fuir cuanto más podía. Amadís, que movía empós dél oyó dar bozes a su señora, y tornando presto vio Arcaláus que ya cavalgara, y que tomando a Oriana por el braço la pusiera ante sí y se iva con ella cuanto más podía; Amadís fue empós dél sin detenencia ninguna y alcançólo por aquel gran campo, y alçando la espada por lo ferir, sufrióse de le dar gran golpe, que la espada era tal que cuidó que mataría a él y a su señora, y dióle por cima de las espaldas que no fue de toda su fuerça, pero derribóle un pedaço de la loriga y una pieça del cuero de las espaldas; entonces dexó Arcaláus caer en tierra a Oriana por se ir más aína, que se temía de muerte, y Amadís le dixo:

—¡Ay, Arcaláus!; torna y verés si soy muerto como dixiste.

Mas él no le quiso creer; antes echó el escudo del cuello, y Amadís lo alcançó antes y dióle un golpe de lueñe por la cinta de la espada y cortó la loriga, y en los lomos, y la punta de la espada alcançó al cavallo en la ijada, y cortóle ya cuanto; assí que el cavallo, con el temor, conmençó de correr de tal forma que en poca de hora se alongó gran pieça. Amadís, como quiera que lo mucho desamasse y deseasse matar, no fue más adelante por no perder a su señora, y tornóse donde ella estava; y descendiendo de su cavallo se le fue fincar de inojos delante, y le besó las manos, diziendo:

—Agora haga Dios de mí lo que quisiere, que nunca, señora, os cuidé ver.

Ella estava tan espantada que le no podía hablar; y abraçóse con él, que gran miedo avía de los cavalleros muertos que cabe ella estavan. La donzella de Denamarcha fue tomar el cavallo de Amadís y vio la espada de Arcaláus en el suelo, y tomándola tráxola Amadís, y dixo:

—Ved, señor, qué fermosa espada.

El la cató y vio ser aquella con que le echaran en la mar, y gela tomó Arcaláus cuando lo encantó; y assí estando, como oís, sentado Amadís cabe su señora, que no tenía esfuerço para se levantar, llegó Gandalín, que toda la noche anduviera, y avían dexado el cavallero muerto en una hermita, con que gran plazer ovieron; mas tan grande le ovo él en ver assí parado el pleito. Entonces mandó Amadís que pusiesse a la donzella de Denamarcha en un cavallo de los que estavan sueltos, y él puso a Oriana en el palafrén de la donzella; y movieron de allí tan alegres que más ser no podía. Amadís levava a su señora por la rienda, y ella le iva diziendo cuán espantada iva de aquellos cavalleros muertos, que no podía en sí tornar; mas él le dixo:

—Muy más espantosa y cruel es aquella muerte que yo por vos padezco; y, señora, doledvos de mí y acordaos de lo que me tenéis prometido, que si hasta aquí me sustuve no es por ál, sino creyendo que no era más en vuestra mano ni poder de me dar más de lo que me dava; mas si de aquí adelante veyéndovos, señora, en tanta libertad no me acorriéssedes, ya no bastaría ninguna cosa que la vida sostenerme pudiesse; antes sería fenecida con la más raviosa esperança que nunca persona murió.

Oriana le dixo:

—Por buena fe, amigo, nunca, si yo puedo, por mi causa vos seréis en esse peligro. Yo haré lo que queréis, y vos hazed como, aunque aquí yerro y pecado parezca, no lo sea ante Dios.

Assí anduvieron tres leguas, hasta entrar en un bosque muy espesso de árboles que cabe una villa cuanto una legua estava. A Oriana prendió gran sueño, como quien no havía dormido ninguna cosa la noche passada, y dixo:

—Amigo, tan gran sueño me viene, que me no puedo sofrir.

—Señora —dixo él—, vayamos aquel valle y dormiréis.

Y desviando de la carrera se fueron al valle, donde hallaron un pequeño arroyo de agua y yerva verde muy fresca. Allí descendió Amadís a su señora, y dixo:

—Señora, la siesta entra muy caliente; aquí dormiréis hasta que venga la fría. Y en tanto embiaré a Gandalín aquella villa, y traernos ha con que refresquemos.

—Vaya —dixo Oriana—; ¿mas quién gelo dará?

Dixo Amadís:

—Dárgelo han sobre aquel cavallo, y venirse ha a pie.

—No será así —dixo Oriana—; mas lieve este mi anillo, que ya nunca nos tanto como agora valdrá.

Y sacándolo del dedo, lo dio a Gandalín. Y cuando él se iva, dixo a passo contra Amadís:

—Señor, quien buen tiempo tiene y lo pierde, tarde lo cobra.

Y esto dicho, luego se fue; y Amadís entendió bien por qué lo él dezía.

Oriana se acostó en el manto de la donzella, en tanto que Amadís se desarmava, que bien menester lo avía; y como desarmado fue, la donzella se entró a dormir en unas matas espessas; y Amadís tornó a su señora; y cuando assí la vio tan fermosa y en su poder, aviéndole ella otorgada su voluntad, fue tan turbado de plazer y de empacho, que sólo catar no la osava; assí que se puede bien dezir que en aquella verde yerva, encima de aquel manto, más por la gracia y comedimiento de Oriana, que por la desemboltura ni osadía de Amadís, fue hecha dueña la más hermosa donzella del mundo. Y creyendo con ello las sus encendidas llamas resfriar, aumentándose en muy mayor cuantidad, más ardientes y con más fuerça quedaron, assí como en los sanos y verda-

deros amores acaescer suele. Assí estuvieron de consuno con
aquellos autos amorosos, cuales pensar y sentir puede aquel
y aquella que de semejante saeta sus coraçones feridos son,
hasta que el empacho de la venida de Gandalín hizo Amadís levantar; y llamando la donzella, dieron buena orden de
guisar cómo comiessen, que bien les hazía menester, donde
ahunque los muchos servidores, las grandes vaxillas de oro
y de plata que allí faltaron, no quitaron aquel dulce y gran
plazer que en la comida sobre la yerva ovieron. Pues assí
como oídes estavan estos dos amantes en aquella floresta con
tal vida cual nunca a plazer del uno y del otro dexada fuera,
si la pudieran sin empacho y gran vergüença sostener.

Donde los dexaremos holgar y descansar, y contaremos
qué le avino a don Galaor en la demanda del rey.

CAPÍTULO XXXVI

Cómo don Galaor libertó al rey Lisuarte de la prisión en que traidoramente lo levavan

Partido don Galaor de Amadís su hermano, como ya oístes, entró en el camino por donde llevavan al rey. Y cuitóse de andar cuanto más pudo, como aquel que avía sobeja
cuita de los alcançar, y no tenía mientes en cosa que viesse
sino en su rastro; y assí anduvo hasta hora de bísperas, que
entró en un valle y halló en él la huella de los cavallos donde
avían parado; entonces siguió aquel rastro cuanto el cavallo
lo podía llevar, que le semejó que no podían ir lueñe; mas
no tardó mucho que vio ante sí un cavallero todo bien armado en buen cavallo, que a él salió, y le dixo:

—Estad, señor cavallero, y dezidme qué cuita os haze así
correr.

—¡Por Dios! —dixo Galaor—, dexadme de vuestra pregunta, que me detengo convusco, en que mucho mal puede
venir.

—¡Para Santa María! —dixo el cavallero—, no passaréis de
aquí hasta que me lo digáis, o vos combatáis comigo.

Y Galaor no hazía en esto sino irse, y el cavallero del
valle le dixo:

—Cierto, cavallero, vos fuídes aviendo hecho algún mal,
y agora os guardad, que saberlo quiero.

Entonces fue a él con su lança baxada y el cavallo al más correr. Galaor tornó; mas echado el escudo a las espaldas, cuando lo sintió cerca de sí sacó aína el cavallo de la carrera y apartóse, y el cavallero no lo pudo encontrar, antes passó tan rezio por él como quien traía el cavallo valiente y folgado; y assí fue una pieça ante Galaor, y tornó a él tomando la lança a sobremano, y díxole:

—¡Ay, cavallero malo y covarde!, no te me puedes mamparar por ninguna guisa que me no digas lo que te demando, o morirás.

Entonces fue para él muy rezio, y Galaor, que el cavallo más diestro traía, guardóse del encuentro, y no hazía sino ir adelante cuanto podía andar. El cavallero, que su cavallo tan presto tener no pudo, cuando tornó, vio que Galaor se le avía alongado gran pieça, y dixo:

—Sí me Dios ayude, no me os iréis assí.

Y él, que sabía bien la tierra, tomó por un atajo, y fuésele poner en un passo. Galaor, que lo vio, mucho le pesó, y el cavallero le dixo:

—¡Cobarde, malo, sin coraçón!, agora escoged de tres cosas cuál quisierdes: o que os combatáis, o vos tornad, o me dezid lo que os pregunto.

De cualquier me pesa —dixo Galaor—, mas no hazéis como cortés, que yo no me tornaré, y si me combatiere, no será a mi plazer; mas si queréis saber la priessa que lievo, seguidme y verlo eis, porque me detenía mucho en vos lo contar, y a la cima no me creeríades; tanto es de malaventura.

—¡En el nombre de Dios! —dixo el cavallero—; agora passad, y dígovos que no iréis este tercero día sin mí.

Galaor passó adelante, y el cavallero empós dél, y cuando a media legua de aquel lugar fueron, vieron andar un cavallero a pie todo armado tras un cavallo de que cayera, y otro cavallero que dél se partía, que se iva a más andar; y el cavallero que iva con don Galaor conosció al cavallero derribado, que era su primo cormano, y fue aína a le tomar el cavallo, y diógelo, diziendo:

—¿Qué fue esto, señor cormano?

Él dixo:

—Yo iva cuidando en lo que vos sabéis, assí que sólo en mí no parava mientes, y no caté sino cuando me dio aquel cavallero que allá va una lançada en el escudo, tal que el cavallo inojó comigo, y yo caí en tierra, y el cavallo fuyó; mas luego puse mano a la espada y llamélo a la batalla, pero no quiso venir, antes me dixo que otra vez fuesse más acordado en responder cuando me llamassen.

—Y por la fe que devéis a Dios —dixo él—, vayamos tras él, si lo aver pudiéremos, y veréis cómo me vengo.

—Esso no puedo yo hazer —dixo el cormano—, que este tercero día he aguardar aquel cavallero tras quien vo.

Y contóle cuanto con él le aviniera.

—Cierto —dixo el cavallero—, o él es el más covarde del mundo, o va acometer algún gran hecho, porque se assí guarda, y quiero dexar la vengança de mi injuria por ver lo que avernà deste pleito.

En esto vieron ir a Galaor lueñe, que él no hazía sino andar, y los dos cormanos se fueron empós dél. Y a esta hora era ya cerca de la noche. Galaor entró en una floresta, y con la noche perdió el rastro, y no sabía a cuál parte ir. Estonces començó a pedir merced a Dios que lo guiasse en tal manera que fuesse él el primero que aquel socorro hiziesse; y cuidando que los cavalleros se desviaran con el rey alguna parte a dormir, anduvo escuchando de un cabo y de otro por unos valles, mas no oía nada; los dos cormanos que le siguían cuidavan que por el camino iva; mas cuanto anduvieron hasta una legua, salieron de la floresta y no le vieron, y creyendo que se les escondiera, fueron alvergar a casa de una dueña que aí cerca morava. Galaor anduvo por la floresta a todas partes; pensó de passar la floresta, pues que en ella nada fallava, sobir otro día en algún otero alto para mirar la tierra, y tomando al camino que ante levava, anduvo tanto que salió a lo raso; y estonces vio suso por un valle un fuego pequeño; y yendo allá halló que posavan aí harroqueros; y cuando assí armado lo vieron, con miedo tomaron lanças y hachas y fueron contra él; y él les dixo que se no temiessen de ningún mal; mas que les rogava le diessen un poco de cevada para el cavallo. Ellos gela dieron, y allí dio de cenar a su cavallo. Ellos le dixeron si comería; él dixo que no; mas que dormiría un poco, que lo despertassen antes que amaneçiesse. Estonces eran ya passadas las dos partes de la noche; Galaor se echó a dormir cabe el fuego assí armado, y cuando el alva començó a romper levantóse, que no dormía mucho asossegado, como aquel que havía gran cuita en no hallar los que buscava; y cavalgando en su cava-

llo, tomando sus armas, los acomendó a Dios. Y ellos a él,
qu'el su escudero no pudo tener con él; y desde allí prometió, si Dios le guardasse, de dar a su escudero el mejor cavallo; y fuese derecho a un otero alto, y desde allí començó
de catar la tierra a todas partes. Estonces salieron los dos
cormanos que en casa de la dueña alvergaran. Y esto era ya
mañana, y vieron a Galaor y conoçiéronlo en el escudo, y
fueron contra él; mas en ellos moviendo viéronlo deçendir
del otero cuanto su cavallo lo podía levar. Y el cavallero derribado dixo:

—Ya nos vio y fuye; cierto, yo cuido que por alguna mala
ventura anda assí fuyendo y encubriéndose; y Dios no me
ayude, si lo alcançar puedo, si dél no lo sea a su daño, si lo
mereçiere; y vamos tras él.

Mas don Galaor, que muy lexos de su cuidar estava, viera
ya passar los cavalleros un passo que a la salida de la floresta havía; y los otros cinco passavan delante, y los cinco
después, y en medio dellos ivan hombres desarmados; y él
cuidó que aquéllos eran los que al rey levavan, y fue contra ellos tal como aquel que ya su muerte por salvar la vida
ajena tenía ofreçida; y seyendo cerca dellos, vio al rey metido en la cadena, y ovo dél tal pesar, que no dudando
la muerte se dexó correr a los cinco que delante venían, y
dixo:

—¡Ay, traidores!, por vuestro mal pusistes mano en el
mejor hombre del mundo.

Y los cinco vinieron contra él, mas él herió al primero
por los pechos en guisa qu'el fierro con un pedaço de la asta
le salió a las espaldas, y dio con él muerto en tierra; y los
otros le herieron tan fuerte que el cavallo fizieron con él ino-
jar; y el uno le metió la lança por entre el pecho y el escudo, y perdiéndola la tomó Galaor y fue ferir a otro con ella
en la cuxa de la pierna, y falsóle el arnés y la pierna y entró
la lança por el cavallo, assí qu'el cavallero fue tollido; allí
quebró la lança, y poniendo mano a la espada vio venir todos
los otros contra sí, y él se metió entre ellos tan bravo que no
ha hombre que de verlo no se espantasse cómo podía sufrir
tantos y tales golpes como le davan. Y estando en esta gran
priessa y peligro, por ser los cavalleros muchos, quísole Dios
acorrer con los dos cormanos que lo seguían, que cuando
assí lo vieron, mucho fueron maravillados de tan gran bondad de cavallero, y dixo el que empós dél iva:

—Cierto a sin razón culpávamos aquél de covarde; y vámosle socorrer en tan gran priessa.

—¿Quién faría aí ál —dixo el otro—, sino acorrer al mejor cavallero del mundo?; y no creáis que tantos hombres acomete sino por algún gran fecho.

Estonces se dexaron ir a gran correr de los cavallos, y fuéronlos ferir muy bravamente, como aquellos que eran muy esforçados y sabidores de aquel menester, que no havía aí tal dellos que no passasse de diez años que fuera cavallero andante; y dígoos qu'el primero havía nombre Ladasín el Esgremidor, y el otro don Guilán el Cuidador, el buen cavallero. A esta sazón havía ya menester Galaor mucho su ayuda, qu'el yelmo havía tajado por muchos lugares y abollado, y el arnés roto por todas partes, y el cavallo llagado, que cerca andava de caer; mas por esso no dexava él de hazer maravillas, y dar tan grandes golpes a los que alcançava, que a duro lo osavan atender, y cuidava que si su cavallo no le falleçiesse, que le no durarían, que a la fin no los matasse; mas seyendo llegados los dos cormanos, como ya oístes, estonces se le parava a él mejor el pleito, que ellos se combatían tan bien y con tan gran esfuerço qu'él se maravilló mucho; y como assí se halló más libre en ser los golpes qu'él levava repartidos, estonces hazía él las cosas estrañas, que podía herir a su voluntad; y fuc tan grande la priessa que les dio, y los cormanos en su ayuda, que en poca de hora fueron todos muertos y vencidos.

Cuando esto vio el cormano de Arcaláus, dexóse ir al rey por lo matar, y como los que con él estavan fuyeran todos, él descendiera del palafrén assí con su cadena a la garganta, y tomara un escudo y la espada del cavallero que primero murió, y el otro que le quiso herir por cima de la cabeça. El rey alçó el escudo, donde recibió el golpe, y fue tal, que la espada entró por el brocal bien un palmo, y alcançó con la punta della al rey en la cabeça, y cortóle el cuero y la carne hasta el huesso; mas el rey le dio al cavallo en el rostro con la espada tal golpe, que la no pudo sacar; y el cavallo enarmonóse y fue caer sobre el cavallero. Galaor, que ya estava a pie porque el su cavallo no se podía mudar y iva por socorrer al rey, fue para el cavallero por le tajar la cabeça. Y el rey dio bozes que le no matasse. Los dos cormanos, que fueran tras un cavallero que se les iva y lo havían muerto, cuando bolvieron y vieron al rey, mucho fueron espantados,

que de su prisión no sabían ninguna cosa. Y descendieron
aína, y tirados los yelmos, fueron hincar los inojos ante él, y
él los conoció y levantándolos por las manos, dixo:

—¡Por Dios, amigos!, a buena hora me acorristes; y gran
mal me haze la amiga de don Guilán, que me lo tira de mi
compañía, y por su causa pierdo yo a vos, Ladasín.

Guilán ovo gran vergüença, y embermegecióle el rostro;
mas no que por esso dexasse de amar aquella su señora duquesa de Bristoya, y ella amava a él; assí que ya ovieron
aquel fin que de sus amores dessearon; y siempre el duque
tovo sospecha que fuera don Guilán el que en su castillo entrara cuando allí fue Galaor, como la historia os ha contado.

Mas dexemos agora esto y tornemos al rey, qué hizo después que libre fue. Sabed que don Galaor sacó al cormano
de Arcaláus de so el cavallo; y quitando la cadena al rey, la
puso a él; y tomaron de los cavallos de los cavalleros muertos, y el rey tomó uno y Galaor otro, que el suyo no se
movía, y començáronse de ir camino de Londres muy alegres. Ladasín contó al rey todo lo que con Galaor le aconteçiera; y el rey le preciava mucho por se assí guardar según
la demanda que levava, y Guilán assimesmo le dixo cómo
seyendo cuidando en su amiga tan fieramente que en ál no
metía mientes, que el cavallero le derribara sin nada le dezir.
Mucho rió el rey dello, deziéndole que ahunque muchas
cosas havía oído que los enamorados por sus amigas hiziessen, pero no que a éste semejasse; y con gran causa, según
veo, os llaman Guilán el Cuidador.[36] En estas cosas y otras
de mucho plazer fueron hablando fasta llegar a casa de Ladasín, que muy cerca dende morava; y allí llegó a ellos el
escudero de Galaor y Ardián el enano de Amadís, que cuidava que su señor iva por aquella vía a le buscar. Galaor
contó al rey la forma que el y Amadís se partieran, y que
devía embiar a Londres, porque los leñadores dirían las nuevas y con ellas se movería toda la corte.

—Pues que Amadís —dixo el rey— va en el socorro de mi
hija, no la entiendo perder, si aquel traidor no le haze por

36. Por el modo repentino en que se menciona la historia de Guilán y de la duquesa de Bristoya es posible que Montalvo hubiera supri-
mido un episodio primitivo en que se narrara con mayor amplitud. El
personaje reproduce el tipo del héroe pensativo, «cuidador», ensimismado por el amor de la amiga, que en este caso es adúltero.

encantamento algún engaño. Y en esto que dezís, bien será que sepa la reina mi hazienda.

Y mandó a un escudero de Ladasín, que sabía bien la tierra, que se fuesse luego con aquellas nuevas. Pues allí alvergó el rey aquella noche, donde fue muy bien servido. Y otro día tornaron a su camino, y ívales contando el cormano de Arcaláus cómo todo lo passado fuera por consejo de Barsinán, señor de Sansueña, pensando ser rey de la Gran Bretaña. Estonces se cuitó el rey de andar más que antes por le hallar aí.

CAPÍTULO XXXVII

De cómo vino la nueva a la reina que era preso el rey Lisuarte, y de cómo Barsinán essecutava su traición, queriendo ser rey, y al fin fue perdido, y el rey restituido en su reino

LOS leñadores, que vieran cómo al rey le acaeçiera, llegaron a la villa y dixéronlo todo. Cuando esto fue sabido, la rebuelta fue muy grande a maravilla; y armáronse todos los cavalleros, y al más correr de sus cavallos salían por todas partes, assí que el campo pareçió ser lleno dellos. Arbán, el rey de Norgales, stava hablando con la reina, y llegaron aí sus escuderos con sus armas y cavallos; y entrando a él un donzel donde estava, díxole:

—Señor, armaos; ¿qué estáis faziendo?; ya no queda cavallero en la villa de la compaña del rey sino vos, que todos se van al más correr de los cavallos por la floresta.

—Y ¿por qué? —dixo Arbán.

—Porque dizen —dixo el donzel— que llevan preso al rey diez cavalleros.

—¡Ay, Santa María! —dixo la reina—; que siempre lo he temido.

Y cayó amorteçida.

Arbán la dexó en poder de las dueñas y donzellas, que hazían gran duelo, y fuese armar; y cavalgando en su cavallo oyó dezir a grandes bozes que tomavan el alcáçar.

—¡Santa María! —dixo Arbán—; todos somos vendidos.

Y tovo que haría mal si la reina desamparasse.

A esta sazón era por la villa tan gran buelta como si allí

todos los del mundo fuessen. Arbán se paró a la puerta del palacio de la reina, assí armado con dozientos cavalleros de los suyos; y embió dos dellos que supiessen la buelta cómo era; y llegando al alcáçar, vieron cómo Barsinán era dentro con toda su compaña; y degollava y matava cuantos haver podía; y otros despeñava de los muros, que cuando oyó la buelta y la prisión del rey, no paró ojo a otra cosa. Y los del rey, no lo sospechando, ivan sin recelo en el socorro; y tenía consigo seiscientos cavalleros y sirvientes bien armados. Cuando Arbán lo supo por sus cavalleros, dixo:

—Por consejo de traidor, el rey es preso.

Seyendo ya Barsinán apoderado en el alcáçar, dexó allí gente que lo guardassen; y salió con la otra a prender a la reina y tomar la silla y corona del rey. Los de la villa, que vieron que assí iva el pleito, ívanse todos a las casas de la reina assí armados como podían. Cuando Barsinán llegó a las casas de la reina, halló aí Arbán con toda su compaña y asaz gente de la villa. Y Barsinán le dixo:

—Arbán, hasta aquí fueste el más sesudo cavallero mancebo que aya visto; y haz de aquí adelante como el seso no pierdas.

—¿Por qué me lo dizes? —dixo Arbán.

—Porque yo sé —dixo él— que el rey Lisuarte va en manos de quien la cabeça sin el cuerpo me embiará antes de cinco días; y en esta tierra ninguno como yo ay que pueda y deva ser rey, y assí lo seré todavía; y la tierra de Norgales, que en señorío tienes, yo te la otorgo, porque eres buen cavallero y sabido; y tírate a fuera y tomaré la silla y la corona; y si ál quisieres fazer, de aquí te desafío, y dígote que ninguno será contra mí por me tirar mi tierra que la cabeça no lo mande cortar.

—Cierto —dixo Arbán—, tú dizes cosas por que yo seré contra ti en cuanto biva. La primera, que me consejas que sea traidor contra mi señor haviendo tan gran cuita. Y la otra, que sabes que lo matarán los que lo lievan; en que parécese claro ser tú en la traición. Pues teniendo yo siempre en la memoria ser una de las más preciadas cosas del mundo la lealtad, y tú desechándola, seyendo como malo contra ella, mal nos podríamos convenir.

—¡Cómo! —dixo Barsinán—; ¿tú me cuidas tirar que no sea rey de Londres?

—Rey de Londres nunca lo será traidor —dixo Arbán—; y demás en vida del más leal rey del mundo.

Barsinán dixo:

—Yo te cometí primero de tu pro más que a los otros, creyendo que eras el más sabido dellos, y agora me pareçes más menguado de seso; y yo te haré bien conoçer tu locura; y ver quiero lo que farás, que tomar quiero la corona y la silla, que lo merezco por bondades.

—Sobre esso haré yo tanto —dixo Arbán— como si el rey mi señor en ella sentado fuesse.

—Agora lo veré —dixo Barsinán.

Y mandó a su compaña que los fuessen herir. Y Arbán los atendió con su compaña, como aquel que muy esforçado y leal en todas las cosas era; estava con gran saña de lo que del rey su señor oyera; y juntáronse unos con otros muy bravamente, dándose grandes golpes por todas partes; assí que muchos fueron muertos y llagados, y la una y la otra parte punavan cuanto podían por se vencer y matar; mas Arbán hizo tanto aquel día, que más que todos los de aquella lid fue loado; que él fue defensor de todos los suyos; y no hazía sino ir adelante, derribando y heriendo, poniendo su vida al punto de la muerte. Assí anduvieron hasta la noche, que se no pudieron vencer; y esto causó por ser las calles estrechas, que de otra guisa Arbán se viera en peligro y la reina fuera tomada. Mas Barsinán se acogió con su compaña al alcáçar, y halló muy gran pieça de su gente menos, assí muertos como llagados, de guisa que les era mucho menester holgar. Y Arbán dixo a los suyos:

—Señores, parezca vuestra lealtad y ardimiento, y no vos desmayéis por esta mala andança, que aína en bien será cobrada.

Otrosí, puso su compaña como se guardassen de noche.

Esto hecho, la reina, que como muerta stava, mandó llamar a Arbán; y él fue assí armado como estava, y llagado en muchas partes; y llegado donde la reina era, quitóse el yelmo, que roto estava, y viéronle cinco heridas en el rostro y en la garganta, y la faz llena de sangre, que mucho era desfigurado; mas muy hermoso pareçía a aquellas que después de Dios a él tenían por amparo. Cuando la reina assí lo vio, gran duelo huvo dél, y díxole llorando:

—¡Ay, buen sobrino!, Dios os mantenga y vos ayude, que esta vuestra lealtad acabar podáis. Por Dios, decidme: ¿qué será del rey y qué será de nos?

—De nos —dixo él— será bien, si Dios quisiere; y del rey

oiremos buenas nuevas; y dígovos, señora, que no temáis de los traidores que aquí hincaron, según la gran lealtad de los vuestros vasallos que aquí comigo están, que os defenderán muy bien.

—¡Ay, sobrino! —dixo la reina—, yo os veo tal que no podéis tomar armas, y los otros no sé qué hagan sin vos.

—Señora —dixo él—, no toméis desso cuidado; que en tanto qu'el alma tenga, nunca las armas por mí no se dexarán.

Estonces se partió della y tornó a su compaña; assí passaron aquella noche. Y Barsinán, ahunque su compaña halló maltrecha, mucho esfuerço mostrava, y díxoles:

—Amigos, no quiero que sobre esto más nos combatamos, ni aya más muertes, pues que sin excesso y batalla lo acabaré, como adelante veréis; y holgad agora sin ningún recelo.

Assí holgaron aquella noche. Y otro día de mañana armóse y cavalgó en su cavallo, y llevando veinte cavalleros consigo, se fue a un atajo que guardava el mayordomo de Arbán; y como los de la barrera los vieron, tomaron sus armas para se amparar; mas Barsinán les dixo que venía por les hablar y que fuessen seguros fasta medio día. Y el mayordomo lo fue luego dezir a su señor, y a él plugo de la segurança, que tenía todos los más de su compaña tan maltrechos, que no podían tomar armas; y fuese luego con el mayordomo a su estancia. Y Barsinán les dixo:

—Yo quiero convusco segurança de cinco días, si quisierdes.

—Quiero —dixo Arbán—; por pleito que vos no trabajéis de matar cosa que haya en la villa; y si el rey viniere, que hagamos lo qu'él mandare.

—Todo esso otorgo yo —dixo Barsinán—, en tal que no aya batalla, que yo precio a mi compaña y precio a vosotros, que seréis míos más afna que cuidáis; y deziros he cómo el rey es muerto, y yo he su hija y quiérola tomar por muger; y esto veréis ante que la tregua salga.

—Ya Dios no me ayude —dixo Arbán— si nunca tregua comigo ovierdes, seyendo parcionero en la traición que a mi señor se hizo. Agora vos id y hazed lo que pudierdes.

Y dígoos que ante que la noche llegasse, los acometió Barsinán bien tres vezes y se tiró afuera.

CAPÍTULO XXXVIII

De cómo Amadís vino en socorro de la cibdad de Londres, y mató al traidor de Barsinán, y puso toda la cibdad en sossiego

ALVERGANDO Amadís en el bosque con su señora Oriana, como vos contamos, preguntóle qué dezía Arcaláus; ella le dixo:

—Que me no quexasse, que él me haría antes de quinze días reina de Londres y que me daría a Barsinán por marido, al cual haría él rey de la tierra de mi padre; y que él sería su mayordomo mayor por le dar a mí y la cabeça de mi padre.

—¡Ay, Santa María! —dixo Amadís—; ¡qué gran traición de Barsinán, que se assí mostrava tanto amigo del rey!; y recelo tengo que fará algún mal a la reina.

—¡Ay, amigo! —dixo ella—; acorred vos en ello a lo mejor que pudiéredes.

—Assí me conviene —dixo Amadís—; y me mucho pesa, que yo gran plazer huviera de holgar con vos estos cuatro días en esta floresta, si a vos, señora, pluguiera.

—Dios sabe —dixo ella— cuánto a mí pluguiera; mas podría venir dello muy gran mal en la tierra que ahún será mía y vuestra, si Dios quisiere.

Pues assí holgaron hasta el alva del día. Estonces se levantó Amadís y armóse muy bien; y tomando su señora por la rienda entró en el camino de Londres; y andava cuanto más podía; y halló de los cavalleros que de Londres salían cinco a cinco y diez a diez, assí como ivan saliendo; y déstos serían más de mil cavalleros; y él les mostrava dónde fuessen a buscar al rey; y dezíales cómo Galaor iva delante al socorro; y passando por todos, halló a cinco leguas de Londres a don Grumedán, el buen viejo que la reina criara, y con él ivan veinte cavalleros de su linaje, que anduvieron toda la noche por la floresta de una y otra parte catando al rey; y cuando conoció a Oriana fue contra ella llorando, y dixo:

—Señora, ¡ay Dios, qué buen día con vuestra venida!; mas, por Dios, ¿qué nuevas del rey vuestro padre?

—Cierto, amigo —dixo ella llorando—; cerca de Londres

me partieron dél; y plugo a Dios que Amadís alcançó a los que me levavan, y hizo tanto que de su poder me tiró.

—Cierto —dixo don Grumedán—; a lo qu'él no diesse cabo, ninguno se trabaje de le dar.

Desí dixo contra Amadís:

—Amigo señor, ¿qué ha hecho vuestro hermano?

—Allí —dixo Amadís— donde partieron al rey y a su hija, allí nos apartamos él y yo; y él siguió la vía del rey, y yo la de Arcaláus, que a esta señora llevava.

—Agora tengo más esperança —dixo don Grumedán—, pues tan bienaventurado cavallero como don Galaor va en el socorro del rey.

Amadís contó a don Grumedán la gran traición de Arcaláus y de Barsinán, y desí le dixo:

—Tomad a Oriana, y yo me iré a la reina lo más presto que pudiere, que he miedo que aquel traidor la querrá hazer mal, y vos hazed bolver los cavalleros que encontrardes, que si por gente ha de ser el rey socorrido, tanta va allá que muchos dellos sobran.

Don Grumedán tomó a Oriana y fuese camino de Londres cuanto más podía, y haziendo bolver toda la gente que encontrava. Amadís se fue al más ir de su cavallo, y entrando la villa halló el escudero que el rey embiava que diesse las nuevas como él era libre; y el escudero le contó en qué manera havía passado. Amadís gradeçió mucho a Dios la buena andança de su hermano; y ante que en la villa entrasse, supo todo lo que Barsinán havía fecho; y entró lo más encubierto qu'él pudo. Y cuando Arbán lo vio, assí él como los suyos fueron muy alegres y tomaron grande esfuerço en sí. Arbán lo fue abraçar, y díxole:

—Mi buen señor, ¿qué nuevas traes?

—Todo a vuestro plazer —dixo Amadís—, y vayamos luego ante la reina y oírlas heis.

Estonces entraron donde ella estava, llevando Amadís el escudero por la mano; y como la vio, hincó los inojos ante ella y dixo:

—Señora, este escudero dexa al rey libre y sano, y embíaoslo dezir por él; y yo dexo a Oriana en mano de don Grumedán vuestro amo, y será agora aquí; y en tanto, ver quiero a Barsinán si pudiere.

Y dexando su yelmo y escudo y tomando otro porque lo no conoçiessen, dixo Arbán:

—Fazed derribar las barreras vuestras, y venga Barsinán y su compaña; y si Dios quisiere, fazerle hemos comprar su traición.

.Y contóle lo que de Barsinán y de Arcaláus sabía. Las barreras fueron luego derribadas; y Barsinán y los suyos se dexaron allí correr, creyéndolo ganar todo sin se les detener; y los de Arbán los recibieron; assí que entrellos se començó la hazienda muy peligrosa, donde muchos feridos y muertos huvo. Barsinán iva delante, que como los suyos eran muchos y los contrarios pocos, no los podían sufrir; y Barsinán punava en hazer todo cuanto podía por tomar la reina. Amadís vio la rebuelta, salió contra ellos, levando a su cuello un escudo despintado y un yelmo oriniento, tal que muy poco valía, mas a la fin por bueno fue juzgado; y fue por la priessa adelante, levando la buena spada del rey ceñida; y llegando a Barsinán dióle un encuentro de la lança en el escudo, tal que jelo falsó y el arnés, y entró el fierro por la carne bien la meitad y allí fue quebrada; y poniendo mano a la espada diole por cima del yelmo y cortó dél cuanto alcançó del cuero de la cabeça, assí que Barsinán fue atordido, y la espada cortó tan ligeramente que Amadís no la sintió en la mano tanto como nada; y heriólo otra vez en el braço con que la espada tenía, y cortóle la manga y el braço con ella cabe la mano, y descendió el espada a la pierna, y cortóle bien la meitad della; y Barsinán quiso fuír, mas no pudo y cayó luego; y Amadís fue herir en los otros tan bravamente, que al que alcançava a derecho golpe no havía menester maestro; así que como lo conoçieron por las maravillas que hazía, dexávanle la carrera, metiéndose unos entre otros por huir de la muerte. Arbán y los suyos que lo siguían apretaron tanto, que la compaña de Barsinán, quedando muchos muertos y llagados en la calle donde se combatían, se acogieron al alcáçar. Amadís llegó hasta las puertas, y quisiera entrar dentro si gelas no cerraran. Estonces se tornó donde dexara a Barsinán y muchos de la villa con él que lo aguardavan; y llegando donde Barsinán estava, violo que ahún tenía el huelgo, y mandólo levar al palacio y que lo guardassen hasta qu'el rey viniesse; y partido assí el debate como oís, seyendo los unos muertos y los otros encerrados, Amadís miró a la spada que tenía sangrienta en su mano, y dixo:

—Ay, espada!, en buen día nasció el cavallero que os ovo;

y cierto vos sois empleada a vuestro derecho, que siendo la mejor del mundo, el mejor hombre que en él ay vos possee.

Estonces se mandó desarmar; y fuese a la reina, y Arbán acostar en su lecho, que lo mucho menester havía, según era malo de sus heridas.

En este comedio, el rey Lisuarte, que a más andar venía la vía de Londres por allar a Barsinán, encontró muchos de sus cavalleros que en su demanda ivan; y hazíalos tornar; y embiava dellos por los caminos y por los valles que hiziessen bolver todos los que hallassen, que muchos eran; y los primeros que encontró fueron Agrajes, y Galvanes, y Solinán, y Galdán, y Dinadáus, y Bervas; estos seis ivan juntos faziendo gran duelo, y cuando fueron ante el rey quisiéronle besar las manos con mucha alegría, mas él los abraçó y dixo:

—Mis amigos, cerca estovistes de me perder, y sin falta assí lo fuera sino por Galaor y don Guilán y Ladasín, que por grande aventura se juntaron.

Dinadáus le dixo:

—Señor, toda la gente de la villa salió con las nuevas y andarán perdidos todos.

—Sobrino —dixo el rey—, tomad vos dessos cavalleros los mejores y los que más os contentaren; y tomad este mi escudo, porque con más acatamiento os obedezcan, y hazedlos bolver.

Este Dinadáus era uno de los mejores cavalleros del linaje del rey, y muy preciado entre los buenos, assí de cortez como de buenas cavallerías y proezas, y fue luego, de guisa que a muchos hizo tornar. Yendo assí el rey, como oís, acompañado con muchos cavalleros y otras gentes, y entrando en el gran camino de Londres, halló a aquel su tan íntimo amigo don Grumedán, que a Oriana traía; dígoos que fue entre ellos el plazer muy grande, tanto mayor cuanto más desafiuzlados estavan de se poder su gran tribulación remediar. Grumedán contó al rey cómo Amadís se fuera a la villa a la reina. En esto llegó el rey a Londres, y en su compaña más de dos mil cavalleros, y antes que en ella entrasse le dixeron todo lo que Barsinán havía fecho, y la defensa qu'el rey Arbán puso, y cómo con la venida de Amadís fuera todo despachado, teniendo preso a Barsinán. Assí que ya todas las cosas de muy tristes en muy alegres eran bueltas. Llegado el rey donde la reina estava, ¿quién vos puede contar el plazer y alegría que con él y con Oriana, la reina y todas las dueñas

y donzellas ovieron? Cierto ninguno, según tan sobrado fue.
El rey mandó cercar, y hizo traer ante sí a Barsinán, que en
su acuerdo era, y al cormano de Arcaláus, y fízoles contar
por cuál guisa se urdiera aquella traición; ellos je lo contaron todo, que nada faltó. Y mandólos llevar a vista del alcáçar donde los suyos los viessen, y los quemassen ambos, lo
cual fue luego hecho. Los del alcáçar, no teniendo provisión
ni remedio, a los cinco días vinieron todos a la merced del
rey, y hizo justicia de los que le plugo, y los otros dexó. Pero
desto no se contará más, sino que por esta muerte ovo grandes tiempos entre la Gran Bretaña y Sansueña gran desamor, viniendo contra este mismo rey un hijo deste Barsinán,
valiente cavallero, con muchas compañas, como adelante la
historia contará.

El rey Lisuarte, seyendo assossegado en sus desastres,
tornó a las cortes como de cabo, haziendo todos muy grandes fiestas, assí de noche por la villa como de día por el
campo. Y un día vino aí la dueña y sus hijos delante de los
cuales Amadís y Galaor prometieron a Madasima de se partir del rey Lisuarte, como ya oístes. Cuando ellos la vieron,
fuéronse a ella por la honrar, y ella les dixo:

—Amigos, yo soy venida aquí a lo que sabéis; y dezidme
qué haréis en ello.

—Nos compliremos todo lo que se assentó con Madasima.

—¡En el nombre de Dios! —dixo la dueña.

—Pues hoy es el plazo, vayamos luego ante el rey —dixeron ellos.

—Vayamos —dixo ella.

Estonces fueron donde el rey era; y la dueña se le homilló mucho. Y el rey la recibió con muy buen talante. La
dueña dixo:

—Señor, vine aquí por ver si ternán estos cavalleros un
prometimiento que hizieron a una dueña.

El rey preguntó qué prometimiento era.

—Será tal —dixo ella— donde cuido que pesará a vos y a
los de vuestra corte que los aman.

Estonces contó la dueña todo el hecho como passara con
Madasima, la señora de Gantasi. Cuando esto oyó el rey
dixo:

—¡Ay, Galaor, muerto me avéis!

—Más vale assí —dixo Galaor—, que no morir; que si conoçidos fuéramos, todo el mundo no nos diera la vida; y desto no vos pese, señor, mucho, qu'el remedio será presto, más aína que cuidáis.

Después dixo contra Amadís su hermano:

—Vos me otorgastes que faríades en esto assí como yo.

—Verdad es —dixo él.

Y Galaor dixo estonces al rey y a los cavalleros que delante eran por cuál engaño fueran presos. El rey fue muy maravillado en oír tal traición; mas Galaor dixo que pensava que la dueña sería la burlada y engañada en aquel pleito, como lo verían; y delante de la dueña dixo contra el rey, que todos lo oyeron:

—Señor rey, yo me despido de vos y de vuestra compaña, como prometido lo tengo y assí lo cumplo, y a vos y a vuestra compaña dexo por Madasima, la señora del castillo de Gantasi; que tuvo por bien de os hazer este pesar y otros cuantos pudiere, porque mucho os desama.

Y Amadís fizo otro tanto. Galaor dixo contra la dueña y contra sus fijos:

—¿Paréçeos si hemos cumplido la promessa?

—Sí, sin falta —dixo ella—; que todo cuanto pleiteastes havéis cumplido.

—¡En el nombre de Dios! —dixo Galaor—; pues agora, cuando os pluguiere os podéis ir; y dezid a Madasima que no pleiteó tan cuerdamente como cuidava; y agora lo podéis ver.

Estonces se tornó contra el rey y dixo:

—Señor, nos havemos complido con Madasima lo que le prometimos, no nos poniendo plazo ninguno de cuánto tiempo havíamos de ser de vos apartados; assí que buenamente nos podemos tornar cada que nuestra voluntad fuere; y hagámoslo luego como lo ante estávamos.

Y cuando esto oyó el rey y los de la corte, mucho fueron alegres, teniendo a los cavalleros por cuerdos. El rey dixo a la dueña que por ver el pleito allí viniera:

—Cierto, dueña, según el gran aleve a estos cavalleros tan a mala verdad les fue hecho, ellos no son obligados a más, ni ahun a tanto como hizieron, que muy justo es los que quieren engañar que queden engañados; y decilde a Madasima que si mucho me desama, que en la mano tenía de me fazer el mayor mal y pesar que a esta sazón venirme pudiera; mas Dios, que en otras partes mucho de grandes peligros los guardó, no quiso que en poder de tal persona como ella padeçiessen.

—Señor —dixo la dueña—, dezidme, si os pluguiere, quién son estos cavalleros que tanto preciados son.

Dixo el rey:

—Amadís y don Galaor, su hermano.

—¡Cómo! —dixo la dueña—, ¿éste es Amadís que ella tuvo en su poder?

—Sí, sin falta —dixo el rey.

—A Dios merced —dixo la dueña—, porque ellos son guaridos, que cierto gran mala ventura fuera si tan buenos dos hombres murieran en tal guisa; mas yo creo de aquella que los tovo, cuando supiere que ellos eran, y assí le salieron de poder, que la misma muerte que les mandara dar essa se dará a sí misma.

—Cierto —dixo el rey—; esso sería más justo que se fiziesse.

La dueña se despidió y fuese su vía.

CAPÍTULO XXXIX

DE CÓMO EL REY LISUARTE TUVO CORTES QUE DURARON DOZE DÍAS, EN QUE SE FIZIERON GRANDES FIESTAS DE MUCHOS GRANDES QUE ALLÍ VINIERON, ASSÍ DAMAS COMO CAVALLEROS, DE LOS CUALES QUEDARON ALLÍ MUCHOS ALGUNOS DÍAS

MANTUVO el rey allí su corte doze días, en que se hizieron muchas cosas en grande acrecentamiento de su honra y verdad; después partiéronse las cortes, y como quiera que muchas gentes dellas a sus tierras se fueron, tantos hombres buenos con el rey quedaron, que maravilla era de los ver; assimesmo la reina hizo quedar consigo muchas dueñas y donzellas de alta guisa, y el rey tomó por de su compaña a Guilán el Cuidador y a Ladasín su cormano, que eran muy buenos cavalleros; pero Guilán era mejor, como aquel que en todo el reino de Londres no havía quien de bondad le passasse, y assí havía todas las otras bondades que a buen cavallero convenían; solamente le ponía grande entrevallo ser tan cuidador, que los hombres no podían gozar de su habla ni de su compaña, y desto era la causa amores que lo tenían en su poder y le fazían amar a su señora, que ni a sí ni a otra cosa no amava tanto; y la que él amava era muy hermosa, y havía nombre Brandalisa, hermana de la muger del rey de Sorolís y casada con el duque de Bristoya. Pues assí como oís estava el rey Lisuarte en Londres con tales cavalleros, corriendo su gran fama más que de ningún otro príncipe que en el mundo fuesse. Siendo por gran espacio de tiempo la fortuna contenta, haviéndole puesto en el gran peligro que oístes de le no tentar más, creyendo que aquélla devía bastar para hombre tan cuerdo y tan honesto como lo era, no por tanto dexar de ser su propósito mudado, seyéndolo del rey, con codicia, con sobervia o con las otras muchas cosas que a los reyes, por no querer dellas guardarse, son dañados y sus grandes famas escureçidas con más deshonra y abiltamiento, que si las grandes cosas passadas en su favor y gloria grande no les ovieran venido, porque no se deve por desaventurado ninguno contar aquel que nunca buenaventura ovo, sino aquellos que haviéndolas alcançado fasta los cielos, por su mal seso, por sus vicios y pecados atraxeron a la fortuna, que con gran dolor y angustias de sus ánimos jelas quitasse.

Estando el rey Lisuarte como oís, llegó aí el duque de Bristoya al tiempo que fuera a pedimiento de Olivas emplazado o por lo que ante el rey dixera, y fue del rey bien recebido, y dixo:

—Señor, vos me mandastes emplazar que pareciesse hoy ante vos en vuestra corte, por lo que de mí os dixeron, que fue muy gran mentira, y desto me salvaré yo como vos y los de vuestra corte toviéredes por drecho.

Olivas se levantó y fue ante el rey, y con él se levantaron todos los más cavalleros andantes que aí eran. El rey les dixo a qué venían assí todos, y don Grumedán le dixo:

—Señor, porque el duque nos amenaza todos los cavalleros andantes, y nosotros con mucha razón le devemos storvar.

—Cierto —dixo el rey—, si assí es, loca guerra tomaría, que yo tengo que en el mundo no ay tan poderoso rey ni tan sabido que a tal guerra pudiesse dar buena fin; mas id todos, que aquí no le buscaréis mal, que él havrá todo su derecho sin le dél menguar ninguna cosa que yo entender pueda y estos buenos hombres que me consejarán.

Estonces se fueron todos a sus lugares, sino Olivas, que ante el rey quedó, y dixo:

—Señor, el duque que ante os está me mató un primo cormano, que le nunca fizo ni dixo por qué, y dígole que es por ello alevoso, y esto le faré yo dezir, o lo mataré o echaré del campo.

El duque dixo que mentía, y que estaría a lo que el rey mandasse, y su corte. El rey hizo quedar el pleito para otro día. Pero el duque quisiera de grado la batalla, sino por dos sus sobrinos, que le ahún no eran llegados, que los quería meter consigo si él pudiesse, que él los preciava tanto en armas, que no cuidava que Olivas oviesse tales en su ayuda que con ellos no los pudiesse ligeramente vencer. Aquel día passó y los sobrinos del duque llegaron a la noche, de que él muy alegre fue, y otro día de mañana fueron ante el rey, y Olivas reutó al duque, y él lo desmintió, y prometióle la batalla, de tres por tres. Entonces se levantó don Galvanes, que a los pies del rey estava, y llamó Agrajes su sobrino, y dixo contra Olivas:

—Amigo, nos os prometimos que si el duque de Bristoya, que delante está, quisiesse en la batalla meter más cavalleros que seríamos ý con vos; y assí lo queremos hazer de voluntad, y la batalla sea luego sin más tardar.

Los sobrinos del duque dixeron que fuese luego la batalla. El duque cató a Agrajes y a Galvanes, y conosciólos que aquéllos eran a los que él hiziera sobervia en su casa, y los que le tomaran la donzella que él quería quemar, que lo después desbarataron en la floresta; y comoquiera que mucho a sus sobrinos preciasse, no quisiera por ninguna cosa así aver aquella vez prometido la batalla; antes quisiera aver dado a uno de sus sobrinos para con Olivas que él entrar en ella, que mucho aquellos dos cavalleros dudava, mas no podía ál fazer. Entonces se fueron armar unos y otros, y entraron en la plaça que para las lides semejantes limitada era; los unos por una porta y los otros por otra; cuando Olinda, que a las finiestras de la reina estava, desde donde todo el campo se parescía, vio al su grande amigo Agrajes que se quería combatir, tan gran pesar ovo qu'el coraçón le fallescía, que lo amava más que a otra cosa que en el mundo fuesse; y con ella estava Mabilia, hermana de Agrajes, a quien mucho pesava por así ver en tal peligro a su hermano y a su tío don Galvanes; y con ellas estava Oriana, que de grado los quería ver bien andantes por el grande amor que Amadís les avía y por la criança que con el rey Languines y su muger, padres

de Agrajes, ella hoviera. El rey, que con muchos cavalleros
allí estava, cuando vio ser tiempo tiróse afuera, y los cavalleros se fueron acometer al más ir de sus cavallos, y ninguno dellos fallesció de su golpe. Agrajes y su tío se hirieron
con los sobrinos del duque, y lleváronlos de las sillas por
cima de las ancas de los cavallos, y las lanças fueron quebradas, y passaron por ellos muy apuestos y bien cavalgan-
tes. Olivas fue llagado en los pechos de la lança del duque,
y el duque perdió las estriberas, y cayera si se no abraçara
al cuello del cavallo; y passó Olivas por él mal llagado; y el
duque se endereçó en la silla; y el cavallero que Agrajes derribara, levantóse como mejor pudo y fuese parar cabo el
duque; y Agrajes se dexó correr al duque, que mucho desamava, y començóle a dar grandes golpes por cima del yelmo,
y hazíale llegar la espada a la cabeça; mas el cavallero que a
pie cab'él estava, y vio a su tío en tal peligro, llegóse Agrajes, y firióle el cavallo por la ijada, assí que toda la espada
metió por él. Agrajes no parava en ál mientes sino en tirar
la vida al duque, y desto no veía nada; trayéndole ya para
le cortar la cabeça, cayó el cavallo con él. Don Galvanes anduvo tan embuelto con el otro cavallero, que desto no veía
nada. Estando Agrajes en el suelo y su cavallo, el que gelo
mató firióle de grandes y muy pesados golpes, y el duque
asimesmo cuanto más podía. Aquella hora ovieron dél todos
sus amigos muy gran duelo, y Amadís sobre todos, que quisiera él de grado estar allí como su cormano estava, y él que
lo no estuviera, porque tenía tan gran temor de verlo morir
según en la priessa en que estava. Y las tres donzellas que
ya oístes, que a las finiestras estavan mirando, ovieron tan
gran pesar en le assí ver, que a pocas no se matavan con sus
propias manos. Mas Olinda, su señora, lo avía sobre todas;
aquella que en verla hazer tan grandes anslas, a los que la
miravan hazía dolor. Agrajes, como ligero, muy presto del
cavallo saliera, como aquel que ninguno de más bivo y esforçado coraçón que él se hallaría en gran parte, defendíase
de los dos cavalleros muy bien con la buena espada de Amadís, que tenía en su mano, y dava con ella grandes golpes.
Galaor, que con gran cuita lo mirava, dixo su passo con gran
duelo:

—¡Ay, Dios! ¿A qué atiende Olivas que no acorre donde
vee que es menester?; cierto, más le valiera nunca traer
armas, que de assí con ellas a tal ora errar.

Esto dezía don Galaor no sabiendo de la gran cuita en que Olivas era, que él estava tan mal llagado y tanta sangre se le iva, que maravilla era cómo se podía tener solamente en la silla; y cuando así vio a Agrajes, sospiró con gran dolor, como aquel que ahunque la fuerça le faltava no le fallescía el coraçón; y alçando los ojos al cielo, dixo:

—¡Ay, Dios, Señor!, a vos plega de me dar lugar, antes que el alma del mi cuerpo salida sea, cómo yo acorra aquel mi buen amigo.

Entonces, endereçando la cabeça del cavallo contra ellos, metió mano a la espada muy flacamente, y fue ferir al duque, y el duque a él, y diéronse grandes golpes con las espadas, que la saña le hizo a Olivas cobrar en algo de más fuerça, tanto que al parescer de todos se no combatía peor que el duque. Agrajes hincó solo con el otro cavallero, y combatíanse ambos tan bien de pie, que a duro se hallaría quien mejor lo fiziesse; mas Agrajes se aquexava mucho por le vencer, como aquel que veía mirarle su señora, y no quería errar un solo punto, no solamente de lo que devía hazer, mas ahún más adelante, tanto que a sus amigos pesava dello, temiendo que al estrecho la fuerça y el aliento le fallescería; pero esta manera ovo él siempre en todos los lugares onde se combatió, ser siempre más acometedor que otro cavallero, y cuitarse mucho por dar fin a sus batallas, y si de tal fuerça como de esfuerço fuera, pujara a ser uno de los mejores cavalleros del mundo; y assí lo era él muy bueno y preciado, y tantos golpes dio por cima del yelmo al cavallero, que cortándogelo por cuatro lugares, de muy poco valor y menos defensa gelo hizo; y el cavallero no entendía sino en se guardar y amparar la su cabeça con el escudo, que el yelmo de poca defensa era y el arnés mucho menos, que desguarnescido en muchas partes era, y la carne cortada por más de diez lugares, que la sangre salía. Cuando el cavallero tan mal parado se vio, fuese cuanto pudo donde el duque estava, por ver si en él hallaría algún reparo; mas Agrajes, que lo siguiendo iva, alcançólo ante que allá llegasse, y diole por cima del yelmo, que en muchas partes era roto, tal golpe qu'el espada entró por él y por la cabeça, tanto que al tirar della dio con el cavallero tendido a sus pies, bullendo con la ravia de la muerte. Agrajes miró lo que el duque y Olivas hazían, y vio que Olivas avía perdido tanta sangre que se maravilló cómo podía bivir, y fuelo socorrer, mas ante que llegasse cayó del cavallo amortescido; y el duque, que no viera cómo Agrajes matara a su sobrino, y vio a don Galvanes combatirse con el otro, dexólo assí en el suelo, y fue cuanto pudo contra Galvanes, y dávale grandes golpes. Agrajes cavalgó presto en el cavallo de Olivas, teniéndole por muerto, y fue socorrer a su tío, que maltrecho estava; y como llegó dio al sobrino del duque tal golpe, que le cortó el tiracol del escudo y el arnés, y hizo entrar la espada por la carne fasta los huessos. El cavallero tornó el rostro por ver quién lo hería, y diole Agrajes otro golpe sobre el visal del yelmo, y tanto entró en él la espada que la no pudo sacar, y tirando por ella hízole quebrar los lazos del yelmo, assí que fue tras la espada y cayóle en tierra. Galvanes, que gran saña dél tenía, dexando al duque tornó por le dar en la cabeça en descubierto, mas el otro cubríase con el escudo, que aquel menester avía mucho usado; pero como el tiracol avía cortado, no pudo tanto hazer que la su cabeça no satisfiziesse a la saña de don Galvanes, quedando cuasi desfecha, y su amo en el suelo muerto; en tanto andava Agrajes con el duque muy embuelto, a grandes golpes, mas como su tío llegó, tomáronle en medio, y començáronlo a ferir por todas partes, que mucho lo desamavan mortalmente, y cuando se vio assí entre ellos, començó de huir cuanto su cavallo lo podía llevar; mas aquellos que lo desamavan seguíanlo doquiera que él iva cuanto más podían.

Cuando lo assí vieron, todos los cavalleros andantes mucho fueron alegres, y don Guilán más que todos, cuidando que, muerto el duque, más a su guisa podría él gozar de la su señora, que la amava sobre todas las cosas; el cavallo de Galvanes era mal llagado, y con la gran quexa que le dio por alcançar al duque, no lo podiendo ya endurar, cayó con él, assí que Galvanes fue muy quebrantado. Agrajes fue al duque y diole con la espada en el brocal del escudo, y la espada descendió al pescueço bien un palmo; y al tirar della hoviéralo llevado della silla, mas el duque tiró presto el escudo del cuello y dexólo en la espada, y tornó a huir cuanto más pudo. Agrajes sacó la espada del escudo y fue empós dél, mas el duque bolvía a él y dávale un golpe o dos, y tornava a fuir como de cabo; Agrajes lo denostava y seguíale, y diole un tal golpe por cima del ombro siniestro que le cortó el arnés y la carne y los huessos hasta cerca de los costados, assí qu'el braço quedó colgado del cuerpo. Y el duque dio

una gran boz, y Agrajes tomólo por el yelmo y tirólo contra
sí, y, como ya estava tollido ligeramente, lo batió del cavallo, quedándole el un pie en la estribera, que lo no pudo
sacar; y como el cavallo huyó levóle rastrando por el campo
a todas partes hasta que salió dél cuanto una echadura de
arco; y cuando a él llegaron, halláronlo muerto, y la cabeça
fecha pieça de las manos y pies del cavallo. Agrajes se tornó
donde era su tío, y descendiendo del cavallo le dixo:

—Señor, ¿cómo os va?

—Sobrino señor —dixo él—, bien, bendito Dios; y mucho
me pesa de Olivas, nuestro amigo, que entiendo que es muerto.

—Por buena fe yo lo creo —dixo Agrajes—; y gran pesar
tengo dello.

Entonces fue Galvanes donde él era y Agrajes a echar
fuera del campo los sobrinos del duque y todas sus armas; y
tornóse donde Olivas yazía y falló que se acordava ya cuanto, y abría los ojos a gran afán pidiendo confessión. Galvanes cató la herida y dixo:

—Buen amigo, no temáis de la muerte, que esta llaga no
es en lugar peligroso, y tanto que la sangre ayáis restañada,
seréis guarido.

—¡Ay, señor! —dixo Olivas—, fallésceme el coraçón y los
miembros del cuerpo; y ya otra vez fue mal llagado, mas
nunca tan desfallescido me sentí.

—La mengua de la sangre —dixo Galvanes— lo faze, que
se vos ha ido mucha, mas de ál no vos temáis.

Entonces lo desarmaron, y dándole el aire fue más esforçado y la sangre començó a cessar luego. El rey embió por
un lecho en que levassen a Olivas, y mandólos el rey salir
del campo, y llevaron a Olivas a su posada; y allí vinieron
maestros por le curar; y veyendo la herida, ahunque grande
era, dixeron que lo guarescerían con ayuda de Dios; y plugo
dello mucho al rey y a otros muchos.

Assí quedó en guarda de los maestros; y al duque y sus
sobrinos levaron sus parientes a su tierra. Y de aquella batalla ovo Agrajes gran prez de muy buen cavallero, y fue su
bondad más conoscida que ante era. La reina embió por
Blandisa, muger del duque, que para ella se viniesse y le
haría toda honra, y que traxiesse consigo Aldeva, su sobrina. Desto plugo mucho a don Guilán; y fue por ellas don
Grumedán, amo de la reina, y ante de un mes las traxo a la
corte, donde muy bien recebidas fueron.

Pues assí como oídes estava el rey y la reina en Londres con muchas gentes de cavalleros y dueñas y donzellas; donde antes de medio año, sabiéndose por las otras tierras la grande alteza en que la cavallería allí era mantenida, tantos cavalleros allí fueron que por maravilla era tenido; a los cuales el rey honrava y hazía mucho bien, esperando con ellos no solamente defender y amparar aquel su gran reino de la Gran Bretaña, mas conquistar otros que los tiempos passados aquel sujetos y tributarios fueron, que por la falta de los reyes antepassados, seyendo floxos, escasos, sojuzgados a vicios y deleites, a la sazón no lo eran. Assí como lo hizo.

CAPÍTULO XL

CÓMO LA BATALLA PASSÓ QUE AMADÍS AVÍA PROMETIDO HACER CON ABISEOS Y SUS DOS HIJOS EN EL CASTILLO DE GROVENESA A LA FERMOSA NIÑA BRIOLANJA, EN VENGANÇA DE LA MUERTE DEL REY SU PADRE

L A istoria vos ha contado cómo estando Amadís en el castillo de Grovenesa, donde prometió a Briolanja, la niña fermosa, de le dar vengança de la muerte del rey su padre, y ser allí con ella dentro de un año, trayendo consigo otros dos cavalleros para se combatir con Abiseos y sus dos hijos; y cómo a la partida la niña hermosa le dio una espada que por amor suyo traxesse, veyendo que la avía menester, porque la suya quebrara defendiéndose de los cavalleros, que a mala verdad en aquel castillo matarlo quisieron, de que después de Dios fue librado por los leones que esta fermosa niña mandara soltar, aviendo gran piedad que tan buen cavallero tan malamente muerto no fuesse. Y cómo esta misma espada quebrantó Amadís en otro castillo de la amiga de Angriote d'Estraváus, combatiéndose con un cavallero que Gasinán avía nombre; y por su mandado fueron guardadas aquellas tres pieças de la espada por Gandalín su escudero; y agora vos sera dicho cómo aquella batalla passó, y peligro tan grande le sobrevino por causa de aquella espada quebrada, no por su culpa dél, mas del su enano Ardián, que con gran inorancia erró pensando que su señor Amadís amava aquella niña fermosa Briolanja de leal amor, veyendo cómo por su cavallero se le ofres-

ciera estando él delante, y quería por ella tomar aquella
batalla.

Agora sabed que estando Amadís en la corte del rey Lisuarte, viendo muchas vezes aquella muy hermosa Oriana,
su señora, que era el cabo y fin de todos sus mortales desseos, vínole en la memoria esta batalla que de hazer havía y
cómo el plazo se acercava. Assí que le convino, porque su
promessa en falta no fuesse, de con mucha afición demandar
licencia a su señora, comoquiera que en se partir de la su
presencia tan grave le fuese como apartar el coraçón de sus
carnes, haziéndole saber lo que en aquel castillo passara y la
promessa que hiziera de vengar aquella niña Briolanja y le
restituir en su reino que con tan gran traición quitado le estava; mas ella, con muchas lágrimas y cuita de su coraçón,
como que adevinava la desaventura que por causa della a
entrambos vino, considerando la falta en que él caía si le
detuviesse, gela otorgó, y Amadís tomando assimesmo licencia de la reina, porque paresciesse que por su mandado iva,
otro día de mañana, llevando consigo a su hermano don
Galaor y Agrajes su cormano, armados en sus cavallos fueron en el camino puestos; y aviendo cuanto media legua andado, Amadís preguntó a Gandalín si traía las tres pieças de
la espada que la niña hermosa le diera; él dixo que no. Y
mandóle por ellas bolver. El enano dixo que las traería, pues
que cosa ninguna levava que empacho le diese.

Esto fue ocasión por donde seyendo sin culpa Amadís y
su señora Oriana y el enano que con inorancia lo hizo, fueron entrambos llegados al punto de la muerte, queriéndoles
mostrar la cruel fortuna, que a ninguno perdona, los xaropes
amargos que aquella dulçura de sus grandes amores en sí
ocultos y encerrados tenía, como agora oiréis; que el enano,
llegado a la posada de Amadís y tomando las pieças de la
espada y poniéndolas en la falda de su tabardo, passando
cabe los palacios de la reina, desde las finiestras se oyó llamar, y alçando la cabeça vio a Oriana y a Mabilia que le
preguntaron cómo no saliera con su señor.

—Sí salí —dixo él—; mas ove de tornar por esto que aquí
lievo.

—¿Qué es esso? —dixo Oriana.

El gelo mostró; ella dixo:

—¿Para qué quiere tu señor la espada quebrada?

—¿Para qué? —dixo él—; porque la preciava más por aquella que gela dio que las mejores dos sanas que le dar podrían.

—Y ¿quién es éssa? —dixo ella.

—Aquella misma —dixo el enano— por quien la batalla va a hazer; que ahunque vos sois hija del mejor rey del mundo, y con tanta fermosura, querríades aver ganado lo que ella ganó, más que cuanta tierra vuestro padre tiene.

—Y ¿qué ganancia —dixo ella— fue éssa que tan preciada es? ¿Por ventura gaño a tu señor?

—Sí —dixo él—; que ella ha su coraçón enteramente, y él quedó por su cavallero para la servir.

Y dando del açote a su rocín, lo más presto que pudo alcançó a su señor, que bien sin cuidado y sin culpa desto su pensamiento estava.

Oído esto por Oriana, veniéndole en la memoria que con tan gran afición la licencia Amadís le demandara, dando entera fe aquello que el enano dixo, la su color teñida como de muerte y el coraçón ardiendo con saña, palabras muy airadas contra aquel que en ál no pensava sino en su servicio, començó a dezir, torciendo las manos una con otra, cerrándosele el coraçón de tal forma, que lágrima ninguna de sus ojos salir pudo, las cuales en sí recogidas muy más cruel y con más turable rigor le hizieron, que con mucha razón aquella fuerte Medea [37] se pudiera comparar cuando al su muy amado marido con otra, a ella desechando, casado vio. Pues a esto los consuelos de aquella muy cuerda Mabilia, dados por el camino de la razón y verdad, ni los de su donzella de Denamarcha ninguna cosa aprovecharon; mas ella siguiendo lo que el apassionado seso de las mugeres acostumbra por la mayor parte seguir, cayó en un yerro tan grande, que para su reparación la misericordia del Señor muy alto fue bien menester. Y el enano se fue por su camino hasta tanto que alcançó a Amadís y sus compañeros, que anduvieron por su camino passo hasta que el enano tornó.

Entonces se apresuraron algo más; pero ni Amadís pre-

---

37. La ira de Medea contra Jasón se narra en la *General Estoria*, 2.ª parte y en las *Sumas de la Historia Troyana* (con sus correspondientes epístolas, posibles modelos para la que Oriana escribe a Amadís). También Juan de Mena: «Medea, la inútil nigromantesa/ferida de flecha mortal de deessa,/que non supo darse reparos amando.» (*Laberinto de la Fortuna*, ed. de John G. Cummins, Madrid, Cátedra, 1984, CXXX.)

guntó al enano ninguna cosa de lo passado, ni el enano gelo dixo, sino tanto que le mostró las pieças de la espada.

Pues yendo assí como oídes, a poco rato encontraron una donzella. Y después de se aver salutado, díxoles:

—Cavalleros, ¿dónde vais?

—Por este camino —dixeron ellos.

—Pues yo vos consejo —dixo ella— que esta carrera dexéis.

—¿Por qué? —dixo Amadís.

—Porque ha bien quinze días —dixo ella— que no fue por aí cavallero andante que no fuesse muerto o llagado.

—Y ¿de quién reciben esse daño? —dixo Amadís.

—De un cavallero —dixo ella— que es el mejor en armas de cuantos yo sé.

—Donzella —dixo Agrajes—, ¿mostrárnoslo heis esse cavallero?

—El se os mostrará —dixo ella— tanto que en la floresta entréis.

Entonces, continuando su camino, y la donzella que los seguía, mirava a todas partes, y de que nada no vieron tenían por vanas las palabras della; mas a la salida de la floresta vieron un cavallero grande todo armado en un fermoso cavallo ruano, y cabe él un escudero que cuatro lanças le tenía, y él tenía otra en la mano; y como los vio, mandó al escudero, y no supieron qué, pero él acostó las lanças a un árbol y fuese para ellos, y díxoles:

—Señores, aquel cavallero os manda dezir que él ovo de guardar esta floresta de todos los cavalleros andantes quinze días, en los cuales le avino tan bien que siempre ha seído vencedor; y con sabor de justar ha estado más de su plazo día y medio; y agora, queriéndose ir, vio que veníades, y mándavos dezir que si os plaze con él justar, que lo hará con tanto que la batalla de las espadas cesse, porque en ella ha hecho mal sin su plazer, y no querría hazer de aquí adelante si escusar lo pudiese.

En tanto que el escudero esto les dezía, Agrajes tomó su yelmo y echó el escudo al cuello y dixo:

—Dezilde que se guarde, que la justa por mí no fallescerá.

El cavallero cuando lo vio venir, vino contra él, y al más correr de sus cavallos se firieron con las lanças en los escudos, assí que luego fueron quebradas; y Agrajes fue en tierra tan ligeramente que él fue maravillado, de que ovo gran ver-

güença, y su cavallo suelto; Galaor qu'esto vio, tomó sus
armas por lo vengar; y el cavallero de la floresta, tomando
otra lança, fue para él, y ninguno faltó de su encuentro; mas
quebradas las lanças, y juntándose los cavallos y ellos con los
escudos uno con otro, fue un golpe tan grande que el cavallo de Galaor, que más flaco y cansado que el del otro era,
en tierra fue con su señor, y quedando Galaor en el suelo, el
cavallo fuyó por el campo. Amadís, que lo mirava, commen-
çóse de santiguar, y tomando sus armas, dixo:

—Agora se puede loar el cavallero contra los dos mejores
del mundo.

Y fue contra él; y como llegó a don Galaor hallólo a pie
con la espada en la mano, llamando al cavallero a la batalla a
cavallo y él de pie; y el cavallero se reía dél, y díxole Amadís:

—Hermano, no os aquexéis, que ante nos dixo que se no
combatiría con espada.

Después dixo al cavallero que se guardasse. Entonces se
dexaron ir el uno al otro; y las lanças bolaron por el aire en
pieças; mas juntáronse los escudos y yelmos uno con otro
que fue maravilla; y Amadís y su cavallo fueron en tierra; al
cavallo se le quebró la espalda; el cavallero de la floresta
cayó, mas llevó las riendas en la mano y cavalgó luego muy
ligeramente. Amadís le dixo:

—Cavallero, otra vez os conviene justar, que la justa no
es perdida, pues ambos caímos.

—No me plaze agora de más justar —dixo el cavallero.

—Haréisme sinrazón —dixo Amadís.

—Adereçaldo vos —dixo él— cuando pudierdes, que yo,
según lo que os mandé dezir, no soy más obligado.

Entonces movió de allí por la floresta cuanto su cavallo
lo pudo llevar. Amadís y sus compañeros que assí lo vieron
ir, quedando ellos en el suelo, tuviéronse por muy escarnidos, y no podían pensar quién fuesse el cavallero que con
tanta gloria dellos se avía partido. Amadís cavalgó en el cavallo de Gandalín y dixo a los otros:

—Cavalgad y venid empós de mí, que mucho me pesará
si no supiere quién es aquel cavallero.

—Cierto —dixo la donzella—, pensar vos de lo hallar, por
afán que en ello pusiéssedes, esta sería la mayor locura del
mundo, que si todos los que en casa del rey Lisuarte son lo
buscassen, no lo hallarían en este año si no oviesse quien
los guiasse.

Cuando ellos oyeron esto, mucho les pesó; y Galaor, que más saña que los otros tenía, dixo a la donzella:

—Amiga señora, ¿por ventura sabéis vos quién este cavallero sea y dónde se podía aver?

—Si dello alguna cosa sé —dixo ella— no vos lo diré, que no quiero enojar tan buen hombre.

—¡Ay, donzella! —dixo Galaor—, por la fe que a Dios devéis y a la cosa del mundo que más amáis, decidnos lo que dello sabéis.

—No cale de me conjurar —dixo ella—, que no descobriría sin algo hazienda de tan buen cavallero.

—Agora demando —dixo Amadís— lo que os pluguiere que podamos complir, y otorgársevos ha con tanto que lo digáis.

—Yo vos lo diré —dixo ella— por pleito que me digáis quién sois, y me déis sendos dones cuando vos los yo pidiere.

Ellos, que gran cuita avían de lo saber, otorgáronlo.

—En el nombre de Dios —dixo ella—; pues agora me dezid vuestros nombres.

Y ellos gelo dixeron.

Cuando ella oyó que aquél era Amadís, fízose muy alegre, y díxole:

—A Dios merced, que yo vos demando.

—Y ¿por qué? —dixo él.

—Señor —dixo ella—, saberlo heis cuando fuere tiempo; mas dezidme si vos miembra la batalla que prometistes a la hija del rey de Sobradisa cuando vos socorrió con los leones y vos libró de la muerte.

—Miembra —dixo él—; y agora voy allá.

—Pues ¿cómo queréis —dixo ella— seguir este cavallero que no es tan ligero de hallar como cuidáis y vuestro plazo se allega?

—Señor hermano —dixo don Galaor—, dize verdad; id vos y Agrajes al plazo que pusistes, y yo iré buscar al cavallero con esta donzella, que jamás seré alegre fasta que lo halle, y si ser pudiere, tornarme a vos al tiempo de la batalla.

—En el nombre de Dios —dixo Amadís—, pues assí vos plaze, assí sea.

Y dixeron a la donzella:

—Agora nos dezid el nombre del cavallero y dónde lo hallará don Galaor.

—Su nombre —dixo ella— no vos lo podría dezir, que lo

no sé, maguer fue ya tal sazón que le aguardé un mes, y le vi hazer tanto en armas que a duro lo podría creer quien no lo viesse; mas donde él irá guiaré yo a quien comigo ir quisiere.

—Con esto soy yo satisfecho —dixo don Galaor.

—Pues seguidme —dixo ella.

Ellos se acomendaron a Dios.

Amadís y Agrajes se fueron su camino como ante ivan, y don Galaor en guía de la donzella. Amadís y Agrajes, partidos de don Galaor, anduvieron tanto por sus jornadas que llegaron al castillo de Torín, que assí avía nombre, donde la fermosa niña y Grovenesa estavan; y antes que allí llegassen hizieron en el camino muchas buenas cavallerías.

Cuando la dueña supo que allí venía Amadís, fue muy alegre, y vino contra él con muchas dueñas y donzellas, trayendo por la mano la niña fermosa, y cuando se vieron recibiéronse muy bien; mas dígovos que a esta sazón la niña era tan fermosa que no parescía sino una estrella luziente. Assí que ellos fueron de la ver muy maravillados, que en comparación de lo que al presente parescia, no era tanto como nada cuando Amadís primero la vio, y dixo contra Agrajes:

—¿Qué vos paresce desta donzella?

—Parésceme que si Dios ovo sabor de la hazer fermosa, que muy por entero se cumplió su voluntad.

La dueña dixo:

—Señor Amadís, Briolanja vos gradesce mucho vuestra venida, y lo que della se seguirá con ayuda de Dios; y desarmaosvos y folgaréis.

Entonces los llamaron a una cámara, donde dexando sus armas, con sendos mantos cubiertos, se tornaron a la sala donde los atendían; y en tanto que hablavan con Grovenesa, Briolanja a Amadís mirava y parescíale el más fermoso cavallero que nunca viera; y por cierto tal era en aquel tiempo, que no passava de veinte años y tenía el rostro manchado de las armas; mas considerando cuán bien empleadas en él aquellas manzillas eran, y cómo con ellas tan limpia y clara la su fama y honra hazía, mucho en su apostura y hermosura acrescentava; y en tal punto aquesta vista se causó, que de aquella muy fermosa donzella que con tanta afición le mirava tan amado fue, que por muy largos y grandes tiempos nunca de su coraçón la su membrança apartar pudo; donde

por muy gran fuerça de amor costreñida, no lo pudiendo su
ánimo sufrir ni resistir, aviendo cobrado su reino, como adelante se dirá, fue por parte della requerido, que dél y de su
persona sin ningún entrevallo señor podía ser; mas esto sabido por Amadís, dio enteramente a conoscer que las angustias y dolores con las muchas lágrimas derramadas por su
señora Oriana, no sin grand lealtad las passava; ahunque el
señor infante don Alfonso de Portugal,[38] aviendo piedad desta
fermosa donzella, de otra guisa lo mandase poner.[39] En esto
hizo lo que su merced fue, mas no aquello que en efecto de
sus amores se escrivió.

De otra guisa se cuentan estos amores que con más razón
a ello dar fe se deve: que seyendo Briolanja en su reino res-
tituída, folgando en él con Amadís y Agrajes, que llagados
estavan, permaneciendo ella en sus amores, veyendo cómo
en Amadís ninguna vía para que sus mortales desseos efecto
oviessen, hablando aparte en gran secreto con la donzella a
quien Amadís y Galaor y Agrajes los sendos dones prometieron porque guiasse a don Galaor a la parte donde el ca-

---

38.   Discusión entre la crítica acerca de la identidad de este señor
infante don Alfonso de Portugal: Alfonso IV, hijo de Dinis (1261-1325),
identificación apoyada en Miguel Leitao Ferreira (*Poemas lusitanos* de Antonio Ferreira, ed. de 1598: «... a historia de Amadís de Gaula por Vasco
de Lobeira, natural da cidade do Porto, cujo original anda na casa de
Aueiro. Diuulgaraose em nome do Iffante D. Alfonso, felho primogenito
del Rey D. Dinis...») (Menéndez y Pelayo); infante don Alfonso, hermano del rey Dinis, por la relación entre éste y Joao de Lobeira (contemporáneo del rey Dinis y vasallo suyo) (C. Michaëlis de Vasconcelos, con
un argumento que le sirve para confirmar el origen portugués del *Amadís primitivo*); Alfonso de Portugal, desposado en 1490 con la infanta Isabel, hija de los Reyes Católicos (Place).

39.   Estas líneas y el próximo párrafo confirman la existencia de va-
rias versiones del *A.*: un episodio concreto (los amores de Briolanja y
Amadís) fueron tratados de distintas maneras. En primer lugar, por in-
tervención del infante A. de Portugal, se cambió una versión por otra
(del rechazo de A. ante B. a su aceptación). En segundo lugar, un *don
contraignant* obligó a A. a tener un hijo de B. con permiso de O. Montalvo se sitúa ante la diversidad de la materia, y se reserva la elección del
suceso «verdadero», según el cual jamás habría existido relación amorosa entre A. y B., haciendo, con todo, referencia a un episodio futuro que
jamás será narrado en su *A.* La postura de Montalvo es la típica de un
escritor ante la materia oral, siempre fluctuante, diversa, pero resulta sorprendente ante una materia indiscutiblemente escrita, y sólo parece en-
tenderse si se acepta la existencia de varios «Amadises».

vallero de la floresta avía ido, que ya de aquel camino tornara, y descubriéndole su hazienda, demandóla con muchas lágrimas remedio aquella su tan crescida passión, que la donzella, doliéndose de aquella su señora, demandó Amadís, para complimiento de su promessa, que de una torre no saliesse hasta aver un hijo o hija en Briolanja y a ella le fuesse dado, y que Amadís, por no faltar su palabra, en la torre se pusiera como lo fue demandado, donde no queriendo aver juntamiento con Briolanja, perdiendo el comer y dormir, en gran peligro de su vida fue puesto; lo cual sabido en la corte del rey Lisuarte cómo en tal estrecho estava, su señora Oriana, porque se no perdiesse, le embió mandar que hiziesse lo que la donzella le demandava; y que Amadís con esta licencia, considerando no poder por otra guisa de allí salir ni ser su palabra verdadera, que tomando su amiga aquella fermosa reina, ovo en ella un hijo y una hija de un vientre. Pero ni lo uno ni lo otro no fue assí, sino que Briolanja, veyendo cómo Amadís de todo en todo se iva a la muerte en la torre donde estava, que mandó a la donzella que el don le quitasse, su pleito que de allí no se fuesse fasta ser tornado don Galaor; queriendo que sus ojos gozassen d'aquello que, no lo viendo, en gran tiniebla y escuridad quedavan, que era tener ante sí aquel tan fermoso y famoso cavallero. Esto leva más razón de ser creído, porque esta fermosa reina casada fue con don Galaor, como el cuarto libro lo cuenta. Pues en aquel castillo estuvieron, y Amadís y Agrajes, como oís, esperando que las cosas necessarias al camino para ir a hazer la batalla se aparejassen.

CAPÍTULO XLI

CÓMO DON GALAOR ANDUVO CON LA DONZELLA EN BUSCA
DEL CAVALLERO QUE LOS AVÍA DERRIBADO HASTA TANTO QUE
SE COMBATIÓ CON ÉL, Y DE CÓMO EN LA MAYOR FUERÇA DE
LA BATALLA LE CONOSCIÓ COMO ERA SU HERMANO
FLORESTÁN

DON Galaor anduvo cuatro días en guiaje de la donzella que el cavallero de la floresta le avía de mostrar, en los cuales entró tan gran saña en su corazón, que no se combatió con cavallero a que todo mal talante no mostrasse, assí

que los más dellos por su mano fueron muertos, pagando
por aquel que no conoscían; y en cabo destos días llegó
a casa de un cavallero que en somo de un valle morava
en una fermosa fortaleza; la donzella le dixo que no avía
otro lugar donde alvergar pudiessen, sino aquél, y que allí
se fuessen.

—Vayamos si quisierdes —dixo don Galaor.

Entonces se fueron al castillo, a la puerta del cual fallaron hombres y dueñas y donzellas, que parescía ser casa de
hombre bueno; y entre ellos estava un cavallero de hasta se-
tenta años, vestido de una capa piel de escarlata, que muy
bien los recibió, diziendo a don Galaor que de su cavallo
descendiesse, que allí se le haría de grado mucha honra y
plazer.

—Señor —dixo don Galaor—, tan bien nos acogéis que
ahunque otro alvergue hallásemos, no dexaríamos el vuestro.

Y tomándole los hombres el cavallo y a la donzella el
palafrén, se acogieron todos en el castillo, donde en un palacio a don Galaor y su donzella dieron de cenar asaz honradamente; y desque los mantelles alçaron, fue a ellos el cavallero del castillo, y preguntó su passo a don Galaor si ya-
zería con la donzella, y dixo que no; entonces fizo venir dos
donzellas que la llevaron consigo, y Galaor quedó solo para
dormir y folgar en un rico lecho que allí avía, y el huésped
le dixo:

—De oy más reposad a vuestra guisa, que Dios sabe
cuánto plazer he avido con vos, y lo avría con todos los
cavalleros andantes; porque yo cavallero fue y dos fijos que
tengo agora mal llagados, que su estilo no es sino demandar
las aventuras, en que en muchas dellas ganaron gran prez
de armas; pero anoche passó por aquí un cavallero que los
derribó a entrambos de sendos encuentros, de que por muy
escarnidos se tuvieron; y cavalgando en sus cavallos fueron
empós dél; y alcançáronlo a la passada de un río que en una
barca quería entrar, y dixéronle que, pues ya sabían cómo
justava, que de las espadas les mantoviesse la batalla; mas el
cavallero, que de priessa iva, no lo quisiera hazer; mas mis
fijos le siguieron tanto, diziendo que le no dexarían entrar
en la barca; y una dueña que en ella estava, les dixo: «Cierto, cavalleros, desmesura nos hazéis en nos detener con tanta
sobervia nuestro cavallero.» Ellos dixeron que le no dexarían
en ninguna guisa hasta que con ellos a las espadas se pro-

vasse. «Pues que assí es —dixo la dueña—, agora se combatirá con el mejor de vos, y si lo venciere, que cesse lo del otro.» Ellos dixeron que si el uno venciesse que también le convenía provar el otro. Y el cavallero dixo entonces muy sañudo: «Agora venid ambos, pues por ál de vos partir no me puedo.» Y puso mano a su espada, y dexóse a ellos ir; y el uno de mis hijos fue a él, mas no pudo sofrir su batalla, que el cavallero no es tal como otro que él viesse; y cuando el otro su hermano lo vio en peligro de muerte, quísolo acorrer, firiendo al cavallero lo más bravamente que pudo, mas su acorro poco prestó, qu'el cavallero los paró ambos tales en poca de ora, que tollidos los derribó de los cavallos en el campo; y entrando en su barca se fue su vía; y yo fui por mis hijos, que mal llagados quedaron; y porque mejor creáis lo que vos he dicho, quiero vos mostrar los más fuertes y esquivos golpes que nunca por mano de cavallero dados fueron.

Entonces mandó traer las armas que sus hijos en la batalla tuvieron; y Galaor las vio tintas de sangre y cortadas de tan grandes golpes de espada que fue dello mucho maravillado; y preguntó al hombre bueno qué armas traía el cavallero; él le dixo:

—Un escudo bermejo y dos leones pardos en él, y en el yelmo otro tal; [40] y iva en un cavallo ruano.

Don Galaor conosció luego que éste era el que él demandava, y dixo contra el huésped:

—¿Sabéis vos fazienda desse cavallero?

—No —dixo él.

—Pues agora os id a dormir —dixo Galaor—, que esse cavallero busco yo, y si lo hallo yo daré derecho dél a mí y a vuestros hijos, o moriré.

—Amigo señor —dixo el huésped—, yo vos loaría que metiéndovos en otra demanda, esta tan peligrosa dexássedes, que si mis fijos tan mal lo passaron, su gran sobervia lo hizo.

Y fuese a su alvergue.

Don Galaor durmió hasta la mañana, y demandó sus armas, y con su donzella tornó al camino, y passó la barca, que ya oístes, y cuando fueron a cinco leguas de aquel lugar, vieron una fermosa fortaleza, y la donzella le dixo:

---

40. Parece que lleva cimera («*en el yelmo otro tal*», o sea, dos leones pardos) con función heráldica, según fue habitual en Alemania desde su aparición (hacia 1200).

—Atendedme aquí, que presto seré de buelta.

Y fuese al castillo, y no tardó mucho que la vio venir, y otra donzella con ella y diez hombres a cavallo; y la donzella era fermosa a maravilla, y dixo contra Galaor:

—Cavallero, esta donzella que con vos anda me dize que buscáis un cavallero de unas armas bermejas y leones pardos por saber quién es; yo vos digo que si por fuerça de armas no, de otra guisa vos ni otro ninguno en estos tres años saberlo puede; y esto vos sería muy duro de acabar, porque sed cierto que en todas las ínsolas otro tal cavallero no se hallaría.

—Donzella —dixo Galaor—; yo no dexaré de lo buscar, ahunque más se encubra, y si lo hallo, más me plazería que comigo se combatiesse que de saber dél nada por otra guisa.

—Pues dello tal sabor avéis —dixo la donzella—, yo vos lo mostraré antes de tercero día por amor desta mi cormana que vos aguarda, que me lo ha mucho rogado.

—En gran merced vos lo tengo —dixo don Galaor.

Y entrando en el camino, a ora de bísperas llegaron a un braço de mar, que una ínsola al derredor cercava; assí que avían de andar por el agua bien tres leguas sin a tierra salir antes que allá llegassen; y entrando en una barca que en el puerto hallaron, jurando primero al que los passava que no iva allí más de un cavallero, començaron a navegar; don Galaor preguntó a la donzella por qué razón les tomavan aquella jura.

—Porque assí lo manda —dixo ella— la señora de la ínsola donde vos vades, que no passen más de un cavallero hasta que aquél torne o quede muerto.

—¿Quién los mata o vence? —dixo don Galaor.

—Aquel cavallero que vos demandáis —dixo ella—; que esta señora que vos digo, consigo tiene bien ha medio año, el cual ella mucho ama; y la causa es que seyendo en esta tierra establecido un torneo por ella y por otra dueña muy hermosa, este cavallero, que de tierra estraña vino, seyendo de su parte lo venció todo; y fue dél tan pagada que nunca folgó hasta que por amigo lo ovo; y tiénelo consigo, que lo no dexa salir a ninguna parte; y porque él ha querido algunas vezes salir a buscar las aventuras, la dueña por lo detener fácele passar algunos cavalleros que lo quieren con que se combata; de los cuales da las armas y cavallos a su amiga, y los que han ventura de morir entiérranlos y los vencidos échanlos fuera. Y dígoos que la dueña es muy hermosa, y ha nombre Corisanda, y la ínsola Gravisanda.

Y don Galaor le dixo:

—¿Sabéis vos por qué fue este cavallero a una floresta donde lo yo fallé, y estuvo aí quinze días guardándola de todos los cavalleros andantes que en ella estavan?

—Sí —dixo la donzella—; que él prometió un don a una donzella ante que aquí viniesse, y demandóle que guardasse aquella floresta quinze días, como lo vos dezís; y su amiga, ahunque mucho contra su voluntad, le dio plazo de un mes para ir y venir y guardar la floresta.

Pues en esto hablando llegaron a la ínsola; y era ya una pieça de la noche passada, mas la luna hazía clara; y saliendo de la barca, alvergaron aquella noche ribera de una pequeña agua, donde la donzella mandara armar dos tendejones, y allí cenaron y holgaron hasta la mañana. Galaor quisiera aquella noche alvergar con la donzella, que muy hermosa era; mas ella no quiso, comoquiera que pareciéndole el más hermoso cavallero de cuantos havía visto, y tomava mucho deleite en hablar con él. La mañana venida, cavalgó en su cavallo don Galaor armado y guisado de entrar en batalla; y las donzellas y los otros hombres assimesmo; y fueron su camino. Galaor siempre iva hablando con la donzella, y preguntóle si sabía el nombre del cavallero.

—Cierto —dixo ella—, no ay hombre ni muger en toda esta tierra que lo sepa, sino su amiga.

El ovo estonces mayor cuita de lo conoçer que ante, porque seyendo tan loado en armas de tal guisa se querría encubrir; y a poco rato que anduvieron llegaron a un llano, donde hallaron un muy fermoso castillo que encima de un alto otero estava; al derredor havía una gran vega muy hermosa que turava una gran legua a cada parte. La donzella dixo a don Galaor:

—En este castillo es el cavallero que demandáis.

El mostró muy gran plazer dello por fallar lo que buscava; y anduvieron más adelante, y hallaron un padrón de piedra a buena manera hecho, y encima dél un cuerno; y la donzella dixo con plazer:

—Sonad esse cuerno que lo oyan, y luego en oyéndolo verná el cavallero.

Galaor assí lo hizo; y vieron salir del castillo hombres que armaron un tendejón muy hermoso en el prado; y salieron hasta diez dueñas y donzellas; y entre ellas venía una muy ricamente guarnida y señora de las otras; y entraron en el tendejón. Galaor, que todo lo mirava, parecíale que tardava el cavallero, y dixo a la donzella:

—¿Por qué causa el cavallero no sale?

—No verná —dixo ella— fasta que aquella dueña gelo mande.

—Pues ruégovos, por cortesía —dixo él—, que lleguéis a ella y le digáis que le mande venir, porque yo tengo en otras partes mucho de fazer y no puedo detenerme.

La donzella lo hizo. Y como la dueña oyó el mandado, dixo:

—¡Cómo! ¿en tan poco tiene él este nuestro cavallero y tan ligeramente se cuida dél partir para complir en otras partes? Pues él irá más presto que cuida, y más a su daño de lo que piensa.

Estonces dixo a un donzel:

—Ve y di al cavallero estraño que venga.

El donzel gelo dixo. Y el cavallero salió del castillo armado y a pie, y sus hombres le traían el cavallo y el escudo y lança y yelmo; y fue donde la dueña estava, y ella le dixo:

—Vedes allí un cavallero loco que se cuida de vos ligeramente partir; agora os digo que le hagáis conoçer su locura.

Y abraçólo y besólo.

De todo esto creçía mayor saña a don Galaor. El cavallero cavalgó y tomó sus armas y fue descendiendo por un recuesto ayuso a su passo; y pareçía tan bien y tan apuesto que era maravilla. Galaor enlazó el yelmo y tomó el escudo y la lança, y como en lo llano le vio, díxole que se guardasse; y dexaron contra sí los cavallos correr, y heriéronse de las lanças en los escudos, que los falsaron, y desguarnecieron los arneses. Assí que cada uno dellos fue mal llagado, y las lanças fueron quebradas, y passaron el uno por el otro. Don Galaor metió mano a su espada y tornó a él, mas el cavallero no sacó de la vaina la suya, mas díxole:

—Cavallero, por la fe que a Dios devéis y a lo que más amáis, que justemos otra vez.

—Tanto me conjurastes —dixo él— que lo haré; mas pésame que no traigo tan buen cavallo como os, que si él tal fuesse, no cessaría de justar fasta que el uno cayesse o quebrássemos cuantas lanças podríades haver.

El cavallero no respondió; antes mandó a un escudero

que le diesse dos lanças, y tomando él la una embió a don Galaor la otra; y dexáronse assí correr otra vez, y encontráronse tan fuertemente en los escudos, que fue maravilla; y el cavallo de Galaor hincó las rodillas y por poco no cayó, y el cavallero estraño perdió las estriberas ambas y óvose de abraçar al cuello del cavallo. Galaor herió rezio el cavallo de las spuelas y puso mano a su spada, y el cavallero estraño endereçóse en la silla y ovo vergüença fuertemente; después metió mano a su spada y dixo:

—Cavallero, vos desseéis la batalla de las espadas, y cierto yo la recelava más por vos que por mí, si no, agora lo veréis.

—Hazed todo vuestro poder —dixo Galaor—, que yo assí lo haré fasta morir o vengar aquellos que en la floresta malparastes.

Estonces el cavallero lo cató y conoçiólo que era el cavallero que a pie lo llamava a la batalla, y díxole con gran saña:

—Véngate si pudieres, ahunque más creo que llevarás una mengua sobre otra.

Estonces se acometieron tan bravamente, que no ha hombre que en los ver no tomasse en sí gran espanto. Las dueñas y todos los del castillo cuidaron, según la justa fue brava, que se querían avenir, mas veyendo la de las espadas, bien les pareçió más cruel y brava para se matar; y ellos se herían tan a menudo y de tan mortales golpes, que las cabeças se hazían juntar con el pecho, a mal de su grado, cortando de los yelmos los arcos de azero con parte de las faldas dellos; assí que las espadas descendían a los almohares y las sentían en las cabeças, pues los escudos todos los fazían rajas, de que el campo era sembrado, y de las mallas de los arneses; en esta porfía duraron gran pieça, tanto que cada uno era maravillado cómo al otro no conquistava; a esta hora començó a cansar y desmayar el cavallo de don Galaor, que ya no podía a una parte ni a otra ir, de que muy gran saña le vino, porque bien cuidava que la culpa de su cavallo le quitava tan tarde la vitoria, mas el cavallero estraño le hería de grandes golpes, y salíase dél cada que quería; y cuando Galaor le alcançava feríalo tan fuertemente, que la espada le fazía sentir en las carnes; pero su cavallo andava ya como ciego para caer; allí temió él más su muerte que en otra ninguna afruenta de cuantas se viera, si no es en la batalla que con Amadís su hermano ovo, que de aquélla nunca él pensó salir bivo, y después dél a este cavallero preciava más que a ninguno otro de cuantos havía provado, pero no en tanto grado que no le pensasse vencer si su cavallo no lo estorvasse; y cuando en tal estrecho se vio, dixo:

—Cavallero, o nos combatamos a pie, o me dad cavallo de que ayudarme pueda, si no, mataros he el vuestro, y vuestra será la culpa desta villanía.

—Todo fazed cuanto pudierdes —dixo el cavallero—, que nuestra batalla no havrá más vagar, que gran vergüença es turar tanto.

—Pues agora guardad el cavallo —dixo Galaor.

Y el cavallero le fue herir, y con recelo del cavallo que le no matasse, juntóse mucho con él; Galaor, que lo herió en el escudo y tan cerca de sí lo vio, echó los braços en él apretando cuanto pudo, y herió el cavallo de las espuelas, tirando por él tan fuertemente que lo arrancó de la silla. Y cayeron ambos en el suelo abraçados, mas cada uno tovo bien fuerte la espada, y assí estuvieron rebolviéndose por el campo una gran pieça, hasta que el uno al otro se soltó, y se levantaron en pie. Y començaron su batalla tan brava y tan cruel, que no parecía sino que estonces la començavan; y si la primera en los cavallos fuerte y áspera a todos semejava, esta segunda mucho más, que como más sin empacho se juntassen y ferirse pudiessen, no folgavan solo un momento que se no combatiessen; mas don Galaor, que con la gran flaqueza de su cavallo hasta estonces no le pudiera a su guisa herir y agora se juntava cada que quería con él, dávale tan fuertes y tan pesados golpes, que le hazía bravamente desarmar, pero no de tal guisa que no se defendiesse muy bravamente. Cuando Galaor vido qu'él mejorava asaz, y su contrario enflaquecía bien, tiróse afuera y dixo:

—Buen cavallero, estad un poco.

El otro, que bien le hazía menester, estovo bien quedo, y díxole:

—Ya véis cómo yo he lo más mejor de la batalla; y si me quisierdes dezir el vuestro nombre, gran plazer recebiré, y por qué vos encobrides assí, tanto darvos he por quito, y sin aquesto no vos dexaré en ninguna manera.

Cierto, oyendo esto el cavallero dixo:

—Ni a mí bien plaze de quitar de tal manera la batalla, porque nunca fue tal mi condición, porque nunca mayor talante en batalla que entrasse de me combatir tove que agora, porque nunca tan esforçado como agora me hallé en batalla que entrasse; y Dios mande que yo no sea conoçido sino a mi honra, special de un cavallero solo.

—No toméis porfía —dixo don Galaor—, que yo vos juro por la fe que de Dios tengo que os no dexar hasta que sepa quién sois y por qué os encubrís assí.

—Ya Dios no me ayude —dixo el cavallero— si lo por mí sabéis, que antes querría morir en la batalla que lo dezir, endemás por fuerça de armas, si no fuesse a dos solos que no conozco, que a éstos por cortesía o por fuerça ninguno je lo podría ni devría negar, querriéndolo ellos saber.

—¿Quién son essos que tanto preciáis? —dixo Galaor.

—Esso ni ál no sabréis de mí, que me pareçe que os plazería.

—¡Para Santa María! —dixo Galaor—, o yo sabré lo que os pregunto, o el uno de nos morirá, o ambos.

—Ni yo quiero ál —dixo el cavallero.

Estonces se fueron acometer con tanta saña, que las heridas passadas se les olvidavan, y las fuerças enflaqueçidas abivadas fueron; mas fuerça ni ardimiento qu'el cavallero estraño pusiesse no le tenía pro, que Galaor lo hería tan bravamente, que las armas con parte de las carnes le despedaçava, assí que mucha sangre se le iva, que el campo hazía tinto della. Cuando la señora de la ínsola vio al su amigo en punto de muerte, seyendo la cosa del mundo que ella más amava, no le pudo más el coraçón sufrir y fue contra allá a pie como loca, y las otras dueñas y donzellas empós della. Y cuando fue cerca de don Galaor, dixo:

—Estad quedo, cavallero; sí pedaçada sea la barca que os acá passó, que me tanto pesar havéis hecho.

—Dueña —dixo Galaor—, si a vos pesa de vengar a mí y a otro que más vale que yo del mal que dél recebimos, no he yo culpa.

—No hagáis mal contra el cavallero —dixo la dueña—, que moriréis por ello a manos de quien no os havrá merced.

—No sé cómo averná —dixo él—, mas yo no le dexaré en ninguna guisa, si ante no supiere lo que le pregunto.

—Y ¿qué le preguntáis vos? —dixo ella.

—Que me diga cómo ha nombre —dixo él— y por qué se encubre tanto y quién son los dos cavalleros que más que a todos los del mundo precia.

—¡Ay —dixo la dueña—, maldito sea quien vos mostró

herir, y vos que assí lo aprendistes! Yo vos quiero dezir lo
que saber queréis. Dígovos que este nuestro cavallero ha
nombre don Florestán, y él se encubre assí por dos cavalleros que son en esta tierra sus hermanos, de tan alta bondad
de armas, que ahunque la suya sea tan creçida como havéis
provado, no se atreve con ellos darse a conoçer hasta que
tanto en armas haya hecho, que sin empacho pueda juntar
sus proezas con las suyas dellos; y tiene mucha razón, según
el gran valor suyo; y estos dos cavalleros son en casa del rey
Lisuarte; y el uno ha nombre Amadís y el otro don Galaor,
y son todos tres hijos del rey Perión de Gaula.

—¡Ay, Santa María, val! —dixo don Galaor—. ¿Qué he
hecho?

Después rendió la espada, y dixo:

—Buen hermano, tomad esta espada y la honra de la batalla.

—¡Cómo! —dixo él—; ¿vuestro hermano so yo?

—Sí, cierto —dixo él—, que yo soy vuestro hermano don
Galaor.

Don Florestán hincó los inojos ante él y dixo:

—Señor, perdonadme, que si vos erré en me combatir con
vos no lo sabiendo, no fue por ál sino porque sin vergüença
me pudiesse llamar vuestro hermano, como lo soy, pareçiendo en algo al vuestro gran valor y gran prez de armas.

Galaor lo tomó por las manos y levantólo suso, y tóvolo
una pieça abraçado, llorando con plazer y por lo haver conoçido, y con piedad de lo ver tan maltrecho con tantas heridas, pensando ser su vida en gran peligro. Cuando la dueña
esto vio, fue mucho alegre, y dixo contra don Galaor:

—Señor, si en gran angustia me metistes, con doblada alegría lo havéis satisfecho.

Y tomándolos consigo los llevó al castillo, donde en una
hermosa cámara en dos lechos de ricos paños los hizo acostar; y como ella mucho de curar llagas supiesse, tomó en sí
gran cuidado de los sanar, considerando que en la vida de
cualquiera dellos estava la de entrambos, según el gran amor
que se havían mostrado, y la suya en duda si el su muy
amado amigo don Florestán algún peligro le ocurriesse. Pues
assí como oís estavan los dos hermanos en guarda de aquella fermosa y rica dueña Corisanda, que tanto la vida dellos
como la propia suya desseava.

CAPÍTULO XLII

Deste valiente y esforçado cavallero don Florestán quiero que sepáis cómo y en qué tierra fue engendrado y por quién. Sabed que seyendo el rey Perión mancebo, buscando las aventuras con su esforçado y valiente coraçón por muchas tierras estrañas, moró en Alemaña dos años, donde fizo tantas grandes cosas en armas, que como por maravilla entre todos los alemanes contadas eran. Pues tornándose ya a su tierra con mucha gloria y fama, avínole de alvergar un día en casa del conde de Selandia, que fue con él muy alegre. Porque assí como el rey Perión, holgava de seguir el exercicio de las armas, y con ellas mucho loor y prez havía alcançado, y como por la esperiencia él alcançasse cuantos afanes, trabajos, angustias los buenos cavalleros les convenía sufrir, para que la medida de lo que obligados eran llena fuesse, tenía en mucho a este Perión, como aquel que en la cumbre de la fama y gloria de las armas en que assentado estava; y fízole mucha honra y servicio cuanto él más pudo; y desque cenaron y hablaron en algunas cosas por que passaran, fue el rey Perión llamado a una cámara, donde en un rico lecho se acostó; y como del camino cansado anduviesse, adormecióse luego, y no tardó mucho que se halló abraçado de una donzella muy hermosa, y junta la su boca con la dél, y como acordó, quísose tirar afuera, mas ella lo tovo y dixo:

—¿Qu'es esto, señor; no folgaréis mejor comigo en esse lecho que no solo?

El rey la cató a la lumbre que en la cámara havía, y vio que era la más hermosa mujer de cuantas viera, y díxole:

—Dezidme, ¿quién sois?

—Quienquiera que yo sea —dixo ella—, ámoos gravemente y quiero daros mi amor.

—Esso no puede ser, si ante no me lo dezís.

—¡Ay! —dixo ella—; cuánto me pesa dessa pregunta, porque no me tengáis por más mala de lo que parezco; pero Dios sabe que no es en mí de ál hazer.

—Todavía conviene —dixo él— que lo sepa, o no faré nada.

—Ante os lo diré —dixo ella—. Sabed que yo soy fija deste conde.

El rey le dixo:

—Muger de tan gran guisa como vos no conviene hazer semejante locura; y agora os digo que no haré cosa en que vuestro padre tan gran enojo aya.

Ella dixo:

—¡Ay, mal ayan cuantos os loan de bondad, pues sois el peor hombre del mundo y más desmesurado! ¿Qué bondad en vos puede haver desechando persona tan fermosa y de tan alta guisa?

—Haréis —dixo el rey— aquello que vuestra honra y mía sea, mas no lo que tan contrario a ellas es.

—¿No? —dixo ella—; pues yo haré que mi padre tenga mayor enojo de vos que si mi ruego hiziéssedes.

Estonces se levantó y fue tomar la spada del rey, que cabe su escudo estava; y aquélla fue la que después pusieron a Amadís en el arca cuando le echaron en la mar, como se os ha en el comienço deste libro contado; y tiróla de la vaina y puso la punta della en derecho del coraçón, y dixo:

—Agora sé yo que más le pesará a mi padre de mi muerte que de lo ál.

Cuando el rey esto vio, maravillóse y dio un gran salto del lecho contra ella, diziendo:

—Estad, que yo haré lo que queréis.

Y sacando la espada de la mano, la abraçó amorosamente y cumplió con ella su voluntad aquella noche, donde quedó preñada, sin que el rey más la viesse, que seyendo venido el día se partió del conde, continuando su camino; mas ella encubrió su preñez cuanto más pudo; pero venido el tiempo del parto, no lo pudo assí fazer; mas tovo manera cómo ella y una donzella suya fuessen a ver una su tía que cerca de allí morava, donde algunas vezes acostumbrara ir a holgar, y travessando un pedaço de la floresta, vínole el parto tan afincadamente, que descendiendo del palafrén parió un hijo. La donzella, que en tan gran fortuna la vio, púsole el niño a las tetas, y díxole:

—Señora, aquel coraçón que tuvistes para errar, aquél tened agora para os dar remedio en tanto buelvo a vos.

Y luego cavalgó en el palafrén, y lo más presto que pudo llegó al castillo de la tía y contóle el caso como passava; y cuando lo ella oyó fue muy triste, mas no dexó por esso de la socorrer; y luego cavalgó y mandó que le llevassen unas andas en que ella algunas vezes iva a ver al conde, por se guardar del sol; y cuando llegó donde la sobrina era, apeóse y lloró con ella y hízola meter en las andas con su hijo, y tornóse de noche sin que ninguno las viesse, salvo los que estonces en su compañía llevava, que fueron castigados que con mucho cuidado aquel secreto guardassen.

Finalmente, la donzella fue allí remediada, y tornada al conde su padre sin que nada desto supiesse; y el niño criado hasta que a diez y ocho años llegó, que parecía muy valiente de cuerpo y fuerça, más que ninguno de toda la comarca. La dueña, que en tal disposición lo vio, dióle un cavallo y armas y levólo consigo al conde su abuelo que le armasse cavallero; y assí lo hizo, sin saber que su nieto fuesse; y tornóse con su criado al castillo; pero en la carrera le dixo que cierto supiesse que era su fijo del rey Perión de Gaula y nieto de aquel que lo fiziera cavallero, y que devía ir a conoçerse con su padre, que era el mejor cavallero del mundo.

—Cierto, señora —dixo él—; esso he oído yo dezir muchas vezes, mas nunca cuidé que mi padre fuesse; y por la fe que devo a Dios y os que me criastes, de nunca me conoçer con el ni con otro, si puedo, fasta que las gentes digan que merezco ser fijo de tan buen hombre.

Y despidiéndose della, levando dos escuderos consigo, se fue la vía de Constantinopla, donde era gran fama que una cruel guerra en el imperio era movida. Allí estuvo cuatro años, en que tantas cosas en armas hizo, que por el mejor cavallero que allí nunca vieran lo tuvieron; y como él se vio en tanta alteza de honra y fama, acordó de se ir en Gaula a su padre y fazérselo conoçer; mas llegando cerca de aquellas tierras, oyó la gran fama de Amadís, que estonces començava a fazer maravillas, y assimesmo lo de don Galaor, de manera que su propósito fue mudado en pensar que lo suyo ante lo dellos tanto como nada era; y por esta causa pensó de començar de nuevo a ganar honra allí en la Gran Bretaña, donde más que en ninguna otra parte cavalleros preciados havía, y encubrir su fazienda hasta que sus obras con la satisfación de su desseo le manifestassen; y assí passó algún tiempo haziendo cavallerías muchas, passándolas a su honra, hasta que don Galaor su hermano con él se combatió, como oído havéis, y se conocieron en la manera susodicha.

Amadís estuvo cinco días en el castillo de Grovenesa, y
Agrajes con él; y seyendo adereçadas las cosas necessarias al
camino, partieron de allí, solamente llevando Grovenesa y
Briolanja dos donzellas y cinco hombres a cavallo que los sirviessen, y tres palafrenes de diestro con sus guarnimientos
muy ricos; mas Briolanja no vestía sino paños negros, y assí
los havía de traer fasta que su padre vengado fuesse. Pues
haviendo ya andado cuanto una legua, Briolanja demandó
un don a Amadís, y Grovenesa otro a Agrajes, y por ellos
otorgados, no se catando ni pensando lo que fue, demandáronles que, por ninguna cosa que viessen saliessen del camino sin su licencia dellas, porque se no ocupassen en otra
afrenta sino en la que presente tenían.

Mucho les pesó a ellos el otorgar, y gran vergüença passaron, porque en algunos lugares fuera bien menester su socorro, que con gran drecho se pudiera emplear, que lo no
fizieron, y assí ivan avergonçados. Y caminando como oídes,
a los doze días entraron en la tierra de Sobradisa. Y esto
era ya noche escura; estonces dexaron el gran camino, y por
una traviessa anduvieron bien tres leguas, assí que seyendo
gran parte de la noche passada, a un pequeño castillo llegaron, que era de una dueña criada del padre de Grovenesa,
que Gabalumba havía nombre, y cra muy vieja y muy discreta; llamado a la puerta y saliendo la compaña, que era
con mucho plazer de la señora y de todos los suyos, gela
abrieron y acogieron dentro, donde les dieron de cenar y
lechos en que durmiessen y descansassen. Y otro día de
mañana preguntó Gabalumba a Grovenesa qué camino era
aquél. Ella le dixo cómo Amadis havía prometido a Briolanja de vengar la muerte de su padre, y que creyesse sin
duda ninguna que aquél era el mejor cavallero del mundo;
y contóle cómo por ver la carreta en que ella y Briolanja
ivan, le venciera ocho cavalleros muy buenos que ella para
su guarda traía; y assimesmo lo que le viera hazer en el castillo contra sus hombres, cuando por los leones fuera socorrido. La dueña se maravilló de tal bondad de cavallero, y
dixo:

—Pues él tal es, alguna cosa valdrá su compañero, y bien
podrá dar fin en este fecho, que con tanta razón toman. Mas
temo de aquel traidor que haga algún engaño con que los
mate.

—Por esso vengo yo a vos —dixo Grovenesa—, porque me consejéis.

—Agora —dixo ella— dexad en mí este fecho.

Estonces tomó tinta y pargamino y fizo una carta, y sellóla con el sello de Briolanja; y fabló una pieça aparte con una donzella, y dándole la carta la mandó lo que de hazer havía.

La donzella salió del castillo en su palafrén, y tanto anduvo que llegó aquella gran cibdad que Sobradisa se llamava, donde todo el reino por esta causa tomava aquel nombre; y allí era Abiseos y sus hijos Darasión y Dramis; éstos eran con los que Amadís havía de haver batalla; que aquel Abiseos matara al padre de Briolanja seyendo su hermano mayor, con la gran codicia de le tomar el reino que tenía, como lo hizo, que dende estonces fasta aquella hora reinava poderosamente, más por fuerça que por grado de los de la tierra.

Pues llegada la donzella, fuese luego a los palacios del rey, y entró por la puerta assí cavalgando, muy ricamente ataviada. Y los cavalleros llegáronse por la apear, mas ella les dixo que no descendería hasta que el rey la viesse y la mandasse descavalgar, si le pluguiesse. Estonces la tomaron por la rienda y metiéronla en una sala donde el rey seía con sus hijos y con otros muchos cavalleros; y él la mandó que descendiesse del palafrén si quería dezir algo. La donzella dixo:

—Hazello he a condición que me vos tomćis en vuestra guarda que no reciba mal por cosa que contra vos o contra otro aquí diga.

El dixo que en su guarda y fe real la tomava y que sin recelo podía dezir a lo que era venida. Luego fue apeada del palafrén y dixo.

—Señor, yo os trayo un mandado tal que requiere ser en presencia de todos los mayores del reino; mandadlos venir y sabréislo luego. Entiendo —dixo el rey— que assí lo están como queréis, que yo los hize venir bien ha seis días para cosas que cumplían.

—Mucho me plaze —dixo la donzella—; pues mandadlos aquí juntar.

El rey mandó que los llamassen, y cuando fueron venidos, la donzella dixo:

—Rey, Briolanja, que tú tienes desheredada, te embía esta

carta; mándala leer ante esta gente y dame la respuesta de lo que harás.

Cuando el rey oyó mentar a su sobrina Briolanja, gran vergüença ovo, considerando el tuerto que le tenía hecho; pero mandó leer la carta; y no dezía ál sino que creyessen a aquella su donzella lo que de su parte diría. Los naturales del reino que allí estavan, cuando vieron aquel mensaje de su señora, gran piedad havían en sus coraçones en la ver tan injustamente desheredada, y entre sí rogavan a Dios que la remediasse y no consintiesse ya passar tan largo tiempo una traición tan grande. El rey dixo a la donzella:

—Dezid lo que os mandaron, que creída seréis.

Ella dixo:

—Señor rey, verdad es que os matastes al padre de Briolanja y tenéisla desheredada de su tierra, y havéis dicho muchas vezes que vos y vuestros hijos defenderéis por armas que lo hezistes con derecho; y Briolanja os manda dezir que si en ello vos atenéis, que ella traerá aquí dos cavalleros, que sobre esta razón tomarán por ella la batalla, y vos harán conoçer la deslealtad y gran sobervia que fezistes.

Cuando Darasión, el su hijo mayor, oyó esto, fue muy sañudo, que era muy airado en sus cosas; y levantóse en pie y dixo, sin plazer dello a su padre:

—Donzella, si Briolanja ha essos cavalleros y por tal razón se quieren combatir, yo prometo luego la batalla por mí y por mi padre y mi hermano; y si esto no fago fazer, prometo ante estos cavalleros de dar la mi cabeça a Briolanja, que me la mande tajar por la de su padre.

—Cierto —dixo la donzella— Darasión, vos respondéis como cavallero de gran esfuerço, mas no sé si lo fazéis con saña, que vos veo estar en gran manera sañudo; mas si os acabardes con vuestro padre lo que vos agora diré, creeré que lo hazéis con bondad y con ardimiento que en vos ha.

—Donzella —dixo él—, ¿qué es lo que vos diréis?

Ella dixo:

—Hazed a vuestro padre que faga atreguar los cavalleros de cuantos en esta tierra son, assí que por malandança que en la batalla os venga no prendan mal, sino de vosotros; y si esta segurança dais, en este tercero día serán aquí los cavalleros.

Darasión hincó los inojos ante su padre, y dixo:

—Señor, ya veis lo que la donzella pide y lo que yo tengo

prometido, y pues que mi honra es vuestra, seále otorgado por vos, que de otra guisa ellos sin afrenta quedarían vencedores, y vos y nosotros en gran falta, haviendo siempre publicado que si algún cargo a la limpieza vuestra en lo passado se imputasse, que por batalla de nos todos tres se ha de purgar; y ahunque esto no se oviesse prometido, devemos tomar en nos este desafío, porque, según me dizen, estos cavalleros son de los locos de la casa del rey Lisuarte, que su gran sobervia y poco seso les faze, teniendo sus cosas en gran estima, las agenas despreciar.

Y el rey, que a este hijo más que a sí mesmo amava, ahunque la muerte de su hermano que él fiziera, culpado le hiziesse, y la batalla mucho dudasse, dio la segurança de los cavalleros, assí como por la donzella se demandava; seyendo ya la hora llegada, permitida del muy alto Señor, en que su traición havía de ser castigada, como adelante oiréis. Viendo la donzella ser su embaxada venida en tal efecto, dixo al rey y a sus fijos:

—Aparejaos, que mañana serán aquí aquellos con que de combatir os avéis.

Y cavalgando en su palafrén, tanto anduvo que llegó al castillo y contó a las dueñas y a los cavalleros cómo enteramente havía su embaxada recaudado, mas cuando dixo que Darasión los tenía por locos en ser de casa del rey Lisuarte, a gran saña fue Amadís movido, y dixo:

—Pues ahún en aquella casa ay tales que no ternían en mucho de le quebrantar la sobervia y ahun la cabeça.

Mas vio que la ira le señoreava y pesóle de lo que dixera. Briolanja, que los ojos dél no partía, que lo sintía, dixo:

—Mi señor, no podéis os dezir ni fazer tanto contra aquellos traidores que ellos no merezcan más, y pues que sabéis la muerte de mi padre y el tiempo que a tan sin razón desheredada me tienen, aved de mí piedad, que en Dios y en vos dexo toda mi fazienda.

Amadís, que el coraçón tenía sojuzgado a la virtud y en toda blandura puesto, ovo duelo de aquella fermosa donzella, y díxole:

—Mi buena señora, la esperança que en Dios tenéis tengo yo que mañana, ante que noche sea, la vuestra gran tristeza será en gran claridad de alegría tornada.

Briolanja se le omilló tanto que los pies le quiso besar,

más él con mucha vergüença se tiró afuera, y Agrajes la levantó por las manos.

Pues luego fue acordado que partiendo de allí al alva del día, fuessen a oír missa en la hermita de las tres fuentes, que a media legua de Sobradisa estava; assí folgaron aquella noche muy viciosos y a su plazer. Y Briolanja, que con Amadís hablara mucho, estuvo muchas vezes movida de le requerir de casamiento; y haviendo temor que los pensamientos tan afincados y las lágrimas que algunas vezes por sus fazes veía, no de la flaqueza de su fuerte coraçón se causavan, mas de ser atormentado, sojuzgado y afligido de otra por quien él aquella passión que ella por él passava sostenía; assí que refrenando la razón a la voluntad, la fizieron detener; partióse dél porque durmiendo reposando a la hora ya dicha levantarse pudiesse.

Pues la mañana venida, tomando Amadís y Agrajes consigo a Grovenesa y a Briolanja con la otra su compaña, a una hora del día fueron en la hermita de las tres fuentes, donde de un hombre bueno hermitaño la missa oyeron. Y aquellos cavalleros con mucha devoción a Dios rogaron que assí como El savía tener ellos derecho y justicia en aquella batalla, assí El por su merced les ayudasse; y luego se armaron de todas sus armas, solamente levando los rostros y manos sin ellas, y cavalgando en sus cavallos y ellas en sus palafrenes, continuaron su camino fasta la cibdad de Sobradisa llegar, donde fuera della fallaron al rey Abiseos y sus hijos, que con gran compaña de gente, sabiendo ya su venida, los atendían. Todos se llegavan a la parte donde Briolanja venía, que Amadís traía por la rienda; y amávanla[41] de coraçón, teniéndola por su derecha y natural señora. Y como Amadís llegó con ella a la priessa de la gente, quitóle los antifazes porque todos el su fermoso rostro viessen; y cuando assí la vieron, cayendo las lágrimas de sus ojos y bolviendo el rostro contra ellos, con mucho amor en sus coraçones la bendezían, rogando a Dios que su desheredamiento más adelante no passasse.

Abiseos, que delante sí su sobrina vio, no pudo tanto la su codicia ni maldad que de gran vergüença scusarle pu-

---

41. En Zaragoza, *amávala,* por lo que el sujeto sería indudablemente Amadís; entra en contradicción con el texto al que se refiere la nota 39, sobre todo en el *teniéndola por su derecha y natural señora. Z,* fol. 76 rº.

diesse, acordándosele de la traición que al rey su padre fiziera; mas con mucho tiempo en ello endureçido estuviesse,
pensó que la fortuna ahún no era enojada de aquella gran
alteza en que le pusiera, y sintiendo lo que la gente en ver a
Briolanja sintía, dixo:

—Gente cativa, desventurada, bien veo el plazer que esta
donzella con su vista os da; y esto vos faze mengua de seso;
que si lo tuviéssedes más comigo que so cavallero que con
ella, seyendo una flaca mujer, os devíades contentar y honrar para vuestro descanso y defendimiento; si no, ved qué
fuerça o favor es el suyo, que en cabo de tanto tiempo no
pudo alcançar más destos cavalleros que con tan gran engaño, viniendo a recebir muerte o desonra, me faze haver dellos piedad.

Oyendo esto Amadís, a gran saña fue movido, tanto que
por los ojos la sangre le parecía salir, y dixo contra Abiseos,
levantándose en los stribos, assí que todos le oyeron:

—Abiseos, yo veo que te mucho pesa con la venida de
Briolanja, por la gran traición que feziste cuando mataste a
su padre, que era tu hermano mayor y señor natural; si en ti
tanta virtud y conoçimiento oviesse que apartándote desta tan
gran maldad a ella lo suyo dexasses, daría yo lugar quitán-
dote la batalla, para que de tu pecado demandando a Dios
merced, tal penitencia fazer pudiesses, que assí como en este
mundo la honra tienes perdida, en el otro donde has de ir
el ánima con su salvación lo reparasse.

Darasión salió con gran ira delante, antes que su padre
responder pudiesse, y dixo:

—Cierto, cavallero loco de casa del rey Lisuarte, nunca
yo pensé que yo a ninguno tanto pudiera sufrir que delante
mí dixiesse; pero fágolo porque si osardes tener lo que está
puesto, mi saña no tardará de ser vengada; y si el coraçón
vos faltando huir quisierdes, no estaréis en parte que os no
pueda haver y mandar castigar de tal guisa que penen de os
todos aquellos que lo miraren.

Agrajes le dixo:

—Pues que la traición de tu padre assí quieres sostener,
ármate y ven a la batalla como stá assentado; y si tu ventura
fuere tal, que la muerte que sobre vuestras honras tenéis sea
resucitada; si no, havrás aquélla, y ellos contigo, que vuestras malas obras merecen.

—Di lo que quisierdes —dixo Darasión—, que poco tardará

en que essa tu lengua sin el cuero sea embiada a casa del rey Lisuarte, porque veyendo esta pena se atienten los semejantes que tú en sus locuras.

Y luego començó a demandar sus armas, y su padre y su hermano otrosí; y armáronse, y cavalgando en sus cavallos se pusieron en una plaça que para las lides antiguamente limitada era; Amadís con Agrajes, enlazando sus yelmos y tomando los scudos y lanças, se metieron con ellos en el campo. Dramis, el hermano mediano, que era valiente cavallero, tanto que dos cavalleros de aquella tierra no le tenían campo, dixo contra su padre:

—Señor, donde vos y mi hermano estávades, escusado tenía yo de hablar, mas agora no lo tengo yo de obrar con aquella fuerça grande que de Dios y de os ove; dexadme con aquel cavallero que mal os dixo, y si de la primera lançada no le matare, nunca quiero traer armas; y si tal su ventura fuere que le no acierte a derecho golpe, lo semejante faré del primer golpe de spada.

Muchos oyeron lo que este cavallero dixo, y metieron en ello mientes, no teniendo en mucho aquella su locura ni dudando que la no pudiesse acabar, según las grandes cosas en armas le vieran fazer; pues assí estando, Darasión los cató y vio que no eran más de dos, y dixo a altas bozes:

—¿Qué es esso? Sé que tres avéis de ser; creo qu'el coraçón le faltó al otro; llamalde que venga aína, no nos detengamos.

—No os dé pena —dixo Amadís— del tercero, que bien ay aquí quien le scuse; y yo fío en Dios que no passará mucho tiempo qu'el segundo querríades ver fuera.

Y dixo:

—Agora os guardad.

Estonce dexaron correr los cavallos contra sí lo más rezio que pudieron, muy bien cubiertos de sus scudos; y Dramis endereçó a Amadís, y firiéronse tan bravamente en los scudos, que los falsaron y las lanças llegaron a los costados; y Dramis quebrantó su lança; mas Amadís le firió tan bravamente que, sin qu'el arnés fuesse roto en ninguna parte, le quebrantó dentro del cuerpo el coraçón y dio con él muerto en el suelo tan gran caída, que pareció que cayera una torre.

—¡En el nombre de Dios! —dixo Ardián el enano—; ya mi señor es libre; y más cierta me parece su obra que la amenaza del otro.

Agrajes fue a los dos y encontróse con Darasión, y las lanças fueron quebradas, y Darasión perdió la una estribera, mas no cayó ninguno dellos; Abiseos falleçió de su golpe; y cuando tornó el cavallero, vio a su fijo Dramis muerto, que no bullía, de que ovo muy gran pesar, pero no cuidava que ahún del todo era muerto; y dexóse ir con gran saña a Amadís, como aquel que a su fijo cuidava vengar, y apretó rezio la lança so el braço y firiólo tan duramente que le falsó el escudo, assí que el fierro de la lança le metió por el braço y la lança quebró de manera, que todos cuidaron que se no podría más sostener en la batalla.

Si de esto uvo Briolanja pesar no es de cuidar, que sin falta el coraçón y la lumbre de los ojos le fallesció, y cayera del palafrén si la no acorrieran; mas aquél, que de tales golpes no se espantava, apretó bien el puño en la buena espada que a Arcaláus tomara poco avía, y fue ferir Abiseos de tan gran golpe por cima del yelmo, que la espada fizo descendir al ombro, y cortó en él y entró por la cabeça fasta en el huesso; y fue Abiseos tan cargado del golpe y tan atordido, que no pudo estar en la silla y cayó, que apenas se podía tener. Mucho fueron espantados los que miravan cómo assí Amadís de dos golpes avía atordido dos tan fuertes cavalleros, que bien creían no los aver en el mundo mejores; y dexóse ir a Darasión, que se combatió con Agrajes tan bravamente, que a duro se fallarían otros dos que lo mejor fiziessen, y dixo:

—Cierto, Darasión, yo creo bien que antes os plazería agora ver el segundo fuera que el tercero sobreviniesse.

Y Darasión no respondió; mas cubrióse bien de su escudo; y Amadís, que lo iva por ferir, parósele Agrajes delante y dixo:

—Cormano señor, asaz aveis hecho; dexadme a mí con éste que con tanta sobervia me amenazó que me sacaría la lengua.

Mas Amadís, como iva con gran saña, no entendió bien lo que Agrajes le dixo; y passó por él y dio a Darasión tan gran golpe en el escudo, que todo lo que le alcançó fue a tierra, y descendió el espada al arzón delantero y cortó fasta en la cerviz del cavallo; y al passar Darasión se passó tanto, que uvo lugar de le meter la espada por la barriga del cavallo; y cuando se sintió ferido, començó a fuir con Amadís sin lo poder tener; pero él tiró tan fuerte por las riendas,

que se le quedaron en la mano; y como se vio sin ningún
remedio, y que el cavallo lo sacaría del campo, dióle con la
espada tal golpe entre las orejas, que la cabeça le hizo dos
partes, y cayó en tierra muerto, de tal guisa que Amadís fue
muy quebrantado; [42] mas levantóse muy presto, ahunque a
grande afán, y con su espada en la mano se fue contra Abiseos, que se ya levantara e iva a ayudar a su fijo; y a esta
hora dio Agrajes con su espada tan gran golpe a Darasión
por cima del yelmo, que la no pudo dél sacar; y levóla en él
metida y començóle a ferir con la suya de grandes golpes; y
pues que Agrajes se vio sin espada, no fizo continente de
flaqueza, antes se metió por su espada tan presto, que el otro
no tuvo lugar de lo poder ferir, y abraçóse con él ansí como
aquel que era muy liberal; y Darasión echó la espada de la
mano y travóle fuertemente con sus braços, y tirando uno y
otro sacáronse de las sillas y cayeron en tierra; y estando
assí abraçados que se no soltavan, llegó Abiseos y firió de
grandes golpes a Agrajes, y si algo de más vagar tuviera, ma-
táralo; mas Amadís, que assí lo vio, apressuróse cuanto pudo;
y Abiseos, que la falda del arnés le alçava para la espada le
meter, llegó a él y con miedo que uvo, dexóle y cubrióse de
su escudo, y Amadís le dio en él un tan gran golpe que ge
lo fizo juntar con el yelmo, assí que le atordesció y estuvo
por caer.

Cuando Agrajes vio a su cormano cabe sí, esforçóse más
de se levantar, y Darasión assimesmo, de guisa que cada uno
tuvo por bien de soltar al otro; y levantándose en pie, y Agrajes, que la espada del otro en el suelo vio, tomóla; y Darasión echó las manos en la que en el yelmo tenía, y tiró contra sí que la sacó, y fuese cabe su padre; mas Agrajes perdía
tanta sangre de una ferida que tenía en la garganta, que todas
sus armas della eran tintas. Cuando assí lo vio, Amadís uvo
gran pesar fieramente, que se cuidó ser la llaga mortal, y díxole:

—Buen cormano, folgad vos y dexadme con estos traidores.

—Señor, no —dixo él—; no he llaga por que os dexe de
ayudar como agora véis.

—Pues a ellos —dixo Amadís.

42. El campo no está cerrado y salir de él significa renunciar a la
batalla; por ello, *A.* tiene que matar a su caballo.

Entonces los fueron ferir de muy grandes golpes. Mas cuidando Amadís que Agrajes era en peligro de su ferida, con el gran pesar creció la ira, y con ella la fuerça, de tal guisa, que a uno y al otro en poco de ora los paró tales que las armas eran fechas pedaços y las carnes poco menos. Assí que ya no pudiendo sufrir los sus muy duros golpes, andávanle fuyendo de acá y de allá, trimiendo con el gran miedo de la muerte. En esta cuita y desventura que oís se sutrió Abiseos y su fijo Darasión fasta ora de tercia, y como vio que su muerte tenía llegada, tomó la espada con ambas las manos y dexóse ir con gran ira a Amadís, y firiólo tan duramente por cima del yelmo de tal golpe, que no parescía de hombre tan mal llagado, le llagó y derribóle el canto del yelmo, y descendió la espada al ombro siniestro y cortóle una pieça del arnés con una pieça de la carne. Amadís se sintió deste golpe gravemente y no tardó mucho de le dar el pago, y dióle tan mortal golpe de toda su fuerça en el malaventurado braço con que a su hermano el rey y su señor natural él matara, que cortando junto al ombro todo gelo derribó en tierra. Cuando Amadís assí lo vio, dixo:

—Abiseos, véis ende el que con traición te puso en gran plazer y alteza y agora te porná en la muerte y fondura del infierno.

Abiseos cayó con cuita de la muerte; y Amadís miró por el otro y vio cómo Agrajes lo tenía en tierra y le avía cortado la cabeça. Entonces fueron todos los de la tierra muy ledos a besar las manos a Briolanja, su señora.

Consiliaria

Tomad enxemplo, codiciosos, aquellos que por Dios los grandes señoríos son dados en governación, que no solamente no tenei en la memoria de le dar gracias por vos aver puesto en alteza tan crecida; mas contra sus mandamientos, perdiendo el temor a El devido, no seyendo contentos con aquellos estados que vos dio, y de vuestros antecessores vos quedaron, con muertes, con fuegos y robos los agenos de los que en la ley de la verdad son, queréis usurpar y tomar, fuyendo y apartando los vuestros pensamientos de bolver vuestras sañas y codicias contra los infieles, donde todo muy bien empleado sería, no queriendo gozar de aquella gran gloria

que los nuestros Católicos Reyes en este mundo y en el otro
gozan y gozarán; porque serviendo a Dios con muchos trabajos lo fizieron. Pues acuérdeseos que los grandes estados y
riquezas no satisfazen los codiciosos y dañados apetitos, antes
en muy mayor cuantidad los encienden. Y vosotros los menores, aquellos a quien la fortuna tanto poder y lugar dio,
que seyendo puestos en sus consejos para los guiar, assí como
el timón a la gran nave guía y govierna, consejadlos fielmente; amadlos, pues que en ello servís a Dios, servís a todo lo
general. Y ahunque deste mundo no alcançáis la satisfación
de vuestros desseos, alcançaréis lo del otro, que es sin fin; y
si al contrario lo fazéis por seguir vuestras passiones, vuestras codicias, al contrario os verná todo, con mucho dolor y
angustia de vuestras ánimas; que con mucha razón se deve
creer ser todo lo más a cargo vuestro, porque los principales, o con su tierna edad o con enemiga, podría ser de sus
juizios turbarse y ponerse sin ninguna recordación de sentido en contra de las agudas puntas de las espadas, teniendo
aquello por lo mejor; assí que su culpa alguna desculpa sería,
en especial faziéndolo con vuestro consejo, pero vosotros que
estáis libres, que véis el yerro ante vuestros ojos, y teniendo
en más la gracia de los hombres mortales que la ira del muy
alto Señor, no solamente los refrenáis y procuráis de quitar
de aquel gran yerro, mas esperando de ser en mayor grado
tenidos, más aprovechados, olvidando lo espiritual, abraçáis
os con las cosas del mundo, no se vos acordando cómo muchos consejeros de los altos hombres passaron por la cruel
muerte que aquellos mismos a quien mal aconsejaron les fizieron dar; porque ahunque al presente las cosas erradas seyendo conformes a los dañados desseos mucho contentamiento den, después cuando es apartada aquella niebla oscura y
queda claro el verdadero conoscimiento, en mayor cuantidad son aborrescidas con aquellos que las aconsejaron.

Pues tomad los unos y los otros aviso en aquel rey, que
la su desordenada codicia movió su coraçón a tan gran traición, matando aquel hermano, su rey y señor natural sentado en la leal silla, haziéndole la cabeça y corona dos partes,
quedando él señoreando con mucha fuerça, con mucha gloria, a su parescer, aquel reino, creyendo tener la mudable
fortuna debaxo de sus pies. Pues ¿qué fruto destas tales flores sacó?; por cierto no otro, salvo que el Señor del mundo,
sufridor de muchas injurias, perdonador piadoso dellas, con

el devido conoscimiento y arrepentimiento, cruel vengador,
no le aviendo, permitió que allí viniesse aquel crudo esecu-
tor Amadís de Gaula, que matando a Abiseos y a sus hijos,
por él fue vengada aquella tan gran traición que aquel noble
rey fue hecha; y si sus coraçones destos muy gran estrechura
en la batalla passaron en ver las sus armas rotas, las carnes
muy despedaçadas, a causa de lo cual la cruel muerte pa-
descieron, no creáis en ello aver pagado y purgado su culpa;
antes las ánimas que con muy poco conoscimiento de aquel
que las crió, en sus yerros y pecados parcioneras, en los crueles infiernos, en las ardientes llamas, sin ninguna reparación
perpetuamente serán dañadas.

Pues dexemos aquestas cosas perescederas que de otros
muchos con grandes trabajos fueron mal ganadas y con gran
dolor dexadas, pagando lo que pecaron por las sostener, y
por nosotros por el semejante dexadas serán, y procuremos
aquellas que gloria sin fin prometen.

Torna la istoria a contar el propósito començado. Vencida esta batalla por Amadís y Agrajes, en que murieron Abiseos y sus dos valientes hijos, como ya oístes, haviéndolos
echado fuera del campo, no quiso Amadís desarmarse, ahunque llagado estava, hasta saber si algo de entrevalo que a
Briolanja para cobrar el reino avía que lo estorvasse; mas
luego llegó allí un gran señor y muy poderoso en el reino,
que Gomán avía nombre, con hasta cient hombres de su linaje y casa, que a la sazón con él se fallaron; y aquél hizo
cierto a Amadís cómo aquel reino no pudiendo más hazer,
tan largo tiempo avía seído sojuzgado de aquel que con gran
traición a su señor natural avía muerto; y que pues Dios tal
remedio pusiera, que no temiesse ni pensasse sino que todos
estavan en aquella lealtad y vasallaje que devían contra aquella su señora Briolanja.

Con esto se fue Amadís y toda la compaña a los reales
palacios, donde no passaron ocho días que todos los del reino
con mucho gozo y alegría de sus ánimos vinieron a dar la
obediencia a la reina Briolanja. Allí fue Amadís echado en
un lecho, donde nunca aquella hermosa reina, que más que
a sí mesma le amava, dél se partió, si no fuesse para dormir.
Y Agrajes, que muy peligroso herido estava, fue puesto en
guarda de un hombre que de aquel menester mucho sabía,
teniéndolo en casa por le quitar que con ninguno hablasse,

que la herida era en la garganta, y assí le convenía que lo
hiziesse.

Todo lo que más desto en este libro primero se dice
de los amores de Amadís y desta hermosa reina, fue acrescentado, como ya se vos dixo; y por esso, como superfluo y
vano, se dexará de recontar, pues que no haze al caso, antes
esto no verdadero contradiría y dañaría lo que con más razón
esta grande istoria delante vos contará. [43]

CAPÍTULO XLIII

DE CÓMO DON GALAOR Y FLORESTÁN, YENDO SU CAMINO PARA EL REINO DE SOBRADISA, ENCONTRARON TRES DONZELLAS A LA FUENTE DE LOS OLMOS

DON Galaor y Florestán estuvieron en el castillo de Corisanda, como avéis oído, hasta que fueron guaridos de
sus llagas; entonces acordaron de se partir por buscar a Amadís, que entendían fallarlo en el reino de Sobradisa, desseando que la batalla que allí avía de aver no fuesse dada hasta
que ellos llegassen y oviessen parte del peligro y de la gloria, si Dios gela otorgasse. Cuando Florestán se despidió de
su amiga, sus angustias y dolores fueron tan sobrados y con
tantas lágrimas, que ellos avían della gran piedad; y Florestán la conortava prometiéndola que lo más cedo que ser pudiesse la tornarían a ver. Della despedidos, armados y en sus
cavallos y sus escuderos consigo, se fueron a entrar en la
barca, porque a la tierra los passassen y en el camino de
Sobradisa, y Florestán dixo a don Galaor:

—Señor, otorgadme un don por cortesía.

—¿Pesará a mi señor y buen hermano? —dixo don Galaor.

—No pesará —dixo él.

—Pues demandad aquello que yo buenamente sin mi vergüença pueda complir, que de grado lo haré.

—Demándoos —dixo don Florestán— que vos no combatáis en esta carrera por cosa que avenga fasta que veáis que
yo no puedo ál hazer.

—Cierto —dixo don Galaor—, pésame de lo que me demandastes.

43.   Véase nota 39.

—No vos pese —dixo Florestán—, que si alguna cosa yo valiere, tanto es la honra vuestra como mía.

Y así les avino que en los cuatro días que por aquel camino anduvieron, nunca fallaron aventura que de contar sea; y el día postrimero llegaron a una torre a tal hora que era sazón de alvergar, y a la puerta del corral hallaron un cavallero que de buen talante los combidó, y a ellos plugo quedar allí aquella noche; y haziéndolos desarmar y tomar sus cavallos para que gelos curassen, diéronles sendos mantos que cubrieron, y anduvieron por allí hablando y holgando fasta que dentro en la torre los levaron y dieron muy bien de cenar.

Aquel cavallero cuyos huéspedes eran, era grande y hermoso y bien razonado; mas veíanle algunas vezes tornar tan triste y con tan gran cuidado, que los hermanos miraron en ello y hablavan entre sí qué cosa sería; y don Galaor dixo:

—Señor, parécenos que no sois tan alegre como sería menester, y si vuestra tristeza es por cosa en que nuestra ayuda prestar pueda, dezídnoslo y faremos vuestra voluntad.

—Muchas mercedes —dixo el cavallero—, que assí entiendo que lo haréis como buenos cavalleros; pero mi tristeza la causa fuerça de amor, y no vos diré agora más, que sería mi gran vergüença.

Y hablando en otras cosas llegóse la hora del dormir; y yéndose el huésped a su alvergue, quedaron ellos en una cámara asaz hermosa, donde dos lechos avía, en que aquella noche durmieron y descansaron; y a la mañana diéronles sus armas y cavallos y tomaron su camino, y el huésped con ellos desarmado encima de un cavallo grande y ligero por les fazer compañía y por ver lo que adelante fallavan; assí los fue guiando no por el derecho camino, mas por otro qu'él sabía, donde quería ver si eran tales en armas como su presencia lo mostrava; y anduvieron tanto fasta llegar a una fuente que en aquella tierra avia, que llamavan la fuente de los Tres Olmos, porque aí havía tres olmos grandes y altos. Pues allí llegados, vieron tres donzellas que estavan cabe la fuente; paresciéronles asaz fermosas y bien guarnidas, y encima de los olmos vieron seer un enano. Florestán se fue adelante a las donzellas y saludólas muy cortés, como aquel que era mesurado y bien criado. La una le dixo:

—Dios vos dé salud, señor cavallero; si sois tan esforçado como fermoso, mucho bien vos fizo Dios.

—Donzella —dixo él—, si tal fermosura vos paresce, mejor os paresçerá la fuerça si la menester ovierdes.

—Bien dezís —dixo ella—; y agora quiero ver si vuestro esfuerço bastará para me levar de aquí.

—Cierto —dixo Florestán—, para esso poca bondad bastaría, y pues assí lo queréis, yo os levaré.

Entonces mandó a sus escuderos que la pusiessen en un palafrén que allí atado a las ramas de los olmos estava. Cuando el enano que suso en el olmo estava aquello vio, dio grandes bozes:

—Salid, cavalleros, salid, que vos lievan vuestra amiga.

Y a estas bozes salió de un valle un cavallero bien armado encima de un gran cavallo, y dixo a Florestán:

—¿Qué es esso, cavallero; quién vos manda poner mano en mi donzella?

—No tengo yo que sea vuestra, pues que por su voluntad me demanda que de aquí la lieve.

El cavallero le dixo:

—Ahunque ella lo otorgue, no os lo consintiré yo, que la defendí a otros cavalleros mejores que vos.

—No sé —dixo Florestán— cómo será; mas si no fazés ál dessas palabras, levarla he.

—Antes sabréis —dixo él— qué tales son los cavalleros deste valle y cómo defienden a las que aman.

—Pues agora vos guardad —dixo Florestán.

Entonces dexaron correr contra sí los cavallos y hiriéronse de las lanças en los escudos, y el cavallero quebrantó su lança, y Florestán le fizo dar del brocal del escudo en el yelmo, que le fizo quebrar los lazos y derribógelo de la cabeça, y no se pudo tener en la silla, assí que cayó sobre la espada y fízola dos pedaços; Florestán passó por él y cogió la lança sobremano, y tornó al cavallero, y viólo tal como muerto, y poniéndole la lança en el rostro dixo:

—Muerto sois.

—¡Ay, señor, merced! —dixo el cavallero—; ya vedes que tal como muerto estoy.

—No aprovecha esso —dixo él—, si no otorgáis la donzella por mía.

—Otórgola —dixo el cavallero—, y maldita sea ella y el día en que la yo vi, que tantas locuras me ha fecho fazer, fasta que perdí mi cuerpo.

Florestán le dexó y fuese a la donzella, y dixo:

—Vos sois mía.

—Bien me ganastes —dixo ella—, y podéis fazer de mí lo que os pluguiere.

—Pues agora nos vayamos —dixo él.

Mas otra donzella de las que a la fuente quedavan, le dixo:

—Señor cavallero, buena compañía partistes, que un año ha que andamos de consuno, y pésanos de así nos partir.

Florestán dixo:

—Si en mi compañía queréis ir, yo os levaré, y assí no seréis de una compañía partidas, que de otra guisa no se puede fazer, porque donzella tan fermosa como ésta no la dexaría yo aquí.

—Sí es hermosa —dixo ella—; ni yo me tengo por tan fea que cualquiera cavallero por mí no deva un gran fecho acometer; mas no creyo yo que seréis vos de los que lo osassen hazer.

—¡Cómo! —dixo Florestán—, ¿cuidáis que por miedo vos dexo? Sí me Dios ayude, no era sino por no passar vuestra voluntad, y agora lo veréis.

Entonces la mandó poner en otro palafrén; y el enano dio bozes como de primero, y no tardó que salió del valle otro cavallero muy bien armado, en un buen cavallo, que muy apuesto parescía, y empós dél un escudero, que traía dos lanças, y dixo contra don Florestán:

—Don cavallero, ganastes una donzella, y no contento lleváis la otra. Agora converná que las perdáis ambas, y la cabeça con ellas, que no conviene a cavallero de tal linaje como vos tener en su guarda muger de alta guisa como la donzella es.

—Mucho vos loáis —dixo Florestán—, pues tales dos cavalleros ay en mi linaje, que los querría ante en mi ayuda que no a vos solo.

—Por preciar tú tanto los de tu linaje —dixo el cavallero— no tengo yo por esso en más; que a ti y a ellos precio tanto como nada. Mas tú ganaste una donzella de aquel que poder no tovo para la amparar, y si te yo venciere, sea la donzella mía, y si vencido fuere, lieva con ella essa otra que yo guardo.

—Contento soy de esse partido —dixo Florestán.

—Pues agora os guardad si pudierdes —dixo el cavallero.

Entonces se dexaron ir a todo el correr de los cavallos, y

el cavallero firió a Florestán en el escudo que gelo falsó y detúvose en el arnés, que era fuerte y bien mallado, y la lança quebró; y, Florestán fallesció de su encuentro y passó adelante por él; el cavallero tomó otra lança al scudero que las traía; y don Florestán, que con vergüença estava y muy sañudo porque delante su hermano el golpe errara, dexóse a él ir y encontróle tan fuertemente en el escudo que gelo falsó, y el braço en que lo traía, y passó la lança hasta la loriga, y puxólo tan fuerte que lo alçó de la silla y lo puso encima de las ancas del cavallo, el cual, como allí lo sintió, lançó las piernas con tanta braveza, que dio con él en el campo, que era duro, tan gran caída que no bullía pie ni mano. Florestán que assí lo vio, dixo a la donzella:

—Mía sois, que este vuestro amigo no os defenderá ni a sí tampoco.

—Assí me semeja —dixo ella.

Don Florestán miró contra la otra donzella que sola a la fuente quedava, y vióla muy triste, y díxole:

—Donzella, si os no pesa no os dexaría yo ende sola.

La donzella mirava contra el huésped, y díxole:

—Conséjovos que de aquí vos vades, que bien sabéis vos que estos dos cavalleros no son bastantes para os defender del que agora vená, y si vos alcança, no ay ál sino la muerte.

—Todavía —dixo el huésped— quiero ver lo que avená, que este mi cavallo es muy corredor y mi torre muy cerca, así que no ay peligro ninguno.

—¡Ay! —dixo ella—, guardaos, que no sois más de tres, y vos desarmado, y bien sabéis para contra él tanto es como nada.

Cuando esto oyó don Florestán, ovo mayor cuita de llevar la donzella, por ver aquel de quien tan altamente fablavan. Y físola cavalgar en otro palafrén como a las otras; y el enano que suso estava en el olmo, dixo:

—Don cavallero, en mal punto sois tan osado, que agora vená quien vengará a sí y a los otros.

Entonces dixo a grandes bozes:

—Acorred, señor, que mucho tardáis.

Y luego salió del valle donde los otros un cavallero que traía las armas partidas con oro, y venía en un cavallo vayo tan grande y tan fiero, que bastara para un gigante. Y el cavallero era assí muy grande y membrudo, que bien parescía en él aver muy gran fuerça y valentía. Y venía todo armado sin faltar ninguna cosa; y empós dél venían dos escuderos armados de arneses y capellinas como sirvientes, y traían sendas hachas en sus manos, grandes y muy tajadoras, de que el cavallero mucho se apreciava herir; y dixo contra don Florestán:

—Está quedo, cavallero, y no fuyas, que no te aprovechará; que todavía conviene que mueras, pues muere como esforçado y no como hombre covarde, pues por covardía no puedes escapar.

Cuando Florestán se vio amenazar de muerte y abiltar de covarde, fue tan sañudo que maravilla era, y dixo:

—Ve cativo, cosa mala y fuera de razón sin talle. Sí me ayude Dios, yo te temo como a una gran bestia sin esfuerço y coraçón.

—¡Ay —dixo el cavallero—, cómo me pesa que no seré vengado en cosa que en ti haga!; y Dios me mandasse agora que estuviessen aí los cuatro de tu linaje que tú más precias, porque les cortasse las cabeças contigo.

—De mí solo te guarda —dixo Florestán—, que yo haré, con la ayuda de Dios, que ellos sean escusados.

Entonces se dexaron assí correr las lanças baxas, y bien cubiertos de sus escudos, y cada uno havía gran saña del otro. Los encuentros fueron tan grandes en los escudos que los falsaron, y asimesmo los arneses fueron con la gran fuerça desmallados; y el gran cavallero perdió las estriberas ambas, y saliera de la silla si no se abraçara a las cervizes del cavallo; y don Florestán, que por él passó, fuese a uno de los escuderos y travóle de la hacha que tenía el otro en la mano, y tiró por ella tan rezio, que a él y a la bestia derribó en el suelo, y fue al cavallero que endreçándose en la silla avía tomado la otra hacha, que el que la tenía fue presto a gela poner en las manos, y ambas las hachas fueron alçadas, y firiéronse encima de los yelmos, que eran de fino azero, y entraron por ellos más de tres dedos, y Florestán fue assí cargado del golpe, que los carrillos le hizo juntar con el pecho, y el gran cavallero tan desacordado, que saliéndole la hacha de las manos quedó metida en el yelmo de Florestán, y no tuvo tal poder que la cabeça levantar pudiesse de sobre el cuello del cavallo; y Florestán tornó por le ferir, y como assí le tovo tan baxo, diole por entre el yelmo y la gorguera de la loriga en descubierto tal golpe, que ligeramente le derribó la cabeça a los pies del cavallo. Esto hecho, fuese a las donzellas, y la primera le dixo:

—Cierto, buen cavallero, tal ora fue, que no creía que tales diez como vos nos ganaran como vos solo nos ganastes, y derecho es que por vuestras nos tengáis.

Entonces llegó a él su huésped, que era cavallero mancebo y hermoso como ya oístes, y dixo:

—Señor, yo amo de gran amor esta donzella, y ella a mí, y avía un año que aquel cavallero que matastes me la ha tenido forçada, sin que ver me la dexasse, y agora que la puedo haver por vos, mucho vos gradesceré que no vos pese dello.

—Ciertamente, huésped —dixo él—, si assí es como lo dezís, en mí hallaréis buen ayudador; pero contra su voluntad no lo otorgaría a vos ni a otro.

—¡Ay, señor! —dixo la donzella—; a mí plaze, y ruégovos yo mucho que a él me deis, que le mucho amo.

—¡En el nombre de Dios! —dixo Florestán—, yo vos hago libre, que a vuestra voluntad hagáis.

La donzella se fue con el huésped, seyendo muy alegre. Galaor mandó tomar el gran cavallo vayo, que le paresció el más fermoso que nunca viera, y dio al huésped el que él traía; después entraron en su camino, y las donzellas con ellos, y dígovos que eran niñas y fermosas, y don Florestán tomó para sí la primera, y dixo a la otra:

—Amiga, fazed por esse cavallero lo que a él pluguiere, que yo vos lo mando.

—¡Cómo! —dixo ella—; ¿a éste que no vale tanto como una muger me queréis dar, que vos vio en tal cuita y no vos ayudó? Cierto yo creo que las armas que él trae más son para otro que para sí, según es el coraçón que en sí encierran.

—Donzella —dixo don Florestán—, yo vos juro por la fe que tengo de Dios, que vos do al mejor cavallero que yo agora en el mundo sé, si no es Amadís mi señor.

La donzella cató a Galaor. Y viole tan hermoso y tan niño, que se maravilló de aquello que dél oía, y otorgóle su amor, y la otra a don Florestán; y aquella noche fueron alvergar a casa de una dueña hermana de su huésped donde se partieran, y ella les hizo todo el servicio que pudo de que supo lo que les aveniera. Allí folgaron aquella noche, y a la mañana tornaron a su camino, y dixeron a sus amigas:

—Nos havemos de andar por muchas tierras estrañas, y hacérsevos ía gran trabajo de nos seguir; dezidnos dónde más seréis contentas que vos levemos.

—Pues así vos plaze —dixeron ellas—, cuatro jornadas de aquí, en este camino que leváis, es un castillo de una dueña nuestra tía, y allí quedaremos.

Así continuaron su camino adelante. Don Galaor preguntó a su donzella:

—¿Cómo vos tenía aquel cavallero?

—Yo vos lo diré —dixo la donzella—. Agora sabed que aquel gran cavallero que en la batalla murió, amava mucho a la donzella que vuestro huésped levó consigo; mas ella lo desamava de todo su coraçón, y amava al que la distes más que todas las cosas del mundo. Y el cavallero, como fuese el mejor destas tierras, tomóla por fuerça sin que ninguno ge lo contrallasse, y ella nunca le quiso de su grado dar su amor, y como la él tanto amasse, guardóse de la enojar, y díxole: «Mi amiga, porque con gran razón de vos pueda yo ser amado y querido como el mejor cavallero del mundo, yo haré por vuestro amor esto que oiréis: sabed que un cavallero que es nombrado en todas las partes por el mejor que nunca fue, que Amadís de Gaula es llamado, mató a mi cormano en la corte del rey Lisuarte, que Dardán el sobervio avía nombre; y a éste yo le buscaré y tajaré la cabeça, assí que toda su fama en mí será convertida; y en tanto que esto se faze, porné yo con vos dos donzellas las más fermosas desta tierra que os aguarden, y darles he por amigos dos cavalleros de los mejores de mi linaje, y sacaros hemos cada día a la Fuente de los Tres Olmos, que es passo de muchos cavalleros andantes, y si vos quisieren tomar, allí veréis fermosas justas y lo que yo en ellas faré; assí que por vuestro grado seré muy querido de vos así como vos yo amo.» Esto dicho, tomó a nosotras y dionos aquellos dos cavalleros que vencidos fueron, y anos tenido en aquella fuente un año, adonde han fecho muchas y grandes cavallerías, fasta agora que don Florestán partió el pleito.

—Ciertamente, amiga —dixo don Galaor—, su pensamiento de aquel cavallero era asaz grande, si adelante como lo dixo lo pudiera levar. Pero antes creo que passara por gran peligro si él se encontrara con aquel Amadís que él buscar quería.

—Assí me paresce a mí —dixo ella—, según la mejoría conoscéis que sobre vosotros tiene.

—¿Cómo avía nombre aquel cavallero? —dixo Galaor.

—Alumas —dixo ella—; y creed que si su gran sobervia no lo estragara, que de muy alto fecho de armas era.

En esto y en otras cosas fablando anduvieron tanto, que llegaron al castillo de la tía, donde muy servidos fueron, sabiendo la dueña cómo don Florestán matara Alumas y a sus compañeros venciera, que a tan sin causa y razón aquellas sus sobrinas con mucha deshonra por fuerça tenían. Pues dexándolas allí, cavalgaron otro día y anduvieron tanto que a los cuatro días fueron en una villa del reino de Sobradisa; y allí supieron cómo Amadís y Agrajes mataron en la batalla Abiseos y sus fijos y avían fecho reina a Briolanja sin entrevallo alguno, de que ovieron muy gran gozo y plazer, y dieron muchas gracias a Dios. Y partiendo de allí llegaron a la cibdad de Sobradisa y fuéronse derechamente a los palacios, sin que persona los conosciesse; y descavalgando de sus cavallos entraron donde Amadís y Agrajes, que ya sanos de sus feridas eran, y estavan con la nueva y fermosa reina.

Cuando Amadís assí los vio, que ya por la donzella que a don Galaor avía guiado la conoscía, y vio a don Florestán tan grande y tan fermoso, y que de su alta bondad ya tenía noticia, fue contra él cayéndole de los ojos lágrimas de alegría. Y don Florestán fincó ante él los inojos por le besar las manos, mas Amadís lo levantó abraçándole y besándole, y preguntándole muy por estenso de las cosas que acaescido le avían; y después fabló a don Galaor, y ellos a su cormano Agrajes, que le mucho amavan.

Cuando la fermosa reina Briolanja vio en su casa tales cuatro cavalleros, aviendo tanto tiempo estado desheredada y con tanto miedo encerrada en un solo castillo, donde cuasi por piedad la tenían, y que agora cobrava en su honra, en su reino con tan gran buelta de la rueda de la fortuna, y que no solamente para lo defender tenía aparejo, mas ahún para conquistar los agenos, fincó los inojos en tierra después de aver con mucho amor aquellos dos hermanos recebido, dando grandes gracias al muy poderoso Señor, que en tal forma y con tan grande piedad della se acordara, y dixo a los cavalleros:

—Creed cierto, señores, estas tales bueltas y mudanças, maravillas son del muy alto Señor, que a nos cuando las vemos muy grandes parescen, y ante el su gran poder en tanto como nada con razón deven ser tenidas.

Pues veamos agora estos grandes señoríos, estas riquezas que tantas congoxas, cuitas, dolores y angustias nos atraen por las ganar, y ganadas por las sostener, ¿sería mejor como superfluas y crueles atormentadoras de los cuerpos y más de las ánimas, dexarlas y aborrescerlas, viendo no ser ciertas ni turables? Por cierto digo que no; antes afirmo que seyendo con buena verdad, con buena conciencia ganadas y adqueridas, y faziendo templadamente dellas satisfación aquel Señor que las da, reteniendo en nos tanta parte, no para que la voluntad, mas para que la razón satisfecha sea, podríamos en este mundo alcançar descanso, plazer y alegría, y en el otro perpetuo, perpetuamente en la gloria gozar del fruto dellas.

(ACÁBASE EL PRIMERO LIBRO DE AMADÍS)

COMIENÇA EL LIBRO SEGUNDO
DE AMADÍS DE GAULA

PORQUE las grandes cosas que del libro cuarto de Amadís redundaron desde la Insola Firma fueron, assí como por él paresce, conviene que en este segundo se haga relación qué cosa esta Insola fue, y quién aquellos encantamentos que en ella ovo y grandes riquezas desto; pues que seyendo éste el comienço del dicho libro, en el lugar que conviene va relatado.

Fue un rey en Grecia casado con una hermana del emperador de Costantinopla, en la cual ovo dos fijos muy fermosos, especialmente el mayor, que Apolidón ovo nombre, que así de fortaleza del cuerpo como de esfuerço de coraçón en su tiempo ninguno igual le fue; pues éste, dándose a las sciencias de todas artes con el su sotil ingenio, que muy pocas vezes con la gran valentía se concuerda, tanto dellas alcançó, que así como la clara luna entre las estrellas, más que todos los de su tiempo resplandescía, especial en aquellas de nigromancia, maguer que por ellas las cosas impossibles paresce que se obran. Pues este rey, su padre destos dos infantes, seyendo muy rico de dinero y pobre de la vida según su gran vejez, veyéndose en el estremo de la muerte, mandando que el su fijo Apolidón, por ser mayor, el reino le quedasse; al otro los sus grandes thesoros y libros, que muchos eran y mucho valían, dexava; mas él desto no contento, con muchas lágrimas a su padre dezía que con aquello cuasi deseredado era.

El padre, torciendo sus manos, no podiendo más fazer, en gran angustia su coraçón estava; mas aquel famoso Apolidón, que assí para las grandes afruentas como para los auctos de virtud su coraçón dino era, veyendo la cuita del padre y la poquedad del hermano, dixo que porque su alma consolada fuesse, que tomando él los thesoros y sus libros, a su hermano dexaría el reino; de lo cual el rey su padre muy consolado, con muchas lágrimas de piedad, su bendición le dio. Pues tomando Apolidón los grandes thesoros y los libros, aparejar fizo ciertas naves, así de buenos cavalleros escogidos como de bastimientos y armas, y en ellas metido, por la mar se fue, no a otra parte sino donde la ventura lo guiava; la cual, veyendo cómo este infante su albricio se ponía, quiso que aquella grande obediencia de su viejo padre, dada con mucha gloria y mucha grandeza, pagada le fuesse, atrayendo viento tan próspero que sin entrevallo la su flota en el imperio de Roma arribó, donde a la sazón emperador era el Siudán llamado, del cual fue muy bien recebido; y allí estando algún espacio de tiempo juntas las sus grandes cosas en armas que ante por otras tierras havía fecho; de las cuales en gran estima será su gran loor enxalçado con las presentes que allí fizo, fue causa que con demasiado amor, de una hermana del emperador, Grimanesa llamada, amado fue, que por todo el mundo su gran fama y hermosura en aquel tiempo entre todas las mugeres florescía; de que se siguió que assí él amándola como amado era, no teniendo el uno y otro coperança de ser sus amores en efecto venidos por ninguna guisa, a consentimiento de los dos, salida Grimanesa de los palacios del emperador su hermano, y puesta en la flota de su amigo Apolidón, por la mar navegando a la Insola Firme aportaron, que de un gigante bravo señoreada era; donde Apolidón, sin saber qué tierra fuesse, mandó sacar una tienda y un rico estrado en que su señora folgasse, que muy enojada de la mar andava.

Mas luego, a la ora, el bravo gigante armado a ellos veniendo, en gran sobresalto los puso; con el cual, según la costumbre de la Insola, por salvar a su señora y a sí y su compañía, Apolidón se combatió, y venciéndole con su sobrada bondad y valentía, quedando muerto en el campo, fue Apolidón libre del señor de la misma insola; que después de aver visto la su gran fortaleza, no solamente al emperador de Roma, a quien enojado tenía por así le aver traído a su hermana, mas a todo el mundo no temía; en la cual por ser el gigante tan malo y sobervio muy desamado de todos era; y Apolidón, después de ser conoscido, muy amado fue.

Ganada la Insola Firme por Apolidón, como avéis oído, en ella con su amiga Grimanesa moró XVI años, con tanto plazer, que sus ánimos satisfechos fueron de aquellos deseos mortales que el uno por el otro passado havían; en que en aquel tiempo fueron hechos muy ricos edificios, assí con sus grandes riquezas como con su sobrado saber, que a cualquiera emperador o rey, por rico que fuesse, fueran muy graves de acabar.

En cabo destos años, muriendo el emperador de Grecia sin heredero, conociendo los griegos las bondades deste Apolidón y ser de aquella sangre y linaje de los emperadores por parte de su madre, de todos en una concordia y voluntad elegido fuc, embiando a él allí donde en la ínsola estava sus mensajeros, por los cuales le hazían saber quererlo por su emperador. Apolidón, veyendo ofreçérsele un tan gran imperio, como quiera que en aquella ínsola todos los deleites que hallarse podrían alcançasse, y conoçiendo que de los grandes señoríos antes fatigas y trabajos que deleites y plazeres se alcançan, y si algunos ay son mezclados con amargos xaropes, siguiendo lo natural de los hombres mortales, que de su desseo, do siempre dessean, no es contento ni harto, acordó con su amiga que, dexando aquello donde estavan, tomassen el imperio que se les ofreçía; mas ella, haviendo gran manzilla, que una cosa tan señalada como lo era aquella ínsola, donde tales y tan grandes cosas quedavan, posseída por aquel su grande amigo, el mejor cavallero en armas que en el mundo se hallava, y por ella, que por el semejante sobre todas las de su tiempo su gran hermosura loada era, y junto con esto ser amados de sí mismos en la misma perfeción que del amor alcançarse puede, rogó Apolidón que ante de su partida dexasse allí por su gran saber cómo en los venideros tiempos aquel lugar señoreado no fuese sino por persona que, assí en fortaleza de armas como en lealtad de amores y de sobrada fermosura, a ellos entrambos paresciesse. Apolidón le dixo:

—Mi señora, pues que assí os plaze, yo lo haré de guisa que de aquí ninguno señor ni señora ser pueda, sino aquellos que más señalados en lo que havéis dicho sean.

Estonces hizo un arco a la entrada de una huerta, en que árboles de todas naturas havía; y otrosí havía en ella cuatro cámaras ricas de straña lavor; y era cercada de tal forma que ninguno a ella podía entrar sino por debaxo del arco; encima dél puso una imagen de hombre, de cobre, y tenía una trompa en la boca como que quería tañer; y dentro en el un palacio de aquellos, puso dos figuras a semejança suya y de su amiga, tales que bivas pareçían, las caras propiamente como las suyas y su estatura, y cabe ellas una piedra jaspe muy clara; y fizo poner un padrón de fierro de cinco codos en alto, a un medio trecho de ballesta del arco, en un campo grande que ende era, y dixo:

—Daquí adelante no passarán ningún hombre ni mujer si ovieren errado aquellos que primero començaron amar; porque la imagen que vedes tañer aquella trompa con son tan spantoso, a fumo y llamas de fuego que los fará ser tollidos y assí como muertos serán deste sitio lançados. Pero si tal cavallero o dueña o donzella aquí viniere, que sean dinos de acabar esta aventura por la gran lealtad suya, como ya dixe, entrarán sin ningún entrevallo, y la imagen hará tan dulce son, que muy sabroso sea de oír a los que lo vieren, y éstos verán las nuestras imágenes y sus nombres scriptos en el jaspe, que no sepan quién los escrive.

Y tomándola por la mano a su amiga, la fizo entrar debaxo del arco, y la imagen fizo el dulce son, y mostróle las imágenes y sus nombres dellos en el jaspe scriptos; y saliéndose fuera, ovo Grimanesa talante de los hazer provar, y mandó entrar algunas dueñas y donzellas suyas, mas la imagen haziendo el spantoso son, con gran fumo y llamas de fuego, luego fueron tollidas sin sentido alguno y lançadas fuera del marco, y los cavalleros por el semejante; de que Grimanesa, seyendo cierta sin peligro ser, con mucho plazer dellos se reía; gradeçiendo mucho a su amado amigo Apolidón aquello que tanto en satisfación de su voluntad havía hecho; y luego le dixo:

—Mi señor, pues ¿qué será de aquella rica cámara en que tanto plazer y deleite ovimos?

—Agora —dixo él— vamos allá y veréis lo que aí faré.

Estonces se fueron donde la cámara era; y Apolidón mandó traer dos padrones, uno de piedra y otro de cobre; y el de piedra fizo poner a cinco passos de la puerta de la cámara, y el de cobre otros cinco más desviado, y dixo a su amiga:

—Agora sabed que en esta cámara no puede hombre ni mujer entrar en ninguna manera ni tiempo, hasta que aquí venga tal cavallero que de bondad de armas me passe, ni muger, si a vos de fermosura no passare; pero si tales vinieren que a mí de armas y a vos de hermosura vençan, sin estorvo alguno entrarán.

Y puso unas letras en el padrón de cobre que dezían:

«Daquí passarán los cavalleros en que gran bondad de

armas oviere; cada uno según su valor, assí passará adelante.»

Y puso otras letras en el padrón de piedra, que dezían:

«De aquí no passará sino el cavallero que de bondad de armas a Apolidón passare.»

Y encima de la puerta de la cámara puso unas letras que dezían:

«Aquel que me passare de bondad entrará en la rica cámara y será señor desta ínsola. Y assí llegarán las dueñas y donzellas, assí que ninguna entrará dentro si a vos de fermosura no passare.»

Y fizo con su sabiduría tal encantamento, que con doze passos al derredor ninguno a la cámara llegar podía, ni tenía otra entrada sino por la vía de los padrones que havéis oído; y mandó que en aquella ínsola oviesse un governador que la rigiesse y cogiesse las rentas della y fuessen guardadas para aquel cavallero que ventura oviesse de entrar en la cámara, y fuesse señor de la ínsola; y mandó que los que falleçiessen en lo del arco de los amadores, que sin los hazer honra los echassen fuera, y a los que lo acabassen los sirviessen; y dixo más, que los cavalleros que la cámara provassen y no pudiessen entrar al padrón de cobre, que dexassen allí las armas; y los que algo del padrón passassen, que les no tomassen sino las spadas, y los que al padrón de mármol llegassen, que les no tomassen sino los scudos; y si tales viniessen que deste padrón passassen y no pudiessen entrar, que les tomassen las spuelas. Y a las donzellas y dueñas que les no tomassen cosa, salvo que diziendo sus nombres los pusiessen en la puerta del castillo, señalando a do cada una havía llegado; y dixo:

—Cuando esta ínsola oviere señor, se desfará el encantamento para los cavalleros, que libremente podrán passar por los padrones y entrar en la cámara, pero no lo será para las mujeres hasta que venga aquella que por su gran fermosura la ventura acabará, y alvergare con el cavallero que el señorío havrá ganado, dentro en la rica cámara.

Esto assí fecho, Apolidón y Grimanesa, dexando a tal recaudo la Insola Firme, como oído havéis, en sus naos partieron dende y passaron en Grecia, donde fueron emperadores, y ovieron hijos, que en el imperio después de sus días sucedieron.

Mas agora, dexando de hablar más en esto, se os contará

lo que Amadís y sus hermanos y Agrajes, su cormano, hizieron después que fueron partidos de casa de la hermosa reina Briolanja.

CAPÍTULO XLIV

CÓMO AMADÍS, CON SUS HERMANOS Y AGRAJES, SU CORMANO, SE PARTIERON ADONDE EL REY LISUARTE ESTAVA, Y CÓMO LES FUE AVENTURA DE IR A LA INSOLA FIRME ENCANTADA A PROVAR DE LAS AVENTURAS, Y LO QUE ALLÍ LES ACAEÇIÓ

AMADÍS estando, y sus hermanos y su cormano Agrajes, con la nueva reina Briolanja en el reino de Sobradisa, donde della muy honrados y de todos los del reino muy servidos eran, pensando siempre Amadís en su señora Oriana y en la su gran hermosura, de grandes angustias, de grandes congoxas su coraçón era atormentado, derramando tantas lágrimas durmiendo y velando, que por mucho que las él quería encubrir, manifiestas a todos eran; pero no sabiendo la causa dellas, en diversas maneras las juzgavan, porque assí como el caso grande era, assí con la su mucha discreción el secreto era guardado, como aquel que en su fuerte coraçón todas las cosas de virtud encerradas tenía; mas ya no pudiendo su atribulado coraçón tanta pena sufrir, demandó licencia a la muy hermosa reina con sus compañeros, y en el camino donde el rey Lisuarte estava se puso, no sin gran dolor y angustia de aquella que más que a sí lo amava.

Pues algunos días con gran deseo caminando, la fortuna, porque assí le plugo, con mayor tardança qu'él quisiera ni pensava lo quiso estorvar, cómo agora oiréis, que hallando en el camino una hermita, y entrando en ella a fazer oración, vieron una donzella hermosa y otras dos donzellas y cuatro escuderos que la guardavan, la cual ya de la hermita saliera, y a ellos esperando en el camino; cuando a ella llegaron, les preguntó adónde era su camino. Amadís le dixo:

—Donzella, a casa del rey Lisuarte imos, y si allá vos plaze ir, acompañaros hemos.

—Mucho vos lo gradezco —dixo ella—, mas yo voy a otra parte, y porque vos vi andar armados como a cavalleros que las aventuras demandan, acordé de os atender si querría ir alguno de vosotros a la Insola Firme, por ver las estrañas cosas y maravillas que aí son, que yo allá voy, y soy hija del governador que agora la ínsola tiene.

—¡O, Santa María! —dixo Amadís—; por Dios, muchas vezes oí dezir de las maravillas de essa ínsola, y por dicho me tenía de las ver y fasta agora no se me aparejó.

—Buen señor, no os pese por lo aver tardado —dixo ella—; que otros muchos tovieron esse desseo, y cuando lo pusieron en obra no salieron de allí tan ledos como entraron.

—Verdad dezís —dixo él—, según lo que dende he oído; mas decidme, ¿rodearíamos mucho de nuestro camino si por ende fuéssemos?

—Rodearíades dos jornadas —dixo la donzella—; contra esta parte de la gran mar es esta Insola Firme.

Dixo él:

—¿Dónde es el arco encantado de los leales amadores, donde ningún hombre ni mujer entrar puede si erró aquella o aquel que primero començó amar?

—Esta es, por cierto —dixo la donzella—, que assí esso como otras muchas cosas de maravilla ay en ella.

—Estonces —dixo Agrajes a sus compañeros— yo no sé lo que vosotros faréis, mas yo ir quiero con esta donzella y ver las cosas de aquella ínsola.

Ella le dixo:

—Si sois tan leal amador que so el arco encantado entrardes, allí veréis las fermosas imágines de Apolidón y Grimanesa y vuestro nombre scripto en una piedra, donde hallaréis otros dos nombres scriptos y no más, ahunque ha cient años que aquel encantamento se fizo.

—A Dios vayáis —dixo Agrajes—, que yo provaré si podré ser el tercero.

Amadís, que no menos esperança tenía de aquella ventura acabar, según en su coraçón sentía, dixo contra sus hermanos:

—Nosotros no somos enamorados, mas ternía por bien que aguardássemos a nuestro cormano, que lo es y loçano de coraçón.

—¡En el nombre de Dios! —dixeron ellos—; a Él plega que sea por bien.

Estonces movieron todos cuatro juntos con la donzella camino de la Insola Firme. Don Florestán dixo a Amadís:

—Señor, ¿vos sabéis algo desta ínsola, que yo nunca della,

ahunque muchas tierras he andado, he oído hasta agora nada
dezir?

—A mí me ovo —dixo Amadís— dicho un cavallero mancebo que yo mucho amo, que es Arbán, rey de Norgales,
que muchas aventuras ha provado, que ya estuvo él en esta
ínsola cuatro días, y que punara de ver estas aventuras y maravillas que en ella son, mas que a ninguna pudiera dar cabo,
y que se partió de allí con gran vergüença; mas esta donzella os lo puede muy bien dezir, que es allí moradora, y según
dize es hija del governador que la tiene.

Don Florestán dixo a la donzella:

—Amiga señora, ruégovos, por la fe que a Dios devéis,
que me digáis todo lo que desta ínsola sabéis, pues que la
largueza del camino a ello nos da lugar.

—Esso haré yo de grado, como lo aprendí de aquellos en
quien en la memoria les quedó.

Estonces le contó todo lo que la historia vos ha relatado,
sin faltar ninguna cosa, de que no solamente maravillados
de oír cosas tan estrañas fueron, mas muy deseosos de las
provar, como aquellos que siempre sus fuertes coraçones no
eran satisfechos sino cuando las cosas en que los otros falleçían que ellos las provavan, desseándolas acabar sin ningún
peligro temer.

Pues assí como oís, anduvieron tanto que fue puesto el
sol, y entrando por un valle vieron en un prado tiendas armadas y gentes cabe ellas que andavan holgando; mas entre
ellos era un cavallero ricamente vestido, que les pareçió ser
el mayor de todos ellos. La donzella les dixo:

—Buenos señores, aquel que allí véis es mi padre, y quiero a él ir porque os faga honra.

Estonces se partió dellos, y diziendo al cavallero la demanda de los cuatro compañeros, vínose assí a pie con su
compaña a los recebir, y, desque se ovieron saludado, rogóles que en una tienda se desarmassen, y que otro día podrían subir al castillo y provar aquellas aventuras. Ellos lo
tovieron por bien, assí que desarmados y cenando, seyendo
muy bien servidos, folgaron allí aquella noche; y otro día de
mañana, con el governador y otros de los suyos, se fueron
al castillo por donde toda la ínsola se mandava, que no era
sino aquella entrada, que sería una echadura de arco de tierra firme; todo lo ál estava de la mar rodeado, ahunque en
la ínsola havía siete leguas en largo y cinco en ancho, y por

aquello que era ínsola, y por lo poco que de tierra firme tenía, llamáronla Insola Firme.

Pues allí llegados, entrando por la puerta vieron un gran palacio, las puertas abiertas y muchos escudos en él puestos en tres maneras, que bien ciento dellos estavan acostados a unos poyos, y sobre ellos estavan diez más altos, y en otro poyo, sobre los diez, estavan dos, y el uno dellos estava más alto que el otro más de la meitad. Amadís preguntó que por qué los pusieran assí, y dixéronle que assí era la bondad de cada uno cuyos los scudos eran, que en la cámara defendida quisieron entrar, y los que no llegaron al padrón de cobre estavan los scudos en tierra, y los diez que llegaron al padrón estavan más altos, y de aquellos dos el más baxo passó por el padrón de cobre, mas no pudo llegar al otro, y el que estava más alçado llegó al padrón de mármol y no passó más adelante. Estonces Amadís se llegó a los escudos por ver si conoçería alguno dellos, que en cada uno havía un rótulo de cuyo fuera, y miró los diez, y entre ellos estava uno más alto buena parte, y tenía el campo negro y un león assí negro,[44] pero havía las uñas blancas y los dientes y la boca bermeja, y conoçió que aquél era de Arcaláus; y miró los dos scudos que más alçados estavan, y el más baxo havía el campo indio y un gigante en él figurado, y cabe él un cavallero que le cortava la cabeça, y conoció ser aquél del rey Abiés de Irlanda, que allí viniera dos años ante que con Amadís se combatiera; y cató el otro, y también havía el campo indio y tres flores de oro en él, y aquél no lo pudo conoçer; mas leó las letras que en él havía, que dezían: «este scudo es de don Cuadragante, hermano del rey Abiés de Irlanda», que no havía más de doze días que aquella aventura provara y llegara al padrón de mármol, donde ningún cavallero havía llegado, y él era venido de su tierra a la Gran Bretaña por se combatir con Amadís por vengar la muerte del rey Abiés, su hermano. Desque Amadís vio los escudos, mucho dudó aquella aventura, pues que tales cavalleros no la acavaron; y salieron del palacio y fueron al arco de los leales amadores, y llegando al sitio que la entrada defendía, Agrajes se llegó

---

44. El escudo de Arcaláus infringe la ley heráldica (blasonar metal sobre metal) y la más elemental ley de visibilidad: no se puede distinguir un león negro sobre campo negro, incluso linguado de gules y armado de plata (Riquer, vid. Bibl.)

al mármol, y descendiendo de su cavallo y acomendándose a Dios, dixo:

—Amor, si vos he sido leal, membradvos de mí.

Y passó el marco, y llegando so el arco, la imagen que encima estava començó un son tan dulce que Agrajes y todos los que lo oían sentían gran deleite, y llegó al palacio donde las imágenes de Apolidón y de Grimanesa estavan, que no les pareçió sino propiamente bivas; y miró el jaspe y vio allí dos nombres scriptos y el suyo, y el primero que vio dezía:

«Esta aventura acabó Madavil, fijo del duque de Borgoña.»

Y el otro dezía: «Este es el nombre de don Bruneo de Bonamar, hijo de Valladas, el marqués de Troque.»

El suyo dezía: «Este es Agrajes, fijo de Languines, rey de Scocia.»

Y este Madavil amó a Guinda Flamenca, señora de Flandres, y don Bruneo no havía más de ocho días que aquella aventura acabara; y aquella qu'él amava era Melicia, hija del rey Perión de Gaula, hermana de Amadís. Entrando Agrajes, como oyó so el arco de los leales amadores, dixo Amadís a sus hermanos:

—¿Provaréis vosotros esta aventura?

—No —dixeron ellos—; que no somos tan sojuzgados a esta passión que la merezcamos acabar.

—Pues vos sois dos —dixo Amadís—, hazedvos compañía, y yo, si pudiere, la haré a mi cormano Agrajes.

Estonces dió su cavallo y sus armas a su scudero Gandalín y fuese adelante lo más presto que él pudo sin temor ninguno, como aquel que sentía no haver errado a su señora, no solamente por obra, mas por el pensamiento; y como fue so el arco, la imagen començó a hazer un son mucho más diferenciado en dulçura que a los otros hazía, y por la boca de la trompa lançava flores muy hermosas que gran olor davan, y caían en el campo muy espessas, assí que nunca a cavallero que allí entrasse fue lo semejante hecho; y passó donde eran las imágenes de Apolidón y Grimanesa; con mucha afición las estovo mirando, pareciéndole muy hermosas, y tan frescas como si bivas fuessen. Y Agrajes, que algo de sus amores entendía, vino contra él de donde por la huerta andava mirando las estrañas cosas que en ella havía, y abraçándolo, le dixo:

—Señor cormano, no es razón que de aquí adelante nos encubramos nuestros amores.

Mas Amadís no le respondió, y tomándole por la mano se fueron mirando aquel lugar, que muy sabroso y deleitoso era de ver. Don Galaor y Florestán, que de fuera los atendían, y viendo que tardavan, acordaron de ir a ver la cámara defendida, y rogaron a Isanjo, el governador, que gela mostrasse. El les dixo que le plazía, y tomándolos consigo fue con ellos y mostróles la cámara por de fuera y los padrones que ya oístes. Y don Florestán dixo:

—Señor hermano, ¿qué queréis hazer?

—Ninguna cosa —dixo él—; que nunca huve voluntad de acometer las cosas de encantamentos.

—Pues folgaos —dixo don Florestán—; que yo ver quiero lo que hazer podré.

Estonces, encomendándose a Dios, y poniendo su escudo delante y la spada en la mano, fue adelante, y entrando en lo defendido sentióse ferir de todas partes con lanças y spadas de tan grandes golpes y tan espessos, que le semejava que ningún hombre lo podría sofrir; mas él, como era fuerte y valiente de coraçón, no quedava de ir adelante, heriendo con su spada a una y a otra parte, y semejávale en la mano que hería hombres armados y que la espada no cortava; assí passó el padrón de cobre y llegó hasta el de mármol, y allí cayó y no pudo ir más adelante, tan desapoderado de toda su fuerça, que no tenía más sentido que si muerto fuesse; y luego fue lançado fuera del sitio, como lo fazían a los otros. Don Galaor, que assí lo vio, ovo dél mucho pesar, y dixo:

—Comoquiera que mi voluntad desta prueva apartada estoviesse, no dexaré de tomar mi parte del peligro.

Y mandando a los escuderos y al enano que dél no se partiessen y le echassen del agua fría por el rostro, tomó sus armas, y acomendándose a Dios, fuese contra la puerta de la cámara, y luego le herieron de todas partes de muy duros y grandes golpes, y con gran cuita llegó al padrón de mármol y abraçóse con él y detúvose un poco; mas cuando un passo dio adelante, fue tan cargado de golpes que, no lo podiendo sofrir, cayó en tierra, assí como don Florestán, con tanto desacuerdo que no sabía si era muerto ni si bivo; y luego fue lançado fuera assí como los otros. Amadís y Agrajes, que gran pieça havían andado por la huerta, tornáronse a las imágines y vieron allí, en el jaspe, su nombre scripto, que dezía:

«Éste es Amadís de Gaula, el leal enamorado, fijo del rey Perión de Gaula.»

Y assí estando leyendo las letras con gran plazer, llegó al marco Ardián, el enano, dando bozes, y dixo:

—¡Señor Amadís, acorred, que vuestros hermanos son muertos!

Y como esto oyó, salió de allí presto, y Agrajes tras él, y preguntando al enano qué era lo que dezía, dixo:

—Señor, prováronse vuestros hermanos en la cámara y no la acabaron y quedaron tales como muertos.

Luego cavalgaron en sus cavallos y fueron donde estavan, y fallólos tan maltrechos como ya oístes, ahunque ya más acordados. Agrajes, como era de gran coraçón, descendió presto del cavallo, y al mayor passo que pudo se fue con su espada en la mano contra la cámara, heriendo a una y a otra parte; mas no bastó su fuerça de sofrir los golpes que le dieron y cayó entre el padrón de cobre y el de mármol, y atordido como los otros, lo levaron fuera. Amadís començó a maldezir la venida que allí hizieran, y dixo a don Galaor, que ya cuasi en su acuerdo estava:

—Hermano, no puedo escusar mi cuerpo de lo no poner en el peligro que los vuestros.

Galaor lo quisiera detener, mas él tomó presto sus armas y fuese adelante, rogando a Dios que le ayudasse, y cuando llegó al lugar defendido, paró un poco y dixo:

—¡O, mi señora Oriana, de os me viene a mí todo el esfuerço y ardimiento; membradvos, señora, de mí a esta sazón en que tanto vuestra sabrosa membrança me es menester!

Y luego passó adelante y sintióse herir de todas partes duramente, y llegó al padrón de mármol, y, passando dél, pareçióle que todos los del mundo eran a lo ferir, y oía gran roído de bozes, como si el mundo se fundiesse, y dezían:

Si este cavallero tornáis, no ay agora en el mundo otro que aquí entrar pueda.

Pero él, con aquella cuita, no dexava de ir adelante, cayendo a las vezes de manos y otras de rodillas, y la espada con que muchos golpes diera havía perdido de la mano y andava colgada de una correa, que la no podía cobrar; assí llegó a la puerta en la cámara y vio una mano que lo tomó por la suya y lo metió dentro, y oyó una boz que dixo:

—Bien venga el cavallero que passando de bondad aquel

que este encantamiento hizo, que en su tiempo par no tuvo, será de aquí señor.

Aquella mano le pareçió grande y dura, como de hombre viejo, y en el braço tenía vestida una manga de xamete verde; y como dentro en la cámara fue, soltóle la mano, que la no vio más, y él quedó descansado y cobrado en toda su fuerça, y quitándose el scudo del cuello y el yelmo de la cabeça, metió la espada en la vaina y gradeció a su señora Oriana aquella honra que por su causa ganara.

A esta sazón, todos los del castillo, que las bozes oyeran de cómo le otorgavan el señorío y le vieron dentro, començaron a dezir en alta boz:

—Señor, havemos complido, a Dios loor, lo que tanto deseado teníamos.

Los hermanos, que más acordados eran, y vieron cómo Amadís acabara lo que todos havían faltado, fueron alegres por el gran amor que le tenían, y como estavan se mandaron llevar a la cámara, y el governador, con todos los suyos, llegaron a Amadís, y por señor le besaron las manos. Cuando vieron las cosas estrañas que dentro en la cámara havía de labores y riquezas, fueron espantados de lo ver; mas no era nada con un apartamiento que allí se fazía, donde Apolidón y su amiga alvergavan, y ésta era de tal forma que no solamente ninguno podría alcançar a fazerlo, mas ni entender cómo fazerse podría; y era de tal forma, que estando dentro podían ver claramente lo que de fuera se fiziesse, y los de fuera por ninguna guisa no verían nada de lo de dentro. Allí stovieron todos una gran pieça con gran plazer: los cavalleros, porque en su linaje oviesse tal cavallero que passasse de bondad a todos los del mundo presentes y cient años a çaga; los de la ínsola, por haver cobrado tal señor con quien esperavan ser bienaventurados y señorear desde allí otras muchas tierras. Isanjo, el governador, dixo Amadís:

—Señor, bien será que comáis y descanséis, y mañana serán aquí todos los hombres buenos de la tierra y os farán omenaje, recibiéndovos por señor.

Con esto se salieron, y entrados en un gran palacio, comieron de aquello que adereçado estava; y holgando aquel día, luego el siguiente, vinieron allí asonados todos los más de la ínsola con grandes juegos y alegrías; quedando ellos por sus vasallos, tomaron a Amadís por su señor con aquellas seguridades que en aquel tiempo y tierra se acostumbrava.

Assí como la historia ha contado, fue la Insola Firme por Amadís ganada en cabo de cient años que aquel fermoso Apolidón la dexó con aquellos encantamientos, que verdaderos testigos fueron que en todo este medio tiempo nunca allí aportó cavallero que a la su bondad passasse. Pues si desto tal gloria y fama alcançó, júzguenlo aquellos que las grandes cosas con las armas trataron, vencedores y vencidos, los primeros sintiendo en sí lo que este cavallero Amadís sintir pudo, y los otros la victoria esperando, al contrario convertida, la desventura suya llorando; pues, de estos dos estremos, ¿cuál havremos el mejor?; por cierto, digo, qu'el primero, según la flaqueza humana, que medida no tiene, puede atraer con sobervia grandes pecados, y el segundo, gran desesperación; ¿quién se porná entre ellos que lo mejor lieve? Aquel iuizio razonable dado del Señor verdadero a los hombres sobre todas las cosas bivas, que conoçe lo próspero y adverso no ser durable, dotrinando y esforçando el coraçón a que a lo uno y otro sojuzgue, éste podría alcançar el medio bienaventurado. Pues, ¿tomara este medio Amadís de Gaula en lo que agora la movible fortuna le apareja, mostrando los veleños y ponçoñas que en medio destas tales alegrías, desta tan grande alteza escondidos tenía? Yo creo que no; antes, assí como sin medida las cosas fasta allí favorables le ocurrieron, sin entrevallo alguno ni combate que con la fortuna havido oviesse, assí, sin comparación, su coraçón y discreción serán della vencidos y sojuzgados, no le valiendo ni remediando las fuertes armas, la sabrosa membrança de su señora, la braveza grande del coraçón; mas la gran piedad de aquel Señor que por reparo de los pecadores, de los atribulados en este mundo vino, como agora lo triste y después lo alegre se os contará.

Como ya os dixe ante desto en la primera parte desta grande historia, cómo seyendo Oriana, por las palabras que al enano oyó de las pieças de la espada, a la ira y saña sojuzgada, y puesta en tan grande alteración, que muy poco fruto sacaron Mabilia ni la donzella de Denamarcha de los verdaderos consejos que por ellas le fueron dados, y agora se os contará lo que sobre esto fizo ella desde aquel día, siempre dando lugar que la passión suya creçiesse; mudada su acostumbrada condición, que era estar en la compañía de aquéllas, apartándose con mucha esquiveza, todo lo más del tiempo estava sola, pensando cómo podría, en vengança de su saña, dar la pena que mereçía aquel que la causara; y acordó que, pues la presencia apartada era, que en absencia todo su sentimiento por scripto manifiesto le fuesse, y fallándose sola en su cámara, tomando de su cofre tinta y pargamino, una carta scrivió que dezía assí:

CARTA QUE LA SEÑORA ORIANA EMBÍA A SU AMANTE AMADÍS

«Mi raviosa quexa acompañada de sobrada razón, da lugar a que la flaca mano declare lo que el triste coraçón encubrir no puede contra vos, el falso y desleal cavallero Amadís de Gaula, pues ya es conoçida la deslealtad y poca firmeza que contra mí, la más desdichada y menguada de ventura sobre todas las del mundo, havéis mostrado, mudando vuestro querer de mí, que sobre todas las cosas vos amava, poniéndole en aquella que, según su edad, para la amar ni conoçer su discreción basta. Y pues otra vengança mi sojuzgado coraçón tomar no puede, quiero todo el sobrado y mal empleado amor que en vos tenía apartarlo. Pues gran yerro sería querer a quien a mí desamando todas las cosas desamé por le querer y amar. ¡O, qué mal empleé y sojuzgué mi coraçón, pues en pago de mis sospiros y passiones, burlada y desechada fuesse! Y pues este engaño es ya manifiesto, no parescáis ante mí ni en parte donde yo sea, porque sed cierto que el muy encendido amor que vos havía, es tornado, por vuestro mereçimiento, en muy raviosa y cruel saña, y con vuestra quebrantada fe y sabios engaños id a engañar otra cativa mujer como yo, que assí me vençí de vuestras engañosas palabras, de las cuales ninguna salva ni escusa serán recibidas; antes, sin os ver, plañir con mis lágrimas mi desastrada ventura y con ellas dar fin a mi vida, acabando mi triste planto.»

Acabada la carta, cerróla con sello de Amadís muy conoçido, y puso en el sobrescripto: «Yo soy la donzella herida de punta de espada por el coraçón, y vos sois el que me feristes.»

Y fablando en gran secreto con un donzel, que Durín se llamava, hermano de la donzella de Denamarcha, le mandó que no folgasse fasta llegar al reino de Sobradisa, donde fallaría a Amadís, y aquella carta le diesse, y que mirasse al leer della su semblante, y que aquel día le aguardasse, no tomando dél respuesta, ahunque dárjela quisiesse.

CAPÍTULO XLV

DE CÓMO DURÍN SE PARTIÓ CON LA CARTA DE ORIANA PARA AMADÍS, Y VISTA DE AMADÍS LA CARTA, DEXÓ TODO LO QUE TENÍA EMPRENDIDO Y SE FUE CON UNA DESESPERACIÓN A UNA SELVA ASCONDIDAMENTE

Pues Durín, cumpliendo el mandado de Oriana, partió luego en un palafrén muy andador, assí que en cabo de diez días fue llegado en Sobradisa, donde la fermosa reina Briolanja era. La cual, seyendo él en su presencia llegado, le pareció la más fermosa mujer, después de Oriana, que él havía visto; y sabido della cómo dos días antes que él llegasse, Amadís y sus hermanos y su cormano Agrajes de allí partieran, él, tomando su rastro, tanto anduvo, que a la Insola Firme llegó al tiempo que Amadís entrava debaxo del arco de los leales enamorados, y vio que la imagen havía fecho por él más que por los otros havía hecho; y como quiera que cuando Amadís de allí salió por las nuevas que de sus hermanos le dixeran y lo vio con Gandalín, no le dio la carta, ni después, hasta que en la cámara defendida entró y de todos los de la ínsola por señor fue recebido; y esto fizo él por consejo de Gandalín, que sabiendo ser la carta de Oriana, temiendo lo que en ella venir podría, hora que fuesse alegre o triste, que antes su señor oviesse recebido aquel señorío, que otra alguna alteración o entrevalo le viniesse que bien cierto era él que no solamente aquélla, mas el mundo que suyo fuesse dexaría luego por cumplir lo que por ella le fuesse mandado; más después que las cosas asossegadas fueron, Amadís mandó llamar a Durín por le preguntar nuevas de la corte del rey Lisuarte; y venido a su mando, y passeando con él por una huerta asaz deleitosa, y apartado de sus hermanos una pieça y de todos los otros que ende estavan, le fue preguntado si venía de la corte del rey Lisuarte, que le dixesse las nuevas que de allá sabía. Durín le respondió y dixo:

—Señor, yo dexo la corte en la disposición que era cuando de ella os partistes; pero yo a vos vengo con mandado de mi señora Oriana, y por esta carta veréis la causa de mi venida.

Amadís tomó la carta, y ahunque su coraçón grande alegría sintiesse con ella, teniendo que Durín nada de su secreto sabía encubriólo lo más que pudo; que, la tristeza no pudo hazer que, haviendo leído las fuertes y temerosas palabras que en ella venían, no bastó el esfuerço ni el juizio que claramente no mostrasse ser llegado a la cruel muerte, con tantas lágrimas, con tantos sospiros, que no parecía sino ser fecho pedaços su coraçón, quedando tan desmayado y fuera de sentido, como si el alma ya de las carnes, partida fuera. Durín, que mucho sin sospecha desto estava, cuando aquello vio, llorando muy fuertemente, maldezía a sí y a su ventura y a la muerte, porque antes que allí llegasse no le havía sobrevenido.

Amadís, no pudiendo estar en pie, sentóse en la yerva que allí estava y tomó la carta que se le havía de las manos caído, y cuando vio el sobrescripto que dezía: «Yo soy la donzella ferida de punta de spada por el coraçón, y os sois el que me heristes», su cuita fue tan sin medida, que por una pieça estuvo amortecido, de que Durín fue muy spantado y quiso llamar a sus hermanos; pero como vio el secreto que para tal cosa se requería tener, ovo recelo que a Amadís faría gran enojo; mas seyendo ya él recordado, dixo con gran dolor:

—¡Señor, Dios!, ¿por qué os plugo de me dar muerte sin mereçimiento?

Y después dixo:

—¡Ay lealtad, qué mal gualardón dáis a aquel que os nunca faltó; hezistes a mi señora que me falleçiesse, sabiendo os que ante mil vezes por la muerte passaría que passar su mandado!

Y tornando a tomar la carta, dixo:

—Vos sois la causa de la mi dolorosa fin; y porque más cedo me sobrevenga, iréis comigo.

Y metióla en su seno, y dixo a Durín:

—¿Mandáronte otra cosa que me dixesses?

—No —dixo él.

—Pues levarás mi mandado —dixo Amadís.

—No, señor —dixo él—; que me defendieron que lo no levasse.

—Y Mabilia o tu hermana, ¿no te dixeron algo que me dixesses?

—No supieron —dixo Durín— de mi venida; que mi señora me mandó que dellas la encubriesse.

—¡Ay Santa María, val! —dixo Amadís—; agora veo que
la mi desventura es sin remedio.

Estonces se fue a un arroyo que salía de una fuente y
lavóse el rostro y los ojos, y dixo a Durín que llamasse a
Gandalín y que viniessen solos; el assí lo fizo; y cuando a él
llegaron, falláronlo tal como muerto; y assí stovo una gran
pieça cuidando; y cuando acordó, dixo que le llamassen a
Isanjo, el governador, y como él vino, díxole:

—Quiero que, como leal cavallero, me prometades que
fasta mañana, después que mis hermanos oyeren missa, no
diréis ninguna cosa de cuanto agora veréis.

El assí lo prometió, y otra tal fiança tomó de aquellos dos
escuderos; luego, mandó a Isanjo que le hiziesse tener secretamente abierta la puerta del castillo, y Gandalín que sacasse sus armas y cavallo fuera, sin que persona lo sintiesse.

Ellos se fueron a complir lo que les mandava, y él quedó
pensando en un sueño que aquella noche passada soñara: que
le pareçiera fallarse encima de un otero cubierto de árboles,
en su cavallo y armado, y aderredor dél mucha gente que
fazía grande alegría, y que llegava por entre ellos un hombre
que le dezía: ¡Señor, comed desto que en esta buxeta trayo!;
y que le fazía comer dello; y pareçíale gustar la más amarga
cosa que fallar se podría; y sintiéndose con ello muy desmayado y desconsolado, soltava la rienda del cavallo y ívase
por donde él quería; y pareçíale que la gente que antes alegre estava, se tornava tan triste que él havía duelo dello; mas
el cavallo se alongava con él lexos y le metía por entre unos
árboles, donde veía un lugar de unas piedras que de agua eran
cercadas; y dexando el cavallo y las armas, se metía allí como
que por ello esperava descanso, y que venía a él un hombre
viejo vestido de paños de orden, y le tomava por la mano,
llegándolo a sí, mostrando piedad, y dezíale unas palabras
en lenguaje que las no entendía, y con esto despertara; y
agora le pareçía que, comoquiera que por vano lo avía tenido, que como verdadero lo fallava; y cuando assí en esto
pensando estovo una pieça, tomando a Durín consigo, fablando con él, y escondiendo el rostro de sus hermanos y de la
otra gente, porque su passión no sintiessen, se fue a la puerta del castillo, donde falló los fijos de Isanjo, que la puerta
abierta tenían, y Isanjo, que fuera estava, y Amadís le dixo:

—Id vos comigo y queden vuestros fijos y fazed que no digan desto ninguna cosa.

Entonces se fueron ambos a la hermita que al pie de la peña estava, y allí iva ya con ellos Gandalín y Durín.

Amadís iva sospirando y gimiendo con tanta angustia y dolor, que los que lo veían eran puestos en dolor en así lo ver; y demandando las armas, se armó y preguntó a Isanjo que de qué Santo era aquella iglesia; él le dixo que de la Virgen María, y que allí muchas vezes se fazían miraglos; él entró dentro, y fincados los inojos en tierra, llorando dixo:

—¡Señora Virgen María, consoladora y reparadora de los atribulados, a vos, Señora, me encomiendo que me acorráis con vuestro glorioso Fijo, que haya piedad de mí; y si su voluntad es de me no remediar el cuerpo, aya merced desta mi ánima en este mi postrimero tiempo; que otra cosa, si la muerte no, no espero!

Y luego llamó a Isanjo y díxole:

—Quiero que como leal cavallero me prometáis de fazer lo que aquí vos diré.

Y bolviéndose a Gandalín, le tomó entre sus braços llorando fuertemente, y así lo tuvo una pieça, sin que fablarle pudiesse, y díxole:

—Mi buen amigo Gandalín, yo y tú fuimos en uno y a una leche criados, y nuestra vida siempre fue de consuno, y yo nunca fue en afán ni en peligro en que tú no oviesses parte, y tu padre me sacó de la mar tan pequeña cosa como dessa noche nascido, y criáronme como buen padre y madre a fijo mucho amado, y tú, mi leal amigo, nunca pensaste sino en me servir, y yo esperando que Dios me daría alguna honra con que algo de tu merescimiento satisfazer pudiesse; hame venido esta tan gran desaventura, que por más cruel que la propia muerte la tengo, donde conviene que nos partamos, y yo no tengo qué te dexar, sino solamente esta ínsola, y mando a Isanjo y a todos los otros, por el omenaje que me tienen fecho, que tanto que de mi muerte sepan te tomen por señor; y comoquiera que este señorío tuyo te mando que lo gozen tu padre y madre en sus días y después a ti libre quede. Esto por cuanta criança en mí fizieron, que mi ventura no me dexó llegar a tiempo de les satisfazer lo que ellos merescen y lo que yo desseava.

Entonces dixo a Isanjo que de las rentas de la ínsola que guardadas tenía, tomasse tanto para que allí en aquella hermita pudiesse fazer un monesterio a honra de la Virgen María, en que pudiessen bien bivir treinta frailes y les diessen renta para se sostener. Gandalín le dixo:

—Señor, nunca vos cuita ovistes en que de vos yo fuesse partido, ni agora lo seré por ninguna cosa, y si vos murierdes yo no quiero bivir, que después de la vuestra muerte nunca Dios me dé honra ni señorío, y éste que a mí me dais dalde alguno de vuestros hermanos, que yo no lo tomaré ni lo he menester.

—Cállate, ¡por Dios! —dixo Amadís—; no digas tal locura ni me fagas pesar, pues lo nunca feziste, y cúmplase lo que yo quiero, que mis hermanos son tan bienaventurados y de tan alto fecho de armas, que bien podrán ganar grandes tierras y señoríos para sí y ahún para los dar a otros.

Entonces dixo:

—¡Ay, Isanjo!, mi buen amigo, mucho pesar tengo por no ser a tiempo que os pudiesse honrar como vos lo merescéis, pero yo vos dexo entre tales que lo cumplirán por mí.

Isanjo le dixo llorando:

—Señor, pídoos que me llevéis con vos, y yo passaré lo que vos passardes, y esto demando en pago desa voluntad que me tenéis.

—Mi amigo —dixo Amadís—, assí tengo yo que lo faríades; pero a esta mi dolencia no la puede socorrer sino Dios, y a Él quiero que me guíe por la su piedad sin levar otra compañía.

Y dixo a Gandalín:

—Amigo, si quisieres ser cavallero, sélo luego con estas mis armas, que pues tan bien las guardaste, con razón deven ser tuyas, que a mí ya poco me fazen menester, si no, fágate mi hermano don Galaor; y dígagelo Isanjo de la mi parte y sírvelo y aguárdalo en mi lugar, que sábete que a éste amé yo siempre sobre cuantos son en mi linaje y dél lievo gran pesar en mi coraçón, más que de todos los otros, y esto es con razón porque vale más y me fue siempre muy humilde, por donde agora me pone en doblada tristeza, y dile que le encomiendo yo a Ardián, el mi enano, que le traiga consigo y no le desampare, y di al enano que biva con él y lo sirva.

Cuando ellos esto le oyeron, fazían gran duelo, sin le responder ninguna cosa por le no fazer enojo. Amadís los abraçó, diziendo:

—A Dios vos encomiendo, que nunca pienso de jamás os ver.

Y defendiéndoles que en ninguna manera fuessen empós dél, puso las espuelas a su cavallo sin se le acordar de tomar el yelmo ni escudo ni lança, y metióse muy presto por la espessa montaña, no a otra parte sino donde el cavallo lo quería levar; y assí anduvo fasta más de la media noche, sin sentido ninguno, fasta que el cavallo topó en un arroyuelo de agua que de una fuente salía, y con la sed se fue por él arriba fasta que llegó a bever en ella; y dando las ramas de los árboles a Amadís en el rostro, recordó en su sentido y miró una y a otra parte, mas no vio sino espesas matas, y ovo gran plazer creyendo que muy apartado y escondido estava; y tanto que su cavallo bevió, apeóse dél, y, atándole a un árbol, ý se asentó en la yerva verde para fazer su duelo; mas tanto avía llorado que la cabeça tenía desvanescida, assí que se adormesció.

CAPÍTULO XLVI

De cómo Gandalín y Durín fueron tras Amadís en rastro del camino que avía levado y lleváronle las armas
que avía dexado, y de cómo le fallaron, y se combatió
con un cavallero y le venció

GANDALÍN, que en la hermita quedara con los otros que oístes, cuando assí vio ir a Amadís, dixo muy fiera-mente llorando:

—No estaré que no vaya empós dél ahunque me lo de-fendió, y levarle he sus armas.

Y Durín le dixo:

—Yo te quiero fazer compañía esta noche, y mucho me plazería que con mejor acuerdo lo hallássemos.

Y luego, cavalgando en sus cavallos, se despidieron de Isanjo y se metieron por la vía que él fuera; y Isanjo se fue al castillo y echóse en su lecho con muy gran pesar; mas Gandalín y Durín, que por la floresta se metieron, anduvie-ron a todas partes, y la ventura que los guió cerca de donde Amadís estava; relinchó su cavallo que los otros sintió, y luego conoscieron que allí era, y fueron muy passo por entre las matas porque no los sintiesse, que no osavan ante él parescer; y seyendo más cerca, descendieron de los cavallos, y Gandalín fue muy encubierto y llegó a la fuente, y vio que Amadís durmía sobre la yerva, y tomando su cavallo se tornó con él donde Durín quedara, y quitándoles los frenos dexáronlos paçer y comer en las ramas verdes; y estovieron quedos; mas no tardó mucho que Amadís no despertó, que con el gran sobresalto del coraçón no era el sueño reposado, y levantóse en pie y vio que la luna se ponía y que ahún avía buen rato de la noche por passar, y por ser la floresta espessa estovo quedo, y tornándose a sentar dixo:

—¡Ay ventura, cosa liviana y sin raíz!; ¿por qué me posiste en tan gran alteza entre los otros cavalleros, pues tan ligeramente della me descendiste? Agora veo yo bien que más tu mal en una hora puede dañar que tu bien aprovechar en mill años, porque si deleites y plazeres en los tiempos passados me diste, cruelmente me los robando hasme dexado en mucho mayor amargura que la muerte; y pues que assí, ventura, te plazía fazer, devieras igualar lo uno con lo otro, que bien sabes tu si alguna folgança y descanso en lo passado me otorgaste, que no fue sin ser mezclado con grandes angustias y congoxas, pues en esta crueza de que agora me atormentas siquiera reservaras en ella alguna esperança donde esta mi cuitada vida en algún rinconcillo se pudiera recoger; mas tú has usado de aquel oficio para que establescida fuiste, que es al contrario del pensamiento de los hombres mortales, que teniendo por ciertas y turables aquellas honras, pompas y vanas glorias perescederas que de ti nos vienen, como firmes las tomamos, no nos acordando que de más de los tormentos que nuestros cuerpos reciben en las sostener, las almas son en la fin en gran peligro y duda de su salvación puestas; mas si con aquellos claros ojos del entendimiento que el Señor muy alto nos dio, seyendo escurescidos con nuestras pasiones y aficiones, tus mudanças mirar quisiéssemos, por mucho mejor lo adverso que lo próspero tuyo devríamos tener; porque lo próspero seyendo a nuestras cualidades y apetitos conforme, abraçándonos con aquellas dulçuras que adelante se nos representan, en la fin en grandes amarguras y fonduras sin ningún remedio somos caídos, y lo adverso seyendo al contrario, no de la razón, mas de la voluntad, si lo que ella codicia desechássemos, seríamos subidos de lo baxo a lo alto en perpetua gloria; mas yo triste, sin ventura, ¿qué faré?; que el juizio ni mis flacas fuerças no

bastan a resistir tan grave tentación, que si todo lo del mundo
seyendo mío me quitaras, solamente la voluntad de mi señora dexando, ésta bastava para me sostener en alteza bienaventurada; pero ésta faltando, no pudiendo yo sin ella la
vida sostener, digo que sin comparación es contra mí tu crueldad; yo te ruego, en pago de te aver sido tan leal servidor,
que por cada momento y ora la muerte no trague; si a ti es
otorgado con los tormentos la vida quitar, me la quites, aviendo piedad de aquello que tú sabes que biviendo padezco.

Y desque esto ovo dicho, callóse y estuvo desmayado una
pieça del mucho llorar, que no sabía parte de sí, y dixo:

—¡O, mi señora Oriana!, vos me avéis llegado a la muerte por el defendimiento que me fazéis; que yo no tengo de
passar vuestro mandado; pues guardándole no guardo la vida,
esta muerte recibo a sinrazón, de que mucho dolor tengo,
no por la recebir, pues con ella vuestra voluntad se satisfaze,
que no podría yo en tanto la vida tener que por la menor
cosa que a vuestro plazer tocasse no fuesse mill veces por la
muerte trocada; y si esta saña vuestra con razón se tomara
meresciéndolo, llevara la pena yo, y vos, mi señora, el descanso en aver asecutado vuestra ira justamente, y estos vos
fiziera bivir tan leda vida, que mi alma do quiera que vaya
de vuestro plazer en sí sentiría gran descanso; mas como yo
sin cargo sea, siendo por vos sabido ser la crueza que contra
mí se faze, más con passión que con razón, desde agora lo
que en esta vida durare, y después en la otra, començo a
llorar y plañir la cuita y grande dolor que por mi causa os
sobreverná, y mucho más por le no quedar remedio seyendo yo desta vida partido.

Y más desto dixo:

—¡O, rey Perión de Gaula, mi padre y mi señor, cuán
poca razón tenéis vos, no sabiendo la causa de mi muerte,
de vos della doler! Antes, según vuestro gran valor y de vuestros preciados fijos, devéis tomar consuelo; porque seyendo
yo obligado a seguir vuestras grandes proezas, aborrescido,
desesperado, como cavallero cativo que los duros golpes de
la fortuna resistir no puede, yo mismo, por consuelo y remedio, la muerte tome; pero sabiendo la razón dello, cierto so
yo que me no culparíades; mas a Dios plega que no lo sepáis, pues que vuestro dolor al mío remediar no puede; antes,
seyendo por mí sentido, en muy mayor cuantidad acrescentado sería.

Esto así dicho, estuvo un poco que no fabló; mas luego, con gran llanto y fuertes gemidos, dixo:

—¡O, bueno y leal cavallero mi amo Gandales!, de vos lievo yo gran pesar, porque mi contraria fortuna no me dexó que os galardonasse aquel beneficio tan grande que de vos recebí; porque vos, mi buen amo, me sacastes de la mar tan pequeña cosa como desa noche nascido; dístesme vida y criança, como a propio fijo; y si ansí como los mis primeros días en vuestros días se augmentaron, los postrimeros en ellos fenesciessen, muy folgada la mi ánima deste mundo se partiría, lo cual hazer no se pudiendo, siempre de vos en gran deseo seré.

Y assí mesmo fabló en el su leal amigo Angriote d'Estraváus y en el rey Arbán de Norgales y en Guilán el Cuidador y los otros sus grandes amigos, y al cabo dixo:

—¡O, Mabilia, mi cormana y señora, y vos buena donzella de Denamarcha!, ¿dónde tardó tanto la vuestra ayuda y socorro que así me dexastes matar?; cierto, mis buenas amigas, no me tardara yo, aviendo menester mi ayuda, en vos socorrer; agora veo yo bien, pues me vos desamparastes, que todo el mundo es contra mí y todos son tractadores en la mi muerte.

Y callóse, que no dixo más, dando muy grandes gemidos; y Gandalín y Durín, que lo oían, fazían muy gran duelo, mas no osavan ante él parescer.

Pues ellos assí estando, passava por un camino que cerca dellos era, un cavallero cantando, y cuando cerca de donde estava Amadís llegó, començó a decir:

—Amor, amor, mucho tengo que vos gradescer por el bien que de vos me viene y por la grande alteza en que me avéis puesto sobre todos los otros cavalleros, levándome siempre de bien en mejor, que vos me teziste amar a la muy fermosa reina Sardamira creyendo yo tener su coraçón estrañamente con la honra que desta tierra levaré; y agora, por me poner en muy mayor bienaventurança, me hezistes amar la fija del mejor rey del mundo, y ésta es aquella fermosa Oriana, que en el mundo par no tiene; amor, ésta me fezistes vos amar, y dádesme esfuerço para la servir.

Y desque esto ovo dicho, fuese so un árbol grande que cerca del camino estava, que allí quería él atender fasta la mañana; mas de otra guisa le avino, que Gandalín dixo a Durín:

—Quedaos, y yo quiero ir a ver lo que Amadís querrá fazer.

Y yendo donde él estava, fallóle que se levantara ya, y anduvo buscando su cavallo, que lo no fallava, y como vio a Gandalín:

—¡Qué hombre eres tú, que ende andas?; por merced que me lo digas.

—Señor —dixo él—, soy Gandalín, que os quiero traer vuestro cavallo.

El le dixo:

—¿Quién te mandó venir a mí sobre mi defendimiento?; sábete que me has hecho gran pesar; y daca, dame mi cavallo y vete tu vía, no te detengas aquí más; si no, farásme que mate a ti y a mí.

—Señor —dixo Gandalín—, por Dios, dexaos desso y dezidme si oístes las locuras que dixo un cavallero que allí está.

Y esto le decía por le poner en alguna saña que la otra algo fiziesse olvidar. Amadís le dixo:

—Bien oí cuanto dixo, y por esso quiero mi cavallo en que me vaya de aquí, que mucho he tardado.

—¿Cómo —dixo Gandalín—, no faréis más contra el cavallero?

—¿Y qué tengo yo de fazer? —dixo Amadís.

—Que vos combatáis con él —dixo Gandalín— y le fagáis conoscer su locura.

Y Amadís le dixo:

—¡Cómo eres loco en esto que dices!; sábete que no tengo seso, ni coraçón, ni esfuerço, que todo es perdido cuando perdí la merced de mi señora, que della y no de mí me venía todo, y assí ella lo ha levado, y sabes que tanto valgo para me combatir cuanto un cavallero muerto, que en toda la Gran Bretaña no ay cativo, ni tan flaco cavallero que ligeramente no me matasse, si con él me combatiesse, que te diré que soy el más vencido y desesperado que todos los que en el mundo son.

Gandalín le dixo:

—Señor, mucho me pesa de a tal tiempo fallescer vuestro coraçón y gran bondad, y, ¡por Dios!, fablad passo, que allí está Durín, que oyó el duelo que fezistes y todo lo que el cavallero dixo.

—¡Cómo! —dixo Amadís—, ¿aquí está Durín?

—Sí —dixo él—, que entrambos venimos juntos, y pienso

que viene por ver lo que fazéis, porque lo sepa contar a quien acá lo embió.

Amadís le dixo:

—Pésame de lo que me has dicho.

Pero sabiendo que allí estava Durín cresció le el coraçón y esfuerço y dixo:

—Agora me da el cavallo y guíame al cavallero.

Gandalín gelo truxo y las armas, y él cavalgó y tomó las armas; y Gandalín fue a le mostrar el cavallero, y no tardó que le vieron estar debaxo de un árbol; y tenía el cavallo por las riendas, y llegóse cerca dél Amadís y díxole:

—Vos, cavallero que estáis folgando, conviene que os levantéis y que veamos cómo sabéis mantener amor de quien en vos tanto loáis.

El cavallero se levantó y dixo:

—¿Quién eres tú que tal me preguntas?; agora verás cómo manterné amor si comigo te osares combatir, que te faré poner espanto a ti y a todos los que de amor son desamparados.

—Agora lo veremos —dixo Amadís—; que yo soy de aquellos desamparados dél, y soy sólo el que jamás en él fiará, porque con grandes servicios que le fize me dio mal galardón no lo meresciendo, a vos, don cavallero enamorado, diré más: nunca en él fallé tanta verdad que siete tanto de mentira no fallasse; agora venid y mantened su razón, y veamos si ganó más en vos que perdió en mí.

Y cuando esto dezía, ensañóse como aquel a quien contra toda razón su señora le dexara. El cavallero cavalgó y tomó sus armas, y dixo:

—Vos, cavallero desperado de amor y despreciador de todo bien en que fablar no devíades, que si amor os desamparó, fino onde gran razón, que tal como vos no era para lo acompañar ni servir, y veendo él que lo no valíades, vos apartó de sí; y idvos luego, no estéis más aquí, que solamente de vos ver me tomo gran enojo; y cualquiera arma que en vos pusiesse la despreciaría por ello.

Y quísose ir. Y Amadís le dixo:

—Cavallero, o vos no queréis defender amor sino con palabras, o vos is con covardía.

—¡Y, cómo cavallero! —dixo él. —Yo te dexava por te no preciar nada y tú cuidas que por temor; gran demandador eres de tu daño; agora te aguarda, si pudieres.

Entonces corrieron los cavallos a todo poder uno contra otro lo más rezio que pudieron y firiéndose de las lanças en los escudos, assí que los falsaron y detuvieron en los arneses, que eran muy fuertes; mas el cavallero que era enamorado fue a tierra sin ningún detenimiento, y al caer levó las riendas en la mano y cavalgó luego en su cavallo assí como aquel que era valiente y ligero, y Amadís le dixo:

—Si mejor no mantenéis amor de la espada que de la lança, mal empleado es en vos el buen galardón que os han dado.

El cavallero no respondió ninguna cosa, mas metió mano a la espada muy sañudo y fue para él; y Amadís, que ya la espada en la mano tenía, movió contra él y firiéronse ambos, y el cavallero lo firió en el brocal del escudo, assí que el golpe fue en soslayo y metió por él un palmo de la espada, y cuando la quiso sacar no pudo; y Amadís apretó la espada en la mano y alçóse sobre los estribos y dióle un gran golpe por encima del yelmo, assí que tajó cuanto alcançó y del almófar del arnés; y cortóle de la cabeça fasto el casco, y la espada abaxó y dió en el cuello del cavallo y cortó la meitad dél; assí que entrambos fueron al suelo y el cavallo murió luego, y el cavallero quedó tan desacordado que no sabía de sí. Amadís, que lo vio estar, atendió un poco por ver si acordaría, que pensava que muerto era, y cuando algo más acordado lo vio, díxole:

—Cavallero, cuanto en vos ganó amor y vos con él sea vuestro y suyo, que yo irme quiero.

Y partiéndose dél, llamó a Gandalín y vió a Durín que con él estava, que todo lo passado avía visto, y díxole:

—Amigo Durín, en mi desamparamiento no ha par, ni la mi cuita y soledad no es de sufrir, y conviéneme que muera; y a Dios plega que cedo sea, y la muerte me sería ya folgança según deste tan vivo y cruel dolor soy atormentado; agora te ve en buenaventura y salúdame mucho a Mabilia, mi buena cormana, y a la buena donzella de Denamarcha, tu hermana, y diles que se duelan de mí que vo a morir al mayor tuerto que nunca en el mundo cavallero murió; y diles que gran cuita llevo en el mi coraçón por ellas, que me tanto amavan y tanto por mí fizieron, sin que de mí ningún galardón oviessen.

Esto dezía él llorando muy fieramente a maravilla. Y Durín estava delante dél llorando, así que le no podía responder. Amadís lo abraçó y acomendólo a Dios y besóle la falda del arnés y despidióse dél.

Entonces parescía el alva, y Amadís dixo a Gandalín:

—Si quieres ir comigo, no me estorves de ninguna cosa que yo faga ni diga; si no, luego dende aquí te ve.

El le respondió que assí lo faría, y dándole las armas le mandó que sacasse la espada del escudo y la diesse al cavallero, y se fuesse empos dél.

CAPÍTULO XLVII

QUE RECUENTA QUIÉN ERA EL CAVALLERO VENCIDO DE AMADÍS Y DE LAS COSAS QUE LE AVÍAN ANTE ACAESCIDAS QUE FUESE VENCIDO POR AMADÍS

AQUESTE cavallero herido de que ya vos contamos, havía nombre Patín,[45] y era hermano de don Sidón, que a la sazón era emperador de Roma, y era el mejor cavallero en armas de todas aquellas tierras, tanto que de todos los del emperio era muy temido; y el emperador havía mucha vejez y no tenía heredero ninguno, assí que todos pensavan que este Patín sucedería en el imperio. Él amava una reina de Cerdeña llamada Sardamira, que era muger muy apuesta y fermosa donzella, que seyendo sobrina de la emperatriz se avía criado en su casa, y tanto la sirvió que le ovo de prometer, si de casar oviesse, que ante casaría con el que con otro; el Patín, oyendo esto, tomando consigo mayor orgullo que el de su propio natural tenía, que no era poco, díxole:

—Mi amiga, yo he oído dezir que el rey Lisuarte tiene una hija; por el mundo de gran fermosura es loada, y yo quiero ir a su corte y dire que no es tan hermosa como vos, y que esto combatiré a los dos mejores cavalleros que lo contrario dixeren; que me dizen que los ay allí muy preciados en armas; y si los no venciere en un día, quiero que aquel rey me mande tajar la cabeça.

—Esso no fagáis vos —dixo la reina—; que si aquella donzella es muy hermosa, no me quita a mí la parte que Dios me dio, si alguna es, y en otra cosa de más razón y menos

45. Apodo despreciativo con sentido de «pata de gallo» o «necio» (Place, II, 623).

sobervia podéis mostrar vuestra bondad; que esta demanda en que vos ponéis, demás de no ser onesta para hombre de tan alto lugar como vos, según es fuera de razón y sobervio-sa, no devéis della esperar buena fin.

—Como quiera que avenga —dixo él—, esto que digo compleré en vuestro servicio y amor grande que vos tengo, en señal que, así como vos sois la más hermosa muger del mundo, sois amada del mejor cavallero que en él fallarse podía.

Y assí se despidió della; y con sus ricas armas y diez escuderos passó en la Gran Bretaña y fuese luego donde supo que el rey Lisuarte era, el cual, como así acompañado le vio, pensó que sería hombre de manera, y recibiólo muy bien; y desque fue desarmado, todos le miravan, como era grande de cuerpo y que por razón devía en sí tener gran valentía. El rey le preguntó quién era. El le dixo:

—Rey, yo vos lo diré, que no vengo a vuestra casa para me encobrir, sino para me vos fazer conoscer. Sabed que yo soy el Patín, hermano del emperador de Roma, y tanto que vea a la reina y su hija Oriana, sabréis la causa de mi venida.

Cuando el rey oyó ser hombre de tan alto lugar, abraçólo y díxole:

—Buen amigo, mucho nos plaze con vuestra venida, y a la reina y a su fija y a todas las otras de mi casa veréis cuando vos pluguiere.

Entonces lo sentó consigo a la mesa, donde comieron como en mesa de tal hombre. El Patín mirava a todas partes, y como veía tantos cavalleros, maravillávase de los ver, y no tenía tanto como en nada la casa del emperador su hermano, ni ninguna otra que él oviesse visto. Don Grumedán lo llevó a su posada por mandado del rey y le fizo mucha honra.

Otro día, después de aver oído missa, el rey tomó consigo al Patín y a don Grumedán y fuese para la reina, que ya sabía quién era por el rey; recebido de ella hízolo asentar ante sí y cabe su fija, que muy menoscabada era de la hermosura que tener solía por la saña que ya oístes; cuando el Patín la vió fue espantado, y entre sí dezía que todos los que la loavan no dezían la meitad de lo que ella era hermosa, assí que fue su coraçón mudado de aquello porque viniera, y puesto en averla con todas sus fuerças; y pensó que seyendo él de tan gran guisa y tan bueno en sí y que avría el imperio, que si la demandasse en casamiento, que le no sería negada, y apartando al rey y a la reina, les dixo:

—Yo soy venido a vuestra casa por casamiento mío y de vuestra fija, y esto es por la bondad vuestra y por la su fermosura, que si otras yo quisiesse, de tan gran guisa fallaría, según quien yo soy y lo que espero tener.

El rey le dixo.

—Mucho vos gradescemos lo que dicho avéis, mas yo y la reina emos prometido a nuestra fija de la no casar contra su voluntad, y converná que la fablemos ante de os responder.

Esto dezía el rey porque no fuesse dél desavenido, mas no tenía en coraçón de la dar a él ni a otro que de aquella tierra donde él avía de ser señor la sacasse. Desta respuesta fue el Patín muy contento y esperó allí cinco días pensando recabdar aquello que tanto desseava; mas el rey ni la reina, teniéndolo por desvarío, no dixeron nada a su fija. Mas el Patín preguntó un día al rey cómo le iva en su casamiento; él le dixo:

—Yo fago cuanto puedo, mas menester es que fabléis con mi hija y le roguéis que haga mi mandado.

El Patín se fue a Oriana y díxole:

—Señora Oriana, yo os quiero rogar una cosa que sea mucho vuestra honra y provecho.

—¿Qué cosa es? —dixo ella.

—Que fagáis mandado de vuestro padre —dixo él.

Ella, que no sabía por cuál razón gelo dezía, dixo:

—Esso faré yo muy de grado, que bien cierto soy que ganaré estas dos cosas que dezís, honra y provecho.

El Patín fue muy ledo de tal respuesta, que bien cuidó que ya la havía ganado, y dixo:

—Yo quiero ir por esta tierra a buscar las aventuras, y antes, de mucho oiréis fablar de mí tales cosas que con más razón os farán otorgar lo que yo desseo.

Y así lo dixo al rey, que luego se quería partir por ver las maravillas de aquella su tierra; el rey le dixo:

—En vos es eso; mas si me creyerdes, dexaros íades dello, que fallaréis grandes aventuras y peligrosas, y muy fuertes y rezios cavalleros usados en armas.

—De todo esso —dixo él— me plaze mucho, que si ellos son fuertes y ardides, no me fallarán flaco ni lasso, lo que mis obras os lo dirán.

Y despedido dél, fuese su camino muy alegre de la respuesta de Oriana, y por esta causa lo iva cantando como ya oístes cuando la su contraria fortuna lo guió aquella parte donde Amadís fazía su duelo. Esta es la razón por donde este cavallero vino de tierra tan lueñe.

Pues agora, sobre al propósito tornando, que después que Durín se apartó de Amadís, seyendo ya de día claro, passó por donde el Patín estava llagado, y él avía de la cabeça quitado lo que del yelmo le quedara, y tenía todo el rostro y el pescueço lleno de sangre, y como vio a Durín, díxole:

—Buen donzel, dezidme, que Dios os haga hombre bueno, si sabéis aquí cerca algún lugar donde pudiesse aver remedio desta llaga.

—Sí sé —dixo él—; mas en los que allí son es la tristeza tan sobrada, que en ál no pararán mientes.

—¿Por qué es esso? —dixo el cavallero.

—Por un cavalero —dixo Durín— que aviendo ganado aquel señorío y visto las imágines y cosas secretas de Apolidón y su amiga, lo que otro ninguno fasta agora ver pudo, es de allí partido con tan gran pesar que dello no se espera si su muerte no.

—A mí semeja —dixo el cavallero— que fabláis en la Insola Firme.

—Verdad es —dixo Durín.

—¡Cómo! —dixo el cavallero—; ¿ya tiene señor?; ¡por Dios pésame!, que allá iva yo por me provar ende y ganar el señorío.

Durín se sonrió y dixo:

—Cierto, cavalero, si de vuestra bondad algo no traéis encubierta, cuanto por lo que aquí mostrastes, poca pro os tuviera, y antes creo que fuera vuestra deshonra.

El cavallero se levantó así como pudo y quísole echar mano de la rienda, mas Durín se arredró dél; y como lo no pudo tomar dixo:

—Donzel, dezidme quién fue el cavallero que la Insola Firme ganó.

—Dezidme vos primero quién sois —dixo Durín.

—Por esso no quedará —dixo él—: sabed que yo soy el Patín, hermano del emperador de Roma.

—¡A Dios merced! —dixo Durín—, que sois más alto de linaje que de bondad de armas ni de mesura; agora sabed que el cavallero por quien preguntáis es aquel que de vos se

partió, que según lo que en él vistes bien podréis creer que
mereció ser dino de ganar lo que ganó.

Y partiéndose dél, se fue su vía y tomó el camino derecho de Londres con gran gana de contar a Oriana todo lo
que viera de Amadís.

CAPÍTULO XLVIII

DE CÓMO DON GALAOR, FLORESTÁN Y AGRAJES SE FUERON EN BUSCA DE AMADÍS, Y DE CÓMO AMADÍS, DEXADAS LAS ARMAS Y MUDADO EL NOMBRE, SE RETRAXO CON UN BUEN VIEJO EN UNA HERMITA A LA VIDA SOLIDARIA

CÓMO Amadís se partió con gran cuita de la Insola Firme
ya se vos dixo, que fue tan encobierto, que don Galaor,
don Florestán, sus germanos y su cormano Agrajes no lo sintieron; y cómo tomó seguridad de Isanjo que gelo no dixesse fasta otro día después de aver oído missa. Pues Isanjo assí
lo hizo, que aviendo oído la missa ellos preguntaron por Amadís, y él les dixo:

—Armadvos y decirvos he su mandado.

Y desque armados fueron, Isanjo començó a llorar muy
fieramente y dixo:

—¡O, señores, qué cuita y qué dolor vino sobre nosotros
en nos durar tan poco nuestro señor!

Entonces les contó cómo Amadís se partiera del castillo
y la cuita y el duelo que fiziera, y todo cuanto les mandara
dezir, y lo que a él mandava fazer de aquella tierra, y cómo
les rogava que no fuessen empós dél, que no podían por ninguna manera ponerle remedio ni darle conorte, y que, por
Dios, no tomassen pesar por la su muerte.

¡O Santa María, val! —dixeron ellos—; a morir va el
mejor cavallero del mundo; menester es que, passando su
mandado, lo vayamos a buscar, y si con nuestra vida no le
pudiéremos dar consuelo, será nuestra muerte en compañía
de la suya.

Isanjo dixo a don Galaor cómo le rogava que fiziesse cavallero a Gandalín y traxiesse consigo a Ardián el enano. Y
esto les dezía Isanjo faziendo muy gran duelo, y ellos por el
semejante; Galaor tomó entre sus braços al enano, que fazía
gran duelo y dava con la cabeça en una pared, y díxole:

—Ardián, vete comigo como lo mandó tu señor, que lo que de mí fuere será de ti.

El enano le dixo:

—Señor, yo vos aguardaré, mas no por señor, fasta que sepa nuevas ciertas de Amadís.

Entonces cavalgaron en sus cavallos, y mostrándoles Isanjo el camino que Amadís levara, por él todos tres se metieron y anduvieron todo el día sin que fallassen a quién preguntar; y llegaron donde estava el Patín llagado y su cavallo muerto y sus escuderos, que eran venidos y andavan cortando madera y ramas en que lo llevassen, que estava muy desmajado de la mucha sangre que perdiera, y no les pudo dezir nada; y fízoles señas que lo dexassen, y preguntaron a los escuderos que quién firiera aquel cavallero. Ellos dixeron que no sabían sino tanto que cuando ellos a él llegaron que les dixo que avía justado con un cavalero que de la Insola Firme venía y que lo derribara del primer encuentro muy ligeramente, y que luego tornara a cavalgar, y de un solo golpe de la espada le hiziera aquella llaga y le matara el cavallo; y desque se dél partió, dixo que avía sabido de un donzel que aquel cavallero era el que ganó el señorío de la Insola Firme. Don Galaor les dixo:

—Buenos escuderos, ¿vistes vos a la parte que esse cavallero fue?

—No —dixeron ellos—; pero antes que allí llegássemos vimos por esta floresta ir un cavallero armado encima de un gran cavallo, llorando y maldiziendo su ventura; y un escudero empós dél que las armas le llevava; y el escudo avía el campo de oro y dos leones cárdenos en él; [46] y assí mesmo iva el escudero muy fuertemente llorando.

Ellos dixieron:

—Aquél es.

Entonces se fueron contra aquella parte a más andar; y a la salida de aquella floresta fallaron un gran campo en que havía muchas carreras a todas partes, en las cuales avían rastros, assí que no podían en el suyo atinar; entonces acordaron de se partir y que para saber lo que cada uno avía en

---

46.   En el Libro I los leones del escudo de Amadís son «de azur»; la sustitución del «azur» por «cárdeno» (amoratado o violáceo, esmalte heráldico muy raro) parece deberse a la exigencia de asimilar este escudo con los leones heráldicos de León (de color púrpura).

aquella demanda buscado y por las tierras que anduviera, fuessen juntos en el día de Sant Juan en casa del rey Lisuarte; y si fasta entonces su ventura les fuesse tan contraria que dél no supiessen, que allí tomarían otro acuerdo; y luego se abraçaron llorando y se partieron de en uno, llevando muy firme en sus coraçones de tomar todo el afán que en la demanda ocurrir pudiesse fasta la acabar; mas éste fue en vano, que comoquiera que muchas tierras anduvieron en que grandes cosas y muy peligrosas en armas passaron, como aquellos que de fuertes y bravos coraçones eran y sofridores de mucho afán, no fue su ventura de saber dél ninguna nueva; las cuales no serán aquí recontadas, porque de la demanda fallescieron no la acabando; y la causa dello fue que Amadís se partió donde llagado dexó al Patín, anduvo por la floresta y a la salida della falló un campo en que avía muchas carreras, y desvióse dél porque de allí no tomassen rastro, y metióse por un valle y por una montaña, y iva pensando tan fieramente que el cavallo se iva por donde quería, y a la hora del mediodía llegó el cavallo a unos árboles que eran en una ribera de una agua que de la montaña descendía, y con el gran calor y trabajo de la noche paró allí, y Amadís recordó de su cuidado, y miró a todas partes y no vio poblado ninguno, de que ovo plazer; entonces se apeó y bevió del agua; y Gandalín llegó, que tras él iva, y tomando los cavallos y poniéndolos donde pasciessen de la yerva, se tornó a su señor, y fallólo tan desmayado, que más semejava muerto que bivo; mas no le osó quitar de su cuidado y echóse delante dél. Amadís acordó de su pensar a tal hora que el sol se quería poner, y levantándose dio del pie a Gandalín y dixo:

—¿Duermes o qué fazes?

—No duermo —dixo él—; mas estoy pensando en dos cosas que a vos atañen, y si me quisierdes oír, dezíroslas he; si no, dexarme dello.

Amadís le dixo:

—Ve, ensilla los cavallos y irme he; que no querría que me fallassen los que me buscan.

—Señor —dixo Gandalín—, vos estáis en lugar apartado, y vuestro cavallo, según que está lasso y cansado, si le no dais algún reposo no os podrá llevar.

Amadís le dixo, llorando:

—Faz lo que por bien tuvieres, que folgando ni andando no tengo yo de aver descanso.

Gandalín curó de los cavallos y tornó a él y rogóle que comiesse de una empanada que traía, mas no lo quiso hazer, y díxole:

—Señor, ¿queréis que os diga las dos cosas en que pensava?

—Di lo que quisieres —dixo él—; que ya por cosa que se diga ni se faga no doy nada, ni querría más bivir en el mundo de cuanto a confissión llegado fuesse.

Gandalín dixo:

—Todavía, señor, os ruego que me oyáis.

Entonces dixo:

—Yo he pensado mucho en esta carta que Oriana vos embió y en las palabras que el cavallero con que vos combatistes dixo; y como la firmeza de muchas mugeres sea muy liviana, mudando su querer de unos en otros, puede ser que Oriana os tiene errado, y quiso, antes que lo vos supiéssedes, fingir enojo contra vos; y la otra cosa es que yo la tengo por tan buena y tan leal, que no assí se movería sin alguna cosa que falsamente de vos la avrán dicho que por verdadera ella la terná, sintiendo por su coraçón, que tan firme vos ama, que así el vuestro devía fazer a ella; y pues que vos sabéis que la nunca errastes, y si algo le fue dicho, que se ha de saber la verdad, en que seréis sin culpa, por donde no solamente se arrepentirá de lo que fizo, mas con mucha humildad vos demandará perdón y tornaréis con ella aquellos grandes deleites que vuestro coraçón dessea; ¿no es mejor que esperando este remedio comáis y toméis tal consuelo, con que la vida sostenerse pueda, que muriendo con tan poca esperança y coraçón perdáis a ella y perdáis la honra deste mundo y ahun el otro que tengáis en condición?

—¡Por Dios, cállate! —dixo Amadís—; que tal locura y mentira has dicho que con ello se enojaría todo el mundo; y tú dízesmelo por me conortar, lo que no pienses que puede ser; que Oriana, mi señora, nunca erró en cosa ninguna; y si yo muero es con razón, no porque lo yo merezca, mas porque con ello cumplo su voluntad y mando; y si yo no entendiesse que por me conortar me lo has dicho, yo te tajaría la cabeça; y sábete que me has fecho muy gran enojo, y de aquí adelante no seas osado de me dezir lo semejante.

Y quitándose dél, se fue passeando por la ribera ayuso, pensando tan fuertemente, que ningún sentido en sí tenía. Gandalín adormeçióse como aquel que havía dos días y una noche que no durmiera; y tornando Amadís, partido ya de su cuidado, y veyendo cómo tan asossegadamente durmía, fue a ensillar su cavallo y escondió la silla y el freno de Gandalín entre unas espessas matas, porque no pudiesse ir empós dél; y tomando sus armas, se metió por lo más espesso de la montaña con gran saña de Gandalín por lo que le dixera.

Pues assí anduvo toda la noche y otro día hasta bísperas. Estonces entró en una gran vega que al pie de una montaña estava, y en ella havía dos árboles altos que estavan sobre una fuente; y fue allá por dar agua a su cavallo, que todo aquel día anduviera sin hallar agua; y cuando a la fuente llegó vio un hombre de orden, la cabeça y barbas blanco, y dava a bever a un asno y vestía un hábito muy pobre de lana de cabras. Amadís le saludó y preguntóle si era de missa. El hombre bueno le dixo que bien havía cuarenta años que lo era.

—¡A Dios merced! —dixo Amadís—. Agora vos ruego que holguéis aquí esta noche, por el amor de Dios, y oírme heis de penitencia, que mucho lo he menester.

—¡En el nombre de Dios! —dixo el buen hombre.

Amadís se apeó y puso las armas en tierra, y desensilló el cavallo y dexóle pascer por la yerva; y él desarmóse y hincó los inojos ante el buen hombre, y començóle a besar los pies. El hombre bueno lo tomó por la mano, y alçándolo lo hizo sentar cabe sí y vio cómo era el más fermoso cavallero que en su vida visto havía; pero vióle descolorido y las fazes y los pechos bañados en lágrimas que derramava, y ovo dél duelo y dixo:

—Cavallero, parece que havéis gran cuita; y si es por algún pecado que ayáis hecho y estas lágrimas de arrepentimiento dél os vienen, en buena hora acá naçistes; mas si vos lo causa algunas temporales cosas, que segun vuestra edad y hermosura por razón no devéis ser muy apartado dellas, membradvos de Dios y demandalde merced que vos traya a su servicio.

Y alçó la mano y bendíxole y díxole:

—Agora dezid todos los pecados que se os acordaren.

Amadís assí lo fizo, diziéndole toda su hazienda, que nada faltó. El hombre bueno le dixo:

—Según vuestro entendimiento y el linaje tan alto donde venís, no os devríades matar ni perder por ninguna cosa que vos aveniesse, cuanto más por hecho de mugeres, que se li-

geramente gana y pierde, y vos consejo que no paréis en tal
cosa mientes y vos quitéis de tal locura que no hagáis por
amor de Dios, a quien no plaze de tales cosas, y ahun por la
razón del mundo se devría hazer, que no puede hombre ni
deve amar a quien le no amare.

—Buen señor —dixo Amadís—, yo soy llagado a tal punto,
que no puedo bevir sino muy poco, y ruégoos, por aquel
Señor poderoso cuya fe os mantenéis, que vos plega de me
llevar con vos este poco de tiempo que durare, y havré con
vos consejo de mi alma; pues que ya las armas ni el cavallo
no me hazen menester, dexarlo he aquí y iré con vos de pie,
haziendo aquella penitencia que me mandades; y si esto no
hazéis erraréis a Dios, porque andaré perdido por esta montaña sin hallar quien me remedie.

El buen hombre, que lo vió tan apuesto y de todo coraçón para hazer bien, díxole:

—Ciertamente, señor, no conviene a tal cavallero como
vos sois que assí se desampare, como si todo el mundo le
falleçiesse, y muy menos por razón de muger, que su amor
no es más de cuanto sus ojos lo veen y cuando oyen algunas palabras que les dizen, y passado aquello, luego olvidan,
especialmente en aquellos falsos amores que contra el servicio del alto Señor se toman; que aquel mismo pecado que
los engendra, haziéndolos al comienço dulces y sabrosos,
aquél los faze revessar con tan cruel y amargoso parto como
agora os tenéis; mas os, que sois tan bueno y tenéis señorío
y tierra sobre muchas gentes y sois leal abogado y guardador de todos y todas aquellos que sinrazón reciben, y tan
mantenedor de derecho, y sería gran malaventura y gran
daño y pérdida del mundo si vos assí lo fuéssedes desamparando; y yo no sé quién es aquella que vos a tal estado ha
traído, mas a mí pareçe que si en una mujer sola huviesse
toda la bondad y hermosura que ha en todas las otras, que
por ella tal hombre como vos no se devría perder.

—Buen señor —dixo Amadís—, yo no vos demando consejo en esta parte, que a mí no es menester, mas demándovos consejo de mi alma y que os plega de me llevar con os;
y si lo no hizierdes, no tengo otro remedio sino morir en
esta montaña.

Y el hombre bueno començó de llorar con gran pesar
que dél havía, assí que las lágrimas le caían por las barbas, que eran largas y blancas, y díxole:

—Mi fijo señor, yo moro en un lugar muy esquivo y trabajoso de bevir, que es una hermita metida en la mar bien siete leguas, en una peña muy alta, y es tan estrecha la peña que ningún navío a ella se puede llegar si no es en el tiempo de verano, y allí moro yo ha treinta años, y quien allí morare conviénele que dexe los vicios y plazeres del mundo; y mi mantenimiento es de limosnas que los de la tierra me dan.

—Todo esso —dixo Amadís— es a mi grado, y a mí plaze passar con vos tal vida, esta poca que me queda, y ruégovos, por amor de Dios, que me lo otorguéis.

El hombre bueno gelo otorgó mucho contra su voluntad, y Amadís le dixo:

—Agora me mandad, padre, lo que haga, que en todo os seré obediente.

El hombre bueno le dió la bendición y luego dixo bísperas, y sacando un dobler de pan y pescado dixo a Amadís que comiesse: mas él no lo hazía, ahunque passaran ya tres días que no comiera, y él dixo:

—Vos havéis de estar a mi obediencia, y mando que comáis, si no, vuestra alma sería en gran peligro si assí muriéssedes.

Estonces comió, pero muy poco que no podía de sí partir aquella grande angustia en que estava; y cuando fue hora de dormir, el buen hombre se echó sobre su manto y Amadís a sus pies, que en todo lo más de la noche no hizo, con la gran cuita, sino rebolverse y dar grandes sospiros; y ya cansado y vencido del sueño adormecióse, y en aquel dormir soñava que estava encerrado en una cámara escura que ninguna vista tenía, y no hallando por do salir, quexávasele el coraçón; y pareçíale que su cormana Mabilia y la donzella de Denamarcha a el venian, y ante ellas stava un rayo de sol que quitava la escuridad y alumbrava la cámara, y que ellas le tomavan por las manos y dezían: «Señor, salid a este gran palacio»; y semejávale que havía gran gozo; y saliendo veía a su señora Oriana, cercada alderredor de una gran llama de fuego, y él, que dava grandes bozes, diziendo: ¡Santa María, acórrela!, y passava por medio del fuego, que no sentía ninguna cosa, y tomándola entre sus braços la ponía en una huerta, la más verde y hermosa que nunca viera. Y a las grandes bozes que él dio, despertó el hombre bueno y tomóle por la mano diziéndole qué havía; él dixo:

—Mi señor, yo ove agora durmiendo tan gran cuita, que a pocas fuera muerto.

—Bien pareçió en las vuestras bozes —dixo él—; mas tiempo es que nos vayamos.

Y luego cavalgó en su asno y entró en el camino. Amadís se iva a pie con él, mas el buen hombre le fizo cavalgar en su cavallo con gran premia que le puso, y assí fueron de consuno como oís, y Amadís le rogó que le diesse un don en que no aventuraría ninguna cosa. El gelo otorgó de grado, y Amadís le pidió que en cuanto con él morasse no dixiesse a ninguna persona quién era ni nada de su fazienda, y que le no llamasse por su nombre, mas por otro cual él le quisiesse poner, y desque fuesse muerto, que lo fiziesse saber a sus hermanos porque le levassen a su tierra.

—La vuestra muerte y la vida es en Dios —dixo él—; y no habléis más en ello, qu'El vos dará remedio si lo conoçéis y amáis y servís como devéis; mas dezidme, ¿qué nombre vos plaze tener?

—El que vos por bien tuvierdes —dixo él.

El hombre bueno lo iva mirando cómo era tan hermoso y de tan buen talle y la gran cuita en que estava, y dixo:

—Yo vos quiero poner un nombre que será conforme a vuestra persona y angustia en que sois puesto, que vos sois mancebo y muy hermoso y vuestra vida está en grande amargura y en tinieblas; quiero que hayáis nombre Beltenebrós.[47]

Amadís plugo de aquel nombre, y tovo al buen hombre por entendido en gele haver con tan gran razón puesto; y por este nombre fue él llamado en cuanto con él bivió, y después gran tiempo que no menos que por el de Amadís fue loado, según las grandes cosas que hizo, como adelante se dirá.

Pues hablando en esto y en otras cosas, llegaron a la mar seyendo ya noche cerrada, y hallaron allí una barca en que havían de passar al hombre bueno a su hermita; y Beltenebrós dio su cavallo a los marineros y ellos le dieron un pelote y un tabardo de gruessa lana parda; y entraron en la barca y fuéronse contra la peña, y Beltenebrós preguntó al buen hombre cómo llamavan aquella su morada y él cómo havía nombre.

47. Nombre de origen francés *(Bel Ténébreux)* o provenzal *(Bel Tenebrós)*. El episodio de la Peña Pobre se encuentra parodiado en el *Quijote* (I, 25, 26).

—La morada —dixo él— es llamada la Peña Pobre, porque allí no puede morar ninguno sino en gran pobreza, y
mi nombre es Andalod, y fue clérigo asaz entendido, y passé
mi mancebía en muchas vanidades, mas Dios, por la su merced, me puso en pensar que los que lo han de servir tienen
grandes inconvenientes y entrevallos contratando con las gentes que, según nuestra flaqueza, antes a lo malo que a lo
bueno enclinados somos, y por esto acordé de me retraer a
este lugar tan solo, donde ya passan de treinta años que nunca
dél salí sino agora, que vine a un enterramiento de una mi
hermana.

Mucho se pagava Beltenebrós de la soledad y esquiveza
de aquel lugar, y en pensar de allí morir recibía algún descanso. Assí fueron navegando en su barca hasta que a la peña
llegaron. El hermitaño les dixo:

—Bolveos.

Y los marineros se tornaron a la tierra con su barca; y
Beltenebrós, considerando aquella estrecha y santa vida de
aquel hombre bueno, con muchas lágrimas y gemidos, no
por devoción, mas por gran desesperación, pensava justamente con él sostener todo lo que biviesse, que a su pensar sería
muy poco.

Assí como oís fue encerrado Amadís, con nombre de Beltenebrós, en aquella Peña Pobre, metida siete leguas en la
mar, desamparando el mundo, la honra, aquellas armas con
que en tan grande alteza puesto era, consumiendo sus días
en lágrimas y en continuos dolores, no haviendo memoria
de aquel valiente Galpano, de aquel fuerte rey Abiés de Irlanda y del sobervio Dardán; ni tampoco de aquel famoso
Apolidón, que en su tiempo, ni cient años después, nunca
cavallero ovo que a la su bondad passase, los cuales por su
fuerte braço vencidos y muertos fueron, con otros muchos
que la historia vos ha contado. Pues si le fuesse preguntado
la causa de tal destroço, ¿qué respondería? No otra cosa salvo
que la ira y la saña de una falça mujer, poniendo en su favor
aquel fuerte Hércules, aquel valiente Sansón, aquel sabio Virgilio, no olvidando entre ellos al rey Salomón, que desta semejante passión atormentados y sojuzgados fueron, y otros
muchos que dezir podría, ¿con esto sería su culpa desculpada? Ciertamente no, porque los yerros ajenos son de tener
en la memoria, no para los seguir, mas para fuirlos y castigar en ellos; ¿pues era razón que de un cavallero tan venci-

do, tan sojuzgado, con causa tan liviana piedad se oviesse
para de allí le sacar con dobladas vitorias que las passadas?
Diría yo que no, si las cosas por él hechas en tan gran peligro suyo no se redundasen en tanto provecho de aquellos
que, después de Dios otro reparo si el suyo no tenían. Assí
que haviendo destos tales mayor manzilla que de aquel que
vencido a todos, a sí mismo vencer ni sojuzgar pudo, contaremos en qué forma, cuando más sin esperança, cuando ya
llegado al estrecho de la muerte, el Señor del mundo le cubrió milagrosamente el reparo.

Pero, porque a la orden de la historia assí cumple, antes
vos contaremos algo de lo que en aquel medio de tiempo
acaesció. Gandalín, que durmiendo en la montaña quedara
cuando Amadís, su señor, dél se partió, a cabo de gran pieça
despertando, y mirando a todas partes no vio sino su caballo. Y levantóse presto y començó a dar bozes, llorando, buscando por las spessas matas; mas de que no halló Amadís ni
su cavallo, luego fue cierto que dél se havía partido, y bolvió para cavalgar y ir empós dél, mas no falló la silla ni el
freno. Estonces se començó a maldezir a sí y a su ventura, y
el día en que nasciera; y andando a una y otra parte, hallólo
metido en una mata muy espessa, y ensillando su cavallo cavalgó en él y anduvo cinco días alvergando en los yermos, y
en poblado preguntando por su señor; pero todo era afán
perdido, y a los seis días la ventura lo guió a la fuente donde
Amadís dexara sus armas, y halló cabe ella una tienda armada y dos donzellas en ella, y Gandalín descendió y preguntóles si vieran un cavallero que traía un escudo de oro y
dos leones cárdenos en él. Ellas le dixeron:

—No vimos tal cavallero, mas esse escudo y todo el gar-
nimiento de cavallero asaz bueno fallamos cabe esta fuente
sin que ninguno lo guardasse.

Cuando él esto oyó, dixo messando sus cabellos:

—¡O, Santa María, val!, muerto es o perdido el mi señor
y mejor cavallero del mundo.

Y començó a hazer tan gran duelo, que a las donzellas
puso en gran manzilla, y començó a dezir:

—¡Señor mío, qué mal vos guardé que de todos los del
mundo devía ser con razón aborreçido, ni el mundo en sí
me devía tener, pues os yo a tal tiempo fallecí! Vos, señor,
érades aquel que a todos amparávades, y agora de todos sois
desamparado, que ya el mundo y los que en él son os falle-

çen; y yo, cativo malaventurado sobre todos los que naçieron, por mengua de mi aguardamiento os desamparé al tiempo de la vuestra dolorosa muerte.

Y dexóse caer de rostros en el suelo assí como muerto. Las donzellas dieron bozes diziendo:

—¡Santa María, muerto es este escudero!

Y fueron a él por le acordar y no podían, que muchas vezes se les traspassava, mas tanto estuvieron con él, echándole agua por el rostro, que le hizieron acordar, y dixéronle:

—Buen escudero, no os desesperéis por lo que no sabéis cierto, que no hazéis pro de vuestro señor, y más vos conviene buscarlo hasta saber su muerte o su vida, que los buenos con las grandes cuitas se han de esforçar y no se dexa morir como desesperados.

Gandalín se esforçó con aquellas palabras de las donzellas y acordó de lo buscar por todas partes hasta que la muerte en ello le tomasse, y dixo a las donzellas:

—Señoras, ¿dónde vistes las armas?

—Esso os diremos de grado —dixeron ellas—. Sabed que nosotras andamos en compañía de don Guilán el Cuidador, que nos sacó, y a otras más de veinte donzellas y cavalleros, de la prisión de Gandinos el Follón; que Guilán hizo tanto en armas que, venciendo todas las costumbres de su castillo, y a la fin a él, nos sacó de prisión a todos, y a él fizo jurar que jamás no mantenría aquella costumbre; y los cavalleros y donzellas se fueron donde les plugo, y nosotras venimos con Guilán a esta parte donde venimos, y bien ha cuatro días que llegamos a esta fuente, y cuando Guilán vió el escudo por quien preguntáis, ovo gran pesar, y descendiendo de su cavallo dixo que no era para estar assí el escudo del mejor cavallero del mundo, y alçólo del suelo llorando de coraçón y púsolo en aquel braço de aquel árbol y dixonos que lo guardássemos en tanto que él buscava aquel cuyo era; y nosotras hezimos traer estas tiendas, y don Guilán anduvo tres días por toda esta tierra y no falló nada, y esta noche muy tarde llegó aquí, y a la mañana dio el guarnimiento a los escuderos y él se ciñó la espada y tomó el scudo, y dixo:

—¡Por Dios, escudo, mal trueco es este en dexar a vuestro señor por ir comigo!

—Y dixo que se iva a la corte del rey Lisuarte para dar aquellas armas a la reina Brisena, que las mandasse guardar; y nos allá imos, y assí lo farán todos aquellos que estávamos presos, a pedir merced a la reina que gradezca a don Guilán aquello que por nosotros hizo, y los cavalleros al rey.

—Pues a Dios quedéis —dixo Gandalín—, que yo, tomando vuestro conorte y consejo, voy a buscar aquel en quien mi vida y muerte está con el más cativo y desventurado hombre que nunca nasció.

CAPÍTULO XLIX

DE CÓMO DURÍN, EL PAJE DE ORIANA, TORNÓ A SU SEÑORA CON LA RESPUESTA DEL MENSAJE QUE HAVÍA TRAÍDO PARA AMADÍS, Y DEL LLANTO QUE ELLA HIZO VIENDO LA NUEVA

DESPUÉS que Durín se partió de Amadís en la floresta donde el Patín llagado quedava, como lo hemos contado, entró en el camino de Londres, donde el rey Lisuarte era, y aquexóse de andar porque Oriana supiesse aquellas desventuradas nuevas de Amadís, porque si ser pudiesse remediasse algo en aquello que su carta tanto mal havía fecho; y tanto anduvo, que a los diez días llegó a Londres, y descavalgando en su posada, se fue al palacio de la reina, y cuando Oriana lo vio, el coraçón le saltava que lo no podía asossegar; y luego se fue a su cámara y acostóse en su lecho y mandó a la donzella de Denamarcha que le llamasse a Durín, su hermano, y ella guardasse que no la viesse ninguno. La donzella le llamó y salióse donde Mabilia estava; Oriana le dixo:

—Amigo, agora me di adónde has andado y dó hallaste Amadís, y lo que fizo cuando le diste mi carta, y si viste a la reina Briolanja; cuéntamelo todo, que no falte nada.

—Señora —dixo Durín—, todo lo diré, ahunque no es poco de contar, que muchas cosas maravillosas y estrañas he visto; y dígovos que yo llegué a Sobradisa y vi a Briolanja, que es tan hermosa y tan apuesta y de tal donaire que, dexando a vos, creo que en el mundo no ay tan hermosa mujer como ella; y allí fallé nuevas de Amadís y de sus hermanos, que eran para acá partidos, y siguiendo yo su rastro supe cómo desviaron del camino y fueron con una donzella a la Insola Firme por provarse en las estrañas aventuras que allí son; y cuando yo allí llegué, entrava Amadís so el arco de los leales amadores, donde ninguno no puede entrar si ha errado a la muger que primero començó amar.

—¡Cómo! —dixo Oriana—; ¿osado fue él de provar tal aventura sabiendo que la acabar no podía?

—No me pareçió assí —dixo Durín—, que passó dessa manera; antes él lo acabó con la mayor lealtad que otro que allí fuesse, porque por él se hizo en su recebimiento las señales que hasta allí nunca se fizieron.

Cuando ella esto oyó, en su coraçón sintió grande alegría en saber que aquello que por sano y por tan cierto tenían, tanto al contrario era del su pensamiento; y assimesmo le contó cómo don Galaor y Florestán y Agrajes, provando la aventura de la cámara defendida, no la pudieron acabar y quedaron tan tollidos como si muertos fueran; y cómo después la provó Amadís y la acabó, ganando el señorío de aquella ínsola, que era la más hermosa del mundo y más fuerte; y cómo havían entrado todos en la cámara, que era la más estraña y rica que hallarse podría. Oído esto por Oriana, dixo:

—Cállate un poco.

Y alçando las manos al cielo començó a rogar a Dios que El, por la su piedad, endereçasse cómo ella presto pudiesse estar en aquella cámara con aquel que por su gran bondad la ganara. Estonces le dixo:

—Agora me di: ¿qué hizo Amadís cuando mi carta le distes?

A Durín le vinieron las lágrimas a los ojos, y díxole:

—Señora, yo os consejaría que lo no quisiéssedes saber, porque havéis fecho la mayor crueza y diablura que nunca donzella en el mundo hizo.

—¡Ay, Santa María, val! —dixo Oriana—; ¿qué me dizes?

—Dígoos —dixo Durín— que mataste a la mayor sinrazón que ser podría con vuestra saña el mejor y más leal cavallero que nunca ovo muger ni havrá en tanto que el mundo durare. ¡Maldita fue la hora en que tal cosa fue pensada, y maldita sea la muerte que me antes no mató, porque nunca con tal mensaje fuera; que si yo supiera lo que levava, antes me fuera a perder por el mundo que ante él pareçer! Pues que vos en lo mandar y yo en lo llevar fuimos causa de su muerte.

Estonces le contó lo que Amadís fizo y dixo cuando la carta le diera, y cómo se salió de la Insola Firme y lo que dixo en la hermita, y cómo de allí se partió dellos solo y se metió por la montaña, y que siguiéndole él y Gandalín con-

tra su defendimiento, lo hallaron cabe la fuente, no osando
pareçer ante él, y el dolorido llanto que allí fizo, y cómo
passó por allí el Patín cantando y las palabras que dixo, y la
batalla que Amadís con él ovo; y después se partió dél, diziendo a Gandalín que le no storvasse la muerte; si no, que
no fuesse con él; assí que no quedó cosa que le no dixesse
cómo passara y él lo viera.

Cuando Oriana esto oyó, en mayor grado que de la ira y
la saña vencida, quebrada la braveza del su coraçón, de la
piedad sojuzgada fue, causándolo aquel gran señorío que la
verdad sobre la mentira tiene. Assí que, junto en su pensamiento la culpa suya con la que aquel que sin ella estava
padeçía, tal fuerça tuvieron, que cuasi muerta sin ningún sentido la dexaron, sin sola una palabra poder dezir.

Durín, como así la vio, piedad ovo della, pero bien vio
que lo mereçía, y fuese a Mabilia y a la donzella de Denamarcha y díxoles:

—Acorred a Oriana, que bien le faze menester, que paréceme, si erró, su parte le cabe.

Y fuese a su posada y ellas se fueron a Oriana, y veyéndola tan desacordada cerraron la puerta de la cámara, y
echándole agua por el rostro la fizieron acordar, y como
habló dixo:

—¡Ay, cativa sin ventura, que maté la cosa del mundo que
más amava! ¡Ay, mi señor, yo vos maté a gran tuerto, y con
gran razón moriré yo por os, ahunque vuestra muerte será
mal vengada con la mía, que vos, mi señor, seyendo leal, no
seréis satisfecho en que la desleal y malaventurada muera!

Esto dezía ella con tanto dolor y angustia como si el coraçón se le despedaçasse; mas aquellas sus servidoras y amigas, embiando por Durín y sabiendo todo lo que passara,
enteramente acorrieron con aquella melezina que ellos ambos
havían menester para su remedio; que después de le haver
dado muchos consuelos, le hizieron screvir una carta con palabras muy humildes y ruegos muy ahincados, como adelante más por estenso se dirá, para Amadís, que dexadas todas
las cosas, se viniesse a ella, que en el su castillo de Miraflores, donde su gran yerro sería emendado, le atendía; la cual
se encomendó a la donzella de Denamarcha, que con mucho
plazer todo el afán que le venir pudiesse tomaría por dar
reparo a las dos personas que ella más amava; porque sin
sospecha de ninguna cosa aquel viaje mejor fazer pudiesse,

haviendo dicho Durín que Amadís en su llanto mentara mucho a su amo don Gandales, creyendo que antes allí que en otra parte estaría, acordaron que la donzella levasse donas a la reina d'Escocia y le dixesse nuevas de Mabilia, su hija, y de la reina a ella las traxesse. Oriana habló con la reina, su madre, haziéndole saber cómo embiavan aquella donzella con aquel mandado; ella lo tuvo por bien, assimesmo embió con ella sus donas.

Esto assí concertado, tomando consigo a Durín, su hermano, y a un sobrino de Gandales, que Emil se llamava, que nuevamente allí para buscar a su señor era venido, caminando fasta un puerto que llamavan Vegil, que es de lA Gran Bretaña, hazia Escocia entraron en una barca, y en cabo de siete días que navegaron, fue arribada en Escocia en una villa que se llamava Poligez, y desde allí se fue derechamente al castillo de Gandales, y fallóle que andava a caça con sus scuderos, y fuese para él, y él vino contra ella y saludáronse, y don Gandales vio en su lenguaje que era stranjera y preguntóla de dónde era, y ella le dixo:

—Soy mensajera de unas donzellas que os mucho aman, que embían comigo donas a la reina d'Escocia.

—Buena donzella —dixo él—, dezidme, si os pluguiere, ¿quién son?

—Oriana, la fija del rey Lisuarte, y Mabilia, que os conoçéis.

—Señora —dixo él—, vos seáis muy bien venida, y vamos a mi casa y folgaréis, y desde allí os levaré a la reina.

Ella lo tuvo por bien y fuéronse de consuno y fablando de algunas cosas preguntóle Gandales por Amadís, su criado, que ella fue muy triste considerando que allí no estava, y por le no fazer pesar, no le dixo cómo era perdido, mas que después que de la corte partió por vengar a Briolanja, no tornara a ella.

—Ante pensavan allá, cuando yo partí, que era venido a esta tierra con Agrajes, su cormano, por ver a vos que lo criastes y a la reina, su tía; yo le traía cartas de la reina Brisena y de otras sus amigas con que havría plazer.

Esto dezía ella porque si encubierto estuviesse, sabiendo lo que ella dezía, ternía por bien de la ver y fablar; mas Gandales no sabía nada dél. Allí folgó la donzella dos días, y fue muy honrada y servida de todos y de la mujer de Gandales, que muy noble dueña era, y luego se fue donde la reina estava y diole las cartas y las donas que le embiavan.

CAPÍTULO L

DE CÓMO GUILÁN, EL CUIDADOR, TOMÓ EL ESCUDO Y LAS
ARMAS DE AMADÍS QUE HALLÓ A LA FUENTE DE LA VEGA SIN
GUARDA NINGUNA Y LAS TRAXO A LA CORTE DEL REY
LISUARTE

DESPUÉS que don Guilán el Cuidador se partió de la fuente donde halló armas de Amadís, como se os ha contado, anduvo siete días por el camino contra la corte del rey
Lisuarte, y siempre levava el escudo de Amadís a su cuello; nunca le quitó, salvo en dos lugares que le fue forçado
de se combatir, que lo dava a sus scuderos y tomava el suyo.
Y el uno fue que se encontró con dos cavalleros sobrinos de
Arcaláus y conoçieron el escudo y quisiéronselo tomar, diziendo que lo levarían a su tío o la cabeça de aquel que lo
traía; mas don Guilán, sabiendo que del linaje de tan mal
hombre eran, dixo:

—Agora os tengo en menos.

Y luego se acometieron bravamente, que los dos cavalleros eran mancebos y rezios; mas don Guilán, ahunque de
más días fuesse, era más valiente y usado en armas, y como
quiera que la batalla alguna pieça duró, al cabo mató uno
dellos, y el otro fuyó contra la montaña, y don Guilán quedó
herido, pero no mucho, y fuese su camino como ante; y essa
noche alvergó en casa de un cavallero que conoçía, y hízole
mucha honra, y a la mañana diole una lança, que la suya
fue quebrada en la justa passada que havían havido, y anduvo tanto por su camino, que llegó a un río que se llamava
Guiñón y el agua era grande, y havía en él una puente de
madera tan ancha como venir un cavallero y ir otro; y al
cabo della vio estar un cavallero, que la puente quería passar, que tenía un escudo verde y una vanda blanca en él; y
conoçiólo que era Ladasín, su cormano, y a la otra parte estava un cavallero que defendía el passaje y a grandes bozes
dezía:

—Cavallero, no entréis en la puente si no queréis justar.

—Por vuestra justa —dixo Ladasín—, no dexaré yo de
passar.

Estonces, embrançando el scudo se metió por la puente.

Y el otro cavallero que la puente guardava estava en un cavallo vayo grande y a su cuello tenía un escudo blanco y un león pardo en él, y el yelmo otrosí, y el cavallero era grande de cuerpo y cavalgava muy apuesto, y como vio a Ladasín en la puente, dexóse ir a él al más correr de su cavallo y justaron ambos en la entrada de la puente, y assí avino que Ladasín y su cavallo cayeron de la puente en el agua, y echó mano de unas ramas de salzes que alcançó, y con grande afán salió a la orilla, que cayera de alto, y más el peso de las armas, y el que lo derribó tornóse por la puente su passo y púsose donde ante estava, y don Guilán llegó a su cormano, y él y sus escuderos sacáronle del agua y quitáronle el escudo y el yelmo, y díxole:

—Ciertamente, cormano, a pocas fuérades muerto si vuestro gran coraçón no lo estorvara en vos asir a estas ramas; y todos los cavalleros devrían dudar las justas de las puentes, porque los que las guardan tienen ya sus cavallos maestrados y ganan honra más por ellos que por sus valentías, y por mi grado antes rodearía agora por otro camino; mas pues a vos assí os aconteçió, conviene que vos vengue si pudiere.

Y en tanto passó el cavallo de Ladasín de la otra parte y el cavallero mandólo tomar a sus hombres y metiéronlo en una torre, y estava en medio del río, que era hermosa fortaleza, y passavan a ella por una puente de piedra.

Don Guilán quitó el escudo de Amadís y diólo a sus escuderos, y tomó el suyo y su lança y fuese a la puente; mas el otro cavallero que la guardava vino luego contra él y corrieron el uno contra el otro al más ir de sus cavallos; y el encuentro fue tan grande que el cavallero fue movido de la silla y cayó en el río, y Guilán cayó en la puente y por poco cayera en el agua si se no tuviera a los maderos, y el cavallero que en el agua cayó asióse al cavallo de Guilán, que cabe sí lo falló, y sacólo fuera, y los escuderos de Guilán tomaron el cavallo del otro, y Guilán miró y vio estar al cavallero al pie de la puente, y tenía su cavallo por las riendas y estávase sacudiendo del agua, y díxole:

—¡Mandadme dar mi cavallo, y ir nos hemos!

—¡Cómo! —dixo el cavallero—, ¿con tanto os pensáis de ir de aquí?

—Con tanto —dixo Guilán—; que ya hezimos en el passaje lo que devíamos.

—Esso no puede ser —dixo él—; que pues ambos caímos, la batalla no es partida hasta que a las spadas vengamos.

—¡Cómo! —dixo don Guilán—, ¿por fuerça queréis que me combata con vos; no basta el enojo que nos havéis hecho?, que las puentes a todos son comunes para por ellas passar.

—No me curo yo desso —dixo él—, que todavía conviene que sintáis cómo corta mi espada, o por fuerça o de grado.

Y estonces saltó en el cavallo sin poner pie en el estribo, tan ligero que fue maravilla de lo ver, y endereçó su yelmo muy prestamente y fuése poner en el camino por donde Guilán havía de passar, y díxole:

—Don cavallero, dezidme ante que nos combatamos, si sois natural de la tierra del rey Lisuarte o de su mesnada.

—¿Por qué lo preguntáis? —dixo Guilán.

—¡Agora pluguiesse a Dios que yo tuviesse al rey Lisuarte como tengo a vos —dixo el cavallero—, que yo juro por la mi cabeça que nunca él más reinasse!

Don Guilán fue desto muy sañudo, y dixo:

—Cierto, si mi señor el rey Lisuarte aquí estuviesse como yo, presto castigaría essa vuestra locura; que de mí vos digo que soy su natural y morador en su casa, y por lo que dexistes tengo gana de me combatir con os lo que ante no tenía, y si puedo, yo haré que de vos no reciba enojo ni deservicio esse rey que dezís.

El cavallero se rió como en desdén, y dixo:

—Yo te prometo que antes de medio día serás puesto en tal estrecho que muy escarnido le levarás mi mandado; y quiero que sepas quién yo soy y qué donas de mi parte le darás.

Don Guilán, que con la gran saña le quería acometer, sufrióse por saber quién era.

—Agora —dixo él—, sábete que he nombre Gandalod, y soy fijo de Barsinán, señor de Sansueña, aquel que el rey Lisuarte mató en Londres, y las donas que tú le levarás son las cabeças de cuatro cavalleros de su casa que yo allí tengo presos en mi torre, y el uno dellos es Giontes, su sobrino, y la tu mano drecha cortada al tu cuello.

Don Guilán metió mano a su spada, y dixo:

—Asaz ay en ti de amenazar si con ellas me spantasse.

Y fue para él, y el otro assimismo, y acometiéronse con gran saña, començando su batalla tan brava y de tanta crueza, que maravilla era de los ver; que ellos se herían de todas

partes de tan duros y tan esquivos golpes, sin que folgança
alguna en sí tomassen, que Ladasín y los escuderos que miravan eran espantados y creían que ninguno dellos podría
quedar tal, ahunque vencedor fuesse, que pudiesse scapar de
la muerte; mas lo que les guarecía era que, como ambos fuessen muy usados en las armas, guardávanse mucho en los golpes, y ahunque las armas se cortavan, las carnes no pade-
çían, y cuando ellos assí andavan, no pensando sino en se
matar, oyeron sonar un cuerno encima de la torre, de que
Gandalod fue maravillado, y acuitóse de dar fin a su batalla
por saber lo que sería, y juntado con don Guilán, echó los
braços en él y asiéronse tan reziamente que, movidos de las
sillas, cayeron de los cavallos en tierra y anduvieron abraçados un rato rebolviéndose en el campo; mas cada uno apretó bien su spada en la mano, y don Guilán se desembolvió
dél y levantóse primero y diole dos golpes; mas el otro levantado, começaron su batalla muy más fuerte y peligrosa
que de antes, porque stando a pie llegávase el uno al otro
muy mejor que de cavallo, y cuitávanse mucho por le dar
fin; y don Guilán cuidó que el cuerno se tañía para socorrer
a Gandalod, y Gandalod creía que alguna traición era en la
fortaleza; assí que cada uno, sin holgar ni descansar, provava toda su fuerça contra el otro; mas después que a pie fueron, don Guilán começó a mejorar mucho, de que Ladasín
ovo muy gran plazer y sus escuderos que lo miravan, porque ya Gandalod no se podía cubrir bien desso que del scudo
tenía, ni sofrir con la espada golpe que dañar pudiesse, tanto
andava cansado, y don Guilán, que assí lo vio, anduvo aguardando y diole en descubierto un golpe en el braço, que ge
lo cortó con la mano, assí que le cayó en tierra y la su spada
que tenía con él; y Gandalod dio una gran boz y quiso fuir
contra la torre, mas Guilán lo alcançó y tirole rezio por el
yelmo que gelo sacó de la cabeça y dió con él a sus pies
y púsole la spada en el rostro, diziendo:

—Conviene que vayáis al rey Lisuarte con aquellas donas
que a mí señalastes; mas serán de otra guisa que os lo teníades pensado, y si esto no fazéis, vuestra cabeça será partida
del cuerpo.

—Yo lo haré —dixo Gandalod—, que más quiero atender
la misericordia del rey que morir agora en tal sazón.

Estonces tomó dél fiança y fuese contra la torre, que oyó
una gran buelta, y cavalgó en el cavallo y Ladasín con él, y

hallaron que los cavalleros presos se havían suelto, y salidos
del algilbe se havían armado, encima de la torre, de armas
que allí hallaron, y ellos tocaran el cuerno, y quedando el
uno dellos, los otros descendieran ayuso y matavan cuantos
podían alcançar. Pues llegados don Guilán y Ladasín, vieron
sus compañeros en somo de la puerta y un cavallero con
siete peones que salía de la torre fuyendo y se acogían a un
bosque; y los de arriba les dixeron que los matassen, en special al cavallero; ellos fueron luego, y en poca pieça mataron los cuatro, y los tres se les fueron, mas el cavallero fue
preso y traído a sus compañeros. Don Guilán los habló y
dixó:

—Señores, yo no me puedo aquí detener, que me voy a la
reina, mas quede con vos mi cormano Ladasín, y levad estos
cavalleros al rey Lisuarte, que haga dellos lo que por bien
tuviere; hazed de manera que esta fortaleza quede a mi
mando.

—Assí lo haremos —dixeron ellos.

Estonces don Guilán quitó su escudo, que poco valía,
según era cortado por muchos lugares, y tomó el de Amadís, llorando de sus ojos. Aquellos cavalleros, que el escudo
conoscieron y a él vieron llorar, fueron maravillados y preguntáronle cómo lo levava; él les cuentó de la forma que a
la Fuente de la Vega lo halló con las otras armas todas, y
cómo avía buscado a Amadís por toda aquella comarca y
nunca dél pudiera saber nuevas; ellos ovieron muy gran pesar
creyendo que algún gran mal le avía venido.

Con esto se partió dellos, y sin entrevallo que le viniesse,
llegó donde el rey era, que ya sabía cómo Amadís acabara
las aventuras todas de la Insola Firme y ganado el señorío
della, y cómo se partiera ascondidamente con gran cuita, mas
la causa dello no la sabía ninguno, sino aquellos o aquellas
que se vos ha dicho. Cuando don Guilán llegó, todos llegaron por ver el escudo de Amadís y saber algo dél, y el rey
le dixo:

—¡Por Dios, don Guilán, dezidnos lo que de Amadís sabéis!

—Señor —dixo él—, no sé ninguna cosa, que nunca oí dél;
mas cómo me acontesció con el escudo vos contaré delante
de la reina si vos pluguiere.

Entonces se llevó el rey consigo, y llegando a la reina fincó
los inojos ante ella, y llorando le dixo:

—Señora, yo hallé en una que llaman la Fuente de la Vega todas las armas de Amadís, adonde este su escudo estava desamparado, de que ove gran pesar, y poniéndole en un árbol, dexándolo a guardar a unas donzellas que en mi compañía traía, anduve por todas aquellas comarcas buscando a Amadís, y no fue mi ventura de lo hallar, ni nuevas dél, y yo, conosciendo el valor de aquel cavallero y su desseo era de lo poner en vuestro servicio fasta la muerte, acordé, pues a él no podía traer, que sus armas vos diessen testimonio de lo que a vos y a él obligado yo era; mandaldas poner en parte donde todos las vean, assí para que algunos que de muchas partes a esta vuestra corte vienen, podrán algo de su dueño saber, como para ser recordadoras a los que buenos ser quisiessen, que sigan aquel alto prez que su señor con ellas en su tiempo estremadamente entre tantos cavalleros ganó.

—Mucho me pesa —dixo la reina— de la pérdida de tal hombre que tanta mengua en el mundo fará, y a vos, don Guilán, agradezco yo mucho lo que fezistes, y assí lo faré a todos aquellos que armas traen, si trabajaren de buscar aquel por que la orden de la cavallería y las dueñas y donzellas tan preciadas y defendidas eran.

Mucho pesó destas nuevas al rey y a todos los de la corte, creyendo que Amadís muerto fuesse; mas sobre todos fue Oriana, que no pudiendo allí estar con su madre, se acogió a su cámara, donde con muchas lágrimas maldixo su ventura por aver sido causa de tanto mal, donde ella, si la muerte no, otra cosa no atendía. Mas todos los consuelos de Mabilia y la esperança de la venida de su donzella, que le traerá buenas nuevas, le davan algún consuelo; y en cabo de cinco días llegaron allí a la corte los cavalleros y las donzellas que don Guilán sacara de la prisión, que venían al rey y a la reina a les pedir merced que le gradeciessen lo que por ellos avía hecho; y allí venían las donzellas que dixeron el duelo que vieron hazer a Gandalín, no porque su nombre supiessen, mas diziendo que era un escudero que preguntava por el señor del escudo y de las armas.

Luego llegaron allí los cavalleros, que traían preso a Gandalod, y contaron al rey la batalla que don Guilán con él ovo y por cuál razón, y todas las palabras que entre ellos ovo, y cómo los tenía a ellos presos y por qué guisa se soltaron; el rey le dixo:

—En este lugar maté a tu padre por la gran traición que me fizo, y aquí morirás tú por la que me querías fazer.

Entonces los mandó a entrambos despeñar de una torre al pie de la cual fue quemado Barsinán, su padre, como la primera parte lo cuenta.

CAPÍTULO LI

QUE CUENTA EN QUÉ MANERA, ESTANDO BELTENEBRÓS EN LA PEÑA POBRE, ARRIBÓ AÍ UNA NAO EN QUE VENÍA CORISANDA EN BUSCA DE SU AMANTE FLORESTÁN, Y DE LAS COSAS QUE PASSARON Y DE LO QUE RECONTÓ EN LA CORTE DEL REY LISUARTE

BELTENEBRÓS, estando en la Peña Pobre, como vos ya contamos, el hermitaño le fizo sentar un día cabe si en un poyo que a la puerta del hermita estava, y dixo:

—Fixo, ruégovos que me digáis qué es lo que vos fizo dar tales bozes entre sueños cuando en la Fuente de la Vega estávamos.

—Esso vos diré, buen señor, yo de grado, y ruégovos por Dios que me digáis lo que dello se vos entendiere, que sea de mi plazer o de mi pesar.

Entonces le cuentó el sueño como ya oístes, sino tanto que el nombre de las donzellas no lo dixo. El hombre bueno que lo oyó, estuvo una pieça mucho pensando y tornóse contra él riendo y de buen talante, y dixo:

—Beltenebrós, buen hijo, mucho me avéis alegrado y dísteme gran plazer con esto que me dezís, y assí lo sed vos, que con gran razón lo devéis ser, y quiero que sepáis cómo lo yo entiendo: sabed que la cámara escura en que vos veíades y no podíades della salir, significa esta cuita en que agora stáis, y todas las donzellas que la puerta abrían, éstas son algunas vuestras amigas, que hablan con aquella que más amáis en vuestra hazienda, y en tal guisa harán, que vos sacarán de aquí y desta cuita en que agora sois; y el rayo del sol que iva ante ellas es mandado que vos embiarán de nuevas de alegría con que vos iréis de aquí; y el fuego en que víades a vuestra amiga es significança de gran cuita de amor en que será por vos, assí como vos por ella sois, y de aquel fuego, que significa amor, la sacaréis vos, que será de la su

cuita cuando vos viere; y la fermosa huerta donde la leváva-
des, esto muestra gran plazer en que con vuestra vista será
puesta; bien conozco que, según mi ábito, no devría hablar
en semejantes cosas, pero entiendo que es más servicio de
Dios dezirvos la verdad, con que seáis consolado, que callando, la vuestra vida en condición esté con muerte deses-
perada.

Beltenebrós fincó los inojos ante él y besávale las manos,
gradesciendo a Dios que en tan gran cuita y dolor le diera
persona que assí consejarle supiesse, y rogándole, con lágrimas, que por la su piedad fiziesse verdaderas las palabras de
aquel santo hombre, su siervo. Entonces le rogó que le dixiesse qué significava el sueño que la noche antes que Durín
le diera la carta soñara, estando en la Insola Firme. El hombre bueno le dixo:

—Esso muy claro se os muestra, que ya por todo ello passastes: dígovos que aquel otero alto cubierto de árboles en que
vos veíades y la mucha gente que faziendo alegría alderredor de vos estavan, ésta muestra aquella Insola Firme que
entonces ganastes, en que metistes en gran plazer a todos
los moradores della; y el hombre que a vos venía con la buxeta del letuario amargo es el mensajero de vuestra amiga
que vos dio la carta, que el grande amargor de sus palabras
vos, mejor que ninguno, que lo provastes, lo sabéis; y la tristeza en que veíades a las gentes que alegres estavan, son los
mismos de la Insola, que por causa vuestra son en gran cuita
y soledad; y los paños que vos desmudávades son las armas
que vos dexastes; y aquel lugar pedregoso donde vos ascon-
díades en medio del agua, esta peña en que estáis lo muestra; y el hombre de orden que vos fablava en lenguaje que
no entendíades, yo soy, que vos dixe las palabras santas de
Dios, las cuales antes no sabíades ni en ellas pensávades.

—Ciertamente —dixo Beltenebrós— muy gran verdad me
desís en este sueño, que todo assí me acaesció, en lo cual
mucha esperança tomo en lo porvenir.

Mas no fue tan cierta ni tan grande que le quitasse aquellas angustias en que la desesperança que de su señora tenía
le avían puesto, y mirava mucho a menudo contra la tierra,
acordándosele los vicios grandes y honras que en ella oviera, y veyéndolo todo con tanta crueza al contrario tornado,
muchas vezes llegava a tal estrecho que, si no por los consejos de aquel hombre bueno, su vida fuera en gran peligro, el

cual, por le apartar algo de sus muy grandes pensamientos y congoxas, fazíale muchas vezes en compañía de dos moçuelos, sus sobrinos de aquel hombre bueno, que consigo tenía, ir a pescar a una ribera que aí cerca estava con varas, donde tomavan pescado assaz.

Assí como oís estava Beltenebrós faziendo su penitencia con mucho dolor y grandes pensamientos que de contino tenía, creyendo que si Dios por su piedad no le acorriesse con la merced de su señora, que la muerte tenía muy cerca más que la vida, y todas las más noches alvergava debaxo de unos espessos árboles que una huerta eran allí cerca de la hermita, por fazer su duelo y llorar sin que el hermitaño nin los moços lo sintiessen. Y acordándosele la lealtad que siempre con su señora Oriana tuviera y las grandes cosas que por la servir avía fecho, sin causa ni merescimiento suyo averle dado tan mal galardón, fizo esta canción con gran saña que tenía, la cual dezía assí:

> *Pues se me niega vitoria*
> *do justo m'era devida,*
> *allí do muere la gloria*
> *es gloria morir la vida.*
> *Y con esta muerte mía*
> *morirán todos mis daños,*
> *mi esperança, mi porfía,*
> *el amor y sus engaños;*
> *mas quedará en mi memoria*
> *lástima nunca perdida,*
> *que por me matar la gloria*
> *me mataron gloria y vida.*

Pues aviendo fecho esta canción que oís, le avino que estando una noche debaxo de aquellos árboles, como solía, faziendo gran duelo, llorando muy fieramente, passada ya gran parte de la noche, oyó tañer unos estrumentos allí cerca muy dulcemente, assí que él avía gran sabor de lo oír; y maravillóse dello, que bien pensava él que en aquel lugar no avía más compaña que el hermitaño y él y los moços; y levantándose de donde estava, fuese encubierto por saber qué sería, y vió dos donzellas cabe la fuente que los instrumentos tenían en sus manos y oyólas tañer y cantar muy sabrosamente, y a cabo de una pieça que las estuvo escuchando, díxoles:

—Buenas donzellas, a Dios quedéis, que con vuestro muy dulce tañer me fezistes perder los maitines.

Y ellas se maravillaron qué hombre sería, y dixéronle:

—Amigo, dezidnos por cortesía qué lugar es este donde arribado avemos y qué hombre sois vos que nos habláis.

—Señora —dixo—, a este lugar llaman la Peña del Hermitaño, por una hermita y un hermitaño que aquí ay, y yo soy un hombre muy pobre que con el moro y Liro, faziendo grande y muy áspera penitencia de mis grandes males y pecados.

Entonces dixeron ellas:

—Amigo, ¿podríamos aver aquí alguna casa en que alvergasse una dueña muy doliente que aquí traemos, que es de alta guisa y además rica, que anda muy maltrecha de amor, para en que dos o tres días folgasse?

Cuando Beltenebrós esto oyó, dixo:

—Aquí ay una casa pequeña en que yo alvergo, y si el hermitaño vos la da, yo dormiré en el campo, como muchas noches me acaesce, y por vos fazer complazer.

Las donzellas le rendieron muchas gracias por lo que avía dicho y gelo tuvieron en gran merced. Ellos en esto estando, venía ya el alva, y vio Beltenebrós debaxo de otros árboles, en una fermosa y muy rica cama, la dueña que le dixeran y cuatro cavalleros armados en la ribera del mar que aguardándola estavan y dormían, y cinco hombres que yazían cabe ellos, los cuales armas no tenían, y vio una nao en la mar y muy apuesta de lo que menester avía, y estava sobre una áncora, y la dueña le paresció asaz moça y muy fermosa, que él tuvo plazer de la mirar; entonces se fue al hermitaño, que se vestía para dezir missa, y díxole:

—Padre, gente estraña havemos; bien será que con la missa los atendades.

—Assí lo faré —dixo el hombre bueno.

Entonces se fueron entrambos sallendo de la hermita, y Beltenebrós él le mostró la nao y vieron cómo los cavalleros y los otros hombres subían la dueña doliente donde ellos estavan, y las sus donzellas con ella, y dixeron al hermitaño si avría allí alguna casa donde la pusiessen; él dixo:

—Allí ay dos casas, en la una moro yo, y por mi voluntad nunca en ella muger entrará; en la otra alverga este hombre bueno pobre, que aquí su penitencia faze, y no gela quitaría yo sin su grado.

Beltenebrós dixo:

—Padre, bien gela podéis dar, que yo alvergaré so los árboles, como muchas vezes lo acostumbro.

Con esto entraron todos en la capilla a oír missa, y Beltenebrós, que mirava las donzellas y los cavalleros y se le acordó de sí y de su señora y de la vida passada, començó a llorar muy reziamente, y fincando los inojos delante del altar, rogava a la Virgen María que le socorriesse en aquella gran cuita en que estava; y las donzellas y cavalleros que assí lo veían llorar tan de coraçón, pensavan que era hombre de buena vida, y maravillándose de su edad y fermosura cómo en tal parte lo quería emplear por ningún pecado que grave fuesse, según en todas partes la misericordia de Dios alcançava, aviendo los hombres verdadero arrepentimiento. Desque la missa fue dicha, levaron la dueña a la cámara y echáronla en un lecho asaz rico que le fizieran, y ella llorava y apretava las manos una con otra con gran cuita que la aquexava.

Beltenebrós, que assí lo vio, preguntó a las donzellas, que ya tomavan sus instrumentos para le hazer solaz, qué havía o por qué mostrava tan gran congoxa; ellas le dixeron:

—Amigo, essa dueña es muy rica y de gran guisa y fermosa, ahunque su mal agora gelo menoscaba, y la su cuita, ahunque a otros no se dixesse, dezirse ha a vos, que lo guardaréis. Sabed que es de muy gran amor que la atormenta, y va a buscar aquel a quien ama a casa del rey Lisuarte, y quiera Dios que allí lo falle porque algo de su passión amansada sea.

Cuando él oyó dezir de casa del rey Lisuarte y la dueña moría de amor assí como él, las lágrimas le vinieron a los ojos, y díxoles:

—Ruégovos, señoras, que me digáis al que ama cómo ha nombre.

—Este cavallero —dixeron ellas— que vos dezimos no es desta tierra, y es uno de los mejores cavalleros del mundo, salvando dos solos, que mucho preciados son.

—Agora os ruego —dixo él—, por la fe que a Dios devéis, que me digáis su nombre y desos dos que dezís.

—Dezíroslo hemos por pleito que nos digáis si sois cavallero, que en todo lo parescéis, y cómo avéis nombre.

—Fazerlo he —dixo él— por saber lo que vos pregunto.

—¡En el nombre de Dios! —dixeron ellas—, agora sabed

que el cavallero que la dueña ama ha nombre don Florestán, hermano del buen cavallero Amadís de Gaula y de don Galaor, y es fijo del rey Perión de Gaula y de la condesa de Selandia.

—¡A Dios gracias!; agora sé que me dezís verdad de su fazienda y de su bondad, y creo que no diréis tanto de bien dél que más no aya.

—¡Cómo! —dixeron ellas—, ¿conoceíslo vos?

—Ya lo vi no ha mucho tiempo —dixo él— en casa de Briolanja, y vi la batalla que Amadís ovo y su cormano Agrajes con Abiseos y sus fijos, y vi el fin que ovieron fasta que llegó Florestán, y parescióme muy mesurado, y de su gran bondad de armas oí fablar mucho a don Galaor, su hermano, que con él se combatiera según dezía.

—Por essa batalla dellos —dixeron las donzellas— se partió de allí Florestán, que en ella se conoscieron por hermanos.

—¡Cómo! —dixo él—, ¿esta es la dueña señora de la ínsola donde la batalla de ambos fue?

—Esta es —dixeron ellas.

—Entiendo —dixo él— que ha nombre Corisanda.

—Verdad dezís —dixeron ellas.

—Agora no he tanto duelo de su mal —dixo el—, que bien sé que es él tan mesurado y de tan buen talante, que siempre fará lo que ella mandare.

—Pues agora nos dezid —dixeron las donzellas —quién sois.

—Buenas señoras —dixo—, yo soy cavallero, y me fue mejor que agora me va en las cosas vanas deste mundo, lo cual agora estoy pagando, y mi nombre es Beltenebrós.

—¡A Dios merced! —dixeron ellas—; agora finca con Dios, y nos iremos consolar a nuestra señora con estos instrumentos.

Y assí lo fizieron; que entrando donde ella estava y aviendo tañido y cantado una pieça, dixéronle todo lo que a Beltenebrós oyeran de don Florestán.

—¡Ay! —dixo ella—, llamádmelo luego, que algún buen hombre deve ser, pues que a don Florestán vió y lo conosció.

Y la una de las donzellas lo traxo consigo, y la dueña le dixo:

—Estas donzellas me dizen que vistes a don Florestán y lo amáis; ruégoos, por la fe que a Dios devéis, que me digáis lo que dél sabéis.

El le contó todo lo que a las donzellas dixera y que sabía que él y sus hermanos y su cormano Agrajes se fueran a la Insola Firme, y que después no lo viera más.

—Agora me dezid —dixo Corisanda—, si vos pluguiere, si le avéis algún deudo, que a mí semeja que lo amáis.

—Señora —dixo él—, yo le amo mucho por su valor y porque su padre me fizo cavallero, por donde a él y a sus hijos soy mucho obligado; y soy muy triste por unas nuevas que de Amadís oí antes que aquí viniesse.

—¿Y qué es esso? —dixo ella.

—Cuando yo me venía a este lugar, vi una donzella —dixo él— en una floresta cabe el camino que yo andava, y dezía una cántica muy sabrosa de oír y preguntéle a quién la avía hecho. «Fízola —dixo ella— un cavallero a quien Dios dé más alegría que al tiempo que la hizo tovo, que según las palabras della, grande agravio del amor recibió y mucho dél en ella se quexa.» Yo moré con la donzella dos días, hasta que la aprendí, y dezíame que Amadís gela mostrava llorando y faziendo gran duelo.

—Mucho os ruego —dixo la dueña— que essa cántica que dezís la amostréis a mis donzellas porque en los instrumentos la canten y tañan.

—Plázeme —dixo él— de lo fazer por vuestro amor y por aquel que vos más amáis y ahunque agora no esté en tiempo de cantar ni de hazer cosa que de alegría ni plazer sea.

Entonces se fue con las donzellas a la capilla y mostróles la cántica, que él tenía muy estraña boz y la gran tristeza suya gela fazía más dulce y acordada; las donzellas la aprendieron muy bien y la cantavan a su señora, que gran plazer de la oír avía.

Pues allí estuvo Corisanda cuatro días, y al quinto se despidió del hermitaño y Beltenebrós, y díxole si estaría allí mucho tiempo.

—Señora —dixo él—, hasta que muera.

Entonces entráronse en su nao y fuéronse su viaje a Londres, donde el rey Lisuarte era, que allí esperava saber nuevas, antes que en otra parte, de don Florestán. Mucho fue bien recebida del rey y de la reina y de todos, sabiendo que era dueña de alta guisa, y fiziéronla aposentar en su palacio. La reina le preguntó la razón de su venida, y que ella sería en la ayudar con el rey, si a él con alguna necessidad era llegada.

—Mi señora —dixo Corisanda—, yo vos lo tengo en merced, mas mi demanda es buscar a don Florestán; y porque en aquella su corte venían nuevas de todas partes, querría en ella estar algún tiempo hasta que algo dél supiesse.

La reina le dixo:

—Buen amiga, esso podéis fazer vos cuanto vos pluguiere, pero, fasta agora, no se sabe dél otra cosa sino que es ido en busca de Amadís, su hermano, que no se sabe por cuál razón es ido a perder; y contóle cómo don Guilán le traxiera las armas y que dél no pudiera saber ninguna cosa. Oído esto por Corisanda, començó a llorar fieramente, diziendo:

—¡O, Dios, Señor, qué será de mi amigo y mi señor don Florestán, que según él ama aquel hermano, si le no falla, también será él perdido, que yo nunca jamás lo veré!

La reina la consoló y pesóle con las nuevas que le dixera. Oriana, que cabe su madre estava oyendo la razón de la dueña cómo amava a don Florestán, hermano de Amadís, ovo sabor de la honrar, y haziéndole compañía la llevava a su aposentamiento, donde supo toda su hazienda enteramente. Pues hablando con ella en muchas cosas, Corisanda les contó, a ella y a Mabilia, cómo estuviera en la Peña Pobre y hallara un cavallero haziendo penitencia que a sus donzellas mostrara una canción que Amadís havía hecho en tiempo de gran cuita que en sí tenía, y que assí devía ello ser según las palabras de la canción. Mabilia le dixo:

—Mi buen amiga y señora, mucho por merced os ruego que la mandéis cantar a vuestras doncellas, que muy gran plazer avré de la oír por la aver hecho aquel cavallero cuya cormana yo soy.

—Esso haré yo de grado —dixo ella-, que no menos alegría mi coraçón siente en la oír por el gran deudo que con mi señor don Florestán tiene.

Entonces vinieron las donzellas y cantáronla con sus instrumentos muy dulcemente, que era muy grande alegría de lo oír, según con la gracia que dicha era, mas dolor a quien la oía; y Oriana paró mientes en aquellas palabras, y bien vio, según ella le avía errado, que con gran razón Amadís se quexava, y vínole muy gran quexa al coraçón, de manera que, allí no pudiendo estar, se fue a su cámara con vergüença de las muchas lágrimas que a los ojos le venían. Mabilia dixo a Corisanda:

—Amiga, ya vedes cómo Oriana es doliente, y por vos hazer plazer y honra está aquí más de lo que le convenía; quiero ir a le poner remedio, y ruégovos que me digáis qué hombre es esse que en la Peña Pobre está que la canción mostró a vuestras donzellas, y si sabe algunas nuevas de Amadís.

Ella le contó cómo lo fallara y cuanto le dixera, y que nunca viera hombre doliente y flaco tan fermoso ni tan apuesto en su pobreza, y que nunca viera hombre tan mancebo que tan entendido fuesse. Mabilia pensó luego que aquél era Amadís, que con su gran desesperación en lugar tan estrecho y apartado se pusiera fuyendo de todos los del mundo, y fuese a Oriana, que estava en su cámara muy pensativa y llorando de sus ojos muy reziamente, y llegó riendo y de buen talante, y díxole:

—Señora, en preguntar hombre en algunas vezes sabe más de lo que piensa; sabed que, según lo que he sabido de Corisanda, aquel cavallero doliente que se llama Beltenebrós y está en la Peña Pobre, por razón deve ser Amadís, que se partió allí de todos los del mundo, y quiso complir vuestro mandado en no parescer ante vos ni ante otro ninguno; por ende, sed alegre y consolaos, que mi coraçón me dize ser aquél sin duda ninguna.

Oriana alçó las manos y dixo:

—¡O, Señor del mundo!, plégaos que assí sea verdad, y vos, mi buen amiga, consejadme lo que faga, que en tal estado soy que no tengo juizio ni seso ninguno, y, ¡por Dios!, aved de mí duelo assí como de aquella cativa desaventurada que por su locura y airada saña perdió todos sus bienes y plazeres.

Mabilia ovo della duelo, assí que las lágrimas a los ojos le vinieron, y bolvió el rostro porque gelas no viessen, y díxole:

—Señora, el consejo es que esperemos a la vuestra donzella, y si ésta no le falla, dexad a mí el cargo, que yo terné manera cómo dél sepamos, que todavía me esfuerço que es aquel que Beltenebrós se llama.

CAPÍTULO LII

De cómo la donzella de Denamarcha fue en busca de Amadís, y a caso de ventura, después de mucho trabajo, aportó en la Peña Pobre, donde estava Amadís, que se llama Beltenebrós, y de cómo se vinieron a ver con la señora Oriana

L A donzella de Denamarcha estuvo con la reina de Escocia diez días, y no tanto por su plazer como que de la mar enojada y maltrecha estava, y más en no aver hallado nuevas de Amadís en aquella tierra, donde con mucha esperança de las saber viniera, creyendo que la muerte de su señora en el mal recaudo que ella lleva estava; y despidiéndose de la reina, llevando las donas que para la reina Brisena y Oriana y Mabilia, su hija, le dio, se tornó a la mar para se bolver con aquel despacho sin ventura, no sabiendo más qué hazer; mas aquel Señor del mundo que cuando las personas sin esperança, sin reparo, les parece estar, queriendo mostrar algo del su poder, dando a entender a todos que ninguno, por sabio ni discreto que sea, sin su ayuda ayudado ser no puede, mudó su viaje, con gran miedo y tribulación della y de todos los de la nave, dándoles el fin con aquella alegría y buenaventura que ella buscava. Y esto fue que la mar embravescida, la tormenta sin comparación les acurrió, assí que andando por la mar sin governalle, sin concierto alguno, perdido de todo punto el tino de los mareantes, no teniendo fuzia alguna en sus vidas, en la fin una mañana, al punto del alva, al pie de la Peña Pobre, donde Beltenebrós era, arribaron, la cual fue luego conoscida de los de la nave, que algunos dellos sabían ser allí Andalod, el santo hermitaño, que en la hermita suso su vida hazía. Lo cual dixeran a la donzella de Denamarcha, y ella, como salida de tal peligro, tornada assí de muerte a vida, mandó que suso a la peña la subiessen, porque, oyendo missa de aquel hombre bueno, pudiesse a la Virgen María dar gracias de aquella merced que su glorioso Hijo les avía hecho.

A esta sazón, Beltenebrós a la fuente debaxo de los árboles que ya oístes, donde aquella noche alvergara, y era ya su salud tan llegada al cabo, que no esperava bivir quinze días, y del mucho llorar, junto con la su gran flaqueza, tenía el rostro muy descarnado y negro, mucho más que si de gran dolencia agraviado fuera, assí que no avía persona que conoscerlo pudiesse; y desque ovo mirado una pieça la nave y vio que la donzella y los dos escuderos subían suso la peña, como ya su pensamiento en ál no estuviesse, sin el demandar la muerte, todas las cosas que hasta allí havía tractado con mucho plazer, que era ver personas estrañas, assí para las conoscer como para las remediar en sus fortunas, aquellas y todas las otras semejantes dél con mucha desesperación eran aborrescidas, y partiéndose de allí a la hermita se fue, y dixo al hermitaño:

—Gente me paresce que de una fusta salen y se vienen para vos.

Y púsose de rodillas ante el altar, faziendo su oración, rogando a Dios que del alma le oviesse merced, que presto sería a darle cuenta. El hermitaño se vistió para dezir la missa, y la donzella con Durín y Enil entró por la puerta, y faziendo oración luego le quitaron los antifazes que delante el rostro traía.

Beltenebrós, aviendo estado una pieça, levantóse y bolvió el rostro contra ellos, y mirándolos conosció luego a la donzella y a Durín, y la alteración fue tan grande que, no pudiendo estar en los pies, cayó en el suelo como si muerto fuesse. Cuando el hermitaño esto vio, pensó que ya estava en el postrimero punto de su vida y dixo:

—¡O, Señor poderoso!, ¿por qué no has querido aver piedad deste que tanto en tu servicio pudiera fazer?

Y las lágrimas le caían en mucha cuantidad por las blancas barvas, y dixo:

—Buena donzella, fazed a essos hombres que me ayuden a llevar este hombre a su cámara, que entiendo que éste será el postrimero beneficio que fazérsele puede.

Entonces Enil y Durín con el hermitaño le llevaron a la casa donde alvergava y lo pusierorn en una cama asaz pobre, que por ninguno dellos nunca fue conoscido. Pues la donzella oyó la missa y, queriéndose ir a comer en tierra, que de la mar muy enojada andava, acaso preguntó al hermitaño qué hombre era aquel que de tan gran dolencia agraviado era. El hombre bueno le dixo:

—Es un cavallero que aquí faze penitencia.

—Mucho culpado deve ser —dixo ella—, pues en parte tan áspera fazerla quiso.

—Assí es como vos dezís —dixo él—, pues que más por las cosas vanas y pereçederas deste mundo que por servicio de Dios lo faze.

—Quiérole ver —dixo la donzella—, pues me dezís que es cavallero, y de las cosas que en la nave trayo le dexaré con que algo pueda ser reparado.

—Fazeldo —dixo el buen hombre—, pero entiendo que su muerte a que tan llegado es, vos quitará dese cuidado.

La donzella entró sola en la cámara donde Beltenebrós estava, el cual, pensando qué fiziesse no se sabía determinar, que si se le fiziesse conoscer, passava el mandamiento de su señora, y si no, si aquella, que era todo el reparo de su vida, de allí se fuesse, no le quedava esperança ninguna. En la fin, creyendo que muy más duro para él sería enojar a su señora que padescer la muerte, acordó de se le no fazer conoscer en ninguna manera. Pues la donzella, llegada cerca de la cama, dixo:

—Buen hombre, del hermitaño he sabido que sois cavallero, y porque las donzellas a todos los más cavalleros somos muy más obligadas, por los grandes peligros que en nuestra defensa se ponen, acordé de vos ver y dexar aquí, del bastimento de la nao, todo lo que para vuestra salud en ella se fallare.

El no respondió ninguna cosa; antes estava con grandes solloços y gemidos llorando, assí que la donzella pensó que el alma de las carnes se le partía, de que ovo gran piedad; y porque en la cámara poca luz avía, abrió una lumbrera que cerrada estava, y llegóse a la cama por ver si era muerto, y començóle a mirar, y él a ella, todavía llorando y solloçando, y assí estovo por una pieça, que la donzella nunca lo conosció, porque su pensamiento bien descuidado era de fallar en tal parte aquel que buscava; mas viéndole en el rostro un golpe que Arcaláus el Encantador le fizo con la cuchilla de la lança cuando le fue por él quitada Oriana, como se vos ha dicho en el libro primero, fízola recordar en lo que ante ninguna sospecha tenía, y claramente conosció ser aquel Amadís, y dixo:

—¡Ay, Santa María, val!, ¿qué es esto que veo?, ¡ay, señor, vos sois aquel por quien mucho afán he tomado!

Y cayó de burças sobre el lecho, y fincando los inojos le besó las manos muchas veces, y díxole:

—¡Señor, aquí es menester piedad y perdón contra aquella que vos erró, que si por su mala sospecha vos ha puesto injustamente en tal estrecho, ella con mucha causa y razón padezce la vida más amarga que la propia muerte!

Beltenebrós la tomó entre sus braços y juntóle consigo sin ninguna cosa le poder fablar. Ella, dándole la carta, le dixo:

—Esta vos embía vuestra señora, y por mí vos faze saber que si vos sois aquel Amadís que ser solía, a que ella tanto ama, que poniendo en olvido lo passado, luego seáis con ella en el su castillo de Miraflores, donde con mucho vicio serán emendados los dolores y angustias que el sobrado amor que vos tiene ha causado.

El tomó la carta y, después de la besar muchas vezes, púsola encima del coraçón, y dixo:

—¡O, atribulado coraçón, que tanto tiempo con tan grandes angustias, derramando tantas lágrimas te has podido sostener fasta ser llegado en el estrecho de la cruel muerte, recibe esta melezina, que para la tu salud ninguna otra bastar pudiera; quita aquellas nieblas de gran tenebregura de que fasta aquí cubierto estavas; toma esfuerço con que puedas servir aquella tu señora la merced que en te quitar de la muerte te faze!

Entonces abrió la carta por la leer, que assí dezía:

CARTA DE ORIANA A AMADÍS

«Si los grandes yerros que con enemistad se fazen, bueltos en humildad son dinos de ser perdonados, ¿pues qué será de aquellos que con gran sobra de amor se causaron?; ni por esso niego yo, mi verdadero amigo, no merescer mucha pena, porque deviera considerar que en las prósperas y alegres cosas son las esechanças de la fortuna para en mezquindad las poner, y con razón deviera yo considerar vuestra discreción, vuestra honestad, que fasta aquí en ninguna cosa erró; y sobre todo la gran sojeción de mi triste coraçón que le no vino sino de aquella que en sí el vuestro es encerrado, que si por ventura algo de sus encendidas llamas resfriadas fueran, el mío lo sintiendo, algún descanso a los mortales desseos por él desseados, fueran causa de acarrear; mas yo erré como aquellas que, estando en mucha buena ventura y con gran certenidad de aquellos que aman, no cabiendo en ellas tanto bien, por suspechas, más por voluntad que con razón tomadas, por palabras de personas inocentes o maldizientes, de poca verdad y menos virtud, quieren aquella grande alegría escurecer con niebla de poco sufrimiento; assí que, mi leal amigo, como de persona culpada que con humildad su yerro conosce, sea recebida esta mi donzella, que más de la carta le fará saber en el estremo que mi vida queda, de la cual, no porque ella lo merezca, mas por el reparo de la vuestra, se deve haver piedad.»

Leída la carta, el alegría de Beltenebrós fue tan sobrada, que assí como con la passada tristeza, con ella desmayado fue, cayendo las lágrimas por sus mexillas sin las sentir. El luego fue acordado por ellos, que, dando a entender a todos los que allí venían que la donzella, por servicio de Dios, le sacava de aquel lugar, donde para su salud aparejo ninguno no avía, que en la ora tornados a la nave saliessen en tierra, lo cual así se fizo. Pero antes Beltenebrós, despedido del hermitaño, faziéndole saber cómo aquella donzella, por la piedad de Dios, por grande aventura allí por su salud era aportada, y rogándole mucho que él tomasse cargo de le reformar el monesterio que al pie de la peña de la Insola Firme prometiera de fazer, y por él otorgado, se metió en la mar, sin que de otro, sino de la donzella sola, conoscido fuesse.

Pues salidos en tierra y despedidos los mareantes de la donzella y ella quedando con su compaña, la vía donde su señora estava començó a caminar; y fallando un lugar metido en una ribera de agua mucho sabrosa y fermosos árboles, porque la gran flaqueza de Beltenebrós en alguna manera reparada fuesse, a su ruego della allí le fizo reposar. Donde, si la soledad que a su señora tenía tanto no le atormentasse, tuviera la más gentil vida para su salud que en ninguna otra parte que en el mundo fuesse, porque debaxo de aquellos árboles, al pie de los cuales las fuentes nascían, les davan de comer y cenar, acogiéndose en las noches a su alvergue que en el lugar tenían. Allí fablavan entrambos en las cosas passadas. Allí le contava la donzella los llantos, los dolores que su señora Oriana fiziera cuando Durín la nueva le traxo y cómo nunca ella ni Mabília avían sabido de lo que ella fizo en la carta que le embió; y Beltenebrós, assimesmo, le contava las fortunas por que passó y la vida que en la Peña Pobre tuviera, y los muchos y diversos pensamientos que a su memoria cada día le ocurrían, y cómo viniera por allí Corisanda, la amiga de don Florestán, su hermano, y la gran cuita de amor que por él sufría, que fue causa, veyendo cómo aquélla muría por su amigo y él a tan sin razón ser de la suya desechado y aborrescido de le llegar más presto a la muerte, y cómo mostró a sus donzellas la canción que fiziera y otras muchas cosas que largas serían de contar, de las cuales, seyendo ya libre de la cruel muerte que esperava, rescebía muy gran gloria, tanto que en diez días que allí se detuvieron, fue tan mejorado, que ya su coraçón le mandava que a las armas tornasse. Pues allí se fizo conoscer a Durín, y tomó por su escudero a Enil, sobrino de don Gandales, su amo, sin que él supiesse quién era ni a quién servía, mas de ser contento dél por la su graciosa palabra, y partiendo de allí, en cabo de cuatro días que caminaron, llegaron a un monesterio de beatas, que cerca de una buena villa estava, donde fue acordado que la donzella y Durín se fuessen, y él, quedando allí con Enil, atendiesse el mandado de su señora; y assí se hizo, que dexando ella a Beltenebrós tanto aver cuanto para armas y cavallo y cosas de vestir necessario era, y alguna parte de las donas que llevaba a sabiendas como olvidadas, para que, con achaque dellas Durín le bolviesse con la respuesta se fue su camino derecho de Miraflores, donde su señora Oriana fallar pensava, según antes que de allá se partiesse le havia oido dezir.

CAPÍTULO LIII

De cómo don Galaor y Florestán y Agrajes se partieron de la Insola Firme en busca de Amadís; y de cómo anduvieron gran tiempo sin poder aver rastro dél, y así se vinieron con todo desconsuelo a la corte do el rey Lisuarte estava

Ya se vos contó cómo don Galaor y don Florestán y Agrajes partieron de la Insola Firme en la demanda de Amadís, y cómo anduvieron muchas tierras partidos cada uno a su parte, faziendo grandes cosas en armas, assí en los lugares poblados como por las florestas y montañas, de las cuales, porque la demanda no acabaron, no se faze mención, como ya diximos. Pues en cabo de un año que ninguna cosa saber pudieron, tornáronse al lugar donde acordado tenían,

que era una hermita a media legua de Londres, donde el
rey Lisuarte era, creyendo que allí antes que en otra parte,
por las muchas y diversas gentes que continuo ocurrían, podrían saber algunas nuevas de su hermano Amadís. Y el primero que al hermita llegó fue don Galaor y luego Agrajes, y
a poco rato don Florestán y Gandalín con él. Cuando allí se
vieron juntos, con gran plazer se abraçaron; mas sabiendo
unos de otros el poco recaudo que fallado havían, començaron fieramente a llorar, considerando que, pues a ellos, seyendo tan bienaventurados en acabar todas las cosas, haver
en aquélla fallescido, que muy poco remedio ni esperança
en lo venidero les quedava; mas Gandalín, a quien no menos
de la pérdida de Amadís que ninguno dellos le dolía, esfor-
çávalos que dexando el llanto, que poco o no nada aprovechava, a la demanda començada tornassen, trayéndoles a la
memoria qué su señor por cada uno dellos faría veyéndolos
en cuita, y cómo perdiéndolo perdían hermano, el mejor cavallero del mundo; assí que teniendo por bien, acordaron de
primero entrar en la corte, y si allí recaudo de alguna nueva
no hallassen, de buscar todas las partes del mundo, de tierras y mares, fasta saber su muerte o su vida.

Pues con este acuerdo, haviendo oído la missa que el hermitaño les dixo, cavalgaron y fuéronse el camino de Londres. Esto era el día de Sant Juan; y llegando cerca de la
cibdad, vieron, a la parte donde ellos ivan, al rey, que aquella fiesta con muchos cavalleros cavalgando por el campo
honrava; assí por el santo ser tal, como que en semejante día
fuera él por rey alçado. Y como el rey vio los tres cavalleros, bien cuidó que serían andantes, y fue, por los honrar,
contra ellos, como aquel que a todos honrava y preciava; y
como lo vieron contra sí ir, desarmaron las cabeças y mostraron a don Florestan cual era el rey, que fasta estonces
nunca lo viera; y llegando más cerca, muchos ovo que conoçieron a don Galaor y Agrajes, mas no conoçieron a Florestán, pero que muy hermoso les paresció y, antes que llegassen, por Amadís lo tenían; y el rey assí lo pensó, que éste
semejava a Amadís en la cara más que ninguno de sus hermanos; y cuando llegaron al rey pusieron a don Florestán
delante por le dar honra. Y el rey dixo a Galaor:

—Entiendo que éste es vuestro hermano don Florestán.

—Sí es, señor —dixo él.

Y queriéndole besar las manos, no gelas quiso dar; antes

con mucho amor lo abraçó, y después a los otros; con gran plazer se metió entre ellos y se fue a la cibdad. Gandalín y el enano, que aquel recibimiento vieron, donde su señor con tanta honra de todos recebido y mirado era, haviéndolo perdido, fazían muy gran duelo, tanto que assí al rey como a todos los otros ponían en haver dellos gran piedad, y más de su señor, a quien mucho amavan.

El rey iva preguntando a los tres compañeros si havían sabido algunas nuevas de Amadís, su hermano. Mas ellos, con lágrimas en sus ojos, le dezían que no, ahunque grandes tierras havían andado en su busca. El rey los consolava diziendo que las cosas del mundo tales eran, ahun aquellos que fuyendo de las afruentas y peligros con gran cuidado sus personas guardar dellos pensavan, cuanto más a los que su estillo y oficio era buscarlos, ofreçiendo sus vidas fasta las poner mil vezes al punto de la muerte; y que toviesen esperança en Dios, que no le havía hecho a Amadís tan bienaventurado en todas las cosas para assí le desmamparar.

Las nuevas de la venida destos cavalleros sonaron en casa de la reina, de que assí ella como todas las otras fueron muy alegres, especialmente Olinda, la mesurada amiga de Agrajes, sabiendo ya cómo él havía acabado la aventura del arco de los leales amadores, y Corisanda, amiga de don Florestán, que allí lo atendía, como ante se os contó. Mabilia, que muy alegre estava con la venida de Agrajes su hermano, fuese a Oriana, que estava muy triste a una finiestra de su cámara leyendo en un libro, y díxole:

—Señora, id vos a vuestra madre, que verná agora don Galaor, y Agrajes y Florestán.

Ella le respondió llorando y sospirando, como si las cuerdas del coraçón le quebraran:

—Amiga, ¿dónde queréis que vaya, que estoy fuera de mi entendimiento, en manera que más soy muerta que biva, y tengo el rostro y los ojos de llorar tales como vedes? Y demás desto, ¿cómo podré yo ver aquellos cavalleros, en compañía de los cuales solía ver a mi señor Amadís y mi amigo? Por Dios, queréisme matar, que más grave me es que passar por la muerte.

Más desto, dixo llorando:

—¡Ay, Amadís, mi buen amigo!, ¿qué fará la cativa desaventurada cuando os no viere entre vuestros hermanos y amigos, que vos tanto amáis, con quien vos solía ver? Por Dios, mi señor, la vuestra soledad será causa de mi muerte. Y esto será con gran razón, que yo hize por donde ambos muriéssemos.

Y no podiendo estar en pie, cayó en un estrado. Mabilia la esforçava cuanto podía, poniéndola en esperança que la su donzella le traería buenas y alegres nuevas. Oriana le dixo:

—Cuando estos cavalleros tan bien andantes en sus demandas, haviéndolo buscado tanto tiempo con tanta afición, dél no han sabido, ¿cómo la donzella, que no irá sino a una parte, lo podría hallar?

—En esto no penséis —dixo Mabilia—, que según él iva, a todos los del mundo fuirá; y a vuestra donzella saldrá él a se della conoçer donde escondido estuviere, como a persona que todo el secreto de vos y dél sabe, y que el reparo de su vida le puede llevar.

Oriana, algo con esto esforçada y consolada, levantóse como mejor pudo y lavó sus ojos y mandó llamar a Olinda; se fue con ellas donde la reina su madre estava. Y cuando los tres cavalleros compañeros la vieron, ovieron gran plazer, y fueron a ella y recibiéronse muy bien. El rey dixo estonces a don Galaor:

—Vedes cómo anda maltrecha y muy doliente vuestra amiga Oriana.

—Señor —dixo él—, mucho pesar he yo dello, y gran razón es que todos la sirvamos en aquellas cosas que más salud le pueden atraer.

Oriana le dixo riendo:

—Mi buen amigo don Galaor, Dios es aquel que repara las dolencias y las fortunas, y assí, si le pluguiere, fará lo mío y lo de vosotros, que tan gran pérdida vos ha venido en perder a vuestro hermano, que, sí Dios me salve, mucho me pluguiera que los trabajos y peligros que nos dizen que por le buscar havéis passado, que sacaran algún fruto de lo que desseávades; assí por vosotros como porque el rey mi señor era siempre muy servido dél.

—Señora —dixo don Galaor—, yo fio en Dios que cedo havremos dél buenas nuevas, que él no es hombre que desmaya por gran cuita; que no ha cavallero en el mundo que mejor contra todo peligro mantenerse sepa.

Mucho fue Oriana consolada con aquello que le oyó a don Galaor. Y tomando a él y a don Florestán consigo, se assentó en un estrado, y havía gran sabor de mirar a don

Florestán, que mucho a Amadís semejava; pero hazíale gran soledad del otro, tanto que el coraçón le quebrava. Mabilia llamó Agrajes, su hermano, y sentólo cabe sí y cabe Olinda, su amiga, que muy leda y alegre estava en saber que por su amor havía sido so el arco encantado de los amadores, que bien gelo dio allí a entender con el amoroso recibimiento que le fizo, mostrándole muy buen talante. Mas Agrajes, que más que a sí la amava, gradescíagelo con mucha humildad, no le pudiendo besar las manos porque el secreto de sus amores manifiesto no fuesse. Y estando assí hablando, oyeron unas bozes y ruido que en el palacio se hazía; y preguntando el rey qué era aquello, dixéronle que Gandalín y el enano, haviendo visto el escudo y las sus armas de aquel famoso cavallero Amadís, que hazían muy gran duelo, y que los cavalleros los consolavan.

—¡Cómo! —dixo el rey—, ¿aquí es Gandalín?

—Sí, señor —dixo don Florestán—; que bien ha dos meses que le hallé al pie de la montaña de Sanguín, que andava por saber algunas nuevas de su señor, y díxele que yo havía ya andado toda la montaña a todas partes y que no fallava nuevas ningunas, y tovo por bien de se andar comigo porque gelo rogué.

El rey dixo:

—Yo tengo a Gandalín por uno de los mejores escuderos del mundo, y razón será que lo consolemos.

Estonces se levantó y fue para allá donde estava. Y cuando Oriana oyó fablar de Gandalín y del duelo que hazía, perdió la color, que se no podía en los pies tener. Mas don Galaor y don Florestán la sostuvieron, alçándola por las manos para se ir con el rey. Y Mabilia, que conosció la causa de su desmayo, llegóse a ella y tomóla los braços sobre su cuello. Y Oriana dixo a Galaor y a don Florestán:

—Mis buenos y leales amigos, si os no viere y honrare como devo, no a la voluntad, mas a la gran dolencia que yo tengo poned la culpa que lo causa.

—Señora —dixeron ellos—, con mucha razón se deve esso creer, que según el gran desseo nuestro es de vos servir en todas las cosas, no sería razón que algún gualardón de vuestra gran virtud y bondad no se nos seguiesse.

Y dexándola se fueron para el rey. Y Oriana se acogió a su cámara, donde echada en su lecho con grandes gemidos y congoxas se rebolvía, con gran desseo de saber y entender de aquel que más por voluntad que por razón y concierto alguno de sí havía apartado y de todo alexado. Oriana habló con Mabilia, diziendo:

—Mi verdadera amiga, después que en esta cibdad de Londres entramos, nunca me han faltado dolores y angustias; assí que ternía por bien, si a vos paresce, que al mi castillo de Miraflores, que es muy sabrosa morada, nos fuéssemos algunos días; que como quiera que mi pensamiento tenga firme no haver en ninguna parte mi triste coraçón reposo, más allí que en otro cabo mi voluntad se otorga que lo hallaría.

—Señora —dixo Mabilia—, devéislo fazer, assí por esso como porque si la donzella de Denamarcha os trae las nuevas que desseamos, podáis sin entrevallo alguno, no solamente gozar del plazer dellas, mas darlo aquel que con mucha razón, según la su tristeza passada, lo deve haver; lo que aquí estando, de lo uno ni de lo otro no gozar podríades.

—¡Ay, por Dios, mi amiga! —dixo Oriana—, fagámoslo luego sin más tardar.

—Menester es —dixo Mabilia— que lo habléis a vuestro padre y madre, que, según vuestra salud dessean, toda cosa que vos agradare farán.

Este castillo de Miraflores estava a dos leguas de Londres y era pequeño, mas la más sabrosa morada que en toda aquella tierra havía, que su assiento era en una floresta a un cabo de la montaña y cercada de huertas que muchas frutas llevavan, y de otras grandes arboledas, en las cuales havía yervas y flores de muchas guisas; y era muy bien labrado a maravilla, y dentro havía salas y cámaras de rica lavor, y en los patios muchas fuentes de aguas muy sabrosas cubiertas de árboles que todo el año tenían flores y frutas; y un día fue allí el rey a caça y llevó consigo a la reina y a su fija, y porque vio que su fija se pagava mucho de aquel castillo por ser tan hermoso, diógelo por suyo. Y ante la puerta dél havía, a un trecho de ballesta, un monesterio de monjas, que Oriana mandó hazer después que suyo fue, en que havía mugeres de buena vida; y essa noche fabló con el rey y la reina demandándoles licencia para estar algunos días allí, la cual de grado le fue por ellos otorgada.

Pues estando el rey a su mesa, teniendo cabe sí a don Galaor y Agrajes y don Florestán, les dixo:

—Yo fío en Dios, mis buenos amigos, que cedo havremos

buenas nuevas de Amadís, porque yo tengo embiados a le buscar treinta cavalleros de los buenos de mi casa, y si tales no le traxeren, tomad vosotros todos los que más quisierdes, y idlo a buscar por donde vierdes que con razón se deve tomar el trabajo. Pero tanto os ruego que esto sea después que passe una batalla que aplazada tengo con el rey Cildadán de Irlanda, que es muy preciado rey en armas, y era casado con una hija del rey Abiés, aquel que Amadís havía muerto; y que la batalla havía de ser ciento por ciento; y la razón dello era por ciertas parias que aquel reino era obligado a dar a los reyes de la Gran Bretaña, y que eran convenidos que si él venciesse, que las parias fuessen dobladas y el rey Cildadán quedasse por su vasallo; y si fuesse vencido, quedasse quito de todo para siempre; y que según havía sabido de la gente que para le ser contraria se aparejava, que havría bien menester todos los suyos y sus amigos.

Por esto que aquellos tres compañeros oyeron al rey, quedaron ahún mucho contra su voluntad, que más quisieran tornar luego a la demanda de Amadís, que mucho desseavan dél saber y con mucha razón; mas ovieron gran vergüença no servir y ayudar al rey en una cosa tan señalada y de tan grande afruenta. Después que los manteles alçaron, don Florestán mandó a Gandalín que fuesse a ver a Mabilia que jelo rogara, y él assí lo fizo; y cuando ambos se vieron, no podieron escusar que no llorassen. Y Gandalín le dixo:

—¡O, señora, qué gran sinrazón ha hecho Oriana a vos y a vuestro linaje, que os quitó el mejor cavallero del mundo! ¡Ay!, ¡qué mal empleado fue cuanto lo vos servistes, qué gran sinrazón della havedes recebido, y más aquel que la nunca en hecho ni en dicho erró!; mal empleó Dios tal fermosura y todas las otras bondades, pues que en ella havía traición; pero este mal que fizo, bien sé yo que ninguno perdió tanto como ella.

—¡Ay, Gandalín! —dixo ella—; ruégote agora que no digas esto, ni lo creas, que errarás; que ella lo hizo con gran cuita y pesar de unas palabras que le dixeron que con gran razón pudo tomar sospecha; y en que seyendo ya ella en olvido puesta de tu señor, a otra por mucha afición amava; y como quiera que la carta fue con gran saña scripta y embiada, no pensó que en tanto mal redundara; y del yerro que en esto ovo, pues puedes creer que fue causa el sobrado y demasiado amor que le tiene.

—¡O, Dios! —dixo Gandalín—; ¿cómo faltó el buen entendimiento de Oriana y vuestro y de la donzella de Denamarcha en pensar que mi señor havía de fazer tal yerro contra aquella que por la menor palabra sañuda que en ella sienta, según el gran temor que de la enojar tiene, se metería so la tierra bivo? ¿Y qué palabras podían ser éstas que el gran juizio y virtud de vosotras assí turbasse para fazer morir el mejor cavallero que nunca nasció?

—Ardián el enano —dixo Mabilia—, pensando que la honra de su señor acreçentava, lo ha causado.

Estonces le contó todo lo que havía passado de las tres pieças de la espada, como el primero libro lo cuenta.

—Y no creas, Gandalín —dixo ella—, que yo ni la donzella de Denamarcha no podimos más fazer, que la saña de Oriana fue tal en pensar que hombre a quien ella tanto ama que por otra la dexasse, que nunca su coraçón sossegar pudo fasta embiar aquella carta sin nuestra sabiduría, que a todos nos llega al punto de la muerte; pero puedes creer que después que de Durín supo lo que Amadís fizo, ella ha quedado con tan gran cuita y dolor, que esto nos da consuelo del pesar que por Amadís haver devemos.

A todas estas razones que Mabilia passava con Gandalín, Oriana estava escuchando dentro en una parte de su cámara y oyó todo lo que hablaron; y como vido que ya en ello no fablavan, salió a ellos como si nada oído oviesse; y como vio a Gandalín, estremiósele el coraçón y no se pudo tener que en un estrado no cayesse, y dixo llorando muy reziamente que apenas podía hablar:

—¡O Gandalín, assí Dios te guarde y te haga bienaventurado!, faz agora lo que deves y cumplirás aquello a que muy obligado eres.

—Señora —dixo él llorando—; ¿y qué mandáis que yo faga?

—Que me mates —dixo ella—, que yo maté a tu señor a muy gran sinrazón, y tú deves vengar la su muerte, que vengaría él la tuya si te alguno matasse.

Y en esto quedó tan desacordada como si el alma salirle quisiesse. Gandalín ovo gran pesar, que no quisiera allí por ninguna cosa ser venido. Y Mabilia tomando del agua, gela echó por el rostro, assí que acordar la hizo, sospirando y apretando muy fuertemente sus manos una con otra; y dixo ella:

—¡O Gandalín!, ¿por qué tardas de fazer lo que deves?; por Dios, no tardaría tu padre de fazer lo que deviesse.

—Señora —dixo Gandalín—, Dios me guarde de tal deslealtad hacer; que si lo pensasse, sería la mayor traición del mundo; y no solamente una, mas dos, seyendo os mi señora y Amadís mi señor, que sé yo bien cierto que después de vuestra muerte no biviría él una hora; y nunca pensé que de vos, señora, fuera yo tan mal consejado; cuanto más que mi señor Amadís no es muerto; porque ahunque la tristeza y angustia que por vuestra saña tomó fue en su mano de la passar, no lo es la muerte sino cuando Dios lo tuviere por bien; que si tal cabo le havía de dar, no le hiziera en el comienço tan bienaventurado; y vos, señora, assí lo tened, que hombre tan señalado en el mundo como éste no querrá Dios que a tan gran sinrazón muera.

Esto y otras muchas cosas le dixo por la conortar, que bien le aprovecharon sus razones para en algo la conortar. Y ella dixo:

—Mi buen amigo Gandalín, yo me voy de mañana a Miraflores, donde quiero esperar la vida o la muerte, según las nuevas me vinieren; y tú vennos a ver, que Mabilia embiará por ti, que mucho me quitas de la tristeza que en mi coraçón está.

—Señora —dixo Gandalín—, assí lo faré; y todo lo que más mandardes.

Con esto se quitó dellas; y passando por donde la reina estava, llamólo, y fízolo estar delante sí y stovo con él fablando mucho en la hazienda de Amadís y del gran pesar que por él tenía; y veníanle las lágrimas a los ojos; y díxole Gandalín:

—Señora, si vos dél doléis, es con gran derecho, que mucho es vuestro servidor.

—Más buen amigo —dixo la reina— y buen defendedor; y a Dios plega de nos traer dél buenas nuevas con que recibamos alguna consolación.

Y assí estando, Gandalín vio a una parte del palacio seer a don Galaor y Florestán y a Corisanda entre ellos muy alegre; y pareçióle muy fermosa dueña, que él nunca fasta estonces la havía visto ni sabía quien fuesse; y preguntó a la reina que quién era aquella tan fermosa dueña que con tanto plazer con aquellos dos hermanos fablava. Y la reina le dixo quién era y por cuál razón havía a la corte venido y cómo amava a don Florestán, por amor del cual havía allí morado, atendiéndole algún tiempo. Cuando esto oyó Gandalín, dixo:

—Si ella lo amava, bien se puede loar que va empleado en aquel que ha toda bondad y mesura, y pocos puede fallar, ahunque todo el mundo ande, que igual dél sean en armas; y, señora, si bien conoçiéssedes a don Florestán, no preciaríades a ningún cavallero más que a él, que en gran manera es de alto hecho en armas y en todas las otras buenas maneras.

—Assí lo parece en él —dixo la reina— y que hombre que tal deudo tiene con tan nobles cavalleros y tan fazedores en armas, sinrazón grande sería que no semejasse a ellos, y demás según su disposición.

Assí estovo la reina fablando con Gandalín, y don Florestán con su amiga mostrándole mucho amor, porque demás de ser muy fermosa y rica, y a él amava tanto sin que otro ninguno su amor otorgado oviesse, venía de los más nobles y más altos condes que en toda la Gran Bretaña havía; y allí fabló con ella ante don Galaor cómo se tornasse a su tierra, y que él y don Galaor y Agrajes la llevarían dos jornadas, y que en oyendo algunas nuevas ciertas de Amadís, y passando la batalla que el rey Lisuarte aplazada tenía, si él bivo quedasse, se iría para ella y moraría en su tierra un gran tiempo.

—A Dios plega por la su merçed —dixo ella— de os guardar y traer buenas nuevas de Amadís porque podáis cumplir lo que prometéis, que mucho soy con ello aconsolada.

Estonces se fueron al rey, y Gandalín con ellas. Pues Oriana demandó licencia essa noche al rey y a la reina porque otro día se quería ir a Miraflores; ellos gela dieron, y mandaron a don Grumedán que al alva del día saliesse con ella y con Mabilia y con las otras dueñas y donzellas, y las pusiesse en el castillo y luego se tornasse, dexando los servidores que les eran necessarios y porteros que las puertas del castillo guardassen. Don Grumedán fizo adereçar todo lo que el rey mandó, y antes que el día viniesse, tomó Oriana y a todas las otras, y bien de mañana llegó con ellas a Miraflores, donde veyendo Oriana lugar tan sabroso y tan fresco de flores y rosas y aguas de caños y fuentes, gran descanso su afanado y atribulado ánimo sintió, confiando en la merced de Dios que allí vernía aquél reparar su vida; que sin él la cruel muerte no se le podía escusar.

Pues allí llegada, embió a mandar Adalasta, la abadessa del monesterio, que le embiasse las llaves del castillo y de

unos postigos por donde a una hermosa huerta que con él
se contenía salían, y dándolas a los porteros que su padre
allí embiara, les mandó que cada día tuviessen cargo de cerrar las puertas y postigos y diessen las llaves a la abadessa
que de noche las guardasse. Cuando Oriana se vio en aquel
lugar tan sabroso, alçó las manos al cielo y dixo entre sí:

—¡Ay Amadís, mi amigo!, éste es el lugar adonde vos yo
desseo siempre tener comigo, y de aquí jamás seré partida
fasta que os vea. Y si esto, por alguna guisa, no puede ser,
aquí me matará la vuestra soledad; por ende, mi amigo, vá-
lame la vuestra mesura, y acorredme, que muero; y si en
algún tiempo y sazón me fuestes bien mandado y nunca me
faltastes, agora que más me es menester os ruego y mando
que me socorráis y me libréis de la muerte; y, mi buen
amigo, no tardéis, que yo vos lo mando por aquel señorío
que yo sobre vos he.

Y assí estovo una gran pieça amorteçida hablando con
Amadís y en tal guisa como si delante sí lo tuviesse; mas
Mabilia la tomó por las manos y la fizo assentar en un estrado que cabe una fermosa fuente le mandó fazer; y de allí se
acogió a su aposentamiento, y en que muy ricas cámaras
havía y un patio pequeño que ante la puerta de su cámara
con tres árboles que todo lo cobrían, sin que en él ningún
sol entrar pudiesse. Oriana dixo a Mabilia:

—Sabed que mandé que las llaves nos truxessen de día,
porque quiero que Gandalín nos faga otras tales, porque si
mi ventura tal fuere que Amadís venga, lo podamos aquí
meter por la huerta y por los postigos.

—Buen acuerdo tomastes —dixo Mabilia.

Assí folgaron y descansaron aquel día y la noche, ahunque con gran sobresalto a la donzella de Denamarcha esperavan; pues otro día llegó Gandalín, y el portero díxolo a
Mabilia que aquel escudero la quería fablar. Oriana dixo:

—Abranle a Gandalín, que muy buen escudero es y con
nosotras fue criado, cuanto más que es hermano de leche de
Amadís, a quien Dios guarde de mal.

—Dios lo haga assí —dixo el portero—, que mucho sería
gran pérdida y muy gran daño del mundo si tan bueno y
virtuoso cavallero y diestro en las armas se perdiesse.

—Tú dizes verdad —dixo Oriana—; y agora te ve y faz que
entre Gandalín.

Y bolviéndose a Mabilia le dixo:

—Amiga, ¿no vedes vos cómo es amado y preciado Amadís de todos y ahun de los hombres simples que de las cosas poco conoçimiento han?

—Bien lo veo —dixo Mabilia.

—Pues ¿qué haré yo —dixo ella—, sino morir por aquel que seyendo tan amado y preciado de todos, a mí amava él y preciava más que a sí mesmo, y que yo fue causa de la su muerte? ¡Maldita fue la hora en que yo nasçí, pues por mi locura y mala suspecha fize tan gran sinrazón!

—Dexados desso —dixo Mabilia—, y tened buena sperança, que muy poco para el remedio dello aprovecha lo que fazéis.

En esto entró Gandalín, que dellas muy bien recebido fue. Y asentándolo consigo le contó Oriana cómo havía embiado a la donzella de Denamarcha con la carta que para Amadís levava, y las palabras que en ella ivan, y díxole:

—¿Paréçete, Gandalín, que me querrá perdonar?

—Señora, en buen pleito habláis —dixo él—; paréçeme que mal conoçeis su coraçon; que por Dios, por la más chica palabra que en la carta va, él se meta so la tierra bivo si os jelo mandáis, cuanto más venir a vuestro mandamiento, specialmente levárgela la donzella de Denamarcha; y, señora, mucho soy alegre desto que me havéis dicho, porque si todo el mundo lo buscasse, no bastaría tanto de lo fallar como la donzella sola; porque, pues de mí se quiso esconder, no creo que a otro alguno mostrarse quisiesse. Y vos, señora, con sperança de las buenas nuevas que os traerá, n dexéis de tener mejor vida, porque él venido, no os vea tan alongada de vuestra fermosura; si no, echará huir de os.

A Oriana le plugo mucho de aquello que Gandalín le dezía, y díxole riendo:

—¡Cómo!, ¿tan fea te parezco?

Y él dixo:

—Cuanto si tan fea pareçéis a vos, asconderos íades donde ninguno os viesse.

—Pues por esso —dixo ella— me vine yo a morar a este mi castillo, que si Amadís viniesse y quisiesse echar a huir delante mí, que lo no pudiesse fazer.

—Ya lo viesse yo en esta prisión —dixo Gandalín— y suelto de la otra donde vuestros amores le tienen.

Estonces le mostraron las llaves, y dixéronle que trabajasse cómo otras tales le fiziessen, porque venido su señor,

como lo él esperava, pudiesse Oriana, sin entrevallo alguno,
complir lo que le embiara a dezir, que lo ternía allí consigo.
Gandalín las tomó, y yéndose a Londres tráxoles otras tales
llaves como aquéllas, que otra diferencia no avía sino ser las
primeras viejas y las otras nuevas. Mabilia mostró las llaves
a Oriana y díxole:

—Señora, éstas serán causa de juntar con os aquel que sin
vos bivir no puede; y pues que hemos cenado y toda la gente
del castillo es asossegada, vayámoslas a provar.

—Vamos —dixo Oriana—, y a Dios plega, por su merced,
que ellas sean reparadoras en aquello que mi poco seso ha
dañado.

Y tomándose por las manos, se fueron solas a escuras a
los postigos que ya oístes que del castillo a la huerta salían; y
seyendo ya cerca del primero dixo Oriana:

—Por Dios, amiga, muerta soy de miedo, que no he poder
de ir con os.

Mabilia la tomó por la mano y díxole riendo:

—No temáis nada; donde yo fuere vos defenderé, que soy
prima del mejor cavallero del mundo y voy en su servicio;
aguardadme sin miedo.

Oriana no pudo estar que no riesse, y dixo:

—Pues en vuestra guarda voy, no devo temer, según la
fiança que tengo en la vuestra gran bondad de armas.

—Pues por tal me conocéis —dixo Mabilia—, agora vamos
adelante, y veré ya cómo acabaré esta aventura, y si en ella
fallezco, yo juro que en todo este año no hecharé escudo al
cuello ni ciñiré spada.

Y tomándose riendo por las manos llegaron al postigo primero, el cual sin entrevallo alguno fue abierto, y assí lo fue
el otro; y assí que vieron toda la huerta, Oriana dixo:

—Pues ¿qué será?, que según la pared desta huerta es alta,
no podrá subir Amadís por ella.

—No penséis en esso —dixo Mabilia—, que yo lo tengo mirado, y allí donde la pared se junta con el muro se faze un
rincón, y con un madero que de fuera se ponga y nosotras
dándole las manos, sin mucha pena subirá; mas este ardimiento es vuestro, y vos llevaréis la paga dél.

Oriana la tomó por el tocado y derribógelo en el suelo,
y stuvieron ambas por una pieça con gran risa y plazer, y
tornaron a cerrar los postigos y fuéronse a dormir; y acostándose Oriana en el lecho, dixo Mabilia:

—Quiera Dios, señora, que aquí os ayunte con aquel cativo que está desesperado, pues le es tanto menester.

Oriana dixo:

—A El plega, por la su piedad, de se apiadar de nos y dél.

—De lo que en Dios es —dixo Mabilia— no tengáis cuidado, qu'El porná el remedio que a su servicio sea; comed y dormid porque vuestra fermosura cubre lo mucho que perdido tiene, como Gandalín vos dixo.

Con esto durmieron aquella noche con más sossiego que las passadas; y la mañana venida, después de haver oído missa, saliéronse al corral de las fermosas fuentes y fallaron que estonces llegava Gandalín, que por su mandado dellas cada día venía de Londres a las ver; y tomándole consigo se acogieron al patio de los tres árboles fermosos, y allí le dixeron cómo las llaves eran muy buenas, y las palabras que Mabilia dixera cuando las provara, de que todos mucho rieron; y les contó lo que con Amadís passara, diziéndole, por le conortar, mal de Oriana y que con la saña que dello ovo estuvo muy cerca de lo matar, y cómo por aquello, veyéndole dormido, le scondió la silla y el freno y lo dexara en la montaña, donde nunca más dél pudiera saber ninguna nueva.

—Y, señora —dixo él—, assí como yo gran mentira le dixe en lo vuestro, assí luego recebí la pena que merecía, que cuando desperté y fallé que era ido sin mí, si arma alguna me quedara, sin duda me diera la muerte.

Oriana le dixo:

—¡Ay, por Dios, Gandalín!, no me digas más, que cierta soy que me ama; sin arte quebrántasme el coraçón, que la vida y la muerte con las buenas nuevas o contrarias que dél me vinieren, junto lo quiero recebir, sin que más angustias y dolores que los passados me sobrevengan.

CAPÍTULO LIV

CÓMO ESTANDO EL REY LISUARTE SOBRE TABLA, ENTRÓ UN CAVALLERO ESTRAÑO ARMADO DE TODAS ARMAS Y DESAFIÓ AL REY Y A TODA SU CORTE, Y DE LO QUE FLORESTÁN PASSÓ CON ÉL, Y DE CÓMO ORIANA FUE CONSOLADA Y AMADÍS FALLADO

A su mesa estando el rey Lisuarte, y haviendo alçado los manteles, queriéndose dél despedir don Galaor y don Florestán y Agrajes, para llevar a Corisanda, entró por la puerta del palacio un cavallero estraño armado de todas armas, sino la cabeça y las manos, y dos scuderos con él; y traía en la mano una carta de cinco sellos, y hincados los inojos, la dio al rey y díxole:

—Fazed leer essa carta y después diré a lo que vengo.

El rey la leyó, y viendo que de creencia era, le dixo:

—Agora podéis dezir lo que os plazerá.

—Rey —dixo el cavallero—, yo desafío a ti y a todos tus vasallos y amigos de parte de Famongomadán, el jayán del Lago Ferviente; y de Cartadaque, su sobrino, el jayán de la Montaña Defendida; y de Madanfabul, su cuñado, el jayán de la Torre Bermeja; y por don Cadragante, su hermano del rey Abiés de Irlanda; y por Arcaláus el Encantador; y mándate dezir que tienes en ellos muerte, assí tú como todos aquellos que tuyos se llamaren; y házente saber que ellos con todos aquellos grandes amigos suyos, serán contra ti en ayuda del rey Cildadán en la batalla que con él aplazada tienes; pero que si tú quieres dar a tu fija Oriana a Madasima, la muy fermosa fija del dicho Famongomadán, para que sea su donzella y la sirva, que te no desafiarán, ni te serán enemigos, antes casarán a Oriana con Basagante, su hermano, cuando viere que es tiempo; y es tal señor que bien será en él empleada tu tierra y la suya; y agora, rey, mira lo que te mejor verná: o la paz como la quieren, o la más cruda guerra que te venir podrá con hombres que tanto pueden.

El rey le respondió riendo, como aquel que en poco su desafío tenía, y díxole:

—Cavallero, mejor es la guerra peligrosa que la paz deshonrada, que mala cuenta podría yo dar aquel Señor que en tal alteza me puso, si por falta de coraçón con tanta mengua

y tanto abiltamiento la abaxasse; y agora os podéis ir; y dezildes que antes querría la guerra todos los días de mi vida
con ellos y al cabo en ella morir, que otorgar la paz que me
demandan; y dezidme dónde los fallará un mi cavallero, porque por él sepan esta mi respuesta que a vos se da.

—En el Lago Ferviente —dixo el cavallero— los fallará quien
los buscare, que es en la ínsola que llaman Mongaça; assí a
ellos como a los que consigo han de meter en la batalla.

—Yo no sé —dixo el rey—, según la condición de los gigantes, si mi cavallero podrá ir y venir seguro.

—Desso no pongáis duda —dixo él—; que donde está don
Cadragante, no se puede cosa contra razón fazer, y yo lo
tomo a mi cargo.

—En el nombre de Dios —dixo el rey—, agora me dezid
cómo havéis nombre.

—Señor —dixo él—, he nombre Landín y soy sobrino de
don Cadragante, hijo de su hermana; y somos venidos a esta
tierra por vengar la muerte del rey Abiés de Irlanda, y pésanos que no podemos fallar aquel que lo mató, ni sabemos si
es muerto o bivo.

—Bien puede ser —dixo el rey—; mas agora pluguiesse a
Dios que supiéssedes ser él bivo y sano, que después todo
se faría bien.

—Yo entiendo —dixo Landín— por qué lo dezís, porque
creís ser aquél el mejor cavallero de los que havéis visto; mas
cualquier que yo sea, hallarme heis en la batalla vuestra y
del rey Cildadán, y allí vos serán manifastadas mis obras buenas o contrarias en el más daño vuestro que yo pudiere.

—Mucho me pesa —dixo el rey—; que más os querría para
mi servicio; mas bien creo que ende no faltará con quien
vos combatáis.

—Ni a ellos —dixo el cavallero— quien gelo resista fasta la
muerte.

Cuando esto oyó don Florestán, ensañóse ya cuanto, porque aquél osasse dezir que buscava a su hermano Amadís, y
díxole:

—Cavallero, yo no soy desta tierra ni vasallo del rey; assí
que entre vos y mí no atañe ninguna cosa desto que a él
havéis dicho, ni yo, en razón dello, no digo nada, porque en
su casa ay otros muchos mejores para dezir y fazer, pero porque vos dezís que andáis Amadís buscando y lo no falláis,
en lo cual creo yo no ser vuestro daño, y si conmigo, que

soy don Florestán, su hermano, vos plaze combatir, a condición que si vencido fuerdes os quitéis desta demanda, y si yo muerto fuere algo de vuestro enojo y mengua se satisfaze, yo lo faré porque aquel sentimiento que vos tenéis por el rey Abiés, aquel y mucho más creçido terná Amadís por la mi muerte.

—Don Florestán —dixo Landín—, bien veo que havéis sabor de batalla; mas yo la dudo a más no poder, porque tengo de ir con la respuesta desta embaxada a señalado día y también porque aquellos señores me tomaron fiança que otra cosa de afrenta no me entremetiesse; pero si de allí yo saliere bivo, haverla he con vos a día señalado.

—Landín —dixo don Florestán—, vos lo dezís como buen cavallero y honrado; porque los que con semejantes mensajes vienen han de negar su voluntad propia por seguir la de aquellos cuyo mandado traen; porque de otra guisa, ahunque a vuestra honra satisfazer pudiéssedes, la suya por vuestra tardança se podría menoscabar, seyendo todo a cargo vuestro; y por esso tengo por bien que sea como lo dezís.

Y tendiendo las lúas en señal de gajes, las dio al rey, y Landín la falda del arnés; assí que a consentimiento de ambos quedó la batalla treinta días después que la de los reyes passasse. Estonces mandó el rey a un cavallero su criado, que Filispinel havía nombre, que en compañía de Landín se fuesse a desafiar aquellos que a él desafiaron.

Pues partidos estos dos cavalleros como oís, el rey quedó hablando con don Galaor y Florestán y Agrajes y otros muchos que en el palacio estavan, y díxoles:

—Quiero que veáis una cosa en que havréis plazer.

Estonces mandó llamar a Leonoreta, su fija, con todas sus donzellas pequeñas que viniessen a dançar assí como solían, lo que nunca havía mandado después que las nuevas de ser perdido Amadís le dixeran, y el rey le dixo:

—Fija, dezid la canción que por vuestro amor Amadís fizo siendo vuestro cavallero.

La niña, con las otras sus donzellitas, la començaron a cantar; la cual dezía assí:

> Leonoreta, fin roseta,
> blanca sobre toda flor,
> fin roseta, no me meta
> en tal cuita vuestro amor.

> *Sin ventura yo en locura*
> *me metí*
> *en vos amar, es locura*
> *que me dura,*
> *sin me poder apartar;*
> *io hermosura sin par,*
> *que me da pena y dulçor!,*
> *fin roseta, no me meta*
> *en tal cuita vuestro amor.*
>
>   *De todas las que yo veo*
> *no deseo*
> *servir otra sino a vos;*
> *bien veo que mi desseo*
> *es devaneo,*
> *do no me puedo partir;*
> *pues que no puedo huir*
> *de ser vuestro servidor,*
> *no me meta, fin roseta,*
> *en tal cuita vuestro amor.*
>
>   *Ahunque mi quexa paresce*
> *referirse a vos, señora,*
> *otra es la vencedora,*
> *otra es la matadora*
> *que mi vida desfalesce;*
> *aquesta tiene el poder*
> *de me hazer toda guerra;*
> *aquesta puede hazer,*
> *sin yo gelo merescer,*
> *que muerto biva so tierra.*[48]

Quiero que sepáis por cuál razón Amadís fizo este villancico por esta infanta Leonoreta. Estando él un día hablando
con la reina Brisena, Oriana y Mabilia y Olinda, dixeron a
Leonoreta que dixiesse a Amadís que fuesse su cavallero y
la sirviesse muy bien, no mirando por otra ninguna; ella fue

48. Una versión antigua de esta canción se encuentra en el *Cancio-
nere portoghese Colocci-Brancuti*; la composición original fue compuesta por
João Pires de Lobeira. Un claro ejemplo acerca de la introducción de
poesías líricas en un relato novelesco y de autorías distintas lo ofrece la
novela artúrica *Meliador* escrita por Jean Froissart hacia 1380 y en la que
incorporó las poesías de Wenceslao de Bohemia (véase Introducción, II).

a él y díxole como lo ellas mandaron. Amadís y la reina que gelo oyeron, rieron mucho, y tomándola Amadís en sus braços la assentó en el estrado y díxole:

—Pues vos queréis que yo sea vuestro cavallero, dadme alguna yoja en conoscimiento que me tenga por vuestro.

Ella quitó de su cabeça un prendedero de oro con unas piedras muy ricas y diógelo. Todas començaron a reir de ver cómo la niña tomava tan de verdad lo que en burla le havían consejado; y quedando Amadís por su cavallero, fizo por ella el villancico que ya oístes. Y cuando ella y sus donzellas lo dezían, que estavan todas con guirlandas en sus cabeças y vestidas de ricos paños de la manera que Leonoreta los traía, y era asaz hermosa, pero no como Oriana, que con ésta no avía par ninguna en el mundo; y fue a tiempo, como adelante se dirá, emperatriz de Roma; y las donzellitas suyas eran doze, todas fijas de duques y de condes y otros grandes señores; y dezían tan bien y tan apuesto aquel villancico, que el rey y todos los cavalleros havían muy gran plazer de lo oír. Y desque ovieron una pieça cantado, fincando los inojos ante el rey fuéronse donde la reina estava. Don Galaor y don Florestán y Agrajes dixeron al rey que querían ir con Corisanda, a que les diesse licencia, y él los sacó a una parte del palacio y díxoles:

—Amigos, en el mundo no ay otros tres en quien yo tan gran esfuerço tengo como en vos, y el plazo de la mi batalla se llega, que ha de ser en la primera semana de agosto, y ya avéis oído la gente que contra mí ha de ser; y éstos traherán otros muy bravos y muy fuertes en armas, así como aquellos que son de natura y sangre de gigantes; por que mucho vos ruego que fasta aquel plazo no vos encarguéis de otras afrentas ni demandas que vos ayan de estorvar de ser comigo en la batalla, que tengo mortales y capitales enemigos, y faríadesme muy gran mengua y a sinrazón; que yo fío en Dios que con la vuestra gran bondad y de todos los otros que me han de servir, no será gran valentía ni fuerça de nuestros enemigos tan sobrada que al cabo por nosotros no sean vencidos y destroçados y amenguados.

—Señor —dixeron ellos—, para tal cosa tan señalada y nombrada en todas partes como ésta será, no es menester vuestro mandado y ruego, que puesto que el desseo y buena voluntad que servir vos tenemos faltasse, no faltaría el buen desseo de ser en tan grande afruenta, donde nuestros coraçones y buenas voluntades ayan aquello que por muchas tierras y partes estrañas del mundo andan buscando, que es hallarse en las cosas de mayor peligro, porque venciendo alcançan la gloria que dessean, y vencidos cumplen aquella fin para que nascidos fueron; assí que nuestra tornada será luego; y entre tanto, animad y esforçad vuestros cavalleros, porque aquellos que con gran amor y afición sirven, la flaca fuerça fuerte se torna.

Y partiéndose del rey armados en sus cavallos, tomando consigo a Corisanda, partieron de Londres y fueron su camino. Gandalín, que allí estava y viera todo aquello, partióse luego para Miraflores y contólo a Oriana y a Mabilia, y que aquellos tres compañeros se le mandavan mucho encomendar. Oriana dixo:

—Agora es Corisanda en todo plazer, pues en su compañía lleva a don Florestán, que ella tanto ama, y Dios gelo dé siempre, que mucho es buena dueña.

Y començó a sospirar, assí que las lágrimas le vinieron a los ojos, y dixo:

—¡O Señor Dios!, ¿por qué no queréis que yo vea a Amadís siquiera un día sólo?; ¡o Señor!, queredlo por la vuestra bondad, o me quitad deste mundo, y no me dexéis bivir en tal cuita y dolor.

Gandalín ovo della gran duelo, pero fizo el semblante de sañudo, y dixo:

—Señora, faréisme que no parezca ante vos, porque estamos atendiendo buenas nuevas que nos Dios embiará, y queréisnos meter en desesperança.

Oriana limpió los ojos de las lágrimas y díxole:

—¡Ay, Gandalín, por Dios, no te quexes!, que si yo algo fazer pudiesse, de grado lo faría, que ahunque buen semblante muestro, nunca jamás mi coraçón de llorar queda, y si no fuesse esta esperança que tengo de las palabras que me dizes, cree que no terníа tanto esfuerço que de un lugar levantarme pudiesse; mas agora me di qué será del rey mi padre, pues que no puede aver a Amadís para esta batalla.

—Señora —dixo él—, no puede mi señor tan ascondido ni apartado estar que una cosa tan señalada como ésta no venga a su noticia, pues ¿quién duda que sabiendo lo que a vos toca, seyendo vuestro padre vencido, no quiera él venir a poner sus fuerças en vuestro servicio?; que ahunque por el defendimiento que le pusistes no ose parescer ante vos, parescerá allí donde viere que puede servir y alcançar perdón del yerro que no fizo ni pensó de fazer.

—Assí plega a Dios —dixo Oriana— que sea como tú lo piensas.

Y estando fablando en esto, entró una niña corriendo y dixo:

—Señora, veis aquí la donzella de Denamarcha que muy ricas donas vos trae.

A ella se le estremesció el coraçón y paróse tal que no pudo hablar, y fue toda turbada como que por su venida esperava la vida o la muerte según el recaudo que traxesse; y Mabilia, que assí la vio, dixo a la niña:

—Ve y di a la donzella que entre acá sola, porque la querría ver apartadamente.

Y esto fizo porque ninguno viesse le gran cuita o grande alegría de Oriana, según las nuevas fuessen; y la niña se salió y díxole lo que demandaron; pero de Mabilia y de Gandalín vos digo que estavan desmayados no sabiendo lo que la donzella traía. Y la donzella entró alegre y de buen continente, y fincando los inojos ante Oriana, diole una carta que traía, y díxole:

—Señora, ves aquí nuevas de todo vuestro plazer, y sabed, señora, que yo he recaudado todo aquello por que me embiastes assí como lo desseades; y leed essa carta y veréis si la fizo con su mano Amadís.

Ella tomó la carta, mas assí le tremían las manos con la grande alegría, que la carta se le cayó, y desque el coraçón se le fue más assossegando, abrió la carta y falló el anillo que ella con Gandalín a Amadís embiara cuando con Dardán se combatió en Vindilisora, el cual muy bien conosció y besóle muchas vezes, y dixo:

—Bendita sea la hora en que fueste fecho, que con tanto gozo y plazer de una mano a otra te has mudado.

Y metióle en su dedo; y cuando vio las palabras tan humildes que en la carta venían y el mucho agradescimiento de se ella aver membrado dél, y de cómo de la muerte a la vida era tornado, holgóle el coraçón, y alçando sus manos dixo:

—¡O Señor del mundo, reparador de todas las cosas!; bendito seáis vos que a tal sazón me acorristes y me librastes de la muerte que tan cerca tenía.

Y fizo assentar la donzella ante sí y díxole:

—Amiga, agora me contad cómo lo fallastes, y los días que con él estuvistes y dónde lo dexáis.

Ella le dixo cómo lo havía buscado; y que viniendo muy triste sin ningún recaudo, la gran tormenta que en la mar le sobrevino la fiziera arribar a la Peña Pobre, donde lo falló; y contóle cuanto allí con él le acontesciera y el plazer tan grande que su carta le dio; y assimesmo le dixo dónde le dexava, y cómo esperava su mandado. Mas cuando vino a dezir cómo era llegado a la muerte y tan desemejado que lo no podían conoscer sino por la ferida que en el rostro tenía, y cómo avía mudado su nombre, y cómo Durín estuvo tres días que lo no conosció, gran duelo y piedad avía Oriana dél. Y desque todo gelo ovo contado, dixo Oriana:

—Por Dios, amiga, menester es que luego aya vuestro mandado, y dezidme en qué manera se haga.

—Yo vos lo diré —dixo ella—; allá dexé a sabiendas dos yojas de las que traía, porque con achaque de bolver Durín por ellas le llevasse vuestro mandado.

—Muy bien fezistes —dixo ella—; y agora dadme las donas que traedes delante destos que aquí están, y dezid que se vos olvidaron las de Mabilia, assí como lo avedes dicho.

Entonces dixeron a la donzella cómo Corisanda les avía dicho dél, y se llamava Beltenebrós, pero no le conosció ni supo quién era.

—Verdad es que assí se llama —dixo la donzella—; y dize que se no quitará aquel nombre fasta que vos vea y le mandéis lo que faga.

Y también le dixeron cómo tenían las llaves de los postigos de la huerta; y llamaron a Durín y mostráronle a la parte donde avía de traer a Beltenebrós cuando viniesse; y mandáronle que luego fuesse a lo traer; mas no ovieron de trabajar mucho en ello; porque aún estando él muy cuitado de la nueva sinventura que le llevara, por donde a la muerte lo avía llegado, creyendo que con la que agora iva se emendava y reparava todo, con mucha alegría de su coraçón lo otorgó, y besó las manos a Oriana porque gelo mandava; y allí fue acordado que Mabilia gelo rogasse ante todos que le fuesse por aquellas donas, y que él mostrasse en ello mal continente, como que mucho le pesava, porque no sospechassen de su ida alguna cosa. Y assí se fizo, que cuando gelo rogaron, mostró dello pesar, y dixo sañudamente a Mabilia:

—Dígovos, señora, que por ser vuestras iré yo allá; que si

de la reina o de Oriana fuessen, no lo faría, que mucho afán he levado de trabajo en este camino.

Mabilia se lo agradesció, y Oriana le dixo:

—Mi amigo Durín, como quiera que bien sirvades, no queráis çaherir el servicio que fizierdes en tal guisa que vos no lo agradezcan.

—Así lo haré a vos —dixo él— cuando me lo mandardes que vos sirva, que bien creo que tan poco vale vuestro grado como mi servicio.

Todas rieron mucho de la saña que Durín mostrava y de cómo avía respondido, y dixo a Mabilia:

—Señora, pues que a vos plaze que yo vaya, luego de mañana me quiero ir; y despidiéndose dellas se fue con Gandalín a dormir a la villa, el cual le rogó que le encomendasse mucho a Enil su cormano, y que de su parte le rogasse que le viniesse a ver si fazerlo pudiesse, porque tenía de le fablar algunas cosas, y que le rogava mucho que, en tanto que con aquel cavallero anduviesse, preguntasse por nuevas de Amadís. Esto le embiava a dezir porque Amadís anduviesse más encubierto, y porque si dél le quisiesse partir, que con achaque de le ver a él lo pudiesse fazer. En esto hablando, llegaron a Londres, y otro día de mañana cavalgó Durín en su palafrén y fuese su vía camino donde a Beltenebrós avían dexado; pero antes se quiso bien avisar de todas las nuevas de la corte porque contárgelas supiesse.

CAPÍTULO LV

DE CÓMO BELTENEBRÓS MANDÓ HAZER ARMAS Y TODO APAREJÓ PARA IR A VER A SU SEÑORA ORIANA; Y DE LAS AVENTURAS QUE LE ACAESCIERON EN EL CAMINO, VENCIENDO A DON CADRAGANTE Y A LOS GIGANTES FAMONGOMADÁN Y BASAGANTE

PUES tornando a Beltenebrós, que en las casas de las beatas quedara atendiendo el mandado de su señora, dize la istoria que seyendo ya con el gran plazer en mucho de su salud y fuerça tornado, que mandó a Enil le fiziese fazer en aquella villa cerca donde estava, unas armas, el campo verde y leones de oro menudos cuantos en él cupiessen, con sus sobreseñales, y le comprasse un buen cavallo y una es-

pada y la mejor loriga que aver pudiesse; Enil subió a la
villa y fízolo todo como le mandó. Assí que en espacio de
veinte días fue todo adereçado como lo avía menester. A esta
sazón llegó Durín con el mandado que levava, con que Beltenebrós ovo gran plazer; y preguntándole delante de Enil
cómo quedava la buena donzella de Denamarcha, su hermana, y qué venida era la suya, él le dixo que la donzella se le
mandava mucho encomendar, y que el venía por dos yojas
que les avían olvidado, que quedaran entre los almadraques
en que ella dormiera; y dixo a Enil cómo su cormano Gandalín le saludava mucho, y todo lo otro que a cargo de le
dezir traía. Beltenebrós le preguntó que quién era aquel Gandalín.

—Un escudero, mi cormano —dixo él—, que aguardó gran
tiempo a hun cavallero que Amadís de Gaula se llamava.

Y entonces tomó consigo a Durín y fuese passeando por
una plaça, preguntándole por nuevas de su hermana; mas
cuanto algo desviados fueron, díxole Durín el mandado de
su señora cómo le atendía en Miraflores, y que tenía muy
bien guisado de le tener allí consigo, que fuesse muy encubierto; y contóle cómo sus hermanos y Agrajes estavan en
la corte, y avían de ser en la batalla que el rey Lisuarte tenía
aplazada con el rey Cildadán de Irlanda; y assimesmo el desafío de Famongomadán y de los otros gigantes y cavalleros que le fizieron, y cómo le demandaran a Oriana para
ser donzella de Madasima, y que la casarían con Basagante,
fijo de Famongomadán. Y cuando Beltenebrós esto oyó, las
carnes le tremían con gran ira que en sí ovo, y el coraçón le
hervió con gran saña; y propuso en su voluntad, tanto que a
su señora viesse, de no tomar en sí otra afruenta ni demanda hasta buscar a Famongomadán y se combatir con él, y
morir o le matar por aquello que de Oriana dixera. Después
que Durín le ovo contado lo que avéis oído, tomó las donas,
y despedido dél se tornó muy alegre con aver acabado aquello que él desseava.

Beltenebrós quedó dando muchas gracias a Dios porque
assí le avía socorrido en le tornar a la merced de su señora,
que teniéndola perdida, su vida era llegada en el estremo
que vos contamos; y aquella noche, despedido de las dueñas, una hora antes del alva, armado de aquellas verdes y
frescas armas, encima de su cavallo fermoso y loçano, y Enil
con él, que el escudo y yelmo y lança levava, se puso en el

camino para ir a ver aquella su señora que él tanto amava;
y yendo assí por el campo, seyendo ya el día claro, puso las
espuelas muy rezio al cavallo y fízolo fazer a un cabo y a
otro, de tal manera que Enil, que lo mirara, fue mucho maravillado, y dixo:

—Señor, del ardimiento de vuestro coraçón no sé nada;
pero nunca vi cavallero que tan fermoso armado paresciesse.

—Los coraçones de los hombres —dixo Beltenebrós— fazen
las cosas buenas, que no el buen parescer; pero al que Dios
junto lo da, gran merced le faze; y pues agora has juzgado
el parescer, juzga el coraçón según vieres que lo meresce.

Assí se iva razonando y riendo con él como aquel que
desechando aquella tan gran tenebregura en que estuviera,
era tornado al deleite que sin él no pudiera bivir. Pues así
anduvo fasta la noche, que alvergó en casa de un cavallero
anciano, donde le fue mucha honra fecha; y otro día, partiendo dende, llevando el yelmo en su cabeça por no ser conoscido, anduvo siete días sin ninguna aventura fallar; mas
a los ocho le avino que, passando al pie de una montaña,
vio por un pequeño camino venir en un gran cavallo vayo
un cavallero tan grande y tan membrudo, que no parescía
sino un gigante, y dos escuderos que las armas le traían; y
cuando más cerca fue, el gran cavallero dixo contra Beltenebrós en boz alta:

—Vos, don cavallero, que aí venides, estad quedo y no
passéis más adelante fasta que de vos sepa lo que quiero.

Beltenebrós estuvo quedo en un campo llano por do iva,
y miró el escudo del cavallero y vio que avía en él tres flores de oro en campo indio, y conoscióle ser don Cuadragante, porque otro tal viera en la Ínsola Firme alçado sobre todos
los otros como el que más honra ganara en la prueva de la
cámara defendida; y pesóle mucho, porque pensó de no
poder escusar dél la batalla, teniendo en su voluntad la de
Famongomadán, que por ésta quisiera él escusar todas las
otras, y también por ir al plazo que su señora le embiava a
mandar, y avía recelo que la gran bondad de aquel cavallero le diesse algún estorvo; y estovo quedo; y llamando a Enil
le dixo:

—Llégate a mí, y darme has las armas, si las oviere menester.

—Dios vos guarde —dixo Enil—, que más me semeja éste
diablo que cavallero.

—No es diablo —dixo Beltenebrós—; mas un muy buen cavallero, de que ya otras vezes oí fablar.

En esto llegó don Cuadragante, y díxole:

—Cavallero, conviene me digáis si sois del rey Lisuarte.

—¿Por qué lo preguntáis? —dixo Beltenebrós.

—Porque yo lo tengo desafiado —dixo Cuadragante— a él y a todos los suyos y a sus amigos, y no fallaré ninguno dellos que lo no mate.

A Beltenebrós vino gran saña, y díxole:

—¿Vos sois de aquellos que le desafiaron?

—Soy —dixo él—, y el que le fará a él y a los suyos todo el mal que pudiere.

—Y ¿cómo avéis nombre? —dixo Beltenebrós.

—He nombre don Cuadragante —dixo él.

—Ciertamente, Cuadragante, como quiera que vos seáis de gran linaje y de alto fecho de armas, gran locura es la vuestra desafiar al mejor rey del mundo; porque los cavalleros deven tomar las cosas que les convienen, y cuando de allí passan, más a locura que a esfuerço se deve tomar; yo no soy vasallo deste rey que dezís, ni natural de su tierra; pero por lo que él meresce, es mi coraçón otorgado a lo servir; assí que con razón me puedo contar por vuestro desafiado, y si queréis la batalla, avérla hedes; y si no, andad vuestro camino.

Don Cuadragante le dixo:

—Bien creo, cavallero, que la poca noticia que de mí tenéis vos causa hablar tan osado y con tanta locura, y ruégovos mucho que me digáis vuestro nombre.

—A mí llaman Beltenebrós —dixo él—; y assí por el nombre como por ser de poca nombradía no me conosceréis más que ante; mas comoquiera que yo sea de estraña y apartada tierra, oído he que andáis buscando a Amadís de Gaula, y según sus nuevas, entiendo que no es vuestro daño no lo hallar.

—¡Cómo! —dixo don Cuadragante—; ¿aquel que yo tanto desamo precias más que a mí?; sábete que eres llegado a la tu muerte, y toma tus armas si con ellas te osares defender.

—Ahunque contra otros —dixo Beltenebrós— dudasse de las tomar, no contra vos, que tantas sobervias y amenassas me fazéis.

Entonces, tomando sus armas con gran saña, corrieron los cavallos el uno contra el otro, y diéronse tan grandes encuen-

tros, que el cavallo de Beltenebrós estovo por caer; mas don
Cuadragante fue fuera de la silla, y cada uno se sintió mucho
de aquel encuentro; y Beltenebrós ovo el pico de la teta fen-
dido de la cuchilla de la lança, y el otro fue ferido en el
costado; mas la llaga pequeña fue, y levantóse luego como
aquel que muy valiente y ligero era, y metiendo mano al
espada se fue a Beltenebrós, que estava endereçando el yelmo
en la cabeça, assí que le no vio, y firióle el cavallo con la
punta de la espada, que la media della por las ancas le metió,
el cual con la ferida fue por el campo lançando las piernas
por caer; mas Beltenebrós descendió luego y embraçando
su escudo, la espada en la mano, se fue contra don Cuadragante con gran saña y braveza, porque el cavallo le matara,
y dixo:

—Cavallero, no mostráis buen esfuerço en lo que fezistes; pero bien bastará el vuestro para el que la vitoria de la
batalla alcançare.

Entonces se acometieron tan bravamente, que espanto era
de lo ver; que el ruido que con las espadas se fazían en se
cortar las armas era tal como si allí se combatiessen diez cavalleros, y algunas vezes se travavan a braços por se derribar; assí que cada uno provava toda su fuerça y valentía contra el otro. Unos escuderos que los miravan, teniendo por
gran espanto ver tal crueza en dos cavalleros, no esperavan
que ninguno dellos bivo quedar pudiesse; y así anduvieron
en su batalla desde la tercia fasta hora de bísperas, que nunca
folgaron ni se hablaron palabra; pero a esta sazón fue don
Cuadragante afogado del gran cansancio y maltrecho de un
golpe que Beltenebrós encima del yelmo le diera, que cayó
desapoderado sin ningún sentido en el campo, como si muerto fuesse; y Beltenebrós le tiró el yelmo de la cabeça por
ver si era muerto; mas dándole el aire tornó cuasi en su
acuerdo, y púsole la punta de la espada en el rostro y díxole:

—Cuadragante, miémbrate de tu alma, que muerto eres.

Y él, que ya más acordado estava, dixo:

—¡Ay Beltenebrós, ruégovos, por Dios, que me dexéis
bivir por el reparo de mi alma!

El dixo:

—Si quieres bivir otórgate por vencido, y que farás lo que
te yo mandare.

—Vuestra voluntad —dixo— faré yo por salvar la vida; pero
por vencido no me devo otorgar con razón, que no es ven-

cido aquel que sobre su defendimiento, no mostrando covardía, faze todo lo que puede fasta que la fuerça y el aliento le falta y cae a los pies de su enemigo; que el vencido es aquel que dexa de obrar lo que fazer podría por falta de coraçón.

—Cierto —dixo Beltenebrós—; vos dezís derecha razón, y mucho me plaze de lo que agora de vos aprendí; dadme la mano y fazed mi fiança que faréis lo que yo mandare.

Y él gela dio como mejor pudo.

Entonces llamó a los escuderos que lo viessen, y díxole:

—Yo vos mando, por el pleito que me fazéis, que luego seáis en la corte del rey Lisuarte y que vos no partáis dende fasta que Amadís allí sea, aquel que vos andáis buscando; y venido, vos metáis en su poder y le perdonéis la muerte de vuestro hermano el rey Abiés de Irlanda, pues que, según yo he sabido, ellos de su propia voluntad se desafiaron y solos entraron en la batalla; assí que tal muerte como ésta, no deve ser demandada ahun entre las baxas personas, cuanto más en los semejantes que vos, según las grandes cosas que en armas avéis passado y muy dichoso en ellas; y assimesmo vos mando que tornéis el desafío al rey y a todos los suyos, ni toméis armas contra lo que su servicio fuere.

Todo lo otorgó don Cuadragante mucho contra su voluntad; mas hízolo con el gran temor de la muerte, que muy cercana la tenía; y mandó luego a sus escuderos que le fiziessen unas andas y lo levassen donde Beltenebrós mandava, porque pudiesse quitar su promessa. Beltenebrós vio a Enil, su escudero, que tenía el cavallo de don Cuadragante y estava muy ledo y con gran alegría de la buenaventura que Dios diera a su señor. Beltenebrós cavalgó en el cavallo y dio las armas a Enil y tornóse a su camino; y no anduvo mucho por él que falló una donzella caçando con un esmerejón, y otras tres donzellas con ella que vieran la batalla y oyeran todo lo más de las palabras que passaron; y como vieron que tan maltrecho quedara y que avía menester de folgar, rogáronle afincadamente que con ella se fuesse a un castillo suyo donde se le faría todo servicio, por aquella voluntad que de servir al rey su señor en él conoscían. El lo tomó por bien, porque estava muy atormentado del gran afán que passara; mas desque allí llegaron, catándole si estava ferido, no le fallaron otra llaga sino aquella pequeña de la teta, de que mucha sangre se le fue; y a cabo de tres días partió de allí, y anduvo todo aquel día sin aventura fallar; essa

noche alvergó en casa de un hombre bueno que cerca del
camino morava; y otro día anduvo tanto que al medio día,
subiendo encima de un cerro, vio la ciudad de Londres, y a
la diestra mano el castillo de Miraflores, donde su señora
Oriana estava, y él, cuando le vio, grande alegría su ánimo
sintió. Pues allí estuvo una gran pieça pensando cómo partiría de sí a Enil, y díxole:

—¿Conosces esta tierra donde estamos?

—Sí conozco —dixo él—, que en aquel valle está Londres,
donde es el rey Lisuarte.

—¿Tan llegados somos a Londres? —dixo él—; pues yo no
me quiero agora fazer conoscer al rey ni a otro alguno fasta
que mis obras lo merezcan; que, como tú vees, soy mancebo, y no he fecho tanto que por ello pueda ser tenido en
mucho; y pues tan cerca nos somos a Londres ve a ver aquel
escudero Gandalín de que Durín te dio las encomiendas, y
sabrás lo que en la corte dizen de mí, y cuándo será la batalla del rey Cildadán.

—¿Cómo os dexaré solo? —dixo Enil.

—No te cures —dixo él—, que algunas vezes suelo yo andar
sin otro alguno; pero antes quiero que sepamos algún lugar
señalado adonde me falles.

Y fuéronse adelante por aquella vía; y no tardó que vieron, cabe una ribera, dos tiendas armadas, y en medio dellas
otra muy rica, y ante ellas cavalleros y donzellas que andavan
trebejando; y vio a la puerta de la una tienda cinco escudos,
y a la otra otros cinco, y diez cavalleros armados, y por no
aver razón de justar con ellos apartóse del camino que levava.

Los cavalleros de las tiendas lo llamaron que viniesse a
la justa.

—No me plaze de justar agora —dixo él—; que vosotros
sois muchos y folgados, y yo solo y cansado.

—Más yo creo —dixo el uno dellos— que lo dexades con
temor de perder el cavallo.

—Y ¿por qué lo perdería? —dixo él.

—Porque sería de aquel que vos derribasse —dixo el cavallero—; lo que está más cierto que ser vuestros los que vos
pudiéssedes ganar de nos.

—Pues que assí ha de ser —dixo Beltenebrós—, antes quiero yo ir en él que meterlo en essa ventura.

Y començóse de ir assí desviado como antes. Los cavalleros le dixeron:

—Paréscenos, cavallero, que essas vuestras armas más son defendidas con palabras fermosas que con esfuerço del coraçón; assí que bien podría quedar para se poner sobre vuestra sepultura, ahunque biváis cient años.

—Vos me tened por cual quisierdes —dixo él—, que por cosa que me digáis no me quitades la bondad si alguna en mí ay.

—Agora, Dios quisiesse —dixo el uno dellos— que se vos antojasse de justar comigo, que no iríades oy a buscar posada encima dese cavallo, a pena de traidor o que en este año yo no subiesse en otro.

Beltenebrós dixo:

—Buen señor, esso es lo que yo dudo, y por esso dexo yo mi camino.

Todos ellos començaron a dezir:

—¡O Santa María, val, qué medroso cavallero!

Mas por esto no dio ninguna cosa y fuese su vía; y llegando a un vado del río que quería passar, oyó que le dezían:

—Atended, cavallero.

Y él, mirando quién sería, vio una donzella muy bien guarnida en un fermoso palafrén, y llegando a él le dixo:

—Señor cavallero, en aquella tienda está Leonoreta, la fija del rey Lisuarte, y ella y todas las donzellas vos mandan rogar que mantengades la justa aquellos cavalleros, y esto que lo fagades por su amor, en cuanto más sois obligado al ruego dellas que al suyo dellos.

—¡Cómo! —dixo él—, ¿la fija del rey es aquella que allí está?

—Señor, sí —dixo ella.

—Pésame —dixo él— de aver enemistad con sus cavalleros, que ante la querría servir; mas pues que lo manda, fazer lo he por pleito que los cavalleros me no demanden más de justar.

La donzella se fue con la respuesta y Beltenebrós tomó sus armas; y tornando contra las tiendas falló un campo llano y bueno y allí atendió; y no tardó mucho que vio venir al cavallero que le dixera que le no dexaría ir en el cavallo si con él justasse, que bien avía en él parado mientes, y plúgole mucho que aquél fuesse el primero; y llegando más cerca, dexaron correr los cavallos contra sí cuanto más rezio pudieron; y el cavallero quebrantó su lança, y Beltenebrós lo firió tan duramente que le lançó de la silla rodando por el campo; y mandó tomar a Enil el cavallo; y el cavallero quedó assí quebrantado de la caída que no sabía de sí parte; y acordó gimiendo y rebolviéndose por el campo, como aquel que tenía tres costillas y una cadera quebrada; Beltenebrós dixo:

—Señor cavallero, si vuestra palabra es verdadera, de aquí a un año no caeréis otra vegada de cavallo, que así lo prometistes si el mío no ganássedes.

Y estando en esto, vio que venía otro cavallero a la justa y dando bozes que dél se guardasse; y Beltenebrós se dexó correr a él y derribólo como al primero; y assí lo hizo al tercero y al cuarto, y en aquél quebró la lança, mas el cavallero quedó mal llagado, que la lança passó el escudo y el braço; y de todos hizo tomar los cavallos y atarlos a las ramas de los árboles; y desque ovo derribado aquellos cuatro cavalleros, quísose ir, y vio venir otro cavallero guisado de justar, y traía un escudero con cuatro lanças, y díxole:

—Señor cavallero, Leonoreta vos embía estas lanças, y mándavos dezir que fagades con ellas lo que devéis con los cavalleros que quedan, pues que a sus compañeros derribastes.

Beltenebrós dixo:

—Por amor de Leonoreta, que es fija de tan buen rey, haré lo que me mandare, mas por los cavalleros dígoos que no faría ninguna cosa, que los tengo por muy desmesurados en fazer que los cavalleros que van su camino se combatan contra su voluntad.

Y tomando una lança se dexó ir al cavallero y derribóle como a los otros, y assí lo fizo a los otros todos, salvo al que a la postre vino, que justó con él dos vezes y quebró en él dos lanças, que le no pudo mover de la silla; mas a la otra, derribóle como a los otros; y si alguno preguntasse quién sería éste, digo que Nicorán, el de la Puente Medrosa, que a la sazón era uno de los buenos justadores del señorío de la Gran Bretaña.

Acabadas estas justas por Beltenebrós como avéis oído, embió todos los cavallos que de los cavalleros ganó, a Leonoreta, y mandó que le dixessen que mandasse a sus cavalleros que fuessen más corteses contra los que por el camino passassen, o que justassen mejor, que tal cavallero ende podría venir que los faría ir a pie. Y los cavalleros estavan tan avergonçados de lo que les contesciera, que no respondieron ninguna cosa, y maravillávanse en ser assí derribados por un solo cavallero, y no podían pensar quién fuesse, que nunca vieran cavallero que traxiesse tales señales en las armas. Nicorán dixo:

—Si Amadís bivo fuesse y sano, verdaderamente diría yo que éste era, que no siento otro cavallero que así de nosotros se partiesse.

—Ciertamente —dixo Galiseo— no deve ser él, que algunos de nos le conosciéramos, cuanto más que él no quisiera justar, pues que a todos nos conoscía por sus amigos.

Giontes, el sobrino del rey, que allí estava, dixo:

—Si a Dios pluguiesse que fuesse Amadís, por bien empleada daríamos nuestra vergüença; mas cualquier que él sea, Dios le dé buena ventura por doquier que vaya, que mucho a guisa de bueno ganó nuestros cavallos, y como bueno nos los embió.

—Maldito vaya —dixo Lasanor—, que cuanto yo con mal ando quebradas las costillas y la cadera; mas la culpa mía es, que fue el demandador, más que ninguno otro, de mi daño.

Y éste fue el primero de la justa.

Beltenebrós se partió dellos muy alegre de cómo le aviniera; y fuese por su camino fablando con Enil, y iva mirando la lança que fincara, que le parescía muy buena; y con la gran calor que fazía y con el justar avía gran sed; y seyendo de allí alongado cuanto un cuarto de legua, vio una hermita cubierta de árboles; y assí por fazer en ella oración como por bever del agua, se fue a ella, y vio a la puerta tres palafrenes de donzellas ensillados y otros dos de escuderos; él descendió de su cavallo y entró dentro; mas no vio a ninguno, y fizo su oración encomendándose a Dios y a la Virgen María muy de coraçón; y saliendo de la hermita vio tres donzellas debaxo de unos árboles a una fuente, y los escuderos con ellas, y él llegó a bever del agua, mas no conoscía ninguna dellas, y dixéronle:

—Cavallero, ¿sois de la casa del rey Lisuarte?

—Buenas donzellas —dixo él—, cavallero querría yo ser tal que me quisiessen en su compañía; mas vosotras, ¿dónde vais?

—A Miraflores —dixeron ellas—, a ver una nuestra tía que es abadessa de un monesterio, y por ver a Oriana, la fija del rey Lisuarte; y acordamos de folgar aquí fasta que el calor passe.

—¡En el nombre de Dios! —dixo él—; que yo vos haré compañía fasta tanto que sea tiempo de andar.

Y preguntóles cómo avía nombre aquella fuente.

—No sabemos —dixeron ellas—, ni de otra ninguna que en esta floresta aya, sino de aquella que en aquel valle está cabe aquellos grandes árboles, que se llama la Fuente de los Tres Caños.

Y mostráronle el valle que cerca de allí estava; pero mejor lo sabía él, que muchas vezes por allí anduviera a caça; y aquella fuente quería él por señal donde Enil viniesse, que lo quería partir de sí en tanto que iva a ver a su señora.

Pues estando hablando como oís, no tardó mucho que vieron venir, por el mismo camino que Beltenebrós viniera, una carreta que doze palafrenes tiravan, y dos enanos encima della que la guiavan, en la cual vieron muchos cavalleros armados en cadenas metidos, y sus escudos en las varas colgados; y entre ellos donzellas y niñas fermosas que muy grandes gritos davan; y delante de la carreta venía un gigante tan grande, que muy espantable cosa era ver encima de un cavallo negro, y armado de unas fojas muy fuertes y un yelmo que mucho reluzía; y traía en su mano un venablo que en el hierro avía una gran braçada; y en pos de la carreta venía otro gigante que muy más espantable y más grande que el primero parescía; las donzellas se quedaron todas espantadas y se ascondieron entre los árboles del gran miedo y espanto que ovieron; y el gigante que delante venía, bolvióse a los enanos y díxoles.

—Yo vos faré mill pieças si no guardáis que essas niñas no derramen su sangre, porque con ella tengo yo de fazer sacrificio al mi dios en que adoro.

Cuando esto oyó Beltenebrós, conosció ser aquél Famongomadán, que tal costumbre era la suya que della jamás partirse quería, de degollar muchas donzellas delante de un ídolo que en el Lago Herviente tenía, por consejo y habla del cual se guiava en todas sus cosas, y con aquel sacrificio le tenía contento, como aquel que seyendo el enemigo malo, con tan gran maldad avía de ser satisfecho; y como quiera que en su voluntad tuviesse puesto de se combatir con él por lo que de Oriana dixera, no le quisiera encontrar aquella ora hasta aver passado aquella noche con su señora Oriana, como estava concertado; y también porque quedara de la justa de los diez cavalleros muy quebrantado. Mas conosciendo los ca-

valleros que en la carreta venían, y a Leonoreta y sus donzellas con ellos, ovo gran duelo de los ver, y más del pesar
que su señora avría si tal desaventura por aquella su hermana passasse; que paresce ser que partiéndose él de la justa
que ya oístes, dexando aquellos cavalleros maltrechos, a poco
rato llegaron aquellos dos gigantes, padre y fijo, que al rey
Lisuarte desafiado tenían; y tomándolos a todos y a todas,
los pusieron como oídes en aquella carreta que consigo traían
para llevar los presos que aver pudiessen; y cavalgando luego
en su cavallo, demandó a Enil que le diesse las armas; mas
él le dixo:

—¿Para qué las queréis?; dexad primero passar estos diablos que aquí vienen.

—Dámelas —dixo Beltenebrós—, que ante que passen quiero tentar la misericordia de Dios, si le plazerá que por mí
sea quitada tan gran fuerça que estos sus enemigos fazen.

—¡O, señor! —dixo él—; ¿por qué queréis aver mal gozo
de vuestra juventud?; que si aquí se fallassen los mejores veinte cavalleros que el rey Lisuarte tiene, no osarían esto acometer.

—No te cures —dixo él—, que si ante de mí dexasse tal
cosa passar sin hazer todo lo que puedo, no sería para pareçer ante hombres buenos, y verás mi ventura qué tal será.

Enil le dio las armas llorando muy fieramente. Beltenebrós descendió por un recuesto ayuso contra el gigante, y
antes que a él llegasse, miró el lugar donde Miraflores era, y
dixo:

—¡O, mi señora Oriana!; nunca comencé yo gran hecho
en mi esfuerço dondequiera que me hallasse sino en el vuestro; y agora, mi buena señora, me acorred, pues me es tanto
menester.

Con esto le paresçió que le vino tan gran esfuerço que
perder le hizo todo pavor, y dixo a los enanos que estuviessen quedos. Cuando esto oyó el gigante, tornó contra él con
gran saña que el fumo le salía por el visal del yelmo y meneava el venablo en la mano que todo lo fazía doblar, y dixo:

—Cativo sin ventura, ¿quién te puso tal osadía que ante
mí osasses pareçer?

—Aquel Señor —dixo Beltenebrós— a quien tú ofendes, que
me dará hoy esfuerço con que tu gran sobervia quebrada sea.

—Pues, llégate, llégate —dixo el gigante—, y verás si su
poder basta para te defender del mío.

Beltenebrós apretó la lança so el braço, y al más correr
de su caballo fue contra él; y encontróle en las fuertes fojas
debaxo de la cinta tan reziamente, que por fuerça le quebrantó las launas y entró la lança por la barriga, que le passó
de la otra parte; y fue el encuentro tan fuerte, que topando
en los arçones de la silla fizo las cinchas quebrantar; assí que
trastornó la silla con él debaxo del cavallo, y al gigante quedó
un troço de la lança metido en el cuerpo; pero antes que
cayesse le tiró el venablo y dióle por el aguja del cavallo y
salióle entre las piernas; y Beltenebrós salió dél lo más presto que pudo y puso mano a su spada; mas el gigante era
ferido de muerte, y traíalo el cavallo arrastrando debaxo de
sí a gran daño suyo; mas con la fuerça que él tenía, luego
salió dél, y quitando el troço de la lança lo arrojó a Beltenebrós, y dióle con él tal golpe en el yelmo a bueltas del escudo que lo oviera derribado en tierra; y con la fuerça que en
esto puso saliéronsele todo lo más de las sus tripas por la
ferida, y cayó en el suelo dando bozes, diziendo:

—Acorredme, hijo Basagante, y llega, que muerto soy.

A estas bozes llegó Basagante al más correr de su cavallo, y traía una acha de azero muy pesada; y fue a Beltenebrós por le dar con ella, que pensó fazerle dos pedaços; mas
con la su gran ardideza guardóse del golpe, y al passar quísole ferir el cavallo y no pudo, y alcançóle con la punta de
la spada y cortóle el ación y la meitad de la pierna. Y el
gigante, con la gran saña, no lo sintió, ahunque él falló menos
el stribo, y tornó contra él; y Beltenebrós quitara el escudo
del cuello teniéndole por las embraçaduras, y dióle con la
acha en él tan gran golpe que gelo derribó a tierra, y Beltenebrós le dio con la spada en el braço y cortóle la loriga y
en la carne, y corrió la spada fasta abaxo por las fojas, que
eran de fino azero, y quebrantóla de manera que otra cosa
si la empuñadura no, no le quedó; mas por esto no se des-
mayó ni perdió el su gran coraçón; antes, como vio que el
gigante punava por sacar la acha del escudo y no podía, fue
cuanto más pudo y travó della, y su buena dicha que assí lo
guió en estar a la parte donde el estribo faltava, y tirándole
uno y el otro trastornóse el gigante, y su cavallo salió rezio,
assí que dio con él en tierra, y la acha quedó en las manos
de Beltenebrós. El gigante se levantó con gran afán y sacó
una spada que traía muy grande, y queriendo ir contra Beltenebrós, no pudo, por los nervios que de la pierna cortados

tenía, y hincó la una rodilla en el suelo, y Beltenebrós le dio
con la acha por encima del yelmo un tan grande golpe, que
por fuerça se le quebraron todos los lazos y fízogelo saltar
de la cabeça. Y Basagante, que tan cerca lo vio, pensóle cortar la cabeça; mas firióle en lo alto del yelmo, assí que le
cortó toda la corona cercén y los cabellos a bueltas, sin le
llegar a la carne; y Beltenebrós se tiró afuera, y el yelmo,
que no tenía en qué se sufrir, cayósele sobre los ombros, y
la espada de Basagante dio en tierra en unas piedras y fue
quebrada por medio. Los que miravan cuidaron que la media
cabeça le cortara, y fizieron muy gran duelo, especialmente
Leonoreta con sus niñas y donzellas, que de rodillas en la
carretera estavan, alçadas las manos al cielo, rogando a Dios
que de aquel peligro las librasse; messaron sus cabellos y dieron muy grandes gritos y bozes llamando a la Virgen María;
mas Beltenebrós, quitándose el yelmo y tentándose con la
mano la cabeça por ver si era de muerte ferido, y no sintiendo nada, fue con la acha contra el gigante; y ahunque él
era muy fuerte, cuando assí le vio venir, enflaquecióle el coraçón, que no se pudo guardar, y diole un tan gran golpe
por cima de la cabeça que la una oreja con la quexada le
derribó en tierra. El gigante le dio con la media spada y cortóle un poco en la pierna, y cayó a la otra parte rebolviéndose por el campo con la cuita de la muerte; a esta sazón Famongomadán se havía quitado el yelmo de la cabeça y ponía
las manos en las feridas por detener la sangre; y cuando vio
su hijo muerto, començó a blasfemar de Dios y de Santa
María su madre, diziendo que no le pesava de morir sino
porque no havía destruído sus iglesias y monesterios porque
consentían que él y su fijo fuessen vencidos y muertos por
un solo cavallero, que lo no esperavan ser por ciento.

Beltenebrós hincó los inojos en tierra, dando gracias a
Dios por la merced grande que le fizo, y dixo a Famongomadán:

—Desesperado de Dios y de la su bendita Madre, agora
padeçerás las grandes cruezas tuyas.

Y fízole quitar las manos de la herida, y dixo:

—Ruega al tu ídolo que por cuanta sangre inocente le ofre-
çiste que te guarde no salga essa que la vida te quita.

El gigante no fazía sino maldezir a Dios y a sus santos. Y
Beltenebrós sacó el venablo del cavallo y metiógelo por la
boca, assí que bien un palmo le passó de la otra parte, que

entró por el suelo; y tomó el yelmo de Basagante y púsolo en su cabeça porque le no conoçiessen; y cavalgando en el cavallo de Famongomadán, que Enil le diera, se fue a la carreta. Y los cavalleros y donzellas y niñas se le humillaron gradeçiéndole mucho el socorro que les havía fecho; mas él los fizo sacar de las cadenas, y rogóles que cavalgassen en sus cavallos que allí travados venían, y que llevassen en la carreta aquellos dos gigantes, y a Leonoreta y sus donzellas en los palafrenes que los sus escuderos, que también presos venían, traían, y los diessen al rey Lisuarte de parte de un cavallero estraño que se llamava Beltenebrós, que servirle desseava, y le contassen la razón por qué los matara; y rogóles que de su parte le diessen el cavallo de Basagante, que muy grande y fermoso era, en que entrase en la batalla que con el rey Cildadán aplazada tenía.

Los cavalleros con mucho plazer hizieron su mandado, y pusieron en la carreta los gigantes, que como quiera que ella grande fuesse, levavan de las rodillas abaxo colgadas las piernas; tan grandes eran. Y Leonoreta y las niñas y donzellas hizieron de las flores de la floresta guirlandas, y en sus cabeças puestas, con mucha alegría riendo y cantando se fueron a Londres, donde todos fueron maravillados cuando de tal guisa los vieron entrar por la villa, y de ver tan desemejada cosa como los gigantes eran.

Cuando el rey supo el gran peligro de su fija y cómo Beltenebrós la librara con tan gran afrenta y peligro, y haviendo ya llegado allí don Cadragante, presentándose como quien era vencido ante él de parte de Beltenebrós, mucho fue maravillado quién sería aquel cavallero que nuevamente con estrañas cosas en armas sobre todos los otros en su tierra havía aportado. Y estóvolo loando una gran pieça, preguntando a todos si alguno lo conosciesse; mas no ovo quien dél supiesse dezir otras nuevas sino cómo Corisanda, amiga de don Florestán, havía dicho que en la Peña Pobre fallara un cavallero doliente que Beltenebrós se llamava.

—Agora pluguiesse a Dios —dixo el rey— que tal hombre fuesse entre nos, que no lo dexaría por cosa qu'él demandasse y yo cumplir pudiesse.

CAPÍTULO LVI

DE CÓMO BELTENEBRÓS, ACABADAS LAS AVENTURAS DICHAS,
SE FUE PARA LA FUENTE DE LOS TRES CAÑOS, DE DONDE CON-
CERTÓ LA IDA PARA MIRAFLORES, DONDE SU SEÑORA ORIANA
DOTAVA, Y DE CÓMO UN CAVALLERO ESTRAÑO TRAXO UNAS
JOYAS DE PRUEVA DE LEALES AMADORES A LA CORTE DEL REY,
Y ÉL CON SU SEÑORA ORIANA SE FUERON DESCONOÇIDOS POR
GANAR LA GLORIA DE LA DEMANDA EN LA PRUEVA
DE BIEN AMAR

Beltenebrós, con mucho plazer de su ánimo por aver
acabado una tal afruenta, despedido de las donzellas y
cavalleros, se tornó a las otras donzellas que a la fuente hallara, que ya salidas de entre los árboles para él se venían, y
mandó a Enil que a Londres se fuesse a ver a Gandalín, su
cormano, y le fiziesse hazer otras tales armas como en aquellas batallas traxera, que todas eran rotas sin que alguna defensa en ellas oviesse, y le comprasse una buena espada, y
en cabo de ocho días se viniesse a él a aquella Fuente de los
Tres Caños, que allí lo fallaría. Él se despidió dellas y dél, y
metióse por lo más espesso de la floresta; y Enil se fue a
complir su mandado, y las donzellas a Miraflores, donde contando a Oriana y a Mabilia lo que havían visto, y diziéndoles cómo un cavallero que Beltenebrós se llamava lo havía
todo reparado, su plazer y alegría fue sin comparación, sabiendo ya cómo Beltenebrós era tan cerca dellas con tanta
honra y prez de su persona cual otro ninguno alcançar podía.

Beltenebrós, metido por la floresta como oís, fuese acostando a la parte de Miraflores, y halló una ribera que debaxo de las grandes arboledas corría, y porque ahún era temprano, apeóse del cavallo y dexólo pascer la verde yerva;
y quitándose el yelmo se lavó el rostro y las manos y bevió
del agua; y sentóse pensando en las movibles cosas del
mundo, trayendo a su memoria la gran desesperación en que
fuera, y cómo de su propia voluntad la muerte muchas vezes
havía demandado, no esperando ningún remedio a su gran
cuita y dolor; y que Dios, más por la su misericordia que
por sus mereçimientos, lo havía asía todo remediado, no solamente en le dexar como ante estava, mas con mucha más

gloria y fama que lo nunca fue, y, sobre todo, ser tan cerca de ver y gozar aquella su muy amada señora Oriana, por quien su coraçón ausente se hallando, en gran tristura y tribulación era puesto; lo cual le traxo a conoçer cuán poca fuzia los hombres en este mundo devrían tener en aquellas cosas tras que mueren y trabajan, poniendo en ellas tanta afición, tanto amor, que no teniendo en sus memorias cuán presto se ganan y se pierden, olvidando el servicio de aquel Señor en todo poderoso que las da y firmes las puede hazer. Y cuando más a su pensar seguras las tienen, estonces les son con gran angustia de sus ánimos quitadas, y algunas vezes las vidas, no se partiendo las ánimas dellas, mas con mucha seguridad de su salvación. Y muchas vezes seyendo assí perdidas, sin esperança ninguna de ser recobradas, aquel Señor del mundo las torna como con él lo havía hecho, dando a entender que ni en las unas ni en las otras ninguno fiarse deve, sino que, haziendo lo que son obligados, las dexen a Aquel que sin ninguna contradición las manda y señorea, como aquel que sin su mano ninguna cosa fazerse puede.

¡O los que con tantas maneras mañosas adquirís haziendas!, ¡cuánto y con cuánta diligencia mirar devríades que las haziendas ganadas, y perdidas para siempre las ánimas, cuán poco las tales haziendas prestan para poderos conservar de la perpetua pena, que la justicia de aquel eterno Dios aparejada a los tales tiene!

En estas y otras cosas estava trastornando y rebolviendo en su memoria, muy elevado. Assí estuvo Beltenebrós pensando cabe aquella ribera, templando en su voluntad la gloria y sobervia que de aquellas aventuras tan grandes que en sólo un día acabara, le ocurrían, considerando que en otro tan pequeño espacio de tiempo la fortuna le podría aquella grande alegría tornar en lloro, assí como a otros muchos que en este mundo grandes buenas venturas alcançaron lo havía hecho. Y venida la noche, cavalgó en su cavallo y fuese al castillo de Miraflores, a aquella parte de la huerta, donde halló a Gandalín y a Durín, que le tomaron el cavallo. Y Oriana y Mabilia y la donzella de Denamarcha estavan encima de la pared, y con ayuda de los escuderos y ellas, dándole las manos, subió suso donde estavan y tomó a su señora entre sus braços.

Mas ¿quién sería aquel que baste recontar los amorosos abraços, los besos dulces, las lágrimas que boca con boca allí en uno fueron mezcladas? Por cierto no otro sino aquel que seyendo sojuzgado de aquella misma passión y en las semejantes llamas encendido, el coraçón atormentado de aquellas amorosas llagas pudiesse dél sacar aquello que los que ya resfriados, perdida la verdura de la juventud, alcançar no pueden. Assí que a este tal me remitiendo, se dexará de lo contar por más estenso. Pues estando abraçados sin memoria tener de sí ni de otra cosa, Mabilia, como si de algún pesado sueño los despertasse, tomándolos consigo los llevó al castillo. Allí fue Beltenebrós aposentado en la cámara de Oriana, donde, según las cosas passadas que ya havéis oído, se puede creer que para él muy más agradable le sería que el mismo Paraíso. Allí estuvo con su señora ocho días, los cuales si las noches no, todos los tenían en un patio donde los fermosos árboles que vos contamos estavan, fuera de sus memorias con el sabroso plazer, y todas las cosas que en el mundo dezirse y fazerse pudiessen. Allí venía muchas vezes Gandalín, de quien todas las nuevas de la corte sabían, el cual en su posada tenia a Enil, su cormano, haziendo hazer las armas que Beltenebrós le mandara.

El rey Lisuarte mucho dudava la batalla que con el rey Cildadán havía de haver, sabiendo la brava y esquiva gente de gigantes y otros cavalleros de su sangre que a ella de traer havía; procurava mucho de aparejar cómo a su honra la passasse, y tenía allí en Londres consigo a don Florestán y Agrajes y Galvanes sin Tierra, que estonces llegaran, y otros muchos cavalleros de gran cuenta. Mucho fablavan todos en los grandes fechos de Beltenebrós, y muchos dezían que en gran parte passavan a los de Amadís; y desto pesava tanto a don Galaor y a Florestán, su hermano, que si no fuera por la palabra que al rey dada tenían de se no poner en ninguna afrenta fasta que la batalla passasse, ya le ovieran buscado y combatido con él, con tanta ira y saña que de muerte dél o dellos no se pudiera escusar, y por dicho se tenían que si de la batalla bivos saliessen, de se no entremeter en otro pleito sino en lo buscar, mas esto no lo fablavan sino entre sí.

Pues estando el rey un día en su palacio fablando con sus cavalleros, entró por la puerta un escudero viejo y con él otros dos escuderos vestidos todos tres de un paño, y venia tresquilado, las orejas parecían grandes y los cabellos blancos. El se fue al rey, y fincando los inojos ante él, le saludó en lenguaje griego, donde era natural, y díxole:

—Señor, la gran fama que por el mundo corre de los cavalleros y dueñas y donzellas de vuestra corte, me dio causa desta venida por ver si entre ellos y ellas hallaré lo que ha sesenta años que busco por todas partes del mundo, sin que de mi gran trabajo ningún fruto alcançasse. Y si tú, noble rey, tienes por bien que aquí una prueva se haga, que no será de tu daño ni mengua, dezírtela he.

Los cavalleros, con sabor de ver qué sería, rogaron muy ahincadamente al rey que jelo otorgasse; y él, que, assí como ellos, gana lo havía, tóvolo por bien. Estonces el escudero viejo tomó en sus manos un arqueta de jaspe tan larga como tres codos y un palmo en anchura, y las tablas havía pegadas con chapas de oro; y abriéndola sacó della una spada la más estraña que se nunca se vio, que la vaina della era de dos tablas verdes como color de esmeralda, y eran de huesso tan claras que el fierro de la spada se parecía dentro; mas no tal como el de las otras, que la media se mostrava tan clara y limpia que lo más ser no podía, y la otra meitad tan ardiente y bermeja como un fuego. El guarnimiento della y la cinta en que andava todo era del mismo huesso de la vaina, hecha en muchos pedaços juntados con tornillos de oro, de guisa que muy bien, como otra cinta, se podía ceñir. El escudero la echó a su cuello, y sacó de la arqueta un tocado de unas muy fermosas flores, la meitad tan hermosas y verdes y de tan biva color como si estonces del nascimiento dellas se cortaran, y la otra media de flores tan secas que no pareçía sino que llegando a ellas se havían desfazer.

El rey preguntó que por qué razón saliendo aquellas flores de un ramo, eran tan diversas, las unas tan frescas y las otras tan secas, y la spada tan estraña como pareçía.

—Rey —dixo el scudero—, esta spada no la puede sacar de la vaina sino el cavallero que más que ninguno en el mundo a su amiga amare, y cuando en la mano deste tal fuere, la meitad que agora arde será tornada tan limpia y clara como la otra media que pareçe, assí el fierro pareçerá de una guisa; y este tocado destas flores que veis, si acaeçiesse ser puesto en la cabeça de la dueña o donzella que a su marido o amigo en aquel grado que el cavallero amare, luego las flores secas serán tan verdes y fermosas como las otras, sin que ninguna diferencia aya; y sabed que yo no puedo ser cavallero sino de la mano de aquel leal amador que la espada sacare, ni tomar spada sino de la que el tocado de las flores ganar pudiere. Y por esto, buen rey, soy a vuestra corte venido en cabo de sesenta años que en esta demanda he andado, pensando que assí como en todos ellos nunca corte de emperador ni rey en honra y fama a la vuestra igualarse pudo, que assí en ella se fallará aquello que fasta hoy en ellas, comoquiera que todas las he visitado, no se ha podido hallar.[49]

—Agora me dezid —dixo el rey—, ¿cómo este fuego tan bivo desta media spada no quema la vaina?

—Esso vos diré —dixo el escudero— de grado; sabed, rey, que entre Tartaria y India ay un mar tan caliente, que hierve assí como el agua sobre el fuego, y es todo verde, y dentro de aquella mar se crían unas serpientes mayores que cacodrillos, y tienen alas con que buelan, y son tan empoçoñadas que las gentes fuyen dellas con temor; pero algunas vezes que muertas las hallan, précianlas mucho, que son muy provechosas para melezinas; y estas serpientes tienen un huesso desde la cabeça hasta la cola, y es tan gruesso que sobre él es formado todo el cuerpo, assí tan verde como aquí lo vedes en la vaina y su guarnimiento; y porque fue criado en aquella mar ferviente, ninguno otro fuego lo puede quemar. Agora vos digo del tocado de las flores, que son de árboles que ay en tierra de Tartaria en una ínsola metida quinze millas en la mar, y no son más de dos árboles, ni se sabe en ninguna parte haya más; y fázese allí en aquella mar un remolino tan bravo y tan peligroso, que dudan los hombres de passar a tomarlas; mas algunos que se aventuran y las traen, véndenlas como quieren, porque, si guardadas son, nunca esta verdura y biveza dellas peresce; y pues que la razón de lo uno y otro vos he contado, quiero que sepáis por qué ando assí y quién soy. Sabed que yo soy sobrino del mejor hombre que en su tiempo ovo, que se llamó Apolidón, y moró gran temporada en esta vuestra tierra, en la Insola Firme, donde dexó muchos encantamientos y maravillosas cosas, como a todo el mundo es notorio; y mi padre fue el rey Ganor, su

49. La historia de este viejo escudero, Macandón, la menciona Alfonso Álvarez de Villasandino en un decir dedicado a don Ruy López Dávalos (fechado entre 1410-1424): «E pues no tengo otra rrenta / quise ser con grant rrazón / el segundo Macandón, / que después de los ssesenta / començó a correr tormenta / e fue cavallero armado» (cit. Riquer, véase Bibl.).

hermano, a quien él dexó el reino, y de aquel Ganor y de una fija del rey de Canonia fue yo engendrado; y seyendo ya en edad de ser cavallero, como de mi madre muy amado fuesse, demandóme que le otorgasse en don que, pues yo havía sido fecho en gran amor que entre ella y mi padre fuera, que no fuesse cavallero sino de mano del más leal amador que en el mundo fuesse, ni tomasse la spada sino de la dueña o donzella que en aquel grado amasse. Yo gelo otorgué pensando que no tardaría más de lo complir de cuanto en la presencia de Apolidón, mi tío, y de Grimanesa, su amiga, fuesse; mas de otra guisa me avino, que cuando ante él fue, hallé a Grimanesa muerta; y sabido por Apolidón la causa de mi venida, ovo gran manzilla de mí, porque la costumbre de aquella tierra es tal, que no siendo cavallero no puedo reinar en aquel señorío, que de derecho me viene. Assí que no me podiendo dar remedio por el presente, mandóme que dentro en un año bolviesse a él, en cabo del cual me dio esta spada y tocado, diziendo que la simpleza que havía hecho en prometer tal don la remediasse con el trabajo en buscar el cavallero y la mujer que, acabando estas dos aventuras, acabasse yo mi promessa; assí que, buen rey, ésta es la causa de mi demanda; parezca la vuestra nobleza, que a ninguno faltó, provándovos el espada, y todos vuestros cavalleros, y la reina con sus dueñas y donzellas el tocado de las flores, y si tal se fallaren que lo acabar puedan, las joyas serán suyas y el provecho y descanso mío, llevándovos la honra más que ninguno otro príncipe en se fallar en vuestra corte lo que en las suyas fallece.

Cuando el escudero viejo ovo su razón acabada, todos los cavalleros que con el rey eran le rogaron muy ahincadamente que mandasse fazer la prueva; mas él, que assimesmo lo quería, otorgólo; y dixo al escudero que por cuanto hasta el día de Santiago no havía más de cinco días, y aquel día havían de ser con él muchos cavalleros por quien havía embiado, que fasta estonces atendiesse, porque seyendo más número de gente, más aína se podría fallar lo que buscava. El tóvolo por bien.

Gandalín, que a la sazón en la corte era y oído todo esto que el escudero dixo y lo que el rey respondió, cavalgando en su cavallo se fue a Miraflores, y con achaque de ver a Mabilia entró en el patín de los hermosos árboles, donde jugando al axedrés halló a Beltenebrós con Oriana, y díxoles:

—Buenos señores, estrañas nuevas vos trayo que llegaron hoy a la corte.

Estonces les contó todo lo de la espada y tocado de las flores, y la razón por qué el escudero viejo lo traía; y cómo el rey le havía otorgado que se faría la prueva dello, assí como suso se vos ha dicho. Oído esto por Beltenebrós, baxó la cabeça y fue puesto en un pensar, de tal guisa que en ál no mirava, que, al pareçer de Oriana y Mabilia y Gandalín, todas las cosas del mundo le faltavan. Y assí estovo por una pieça, tanto que Mabilia y Gandalín se salieron fuera. Y como él acordó, preguntóle Oriana qué causara aquel su tan gran pensamiento; él le dixo:

—Mi señora, si por Dios y por os en efecto se pudiesse poner mi pensar, faría desme muy alegre por todos tiempos.

—Mi buen amigo —dixo ella—, quien vos ha fecho señor de la persona, todo lo ál será liviano de complir.

El la tomó por las manos y besógelas muchas vezes, y dixo:

—Señora, lo que yo pensava es que ganando vos y yo aquellas dos joyas, nuestros coraçones quedarían para siempre en gran folgança, seyendo dellos apartadas todas las dudas de que tan atormentados han sido.

—¿Cómo se podría esso hazer —dixo Oriana— sin que a mí fuesse gran vergüença y mayor el peligro, y a estas donzellas que nuestros amores saben?

—Muy bien se faría —dixo Beltenebrós—, que yo vos llevaré tan encubierta y con tanta seguridad del rey vuestro padre para que conoçidos no seamos, como si fuéssemos delante la más estraña gente que de nos ningún conoçimiento no tuviesse.

—Pues si esso es assí —dixo ella—, cúmplase vuestra voluntad, y Dios mande que sea por bien, que yo no dudo de traer el tocado de las flores, si por demasiado amor ganar se puede.

Beltenebrós le dixo:

—Yo ganaré seguro de vuestro padre que me no será demandada cosa contra mi voluntad; y iré armado de todas armas, y vos, señora, llevaréis una capa brocada y antifazes delante el rostro, de guisa que a todos ver podáis y ninguno no a vos; y desta forma iremos y vernemos sin que se pueda saber quién somos.

—Mi buen amigo —dixo Oriana—, bien me pareçe lo que

dezís, y llamemos a Mabilia, que sin su consejo no me atrevería otorgar tan gran cosa.

Estonces la llamaron, y a la donzella de Denamarcha y a Gandalín que con ellas estava, y dixéronles aquel concierto; y comoquiera que el peligro muy grande se les representava, conoçiendo ser aquélla su voluntad, no lo contradixeron; antes Mabilia les dixo:

—La reina mi madre me embió con las otras donas que la donzella de Denamarcha me traxo, una capa muy hermosa y bien hecha que nunca se vistió ni se ha visto en toda esta tierra, y aquélla será para que vos, señora, levéis; y luego la traxeron ende y metieron a Oriana en una cámara, y vestiéndola de la forma que havía de ir, con sus lúas en las manos y sus antifazes, la traxeron delante Beltenebrós, y por mucho que él y ellas la miraron a todas partes, nunca pudieron hallar cosa por donde conoçida dellos ni de ninguno otro ser pudiesse; y dixo Beltenebrós:

—Nunca pensé, señora, que tan alegre fuera de vos no ver ni conoçer.

Y mandó luego a Gandalín que fuesse por aquella comarca y comprando el más hermoso palafrén que haver pudiesse, lo traxiesse el día de la prueva allí a la pared de la huerta, tanto que la media noche passasse. Y assimesmo mandó a Durín que desque noche fuesse, le esperasse con su cavallo en aquel lugar por donde en la huerta havían entrado, porque essa noche se quería ir a la Fuente de los Tres Caños, y embiar a Enil, su escudero, por el seguro al rey, y tomar las armas que le traía.

Finalmente, venida la hora, él salió de la huerta, y cavalgando en su cavallo, solo se fue por la floresta, que él bien sabia, como aquel que muchas vezes por ella a caça anduviera; y seyendo ya el alva del día, hallóse junto con la fuente, y no tardó que vio venir a Enil con las armas, muy bien fechas y hermosas, de que ovo gran plazer, y preguntóle por nuevas de la corte. Y él le dixo cómo el rey y todos los suyos fablavan mucho en la su gran bondad, y quísole contar lo de la espada y del tocado de las flores, mas Beltenebrós le dixo:

—Esso bien ha tres días que lo sé de una donzella, por pleito que la levasse a lo provar muy encubiertamente, y a mí conviene que assí lo haga, y con ella vaya yo desconoçido, y provaré la espada; y porque como tú sabes, mi voluntad es de no me dar a conoçer al rey ni a otro alguno fasta que mis obras lo merezcan, bolverte has luego y dirás al rey que si me da segurança a mí y a una donzella que llevaré, que no nos será fecho ni dicho contra nuestra voluntad ninguna cosa, que iremos a la prueva dessa aventura; y dirás ante la reina y sus dueñas y donzellas de la manera que la donzella me faze aí venir contra toda mi voluntad, mas que no puedo ál hazer, que gelo prometí. Y el día que la prueva se oviere de hazer, vente a este lugar a la luz del alva, porque la donzella sepa si traes la segurança o no, y en tanto tornarme he a ella para la traer, que lexos de aquí mora.

Enil le dixo que assí lo faría; y dándole las armas se fue a complir su mandado. Beltenebrós se fue a la ribera que ya oístes, y allí estovo hasta la noche, y luego partió para Miraflores. Y cuando llegó falló a Durín, que le tomó el cavallo, y él se fue a la entrada de la huerta, donde vio estar a su señora Oriana y a las otras, que muy bien lo recibieron; y dándoles sus armas, subió suso. Mabilia le dixo:

—¿Qué es esto, señor cormano?; más rico venís que de aquí partistes.

—No lo entendéis —dixo Oriana—; sabed que fue a buscar armas con que desta prisión pueda salir.

—Verdad es —dixo Mabilia—; menester es que ayáis consejo, pues que os havéis de combatir con él.

Assí se fueron al castillo con mucho plazer, donde de comer le dieron, que en todo el día no comiera por no ser descubierto.

CAPÍTULO LVII

DE CÓMO BELTENEBRÓS Y ORIANA EMBIARON LA DONZELLA DE DENAMARCHA PARA SABER LA RESPUESTA DE LA CORTE QUE DE SEGURO HAVÍAN EMBIADO DEMANDAR AL REY, Y DE CÓMO FUERON A LA PRUEVA, Y FUERON LOS QUE GANARON LA HONRA SOBRE TODOS

A la donzella de Denamarcha mandaron otro día que se fuesse a Londres y supiesse qué respuesta dava el rey a Enil, y que dixesse a la reina y a todas las dueñas y donzellas que Oriana se havía sentido mal, que se no levantava. La donzella fue luego a recaudar su mandado y no tornó fasta

bien tarde; y su tardança fue porque el rey salió a recebir a
la reina Briolanja, que allí era venida, y que traía cient cavalleros para que buscassen a Amadís como sus hermanos los
partiessen. Y traía veinte donzellas vestidas de paños negros
como los ella trahe, y que no los dexará fasta que sepa nuevas dél; que en otros tales la falló cuando reinar la fizo; y
que allí quiere estar con la reina fasta que sus cavalleros tornen, o que sepa nuevas de Amadís. Estonces Oriana le dixo:

—¿Seméjaos tan hermosa como dizen?

—Assí Dios me salve —dixo ella—, dexando a vos, señora,
la más hermosa y apuesta muger de cuantas yo he visto.
Y mucho le pesó cuando de vuestro mal supo. Y por mí vos
manda hazer saber que vos verá cuando por bien lo tuvierdes.

—Mucho me plazerá con ella —dixo Oriana—, porque es
la persona del mundo que yo más ver desseo.

—Honralda —dixo Beltenebrós—, que bien lo meresce,
comoquiera que vos, señora, alguna cosa pensastes.

—Buen amigo —dixo ella—, dexemos esso, que estoy segura de no ser mi pensamiento verdadero.

—Pues yo entiendo —dixo él— que lo que al presente tenemos desta prueva vos hará más libre dello y a mí mucho
más sujeto.

—Pues si lo passado —dixo Oriana— fue con sobrado amor
que yo vos tengo, aquel tocado de las flores fío en Dios
que dará dello testimonio.

Assimesmo les dixo la donzella cómo el rey havía otorgado a Enil todo el seguro que le demandó.

En esto y en otras cosas en que havían plazer passaron
aquel día y los otros fasta que la prueva se havía de hazer.
Y essa noche antes se levantaron a la media noche, y vestieron a Oriana la capa que ya oístes y pusiéronle los antifazes
ante el rostro; y Beltenebrós, armado de aquellas nuevas y
rezias armas que Enil le traxo, descendiendo por la pared
de la huerta, cavalgaron ella en un palafrén que Gandalín
traxo, y él en su cavallo, y solos se fueron por la floresta la
vía de la Fuente de los Tres Caños, no con poco temor y
miedo de Mabilia y de la donzella de Denamarcha que fuessen conoçidos, y aquel gran resplandor de alegría en gran
tenebregura no se tornasse. Mas cuando Oriana assí sola se
vio con su amigo de noche y en la floresta, ovo tan gran
miedo, que el cuerpo le temblava y no podía fablar, y vínole duda de no acabar aquella ventura y que su amigo, donde

assegurado de sus amores stava, que le podría ocurrir alguna sospecha, y no quisiera por ninguna guisa haverse puesto en aquel camino. Beltenebrós, veyendo su gran turbación, le dixo:

—Sí Dios me salve, señora, si pensara que tanto dudávades esta ida, antes quisiera morir que en ella vos haver puesto, y bien será que nos tornemos.

Estonces bolvió el cavallo y el palafrén contra donde venían; mas cuando Oriana vio que por ella se storvava una tan señalada cosa como lo aquélla era, mudósele el coraçón y díxole:

—Mi buen amigo, no miréis vos al miedo que yo como mujer tengo veyéndome en tan estraño lugar para mí, mas a lo que os como buen cavallero fazer devéis.

—Mi buena señora —dixo él—, pues que vuestra discreción vence a mi locura, perdonadme, que yo no devría ser osado de dezir ni fazer ninguna cosa, salvo aquella que de vuestra voluntad me fuesse mandado.

Estonces se fueron como antes; y llegaron a la Fuente de los Tres Caños antes una hora que el alva viniesse; y siendo ya de día claro llegó Enil, con que les mucho plugo, y Beltenebrós dixo:

—Señora donzella, éste es el escudero que os dixo que de mi parte al rey fuesse; sepamos lo que trae.

Enil les dixo cómo todo lo traía a su voluntad despachado del rey, y que oyendo missa se començaría la prueva. Beltenebrós le dio el scudo y la lança, y no se quitando el yelmo, se fueron por el camino de Londres, y anduvieron tanto que entraron por la puerta de la villa. Todos los miravan, diziendo:

—Este es aquel buen cavallero Beltenebrós que aquí embió a don Cadragante y a los gigantes. Cierto, éste es toda la alteza de las armas; por bienaventurada se deve tener aquella donzella que en su guarda viene.

Oriana, que todo esto oía, fazíase loçana en se ver señora de aquel que con su grande esfuerço a tantos y tales señoreava. Assí llegaron al palacio del rey, donde él y todos sus cavalleros y la reina y sus dueñas y donzellas estavan en una sala juntos para la prueva; y como supieron su venida, salió el rey a lo recebir a la entrada de la sala; y como a él llegaron, hincaron los inojos por le besar las manos; el rey no gelas dio, y dixo:

—Mi buen amigo, mirad que todo lo que vuestra voluntad fuere, faré yo de grado, como por aquel que en tan poco tiempo me sirvió mejor que nunca cavallero a rey fizo.

Beltenebrós gelo gradeçió con mucha humildad y no quiso fablar, y fuese con su donzella donde la reina vio estar. A Oriana le tremían las carnes del miedo que ovo en se ver delante su padre y madre, temiendo ser conoçida; mas su amigo nunca de la mano la dexó, y hincaron los inojos ante ella, y la reina los alçó por las manos, y dixo:

—Donzella, yo no sé quién sois, que vos nunca vi; mas por los grandes servicios que esse cavallero que vos trae nos ha fecho, y por lo que vos valéis, a él y a vos se fará toda honra y merced como se le deve.

Beltenebrós gelo tuvo en merced; mas Oriana no respondió ninguna cosa, y tenía la cabeça baxa en lugar de humildad. El rey se puso con todos los cavalleros a una parte de la sala, y la reina a la otra con las dueñas y donzellas. Beltenebrós dixo al rey que quería estar con su donzella aparte para ser los postreros en aquella aventura provar. El rey lo otorgó.

Estonces se fue el rey y tomó la espada que encima de una mesa estava, y sacó una mano della y no más. Macandón, que assí havía nombre el escudero que la traía, le dixo:

—Rey, si en vuestra corte no ay otro más enamorado que vos, no iré yo de aquí con lo que desseo.

Y tornó a meter el espada, que assí le convenía fazer cada vez. Y luego la provó Galaor, y no sacó más de tres dedos. Y tras él la provaron Florestán, y Galvanes, y Grumedán, y Brandoivas, y Ladasín, y ninguno dellos no sacó tanto como don Florestán, que sacara un palmo. Y luego la provó don Guilán el Cuidador, y sacó la media. Y Macandón le dixo:

—Si dos tanto amárades, ganárades la espada, y yo lo que tanto tiempo he buscado.

Y después dél la provaron más de cient cavalleros de muy gran cuento, y ninguno dellos no sacaron la espada, y tales ovo que ni poco ni mucho la sacaron. Y aquestos dezía Macandón que eran herejes de amor. Estonces llegó Agrajes a la provar, y antes que la tomasse, miró contra donde su señora Olinda estava, y pensó que la espada, según el leal y verdadero amor le tenía, sería suya; y sacó tanto della que solamente una mano quedó, y pugnó de tirar tanto que lo ardiente de la espada llegó a la ropa y quemóle parte della, y seyendo más alegre por aver más que ninguno della sacado, la dexó y se tornó donde estava; pero ante le dixo Macandón:

—Señor cavallero, de cerca os tornastes de quedar vos alegre y yo satisfecho.

Y luego la provaron Palomir y Dragonís, que un día antes avían a la corte llegado, y sacaron de la espada tanto como don Galaor, y díxoles Macandón:

—Cavalleros, si partides de la espada lo que sacastes, poco vos quedaría con que vos defender.

—Verdad dezís —dixo Dragonís—; mas si vos, por el cabo desta prueva vos armáis cavallero, no seréis tan niño que se vos no acuerde.

Todos se rieron de lo que Dragonís dixo; mas ya ninguno quedando en toda la corte de esta aventura provar, levantóse Beltenebrós y tomó a su señora por la mano y fuese donde la espada estava, y díxole Macandón:

—Señor cavallero estraño, mejor vos paresçería esta espada que la que traéis; mas bien sería que en fiuza della no dexéis essa otra, porque ésta, más por lealtad de coraçón que por fuerça de armas, ha de ser conquistada.

Mas él tomó la espada y sacándola toda de la vaina, luego lo ardiente fue tan claro como la otra media, assí que toda paresçía una. Cuando esto vio Macandón, fincó los inojos ante él, y dixo:

—¡O buen cavallero!, Dios te honre, pues que assí esta corte has honrado; con mucha razón amado y querido deves ser de aquella que tú amas, si ella no es la más falsa y la más desmesurada muger del mundo; demándote honra de cavallería, pues que si de tu mano no de otro alguno averla puedo, y darme has tierra y señorío sobre muchos hombres buenos.

—Buen amigo —dixo Beltenebrós—, fágase la prueva del tocado y yo faré con vos lo que con derecho deviere.

Entonces santiguó la espada, y dexando la suya a quien la quisiesse, la echó a su cuello, y tomando a su señora por la mano se tornó donde ante estava; mas el loor suyo fue tan grande por todos y todas las que en el palacio estavan de armas y de amores, que a gran saña fueron movidos don Galaor y Florestán, teniendo por gran deshonra que si a su hermano Amadís no, que a otro ninguno en el mundo pusiessen delante dellos, y luego pensaron que la primera cosa que después de la batalla del rey Lisuarte y del rey Cildadán, si bivos quedassen, sería combatirse con él y morir o dar a todos a conoscer la diferencia que dél a su hermano Amadís havía.

Acabada la prueva de la espada por Beltenebrós, como avéis oído, el rey mandó que la reina y todas las otras que en el palacio estavan provassen el tocado de las flores sin temor que dello oviessen, que si dueña la ganasse, más amada y querida de su marido sería, y si donzella, que sería gloria para ella ser la más leal de todas. Entonces fue la reina y púsola en su cabeça; mas las flores no fizieron otra mudança de lo que antes tenían; y díxole Macandón:

—Reina señora, si el rey vuestro marido no ganó mucho en la espada, bien paresce que por aquella guisa gelo pagastes.

Ella se tornó con vergüença sin nada dezir; y llegó luego aquella muy fermosa Briolanja, reina de Sobradisa, mas tanto ganó como la reina. Macandón le dixo:

—Señora donzella muy fermosa, más devéis ser amada que vos amáis, según lo que aquí mostrastes.

Y luego llegaron cuatro infantas, fijas de reyes: Elvida y Estrelleta, su hermana, que muy loçana y fermosa era, y Aldeva y Olinda la mesurada, en la cabeça de la cual las flores secas començaron ya cuanto a reverdecer, assí que todos cuidaron que ésta la ganaría; mas por gran pieça que la tuvo, no fizieron otra mudança, antes en gela quitando se tornaron tan secas como de ante; y después de Olinda la provaron más de ciento entre dueñas y donzellas; pero ninguna llegó a lo que Olinda, y a todas dezía Macandón cosas de burla y de plazer; y Oriana, que todo esto viera, ovo muy gran miedo que la reina Briolanja la ganara. Y cuando vio que avía faltado, ovo muy gran plazer, porque su amigo no pensasse que los amores que aquélla le avía fueran causa dello, que según le paresció en estremo fermosa más que ninguna de cuantas en su vida visto avía, no pensava de le perder si por ella no; y como vio que ya ninguna por provar quedava, fizo señal a Beltenebrós que le levasse; y como llegó, pusiéronle el tocado en la cabeça,[50] y luego las flores

50. *A* este episodio se refiere el poeta Juan Dueñas (muerto antes de 1460) cuando sostiene: «Pues por cierto mis amores / non fuera suya tan plana / de la gentil Oriana / la capilla de las flores.» Al respecto comenta Riquer: «*capilla* está en el conocido sentido de *capucha*. Cabe suponer que este florido cubrecabezas en el *Amadís* primitivo era llamado "capilla" y que Montalvo lo sustituyó por "tocado", que no se presta a confusión» (Riquer, cit. p. 33).

secas se tornaron tan verdes y tan fermosas, de manera que no se podía conoscer cuáles fueron las unas ni las otras. Y dixo Macandón:

—¡O buena donzella!, vos sois aquella que yo demando antes cuarenta años que nasciéssedes.

Entonces dixo a Beltenebrós que le hiciesse cavallero y rogasse aquella donzella que le diesse la espada de su mano.

—Seldo luego —dixo él—, porque yo no puedo detenerme.

Macandón se vistió unos paños blancos que consigo traía y unas armas blancas como cavallero novel; y Beltenebrós le fizo cavallero como era costumbre y le puso la espuela diestra, y Oriana le dio una espada asaz rica que él traía. Como así le vieron, las dueñas y donzellas començaron a reír, y Aldeva dixo, que todos lo oyeron:

—¡Ay Dios, qué estremado donzel y qué estremada apostura de todos los noveles!; mucho nos deve plazer que será novel toda su vida.

—¿Por dónde lo sabedes vos? —dixo Estrelleta.

Por aquellos paños —dixo ella— que viste, que no pueden durar menos tiempo que él.

—Dios lo faga así —dixeron ellas—, y lo mantenga en tal fermosura como agora está.

—Buenas señoras —dixo él—, yo no daría mi plazer por la mesura de vosotras, que mejor estó yo de mesura y mancebía que vosotras de mesura y de vergüença.

Al rey plugo de lo que él respondiera, que le no parescía bien lo que ellas le dixeron.

Esto assí hecho, Beltenebrós tomó a su señora y despidióse de la reina, y ella dixo a su hija, que no conoscía:

—Buena donzella, pues que vuestra voluntad ha sido que no vos conozcamos, ruégovos que desde donde fuerdes me fagáis saber de vuestra fazienda, y me demandéis mercedes, que de grado vos serán otorgadas.

—Señora —dixo Beltenebrós—, tanto la conozco yo cuanto vos, ahunque ha bien siete días que ando con ella; mas en cuanto he visto, dígovos que es hermosa y de tales cabellos que no ha por qué los encubrir.

Briolanja le dixo:

—Donzella, yo no sé quién sois, mas por cuanto aquí avéis mostrado de vuestros amores, si vuestro amigo así vos ama como vos a él, ésta sería la más fermosa cosa que nunca amor juntó, y si él es entendido así lo fará.

Oriana ovo gran plazer desto que Briolanja dezía. Con esto se despidieron de la reina y cavalgaron como ante venían; y el rey y don Galaor se fueron con ellos, y Beltenebrós dixo al rey:

—Señor, tomad esta donzella y honralda, que bien lo meresce, pues que assí ha honrado vuestra corte.

El rey la tomó por la rienda, y él se fue fablando con don Galaor, el cual no avía gana de le oír ninguna cosa de buen amor, porque ya se tenía por dicho de se combatir con él; y cuando anduvieron una pieça, Beltenebrós tomó a Oriana y díxole:

—Señor, de aquí quedad con Dios; y si por bien tuvierdes que yo sea uno de los ciento de vuestra batalla, de grado os serviré.

Al rey plugo mucho dello; y abraçándole gelo agradesció, diziéndole que gran parte del pavor perdía en lo tener en su ayuda.

Así se tornaron él y Galaor. Y Beltenebrós se metió por la floresta con su amiga y con Enil, que las armas le levava, muy alegres que sus aventuras tan bien acabaran: él llevando aquella verde espada al cuello y ella en la cabeça el tocado de las flores; así llegaron a la Fuente de los Tres Caños, y de una montaña que ende havía vieron venir un escudero a cavallo, y llegando dixo:

—Cavallero, Arcaláus vos manda que levéis esta donzella ant'él, y que si vos detenéis y le fazéis cavalgar, que vos quitará las cabeças.

—¿Adónde está Arcaláus el Encantador? —dixo Beltenebrós.

El hombre gelo mostró debaxo de unos árboles, y otro con él; y estavan armados y sus cavallos cabe sí. Oído esto por Oriana, fue tan espantada que apenas se pudo en el palafrén tener. Beltenebrós se llegó a ella y díxole:

—Señora donzella, no temáis; que si esta espada no me fallesce, yo os defenderé.

Entonces tomó sus armas y dixo al escudero:

—Dezid Arcaláus que yo soy un cavallero estraño que le no conozco ni tengo por qué fazer su mandado.

Cuando esto Arcaláus oyó, fue muy sañudo, y dixo al cavallero que con él estava:

—Mi sobrino Lindoraque, tomad aquel tocado que aquella donzella lieva, y será para vuestra amiga Madasima, y si el cavallero os lo defendiere tajadle la cabeça, y a ella colgadla por los cabellos de un árbol.

Lindoraque cavalgó y fue luego a lo fazer; más Beltenebrós, que lo havía oído, se le para delante, y comoquiera que lo vio muy grande, assí como hijo que era de Cartadaque, el gigante de la Montaña Defendida, y de una hermana de Arcaláus, no le tuvo en nada por la gran sobervia con que venía, y díxole:

—Cavallero, no passéis más adelante.

—Por vos no dexaré yo de fazer lo que Arcaláus, mi tío, me mandó.

—Pues agora —dixo Beltenebrós— parescerá lo que vos como sobervio y él como malo fazer podéis.

Entonces se fueron ferir de grandes encuentros, assí que las lanças fueron quebradas, y Lindoraque fue fuera de la silla, y llevó un troço de la lança metido por el cuerpo; mas levantóse luego con la gran valentía suya, y veyendo venir a Beltenebrós a lo ferir, y queriéndose guardar del golpe, tropeçó y cayó en el suelo, de manera que el fierro de la lança le salió por las espaldas y luego murió. Arcaláus, que assí lo vio, cavalgó presto por lo socorrer; mas Beltenebrós fue por él y fízole perder el encuentro de la lança, y al passar diole con la spada tal golpe, que la lança con la mitad de la mano le fizo caer en el suelo, assí que le no quedó sino el pulgar. Como assí se vio, començó a fuir, y Beltenebrós tras él; mas Arcaláus echó el escudo que levava del cuello, y con la gran ligereza de su cavallo alongóse tanto, que lo no pudo alcançar; entonces se bolvió a su señora, y mandó a Enil que tomasse la cabeça de Lindoraque, y la mano y escudo de Arcaláus, y se fuesse al rey Lisuarte y le contasse por cuál razón le acometieran.

Esto hecho, tomó a su señora y fuese por su camino; y después que algún poco folgaron cabe una fuente, seyendo ya la noche venida, llegaron a Miraflores, donde fallaron a Gandalín y Durín que les tomaron las bestias; y a Mabilia y la donzella de Denamarcha, que con gran gozo de sus ánimos los recibieron a la pared de la entrada de la huerta, como aquellas que si algún entrevallo les viniera, otra cosa si la muerte no, no esperavan; Mabilia les dixo:

—Fermosas donas traedes; mas bien vos digo que con gran congoxa de nuestros ánimos y muchas lágrimas de nuestros coraçones las hemos comprado; a Dios merced que tan bien lo fizo.

Y entráronse al castillo, donde cenaron y folgaron con mucho gozo y alegría.

El rey Lisuarte y don Galaor tornávanse a la villa después que de Beltenebrós se partieron; llegó a ellos una donzella y dio al rey una carta, diziendo ser de Urganda la Desconoscida, y otra a don Galaor; y sin más le dezir se bolvió por el camino do ante viniera; el rey tomó la carta y leióla, la cual dezía assí:

«A ti, Lisuarte, rey de la Gran Bretaña, yo Urganda la Desconoscida, te embío a saludar, y fágote saber que en aquella cruel y peligrosa batalla tuya y del rey Cildadán, aquel Beltenebrós en que tanto te esfuerças perderá su nombre y gran nombradía; aquel que por un golpe que fará serán todos sus grandes fechos puestos en olvido; y en aquella hora serás tú en la mayor cuita y peligro que nunca fuiste; y cuando la aguda espada de Beltenebrós esparzirá la tu sangre, serás en todo peligro de muerte; aquella será batalla cruel y dolorosa, donde muchos esforçados y valientes cavalleros perderán las vidas, será de gran saña y de gran crueza sin ninguna piedad. Pero al fin por los tres golpes que aquel Beltenebrós en ella fará, serán los de su parte vencedores. Cata, rey, lo que farás, que lo que te embío dezir se fará sin duda ninguna.»

Leída la carta por el rey, comoquiera que él de gran fecho fuesse, y de rezio coraçón en todos los peligros, considerando esta Urganda ser tan sabidora que por la mayor parte todas las cosas que profetizava verdaderas salían, algo espantado fue, teniendo creído que Beltenebrós, a quien él mucho amava, allí perdería la vida; y la suya del sin gran peligro no quedava; mas con alegre semblante se fue a don Galaor, que ya su carta leído avía, y estava pensando, y díxole:

—Mi buen amigo, quiero aver con vos consejo sin que otro alguno lo sepa en esto que Urganda me escrive.

Entonces le mostró la carta, y don Galaor le dixo:

—Señor, según lo que en la mía viene, más me conviene ser consejado que consejo dar; pero con todo, si algún medio se fallasse que con honra esta batalla escusar se pudiesse, esto ternía yo por bueno; y si esto ser no puede, a lo menos que vos, señor, no fuéssedes en ella, porque yo veo aquí dos cosas muy graves: la una, que por el braço y espalda de Beltenebrós será vuestra sangre esparzida, y la otra, que por tres golpes que él dará serán los de su parte vencedores. Esto yo no sé cómo lo entienda, porque él es agora de vuestra parte, y según la carta dize, será de la otra.

El rey le dixo:

—Mi buen amigo, el gran amor que me tenéis faze que de vos sea no bien aconsejado; que si yo perdiesse la esperança de aquel Señor que en tan gran alteza me puso, pensando que a la su voluntad el saber de ninguna persona estorvar podría, con mucha causa y razón, seyendo por El permitido, devría ser abaxo della; porque el coraçón y discreción de los reyes se deve conformar con la grandeza de sus estados, y faziendo lo que deven, assí con los suyos como en defensa dellos, el remedio de las cosas que miedos y espantos les ponen dexarlo aquel Señor en quien es el poder entero. Assí que, muy buen amigo, yo seré en la batalla, y aquella aventura que Dios a los míos diere, aquélla quiero que a mí dé.

Don Galaor, tornado de otro acuerdo y veyendo el gran esfuerço del rey, le dixo:

—No sin causa sois loado por el mayor y más honrado príncipe del mundo; y si los reyes assí esquivasen los flacos consejos de los suyos, ninguno sería osado de los dezir sino aquello que verdaderamente su servicio fuesse.

Entonces le mostró su carta, que dezía assí:

«A vos, don Galaor de Gaula, fuerte y esforçado, yo, Urganda, vos saludo como aquel que prescio y amo, y quiero que por mí sepáis aquello que en la dolorosa batalla, si en ella fuerdes, vos acaesçerá: que después de grandes cruezas y muertes por ti vistas en la postrimera priessa della, el tu valiente cuerpo y duros miembros fallescerán al tu fuerte y ardiente coraçón; y al partir de la batalla, la tu cabeça será en poder de aquel que los tres golpes dará por donde ella será vencida.»

Cuando el rey esto vio, díxole:

—Amigo, si lo que esta carta dize verdad sale, conoscido está ser vuestra muerte llegada si en aquella batalla entrássedes. Y, según las grandes cosas en armas por vos han passado, muy poco falta dexando ésta se vos seguiría. Assí que yo daré orden como, compliendo con mi servicio y con vuestra honra, della podáis ser escusado.

Don Galaor le dixo:

—Bien paresce, señor, que del consejo que vos di recebistes enojo, pues que seyendo sano y en mi libre poder me mandáis que en tan gran yerro y menoscabo de mi honra caya. A Dios plega que no me dé lugar a que en tal cosa vos aya de ser obediente.

El rey dixo:

—Don Galaor, vos dezís mejor que yo. Y agora nos dexemos de fablar más en esto, teniendo esperança en aquel Señor que tener se deve; y guardemos estas cartas, porque según las temerosas palabras que en ellas vienen, si sabidas fuessen, gran causa de temor podrían en las gentes poner.

Con esto se fueron contra la villa, y antes que en ella entrassen vieron dos cavalleros armados en sus cavallos lassos y cansados, y las armas cortadas por algunos lugares, que bien parescía no aver estado sin grandes afruentas; los cuales havían nombre don Bruneo de Bonamar y Branfil, su hermano; y venían por ser en la batalla si el rey los quisiese recebir; y don Bruneo supo de la prueva de la espada, aquexóse mucho por llegar a tiempo de la provar, como aquel que ya so el arco de los leales amadores fue, como ya oístes, y según el gran y leal amor que él avía a Melicia, hermana de Amadís, bien pensava que la espada y otra cualquiera cosa por grave que fuesse, que por grande amor se uviesse de ganar, que él lo acabara; y pesóle mucho por ser aquella ventura acabada; y como vieron al rey, fueron a él con mucha humildad. Y él los recibió con muy buen talante. Y don Bruneo le dixo:

—Señor, hemos oído de una batalla que aplazada tenéis, en que assí como el número de la gente será poca, assí converná que sea escogida, y si haviendo noticia de nosotros que nuestro valor en ella merezca ser, serviros hemos de grado.

El rey, que ya de don Galaor informado estava de la bondad destos dos hermanos, especial de la de don Bruneo, que era, ahunque mancebo, uno de los señalados cavalleros que en gran parte fallar se podría, uvo muy gran plazer con ellos y con su servicio, y mucho gelo agradesció. Entonces don Galaor se le fizo conoscer y le rogó mucho que con él posasse, y fasta ser dada la batalla en uno estuviessen, faziéndole memoria de Florestán, su hermano y de Agrajes y don Galbanes, que éstos eran siempre en una compañía.

Don Bruneo gelo tuvo en mucho, diziéndole que él era el cavallero del mundo a quien más amor tenía fuera de Amadís, su hermano, por quien él mucho afán en lo buscar avía passado, después que supo cómo se partiera de tal forma de la Insola Firme, y que no dexara de la demanda sino por ser en aquella batalla, y que le otorgava aquello que le dezía; assí quedó don Bruneo y su hermano Branfil en compaña de don Galaor y en servicio del rey Lisuarte, como oídes.

Acogido el rey a su palacio, llegó Enil, escudero de Beltenebrós, con la cabeça colgada por los cabellos del petral de su rocín, y con el escudo y la meitad de la mano de Arcaláus el Encantador; y antes que en el palacio entrasse, venían por saber qué sería aquello, tras él, muchas gentes de aquella villa. Llegando al rey, díxole lo que Beltenebrós le mandara, de que el rey fue muy alegre y maravillado del gran fecho deste valiente y coforçado cavallero, y estóvole loando mucho, y assí lo fazían todos; mas esto crescía más en la saña de don Galaor y don Florestán, y no veían la hora en que con él combatirse pudiessen, y morir o dar a conoscer a todos que sus hechos no podrían igualar con los de Amadís, su hermano.

A esta sazón llegó Filispinel, el cavallero que por su parte del rey Lisuarte fuera para desafiar los gigantes, como ya oístes, y contó todos los más que avían de ser en la batalla, en que avía muchos gigantes bravos y otros cavalleros de gran fecho, y que ya eran passados en Irlanda a se juntar con el rey Cildadán, y que antes de cuatro días desembarcarían en el puerto de la Vega, donde la batalla aplazada estava; y tan bien cuentó cómo avía fallado en el Lago Ferviente, que es en la ínsola de Mongaça, al rey Arbán de Norgales y Angriote de Estraváus en poder de Gromadaça, la giganta brava, muger de Famongomadán, la cual los tenía en una muy cruel prisión, donde de muchos açotes y otros grandes tormentos cada día eran atormentados, assí que las carnes de muchas llagas afiegidas continuamente corrían sangre. Y con él traía una carta escrita para el rey, la cual dezía assí:

«Al gran señor Lisuarte, rey de la Gran Bretaña, y a todos nuestros amigos del su señorío: Yo, Arbán, cativo rey que fui de Norgales, y Angriote de Estraváus, metidos en dolorosa prisión, vos fazemos saber cómo nuestra gran desventura, mucho más cruel que la misma muerte, nos ha puesto en poder de la brava Gromadaça, muger de Famongomadán, la cual, en vengança de la muerte de su marido y fijo, nos faze dar tales tormentos y tan crueles penas cuales nunca se pudieron pensar, tanto que muchas vezes demandamos la muerte, que gran folgança nos sería; mas ella, queriendo que cada día la ayamos, házenos sostener las vidas, las cuales ya por nosotros desamparadas serían, si el perdimiento de nuestras ánimas no lo estorvasse; mas porque ya somos llegados al cabo de no poder bivir, quesimos embiar esta carta escripta de nuestra sangre, y con ella nos despedir, rogando a Nuestro Señor quiera daros la vitoria de la batalla contra estos traidores que tanto mal nos han fecho.»

Muy gran pesar ovo el rey de la pérdida de aquellos dos cavalleros y mucho dolor ovo en su coraçón; mas veyendo que con ello poco les aprovechava, fizo buen semblante consolando a los suyos, poniéndoles delante otras muchas graves cosas, que los que las honras y proezas alcançar quieren avían passado, y esforçándolos para la batalla, la cual vencida, era el verdadero remedio para sacar de la prisión aquellos cavalleros. Y luego mandó a todos aquellos que con él avían de ser en la batalla, que para otro día se aparejassen; que quería partir contra sus enemigos, y assí lo fizo; que con aquel gran esfuerço que en todas las afruentas siempre tuvo, movió con sus cavalleros para les dar la batalla.

CAPÍTULO LVIII

DE CÓMO BELTENEBRÓS VINO EN MIRAFLORES Y ESTUVO CON SU SEÑORA ORIANA DESPUÉS DE LA VITORIA DE LA ESPADA Y TOCADO, Y DE ALLÍ SE FUE PARA LA BATALLA QUE ESTAVA APLAZADA CON EL REY CILDADÁN, Y DE LO QUE EN ELLA ACAESCIÓ EN EL VENCIMIENTO QUE OVIERON

BELTENEBRÓS estuvo con su señora en Miraflores tres días después que ganara la espada y el tocado de las flores; y al cuarto día salió de allí a la media noche solo, solamente sus armas y cavallo, que a su escudero Enil él le mandó que se fuesse a un castillo que estava al pie de una montaña cerca donde la batalla se avía de dar, que era de un cavallero viejo que Abradán se llamava, del cual todos los cavalleros andantes mucho servicio recibían; y essa noche passó cabe la hueste del rey Lisuarte. Y anduvo tanto que al quinto día llegó allí y falló Enil que esse día avía venido, con que mucho le plugo, y del cavallero fue muy bien recebido. Y allí estando llegaron dos escuderos sobrinos del huésped, que venían de donde la batalla avía de ser, y dixeron que ya Cildadán era con sus cavalleros llegado, y que posavan en tiendas junto a la ribera de la mar y sacavan las armas y cavallos, y que vieran llegar allí a don Grumedán y Giontes, sobrino del rey Lisuarte, y que pusieran treguas fasta el día de la batalla, y assí mesmo que ninguno de los reyes metiesse en ella más de cient cavalleros como assentado estava. El huésped les dixo:

—Sobrinos, ¿qué vos paresce dessa gente que Dios maldiga?

—Buen tío —dixeron ellos—, no es de fablar, según son fuertes y temerosos, que vos diremos sino que Dios miraglosamente más sea de la parte de nuestro señor el rey, no es su poder contra ellos nada.

Al huésped le vinieron las lágrimas a los ojos y dixo:

—¡O Señor poderoso, no desampares al mejor y más derechero rey del mundo!

—Buen huésped —dixo Beltenebrós—, no desmayedes por gente brava, que muchas vezes la bondad y la vergüença vence a la soberviosa valentía. Y ruégovos mucho que lleguéis al rey y le digáis cómo en vuestra casa queda un cavallero que se llama Beltenebrós, que me faga saber el día de la batalla porque yo seré aí luego.

Cuando esto oyó, fue muy ledo y dixo:

—¡Cómo, señor, vos sois el que embió a la corte del rey mi señor a don Cuadragante y el que mató aquel bravo gigante Famongomadán y a su fijo cuando llevavan presa a Leonoreta y a sus cavalleros!; agora os digo que si yo he fecho algún servicio a los cavalleros andantes, que con este solo galardón me tengo por satisfecho de todo ello, y lo que mandáis faré de grado.

Entonces, tomando consigo aquellos sus sobrinos, se fue adonde ellos le guiaron y falló que el rey Lisuarte y toda su compaña eran llegados a media legua de sus enemigos y que otro día sería la batalla; y díxole el mandado que levava, con que fizo al rey y a todos muy alegres y dixo:

—Ya no nos falta sino un cavallero para el complimiento de los ciento.

Don Grumedán dixo:

—Antes entiendo, señor, que vos sobran, que Beltenebrós bien vale por cinco.

Desto pesó mucho a don Galaor y Florestán y Agrajes, que les no plazía de ninguna honra que a Beltenebrós se diesse, más por la embidia de los sus grandes fechos que por otra enemistad alguna, mas calláronse. Seyendo avisado Abradán de lo por qué viniera, despedido del rey, se tornó a su huésped y contóle el plazer y gran alegría que el rey y todos los suyos ovieron con su mandado, y cómo para complimiento de los ciento no faltava más de un cavallero. Oído esto de Enil, apartó a Beltenebrós por una puerta, y fincando los inojos ante él, le dixo:

—Comoquiera que yo, señor, no os aya servido, atreviéndome a vuestra gran virtud quiero demandaros merced, y ruégovos por Dios que me la otorguéis.

Beltenebrós lo levantó suso y dixo:

—Demanda lo que quisieres que yo fazer pueda.

Enil le quiso besar las manos, mas él no quiso, y dixo:

—Señor, demándovos que me fagáis cavallero y que roguéis al rey que me meta en el cuento de los cient cavalleros, pues que uno le falta.

Beltenebrós le dixo:

—Amigo Enil, no entre en tu coraçón querer començar tan gran fecho como éste será y tan peligroso. Y yo no lo digo por te no fazer cavallero, mas por lo que a ti conviene començar en otros más ligeros fechos.

—Mi buen señor —dixo Enil—, no puedo yo aventurar tanto peligro, ahunque la muerte me sobreviniesse, por ser en esta batalla cuanto es la honra grande que della ocurrir me puede, que si saliere bivo, siempre me será honra y prez en ser yo contado en el número de tales cient cavalleros, y seré por uno dellos tenido; y si muriere, sea la muerte muy bien venida, porque mi memoria será junta con los otros preciados cavalleros que allí han de morir.

A Beltenebrós le vino una piedad amorosa al coraçón y dixo entre sí: «Bien paresce ser tú de aquel linaje del preciado y leal don Gandales, mi amo», y respondióle:

—Pues que assí te plaze, así sea.

Luego se fue a su huésped y rogóle que le diesse para

aquel su escudero unas armas, que le quería fazer cavallero. El huésped gelas dio de buen grado, y velándolas aquella noche Enil en la capilla y dicha al alva del día una missa, fízole Beltenebrós cavallero. Y luego se partió para la batalla, y su huésped con él con los dos sus sobrinos, que les levavan las armas. Y llegando donde avía de ser, fallaron al buen rey Lisuarte, que ordenava sus cavalleros para ir a sus enemigos, que en un campo llano le atendían; y cuando vio a Beltenebrós, assí él como los suyos tomaron en sí muy gran esfuerço, y Beltenebrós le dixo:

—Señor, vengo a complir mi promessa, y trayo un cavallero comigo en lugar de aquel que supe que vos faltava.

El rey lo recebió con mucha alegría y al cavallero suyo puso en el cumplimiento de los ciento.

Entonces movía contra sus enemigos, fecha un haz de su gente, que para más no avía. Pero delante del rey, que en medio de la haz iva, pusieron a Beltenebrós y su compañero, y don Galaor y Florestán y Agrajes, y a Gandalac, amo de don Galaor, y sus fijos Bramandil y Gavus, que ya don Galaor fiziera cavallero, y Nicorán de la Puente Medrosa y Dragonís y Palomir, y Vinorante y Giontes, sobrino del rey, y el preciado de don Bruneo de Bonamar, y su hermano Branfil y don Guilan el Cuidador. Éstos ivan delante todos, juntos como oís, y delante dellos iva aquel honrado y preciado viejo don Grumedán, amo de la reina Brisena, con la seña del rey.

El rey Cildadán tenía su gente muy bien parada y delante de sí los gigantes, que eran muy esquiva gente, y con ellos veinte cavalleros de su linaje dellos, que eran muy valientes; y mandó estar en un otero pequeño a Madanfabul, el gigante de la ínsola de la Torre Bermeja, y diez cavalleros con él, los mas preciados que allí tenía. Y mandó que no no se viesse dende fasta que la batalla buelta fuesse y todos fuessen cansados, y que entonces, firiendo bravamente, procurasse de matar o prender al rey Lisuarte y lo levar a las naos.

Assí, como oís, se fueron unos a otros con mucha ordenança y muy passo. Mas cuando fueron llegados, encontráronse los que delante ivan tan bravamente, que muchos dellos al suelo fueron. Mas luego se juntaron las batallas ambas con tan gran saña y crueza que la fuerte valentía suya dio causa a que muchos cavallos por el campo, sin sus señores, fuyessen, quedando ellos muertos y otros mal llagados. Assí

que con mucha causa se puede dezir ser aquel día airado y
doloroso para aquellos que allí se fallaron. Pues firiendo y
matando unos a otros, passó la tercia parte del día sin ninguna folgança aver, con tanto rigor y trabajo de todos, que
por ser en el gran fervor del verano, con la gran calentura
que fazía, así ellos como sus cavallos muy lassos y cansados
andavan a maravilla, y los llagados perdían mucha sangre,
de manera que las vidas no podiendo sostener, muertos feos
allí en el campo quedavan, especialmente aquellos que de
los fuertes gigantes feridos eran.

En aquella hora Beltenebrós fazía grandes maravillas en
armas, teniendo aquella su muy buena espada en su mano,
derribando y matando los que delante sí fallava, ahunque
mucho le impedía el cuidado de aguardar al rey en las grandes priessas donde le veía, que como seyendo vencido la entera deshonra suya fuesse, assí lo era la gloria seyendo vencedor, y esto le dava causa de poner en la mayor afruenta a
sus aguardadores. Mas visto por don Galaor y Florestán y
Agrajes las estrañas cosas por Beltenebrós fechas, ivan teniendo con él, dando y sufriendo tantos golpes que la grande imbidia avida dellos hizo señalar en gran ventaja de todos los
de su parte. Y don Bruneo se juntava con ellos y aguardava
a don Galaor, que como león sañudo por se igualar a la bondad de Beltenebrós, no temiendo los fuertes golpes de los
gigantes ni la muerte que a otros veía ante sus ojos padescer, se metía con la su espada entre sus enemigos, firiendo y
matando en ellos, y yendo, assí como oídes, con coraçón tan
airado y sañudo. Vio delante sí al gigante Cartadaque de [51]
la Montaña Defendida, que con una pesada facha dava tan
grandes golpes a los que alcançar podía, que más de seis cavalleros derribados a sus pies tenía; pero que él estava llagado en el ombro de un golpe que don Florestán le diera, que
le salía mucha sangre. Y don Galaor apretó la espada en la
mano y fue para él, y dióle un tan gran golpe por encima
de su yelmo en soslayo, que todo cuanto alcançó dél, con la
una oreja, le derribó, y no parando allí la espada, cortóle la
asta de la facha por cabe las manos. Cuando el gigante tan
cerca lo vio, no teniendo con qué ferir lo pudiesse, echó los
braços en él con tanta fuerça que, quebradas las cinchas, llevó

51. *Cildadan que*, en *Z*, fol. 112 rº; corregido por Place: *Cartadaque*
(II, 491, 275-276).

tras sí la silla, y don Galaor cayó en el suelo, teniéndole tan apretado, que nunca de sus fuertes braços salir pudo; antes le parescía que todos los sus huessos le menuzava. Mas antes que el sentido perdiesse, don Galaor cobró la espada, que colgada de la cadera tenía, metiéndogela al gigante por la vista, y fízole perder la fuerça de los braços, assí que a poco rato fue muerto. El se levantó tan cansado de la grande fuerça que pusiera y de la mucha sangre que de las feridas se le iva, que la espada nunca sacar pudo de la cabeça del gigante.

Y allí se ayuntaron de ambas las partes muchos cavalleros por los socorrer, que fizieron la batalla más dura y cruel que en todo el día avía sido, entre los cuales llegó el rey Cildadán de la su parte y Beltenebrós de la otra, y dio al rey Cildadán dos golpes de la espada en la cabeça tan grandes, que desapoderado de toda su fuerça, le fizo caer del cavallo ante los pies de don Galaor; el cual le tomó el espada que se le cayera y començó con ella a dar grandes golpes a todas partes fasta que la fuerça y sentido le faltó, y no se podiendo tener, cayó sobre el rey Cildadán assí como muerto.

A esta hora se juntaron los gigantes Gandalac y Albadançor, y firiéronse ambos de las maças de tan fuertes golpes, que ellos y los cavallos fueron a tierra. El Albadançor ovo el un braço quebrado, y Gandalac la pierna, mas él y sus fijos mataron a Albadançor.

Entonces eran de ambas las partes muertos más de ciento y veinte cavalleros y passava el medio día. Y Mandafabul, el gigante de la ínsola de la Torre Bermeja, que en el otero estava como ya oístes, miró a esa sazón la batalla, y como vio tantos muertos y los otros cansados y sus armas por muchos lugares rotas, y los cavallos feridos, pensó que ligeramente con sus compañeros podia a los unos y otros vencer; y movió del otero tan rezio y tan sañudo, que maravilla era, diziendo a grandes bozes a los suyos:

—¡No quede hombre a vida, y yo tomaré o mataré al rey Lisuarte!

Y Beltenebrós que lo assí vio venir, que entonces tomara un cavallo folgado de uno de los sobrinos de Abradán, su huésped, púsose delante del rey, llamando a Florestán y Agrajes, que cabe sí vio; y con ellos se juntaron don Bruneo de Bonamar y Branfil y Guilán el Cuidador y Enil, que mucho en aquella batalla avía fecho por donde siempre en gran fama tenido fue. Todos estos, ahunque de grandes feridas ellos y sus cavallos estavan se pusieron delante del rey. Y delante Madanfabul venía un cavallero llamado Sarmadán el León, el más fuerte y valiente en armas que todos los del linaje del rey Cildadán, y era su tío. Y Beltenebrós, salió de los suyos a él, y Sarmadán le firió con la lança en el escudo, y ahunque se quebró, passógelo y fízole una llaga, mas no grande. Y Beltenebrós lo firió de la espada, en passando cabe él, en derecho de la vista del yelmo al través, de tal golpe que los ojos entrambos fueron quebrados y dio con él en el suelo sin sentido ninguno. Mas Madanfabul y los que con él venían firieron tan bravamente, que los más que con el rey Lisuarte estavan fueron derribados. Y Madanfabul fue derecho para el rey con tanta braveza, que los que con él estavan no fueron poderosos de gelo defender por feridas que le diessen, y echóle el braço sobre el pescueço y tan rezio le apretó que, desapoderado de toda su fuerça, lo arrancó de lla silla y ívase con él a las naos. Beltenebrós, que assí lo vio llevar, dixo:

—¡Oh, Señor Dios, no vos plega que tal enojo aya Oriana!

Y firió el cavallo de las espuelas y apretó su espada en la mano, y alcançando al gigante, lo firió de toda su fuerça en el braço diestro con que al rey levava y cortógelo cabe el codo, y cortó al rey una parte de la loriga que le fizo una llaga de que mucha sangre le salió, y quedando él en el suelo, el gigante fuyó como hombre tollido.

Cuando Beltenebrós vio que por aquel golpe avía muerto aquel bravo gigante y librado al rey de tal peligro, començó a dezir a grandes bozes:

—¡Gaula, Gaula, que yo soy Amadís!

Y esto dizía firiendo en los enemigos, derribando y matando muchos dellos, lo cual era en aquella sazón muy necessario porque los cavalleros de su parte estavan muy destroçados, dellos feridos y otros a pie y otros muertos. Y los enemigos avían llegado folgados y con grande esfuerço y con gran voluntad de matar cuantos alcançassen, y por esta causa se dava Amadís gran priessa. Así que bien se puede dezir que el su grande esfuerço era el reparo y amparo de todos los de su parte; y lo que más embravecerle fazía era don Galaor, su hermano, que a pie lo vio, y muy cansado; y después no lo avía visto, ahunque por él mucho havía mirado; y cuidó que era muerto, y con esto no encontrava cavallero que lo no matasse.

Cuando los del rey Cildadán vieron tanto daño en los de su parte y las grandes cosas que Amadís hazía, tomaron por caudillo a un cavallero del linaje de los gigantes, muy valiente, que Gadancuriel havía nombre, y fazía tan gran estrago en los contrarios, que de todos era mirado y señalado, y con él pensavan vencer a sus enemigos. Mas a esta hora, Amadís, con gran saña que traía y gana de matar los que alcançava, metióse entre los contrarios tanto, que se oviera de perder. Y haviendo ya el rey Lisuarte tomado un cavallo, estando con él don Bruneo de Bonamar y don Florestán y Guilán el Cuidador y Ladasín y Galvanes sin Tierra y Olivas, y Grumedán, al cual la seña le havían entre sus braços cortado, veyendo a Amadís en gran peligro, socorrióle como buen rey, ahunque de muchas feridas andava llagado, con gran plazer de todos por saber que aquel Beltenebrós Amadís fuesse, y todos juntos entraron entre sus enemigos hiriendo y matando, assí que los no osavan atender. Y dexavan a Amadís ir por do quería, de manera que la ventura lo guió donde Agrajes, su cormano, y Palomir y Branfil y Dragonís estavan a pie, que los cavallos les havían muerto, y muchos cavalleros sobre ellos que los matar querían, y ellos estavan juntos y se defendían muy bravamente. Y como allí los vio, dio bozes a don Florestán, su hermano, y a Guilán el Cuidador, y con ellos los socorrió. Y salió a él un cavallero muy señalado, que Vadamigar havía nombre, al cual el yelmo de la cabeça havían derribado, y dio a Amadís una gran lançada por el cuello del cavallo, que el fierro de la lança le passó de la otra parte; más él lo alcançó con la spada, y fendióle fasta las orejas. Y como cayó dixo:

—Cormano Agrajes, cavalgad en esse cavallo.

Y don Florestán derribó a otro buen cavallero, que Danel se nombrava, y dio el cavallo a Palomir; y don Guilán dio otro cavallo a Branfil, del cual derribó a Landín, dexándole muy mal llagado; y Palomir traxo otro cavallo a Dragonís, assí que todos fueron remediados. Y tomaron la vía que Amadís levava, faziendo maravillas de armas y nombrándole porque lo conoçiessen y fuessen sus enemigos en mayor pavor puestos. Y tanto hizieron él y Agrajes y don Florestán con aquellos cavalleros, que con ellos juntos se hallaron, y con la gran bondad del rey su señor, que aquel día mucho valió mostrando su gran esfuerço, que vencieron la batalla, quedando en el campo muertos y llagados todos los más de sus enemigos. Mas Amadís, con la gran ravia que tenía pensando ser muerto don Galaor, su hermano, ívalos firiendo y matando fasta los llegar a la mar, donde su flota tenían.

Mas aquel valiente y esforçado Gadancuriel, caudillo de los contrarios, cuando assí vio los suyos de vencida y que lo no dexarían en las naos entrar, juntó los más que pudo consigo y tornó con la espada alçada en la mano por ferir al rey, que más cerca de sí lo falló; mas don Florestán, que grandes y esquivos golpes aquel día le viera dar, temiendo el peligro del rey, púsose delante por recebir en sí los golpes, ahunque de la espada otra cosa no llevava sino la empuñadura. Y Gadancuriel lo firió tan duramente por cima del yelmo, que fasta la carne jelo cortó, y Florestán le dio con aquello que de la espada tenía tal golpe, que el yelmo le derribó de la cabeça y el rey llegó luego y diole con la espada, assí que dos partes jela fizo.

Y como éste fue muerto, no quedó quien campo tuviesse; antes, por se acoger a las barcas murían en el agua, y los otros en la tierra, de manera que ninguno quedó. Estonces Amadís llama a don Florestán y Agrajes y a Dragonís y Palomir, y díxoles llorando:

—¡Ay, buenos cormanos!, miedo he que hemos perdido a don Galaor. Vámoslo a buscar.

Assí fueron donde Amadís a pie lo viera, allí donde él havía al rey Cildadán derribado, y tantos eran de los muertos que lo no podían fallar. Mas trastornándolos todos, fallólo Florestán, conoçiéndolo por una manga de la sobrevista que india era y flores de argentería por ella, y començaron a fazer gran duelo sobre él. Cuando Amadís esto vio, dexóse caer del cavallo, y las llagas, que ya restañadas de la sangre eran, con la fuerça de la caída se abrieron, de manera que la sangre en gran abundancia le salía. Quitándose el yelmo y el scudo que rompidos stavan, llegóse a Galaor llorando, y quitóle el yelmo y puso su cabeça en sus inojos; y Galaor, con el aire que le dio, començó a bullir ya cuanto.

Estonces se llegaron todos llorando con gran dolor en lo assí ver. Y cuanto una pieça assí estuvieron, llegaron allí doze donzellas bien guarnidas, y con ellas escuderos que un lecho traían cubierto de ricos paños, y hincaron los inojos ante Amadís y dixeron:

—Señor, aquí somos venidas por don Galaor. Si bivo lo

queréis, dádnoslo; si no, cuantos maestros ay en la Gran Bretaña no le guareçerán.

Amadís, que las donzellas no conoçía, mirava el gran peligro de Galaor; no sabía qué hazer; mas aquellos cavalleros le consejaron que más valía dárgelo a la ventura que delante sus ojos verle morir sin le poder valer. Estonces Amadís dixo:

—Buenas donzellas, ¿podríamos saber dónde lo levades?

—No —dixeron ellas—, por agora, y si bivo lo queréis, dádnoslo luego; si no, irnos hemos.

Amadís les rogó que a él levassen con él, mas ellas no quisieron, y por su ruego levaron a Ardián, el su enano, y a su escudero. Estonces lo pusieron assí armado, salvo la cabeça y las manos, en el lecho, medio muerto. Y Amadís y aquellos cavalleros fueron fasta la mar con él, faziendo gran duelo, donde vieron un navío, en el cual las donzellas metieron el lecho. Y luego demandaron al rey Lisuarte que le pluguiesse de les dar al rey Cildadán, que entre los muertos estava, trayéndole a la memoria ser un buen rey y que, faziendo lo que obligado era, la fortuna le había traído en tan gran tribulación, que oviesse dél piedad, porque si sobre él aquella fortuna tornasse, la pudiesse hallar en otros. El rey jelo mandó dar más muerto que bivo, y luego en aquel lecho lo tomaron y pusieron en el navío. Y ulçando las velas partieron de la ribera a gran priessa.

En esto llegó el rey, que havía andado trabajando cómo de la flota de sus enemigos no se salvasse ninguna cosa, y faziendo prender a los que dellos en la batalla no murieran, y falló llorando a Amadís y a don Florestán y a Agrajes, y a todos los otros que allí estavan. Y sabido que la causa dello era la pérdida de don Galaor, ovo muy gran pesar y dolor en su coraçón, como aquel que lo amava de coraçón y en sus entrañas lo tenía. Y esto con mucha razón, que desde el día que por suyo quedó, nunca en ál pensó sino en le servir. Y apeóse del cavallo, ahunque muchas llagas tenía, que sus armas eran todas tintas de la su sangre, y abraçó a Amadís, con muy gran amor que le tenía, y consolándole y diziéndole que si por gran sentimiento el mal de don Galaor remediarse pudiesse, que el suyo dél bastava, según el gran dolor que su coraçón por él sentía; mas teniendo esperança en el Señor poderoso, que a tal hombre no querría desamparar assí del todo, se consolava, y que assí con el esforçado ánimo devían ellos hazer. Y tomándolos consigo se fue a la tienda del rey Cildadán, que estraña y rica era, y allí les tovo consigo, y rogando que le traxiessen de comer y después que le pusiessen diligencia en enterrar los cavalleros que de su parte murieron en un monesterio que al pie de aquella montaña havía. Y él les mandó fazer el complimiento de sus ánimas y dio grandes rentas, assí para el reparo dellas como para que una capilla muy rica se hiziesse y allí los pusiessen en tumbas ricamente labradas, y los nombres dellos, en ellas escriptos. Y despedidos mensajeros a la reina Brisena, haziéndole saber aquella buena ventura que le Dios diera, él y aquellos cavalleros, que mal llagados estavan, se fueron a una villa cuatro leguas dende, que Ganota havía nombre, y allí estovieron hasta que de sus feridas sanaron.

Y en este medio tiempo que la batalla se dio, la hermosa reina Briolanja, que con la reina Brisena quedara, acordó de ir a Miraflores a ver a Oriana, que assí la una como la otra, por la fama de sus grandes fermosuras, desseavan verse. Sabido esto por Oriana, aquel su aposentamiento mandó de muy ricos paños guarneçer; y como la reina llegó y se vieron, mucho fueron espantadas, tanto, que ni el arco encantado ni la prueva de la espada no tuvieron tanta fuerça ni pusieron tal seguridad que a Oriana quitasse de muy gran sobresalto, creyendo que en el mundo no havía tan cativado ni sujeto coraçón que la fermosura de Briolanja, rompiendo aquellas ataduras, para sí no lo ganasse. Y Briolanja, haviendo algunas vezes visto las angustias y lágrimas de Amadís, junto con aquellas grandes pruevas de amor aquí dichas, luego sospechó que, según su gran valor, de que no mereçía su coraçón padeçer sino por aquella ante quien todas las que de fermosura se preciassen devían de fuir, porque con la su gran claridad las suyas dellas en tinieblas puestas no fuessen, quitando a Amadís de culpa por assí haver desechado aquello que por su parte della acometido le fue. Assí estuvieron ambas de consuno con mucho plazer hablando en las cosas que más les agradava. Y contando Briolanja, entre las otras cosas por más principal lo que Amadís por ella hiziera y cómo le amava de coraçón, Oriana, por saber más, díxole:

—Reina señora, pues que él es tan bueno y de tan alto lugar, como venía de los más altos emperadores del mundo, según he oído, y esperando ser rey de Gaula, ¿por qué no lo tomaríades con vos, haziéndole señor de aquel reino que él os dio a ganar, pues que en todo es vuestro igual?

Briolanja le dixo:

—Amiga señora, bien creo que ahunque lo muchas vezes vistes, que lo no conoscéis. ¿Pensáis vos que no me ternía yo por la más bienaventurada mujer del mundo, si esso que dezís yo pudiesse alcançar? Mas quiero que sepáis lo que en esto me aconteció, y guardadlo en poridad, como tal señora guardar lo deve, que yo le cometí con esto que agora dexistes y prové de lo haver para mí en casamiento, de que siempre me ocurre vergüença cuando a la memoria me torna, y él me dio bien a entender que de mí, ni de otra alguna, poco se curava. Y esto tengo creído, porque en tanto que comigo aquella temporada moró, nunca de ninguna muger le oí hablar como todos los otros cavalleros lo hazen. Mas tanto vos digo que él es hombre del mundo por quien ante perdería mi reino y aventuraría mi persona.

Oriana fue muy leda desto que le oyó, y más segura de su amigo, mirando con la grande afición que Briolanja lo dixo, que con ninguna de las otras pruevas, y dixo:

—Maravillada soy desto que me dezís, que si Amadís alguna no amasse, no pudiera entrar so el arco de los leales amadores, donde dizen que por él se hizieron mayores señales de leal enamorado que por otro ninguno que allí fuesse.

—Él bien puede amar —dixo la reina—, pero es lo más encubierto que lo nunca fue cavallero.

En esto, y en otras cosas muchas hablando, estuvieron allí diez días, en cabo de los cuales se fueron entrambas con su compañía a la villa de Fernisa, donde la reina Brisena, atendiendo al rey, su marido, estava; que con ellas mucho le plugo en ver a su hija sana y tornada en su hermosura. Allí les llegó la buena nueva del vencimiento de la batalla, que después del gran plazer que les dio, la reina Brisena hizo muchas limosnas a iglesias y monesterios, y a otras personas que necessidad tenían. Mas cuando la reina Briolanja oyó dezir ser Amadís aquel que Beltenebrós se llamava, ¿quién vos podría dezir el alegría que su ánimo sintió? Y assí lo ovo la reina Brisena y todas las dueñas y donzellas que lo mucho amavan, y con ellas, Oriana y Mabilia fingiendo ser a ellas aquella nueva de nuevo venida como a las otras. Y Briolanja dixo a Oriana:

—¿Qué os parece, amiga, de aquel buen cavallero como hasta aquí era loado, quedando escureçida la fama de Amadís, que ya dél cuasi memoria no havía, y comoquiera que le mucho amasse y mucho supiesse de sus cavallerías, en duda estava ya, viendo los grandes hechos de Beltenebrós, a cuál dellos mi afición se deviesse acostar?

—Reina señora —dixo Oriana—, entiendo que assí lo stávamos ya todos; y si con el rey mi padre viniere, preguntémosle por qué causa dexó su nombre y quién es aquella que el tocado de las flores ganó.

—Assí se haga —dixo Briolanja.

CAPÍTULO LIX

DE CÓMO EL REY CILDADÁN Y DON GALAOR FUERON LLEVADOS PARA CURAR Y FUERON PUESTOS EL UNO EN UNA FUERTE TORRE DE MAR CERCADA, EL OTRO EN UN VERGEL DE ALTAS PAREDES Y DE VERGAS DE FIERRO ADORNADO, DONDE CADA UNO DELLOS EN SÍ TORNADO, PENSÓ DE ESTAR EN PRISIÓN, NO SABIENDO POR QUIÉN ALLÍ ERAN TRAÍDOS Y DE LO QUE MÁS LES AVINO

AGORA vos contaremos lo que fue del rey Cildadán y de Galaor. Sabed que las donzellas que los llevaron curaron dellos, y al tercero día estavan en todo su acuerdo. Y don Galaor se falló dentro en una huerta, en una casa de rica lavor que sobre cuatro pilares de mármol se sostenía, cerrrada de pilar a pilar con unas fuertes redes de fierro; así que la huerta, desde una cama donde él echado estava, se parecía, y lo que él pudo alcançar a ver semejóle ser cercada de un alto muro, en el cual havía una puerta pequeña cubierta de foja de fierro, y fue spantado en su ver en tal lugar, pensando ser en prisión metido, y hallóse con gran dolor de sus feridas que no atendía otra cosa sino la muerte. Y allí le vino a la memoria cómo él fue a la batalla, mas no supo quién della lo sacó ni cómo allí lo traxeran.

Tornado el rey Cildadán en su entero juizio, fallóse en una bóveda de una gran torre, en una rica cama echado cabe una finiestra. El miró a uno y a otro cabo, mas no vio ninguna persona, y oyó fablar encima de la bóveda, mas no pudo ver puerta ni entrada ninguna en aquella cámara donde estava. Y miró por la finiestra, sacando la cabeça, y vio la mar y que allí donde estava era una muy alta torre, assentada en una brava peña, y semejóle que la mar la cercava de las tres esquinas; y membróse cómo fuera en la batalla, mas no sabía quién della lo sacara. Pero bien pensó que pues él tan mal parado fue, y assí preso, que los suyos no quedarían muy libres; y como vio que más no podía fazer, assosegóse en su lecho, gimiendo y doliéndose mucho de sus llagas, atendiendo lo que venirle pudiesse.

Y don Galaor, que en la casa de la huerta, como ya oístes, estava, vio abrir el postigo pequeño y alçó la cabeça con gran afán, y vio entrar por él una donzella muy fermosa y bien guarnida, y con ella un hombre tan lasso y tan viejo que era maravilla poder andar; y llegando a la red de fierro de la cámara, dixéronle:

—Don Galaor, pensad en vuestra ánima, y no vos salvamos ni asseguramos.

Estonces la fermosa donzella sacó dos buxetas, una de fierro y otra de plata, y mostrándogelas a don Galaor, le dixo:

—Quien aquí vos traxo no quiere que muráis fasta saber si faréis su voluntad, y en tanto quiere que seáis de vuestras llagas curado y se os dé de comer.

—Buena donzella —dixo él—, si la voluntad desse que dezís es queriendo lo que yo fazer no devo, más dura cosa para mí sería que la muerte, en lo ál, por salvar mi vida fazerlo he.

—Vos faréis —dixo ella— lo que mejor os estuviere, que desso que dezís poco nos curamos. En vuestra mano es de morir o bevir.

Estonces aquel hombre viejo abrió la puerta de la red y entraron dentro; y ella tomó la buxeta de fierro y dixo al viejo que se tirasse afuera, y él assí lo hizo. Y ella dixo a don Galaor:

—Mi señor, tan gran duelo he de vos, que por salvar vuestra vida me quiero aventurar a la muerte, y dirévos cómo a mí me es mandado: que esta buxeta hinchesse de ponçoña y la otra de ungüento que mucho faze dormir; porque la ponçoña en vuestras llagas puesta y la otra que os adormeciesse, obrando con el sueño más rezio, luego muerto seríades. Mas doliéndome que tal cavallero por tal guisa muriesse fízelo al contrario, que aquí puse aquella melezina que seyendo por vos tomada cada día, a los siete días seréis tan libre que sin empacho os podáis ir en un cavallo.

Estonces le puso en las llagas aquel ungüento, tan sabro-

so que la hinchazón y dolor fue luego amansado, de guisa
que muy holgado se falló, y díxole:

—Buena donzella, mucho os gradezco lo que por mí fazéis, que si yo de aquí salgo por vuestra mano, nunca vida
de cavallero tan bien gualardonada fue como ésta a vos será.
Mas si por ventura vuestras fuerças para ello no bastaren y
por mí queréis algo hazer, tened manera cómo esta mi prisión tan peligrosa lo sepa aquella Urganda la Desconoçida,
en quien yo mucha sperança tengo.

La donzella començó a reír de gana, y dixo:

—¡Cómo!; ¿tanta sperança tenéis vos en Urganda, que poca de vuestra pro ni daño se cura?

—Tanto —dixo él— que como ella sepa las voluntades agenas, assí sabe que la mía está para la servir.

—No os curéis —dixo ella— de otra Urganda sino de mí,
con tal que os, don Galaor, assí como tovistes gran esfuerço
para poner la salud en tal peligro, assí lo tengáis para le dar
remedio, que el grande y esforçado coraçón en muchas más
cosas qu'el pelear mostrarse deve; y por el peligro en que
por vos me pongo, assí para vos sanar como para sacaros de
aquí, quiero que me otorguéis un don, que no será de vuestra mengua ni daño.

—Yo le otorgo —dixo él—, si con derecho darle puedo.

—Pues yo me voy hasta que sea tiempo de os ver; y acostados, haziendo semblante que a gran sueño dormís.

El assí lo fizo, y la donzella llamó al viejo y dixo:

—Mirad a este cavallero cómo duerme. Agora obrará la
ponçoña en él.

—Assí es menester —dixo el viejo— porque dél sea vengado quien aquí lo traxo. Y pues assí havéis cumplido lo que
vos mandaron, de aquí adelante vernéis sin guardador; y
manteneldo desta guisa quinze días, que no muera ni biva
sino en gran dolor, porque en este medio tiempo vernán
aquellos que, según el enojo les ha fecho, le darán la emienda.

Galaor oía todo esto, y bien le pareçió que el viejo era
su mortal enemigo. Mas tenía esperança en lo que la donzella le dixera, que le daría guarido en los siete días, porque
si la fortuna sano le tornasse, que se podría librar de aquel
peligro; y por esto se esforçava mucho, como la donzella gelo
consejara. Con esto se fueron ella y el viejo, mas no tardó
mucho que la vio tornar, y con ella dos donzellas pequeñas,
fermosas y bien guarnidas, y traían que comiesse don Ga-

laor. Y abriendo la puerta entraron dentro, y la donzella le dio de comer y dexó con él aquellas dos donzellitas que le hiziessen compañía, y libros de historias que le leyessen y que le no dexassen de día dormir. Galaor fue desto muy consolado, que bien vio que la donzella quería complir lo que le prometiera, y gradeçiójelo mucho. Pues ella se fue, cerrando las puertas, y las niñas quedaron acompañándole.

Assí acaeçió también como huvéis oído al rey Cildadán, que se falló encerrado en aquella fuerte y alta torre sobre la mar; y a poco rato que con gran pensamiento estava, vio abrir una puerta de piedra que en la torre enxerida era, tan junta que no pareçía sino la misma pared, y vio entrar por ella una dueña de media edad y dos cavalleros armados. Y llegaron al lecho donde él estava, mas no le saludaron, y él a ellos sí, hablándoles con buen semblante; pero ellos no le respondieron ninguna cosa. La dueña le quitó el cobertor que sobre sí tenía, y catándole las llagas, le puso en ellas melezinas y diole de comer. Y tornáronse por donde vinieran sin palabra le dezir, y cerraron la puerta de piedra como ante estava. Esto visto por el rey, verdaderamente creyó que él era en prisión, metido en poder de quien su vida muy segura no stava; pero esforçóse lo más que pudo, no podiendo más fazer.

La donzella que de Galaor curava tornó a él cuando vio ser tiempo, y preguntóle cómo le iva. El dixo que bien, y que si adelante fuesse, que creía estar en buena disposición al plazo que puesto le tenía.

—Desso he yo plazer —dixo ella—, y de lo que yo vos dixe no tengáis duda sino que assí se cumplirá. Mas quiero que me otorguéis un don como leal cavallero: que de aquí no provaréis a salir sino por mi mano, porque vos sería mortal daño y peligro de vuestra vida, y a la fin no lo podriades acabar.

Galaor gelo otorgó, y rogóle mucho que le dixesse su nombre. Ella le dixo:

—¡Cómo, don Galaor!; ¿no sabéis os mi nombre? Agora vos digo que estoy con vos engañada, porque tiempo fue que vos fize un servicio, del cual, según veo, poco se os acuerda; y si mi nombre os lo recordare, sabed que me llaman Sabencia Sobresabencia.

Y fuese luego; y él, cuando pensando en aquello y veniéndole a la memoria la fermosa spada que Urganda, al tiempo que Amadís su hermano le fizo cavallero, le dio, suspechó que ésta podría ser; pero dudava en ello, porque en aquella sazón la vio muy vieja y agora moça; por esto no la conoçió. Y miró por las donzellitas, mas no las vio; mas vio en su lugar a Gasaval, su escudero y Ardián, el enano de Amadís, de que fue maravillado y alegre con ellos; y llamólos, que dormían, hasta que los despertó. Y cuando ellos lo vieron, fueron llorando de plazer a le besar las manos, y dixéronle:

—¡O buen señor, bendito sea Dios que convusco nos juntó donde os podamos servir!

El les preguntó cómo havían allí entrado. Dixéronle que no sabían sino que «Amadís y Agrajes y Florestán nos embiaron convusco». Estonces le contaron en la forma que su vida estava y cómo, teniéndole Amadís en su regaço la cabeça, llegaron las donzellas a le pedir; y cómo, por acuerdo dellas y de sus amigos, le havían dado, viendo su vida en el punto de la muerte; y cómo le metieran en la fusta, y al rey Cildadán con él. Don Galaor les dixo:

—¿Cómo se falló Amadís a tal sazón?

—Señor —dixeron ellos—, sabed que aquel que Beltenebrós se llamava es vuestro hermano Amadís, y por su gran esfuerço la batalla fue vençida por el rey Lisuarte.

Y contáronle en qué manera havía socorrido al rey, llevándole el gigante debaxo del braço, y cómo estonces se nombrava por Amadís.

—Grandes cosas —dixo Galaor— me havéis dicho, y gran plazer tengo por las nuevas de mi hermano; ahunque si no me da causa legítima por qué se devía tanto tiempo encubrir de mí, mucho seré dél quexoso.

Assí como oís, stavan el rey Cildadán y don Galaor, el uno en aquella gran torre y el otro en la casa de la huerta, donde fueron curados de sus llagas fasta tanto que ya pudieran sin peligro alguno ir donde quisieran. Estonces faziéndoseles conoçer Urganda, en cuyo poder estavan en aquella su Insola no Fallada, y diziéndoles cómo los miedos que les pusiera havían sido para más aína les dar salud, que según el gran estrecho en que sus vidas estavan, aquello les convenía, mandó a dos sobrinas suyas, muy fermosas donzellas, fijas del rey Falangrís, hermano que fue del rey Lisuarte, que en una hermana de la misma Urganda, Grimota llamada, cuando mancebo las oviera, que los sirviessen y visitassen y acabassen de sanar. La una dellas Julianda se llamava, la otra Solisa; en la cual visitación se dio causa a que dellos fuessen preñadas de dos fijos: el de don Galaor Tanlanque llamado, el del rey Cildadán Maneli el Mesurado, los cuales muy valientes y esforçados cavalleros salieron, assí como adelante se dirá; con las cuales mucho a su plazer con gran vicio allí estuvieron hasta tanto que a Urganda le plugo de los sacar de allí, como oiréis adelante.

Mas el rey Lisuarte, que seyendo ya mejorado, assí él como Amadís y todos los otros sus cavalleros, de sus llagas, se fue a Fernisa, donde la reina Brisena, su mujer, estava; y allí della y de Briolanja y Oriana, y todas las otras dueñas y donzellas de gran guisa, fue tan bien recebido y con tanta alegría como lo nunca fue otro hombre en ninguna sazón; y después dél Amadís, que ya la reina y todas aquellas señoras sabían cómo no solamente al rey su señor avía de la muerte librado, mas que la batalla fue por su gran esfuerço vencida; assí lo fizieron a todos los otros cavalleros que bivos quedaron. Mas lo que la reina Briolanja fazía con Amadís, esto no se puede en ninguna manera screvir; y tomándole por la mano, le fizo sentar entre ella y Oriana, y díxole:

—Mi señor, el dolor y tristeza que yo sentí cuando me dixeron que érades perdido no vos lo podría contar; y luego tomando cient cavalleros de los míos, me vine a esta corte, donde supo que vuestros hermanos estavan, para que ellos los repartiessen en vuestra busca. Y porque la causa desta batalla que agora passó fue el storvo dello, acordé yo de aquí estar hasta que passasse. Y agora que, merced a Dios, se ha hecho como lo yo desseava, dezidme lo que vos plazerá que yo faga, y aquello se porná en obra.

—Mi buena señora —dixo él—, si vos os sentís de mi mal, muy gran razón tenéis, que ciertamente podéis creer que en todo el mundo no ay hombre que de mejor voluntad que yo fiziesse vuestro mandado. Pues en mí dexáis vuestra hazienda, tengo por bien que aquí estéis estos diez días y despachéis con el rey vuestras cosas, y entretanto sabremos algunas nuevas de don Galaor mi hermano, y passará una batalla que don Florestán tiene aplazada con Landín; y luego vos llevaré yo a vuestro reino, y desdende irme he a la Insola Firme, donde mucho tengo que fazer.

—Así lo faré —dixo la reina Briolanja—, mas ruégovos, mi

señor, que nos digáis aquellas grandes maravillas que en aquella ínsola hallastes.

El queriéndose dello escusar, tomóle Oriana por la mano y dixo:

—No os dexaremos sin que algo dello nos contéis.

Estonces Amadís dixo:

—Creed, buenas señoras, que ahunque me trabaje de lo contar, sería impossible dezirlo. Pero dígoos que aquella cámara defendida es más rica y hermosa que en todo el mundo fallarse podría, y si por alguna de vosotras no es ganada, creo que en el mundo no lo será por otra ninguna.

Briolanja, que algo callada estuvo, dixo:

—Yo no me tengo por tal que aquella ventura acabar pudiesse, mas cualquier que yo sea, si a locura no me lo tuviéssedes, provarla ía.

—Mi señora —dixo Amadís—, no tengo yo por locura provar aquello en que todas las otras falleçen, seyendo por razón de fermosura, especialmente a vos que tanta parte della Dios dar quiso; ante, lo tengo por honra en querer ganar aquella fama que por muchos y largos tiempos podrá durar sin que ninguna parte de la honra menoscabada sea.

Desto que Amadís dixo pesó en grande manera a Oriana y hizo mal semblante, de manera que Amadís, que della los ojos no partía, lo entendió luego, y pesóle de lo haver dicho, comoquiera que su intención fuesse en mayor honra y loor della, sabiendo por la vista de Grimanesa que la hermosura de Briolanja no le igualava tanto que aquella aventura ganar pudiesse, lo que de su señora no dudava.

Mas Oriana, que dello gran passión tenía, temiendo que en el mundo havía çosa que por razón de hermosura de ganar se oviesse, que Briolanja no la alcançasse, después de aver allí estado alguna pieça y haver rogado a Briolanja que, si en la cámara defendida entrasse, le hiziesse saber qué cosa era, fuese donde Mabilia estava y apartada con ella, le contó todo lo que Briolanja y Amadís en su presencia della havían passado, diziéndole:

—Esto me acONTEçe siempre con vuestro cormano, que mi cativo coraçón nunca en ál piensa sino en le complazer y seguir su voluntad, no guardando a Dios ni la ira de mi padre, y él conoçiendo que ha libre señorío solo, a mí tiéneme en poco.

Y viniéronle las lágrimas a los ojos, que por las muy fermosas fazes le caían. Mabilia le dixo:

—Maravillada soy de os, señora. ¿Qué coraçón havéis, que ahun de una cuita salida no sois y queréis en otra entrar? ¿Cómo tan gran yerro es este que dezís que mi cormano os ha fecho, que en tal alteración os pusiesse, sabiendo que nunca por obra ni pensamiento os erró, y veyendo por vuestros ojos aquellas pruevas que en seguridad vuestra tiene acabadas? Agora os digo, señora, que me dáis a entender que no os plaze de su vida, que según lo que por el ha passado, el menor enojo que en vos sienta es llegado la muerte. Y no sé qué enojo dél tengáis, por lo que no puede más fazer, que si Apolidón allí aquello dexó para que por todos y todas generalmente fuesse provado, ¿cómo lo podría él estorvar, pues assí es, creyendo que Briolanja lo acabando a vos lo quita? Ciertamente, ahunque dello no vos plega, yo creo que ni su fermosura ni la vuestra serán bastantes para dar cabo a aquello que cient años ha que ninguna, por fermosa que fuesse, lo ovo acabado. Mas esto no es sino aquella fuerte ventura suya, que tan vuestro sujeto y cativo le fizo que aborreçiendo y desechando a todo su linaje por os, señora, servir, teniéndolos por estraños y serviendo donde le vos mandáis, y con tanta crueza gelo queréis quitar. ¡Ay, qué mal empleado es cuanto él ha servido y ha fecho servir a su linaje y sus hermanos, pues que el gualardón dello es llegarle sin merecimiento a la muerte! Y yo, señora, por cuanto os aguardé y serví, que lieve en gualardón ver morir ante mis ojos la flor de mi linaje, aquel que tanto me ama. Mas si a Dios pluguiere, esta muerte ni esta cuita no veré yo, que mi hermano Agrajes y mi tío Galvanes me levarán a mi tierra, que gran yerro sería servir a quien tan mal conoce y gradesçe los servicios.

Y començó a llorar, diziendo:

—Esta crueza que en Amadís fazeis, Dios quiera que dél y su linaje vos sea demandada; ahunque bien cierta soy que su pérdida, por grande que sea, no se igualará con la vuestra; porque olvidando a ellos, a vos sola ama sobre todas las cosas que amadas son.

Cuando Mabilia dezía esto, Oriana fue tan spantada que el coraçón se le cerró que fablar no pudo por una pieça. Y seyendo más assossegada, díxole, llorando muy de coraçón:

—¡O cativa desventurada más que todas las que naçieron! ¿Qué puede ser de mí con tal entendimiento cual vos havéis? Yo vengo por remedio de mi gran cuita, no teniendo otro que me conseje, y vos fazéisme peor coraçón sospechando lo que nunca pensé. Y esto no lo faze sino mi desventura que toméis a mal lo que yo por bien os digo, que Dios no me salve ni ayude si nunca mi coraçón pensó nada de cuanto me havéis dicho; ni tengo duda que la parte que en vuestro cormano tengo no sea entera a la satisfación de mis deseos. Mas lo que más grave siento es que, aviendo él ganado el señorío de aquella ínsola, si otra mujer ante que yo aquella prueva acabasse, sería muy mayor dolor para mí que la misma muerte; y con esta gran ravia que mi coraçón siente, tengo por mal aquello que por ventura a buena intención él dixo. Pero comoquiera que aya passado, demándovos perdón de lo que nunca os mereçí, y ruégovos que por aquel gran amor que a vuestro cormano havéis, que sea perdonada, consejándome aquello que a él y a mí más cumple.

Estonces, riendo muy fermoso, la fue abraçar, diziéndole:

—Mi verdadera amiga sobre cuantas en el mundo son, yo vos prometo que nunca en esto fable a vuestro cormano ni le dé a entender que miré en ello. Mas os hablad con él lo que por bien tuvierdes y aquello havré yo por bueno.

Mabilia le dixo:

—Señora, yo vos perdono por pleito que me fagades que, ahunque dél saña tengáis, que gela no mostréis sin que yo primero en ello entervenga por cuanto no acaezca otro tal yerro como el passado.

Con esto quedaron bien avenidas, como aquellas entre quien ningún desamor haver podía. Mas Mabilia, no olvidando lo que Amadís havía dicho, ásperamente con saña le afrontó mucho riñiendo y afeando aquello que Briolanja ante su señora dixera, a la memoria le trayendo el peligro en que su vida por causa de aquella mujer puesta fue, avisándole que siempre, cuando con ella fablasse, gran cuidado tuviesse, pensando que tan dura cosa era de arrancar la celosía en el coraçón de la mujer arraigada, y diziendo con qué passión su señora havía sentido aquello y la forma que ella para la amansar tuvo. Amadís, después de gelo haver con mucha cortesía gradeçido, teniendo en tanto lo que por él havía fecho, prometiendo, si él biviesse, de la hazer reina, le dixo:

—Mi señora y buena cormana, muy diverso está mi pensamiento de la sospecha que mi señora ovo, porque uno de los mayores servicios que le yo en cosa de tal cualidad hazer pudiesse, éste es en no solamente consejar a Briolanja que aquella aventura prueve, mas ir yo por ella a doquiera que estuviesse para ello, y la causa es ésta: en boz de todos Briolanja es tenida por una de las más fermosas mujeres del mundo, tanto que sin duda tienen ser bastante de entrar sin empacho en aquella cámara. Y porque yo tengo lo contrario, que a Grimanesa vi, y con gran parte no le iguala en hermosura, cierto soy que aquella honra que las otras todas han ganado, aquélla ganará Briolanja, lo que yo no dudo de Oriana, que no está en más de lo acabar de cuanto lo provasse. Y si esto fuesse antes que lo de Briolanja, todos dirían que assí como ella, la otra si lo provara, lo pudiera acabar. Y seyendo Briolanja la primera, faltando en ello como lo tengo por cierto, quedará después la gloria entera en mi señora. Esta fue la causa de mi atrevimiento.

Mucho fue contenta Mabilia desto que Amadís le dixo, y Oriana mucho más después que della lo supo, quedando muy arrepentida de aquella passión alterada que ovo, teniendo en la memoria como ya otra vez, por otro semejante accidente, puso en gran peligro a ella y a su amigo. Y por emienda de aquel yerro acordaron que por un caño antiguo que a una huerta salía del aposentamiento de Oriana y de la reina Briolanja, Amadís entrasse a folgar y hablar con ella. Esto assí concertado, y partido Amadís de Mabilia, llamáronle Briolanja y Oriana, que juntas estavan, y llegando a ellas, rogáronle que les dixiesse verdad de lo que preguntarle querían. El gelo prometió. Díxole Oriana:

—Pues, decidnos quién fue aquella donzella que levó el tocado de las flores cuando ganastes la espada.

A él pesó de aquella pregunta, haviendo de dezir verdad, pero bolvióse a Oriana y díxole:

—Dios no me salve, señora, si más sé de su nombre, ni quién ella es, de lo que os sabéis, ahunque siete días en su compañía anduvo. Mas digos que havía fermosos cabellos y en lo que la vi era asaz fermosa, mas de su fazienda tanto della sé como lo vos, señora, sabéis, que entiendo que nunca la vistes.

Oriana dixo:

—Si mucha gloria alcançó en acabar aquella aventura, caro le oviera de costar; que según me dixieron, Arcaláus, el Encantador y Lindoraque, su sobrino, le querían el tocado tomar y colgarla por los cabellos si no fuera porque la defendistes.

—No me pareçe —dixo Briolanja— que él la defendió si él

es Amadís, sino aquel valiente en armas Beltenebrós, que no en menos grado que Amadís deve ser tenido. Y comoquiera que yo tan gran beneficio dél recibí, no por esso dexaré de dezir sin afición ninguna la verdad; y digo que si Amadís, sobrando en gran cuantidad la valentía de aquel fuerte Apolidón, ganando la Insola Firme gran gloria alcançó, que Beltenebrós, derribando en espacio de un día diez cavalleros de los buenos de la casa de vuestro padre y matando en batalla aquel bravo gigante Famongomadán y a Basagante, su hijo, no la alcançó menor. Pues, si dezimos que Amadís, passando so el arco de los leales amadores, haziéndose por él lo que la imagen con la trompa fizo en mayor grado que por otro cavallero alguno, dio a entender la lealtad de sus amores, pues, parésceme a mí que no se deve tener en menos aver Beltenebrós sacado aquella ardiente espada, que por más de sesenta años nunca otro se falló que la sacar pudiesse. Assí que, mi buena amiga, no es razón que la honra a Beltenebrós devida sea falsamente a Amadís dada, pues que por tan bueno al uno como al otro se deve juzgar. Y así es mi parescer.

Assí como oídes, estavan estas dos señoras burlando y riendo, en quien toda la fermosura y gracia del mundo junta estava, assí que con mucho plazer con aquel cavallero estavan que dellas tan amado era; y tanto más su ánimo dél gran alegría en ello tomava, cuanto más en la memoria le occurría aquella gran desventura, aquella cruel tristeza que, estando sin ninguna esperança de remedio en la Peña Pobre tan cerca de la muerte, le avían llegado.

Estando como oístes, por una donzella de parte del rey fue Amadís llamado, diziéndole cómo don Cuadragante y Landín, su sobrino, se querían quitar de sus promessas; assí que le convino, dexando aquel gran plazer, ir adonde ellos estavan, y con él don Bruneo de Bonamar y Branfil. Llegados donde el rey era con muchos buenos cavalleros, don Cuadragante se levantó y dixo:

—Señor, yo he atendido aquí a Amadís de Gaula, assí como sabéis, y pues presente está, quiero ante vos quitarme de la promessa que le fize.

Entonces contó allí todo lo que con él en la batalla le avino y cómo, seyendo por él vencido, mucho contra su voluntad vino a aquella corte a se meter en su poder y le perdonar la muerte del rey Abiés, su hermano; y porque, quitada la passión que fasta allí tovo, qu'el sentido turbado le tenía, no dexando aquel juizio la verdad determinasse, fallava que con más sobrada sobervia que con justa razón él avía demandado y procurado de vengar aquella muerte, sabiendo que como entre cavalleros, sin ninguna cosa en que travar se pudiesse avía aquella batalla passado; y pues que así era, que la perdonava y le tomava por amigo en tal manera como le a él pluguiesse. El rey le dixo:

—Don Cuadragante, si fasta agora con mucho loor y vuestros grandes fechos en armas ganando mucha honra son publicados, no en menos éste se deve tener, porque la valentía y el esfuerço que a razón y consejo sujetos no son, no deven en mucho ser tenidos.

Entonces los fizo abraçar, gradesciéndole Amadís mucho lo que por él fazía y la amistad que le demandava; la cual, ahunque por entonces por liviana se tovo, por largos tiempos duró y se conservó entre ellos, assí como la istoria lo contará. Y por cuanto la batalla que entre Florestán y Landín estava puesta era, por la misma causa fallóse por derecho que, pues la parte principal que era Cuadragante, avía perdonado, que Landín con justa causa lo devía fazer; lo cual se faziendo, la batalla fue partida; de lo cual no poco plazer Landín ovo, aviendo visto la valentía de Florestán en la batalla passada de los reyes.

Esto fecho como oístes, aviendo el rey Lisuarte algunos días folgado del gran trabajo que en la batalla del rey Cildadán ovo, acordándose de la cruel prisión de Arbán, rey de Norgales, y de Angriote de Estraváus, determinó de passar en la Insola de Mongaça donde estavan, y así lo dixo a Amadís y a sus cavalleros; mas Amadís le dixo:

—Señor, ya sabéis qué pérdida en vuestro servicio haze la falta de don Galaor; y si por bien lo tuvierdes, iré yo a lo buscar en compañía de mi hermano y de mis cormanos, y plazerá a Dios que, al tiempo deste viaje que fazer queréis, vos lo traeremos.

El rey le dixo:

—Dios sabe, amigo, si tantas cosas de remediar no tuviesse, con qué voluntad yo por mi persona le buscaría; mas pues que yo no puedo, por bien tengo que se faga lo que dezís.

Entonces se levantaron más de cient cavalleros, todos muy preciados y de gran fecho de armas, y dixieron que también ellos querían entrar en aquella demanda, que si ellos obliga-

dos eran a las grandes venturas, no podía ser ninguna mayor
que la pérdida de tal cavallero. Al rey plugo dello, y rogó a
Amadís que no se partiesse, que le quería fablar.

CAPÍTULO LX

CÓMO EL REY VIO VENIR UNA ESTRAÑEZA DE FUEGOS POR EL MAR, QUE ERA UNA FUSTA EN QUE URGANDA VENÍA, LA ENCANTADORA; Y LO QUE LE AVINO CON ELLA

DESPUÉS de aver cenado, estando el rey en unos corredores, seyendo ya cuasi ora de dormir, mirando la mar
vio por ella venir dos fuegos que contra la villa venían, de
que todos espantados fueron, paresciéndoles cosa estraña que
el fuego con el agua se conveniesse. Pero acercándose más
vieron entre los fuegos venir una galea en el mástel de la cual
unos cirios grandes ardiendo venían, así que parescía toda
la galea arder. El ruido fue tan grande, que toda la gente de
lla villa salió a los muros por ver aquella maravilla, esperando que pues el agua no era poderosa de aquel fuego matar,
que otra cosa ninguna lo sería y que la villa sería quemada.
Y la gente en gran miedo era porque la galea y los fuegos se
llegavan; así que la reina con todas las dueñas y doncellas,
se fue a la capilla aviendo temor. Y el rey cavalgó en un
cavallo, y cincuenta cavalleros con él que le siempre aguardavan; y llegando a la ribera de la mar, falló todos los más
de sus cavalleros que allí estavan. Y vio delante todos a Amadís y a Guilán el Cuidador y a Enil, tan juntos a los fuegos,
que se maravilló cómo sufrirlo podían; y dando de las espuelas a su cavallo, que del gran ruido se espantava, se juntó
con ellos. Mas no tardó mucho que vieron salir debaxo de
un paño de la galea una dueña de blancos paños vestida y
una arqueta de oro en sus manos; la cual ante todos abriendo y sacando della una candela encendida, y echada y muerta en la mar, aquellos grandes fuegos luego muertos fueron,
de guisa que ninguna señal dellos quedó; de que toda la gente
fue alegre, perdiendo el temor que de antes tenían, solamente quedando la lumbre de los cirios que en el mástel de la
galea ardiendo venían, que era tal que toda la ribera alumbrava. Y quitando el paño que la galea cubría, viéronla toda
enrramada y cubierta de rosas y flores, y oyeron dentro della

tañer instrumentos de muy dulce son a maravilla. Y cessando el tañer, salieron diez donzellas ricamente vestidas con guirlandas en las cabeças y vergas de oro en las manos, y delante dellas la dueña que la candela en la mar muerto avía, llegando en derecho del rey en el bordo de la galea. Humilláronse todas, y assí lo fizo el rey a ellas, y dixo:

—Dueña, en gran pavor nos metistes con vuestros fuegos, y si os pluguiere, dezidnos quién sois, ahunque bien creo que sin mucho trabajo lo podríamos adevinar.

—Señor —dixo ella—, en balde se trabajaría el que pensasse poner en vuestro gran coraçón, y de cuantos cavalleros aquí están, pavor ni miedo; mas los fuegos que vistes trayo yo en guarda de mí y de mis donzellas, y si vuestro pensamiento es ser yo Urganda la Desconoscida, pensáis verdad. Y vengo a vos como al mayor rey del mundo, y a ver a la reina, que de virtud y bondad par no tiene.

Entonces dixo contra Amadís:

—Señor, llegados acá adelante, y deziros he cómo por os quitar a vos y a vuestros amigos de trabajo, en que por buscar a don Galaor, vuestro hermano, os querríades poner, soy aquí venida; porque todo fuera afán perdido, ahunque todos los del mundo lo buscassen. Y dígovos que él está guarido de sus llagas, y con tal vida y tanto plazer cual nunca en su vida la tovo.

—Mi señora —dixo Amadís—, siempre en pensamiento tuve que, después de Dios, el remedio vuestro era la salud de don Galaor y el gran descanso mío; que según de la forma me fue pedido y llevado ante mis ojos, si esta sospecha no tuviere, antes recibiera la muerte con él que de mí lo apartar. Y las gracias que desto daros puedo no son otras sino, como vos mejor que yo lo sabéis, esta mi persona que en las cosas de vuestra honra y servicio puesta será sin temer peligro alguno, ahunque la misma muerte fuese.

—Pues folgad —dixo ella—, que muy presto lo veréis con tanto plazer que gran parte dello os alcançe.

El rey le dixo:

—Señora, tiempo será que salgáis de la galea, y os vais a mi palacio.

—Muchas mercedes —dixo ella—, mas esta noche aquí quedaré y de mañana faré lo que mandardes. Y venga por mí Amadís, y Agrajes y don Bruneo de Bonamar y don Guilán el Cuidador, porque son enamorados y muy loçanos de coraçón, assí como lo yo soy.

—Assí se fará —dixo el rey— en esto y en todo lo que vuestra voluntad fuere.

Y mandando a toda la gente que se fuessen a la villa, despedido della se tornó a su palacio, y mandó allí dexar veinte ballesteros en guarda que ninguno a la ribera de la mar se llegasse. Otro día de mañana embió la reina doze palefrenes ricamente ataviados para en que Urganda y sus donzellas viniessen, y fueron a las traer Amadís y los tres cavalleros que ella nombró, vestidos de muy nobles y preciadas vestiduras. Y cuando llegaron, fallaron a Urganda y a sus donzellas salidas de las naos en una tienda que de noche fiziera armar; y descavalgando se fueron a ella, que muy bien los recibió, y ellos a ella con mucha humildad. Entonces las pusieron en los palafrenes, y los cuatro cavalleros ivan en torno de Urganda; y como assí se vio, dixo:

—Agora fuelga el mi coraçón y es en todo descanso, pues que de aquellos que a él son conformes cercado se vee.

Esto dezía ella porque, así como ellos, era ella enamorada de aquel fermoso cavallero, su amigo. Pues, llegados al palacio, entraron donde el rey estava, que muy bien la recibió; y ella le besó las manos. Y mirando a uno y a otro cabo, vio muchos cavalleros por el palacio, y miró al rey y díxole:

—Señor, bien acompañado estáis, y no lo digo tanto por el valor destos cavalleros como por el gran amor que os tienen, que ser los príncipes amados de los suyos faze seguros sus estados. Por ende, sabedlos conservar, porque no parezca que vuestra discreción ahún no está llena de aquella buena ventura que en ella caber podría. Guardaos de malos consejeros, que aquélla es la verdadera ponçoña que a los príncipes destruye. Y si os pluguiere, veré a la reina, y fablaré con vos, señor, antes que me parta, algunas cosas.

El rey le dixo:

—Mi amiga, gradézcoos mucho el consejo que me dais, y a todo mi poder así lo faré yo. Y ved a la reina, que mucho os ama; y creed ciertamente que así fará de grado todo lo que a vuestro plazer se fuere.

Ella se fue con sus cuatro compañeros para la reina, de la cual, y de Oriana y la reina Briolanja, y de todas las otras dueñas y donzellas de gran guisa, fue con mucho amor recebida. Ella miró mucho la hermosura de Briolanja, mas bien vio que a la de Oriana con gran parte no igualava, y avía gran sabor de las ver. Y dixo a la reina:

—Señora, yo vine a esta corte por ver la grande alteza del rey y la vuestra, y la alteza de las armas y la flor de la hermosura del mundo, que por cierto creo que en compañía de ningún emperador ni príncipe con mucha parte tan complido no se fallaría. Que esto assí se prueve, da dello testimonio el ganar de la Insola Firme sobrando en valentía aquel esforçado Polidón, la muerte de los bravos gigantes, la dolorosa y cruel batalla en que tanta parte de esfuerço de braveza del rey, vuestro marido y de todos los suyos se mostró. ¿Quién sería tan osado y de tan mal conoscimiento que quisiesse afirmar aver en todo el mundo fermosura que a la destas dos señoras igualarse pudiesse? Ninguno, con verdad. Assí que, veyendo estas cosas, mi coraçón es en todo descanso y folgura puesto. Ahún más digo: que aquí es mantenido amor en la mayor lealtad que en ninguna sazón lo fue; lo cual se ha mostrado en aquellas pruevas de la ardiente espada y del tocado de las flores, que en cabo de sesenta años todo lo más del mundo aviendo rodeado, nunca se falló quien las acabar pudiesse; que aquella que las flores ganó bien dio a entender que ella es señalada en el mundo sobre todas en ser leal a su amigo.

Cuando esto Oriana oyó, perdida la color, fue muy desmayada, pensando que Urganda descubriendo algo della y de su amigo, serían en gran peligro y vergüença puestos; y así lo fueron todas aquellas que allí amigos tenían. Mas sobre todas, temieron Mabilia y la donzella de Denamarcha, creyendo que sobre ellas el mayor peligro podría venir. Oriana miró a Amadís, que cerca le tenía, y como él entendió su temor, llegóse a ella y díxole:

—Señora, no ayáis miedo, que no se fablará assí como vos pensáis.

Entonces dixo a la reina.

—Señora, preguntad a Urganda quién fue aquella que de aquí el tocado de las flores llevó.

Y la reina le dixo:

—Amiga, dezidnos, si os pluguiere, esto que Amadís saber quiere.

Ella dixo, riendo:

—Mejor devría él saber que no yo, que anduvo en su compañía y levó gran afán en la librar de las manos de Arcaláus el Encantador y de Lindoraque.

—¿Yo, señora? —dixo Amadís—, esto no podría ser que la

yo conosciesse, ni a mí mesmo, como lo vos sabéis; porque queriéndose de mí encobrir como lo fizo, de vos en balde se trabajaría.

—Pues que assí es —dixo ella—, quiero dezir lo que dello sé.

Entonces fabló en una voz alta que todos lo oyeron, diziendo:

—Ahunque Amadís como donzella allí aquella prueva la traxo, cierto no es sino dueña, y fuelo por aquel que dio causa a que ella el tocado de las flores ganasse por le tan afincadamente amar. Y sabed que es natural del señorío del rey, y vuestro, y de parte de su madre no es desta tierra, y en este señorío faze su morada y está bien heredada en él. Y si algo le falta es no tener a su voluntad a aquél, que tanto ama, como querría. Y no os diré más de su fazienda, ni Dios quiera que por mí se descubran las cosas que a otros conviene que encubiertas sean; y quien la conoscer quisiere, búsquela en el señorío del rey, donde su afán será perdido.

A Oriana se le assosegó el coraçón, y a todas las otras. La reina le dixo:

—Creo lo que dezís, pero tanto como antes dello sé, sino que pensando ser donzella, dezís que es dueña.

—Esto basta sin que dello más sepáis —dixo Urganda—, pues que honrando vuestra corte mostró su gran lealtad.

Con esto que Oriana oyó fue assosegada de su alteración y todas las otras. Con esto, se fueron a comer, que adereçado lo tenían, como en casa donde siempre lo acostumbravan fazer. Urganda pidió a la reina que la dexasse aposentar con Oriana y con la reina Briolanja.

—Así sea —dixo la reina—, mas entiendo que sus locuras os enojarán.

—Más enojo farán —dixo Urganda— sus fermosuras a los cavalleros que dellas no se guardaren, que contra ellas no bastará esfuerço, ni valentía ni discreción para les escusar el peligro más grave que la muerte.

La reina le dixo riendo:

—Entiendo que ligeramente les serán perdonados los cavalleros que fasta agora han atormentado y muerto.

Urganda uvo mucho plazer de lo que la reina dixo; y despedida della, se fue con Oriana a su posentamiento, que era una cuadra en que cuatro camas avía: una de la reina Briolanja, y otra de Oriana, y otra de Mabilia, y la otra para

Urganda. Allí folgaron, hablando en muchas cosas que plazer les davan, fasta que se acostaron. Mas después que todas dormían, Urganda vio cómo Oriana despierta estava, y díxole:

—Amiga y señora, si vos no dormís, razón ay que os despierte aquel que nunca sin vuestra vista sueño ni folgança ovo, y assí van las venganças unas por otras.

Oriana ovo vergüença de aquello que dezía, mas Urganda, que lo entendió, díxole:

—Mi señora, no temáis de mí porque yo vuestros secretos sepa, que assí como vos los guardaré; y si algo dixere, será tan encubierto que cuando sabido sea, ya el peligro dello no podrá dañar.

Oriana dixo:

—Señora, fablad passo, porque destas señoras que aquí están oído no sea:

Urganda dixo:

—Desse miedo yo os quitaré.

Entonces saca un libro tan pequeño que en la mano se encerrava, y fízole poner allí la mano y començó a leer en él, y dixo:

—Agora sabed que por cosa que les fagan, no despertaran, y si alguna aquí entrare, luego en el suelo caerá dormida.

Oriana se fue a la reina Briolanja y quísola despertar, mas no pudo; y començó a reír, travándola de la cabeça y de los braços, y colgándola de la cama, y otro tanto a Mabilia, mas ni por esso despertaron. Y llamó a la donzella de Denamarcha, que a la puerta de la cuadra estava; y como dentro entró, cayó durmiendo. Entonces con mucho plazer se fue a echar con Urganda en su cama, y díxole:

—Señora, mucho os ruego que, pues vuestra gran discreción y saber alcança las cosas por venir, me digáis algo de aquello que a mí acaescer podría, antes que venga.

Urganda la miró riendo como en desdén, y dixo:

—Mi fija amada, ¿vos cuidáis que sabiendo lo que pedís, si de vuestro daño fuesse, que lo fuiríades? No lo creáis, que lo que es por aquel muy alto Señor permetido y ordenado, ninguno es poderoso de lo estorvar, assí del bien como del mal, si él no lo remedia. Mas pues que tanto sabor avéis que algo os diga, assí lo faré; y mirad si sabiéndolo faréis algo de vuestra pro.

Entonces le dixo:

—En aquel tiempo que la gran cuíta presente te será, y
por ti muchas gentes de gran tristeza atormentadas, saldrá el
fuerte león con sus bestias, y de los sus grandes bramidos
los tus aguardadores asombrados, serás dexada en las sus
muy fuertes uñas; y el afamado león derribará de la tu cabeça la alta corona que más no será tuya. Y el león fambriento
será de la tu carne apoderado, assí que la meterá en las sus
cuevas, con que la su raviosa fambre amansada será. Agora,
mi buena fija, mira lo que farás, que esto assí ha de venir.

—Señora —dixo Oriana—, muy contenta fuera en os no
aver preguntado nada, pues que en tan gran pavor me avéis
puesto con tan estraña y cruel fin.

—Señora y fermosa fija —dixo ella—, no queráis vos saber
aquello que ni vuestra discreción ni fuerças son para lo estorvar bastantes. Pero de las cosas encubiertas muchas vezes
las personas temen aquello que de alegrarse devían; y en
tanto seed vos muy leda que Dios os ha fecho fija del mejor
rey y reina del mundo, con tanta fermosura que por maravilla es en todas partes divulgada; y os hizo amar a aquel que
sobre todos los que honra y prez tienen y procuran luz
como el día sobre las tinieblas; del cual, según las cosas passadas y por os vistas, sin duda podéis segura estar de ser
vos aquella que más que a su propia vida ama. Desto devéis, mi señora, recebir gran gloria en ser enseñoreada sobre
aquel que, por su merescimiento, del mundo merescía ser
señor. Y agora es ya tiempo que estas señoras despertadas
sean.

Entonces, sacando el libro de la cuadra, todas fueron en
su acuerdo. Así como oís, folgó allí Urganda, seyendo muy
viciosa de lo que menester avía; y en cabo de algunos días
rogó al rey que mandasse juntar todos sus cavalleros, y la
reina sus dueñas y donzellas, porque les quería fablar antes
que se partiesse. Esto se fizo luego en una grande y fermosa
sala ricamente guarnida, y Urganda se puso en lugar della
donde todos oír la pudiessen. Entonces dixo al rey:

—Señor, pues que las cartas que os embié a vos y a don
Galaor guardastes al tiempo que de os se partió Beltenebrós,
aviendo el espada ganado y la su donzella el tocado de
las flores, ruégoos mucho que las fagáis aquí traer, porque
claramente se conozca aver yo sabido las cosas antes que
viniessen.

El rey las fizo traer y leer a todos, y vieron cómo todo aquello que en ellas se dixera se avía enteramente complido, de que muy maravillados fueron, y mucho más del gran esfuerço del rey en aver osado, sobre palabras tan temerosas, entrar en la batalla. Y allí vieron cómo por los tres golpes que Beltenebrós fizo fue la batalla vencida: el primero cuando ante los pies de don Galaor derribó al rey Cildadán; el segundo cuando mató aquel muy esforçado Sarmadán el León; el tercero cuando socorrió al rey, que Madanfabul, el bravo gigante de la Torre Bermeja, lo levava so el braço a se meter en las naos, y le cortó el braço cabe el codo, de que socorrido el rey, el gigante fue muerto. También se cumplió lo que de don Galaor dixo: que su cabeça sería puesta en poder de aquel que aquellos tres golpes faría. Esto fue cuando Amadís en su regaço lo tovo como muerto al tiempo que a las donzellas que gelo demandaron lo entregó.

—Mas agora —dixo Urganda— os quiero dezir algunas cosas de las que por venir están, según los tiempos unos empós de otros vinieren.

Y dixo assí:

—Contienda se levantará entre el gran culebro y el fuerte león, en que muchas animalias bravas ayuntadas serán. Grande ira y saña les sobreverná, assí que muchas dellas la cruel muerte padescerán. Ferido será el gran raposo romano de la uña del fuerte león y cruelmente despedaçada la su peleja, por donde la parte del gran culebro será en gran cuita. Aquella sazón la oveja mansa cubierta de lana negra entre ellos será puesta, y con la su grande humildad y amorosos falagos amansará la rigorosa braveza de sus fuertes coraçones y apartará los unos de los otros. Mas luego descendirán los lobos fambrientos de las ásperas montañas contra el gran culebro, y seyendo dellos vencido con todas sus animalias, encerrado será en una de las sus cuevas. Y el tierno unicornio, poniendo la su boca en las orejas del fuerte león, con los sus bramidos le fará del gran sueño despertar, y faziéndole tomar consigo algunas de las sus bravas animalias, con passo muy apressurado será en el socorro del gran culebro puesto, y fallarlo ha mordido y adentellado de los fambrientos lobos, assí que mucha de la su sangre por entre las sus fuertas conchas derramada será. Y sacándolo de las sus raviosas bocas, todos los lobos serán despedaçados y maltrechos. Y seyendo restituida la vida del gran culebro, lançando de sus entrañas toda la su ponçoña, consentirá ser puesta en las crueles uñas del león la blanca cervatilla, que en la temerosa selva dando contra el cielo los piadosos balidos estará retraída. Agora, buen rey, fazlo escrivir que assí todo averná.[52]

El rey dixo que así lo faría, pero que por entonces no entendía dello nada.

—Pues tiempo vierná —dixo ella— que a todos será muy manifiesto.

Y Urganda miró a Amadís, y viole estar pensando, y díxole:

—Amadís, ¿qué piensas en lo que nada te aprovecha? Déjate dello y piensa un mercado que has agora de fazer. En aquel punto a la muerte serás llegado por la agena vida, y por la agena sangre darás la tuya; y de aquel mercado, seyendo tuyo el martirio, de otro será la ganancia, y el galardón que dende avrás será saña y alongamiento de tu voluntad. Y essa tu aguda y rica espada trastornará los tus huessos y tu carne en tal manera que serás en gran pobreza de la tu sangre. Y serás en tal estado que si la meitad del mundo tuyo fuesse, lo darías en tal que ella quebrada fuesse o echada en algún lago [53] donde nunca se cobrasse. Y agora cata qué farás, que todo assí como digo averná.

Amadís, veyendo que todos en él los ojos tenían puestos, dixo con semblante alegre, assí como lo él tenía:

—Señora, por las cosas passadas de os dichas podremos creer esta presente cosa ser verdadera, y como yo tengo creído ser mortal y no poder alcançar más vida de la que a Dios pluguiere, diziendo más mi cuidado en dar fin justamente en las grandes y graves cosas donde honra y fama se gana que en sostener la vida, assí que, si yo oviesse de temer las espantosas cosas, con más razón lo faría en las presentes que de cada día me occurren, que en las ocultas que por venir están.

Urganda dixo:

—Tan gran trabajo sería pensar quitar el gran esfuer-

52. El lenguaje profético de U. se asemeja en este caso al de Merlín por el uso de signos animalísticos.
53. Echar la espada en el lago, como ordenó hacer Arturo con su espada Escalibur después de la batalla de Salesbieres (*La muerte del rey Arturo,* el tercer libro del *Lancelot* en prosa), o el Batraz de las leyendas del Cáucaso.

ço desse vuestro coraçón como sacar toda el agua de la gran mar.

Entonces dixo al rey:

—Señor, yo me quiero ir; acuérdeseos de lo que ante vos dixe como quien vuestra honra y servicio dessea. Cerrad las orejas a todos, y más aquellos en quien malas obras sintierdes.

Con esto se despidió de todos, y con sus cuatro compañeros, sin querer que otros algunos la acompañassen, se fue a su nave; la cual entrada en la alta mar, de una gran tiniebla fue cubierta.

CAPÍTULO LXI

DE CÓMO EL REY LISUARTE ANDAVA HABLANDO CON SUS CAVALLEROS QUE QUERRÍA COMBATIR LA ISLA DEL LAGO HERVIENTE POR LIBRAR DE LA PRISIÓN AL REY ARBÁN DE NORGALES Y ANGRIOTE DE ESTRAVÁUS; Y CÓMO ESTANDO ASSÍ, VINO UNA DONZELLA GIGANTE POR LA MAR, DEMANDÓ AL REY DELANTE LA REINA Y SU CORTE QUE AMADÍS SE COMBATIESSE CON ARDÁN CANILEO; Y SI FUESSE VENCIDO EL ARDÁN CANILEO, QUEDARÍA LA ISLA SUBJETA AL REY Y DARÍAN LOS PRESOS QUE TANTO SACAR DESSEAVAN; Y SI AMADÍS FUESSE VENCIDO, QUE NO QUERÍAN MÁS DE CUANTO LE DEXASSEN LLEVAR SU CABEÇA A MADASIMA

PARTIDA Urganda como avedes oído, passando algunos días, andando el rey Lisuarte por el campo fablando con sus cavalleros en la passada que hazer quería a la Insola de Mongaça, donde era el Lago Herviente, para sacar de la prisión al rey Arban de Norgales y Angriote de Estraváus, vieron por la mar venir una nao que al puerto de aquella villa a desembarcar venía, y luego se fue allá por saber qué en ella andava. Cuando el rey llegó, venía ya en batel una donzella y dos escuderos; y como a la tierra llegaron, la donzella se levantó y preguntó si era allí el rey Lisuarte. Dixéronle que sí, mas mucho fueron todos maravillados de su grandeza, que en toda la corte no avía cavallero que con un gran palmo a ella igualase, y todas sus faciones y miembros eran a razón de su altura, y era asaz fermosa y ricamente vestida. Y dixo al rey:

—Señor, yo os trayo un mensaje, y si os pluguiere, dezirl'é ante la reina.

—Assí se faga —dixo el rey.

Yéndose a su palacio, la donzella se fue tras él. Estando, pues, ante la reina y ante todos los cavalleros y mugeres de la corte, la donzella preguntó si era allí Amadís de Gaula, aquel que de antes Beltenebrós se llamava. Y respondió y dixo:

—Buena donzella, yo soy.

Ella lo miró de mal semblante y dixo:

—Bien puede ser que vos seáis, mas agora parescerá si sois tan bueno como sois loado.

Entonces sacó dos cartas que los sellos de oro traían, y la una dio al rey y la otra a la reina, las cuales eran de creencia. El rey dixo:

—Doncella, dezid lo que quisierdes, que oíros hemos.

La doncella dixo:

—Señor, Gromadaça, la giganta del Lago Herviente, la muy hermosa Madasima, y Ardán Canileo el Dudado, que para las defender con ellas está, han sabido cómo queréis ir sobre su tierra para la tomar; y porque esto no se podría fazer sin gran pérdida de gente, dizen assí, que lo pornán en juizio de una batalla en esta guisa: que Ardán Canileo se combatirá con Amadís de Gaula, y si lo venciere o matare, que quedando la tierra libre, le dexen levar su cabeça al Lago Herviente; y si él vencido o muerto fuere, que darán toda su tierra a vos, señor, y al rey Arbán de Norgales y Angriote de Estraváus, que presos tienen; los cuales serán luego traídos aquí. Y si Amadís tanto los ama como ellos piensan, y quiere fazer verdadera la esperança que en él tienen, otorgue la batalla por librar tales dos amigos; y si él fuere vencido o muerto, liévalos Ardán Canileo. Y si otorgar no la quiere, luego delante sí verá tajadas sus cabeças.

—Buena donzella —dixo Amadís—, si yo la batalla otorgo, ¿por dónde será el rey cierto que se complirá esso que dezís?

—Yo os lo diré —dixo ella—. La fermosa Madasima con doze donzellas de gran cuento entrará en prisión en poder de la reina en seguridad que se complirá o les corten las cabeças. Y de vos no quiere otra seguridad sino que, si muerto fuerdes, que levará vuestra cabeça, dexándola ir segura. Y más farán, que por este pleito entrarán en la prisión del rey Andanguel, el jayán viejo, con dos fijos suyos y nueve cavalleros, los cuales tienen en su poder los presos y villas y castillos de la ínsola.

Amadís dixo:

—Si a poder del rey y de la reina vienen essos que dezís, asaz ay de buenas fianças. Mas dígoos que de mí no avrés respuesta si no me otorgáis de comer comigo y essos escuderos que con vos traéis.

—¿Y por qué me conbidáis? —dixo ella— No fazéis cordura, que todo vuestro afán será perdido, que os desamo de muerte.

—Buena donzella —dixo Amadís—, desso me pesa a mí porque os yo amo y haría la honra que pudiesse. Y si la respuesta queréis, otorgad lo que os digo.

La donzella dixo:

—Yo lo otorgo, más por quitar inconveniente porque respondáis lo que devéis que por mi voluntad.

Amadís dixo:

—Buena donzella, de me yo aventurar por tales dos amigos, y porque el señorío del rey sea acrescentado, cosa justa es, y por ende yo tomo la batalla en el nombre de Dios; y vengan essos que dezís a se poner en rehenes.

—Ciertamente —dixo la donzella— a mi voluntad havéis respondido, y prometa el rey si vos quitardes afuera de nunca vos ayudar contra los parientes de Famongomadán.

—Escusada es essa promessa —dixo Amadís—, que el rey no ternía en su compaña al que verdad no tuviesse. Y vamos a comer, que ya tiempo es.

—Iré —dixo ella—, y más alegre que yo pensava; y pues que la virtud del rey es essa que dezís, yo me doy por satisfecha.

Y dixo al rey y a la reina:

Mañana serán aquí Madasima y sus donzellas y los cavalleros en vuestra prisión. Ardán Canileo querrá luego aver la batalla, mas es menester que le aseguréis de todos salvo de Amadís, de quien levará de aquí su cabeça.

Don Bruneo de Bonamar, que allí a la sazón estava, dixo:

—Señora donzella, a las vezes piensa alguno levar la cabeça agena y pierde la suya; y muy aína assí podría avenir a Ardán Canileo.

Amadís le rogó que se calasse, mas la donzella dixo contra Bruneo:

—¿Quién sois vos que assí por Amadís respondistes?

—Yo soy un cavallero —dixo él— que muy de grado entraría en la batalla si Ardán Canileo otro compañero consigo meter quisiesse.

Ella le dixo:

—Desta batalla sois vos escusado, mas si tanto sabor avéis de vos combatir, yo vos daré otro día que la batalla passe un mi hermano que vos responderá, y es tan mortal enemigo de Amadís como vos os mostráis su amigo; y creo, según él es, que vos quitaré de razonar por él otra vez.

—Buena donzella —dixo don Bruneo—, si vuestro hermano es tal como dezís, bien le será menester para llevar adelante lo que vos con saña y gran ira prometierdes. Y vedes aquí mi gaje que yo quiero la batalla.

Y tendió la punta del manto contra el rey, y la donzella quitó de su cabeça una red de plata y dixo al rey:

—Señor, vedes aquí el mío que yo faré verdad lo que he dicho.

El rey tomó los gajes, mas no a su plazer, que asaz tenía que ver en lo de Amadís y Ardán Canileo, que era tan valiente y tan dudado de todos los del mundo que cuatro años avía que no falló cavallero que con él se osasse combatir si lo conosciesse. Esto así fecho, Amadís se fue a su posada y llevó consigo la donzella, lo que no deviera fazer por el mejor castillo que su padre tenía. Y por lo fazer más honra fízola posar en una cámara donde Gandalín le tenía todas sus armas y sus atavíos, y con ella sus dos escuderos. La donzella, mirando a uno y a otro cabo, vio la espada de Amadís, que estraña le paresció; y dixo a sus escuderos y a los otros que allí estavan que se saliessen afuera y un poco la dexassen. Y pensando que alguna cosa de las naturales que se no pueden escusar fazer quería, dexáronla sola; y ella, cerrando la puerta, tomó la espada, y dexando la vaina y guarnición de forma que se no paresciesse que de allí faltava, la metió debaxo de un ancho pelote que traía de talle muy estraño; y abriendo la puerta entraron los escuderos, y ella puso al uno dellos la espada debaxo de su manta y mandóle que encubiertamente se fuesse al batel, y díxole:

—Tráeme la mi copa con que beva, y pensarán que por ella fueste.

Y el escudero assí lo fizo. Entonces entraron en la cámara Amadís y Branfil y fiziéronla assentar en un estrado, y Amadís le dixo:

—Señora donzella, dezidnos a qué hora verná de mañana Madasima, si vos pluguiere.

—Verná —dixo ella— antes de comer; ¿mas por qué lo preguntáis?

—Buena señora —dixo él—, porque la querríamos salir a recebir y fazerle todo plazer y servicio; y si de mí ha recebido enojo, emendarlo ía en lo que mandase.

Si vos no tirardes afuera de lo que avéis prometido —dixo ella—, y Ardán Canileo es aquel que siempre desque tomó armas fue, darle héis por emienda essa vuestra cabeça, que emienda vuestra no puede mucho valer.

—Desso me guardaré yo si puedo; mas si de mí otra cosa le pluguiesse, de grado lo faría por alcançar della perdón; pero havíalo de tractar otro que más que vos lo desseasse.

Con esto se salieron fuera, y dexó ende a Enil y otros que la serviessen. Mas ella avía tanta gana de se ir que mucho enojo le fazían los muchos manjares; y assí como los manteles alçaron, ella se levantó y dixo a Enil:

—Cavallero, dezid Amadís que me vo, y que crea que todo lo que en mí fizo perdió.

—Assí Dios me salve —dixo Enil—, esso creo yo, que según vos sois, todo lo que en vuestro plazer se fiziere será perdido.

—Cualquier que sea —dixo ella—, págome poco de vos y mucho menos dél.

—Pues creed —dixo Enil— que de donzella tan desmesurada como vos, ni él ni yo, ni otro alguno, poco contentarse puede.

Con estas palabras se partió la donzella, y se fue a la nao mucho alegre por la espada que tenía, y contó a Ardán Canileo y Madasima cómo avía su mensaje recadado, y cómo la batalla aplazada quedava y cómo traía seguro del rey por ende que sin recelo saliessen en tierra. Ardán Canileo le gradesció mucho lo que avía hecho, y dixo contra Madasima:

—Mi señora, no me tengáis por cavallero si no os fago ir de aquí con honra y vuestra tierra libre; y si ante que un hombre, por ligero que sea, ande media legua no vos diere la cabeça de Amadís, que no me otorguéis vuestro amor.

Ella calló, que no dixo ninguna cosa; que comoquiera que la vengança de su padre y hermano desseasse en aquel que los avía muerto, no avía cosa en el mundo por que a Ardán Canileo se viesse junta, que ella era fermosa y noble y él

era feo y muy desemejado y esquivo que se nunca vio. Y
aquella venida no fue por su grado della, mas por el de su
madre, por tener Ardán Canileo para defensa de su tierra; y
si él vengasse la muerte de su marido y fijo, lo quería casar
con Madasima y dexarle toda la tierra. Por cuanto este Ardán
Canileo fue un cavallero señalado en el mundo y de gran
prez y fecho de armas, la istoria vos quiere contar de dónde
fue natural, y las fechuras de su cuerpo y rostro, y las otras
cosas a él tocantes. Sabed que era natural de aquella provincia que Canileo se llama, y era de sangre de gigantes, que
allí los ay más que en otras partes, y no era descomunal-
mente grande de cuerpo, pero era más alto que otro hombre
que gigante no fuesse. Avía sus miembros gruessos, y las espaldas anchas y el pescueço gruesso, y los pechos gruessos
y cuadrados, y las manos y piernas a razón de lo otro. El
rostro avía grande y romo de la fechura de can, y por esta
semejança le llamavan Canileo. Las narizes avía romas y anchas, y era todo brasilado, y cubierto de pintas negras espessas, de las cuales era sembrado el rostro y las manos y
pescueço, y avía brava catadura así como semejança de león.
Los beços avía gruessos y retornados, y los cabellos crispos
que apenas los podía penar, y las barvas otrosí. Era de edad
de treinta y cinco años, y desde los veinte y cinco nunca
falló cavallero ni gigante, por fuertes que fuessen, que con él
pudiessen a manos ni otra cosa de valentía. Mas era tan os-
sudo y pesado que apenas fallava cavallo que lo traer pudiesse. Esta es la forma que este cavallero tenía. Y cuando él, assí como ya oístes, estava prometiendo a la fermosa
Madasima la cabeça de Amadís, díxole la dessemejada donzella:

—Señor, con mucha razón devemos tener esperança en
esta batalla, pues que la fortuna muestra ser de vuestra parte
y contraria a vuestro enemigo, que vedes aquí la su preciada
spada que vos trayo, la cual sin gran misterio de vuestra buenaventura y de la gran desaventura de Amadís haver no se
pudiera.

Estonces jela puso en la mano y le dixo cómo la oviera.
Ardán la tomó y dixo:

—Mucho vos gradezco esta dona que me dais, más por la
manera buena que en la haver tuvistes que por temor que
yo tenga de la batalla de un solo cavallero.

Y luego mandó sacar de la nao tiendas, y fízolas armar

en una vega que cabe la villa estava, donde se fueron todos con sus cavallos y palafrenes, y armas de Ardán Canileo, esperando otro día ser delante del rey Lisuarte y de la reina Brisena, su mujer. Allí andava Ardán muy alegre por tener aplazada aquella batalla por dos cosas: la una, que sin duda pensava llevar la cabeça de Amadís, que tanto por el mundo nombrado era, y que toda aquella gloria en él quedaría; la otra, que por esta muerte ganava aquella formosa Madasima qu'él tanto amava, y esto le fazía ser orgulloso y loçano sin que peligro alguno temiesse. Assí estuvieron en sus tiendas sperando el mandado del rey.

Y también Amadís estava en su posada con muchos cavalleros de gran guisa que siempre con él se acogían, y todos ellos temían mucho aquella batalla, tanto la tenían por peligrosa y havían recelado de lo perder en ella. Y en esta sazón llegaron Agrajes y don Florestán y Galvanes sin Tierra, y don Guilán el Cuidador, que desto ninguna cosa sabían porque estuvieron caçando por las florestas. Y cuando supieron la batalla que concertada estava, mucho se quexavan porque no la fiziera de más cavalleros, donde con razón ellos podían entrar, y el que más passión en ello tenía era don Guilán, que algunas vezes oyera dezir ser este Ardán Canileo el más fuerte y más poderoso en armas que ningún otro que en el mundo fuesse; y pesávale de muerte porque creía que en ninguna manera Amadís le podría sufrir en campo uno por uno, y quisiera él mucho ser en aquella batalla si Ardán otro consigo metiera, y passar por la ventura que Amadís. Y don Florestán, que todo abrasado con saña estava, dixo:

—Si Dios me salve, señor hermano, vos no me tenéis en nada, ni por cavallero, o me no amáis, pues que a tal sazón no tovistes memoria de mí; y bien dais a entender que me no aprovecha aguardaros, pues que en los semejantes peligros me fazéis estraño.

Y también se le quexava mucho Agrajes y don Galvanes.

—Señores —dixo Amadís—, no os quexéis ni vos pese desto para me dar culpa, que la batalla no se demandó sino a mí solo, y por mi razón es movida, assí que no podía ni devía responder, sin que flaqueza mostrasse, sino conforme a su demanda; que si de otra manera fuesse, ¿de quién me havía de socorrer y ayudar sino de vosotros?, que el vuestro gran esfuerço esforçaría al mío cuando en peligro puesto fuesse.

Assí como oís, se desculpó Amadís de aquellos cavalleros, y díxoles:

—Bien será que cavalguemos mañana antes que el rey salga, y recebiremos a Madasima, que muy preciada es de todos los que la conoçen.

Assí passaron aquella noche fablando en lo que más les agradava; y la mañana venida, vistiéronse de muy ricos paños, y haviendo oído missa, cavalgaron en fermosos palafrenes y fueron a recibir a Madasima, y con ellos a don Bruneo de Bonamar y su hermano Branfil y Enil, que era muy fermoso y apuesto cavallero y alegre de coraçón, y por sus buenas maneras y gran esfuerço muy amado y preciado de todos; assí que ivan ocho compañeros. Y llegando cerca de las tiendas, vieron venir a Madasima y a Ardán Canileo y su compaña; y Madasima vestía paños negros por duelo de su padre y su hermano, mas su fermosura era tan biva y tan sobrada que con ellos pareçía tan bien que a todos fazía maravillar, y cabe ella ivan sus donzellas, de aquel mismo paño vestidas, y Ardán Canileo la traía por la rienda; y allí venía el gigante viejo y sus fijos, y los nueve cavalleros que havían d'entrar en las rehenes. Llegando aquellos cavalleros omilláronse, y ella se omilló a ellos, al pareçer con buen semblante. Amadís se llegó a ella y díxole:

—Señora, si sois loada, esto es con gran drecho según lo que en vos pareçe, y por dichoso se deve tener el que vuestra conoçencia oviere, para os honrar y servir; y de mí vos digo que assí lo faré en aquello que por vos me fuere mandado.

Y Ardán Canileo, que lo mirava y lo vio tan fermoso, más que otro ninguno que visto oviesse, no le plugo que con ella fablasse, y díxole:

—Cavallero, tiraos afuera y no seáis atrevido de hablar a quien no conoçéis.

—Señor —dixo Amadís—, por esso venimos aquí, por la conoçer y servir.

Ardán le dixo como en desdén:

—Pues agora me dezid quién sois, y veré si sois tal que deváis servir donzella de tan alto linaje.

—Cualquiera que yo sea —dixo Amadís—, la serviré yo de grado, y por no valer tanto como me sería menester, no dexo por esso de tener este desseo; y pues que queréis saber quién soy, dezidme vos quién sois que assí queréis quitar della a quien de grado hará su mandado.

Ardán Canileo le miró muy sañudo y díxole:

—Yo soy Ardán Canileo, que la podré mejor servir en un día solo que vos en toda vuestra vida, ahunque dos tanto de lo que valéis valiéssedes.

—Bien puede ser —dixo Amadís—, mas bien sé qu'el vuestro gran servicio no se faría tan de buen coraçón como el mío pequeño, según vuestra desmesura y mal talante; y pues me queréis conoçer, sabed que yo soy Amadís de Gaula, aquel cuya batalla demandáis; y si yo a esta señora enojo hize y pesar faziendo lo que sin gran vergüença escusar no podía, muy de grado lo corregiré con otro servicio.

Y Ardán Canileo dixo:

—Si os osardes atender lo que prometistes, cierto havrá por emienda de su enojo essa vuestra cabeça que le yo daré.

—Essa emienda —dixo Amadís— no havrá a mi grado, mas havrá otra mayor y que más le cumple, que será por mí estorvado el casamiento vuestro y suyo, que no siento hombre de tan poco conoçimiento que por bien tuviesse que la vuestra fermosura y la suya juntas en uno fuessen.

Desto que él dixo no pesó a Madasima, y rióse ya cuanto y también sus donzellas; mas Ardán se ensañó tanto que tremía todo con la gran ira que en sí tomó, y parava un semblante tan bravo y tan espantoso que aquellos que tanto no alcançavan del hecho de las armas que lo miravan no tenían en nada la fuerça ni valentía de Amadís en comparación de la suya dél y sin duda creían que aquélla sería la postrimera batalla y el postrimero día de su vida. Y assí como oís, fueron fasta llegar delante del rey; y Ardán Canileo dixo:

—Rey, vedes aquí los cavalleros que entrarán en vuestra prisión por fazer firme lo que la mi donzella prometió, si Amadís osare tener lo que puso.

Amadís salió delante y dixo.

—Señor, veisme aquí que quiero luego la batalla sin más tardar, y dígoos que ahunque no oviesse prometido, yo la tomaría solamente por desviar a Madasima de tan descomunal casamiento. Mas yo quiero que venga el rey Arbán de Norgales, y Angriote d'Estraváus, y que estén en parte que los aya yo si la batalla venciere.

Ardán Canileo dixo:

—Yo los faré venir donde será la batalla, y si llevare vuestra cabeça, que lieve los presos, y también llevaré a Madasima y sus donzellas; que sean en guarda de la reina, que con ella se cumple lo que está pleiteado, mas converná que la faga estar donde vea la batalla y la vengança que la yo faré haver.

Pues assí como oís, fue en poder de la reina aquella fermosa Madasima, y sus donzellas, y en poder del rey el gigante viejo y sus fijos, y los nueve cavalleros. Pero Madasima, os digo que pareçió ante la reina con tanta humildad y discreción que, comoquiera que de su venida tanto peligro a Amadís ocurría, de que todos havían gran pesar, mucho fueron della contentas y mucha honra le fizieron. Mas Oriana y Mabilia, viendo el bravo continente de Ardán Canileo, mucho fueron spantadas, en gran cuidado y dolor puestas; y muchas lágrimas, retraídas a su cámara, derramaron, creyendo qu'el gran esfuerço de Amadís no era bastante contra aquel diablo. Y si alguna esperança tenían, no era sino en la su buenaventura, que de grandes peligros muchas vezes le havía sacado en tan graves cosas que muy poca esperança se tenía de ser por él ni por otro alguno vencidas, ahunque Mabilia siempre con grandes consuelos a Oriana en buena sperança ponía. Esto assí fecho, y aplazada la batalla para otro día, el rey mandó a sus monteros y ballesteros que cercassen de cadenas y palos un campo que delante su palacio era, porque por culpa de los caballos los caballeros no perdiessen algo de su honra. Lo cual visto dende una finiestra por Oriana, considerando el peligro que allí a su amado amigo se le aparejava, fue tan desmayada que cuasi sin sentido en los braços de Mabilia cayó. El rey se fue a la posada de Amadís, donde muchos cavalleros estavan, y díxoles que pues la reina y su fija y la reina Briolanja [54] y todas las otras dueñas y donzellas aquella noche ivan a su capilla porque Dios guardasse aquel su cavallero, que lo quería levar consigo a su palacio, y con él a Florestán y Agrajes, y don Galvanes, y Guilán y Enil, y que ellos folgassen assí como estavan. Y dixo a Amadís que mandasse llevar sus armas a la capilla porque le quería otro día armar ante la Virgen María, porque con su glorioso fijo abogad⌐ le fuesse.

Pues ellos yéndose con el rey, Amadís mandó a Gandalín que las armas le levasse a donde el rey mandava; mas él, tomándolas para complir su mandado, y no fallando en la vaina la spada, fue tan espantado dello y tan triste que más

<hr />

54.   Z, fol. 122 rº. En E. Place: reina Brisena, y en Cacho Blecua, reina Brisena, p. 872.

quisiera la muerte, assí por acaeçer aquello en tiempo de tan
gran peligro como por lo tener por señal que la muerte de
su señor le era cercana. Y buscóla por todas partes, preguntando aquellos que algo della podrían saber; mas cuando ningún recaudo falló, estovo en punto de se derribar de una finiestra abaxo en la mar, si a la memoria no le viniera con
ello perder el ánima; y fuesse al palacio del rey con gran
angustia de su coraçón, y apartando a Amadís, le dixo:

—Señor, cortadme la cabeça, que os soy traidor, y si lo
no fazes, matarme he yo.

Amadís le dixo:

—¿Dónde enloqueçiste, o qué mala ventura es ésta?

—Señor —dixo él—, más valdría que yo fuesse loco o muerto que no a tal tiempo oviesse venido tal desdicha; que sabed
que he perdido vuestra spada, que de la vaina la furtaron.

Amadís le dixo:

—¿Por esso te quexas? Pensé que otra cosa peor te acon-
teciera. Agora te dexa dello, que no faltará otra con que Dios
me ayude si le pluguiere.

Comoquiera que por le consolar esto le dixo, mucho le
pesó de la pérdida de la spada, assí por ser una de las mejores del mundo y que tanto en aquella sazón menester la
havía, como por la haver ganado con la fuerça de los grandes amores que tenía a su señora; porque veyéndola y desto
se le acordando, era muy gran remedio a los sus mortales
desseos cuando ausente della se fallava. Y dixo a Gandalín
que lo no dixesse a ninguno y que la vaina le traxesse, y
que supiesse de la reina si la spada suya que don Guilán
con las otras armas le havía traído, si se podía haver, y que
procurasse de traerla; y que, si pudiesse ver a su señora Oriana, que de su parte le pidiesse que cuando él y Ardán Canileo en el campo entrassen, se pusiesse en tal parte que la
pudiesse ver, porque su vista le faría vencedor en aquello y
en otra cosa que muy más grave fuesse.[55] Gandalín fue a recaudar esto que su señor le mandó, y la reina le mandó dar
la spada. Mas la reina Briolanja y Olinda le dixeron:

—¡Ay, Gandalín! ¿Qué piensas que podrá tu señor hazer
contra aquel diablo?

El les dixo, riendo y de buen semblante:

—Señoras, no es éste el primero fecho peligroso que mi

55. Según el topos cortés y en contradicción con la nota 29.

señor acometió; y assí como Dios le guardó fasta aquí, assí le
guardará agora; que otros muchos mas spantosos de gran peligro, acabó a su honra, y assí lo fará éste.

—Assí plega a Dios —dixeron ellas.

Estonces se fue para Mabilia, y díxole que dixesse a Oriana lo que su señor le embiava a pedir. Y con esto se tornó a
la capilla donde las armas tenía y dixo a su señor cómo lo
dexava todo a su voluntad, de que ovo mucho plazer y gran
esfuerço en saber que su señora staría en tal parte donde en
el campo la pudiesse ver. Estonces apartando al rey de los
otros cavalleros le dixo:

—Sabed, señor, que he perdido la mi spada, y nunca fasta
agora lo supe, y dexáronme la vaina.

Al rey pesó mucho dello, y díxole:

—Comoquier que yo aya puesto y prometido de nunca
dar mi spada a ningún cavallero que uno por uno en mi corte
se combatiessen, darla he agora a vos, acordándoseme de
aquellas grandes afruentas que la vuestra en mi servicio puesta fue.

—Señor —dixo Amadís—, a Dios no plega que yo, que
tengo de adelantar y fazer firme vuestra palabra, sea causa
de la quebrar, haviéndolo prometido ante tantos hombres
buenos.

Al rey le vinieron las lágrimas a los ojos, y dixo:

—Tal sois vos para mantener todo derecho y lealtad. Mas
¿qué faréis, pues que aquella tan buena spada haver no se
puede?

—Aquí tengo —dixo él— aquella con que fue echado en la
mar, que don Guilán aquí traxo y la reina la mandó guardar. Con ésta y con vuestro ruego a nuestro Señor, que ante
El mucho valdrá, podré yo ser ayudado.

Estonces la provó en la vaina de la otra y vínole bien,
ahunque hasta algo era menor. Al rey le plugo dello, porque
llevando la vaina consigo, por la virtud della le quitaría de
la gran calor y frío, que tal costelación tenían aquellos huess-
sos de las serpientes de que ella era fecha, pero muy alongada estava esta spada de la bondad de la otra. Assí passaron
aquel día fasta que fue hora de dormir, que todos aquellos
cavalleros que oístes tenían sus armas alderredor de la cama
del rey. Mas de Ardán Canileo os digo que aquella noche
toda fizo en sus tiendas a toda su gente fazer grandes alegrías y dançar y bailar, tañendo instrumentos de diversas ma-

neras, y en cabo de sus cánticas dezían todos en boz muy
alta:

—Llega, mañana, llega y trae el día claro, porque Ardán
Canileo cumpla lo que prometido tiene aquella muy fermosa
Madasima.

Mas la fortuna en esto fue contraria de ser en otra manera que ellos pensado tenían. Amadís durmió aquella noche en
la cámara del rey, mas el sueno que el fizo no le entró en
pro, que luego a la medianoche se levantó sin dezir ninguna
cosa y fuese a la capilla, y despertando al capellán, se confessó con él de todos sus pecados, y estuvieron entrambos
haziendo oración ante el altar de la Virgen María, rogando
que le fuesse su abogada en aquella batalla. Y el alva venida, levantóse el rey, y aquellos cavalleros que oístes, y oyeron missa; y armaron a Amadís tales cavalleros que muy bien
lo sabían fazer. Mas antes que la loriga vistiesse, llegó Mabilia y echóle al cuello unas reliquias guarnidas en oro, diziendo que la reina, su madre della, gelas había embiado con la
donzella de Denamarcha; mas no era assí, que la reina Elisena las dio a Amadís cuando por fijo lo conoçió, y él las dio
a Oriana al tiempo que la quitó a Arcaláus y a los que la levavan. Desque fue armado, traxéronle un fermoso cavallo que
Corisanda con otras donas havía a don Florestán, su amigo,
embiado; y don Florestán le levava la lança, y don Guilán
el escudo, y don Bruneo el yelmo, y el rey iva en un gran
cavallo y un bastón en la mano. Y sabed que toda la gente
de la corte y de la villa estavan por ver la batalla en derredor del campo, y las dueñas y donzellas a las finiestras, y la
fermosa Oriana y Mabilia a una ventana de su cámara, y con
la reina estavan Briolanja y Madasima y otras infantas.

Llegando Amadís al campo, alçaron una cadena y entró
dentro y tomó sus armas; y cuando uvo de poner el yelmo,
miró a su señora Oriana, y vínole tan gran esfuerço que le
semejó que en el mundo no havía cosa tan fuerte que se le
pudiesse amparar. Estonces entraron en el campo los juezes
que a cada uno su derecho havían de dar, y eran tres: el
uno aquel buen viejo, don Grumedán, que desto mucho
sabía; y don Cuadragante, que vasallo del rey era; y Brandoivas. Estonces llegó Ardán Canileo, bien armado encima
de un gran cavallo, y su loriga de muy gruessa malla, y traía
un escudo y yelmo de un azero tan limpio y tan claro como
un claro spejo, y ceñida la muy buena spada de Amadís

que la donzella le furtara, y una gruessa lança, doblegándola
tan rezio que pareçía que la quería quebrar; y así entró en el
campo. Cuando assí lo vio Oriana, dixo con gran cuita:

—¡Ay, mis amigas, qué airada y temerosa viene la mi
muerte, si Dios por la su gran piedad no lo remedia!

—Señora —dixo Mabilia—, dexaos desso y fazed buen semblante, porque con él deis esfuerço a vuestro amigo.

Estonces Grumedán tomó a Amadís y púsolo a un cabo
del campo, y Brandoivas puso al otro Ardán Canileo, puestos los rostros de los cavallos uno contra otro, y don Cuadragante en medio, que tenía en su mano una trompa que al
tañer della havían los cavalleros de mover. Amadís, que a
su señora mirava, dixo en alta boz:

—¿Qué faze Cuadragante que no tañe la trompa?

Cuadragante la tañó luego, y los cavalleros movieron a
gran correr de los cavallos, y firiéronse de las lanças, en sus
escudos tan bravamente que ligeramente fueron quebradas,
y topáronse uno con otro, assí qu'el cavallo de Ardán Canileo cayó sobre el pescueço y fue luego muerto, y el de Amadís ovo la una spalda quebrada y no se pudo levantar; mas
Amadís, con la su gran biveza de coraçón, se levantó luego,
empero a gran afán, que un troço de la lança tenía metido
por el escudo y por la manga de la loriga sin le tocar en la
carne; y sacándolo dél, metió mano a su spada y fuese contra Ardán Canileo, que se havía levantado con gran trabajo
y estava endereçando su yelmo. Y cuando assí lo vio, puso
mano a su espada, y fuéronse a ferir tan bravamente, que
no ha hombre que los viesse que se mucho no espantasse,
que sus golpes eran tan fuertes y tan apriessa, que las llamas
de fuego de los yelmos y de las spadas fazían salir que se-
mejavan que ardían. Pero mucho más esto pareçía en el escudo de Ardán Canileo, que como de azero fuesse y los golpes de Amadís tan pesados, no pareçía sino que el scudo y
braço en bivas llamas se quemava; mas la su gran fortaleza
defendía las carnes que cortadas no fuessen, lo cual era mortal daño de Amadís, que como sus armas tan rezias no
fuessen, y Ardán tenía una de las mejores espadas del mundo,
nunca golpe le alcançava que las armas y la carne no le cortasse, assí que en muchas partes andava teñido de la su sangre
y todo el escudo cuasi desfecho. Y la spada de Amadís no
cortava nada en las armas de Ardán Canileo, que eran muy
fuertes; mas ahunque la loriga de gruessa y fuerte malla era,

ya estava rota por más de diez lugares, que por todos ellos le salía mucha sangre. Y lo que aquella hora Amadís más aprovechava era su gran ligereza, que con ella todos los más golpes le hazía perder; ahunque Ardán havía mucho usado de aquel menester y gran sabidor de ferir de spada fuesse.

En tal priessa como oídes anduvieron, dándose muy grandes y esquivos golpes, fasta hora de tercia, travándose a manos y a braços tan duramente, que Ardán Canileo era metido en gran spanto, que nunca él fallara tan fuerte cavallero, ni tan valiente gigante, que tanto a la su valentía resistiesse; y lo que más su batalla le fazía durar era que siempre a su enemigo fallava más ligero y con mayor fuerça que al comienço, y a sí más cansado y lasso y todo lleno de sangre.

Estonces conoçió bien Madasima que falleçía de lo que prometiera que havía de vencer a Amadís en menos que media legua se anduviesse; de lo cual a ella no pesava, ni ahunque Ardán Canileo la cabeça perdiesse, porque su pensamiento tan alto era, que más quería perder toda su tierra que se ver junta al casamiento de tal hombre.

Los cavalleros se ferían de muy grandes y fuertes golpes por todas las partes donde más mal se podían fazer, y cada uno dellos punava de llegar al otro a la muerte. Y si Amadís tan fuertes armas traxera, según su gran biveza y lo qu'el aliento le durava, no le pudiera el otro tener campo; pero todo lo qu'él fazía y trabajava le era bien menester, que lo havía con muy fuerte y esquivo cavallero en armas, mas como ya él todas sus armas traxesse rotas y el scudo desfecho, y la carne por muchos lugares cortada, donde mucha sangre le salía. Cuando Oriana assí lo vio, no gelo pudiendo sufrir el coraçón, quitóse con gran angustia de la ventana, y sentada en el suelo, se tiró con sus manos en el rostro, pensando que a su amigo Amadís se le acercava la muerte. Mabilia, que assí la vio ferir, de coraçón le pesó, y fízola tornar allí, mostrándole gran saña, diziéndole que a tal hora y a tal peligro no devía desamparar a su amigo; y porque no podía sufrir de lo ver tan maltrecho, púsose d'espaldas, porque viesse los sus muy fermosos cabellos porque más esfuerço y ardimiento su amigo tomasse. Ellos estando en esta sazón, dixo Brandoivas, que era uno de los juezes:

—Mucho me pesa de Amadís, que le veo muy menguado de sus armas y de su scudo.

—Assí me pareçe —dixo Grumedán—, de que gran pesar tengo.

—Señores —dixo Cadragante—, yo tengo provado a Amadís, cuando con él me combatí, por tan valiente y con tanto ardimiento que siempre pareçe que la fuerça se le dobla, y es el cavallero de cuantos yo vi que mejor se sabe mantener, y de más aliento; y véole agora en toda su fuerça entera, lo que no es en Ardán Canileo; ante, siempre enflaqueçe; y si algo daña Amadís, no es ál salvo la gran priessa que se da; que si se sufriesse, faría andar tras sí a su contrario y la su gran pesadumbre lo cansaría; pero la su gran ardideza no le dexa assosegar.

Oriana y Mabilia, que esto oyeron, mucho fueron aconsoladas. Mas Amadís, que a su señora viera quitar de la ventana, y después allá no havía mirado, pensó que por duelo dél lo havía fecho, y fue con gran saña contra Ardán Canileo. Y apretó la spada en la mano y firióle de toda su fuerça por encima del yelmo de tan fuerte golpe, que le atordeçió, y hincó la una rodilla en el suelo, como el golpe fue tan grande y el yelmo tan fuerte que quebrantó la spada en tres partes, assí que la más pequeña le quedó en la mano. Estonces fue él en todo pavor de muerte y assí lo fueron todos los que miravan. Cuando esto Ardán Canileo vio, arredróse dél por el campo y tomó el escudo por las embraçaduras, y esgrimiendo la spada, dio una gran boz que todos lo oyeron, y dixo a Amadís:

—Ves aquí la tan buena spada que por tu mal ganaste. Cata bien que ésta es, y con ella morirás.

Y luego dio grandes bozes:

—Salid, salid a la finiestra, señora Madasima, y veredes la fermosa vengança que yo os daré, y cómo por mi proeza os he ganado en tal forma que ninguna otra tal amigo como os tenéis terná.

Cuando esto oyó Madasima, fue muy triste, y echóse ante los pies de la reina y pidióle merced que dél la defendiesse, lo que con mucha razón se podía fazer, que Ardán le prometiera de matar o vencer a Amadís antes que por un hombre media legua andada fuesse, y si lo no fiziesse, que nunca le otorgasse su amor. Pues si aquel tiempo era passado con más de cuatro horas, que ella lo podía ver. Y la reina dixo:

—Yo oyo lo que dezís y faré lo que justo fuere.

Amadís, cuando assí se vio las armas hechas pedaços y

sin spada, vínole en mientes lo que Urganda le dixera, que
daría la meitad del mundo, seyendo suyo, porque la su spada
echada fuesse en un lago; y miró a la ventana donde Oriana
estava, y viéndola d'espaldas bien conoçió que la su contraria fortuna dél lo causara, y creçióle tan grande esfuerço, que
puso en toda aventura su vida, queriendo más morir que dexar
de fazer lo que podía. Y fuese contra Ardán Canileo como
si estuviesse guisado de lo ferir, y Ardán alço la spada y atendiólo; y como llegó, quísolo ferir, mas Amadís furtó el cuerpo y fízole perder el golpe; y juntó tan presto con él, sin
que el otro pudiesse meter en medio la spada, y travóle del
brocal del escudo tan rezio, que gelo levó del braço, y oviera dado con él en el suelo; y devióse dél y embraçó el escudo, y tomó un pedaço de una lança que delante falló con el
fierro, y tornó luego contra Ardán, bien cubierto de su escudo. Y Ardán, que con gran saña estava porque assí el scudo
perdiera, fue por él y pensóle ferir por cima del yelmo. Amadís alço el escudo y reccibió en él el golpe, y ahunque muy
fuerte era y de fino azero, entró la spada por el brocal bien
tres dedos. Y Amadís le herió con el pedaço de la lança en
el braço derecho a par de la mano, que la meitad del fierro
le metió por entre las cañas, y fízole perder la fuerça en tal
guisa que no podiendo sacar la spada, la levó Amadís en el
escudo, y si desto fue muy alegre y contento, no es de preguntar ni dezir. Assí que estonces echó muy alueñe de sí el
troço de la lança y sacó la spada del escudo, gradeçiendo
mucho a Dios aquella merced que le fizo.

Mabilia, que lo mirava, dio de las manos a Oriana y fízola bolver porque viesse a su amigo alcançar aquella gran
vitoria sobre el peligro tan grande en que a la hora havía
estado. Pues Amadís se fue para Ardán Canileo, el cual fue
luego enflaqueçido en ver assí su muerte; y pensando no fallar guarida ni remedio, quiso tomar el escudo a Amadís,
como él gelo havía tomado; mas el otro, que cerca de sí lo
vio, dióle un golpe por cima del ombro isquierdo en tal manera que le cortó las armas y gran parte de la carne y de los
huessos; y como vio que havía perdido la fuerça del braço,
desvióse por el campo con el gran miedo que a la spada tenía.
Mas Amadís andava tras él; y desque lo vio cansado y desacordado, travóle por el yelmo tan reziamente que lo fizo a
sus pies caer; y levó el yelmo en sus manos, y fue luego sobre
él de rodillas; y cortándole la cabeça, puso gran alegría en

todos, especial en el rey Arbán de Norgales y Angriote de
Estraváus, que muchas angustias y dolores havían passado
cuando vieron a Amadís en el estrecho que ya oístes.

Esto assí hecho, tomó Amadís la cabeça y echóla fuera
del campo, y llevó rastrando el cuerpo fasta una peña, que
dio con él en la mar; y alimpiando la spada de la sangre, la
metió en la vaina, y luego el rey le mandó dar un cavallo, en
que, ferido de muchas llagas y perdida mucha sangre, acompañado de muchos cavalleros, a su posada se fue. Pero antes
fizo sacar de las crueles prisiones al rey Arbán de Norgales
y Angriote d'Estraváus, y los llevó consigo; y embiando al
rey Arbán de Norgales a la reina Brisena, su tía, que jelo
embió a demandar en su cámara dél, teniendo aquel su leal
amigo Angriote, en uno fueron curados, Amadís de sus llagas, que muchas tenía, y Angriote de los açotes y otras feridas que en la prisión le dieron. Allí fueron visitados con
mucho amor de los cavalleros y dueñas y donzellas de la
corte, y Amadís de su cormana Mabilia, que le traía aquella
verdadera melezina con que su coraçón pudiesse embiar a
los otros menores males, seyendo él esforçado, la salud que
para su reparo le convenía.

CAPÍTULO LXII

CÓMO SE FIZO LA BATALLA ENTRE DON BRUNEO DE BONAMAR Y MADAMÁN EL EMBIDIOSO, HERMANO DE LA DONZELLA DESSEMEJADA, Y DEL LEVANTAMIENTO QUE FIZIERON CON EMBIDIA A ESTOS CAVALLEROS AMIGOS DE AMADÍS, POR LA CUAL AMADÍS SE DESPIDIÓ DE LA CORTE DEL REY LISUARTE

PASSADA esta batalla de Amadís y Ardán Canileo como
ya oístes, luego otro día pareció ante el rey don Bruneo
de Bonamar, y con él muchos buenos cavalleros de quien
amado y preciado era, y falló allí a la donzella dessemejada,
que stava diziendo al rey que su hermano estava aparejado
para la batalla, que mandasse venir aquel con quien havía
de combatir; y comoquiera que la vengança fecha en él poca
fuesse, según el valor de aquel valiente Ardán Canileo, que
pues más fazer no se podía, con aquella emienda pobre serían algo consolados. Don Bruneo, dexando de responder
aquellas locas palabras, dixo que luego la batalla quería. Assí

que luego el uno y el otro fueron armados y metidos en el campo, cada uno acompañado de aquellos que le bien querían, ahunque diferente fuesse, que con don Bruneo fueron muchos y preciados cavalleros, y con Madamán el Embidioso, que assí havía nombre, tres cavalleros de su compaña que las armas le levavan. Y desque los juezes los pusieron en aquellos lugares que para la batalla les convenía, ellos corrieron contra sí los cavallos al más ir que pudieron. De los primeros encuentros, que las lanças quebraron en pieças, Madamán fue fuera de la silla y don Bruneo llevó metido por el escudo una parte de la lança, que gelo falsó y le fizo una pequeña ferida en el pecho; mas cuando tornó el cavallo vio al otro con su spada en la mano a guisa de se defender, y díxole:

—Don Bruneo, si tu cavallo perder no quieres, desciende dél o me dexa cavalgar en el mío.

—Esto y lo que quisierdes —dixo don Bruneo—, que aquello faré.

Madamán, creyendo que a pie mejor que a cavallo se podría combatir, según la grandeza de su cuerpo y la pequeñeza del otro, díxole:

—Pues que en mí lo dexas, desciende y a pie ayamos la batalla.

Y don Bruneo se tiró afuera y descendió del cavallo, y començaron entre sí una brava batalla, assí que en poco spacio de tiempo sus armas fueron en muchos lugares rotas y sus carnes cortadas, por donde mucha sangre les salía, y los scudos desfechos en los braços, sembrado el suelo de las rajas dellos. Y cuando assí andavan en esta tan gran priessa que oís, acaeçió una estraña cosa por donde pareçe que en las animalias ay conoçimiento de sus señores, que los cavallos, que sueltos en el campo quedaron, juntándose el uno con el otro, començaron entre sí una pelea de bocados y pernadas con tanta porfía y enemistad, que todos dello eran mucho maravillados; y tanto duró que el cavallo de Madamán no lo pudiendo ya sofrir, fuyendo ante el otro saltó con el gran miedo las cadenas de que el campo cercado stava; lo cual por buena señal tuvieron aquellos que la vitoria de la batalla a don Bruneo desseavan. Y tornando meter mientes en la batalla de los cavalleros, vieron cómo don Bruneo aquexava a su enemigo de grandes y duros golpes, de forma qu'él se tiró afuera y dixo:

—Don Bruneo, ¿por qué te aquexas? ¿El día no es asaz largo? Súfrete un poco y folguemos, que si miras a tus armas y la sangre que de tus llagas sale, bien te fará menester.

—Madamán —dixo don Bruneo—, y si nuestra batalla fuesse de otra cualidad y no con enemistad tan creçida, luego en mí fallarías toda cortesía y sufrimiento; mas según la gran sobervia que fasta aquí has tenido, si en esto que pides yo viniesse, sería causa que tu fama y valor fuesse menoscabado; assí que no por el bien que te yo aya, mas porque venciendo te alcançe más gloria, no quiero dar lugar que tu flaqueza manifiesta sea, y guarda que te no dexaré folgar.

Estonces se acometieron como de ante, mas no tardó mucho que don Bruneo, mostrando la gran fuerça y ardimiento de su coraçón, no traxesse ya a Madamán tan aquexado que otra cosa no entendía sino en se defender y guardar de los golpes; los cuales no podiendo ya sufrir, se retraxo cuanto más pudo a la parte de la mar, pensando que allí entre algunas peñas defenderse podría. Mas viendo la fondura tan alta y tan espantable, detúvose, y llegó don Bruneo, que le seguía, y tomólo tan cerca que se no pudo valer, y diole del escudo y de las manos, puxándole tan rezio que lo despeñó dc tan alto que fue fecho pieças antes que al agua llegasse. Estonces hincó las rodillas, gradeçiendo a Dios aquella tan gran merced que le fiziera. Cuando Mataleza, la dessemejada donzella, esto vido, entró en el campo corriendo cuanto más podía, y llegó a aquel gran despeñadero a gran afán, y vio cómo las ondas de la mar traían a uno y a otro cabo la sangre y la carne de su hermano; tomando la spada de su hermano, que allí se le cayera, dixo:

—Aquí, donde queda la sangre de mi tío Ardán Canileo y la de mi hermano, quiero que la mía quede, porque la mi alma con las suyas allá donde estuvieren sea juntada.

Y firiéndose con la punta de la spada por el cuerpo, se dexó caer atrás por aquel despeñadero, assí que toda fue desfecha. Esto assí acabado, cavalgando don Bruneo en su cavallo con mucho loor del rey y de todos los que allí estavan, acompañado de muchos dellos se fue a la posada de Amadís, donde en un rico lecho cabe el suyo y el de Angriote, juntamente con ellos fue curado. Allí eran visitados assí de cavalleros como de dueñas y donzellas mucho a menudo por les dar descanso y plazer.

Mas la reina Briolanja, con acuerdo de Amadís, veyendo

que su mal se dilataría, tomando dél licencia se partió para
su reino. Pero ante quiso ver las maravillas de la Insola Firme
y provarse en la cámara defendida, y llevó a Enil consigo,
que todo gelo fiziesse mostrar; y prometió a Oriana de le
fazer saber todo lo que allá fallase y le aconteçiesse, lo cual
se dirá adelante.

Y en esto que la historia proceder quiere podréis ver a
qué tan poco basta la fuerça del seso humano cuando aquel
alto Senor, afloxadas las riendas, alçada la mano, apartando
su gracia, permite que el juizio del hombre en su libre poder
quede; por donde vos será manifiesto si los grandes estados,
los altos señoríos pueden ganados y governados ser con la
discreción y diligencia de los hombres mortales, o si faltando
su divinal gracia, la gran sobervia, la gran codicia, la muchedumbre de las armadas gentes son bastantes para lo sostener. Ya havéis oído cómo el rey Lisuarte siendo infante,
solamente posseyendo sus armas y cavallo, con algunos pocos
servidores, andando como cavallero andante buscando las
aventuras, llegando al reino de Denamarca, la fortuna, que
assí lo quiso, de aquella infanta Brisena, fija de aquel rey,
que por su gran beldad y sobrada virtud muy preciada y demandada de muchos príncipes y grandes hombres era, a
todos ellos desechando, este infante della muy amado fue,
tomándole entre todos ellos por su marido. Esta fue la primera buenaventura que ovo, que entre las terrenales por una
de las mejores tenerse deve. Pues no contenta su dicha con
esto, queriéndolo el poderoso Señor, fue sin heredero alguno Falangris, su hermano, rey de la Gran Bretaña, desta presente vida partido; assí que sin mucho entrevallo este deseredado infante rey es fecho, no como los de su tiempo que
solamente con sus naturales, con sus reinos contentos eran,
mas ganando y señoreando los ajenos, viniendo a su corte
fijos de reyes, de grandes príncipes y duques, entre los cuales eran aquellos tres hermanos, Amadís, don Galaor y Florestán, con otros muchos de gran cuento. Entre los emperadores y reyes del mundo la su gran claridad sobre todos ellos
vista era, y si algo escureçida fue con el don que a la engañosa donzella prometió, que fue causa de ser en prisión de Arcaláus, más a esfuerço de coraçón que a mal recaudo atri-
buirse deve; porque en aquel tiempo el gran esfuerço, el prez
de las armas en los reyes, en los príncipes y señores grandes, señaladamente sobre los otros más baxos floreçía, assí

como en los griegos y troyanos en las historias antiguas se falla.

Pues ¿qué diremos ahún más de la grandeza deste poderoso rey? En su corte eran venidas las aventuras estrañas, que aviendo mucho tiempo por el mundo andado, no fallando quien cabo les diesse, allí con gran gloria suya acabadas fueron, pues no es razón quedar en olvido el vencimiento de aquella dolorosa y spantable batalla que con Cildadán ovo, donde tantos gigantes tan fuertes y esquivos, tantos valientes cavalleros de su sangre, y otros de muy gran guisa y por el mundo muy nombrados, por la gran virtud y esfuerço dél y de los suyos muertos y destruidos fueron. Y luego a poco tiempo aquel esforçado y famoso Ardán Canileo, que por todas las tierras que anduvo nunca falló cuatro cavalleros que campo le mantuviessen, en la corte deste rey por un cavallero fue vencido y muerto.

Pues ¿diremos agora que estas buenas venturas que ovo lo causó ser este rey como lo era muy gracioso, muy humano y muy franco, esforçado? Por cierto, en alguna manera se podría creer, si en ello se supiera governar, y con causa tan liviana todo lo mas dello no desfiziera ni deramara como agora oiréis; por donde se deve creer que cuando alguno de muchas buenas venturas es abastado y su juizio y discreción para las conservar no basta, que a él no se deven atribuir, mas aquel muy alto y poderoso Señor que a quien le plaze las da con tal secreto que a nosotros sería gran locura procurar de la saber.

Agora sabed aquí que en esta corte deste rey Lisuarte avía dos ancianos cavalleros que al rey Falangrís, su hermano, mucho tiempo sirvieron, así que con aquella antigua criança más que con virtud ni buenas mañas, dándoles autoridad sus crescidos años, en el consejo del rey Lisuarte fueron puestos. El uno dellos avía nombre Brocadán y el otro Gandandel. Y este Gandandel tenía dos fijos que por preciados cavalleros antes que Amadís y sus hermanos y los de su linaje viniessen eran tenidos, mas la sobrada bondad y fortaleza déstos avía puesto en olvido la fama de aquellos dos cavalleros; de lo cual gran angustia en el coraçón su padre Gandandel teniendo, pensó tanto que no temiendo a Dios ni mirando la fe que a su señor, el rey, devía, ni a las honras y buenas obras de Amadís y de su linaje recebidas, quiso por honra y provecho particular suyo dañar y escurescer lo general, a que más obligado era, urdiendo y fabricando en sus malas entrañas una gran traición en esta guisa. Fablando un día el rey, dixo:

—Señor, menester es a vos y a mí que apartadamente me oyáis, que grandes días ha que me sufro de vos fablar, pensando que el fecho por otra vía sería remediado; en lo cual conozco que os he errado malamente, porque según el mal cada día cresce, muy necessario os es tomar consejo.

Cuando el rey esto oyó, quiso saber qué cosa era, y tomándole consigo se metió en su cámara sin que otro alguno aí estuviesse; y díxole:

—Agora dezid lo que os pluguiere.

Y Gandandel le dixo:

—Señor, siempre ove sabor de guardar mi alma y honra, y no fazer ningún mal ahunque pudiesse, merced a Dios; assí que muy libre y sin passión estoy para que mi juizio pueda sin entrevallo consejar vuestro servicio; y vos, señor, fazed aquello que más le cumple. Y porque entiendo que erraría a Dios y a vos si lo callase, acordé de vos dezir esto. Ya sabéis, señor, cómo de grandes tiempos a esta parte grandes discordias siempre ovo en el reino de Gaula y de la Gran Bretaña, y cómo de razón aquel reino a éste sujeto devía ser, reconosciéndole señoría como todos los comarcanos lo fazen; y ésta es una dolencia que la salud de la fin no tiene fasta que la justa conclusión en esto viniesse. Agora he visto cómo, siendo Amadís no solamente natural de allí mas señor principal de su linaje, son metidos en vuestra tierra tan apoderadamente y con tanta afición de los vuestros naturales que otra cosa no parece sino ser en su mano de se alçar con la tierra como si derecho eredero della fuesse. Verdad es que deste cavallero y de sus hermanos y parientes nunca reebí sino mucha honra y plazer, a lo cual les so yo obligado con mi persona y fijos y hazienda. Pero con lo vuestro, que sois mi señor y rey natural, nunca a Dios plega; antes lo suyo y mío tengo yo de posponer por la menor cosa de lo vuestro, que de otra manera en este mundo caería en mal caso y en el otro mi ánima en los infiernos. Así que, mi señor, dicho os he lo que obligado era, descargando lo que os devo; mandadlo remediar con tiempo antes que la dilación mayor peligro traya, que, según vuestra grandeza, más honrada y descansadamente con los vuestros passar podéis, que con los agenos, contrarios de los naturales vuestros, estar en gran peligro de vuestro estado, ahunque al presente otra cosa parezca.

El rey le dixo, sin ninguna alteración que dello le ocurriesse:

—Estos cavalleros me han servido tan bien y tanto a mi honra y provecho, que no puedo pensar dellos sino todo bien.

—Señor —dixo Gandandel—, éssa es la peor señal en que mirar devéis, porque si os desirviessen, guardaros íades dellos como de contrarios; mas los grandes servicios tienen en sí oculto y encerrado el engaño en aquellos que al fin no podrían negar lo natural, como os ya dixe.

En esto que oídes quedó la fabla porque el rey no le replicó más. Pero fabló luego este Gandandel con el otro que Brocadán se llamava, que su cuñado era, y conforme a sus malas maneras y diziéndole todo lo que avía con el rey pasado, le puso en la misma negociación; así que con lo que el uno y otro dixeron, atribuyéndolo todo al bien del reino, el rey fue en gran manera movido a mucho alteración contra aquellos que en ál no pensavan sino en le servir, olvidando aquel gran peligro de que don Galaor le libró cuando iva preso en poder de los diez cavalleros de Arcaláus, y el otro de que por Amadís, llamándose Beltenebrós, fue socorrido cuando Madanfabul, el bravo gigante de la Torre Bermeja lo levava, sacándolo de la silla so el braço a los naos, que en cada uno destos se puede con mucha razón dezir serle restituida la vida con todos sus reinos.

¡O reyes y grandes señores que el mundo governáis, cuánto es a vosotros anexo y convenible este enxemplo para que dél vos acordando pongáis en vuestros secretos hombres de buena conciencia, de buena voluntad, que sin engaño y sin malicia las cosas, no solamente de vuestro servicio, mas las de vuestro servicio junto con las de vuestra salvación vos digan, alexando de vosotros los semejantes que estos Brocadán y Gandandel y otros muchos a ellos conformes, que por vuestras cortes andan pensando y trabajando cómo con muchas lisonjas, con muchas encubiertas engañosas de vos alexar del servicio de aquel vuestro Señor cuyos ministros sois, solamente porque ellos y sus fijos alcançen honras, interesses como lo estos malos hombres fizieron. Mirad, mirad por vosotros, catad que a los que grandes señoríos son encomendados muy larga y buena cuenta han de dar a aquel Señor que gelos dio; y si tal no es, aquella gloria, aquel mando, y muchos vicios que en este mundo tovistes, en el otro donde sin fin de durar avéis, de muchas angustias y dolores vuestras ánimas afligidas y atormentadas serán. Y no solamente en tanta dilación seréis dexados, mas en este siglo donde por vosotros la honra, la fama tan preciada es, y en tanto cuidado vuestros ánimos por lo sostener son puestos, de aquélla seréis abaxados como este rey Lisuarte lo fue, creyendo y dándose más a las palabras de aquellos en quien malas obras sabían tener, que a lo que por sus ojos propios veía con mucha mengua y deshonra de su corte, sin que remedio alguno dello en todos los días de su vida oviesse. Y si la fortuna de aquí adelante algunas victorias le otorgó, fue porque de más alto cayendo, de más angustia y dolor su ánimo atormentado fuesse.

Pues a la istoria tornando, digo que tanta fuerça aquellas palabras al rey dichas tuvieron que aquel grande y desmasiado amor que con mucha causa y razón él a Amadís y a sus parientes tenía, con mucha sinrazón fue no solamente resfriado, mas aborrescido de tal forma, que sin más acuerdo ni consejo ya no veía la hora que de sí partidos los viesse; así que luego fue apartado de la conversación y visitación que Amadís, estando en su lecho ferido, solía fazer, passando algunas veces por su posada sin aver memoria de saber de su mal ni de hablar a los cavalleros que en su compaña estavan; los cuales, veyendo una tan nueva y estraña cosa en el rey, mucho fueron maravillados, y algunas vezes en ello delante de Amadís hablaron. Mas él, creyendo que como su pensamiento tan sano en su servicio estuviesse, que así el del rey lo estando, otras ocupaciones y negocios a aquello davan causa, y assí lo dezía a los que de otra manera lo sospecha van, y especialmente a su leal y gran amigo Angriote de Estraváus, que más que otro ninguno dello sentido se mostrava.

Estando los negocios en tal estado como oís, el rey Lisuarte mandó llamar a Madasima y a sus donzellas, y al gigante viejo y sus fijos, los nueve cavalleros que en rehenes tenía, y díxoles que si luego no le fazían entregar la ínsola de Mongaça como fuera pleiteado, que les faría cortar las cabeças; lo cual oído por Madasima, ansí como el miedo muy grande fue, así le fueron las lágrimas en grande abundancia a sus ojos venidas, considerando, si la tierra diesse, quedar deseredada, y si la no diesse pasaría la cruel muerte; y no sabiendo qué responder, las carnes con gran ansia fuertemente le tremían. Pero aquel Andaguel, gigante viejo, dixo al rey que si le diesse licencia y alguna gente, que le prometía de le fazer entregar la ínsola o se bolver a aquella prisión. Teniéndolo el rey por bien y dándole la gente, luego de allí fue partido. Y bolviéndose Madasima a la prisión, de muchos cavalleros acompañada fue, entre los cuales eran don Galvanes sin Tierra, que viendo aquellas lágrimas por las sus fermosas fazes de aquella donzella caer, no solamente a gran piedad fue su coraçón movido, mas desechando aquella libertad que hasta allí tuviera sin que de ninguna muger de cuantas visto avía preso fuesse, súpitamente, no sabiendo en qué forma ni cómo, sojuzgado y cativo fue, en tanto grado que sin más acuerdo ni dilación, en la ora fablando aparte con Madasima, descubriéndole su coraçón, le dixo si a ella le plazía con él casar, él ternía tal forma como, salvando su vida, con la tierra libremente quedasse. Madasima aviendo ya noticia de la bondad deste cavallero y de su grande y alto linaje, otorgándole lo que pidía, fincados los inojos le quiso por ello besar las manos. Tomada esta certidumbre, don Galvanes, siempre en su coraçón cresciendo aquellas encendidas llamas, tanto más las sintía y con mayor crueza cuanto más libre de semejante combate fasta tanto tiempo avía passado; y no passando muchos días, y poniendo en efeto lo que prometiera, a la posada de Amadís se fue. Y fablando con él y con Agrajes, su sobrino, todo el secreto de su coraçón les manifestó, faziéndoles saber que si en aquello remedio no le ponían, que su vida en el estremo de la muerte era llegada. Ellos, seyendo maravillados de tan súpito acidente en hombre que tan apartado en su voluntad de lo semejante estava, y tan contrario de aquellos que en tales cosas sus cuidados y pensamientos despendían, le dixeron que según su valor, los grandes servicios que al rey Lisuarte avía hecho, que por muy liviano tenían de acabar que assí Madasima como toda su tierra le fuesse entregada, especialmente quedando en el rey su señorío y por su vasallo, y cuando Amadís cavalgar pudiesse que se iría a lo despachar con el rey.

En este medio tiempo aquel mezclador [56] Gandandel iva muchas vezes a ver a Amadís y mostrávale gran amor, y cada

---

56. La figura del «mezclador» parece proceder del *lauzengier* de la lírica trovadoresca.

que del rey fablavan, siempre le dezía algunas cosas de cómo
el rey le parescía que estava en su amor muy resfriado, y
que mirasse no le ocurriesse dello algún enojo, de lo cual
avría él muy gran pesar por le ser en muchos cargos de sus
buenas obras que él y sus fijos dél avían recebido. Mas por
muchas cosas y muy sotiles que le dezía, nunca pudo mover
a Amadís a ninguna saña ni sospecha; y tanto en ello le afin-
có que le dixo Amadís con alguna ira que le no fablasse más
en aquello, que ahunque todos los del mundo gelo dixessen,
no podría él creer que hombre tan cuerdo y de tanta virtud
como el rey se moviesse contra él, que nunca, durmiendo ni
velando pensó sino en su servicio.

Pues, passando algunos días que Amadís y Angriote de
Estraváus y don Bruneo de Bonamar de sus lechos levantarse
pudieron con el gran mejoramiento de sus llagas, cavalgaron
una mañana ricamente vestidos, y desque oyeron missa fueron al palacio del rey, donde de todos muy bien recebidos
fueron sino solamente del rey, que los no miró ni recibió
como solía, en que muchos pararon mientes; mas Amadís
no miró en ello, que no pensava que lo fiziesse con mal talante. Pero Gandandel, aquel mezclador, que allí se falló,
abraçó riendo a Amadís y díxole:

—A las vezes dizen a los hombres la verdad y no la quieren creer.

Amadís no le respondió ninguna cosa, mas partiéndose
dél, veyendo cómo Angriote y don Bruneo andavan muy
quexosos como fueran tan mal recebidos, fuese al rey y díxole passo, que ninguno lo oyó:

—¿No vedes, señor, el continente que aquellos cavalleros
ponen contra vos?

El rey calló, que ninguna cosa le quiso responder; y Amadís con sana voluntad y estando sin sospecha alguna de aquella trama tan falsamente urdida, llegó al rey con gran humildança, y llevando consigo a Galvanes y Agrajes, y dixo:

—Señor, queremos, si os pluguiere, fablar con vos, y a la
fabla estén los que mandardes.

El rey dixo que estarían Gandandel y Brocadán. Desto
plugo mucho a Amadís porque en su coraçón los tenía por
muy grandes amigos. Entonces se fueron todos juntos a una
huerta, donde el rey debaxo de unos árboles se assentó, y
ellos cerca dél. Y Amadís le dixo:

—Señor, no fue mi ventura de os seguir tanto como yo lo

tengo en el mi coraçón, mas comoquier que os lo no merezca, confiando en vuestra virtud y gran nobleza, me quiero atrever a vos pedir un don de que seréis bien servido; haréis mesura y derecho.

—Ciertamente —dixo Gandandel—, si ello es assí, vos pedís hermoso don y bien es que el rey sepa lo que queréis.

—Señor —dixo Amadís—, lo que pedir queremos yo y Agrajes y don Galvanes, que os tan bien ha servido, es la ínsola de Mongaça, que, quedando en el vuestro señorío y vasallaje, la dedes con Madasima a don Galvanes en casamiento; y en esto, señor, faredes merced a don Galvanes, que es de tan alto lugar y no tiene señorío alguno, y servíroslo ha muy bien, y usaredes de piedad con Madasima, que por nos está desheredada.

Oído esto por Brocadán y Gandandel, miravan al rey y fazían continente que le no otorgasse. Mas el rey estuvo una pieça que no respondió, pensando en el gran valor de Galvanes y en lo que le avía servido, y cómo Amadís con tanto peligro de su vida aquella tierra ganara, y bien conosció que le pedían razón y cosa justa y honesta. Pero como su voluntad dañada estuviesse, no dio lugar a la virtud que usasse de lo que obligado era, y respondió assí como aquel que no tenía en voluntad de lo fazer, y dixo:

—No es de buen seso aquel que demanda lo que aver no puede. Esto digo por vos, que lo que pedís ha bien cinco días que lo di a la reina para su hija Leonoreta.

Esto pensó de responder, más por escusarse que por ser assí verdad. Desta respuesta fueron Gandandel y Brocadán muy alegres, y fazíanle semblante que respondiera muy bien. Mas Agrajes, que muy afortunado de coraçón era, como vio respuesta tan desabrida, y cómo con tan poca mesura dellos se escusava, no se pudo callar; antes, con gran saña dixo:

—Bien nos dais, señor, a entender que si alguna cosa no valemos por nosotros, que nuestros servicios, según son gradescidos, poco nos aprovechan. Mas si yo fuera creído, de otra manera nuestra vida passara.

—Sobrino —dixo don Galvanes—, muy poca fuerça los servicios en sí tienen cuando son fechos a aquellos que los no saben gradescer, y por esto los hombres deven buscar donde bien empleados sean.

—Señores —dixo Amadís—, no os quexéis si el rey no nos da lo que le pedimos, pues lo ha dado. Mas rogarle he yo

que os dé a Madasima, y quede en él la tierra, y daros he
yo la Insola Firme, donde passéis con ella hasta que el rey
aya otra cosa que os dé.

El rey dixo:

—A Madasima tengo yo en mi prisión por aver por ella
la tierra, y si no, mandarle he cortar la cabeça.

Amadís le dixo:

—Ciertamente, señor, más mesuradamente nos devríades
responder, si a vos pluguiesse; y no faríades en ello tuerto si
lo mejor conoscer quisiéssedes.

—Si yo bien vos no conozco —dixo el rey—, assaz es el
mundo grande; andad por él y catad quien os conozca.

¡O qué palabras tan de notar!, que ahún ayer, podemos
dezir, este cavallero Amadís de Gaula deste rey Lisuarte era
tan amado, tan preciado, en tanto tenido que pensava él que
assí con su persona como con las de sus hermanos y parientes
no estava en más de ser señor del mundo de lo começar,
aviendo tanta piedad del peligro de su vida cuando fue la
batalla aplazada dél y de Ardán Canileo que las lágrimas a sus
ojos le vinieron, sabiendo en tal sazón ser la su muy buena
espada perdida, y contra aquel gran juramento que delante su
corte fecho avía, de la suya no dar a ningún cavallero, rogarle y apremiarle que la él tomasse, lo cual por cierto no se
devía mover sin sobrado amor que le tuviesse, teniendo entonces en la memoria los grandes servicios dél recebidos, que
fueron causa de la reparación de su vida y reinos. ¡Y agora
este tan gran amor, el juizio y discreción suya tan sobrada,
el gran conoscimiento de las cosas, que no fuessen bastantes
a que unas palabras livianas dichas por hombre de mala suerte, de malas obras, sin ver señales para que alguna fe dada
le fuesse de estorvar que se no turbasse y escuresciesse todo
aquello! Gran cosa a mi parescer es y muy señalada, para que
ni las armas de los enemigos ni las finas ponçonas se crea que
dellas tanto peligro, tanto daño redundar pueda a los reyes
y grandes como de solas las orejas, porque aquello bueno o
malo que en ellas emprimido es trastorna el coraçón, guía la
voluntad por la mayor parte a seguir lo justo o deshonesto.
Assí que, grandes señores, a los que en este mundo tanto
poder es dado que basta para complir vuestros apetitos, vuestras voluntades, guardaos de los malos; que pues de sí mismos y de sus ánimas poco cuidado tienen, mucho menos y
con más razón se deve creer que lo ternán de las vuestras.

Pues al propósito tornando, cuando por Amadís aquella tan deshonesta y desabrida respuesta del rey fue oída, díxole:

—Ciertamente, señor, al mi cuidar fasta aquí no creía yo que en el mundo otro rey ni gran señor tanto al cabo del conoscimiento de las cosas como vos oviesse; pero pues que tan estraño y al contrario de mi pensar os avéis mostrado, conviene que con tan nuevo consejo y mando nueva vida busquemos.

—Fazed lo que fuere vuestra voluntad —dixo el rey—, que yo fago la mía.

Entonces se levantó con saña y fuesse donde estava la reina, y Brocadán y Gandandel con él, loándole mucho averse assí despachado y librado de aquellos donde tan gran peligro ocurrirle podía; y dixo a la reina todo lo que con Amadís le contesciera y cómo por ello venía mucho alegre. Mas ella le dixo que de su alegría recebía tristeza porque, desque Amadís y sus hermanos y parientes en su casa fueron, siempre sus cosas avían seído aumentadas y crescidas, sin que por ninguno dellos lo contrario se mostrasse; y que si deste partimiento su sola discreción era la causa, que mucho fuera menguada del conocimiento que aver devía, y si por consejo de otros algunos, que sería por la imbidia grande que dellos y de sus buenas obras tuviessen; y que no solamente el daño presente era, mas en lo venidero, que veyendo los otros así ser desechada y mal conoscida la grandeza de aquellos cavalleros que tanta honra y tantas mercedes por sus grandes servicios merescían, teniendo muy poca esperança en los suyos, que con gran parte iguales no les eran, que echarían con gran razón a huir dél por buscar otro que mejor conoscimiento tuviesse. Pero el rey le dixo:

—Dexadvos de fablar más en ello, que yo sé lo que fago; y dezid como lo yo dixe: que me pedistes aquella tierra para Leonoreta y que gela he dado.

—Yo assí lo diré —dixo la reina— como lo mandáis, y quiera Dios que sea por bien.

Amadís se fue a su posada con más enojo y malenconía [57]

---

57. *Malenconía* puede hacer referencia en este contexto tanto a un estado de irritación (acepción derivada de la etimología popular, compuesto del adverbio «mal» y «enconía», enojo, ira), como a la melancolía (1490, Joan Corominas *Diccionario etimológico de la lengua castellana*, Madrid, Gredos en adelante, DELC), enfermedad depresiva. En cualquier caso, el *Quijote* entendió a Amadís como un héroe melancólico, frente al furioso Orlando (I, 26, p. 272).

que en su semblante mostrava; donde falló muchos y buenos cavalleros que siempre con él alvergavan, y no quiso que cosa alguna de lo que con el rey passara se les dixesse fasta que él fablasse con su señora Oriana; y apartando a Durín, le mandó que dixesse de su parte a Mabilia su cormana cómo aquella noche le complía mucho de ver a Oriana, y que al caño antiguo de la huerta, donde otras algunas vezes avía entrado, le esperassen. Con esto se tornó a aquellos cavalleros, y comieron y folgaron assí como los días passados solían fazer. Y díxoles:

—Señores, mucho vos ruego que mañana seáis aquí juntos, porque vos tengo de fablar una cosa que mucho cumple.

—Así se fará —dixeron ellos.

Passado, pues, el día y venida la noche, después de aver cenado y las gentes sossegadas, Amadís, tomando consigo a Gandalín, a la huerta se fue. Y entrando por aquella mina o caño, como algunas vezes lo fiziera, llegó a la cámara de Oriana, su señora, que lo atendía con otro tan leal y verdadero amor como el que él consigo llevava, assí que con muchos besos y abraços fueron juntos sin aver imbidia a ningunos que verdaderamente en el mundo se amassen, considerando no aver en el suyo par. Acostados en su lecho, Oriana le preguntó por qué le embiara a dezir que convenía mucho fablarla. Él le dixo:

—Por un caso muy estraño, según mi pensamiento, que con vuestro padre nos ha acaescido a mí y Agrajes, mi cormano, y a don Galvanes.

Entonces gelo contó todo assí como passara, y cómo en el fin les dixera que asaz era el mundo grande, que anduviessen por él buscando quien mejor que él los conosciesse.

—Mi señora —dixo Amadís—, pues que a él assí le plaze, assí conviene a nosotros fazerlo; que de otra manera toda aquella gloria y fama que con vuestra sabrosa membrança yo he ganado se perdería, con grande menoscabo de mi honra, tanto, que en el mundo tan menguado ni tan abiltado cavallero como yo no avría; porque os pido, señora, que no sea por vos mandado otra cosa, porque assí como seyendo más vuestro que mío, assí de la mengua más parte os alcançaría, lo que, a todos ahunque oculto fuesse, siendo a vos, mi señora, manifiesto, siempre el ánimo vuestro en gran congoxa sería puesto.

Oído por Oriana esto, comoquiera que el coraçón se le quebrasse, esforçóse lo más que pudo, y díxole:

—Mi verdadero amigo, con muy poca razón os devéis quexar de mi padre, porque no a él mas a mí, por cuyo mandado a su corte venistes, avéis servido, y de mí avéis el galardón y avréis en cuanto yo biva. Y si alguna culpa a mi padre imputarse puede, no es otra sino que, siéndole a él oculto fazer vos las cosas por mi mandado, creer en el su servicio ser fechas; y esto le obligava a que respuesta tan desmesurada no os diesse. Y comoquiera que vuestra partida sea para mí tan grave como si mi coraçón en pedaços y pieças partido fuesse, teniendo en más la razón que la voluntad y amor desordenado que os yo tengo, plázeme que se faga como pedís; pues que, según el gran señorío sobre vos tengo, en mi mano será remediarlo como más mi plazer sea, y porque mi padre, perdiendo a vos, conozca que todo lo que le quedare será para él causa de gran mengua y soledad.

Amadís, cuando esto oyó, besándole las manos muchas vezes, le dixo:

—Mi verdadera señora, ahunque fasta aquí de vos aya recebido muchas y grandes mercedes, por donde mi triste coraçón de la muerte a la vida tornado fue, ésta por muy mayor contar se deve, según la gran diferencia que los casos de honra sobre los de los deleites y plazeres tienen.

En eso y otras cosas fablando aquella noche passaron, mezclando con el gran plazer suyo muchas lágrimas considerando la gran soledad que en lo por venir esperavan; mas ya acercándose el día levantóse Amadís, acompañado de aquella su muy amada cormana Mabilia y de la donzella de Denamarcha, rogándolas muy afincadamente que a Oriana consolassen, y ellas llorando aviéndogelo otorgado, dellas se partió; y yendo a su posada, todo lo que de la noche quedava y alguna parte del día ocupó en dormir. Pero ya siendo tiempo, levantando de su lecho todos aquellos cavalleros que ya oístes, se vinieron a él; y desque ovieron oído missa, todos juntos en un campo a cavallo, Amadís desta guisa les habló:

—Notorio es a vos, mis buenos señores y honrados cavalleros, si después que yo del reino de Gaula en la Gran Bretaña venido, y mis hermanos y amigos por mi causa, las cosas del rey Lisuarte en más honra o en mayor mengua ser puestas; y por esta causa escusado será traerlas en vuestras memorias. Solamente creo que con mucha razón se os deve

dezir que assí vosotros como yo deviéramos esperar justamente gran galardón; mas, o porque la mudable fortuna, que
las cosas trabuca y rebuelve, usando de su acostumbrado oficio, o por algunos malos consejeros, o por ventura ser con
la mayor hedad la condición del rey mudada, mucho al contrario de nuestros pensamientos fallado lo hemos; que siendo por Agrajes y don Galvanes y por mí demandada en merced al rey a Madasima con su tierra para que con don Galvanes casada fuesse, quedando en su señorío y por su vasallo;
no mirando el gran valor deste cavallero y su muy alto linaje,
y los grandes servicios dél recebidos, no solamente no nos lo
quiso otorgar, mas por él nos fue negado con respuesta tan
desmesurada y tan deshonesta que por aver salido de boca
tan verdadera, de juizio tan discreto, empacho he grande que
por mí lo sepáis. Mas, pues que escusar no se puede por ser
la cosa en tales términos venida, sabréis, señores, que en la
fin de nuestra fabla diziéndole nosotros ser por él mal conoscidos nuestros servicios, nos dixo qu'el mundo era gran
de y que anduviéssemos por él a buscar quien mejor nos co-
noociesse. Assí que nos conviene que, como en la concordia
y amistad obedientes le hemos sido, que así en la discordia
y enemistad lo seamos, cumpliendo aquello que él por bien
tiene que se haga. Paréceme cosa justa que lo suplessedes,
porque no solamente a nosotros en particular, mas a todos
en general toca.

Cuando aquellos cavalleros esto que Amadís dixo oyeron, mucho fueron maravillados, y unos con otros fablando,
dezían que muy mal sus pequeños servicios serían galar-
donados cuando aquellos grandes de Amadís y sus hermanos eran de tal forma en el olvido puestos; assí que luego sus
coraçones fueron movidos para no servir más al rey, mas de-
servirle en cuanto pudiessen. Y Angriote de Estravaus, como
aquel que del bien y del mal que a Amadís viniesse entendía su parte aver, dixo:

—Mis señores, ya ha mucho tiempo que conozco al rey, y
siempre le vi muy assosegado en todas sus cosas y no se mover salvo con gran causa y justa razón; assí que esto que con
Amadís y estos cavalleros le acontesció no puedo creer, ni
en el pensamiento me caerá que de su condición ni voluntad saliesse; antes verdaderamente cuido que algunos mezcladores le han sacado de todo su saber y seso. Por tanto no
dexo de poner gran culpa a la bondad y gran virtud del rey,

y lo que yo verdaderamente pienso es que aviendo yo visto estos días passados, más que solía, fablar a Gandandel y Brocadán con él, y siendo falsos y engañosos, que olvidando a Dios y al mundo, pensando cobrar ellos y sus fijos aquello que sus malas obras no merescen, avrán causado este movimiento del rey. Y porque veades cómo la justicia de Dios se esecuta, yo me quiero ir armar luego, y dezirles que son malos embidiosos y la gran traición y falsedad que han fecho al rey y Amadís, y combatirme con ellos entrambos; y si su edad gelo escusare, que metan sendos fijos suyos comigo solo, que sostengan las maldades de sus padres.

Y queriéndose ir, Amadís lo detuvo, y le dixo:

—Mi buen amigo Angriote, no plega a Dios que el vuestro cuerpo bueno y leal sea puesto en aventura por lo que cierto no se sabe.

El le dixo:

—Yo soy cierto que ello es assí, según lo que dellos mucho tiempo conozco; y si la voluntad del rey fuesse dezir la verdad, sé que él comigo otorgaría.

Y Amadís dixo:

—Si a mí amáis, no curéis esta vez dello, porque el rey enojo no reciba. Y si essos que desís, mostrándose tanto por mis amigos, enemigos me han sido, demás de se no poder encubrir, ellos avrán aquella pena que los falsos merescen; y cuando conoscido y descubierto será, con más razón y causa podéis contra ellos proceder; y creed que entonces no vos lo escusaré.

Angriote dixo:

—Ahunque contra mi voluntad sea, yo lo dexaré esta vez, pues que assí vos plaze; mas para adelante quedará.

Entonces Amadís, bolviéndose a aquellos cavalleros, les dixo:

—Señores, yo me quiero despedir del rey y de la reina si me ver quisieren, y irme a la Insola Firme; y a los que pluguiere que en uno bivamos allí nos farán honra, demás del plazer que ternemos, porque aquella tierra es muy viciosa, abundada de todas las cosas y de muchas caças y fermosas mugeres, que son causa, doquiera que las haya, de hazer a los cavalleros más loçanos y orgullosos. Y yo en ella tengo muchas y preciadas joyas de gran valor que para nuestras necessidades serán bastantes. Allí nos vernán a ver muchos de aquellos que nos conoscen y otros estraños, assí hombres como mugeres, que nuestro socorro avrán menester. Y allí tornaremos cada que nos pluguiere a amparar y reparar a nuestros trabajos. Pues junto con esto, assí en la vida del rey Perión, mi padre, como después della, aquel reino de Gaula no nos faltará en la pequeña Bretaña, de que agora ove las cartas como en sus días me la dieron. Esto todo por vuestro sin duda contarlo podéis. Pues también vos trayo a la memoria el reino de Escocia que mi cormano Agrajes avrá, y el de la reina Briolanja que por mal ni por bien faltar no nos puede.

—Esso podéis vos, señor Amadís, con mucha verdad dezir —dixo un cavallero que Tantiles se llamava, mayordomo y governador de aquel reino de Sobradisa—, que siempre a vuestro mandado será con aquella fermosa reina que vos reinar fezistes.

Don Cuadragante le dixo:

—Agora, señor, vos despedid del rey, y allí parescerán los que vos aman y vuestra compañía quieren.

—Así lo faré —dixo Amadís—, y en mucho terné a los que a esta sazón me quisieren honrar; no por tanto digo que quedando a su provecho con el rey lo dexan de fazer. Ciertamente, yo creo que tan buen señor en gran parte no se fallaría a esta sazón.

El rey passava cavalgando y Gandandel que lo aguardava, y otros muchos cavalleros; y andava caçando con unos esmerejones. Y assí anduvo una pieça cabe ellos; y no los fablando ni mirando, se tornó a su palacio.

CAPÍTULO LXIII

CÓMO AMADÍS SE DESPIDIÓ DEL REY LISUARTE, Y CON ÉL OTROS DIEZ CAVALLEROS, PARIENTES Y AMIGOS DE AMADÍS, LOS MEJORES Y MÁS ESFORÇADOS DE TODA LA CORTE; Y SIGUIERON SU VÍA PARA LA INSOLA FIRME, DONDE BRIOLANJA PROBAVA LAS AVENTURAS DE LOS FIRMES AMADORES Y DE LA CÁMARA DEFENDIDA; Y DE CÓMO DETERMINARON DE DELIBRAR DEL PODER DEL REY A MADASIMA Y A SUS DONZELLAS

COMO Amadís vio el desamor que el rey le mostrava, levando consigo todos aquellos cavalleros se fue a despedir dél; y como por el palacio entró, y le vieron el continente mudado de como solía, y a tal ora que ya las mesas eran puestas, llegáronse todos por oír lo que diría. Y llegado ante el rey, le dixo:

—Señor, si vos en algo contra mí erráis, Dios y vos lo sabéis, y por agora no diré más, porque, ahunque mis servicios grandes fuessen, mucho mayor era la voluntad de pagar las honras que de vos he recebido. Ayer me deziestes que fuese andar por el mundo y buscasse quien mejor que vos me conosciesse, dando a entender que lo que más os será agradable es ser yo fuera de vuestra corte; y pues esto es lo que a vos plaze, a mí conviene de lo fazer. Yo no me puedo despedir de vasallo, pues que lo nunca fue vuestro, ni de otro ninguno sino de Dios. Mas despídome de aquel gran desseo que cuanto vos plugo teníades de me fazer honra y merced, y del gran amor que yo de lo servir y pagar tenía.

Y luego se despidieron don Galvanes y Agrajes y Florestán; y Dragonís y Palomir, cormanos de Amadís; y don Bruneo de Bonamar y Branfil, su hermano; y Angriote de Estraváus y Grindonán, su hermano, y Pinores, su sobrino. Y don Cuadragante paresció delante del rey y díxole:

—Señor, yo no quedé con vos sino por ruego de Amadís, queriendo y deseando aver su amor, pues que con razón verdadera se falló camino que el sentimiento que dél tenía fuese a mi honra apartado; y pues que, por su causa fue vuestro, por ella misma no lo seré de aquí adelante, que poca esperança ternían mis pequeños servicios cuando en los sus grandes fallesce, que mal vos acordáis de cuando vos sacó de las manos de Madanfabul, de donde otro ninguno os sacar pudiera; y del vencimiento que os hizo aver en la batalla del rey Cildadán, y de cuanta sangre él y sus hermanos y parientes allí perdieron; y cómo quitó a mí de vuestro estorvo, y a Famongomadán y a Basagante, su fijo, que los más fuertes gigantes del mundo eran; y también a Lindoraque, el fijo del gigante de la Montaña Defendida, que uno de los mejores cavalleros era de cuantos yo sabía; y Arcaláus el Encantador; y que todo esto se olvidasse de vuestra memoria, aviendo mal galardón, pues si estos que digo contra os en aquella batalla fuéramos, y no fuera Amadís de vuestra parte, mirad lo que dende vos pudiera venir.

Respondió el rey:

—Don Cuadragante, bien entiendo, según vuestras palabras, que me no amáis; ni por mi pro lo dezís, ni ahun avéis con Amadís tal deudo por donde deváis querer su pro ni su bien; mas dezís aquello que por ventura no está tan firme en vuestro pensamiento como la palabra lo muestra.

Dixo don Cuadragante:

—Vos diréis lo que os pluguiere como gran señor que sois, mas cierto soy que no moveréis a Amadís con palabras de mezclamiento, assí como se mueven otros que al cabo conoscerán su yerro. Y si yo le fuere buen amigo o malo a Amadís, en poco estamos de lo mostrar.

Y quitósele delante. Y luego llegó Landín y díxole:

—Señor, en vuestra casa no fallé yo ayuda ni reparo de mis llagas, sino en Amadís; assí que, dexando de ser vuestro, con él y con mi tío, don Cuadragante, me quiero ir.

Y el rey le respondió:

—Ciertamente, yo pienso que en vos no nos quedaría buen amigo.

—Señor —dixo él—, cual ellos vos fueren, tal lo seré yo, pues que de su mandado no tengo de salir.

A esta ora estavan juntos a un cabo del palacio don Brian de Monjaste, cavallero muy preciado, fijo del rey Ladasán de Spaña y de una hermana del rey Perión de Gaula, y Grandiel, y Orlandín, fijo del conde de Urlanda, y Grandores y Mandancil, el de la Puente de la Plata, y Listorán de la Torre Blanca y Lodolín de Fajarque, y Tranhiles el Orgulloso, y don Gavarte de Valtemoroso. Y cuando assí vieron que aquellos cavalleros, por amor de Amadís, del rey se avían despedido, fueron todos delante dél y dixéronle:

—Señor, nos venimos a vuestra casa por ver Amadís y a sus hermanos, y por ganar su amor; y pues ésta fue la causa principal, así lo es para no estar más en ella.

Despedidos estos cavalleros como oídes, y no quedando otro ninguno, Amadís se quisiera despedir de la reina, mas el rey no le plugo, porque siempre ella avía sido muy contraria en esta discordia; mas embióse a despedir con don Grumedán. Y saliendo del palacio se fue a su posada, y todos aquellos cavalleros con él, donde las mesas fallaron puestas y en ellas fueron servidos de muchos y buenos manjares. Y luego cavalgaron en sus cavallos, armados de todas armas, que serían fasta quinientos cavalleros, en que avía hijos de reyes y de condes y otros de gran guisa, assí en linaje como en gran prez y bondad de armas, que por todo el mundo sus grandes hechos eran sabidos, y tomaron el camino derecho de la Insola Firme, para alvergar aquella noche en una ribera a tres leguas de allí, donde ya por mandado de Amadís las tiendas eran armadas. Mabilia, que de una ventana del palacio de la reina los mirava, los vio ir tan apuestos, que como las armas eran frescas y ricas, y con la clareza del sol, que en ellas fería, las fazía muy resplandeçientes. No havía persona que los viesse que se no maravillasse y no tuviesse por mal aventurado al rey que tal cavallero como Amadís de sí partir quería con aquellos que le seguían. Y fuesse a Oriana y díxole:

—Señora, dexad essa tristeza y mirad aquellos vuestros vassallos, y fuelgue vuestro coraçón en tener tal amigo; que si hasta aquí, sirviendo a vuestro padre, vida de cavallero andante tuvo, agora fuera de su servicio, assí como el gran príncipe poderoso se mostrará; lo cual, señora, todo redunda en vuestra grandeza.

Oriana, muy consolada de aquellas palabras, los mirava, remediando con su gran cordura y discreción aquella passión y afición que de la voluntad y apetito atormentada era.

Salieron con Amadís por le fazer mucha honra el rey Arbán de Norgale, y Grumedán, el amo de la reina, y Brandoivas, y Quinorante, y Giontes, sobrino del rey, y Listorán el buen justador. Estos ivan con él apartados de la gente, y muy tristes por este su apartamiento del rey. Y Amadís les iva rogando que le fuessen amigos en aquello que sin cargo de sus honras serlo pudiessen, que él siempre los ternía en el grado y estima en que fasta allí los havía tenido; y que ahunqu'el rey lo desamasse, no teniendo en ello justa causa, que lo no fiziessen ellos, ni por esso dexassen de le servir y honrar como tan buen rey lo mereçía. Ellos le dixeron que lo nunca desamarían por ninguna cosa, que ahunque al rey sirviessen con la lealtad que obligados eran, nunca sus coraçones se partirían de lo amar.

Amadís les dixo:

—Ruégoos, señores, que digáis al rey que agora pareçe claro lo que Urganda delante dél me dixo: que del señorío que para otro ganasse no havría gualardón sino de saña y de alongamiento de mi voluntad, assí como agora me avino en ganar la ínsola de Mongaça para el su señorío, por donde contra toda razón fue su voluntad movida, sin jelo mereçer, contra mí, como véis; y que estas tales cosas muchas vezes aquel justo Juez las remedia, dando a cada uno su derecho.

Don Grumedán dixo que lo diría todo al rey como lo él

mandava, y que maldita fuesse Urganda, que tan verdadera
havía salido. Y con esto se tornaron a la villa, y luego llegó
a él don Guilán el Cuidador, y llorando le dixo:

—Señor, vos sabéis bien mi fazienda, que de mí ni de mi
coraçón puedo hazer ninguna cosa, y conviene que sigua la
voluntad ajena de aquella por quien yo soy en mortales angustias y dolores puesto, de la cual esta vez me es defendido
que con vos no vaya; donde soy puesto en gran vergüença,
que agora quisiera pagar aquellas grandes honras que de vos
y de vuestros hermanos siempre recebí, mas no puedo.

Amadís, que los grandes y demasiados amores deste cavallero sabía, y cómo él amava a su señora Oriana y la temía,
lo abraçó riendo, y le dixo.

—Don Guilán, el mi grande amigo, no plega a Dios que
tan buen hombre, y tan entendido como vos, erróssedes a
vuestra señora ni passássedes su mandado, ni tal consejo os
daría, que no sería vuestro amigo; antes, que la sirváis, y cumpláis su voluntad y la del rey, vuestro señor; que bien cierto
soy que guardando vuestra lealtad, dondequiera que seáis vos
terné por amigo, como lo siempre tuve.

—Agora, señor —dixo don Guilán—, vaya como fuere, que
yo fío en Dios que siempre havréis mi servicio.

Estonces se despidió dél; y Amadís y su compaña se fueron aquella noche a la ribera de la mar, donde tenían sus
alvergues. Y todos andavan alegres, y se esforçavan unos a
otros, y que Dios les faría merced en ser partidos del rey,
que en tan poco sus servicios tenía, y que mejor fuera saber
temprano aquel engaño que no haviendo despendido más
tiempo en su compañía. Pero el coraçón de Amadís, ahunque en las otras cosas todas muy esforçado fuesse, en este
apartamiento de su señora muy enflaqueçido era, no sabiendo ni pensando cuándo verla pudiesse. Assí passaron aquella noche muy viciosos de todo lo que menester ovieron.
Y otro día de mañana cavalgaron y fueron su camino derecho
de la Insola Firme.

Otro día que Amadís y sus compañeros se partieron, el
rey, después de aver oído missa, assentóse en su palacio
como lo havía él costumbre, y miró a un cabo y a otro, y
como se vio tan menguado de aquellos cavalleros que allí
solían estar, membróse de cuán arrebatadamente se moviera
contra Amadís; y vínole un tan gran pensamiento en manera
que en otra cosa ninguna parava mientes. Y Gandandel y Bro-

cadán, que ya sabían lo que Angriote dellos dixera, y al rey
vieron de tal forma, fueron muy espantados, creyendo que
el rey no se falla bien del su consejo que contra Amadís le
havían dado. Pero veyendo que ya no era tiempo de se dello
retraer, quisieron seguir por su mal propósito adelante, que
esta mala dolencia han los grandes yerros. Y acordaron de
ir a remediar que aquellos cavalleros no tornassen al rey; si
no ellos muertos eran; y luego se fueron a él juntos, y díxole
Gandandel:

—Señor, de hoy más podéis folgar y descansar, pues que
havéis apartado de vuestro servicio aquellos que dañarlo pudieran, de lo que a Dios devéis dar muchas gracias; y del
hecho de vuestra tierra y casa nos vos descargaremos con
mayor cuidado que de lo nuestro propio. Ca, señor, cuando
parardes mientes en el haver que aquéllos dávades, que libre
vos queda, mucho vuestro ánimo folgará.

El rey los miró de mal semblante, y díxoles:

—Mucho me maravillo de lo que me dezís que yo dexe
en vos mi tierra y mi casa, que yo con todos los que en ello
pongo no es remedio para ello, ¡y vosotros, en quien no veo
tanta discreción, pensar de lo cumplir! Y puesto caso que
para ello bastássedes, no se ternían por contentos mis vassallos y los de mi casa de ser governados por vuestra autoridad; y desto que me dezís de me quedar aquel grande haver
que aquellos cavalleros dava, querría saber en qué lo podría
yo mejor emplear que mi honra y servicio fuesse. Porque ningún haver es bien empleado sino en el poder y valía de los
hombres, que si de mi mano y poder salía lo que aquéllos
llevavan, mi honra era con ello guardada y el mi señorío
acrescentado, y en la fin todo a mi mano se tornava; assí
que el haver que es empleado donde deve, aquél yace en
buen thesoro donde nunca se pierde; y en esto no quiero
que me habléis, porque no tomaré vuestro consejo.

Y levantándose de entre ellos, y mandando llamar los caçadores, se fue al campo; y ellos quedaron de aquella respuesta muy spantados, veyendo que ya el rey mirava en el
mal consejo que le dieran.

A esta sazón llegó una donzella de la reina Briolanja, que
venía con su mandado a Oriana para le fazer saber lo que
le acontecíera en la Insola Firme, con la cual ovieron todas
mucho plazer, porque aquella reina era dellas muy amada.
Y estonces dixo a Oriana:

—Señora, yo soy venida a vos de parte de Briolanja para vos dezir las maravillas que en la Insola Firme falló, y quiso que por mí, que las vi todas, fuéssedes dello sabidora.

—Dios le dé mucha vida —dixo Oriana—, y a vos buena ventura por el afán que tomastes.

Estonces llegaron todas por ver lo que diría; y la donzella dixo:

—Señora, sabed que Briolanja llegó con toda su compaña, como fue de aqui aquella ínsola, donde estuvo cinco días; y luego le fue preguntado si provaría la cámara o el arco del amor, y ella dixo que aquellas dos pruevas quería dexar para la postre; y leváronla luego a una legua del castillo a unas muy fermosas casas, que por ser assentadas en muy abundoso y vicioso lugar, eran unas de las nombradas y principales moradas de Apolidón. Y desque la hora del comer vino, leváronnos a una grande y muy fermosa sala labrada a maravilla, y a un cabo della estava una grande cueva muy fonda y muy escura, y tan pavorosa de mirar que ninguno se osava llegar a ella. Y al otro cabo de aquel tan gran palacio stava una muy fermosa torre, que desde las finiestras della se puede ver todas las cosas que en aquella sala se hazen, y allí nos fizieron subir todos; donde fallamos cabe las finiestras puestas las mesas y los estrados, y allí fue la reína y nosotras muy bien servidas de muy diversos manjares, y de dueñas y donzellas muy servidas. Y debaxo, en el palacio que oístes, comían los cavalleros y la otra gente nuestra, y eran servidos de los cavalleros de la tierra y cuando les pusieron delante el segundo manjar, oyeron silvos muy grandes en la cueva, y salía fumo caliente, y no tardó mucho que salió una gran serpiente y púsose en medio del palacio con tanta braveza y tan espantosa, que no havía persona que la mirar osasse; y lançava por la boca y las narizes gran fumo, y hería con la cola tan fuerte, que todo el palacio hazía estremeçer. Y luego empos ella salieron de la cueva dos leones muy grandes, y començaron entre sí una batalla tan brava y tan esquiva, que no ay coraçón de hombre que se no espantasse. Estonces los cavalleros y la otra gente dexando las mesas salieron del palacio con la mayor priessa que podían, y ahunque las finiestras donde Briolanja y nosotras mirávamos, eran muy altas, ni por esso dexamos de tener gran miedo y spanto. La batalla duró media hora y en cabo los leones fueron tan cansados que se tendieron en el suelo como muertos, y

la serpiente tan cansada y tan lassa, que apenas el huelgo
podía en sí cojer, pero desque una pieça descansó, tomó el
uno de los leones en la boca y levólo a la cueva y tornando por el otro, los lançó dentro, y ella se echó empós dellos.
Assí que en todo el día no pareçieron más, y los hombres
de la ínsola reían mucho de nuestro spanto; y haziéndonos
ciertos que por aquel día no havría más, tornamos a las mesas
y acabamos nuestra comida. Assí passamos aquel día, y a la
noche en buen alvergue, y otro día lleváronnos a otro lugar
más sabroso que aquél, donde con mucho plazer y abasto
de las cosas que menester havíamos, passamos aquel día. Y
cuando fue hora de dormir, lleváronnos a una cámara rica y
fermosa a maravilla, donde havía una cama de ricos y preciados paños para Briolanja, y otras asaz buenas para nosotras. Y desque echadas fuemos, passada la media noche, que
muy sossegadas y dormidas estávamos, abriéronse las puertas con tan gran sonido, que con gran espanto fuemos des-
piertas, y vimos entrar un ciervo por la puerta con candelas
encendidas en los cuernos, que toda la cámara alumbrava
como si de día fuesse. Y la meitad dél havía tan blanco como
la nieve, y el pescueço y la cabeça tan negra como la pez, y
el un cuerno semejava dorado y el otro bermejo. Y empós
dél venían cuatro perros de la semejança dél, y cada uno
dellos le aquexava mucho, assí que le traían acuitado. Y
empós dellos venía un cuerno de marfil con unas vergas de
oro, y tañíase de suyo andando en el aire como si en mano
de alguno anduviese, y hazía propio son de montería, y con
él los canes se alegravan; assí que al ciervo no le dexavan
assossegar, y hazíanlo fuir a una y, otra parte por la cámara,
y saltava por cima de nuestras camas, que las fazía estremeçer, y a las vezes tropeçava en ellas y caía; y nosotras levantadas en camisas y en cabellos fuyendo delante del ciervo, y
algunas se metían debaxo de los lechos. Mas los canes no
dexavan de lo seguir cuanto más podían; y cuando el ciervo
vio que no havía guarida en la cámara, salióse por una ventana, corriendo cuanto más podía, y los canes tras él, de que
muy alegres fuemos. Y tomando de aquella ropa, que rebuelta por allí estava, con que nos cubriéssemos, dimos a Briolanja, que muy cuidada estava, un sayo que se vistió; y passado aquel miedo, tovimos muy gran risa de aquella rebuelta en que nos vimos. Y estando adereçando nuestros lechos,
entró por la puerta una dueña y dos donzellas con ella, y

una niña pequeña que le traía candelas delante; y dixo a Briolanja: «Señora, ¿qué havéis havido que a tal hora estáis levantada?» Ella le dixo: «Amiga, una tal rebuelta que no sería poco de la contar.» La dueña se rió mucho, y dixo: «Pues, señora, acostaos y dormid, que por esta noche no havrá más de que os temer.» Con esta seguridad adereçamos los lechos y dormimos lo que de la noche quedó, y otro día de gran mañana movimos de allí y fuemos a un bosque donde havía muy grandes pinares y fermosas huertas, y posamos en tiendas ribera de una agua, y allí fallamos una casa redonda sobre doze postes de mármol, con una cobertura estrañamente fecha. Por entre los postes se cierra con llaves de cristal muy sotilmente, en manera que el que dentro está puede ver todos los de fuera, y tenía unas puertas labradas de fojas de oro y de plata de grande y estraño valor a maravilla. Y cabe cada poste por de dentro de la casa estava una imagen de cobre hecha a la semejança de gigante, y tienen arcos muy fuertes en sus manos, y saetas en ellos con fierros de fuego tan ardientes y tan bivos como si del fuego saliessen; y dizen que no ay cosa ninguna que allí entre que con las fuerças de aquellas saetas y del su fuego que luego no sea hecha ceniza, porque las imágenes tiran luego con los arcos, assí que no yerran ningún tiro. Y delante Briolanja y nosotras metieron allí dos gamos y un ciervo, y luego las saetas fueron en ellos metidas; y tornadas a los arcos, quedaron las animalias hechas ceniza. Y en las puertas de aquel palacio havía letras scriptas que dezían: «Ningún hombre ni muger no sea osado de entrar en esta casa sino fueren aquel y aquella que tanto y tan lealmente tienen su amor como Grimanesa y Apolidón, que este encantamiento hizo; y conviene que entren juntos la vez primera, que si cada uno por sí lo fiziere, será pereçido de la más cruel muerte que se nunca vio; y este encantamento y todos los otros durarán hasta tanto que vengan aquel y aquella que por su gran lealtad de sus amores, y gran bondad de armas del cavallero, en la fermosa cámara encantada entrarán, y ende fuelguen en uno. Y cuando el ayuntamiento de ambos fuere acabado, estonces serán desfechos todos los encantamentos desta Insola Firme.» Allí estovimos aquel día, y Briolanja mandó llamar a Isanjo y a Enil, y díxoles que ya no querían ver más, salvo lo del arco del amor y la cámara defendida; y preguntó a Isanjo qué cosa era aquello de la sierpe y de los leones y lo del ciervo y canes. «Señora», dixo él, «no sabemos más sino que cada día salen aquella hora que vistes, y han su batalla de aquella forma; y del ciervo y de los canes vos digo que todas las noches vienen a aquella cámara aquella hora que vistes, y tórnanse a ir por la ventana, y los canes empós dél, y vanse a meter todos en un lago que es cerca de aquí, que creemos que de la mar sale; y no sé, señora, más que vos diga, sino que en un año no podríades acabar de ver las grandes maravillas que en esta ínsola son.» Pues venida la mañana, cavalgamos en nuestros palafrenes y tornamos al castillo; y luego Briolanja se fue al arco de los leales amadores y entró por los padrones defendidos como aquella que nunca errara en sus amores sin entrevallo alguno. Y la imagen hizo con la trompa muy dulce son, tanto, que a todos nos fizo desmayar; y tanto que Briolanja fue dentro donde las imágines de Apolidón y Grimanesa estavan, el son cessó con una muy dulce dexada que maravilla era de lo oír; y allí vio aquellas imágines tan fermosas y tan frescas como si bivas fuessen. Assí que estando ella sola, mucho acompañada con ellas se fallava; y luego vio en el jaspe scriptas letras frescas que dezían: «Este es el nombre de Briolanja, la fija de Tagadán, rey de Sobradisa; ésta es la tercera donzella que aquí entró.» Y luego acordó de se salir fuera, con mucho miedo de se ver sola, y que ninguno de su compaña allá entrar podía. Y salida de allí se fue a su posada; y al quinto día fue a provar la cámara defendida, y iva vestida muy ricamente a maravilla, y no llevava sobre sus fermosos cabellos sino un prendedero de oro muy fermoso, y de piedras muy preciadas, y todos los que allí la vieron dezían que si ella no entrasse en la cámara, que en el mundo no havía otra que lo acabasse, y que de aquella vez havrían fin todos aquellos encantamentos. Y ella se encomendó a Dios, y entró por el sitio defendido y passó por el padrón de cobre, y llegó al de mármol, y leyó las letras que en él estavan scriptas, y passó adelante tanto, que todos pensaron que acabado era; y llegando a tres passadas de la puerta de la cámara, tomáronla tres manos por los sus cabellos fermosos y preciados, y sacáronla del campo muy sin piedad. Assí como a las otras, lo hizieron fuera del lugar defendido, y quedó tan maltrecha que la no podíamos acordar.

Oriana, qu'el coraçón tenía desmayado y triste de lo que ante oía, tornó muy alegre, y miró a Mabilia y a la donzella de Denamarcha, y ellas a ella, que les mucho plazía; y la donzella dixo:

—Aquel día, señora, estovimos allí, y otro día se partió Briolanja para su reino.

Y desque las nuevas fueron assí contadas, partióse la donzella para su señora, y levóles el mandado de la reina Brisena y de Oriana, y de las otras dueñas y donzellas.

Amadís y sus compañeros que partieron de la corte del rey Lisuarte, como havedes oído, llegaron a la Insola Firme, donde con mucho plazer y alegría recebidos fueron de todos los moradores della; porque, assí como con gran tristeza aquel su nuevo señor havían perdido, assí en lo haver cobrado, con doblado plazer sus ánimos fueron. Y cuando aquellos cavalleros que con él ivan vieron el castillo que tan fuerte era, y que la ínsola otra entrada no tenía sino por él, seyendo tan grande y de tierra tan abastada, y tan sabrosa según oído havían, y poblada de tanta y tan buena gente, dezían que bastante era para dar guerra desde allí a todos los del mundo. Y luego fueron aposentados en la mayor villa, que debaxo del castillo era.

Y sabed que en esta ínsola havía nueve leguas en luengo y siete en ancho, y toda era poblada de lugares y de otras ricas moradas de cavalleros de la tierra. Y Apolidón fizo en los más sabrosos lugares cuatro moradas para sí, las más estrañas y viciosas que hombre podría ver. Y la una era la de la sierpe y de los leones, y la otra la del ciervo y de los canes; y la tercera, que llamavan el palacio tornante,[58] que era una casa que tres vezes al día, y otras tres en la noche, se bolvía tan rezio que los que en él estavan pensavan que se fundían. La cuarta se llamava del Toro, porque salía cada día un toro muy bravo de un caño antiguo, y entrava entre la gente como que los quisiesse matar, y fuyendo todos ante él, quebrava con sus fuertes cuernos una puerta de fierro de una torre, y entrávase dentro. Mas a poco rato salía muy manso, y un ximio viejo sobre él, tan arugado que los cueros le colgavan de cada parte; y dándole con un açote le

58 Los castillos giratorios (aquí *palacios tornantes*) son muy frecuentes en la literatura artúrica (*Perlesvaus, La Doncella de la mula*, etc.) y corresponden a un tipo de construcción fantástica automatizada, obra de un hada, encantador o también atribuidos a Virgilio según la leyenda que lo convirtió en arquitecto fabuloso *(Perlesvaus)*.

hazía tornar a entrar por el caño donde salido havía. Mucho
plazer y deleite havían todos aquellos cavalleros en mirar
estos encantamientos y otros muchos que Apolidón hiziera
por amor de dar plazer a Grimanesa, su amiga; assí que siempre tenían en qué passar tiempo. Y todos estavan muy firmes en el amor de Amadís, para lo seguir en todo lo que su
voluntad fuesse.

Pues a esta sazón que oís llegó allí el hermitaño Andalod, el que en la Peña Pobre habitava al tiempo que allí Amadís estuvo; el cual vino a dar orden en el monesterio que
oístes. Y cuando assí vio Amadís, dio muchas gracias a Dios
por haver dado a tan buen hombre la vida, y mirávalo y
abraçávalo como si nunca lo viera. Y Amadís le besava las
manos gradeçiéndole con mucha humildad la salud y la vida
que por Dios y por él oviera; y luego fue fundado un monesterio al pie de la peña en aquella hermita de la Virgen
María, donde Amadís, muy desesperado de la su vida, con
gran dolor de su ánimo por la carta que su señora Oriana le
embió, fizo la oración y se fue a perder como ya se vos dixo;
en el cual quedó un hombre bueno que Andalod traxo, Si-
sián llamado, y treinta frailes con él. Y Amadís les mandó
dar tanta renta con que abastadamente bivir pudiessen, y Andalod se tornó a la Peña Pobre como de ante.

Estonces llegó allí Baláis de Carsante, aquel que Amadís
sacara de la prisión de Arcaláus, que se fue a despedir del rey
Lisuarte cuando supo que Amadís se iva dél descontento; también vino con él Olivas, aquel a quien Agrajes y don Galvanes ayudaron en la batalla del duque de Bristoya. Y preguntaron a Baláis por nuevas de casa del rey Lisuarte. Y él dixo:

—Asaz ay que dellas se puedan contar. —Estonces les
dixo—: Sabed, señores, que el rey Lisuarte ha embiado a
mandar que toda su gente sea luego con él, porque el conde
Latine y aquellos que embió a tomar la ínsola de Mongaça
le fizieron saber que el gigante viejo les diera todos los castillos que tenía en poder él y sus hijos, mas que Gromadaça
no quiere dar el Lago Ferviente, que es el más fuerte castillo
que hay en toda la ínsola y otros tres castillos muy fuertes.
Y sabed que ha dicho Gromadaça que nunca en los días de
su vida desemparará aquello donde fu ya [59] con su marido

---

59. *fu ya,* Z, fol 131, rº, según Place, «fui ya» con y embebida (leo-
nés ant.) (II, 635).

Famongomadán y Basagante, su hijo, y que antes morirá que los entregue, y que siempre della recibirá muchos enojos; que de su hija Madasima y de sus donzellas, que haga lo que por bien tuviere, que ella muy poco daría por ellas ni por su vida, solamente que algún pesar le puede hazer. Por donde digo que assí se puede tomar por enxemplo cuán rigoroso y cuán fuerte es el coraçón airado de la muger, queriendo salir de aquellas cosas convinientes para que engendrada fue, que como su natural no lo alcança, forçado es que el poco conoçimiento poco en lo que cumple pueda proveer; y si alguna al contrario desto se falla, es por gran gracia del muy alto Señor en quien todo el poder es, que sin ningún entrevallo las cosas puede guiar donde más le pluguiere, forçando y contrariando todas las cosas de natura.

Después que Baláis les contó estas nuevas, preguntáronle qué dixera el rey, o qué quería fazer; y él les dixo:

—Junta todo su poder assí como ya vos conté, y juró que si los castillos que Gromadaça tenía no havía fasta un mes, que faría descabeçar a Madasima y a sus donzellas, y que luego iría sobre el Lago Ferviente, y dél no se alçaría hasta lo tomar; y que si a la giganta vieja a su poder oviesse, que la faría echar a sus muy bravos leones.

Oídas por ellos estas nuevas, gran enojo ovieron; y fizieron aposentar aquellos cavalleros, y ellos fablaron mucho en aquello. Mas don Galvanes, a quien no le olvidava la promessa fecha por él a Madasima, y las grandes angustias y dolores de que su coraçón por sus amores atormentado era, díxoles:

—Buenos señores, todos sabéis bien cómo la causa principal por que Amadís y nosotros nos partimos del rey fue por lo de Madasima y por mí; y yo lo ruego mucho a vosotros todos que me seáis ayudadores a que quitar pueda la palabra que allá dexé, que fue de la defender con derecha razón, y si la razón no me valiesse, de la defender por armas; lo cual con ayuda de Dios y de vosotros pienso yo muy bien fazer.

Don Florestán se levantó en pie y dixo:

—Señor don Galvanes, otros están aquí más entendidos y de mejor consejo que yo, los cuales para defender a Madasima tenéis, y si por razón defender se puede, esto sería lo mejor; mas si la batalla necessaria es, yo la tomaré en el nombre de Dios para la defender y adelantar vuestra palabra.

—Buen amigo —dixo don Galvanes—, yo vos lo gradezco cuanto puedo, porque bien dais a entender que me sois leal amigo; mas si por armas se oviere de librar, a mí conviene que lo mantenga, que yo lo prometí, y yo lo passaré.

—Buenos señores —dixo don Brian de Monjaste—, ambos dezís muy bien, pero todos havemos parte en este fecho; pero lo que a Amadís acaeçió con el rey fue darnos a entender a nosotros en lo que éramos tenidos, y lo que a él y a vos, señor don Galvanes, acaeçió, assí pudiera avenir a cada uno de los que allí éramos; y si más sobre este hecho no tornássemos, gran mengua a todos alcançaría, ahunque la causa principal de Amadís sea; que, pues juntos salimos y assí estamos, lo de cada uno de nos de todos es, assí que en esto no ay cosa partida. Y dexando aparte lo nuestro, Madasima es donzella, una de las buenas del mundo, y es en aventura de la vida perder, y sus donzellas assí mesmo; y como lo principal de la orden de cavallería sea socorrer a las semejantes, dígovos que yo punaré que con razón sean defendidas, y cuando ésta faltare, será con armas cuanto mis fuerças bastaren para ello.

Don Cuadragante dixo:

—Cierto, don Brian, vos lo dezís como hombre de tan alto lugar, y assí creo yo que muy mejor lo faréis, que este negocio a todos atañe, y en tal manera lo devemos tomar, que nos tengan por hombres de buen recaudo, y luego sin más tardança, porque muchas vezes acaeçe con la dilación prestar poco la buena voluntad, pues que la obra en efecto venir no puede en tiempo que aprovechar pueda. Y acuérdeseos, señores, cómo aquellas donzellas están mezquinas,[60] desamparadas, y que no por su voluntad fueron en aquella prisión metidas, sino por aquella obediencia que Madasima a su madre devía: assí que, ahunque en lo del mundo algo el rey contra ellas tenga, en lo de Dios no ninguna cosa, pues que más por fuerça que por su querer se condenaron.

Amadís dixo:

—Mucho me plaze, señores, en oír lo que dezís, porque las cosas con amor y concordia miradas, no se deve esperar sino buena salida, y si assí vuestros fuertes y bravos coraçones en lo porvenir como en este presente lo tienen, no solamente el remedio de aquellas donzellas tengo yo en mucho,

60. *mezquinas,* que viven en gran miseria *(TLE).*

mas passar a otras tan grandes cosas, que ningunos en el mundo iguales vos pudiessen ser. Y pues que todos estáis en este socorro, si vos pluguiere, diré yo mi pareçer de aquello que fazer se deve.

Todos le rogaron que lo dixesse. Estonces él dixo:

—Las donzellas son doze. Yo ternía por bien que por doze cavalleros de vosotros sean socorridas por razón y por armas, cada uno la suya, assí juntos en uno si ser pudiere como par- tidos como la necessidad se ofrezca; y bien cierto soy que todos los aquí estáis, según vuestro gran esfuerço, tomaría- des esta afruenta por vicio y plazer; mas ser no puede, pues que más de doze no pueden ser; y éstos quiero yo nombrar, quedando los otros y yo para las cosas de mayor peligro que ocurrirnos puedan.

Estonces dixo:

—Vos, señor don Galvanes, seréis el primero, pues que el negocio principalmente vuestro es, y Agrajes, vuestro sobri- no, y mi hermano don Florestán, y mis cormanos Palomir y Dragonís, y don Brian de Monjaste, y Nicorán de la Torre Blanca, y Orlandín, hijo del conde de Urlanda, y Gavarte de Valtemoroso, y Mosil, hermano del duque de Borgoña, y Madancil de la Puente de la Plata, y Ladaderín de Fajar- que; estos doze tengo por bien que a esto vayan, porque entre ellos van hijos de reyes y de reinas y de duques y de condes de tan alto linaje que allá no pueden fallar ninguno que le par no sean.

A todos plugo mucho desto que Amadís dixo, y los nom- brados se fueron luego a sus posadas para endereçar las cosas convenientes a la partida, que otro día de gran mañana havía de ser; y aquella noche alvergaron todos en la posada de Agrajes, y a la media noche fueron armados y a cavallo, y puestos en el camino de Tasilana, y la villa donde el rey Lisuarte estava.

CAPÍTULO LXIV

Cómo Oriana se falló en gran cuita por la despedida
de Amadís y de los otros cavalleros, y más de hallarse preñada; y de cómo doze de los cavalleros que con
Amadís en la Insola Firme estavan vinieron a defender
a Madasima y a las otras donzellas que con ella estavan puestas en condición de muerte sin haver justa
razón por qué morir deviessen

Contado se vos ha cómo Amadís estuvo con su señora
Oriana en el castillo de Miraflores sobre espacio de
ocho días, según pareçe, que de aquel ayuntamiento Oriana preñada fue, lo cual nunca por ella sentido fue, como
persona que de aquel menester poco sabía, fasta que ya la
gran mudança de su salud y flaqueza de su persona gelo
manifestaron. Y como lo entendió, sacó aparte a Mabilia y a
la donzella de Denamarcha, y llorando de los sus ojos les
dixo:

—¡Ay, mis grandes amigas! ¿qué será de mí?, que según
veo la mi muerte me es llegada, de lo cual yo siempre me
recelé.

Ellas, pensando que por la partida de su amigo y la soledad dél lo dezía, consoláronla como fasta allí lo havían fecho.
Mas ella dixo:

—Otro mal junto con ésse me ha sobrevenido, que nos
pone en mayor fortuna y mayor peligro. Y esto es que verdaderamente soy preñada.

Estonces les dixo las señales por donde lo devían creer,
assí que conoçieron ser verdad su sospecha; de que muy espantadas fueron, ahunque gelo no dieron a entender; y díxole
Mabilia:

—Señora, no vos espantéis, que a todo havrá buen remedio; y siempre me tuve por dicho que de tales juegos ha-
vríades tal ganancia.

Oriana, ahunque havía gran cuita, no pudo estar que de
gana no riesse; y dixo:

—Mis amigas, menester es que desde agora hayamos el
consejo para nos remediar, y será bien que luego me faga
más doliente y flaca, y me aparte lo más que ser pudiere

de la compaña de todas salvo de vosotras, y assí, cuando viniere la necesidad, remediarse ha con menos sospecha.

—Assí se faga —dixeron ellas—, y Dios lo endereçe, y desde agora sepamos qué se fará de la criatura cuando naçiere.

—Yo os lo diré —dixo Oriana—, que la donzella de Denamarcha, si le pluguiere, como reparadora de mis angustias y dolores, querrá poner su honra en menoscabo, porque la mía con la vida remediada sea.

—Señora —dixo ella—, no tengo yo vida ni honra más de cuanto vuestra voluntad fuere. Por ende mandá, que complirse ha fasta la muerte.

—Mi buen amiga —dixo ella—, tal esperança, tengo yo en vos, y la honra que agora por mí aventurardes, yo le faré cobrar, si bivo, con mucha mayor parte.

La donzella hincó los inojos y le besó las manos. Oriana le dixo:

—Pues, mi buen amiga, faréis assí: id algunas vezes a ver a Balasta, la abadessa del mi monesterio de Miraflores, como que a otras cosas vais, y cuando el tiempo del mi parir fuere llegado, iréis a ella y dezirle heis como sois preñada, y rogalde que, demás de os tener secreto, ponga remedio en lo que naçiere, lo cual vos faréis echar a la puerta de la iglesia, y que lo mande criar como cosa de por Dios; y yo sé que lo fará, porque mucho vos ama. Y desta manera será lo mío encubierto, y en lo vuestro no se aventura mucho, pues que no será sabido salvo por aquella honrada dueña, que lo guardará.

—Assí se fará —dixo la donzella—, y muy buen acuerdo havéis tomado.

Esto queda por agora fasta su tiempo; y digamos del rey Lisuarte; cómo supo que la giganta Gromadaça no le quería entregar el Lago Ferviente y los otros castillos que ya diximos, mandó ante sí traer a Madasima y a sus donzellas por consejo de Gandandel y Brocadán. Y venidas en su presencia, dixoles:

—Madasima, ya sabéis cómo entrastes en mi prisión por pleito que si vuestra madre no me entregasse la ínsola de Mongoça con el Lago Ferviente y los otros castillos, que vos y vuestras donzellas fuéssedes descabeçadas. Y agora, según he sabido de las gentes que yo allá tengo, hame faltado de lo que me prometió; y pues que assí es, quiero que vuestra muerte, y destas donzellas, sea enxemplo y castigo para los otros que comigo contrataren, que me no osen mentir.

Oído esto por Madasima, la su gran hermosura y biva color fue en amarillez tornada; y hincó los inojos ante el rey y dixo:

—Señor, el miedo de la muerte faze mi coraçón muy más flaco que yo, como tierna donzella, naturalmente tenía. Assí que no me quedando sentido alguno, no sabe la lengua qué responda; y si en esta corte ay algún cavallero que manteniendo derecho por mí fable, considerando ser puesta en esta prisión contra toda mi voluntad, fará aquello que es obligado, según la orden de cavallería, de responder por aquellas que en semejantes casos se hallan. Y si no le oviere, vos, señor, que a dueña ni donzella que atribulada fuesse nunca falleçistes, mandadme oír a derecho, y no vença la ira y la saña a la razón que como rey devéis mirar.

Gandandel, que muy aquexado estava en su voluntad porque muriesse, pensando con aquello encender la enemistad más de lo que estava entre el rey Lisuarte y Amadís, dixo:

—Señor, en ninguna manera no deven ser estas donzellas oídas, pues que sin otra condición alguna, salvo si aquella tierra no vos fuesse entregada, a la muerte se condenaron; y por esto se deve luego, sin más en ello dar dilación alguna, la justicia esecutar.

Don Grumedán, amo de la reina, que era un muy leal cavallero y gran sabidor en todas las cosas de honra, como aquel que con las armas por obra lo esperimentara, con su sotil ingenio muchas vezes lo leyera, dixo:

—Esso no fará el rey, si a Dios pluguiere, ni tal crueza ni desmesura por él passará, que esta donzella, más constreñida por la obediencia devida a su madre que por su voluntad, fue en esta demanda puesta; y así como en lo oculto aquella humildad de Dios gradeçida le será, assí en lo público el rey, como su ministro siguiendo sus dotrinas, lo deve fazer; cuanto más que yo he sabido cómo en estos tres días serán aquí algunos cavalleros de la Insola Firme, que vienen a razonar por ellas; y si vos, don Gandandel, o vuestros fijos, quisierdes mantener la razón que aquí dexiste, entre ellos fallaréis quien vos responda.

Gandandel le dixo:

—Don Grumedán, si os me queréis mal, nunca os lo mereçí yo; y si a mis fijos havéis assí afrontado, bien sabéis vos que son tales que manternán como cavalleros todo lo que yo dixere.

—Cerca estamos de lo ver —dixo don Grumedán—, y a vos no os quiero yo más mal ni bien de como viere que al rey aconsejáis.

El rey, comoquiera que mucho contra toda razón a Amadís errara, y en su pensamiento tuviesse de le enojar en las cosas que le tocassen, no pudo tanto, que aquella nueva passión que a la vieja y antigua virtud suya pudiesse vençer; y como oyó lo que don Grumedán dixo plúgole dello, y preguntóle cuáles eran los cavalleros que venían por delibrar las donzellas, y él jelos contó todos por nombre.

—Assaz ay ende —dixo el rey— de buenos cavalleros y entendidos.

Cuando Gandandel los oyó nombrar, mucho fue espantado y muy arrepentido por lo que de sus fijos dixera, que bien veía él que la bondad dellos no igualava con gran parte a la de don Florestán y Agrajes, y Brian de Monjaste y Gavarte de Valtemoroso; y tanto que el rey mandó tornar a Madasima y a sus donzellas a la prisión, él se fue a Brocadán, su cuñado, con gran angustia de su coraçón, porque las cosas se venían mucho al contrario de lo que al comienço pensara, recibiendo el galardón que los méritos de la maldad merescen. Aquí acaesció lo que el Evangelio dize: no aver cosa oculta que sabida no sea; que este Gandandel se fue con Brocadán a su casa en lugar apartado para aver consejo sobre la venida de los cavalleros de la Insola Firme, como ante que llegassen trabajassen con el rey cómo fiziessen matar a Madasima y a sus donzellas. Pues allí estando Brocadán culpando mucho a Gandandel el mal que a Amadís fiziera en lo mezclar con el rey sin que gelo meresciesse, y todas las otras cosas que en aquella mala negociación avían passado, y mostrando gran cuita y pesar del mal consejo que tomaron, temiendo alcançar presto la ira de Dios y del rey, perdiendo sus honras y fijos, por cuya causa lo començaran, acaesció que una sobrina deste Brocadán, siendo enamorada de un cavallero mancebo que Sarquiles se llamava, sobrino de Angriote de Estraváus, que teniéndolo encerrado en un destajo junto con aquella cámara donde ellos solos y apartados avían su consejo, oyó todo cuanto fablavan, y supo todos sus malos secretos, de que muy maravillado fue. Y desque ellos se fueron, y la noche venida, salió de allí y armándose de todas sus armas en una casa fuera de la villa, donde las dexara, cavalgó en su cavallo en la mañana como que de otra parte viniesse, y fuese al palacio del rey, y fablando con él, le dixo:

—Señor, yo soy vuestro natural y en vuestra casa fue criado, y querría vos guardar de todo mal y engaño porque no errássedes en vuestra fazienda compliendo la agena voluntad. Y no ha tercero día que estando en un lugar, oí que algunos vos quieren dar mal consejo contra vuestra honra y buena nombradía; y dígoos que no deis fe a lo que Gandandel y Brocadán os dixeren en fecho de Madasima y sus donzellas, pues que en vuestra corte ay tales personas que con menos engaño vos consejarán, y lo que a esto me mueve vos lo sabréis, y cuantos aquí ay, antes de doze días; y si parardes mientes en lo que estos que digo vos dirán, luego podéis entender que algo dello sabía yo. Y señor, quedad con Dios, que me voy a mi tío Angriote.

—A Dios vayáis —dixo el rey, y quedó pensando en aquello que le avía dicho.

Y Sarquiles cavalgó en su cavallo, y por un atajo que él sabía se fue lo más presto que pudo a la Insola Firme; y con el trabajo del camino llegó el cavallo flaco y lasso, que ya levar no le podía. Y falló a Amadís y Angriote y don Bruneo de Bonamar, que cavalgavan andando por la ribera de la mar, faziendo endereçar fustas para passar en Gaula, que Amadís quería ver a su padre y madre; y fue bien recebido dellos. Angriote le dixo:

—Sobrino, ¿qué cuita ovistes, que tan malparado el cavallo traes?

—Muy grande —dixo él— por os ver y contar una cosa que es menester que sepáis.

Entonces le contó cómo le tuviera la donzella, que Gandaça avía nombre, encerrado en casa de Brocadán, y todo lo que a él y Gandandel les oyera de la maldad que a Amadís avían con el rey tratado. Angriote dixo contra Amadís:

—¿Parésceos, señor, si mi sospecha era desviada de la verdad, ahunque no me dexastes llegarla al cabo? Mas agora, si a Dios pluguiere, ni vos ni otra cosa me estorvará que claramente no parezca la gran maldad de aquellos malos, que tan gran traición han fecho al rey y a vos.

Amadís le dixo:

—Agora, mi buen amigo, con más certidumbre y razón que entonces lo podéis tomar, y con aquélla os ayudará Dios.

—Pues yo saliré de aquí —dixo Angriote— mañana al alva

del día, y irá Sarquiles en otro cavallo comigo y presto sabrés la paga que aquellos malos de su maldad avrán.

Y luego se fueron a la posada de Amadís, que allí siempre con él estava Angriote; y adereçaron todo lo que avían menester para el camino. Y otro día cavalgaron, y fuéronse donde supieron que el rey Lisuarte era, el cual estava muy pensativo de las cosas que Sarquiles le dixera, y él aguardó por ver a que podrían redundar. Pues un día vinieron a él Gandandel y Brocadán, y dixéronle:

—Señor, mucho nos pesa porque no tenéis mientes en vuestra fazienda.

—Bien puede ser —dixo el rey—, mas ¿por qué me lo dezís?

—Por aquellos cavalleros —dixeron ellos— que de la Insola Firme vienen, que son vuestros enemigos, y sin ningún temor quieren entrar en vuestra corte a salvar estas donzellas por quien avéis de aver su tierra; y si nuestro consejo tomardes, antes que vengan serán ellas descabeçadas, y a ellos embiarles a mandar que no entren en vuestra tierra. Y con esto seréis temido, que ni Amadís ni ellos osarán fazeros enojo; que según la cosa en el estado en que es puesta, si de miedo no lo dexan, no lo dexarán de virtud; y esto, señor, mandadlo luego sin más consejo ni dilación, porque las cosas apressuradamente fechas, semejantes como éstas, mayor espanto pone.

El rey, que en la memoria tenía lo que Sarquiles le dixera, luego conosció que avía dicho verdad en verlos cómo se acuitavan por la muerte de las donzellas, y no se quiso arrebatar; antes les dixo:

—Vos dezís dos cosas muy fuertes y contra toda razón: la una, que sin forma de juicio faga matar las donzellas. ¿Qué cuenta daría yo a aquel Señor cuyo ministro soy, si tal fiziesse?, que en su lugar me puso para que las cosas justamente semejantes a él en su nombre obrasse. Y si faziendo tuerto y agravio pusiesse aquel gran espanto en las gentes que dezís, todo aquello con derecho y con razón caería al cabo sobre mí; porque los reyes que más por voluntad que por razón fazen las cruezas, más confían en su saber que en el de Dios, lo cual es el mayor yerro que tener pueden. Assí que lo verdadero y más cierto para se assegurar cualquiera príncipe en este mundo y en el otro es fazer las cosas con acuerdo y consejo de personas de buena intención, y pensar que ahun-

que al comienço algunos entrevallos se les pongan, en la fin,
pues que por el justo juez han de ser guiadas, la salida no
puede ser sino buena. La otra que me dezís, que embíe a
mandar que los cavalleros no vengan a mi corte, cosa muy
deshonesta sería desviar a ninguno que ante mí no pida justicia, cuanto más que si mucho mis enemigos; por mucha
honra es a mí ser en mi mano y voluntad de hazer lo que
ellos me suplicarán, y con necesidad vengan a mi juizio; assí
que no faré ninguna cosa desto que me dezís, ni lo tengo
por bien, y mucho menos lo que contra Amadís me conse-
jastes, de lo que yo gran pena merezco, porque nunca dél y de
su linaje recebí sino muchos servicios; y si algo en contra
tuvieran, otros algunos supieran o sospecharan dello, pero
otra prueva no paresce sino sola la vuestra. Consejástesme
muy mal, y dañastes a quien nunca os lo mereció. Yo, que
erré, tengo la pena, y assí creo que vosotros al cabo, si la
verdad no traxiestes, no quedaréis sin ella.

Y levantándose de entre ellos, se fue para sus cavalleros. Gandandel quedó muy espantado cuando así vio el rey,
y porque no sabía ninguna cosa por donde afirmasse lo que
avía dicho. Brocadán le dixo:

—Ya no es tiempo, Gandandel, de tornar atrás, que en
cosa tan dañada poco aprovecharía; antes, agora con más esfuerço se deve sostener todo lo que al rey deximos.

—No sé yo cómo se podrá eso fazer —dixo Gandandel—,
que no se fallaría persona que dixiesse sino lo contrario.

Assí estavan rebolviendo en sus entrañas para que el yerro
que fizieran fuesse mayor, que esto es lo natural de los malos.

Otra día cavalgó el rey con gran compaña después de
aver oído missa; salióse al campo, y no tardó mucho que
llegaron los cavalleros de la Insola Firme que venían a la
deliberación de Madasima y de sus donzellas. Y el rey, que
los vio venir, movió contra ellos a los recebir, porque lo merescían según sus grandes bondades, y porque él era muy
honrador de todos, y ellos fueron ante él con mucha humildad. Y sus hombres armaron tiendas en el campo en que
alvergassen, y fasta allí fue el rey con ellos; y queriéndose
ir, dixo don Galvanes:

—Señor, confiando en vuestra virtud y en vuestras buenas y justas maneras, venimos a os pedir por merced que
queráis oír a Madasima y a sus donzellas, y passen por su
derecho, y nos somos aquí para mantener su razón; y si con

ella no podemos, no vos pese, señor, que por armas lo sostengamos, pues no ay causa por donde ellas devan morir.

El rey dixo:

—Desde oy más, id a folgar a vuestro alvergue, que yo faré todo lo que con derecho deva.

Don Brian de Monjaste le dixo:

—Señor, assí lo esperamos de vos que faréis aquello que a vuestro real estado y a vuestra consciencia conviene, y si algo dello faltare, será por algunos malos consejeros que no guardan vuestra honra ni fama; lo cual, si a vos, señor, no pesase, faría yo luego conocer a cualquiera que lo contrario dixiesse.

—Don Brian —dixo el rey—, si vos creísedes a vuestro padre, yo sé bien que me no dexaríades por otro, ni verníades a razonar contra mí.

—Señor —dixo Brian—, la mi razón por vos es, que yo no digo que fagáis sino derecho, que no deis lugar a algunos que por ventura no vos servirán tan bien como yo, que dañen vuestra bondad; y a lo que me dezís, que si a mi padre creyesse, que vos no dexaría, yo no os dexé porque nunca vuestro fue, ahunque soy de vuestro linaje; y yo vine a vuestra casa a buscar a mi cormano Amadís, y cuando a vos no plugo que él fuesse vuestro, fueme con él, no errando un punto de lo que devía.

Esto passó Brian de Monjaste que oís. El rey se fue a la villa y ellos quedaron en sus alvergues, donde fueron visitados de muchos amigos suyos. De Oriana os digo que se nunca quitó de una finiestra, mirando aquellos que tanto su amigo amavan, rogando a Dios que les diesse vitoria en aquella demanda.

Aquella noche estuvieron Gandandel y Brocadán con angustia de sus ánimos porque no fallavan razón aguisada para sostener lo que començado avían, pero por más peligro fallavan dexarlo ya caer, y por eso acordaron de lo levar adelante. Otro día de mañana fueron a oír missa con el rey los doze cavalleros; y dicha, el rey se fue con los de su consejo y con otros muchos hombres buenos a un palacio, y mandó llamar a Gandandel y Brocadán, y díxoles:

—La razón que me siempre dexistes en fecho de Madasima y de sus donzellas agora es menester que la mantengáis y deis a entender a estos hombres buenos cómo no deven ser oídas.

Y mandólos estar en un lugar donde los oyessen. Imosil de Borgoña y Ledadín de Fajarque se pusieron delante del rey:

—Nos y estos cavalleros que aquí venimos os pedimos en merced que mandéis oír a Madasima y a sus donzellas, porque entendemos que assí lo devéis fazer de derecho.

Gandandel dixo:

—El derecho, muchos son los que lo razonan y pocos los que lo conoscen. Vos dezís que deven estas donzellas de derecho ser oídas, lo cual de derecho no deve ser, pues sin condición alguna se obligaron a la muerte, y assí entraron en la prisión del rey; que si Ardán Canileo fuesse muerto y vencido le entregarían libremente toda la ínsola de Mongaça, y si no, que las matassen y a los cavalleros con ellas. Y ellos, después de muerto Ardán Canileo, entregaron los castillos que tenían, y Gromadaça no quiere entregar lo que tiene, assí que no ay ni puede aver razón para las escusar de morir.

Imosil dixo:

—Ciertamente, Gandandel, escusado devía ser a vos, delante de tan buen rey y tales cavalleros, razonar esto que aquí dixistes, pues que siendo tan contra derecho, que más con dañada voluntad que por otra justa causa lo avéis dicho; que manifiesto es a todos los que algo saben que por cualquier pleito que hombre o muger sobre si ponga, si no es en caso de traición o aleve, deve ser oído y juzgado a muerte o a vida según la culpa que toviere; y assí se fazen en las tierras donde ay justicia, y lo ál sería gran crueza. Y esto es lo que pedimos al rey: que lo vea con estos hombres buenos que aquí son, y faga lo justo.

Gandandel le dixo que aquello era tan injusto que no se podía más dezir, y que el rey lo juzgasse, pues que ya avía oído las partes. Y así quedó el negocio; y quedando allí el rey y ciertos cavalleros, todos los otros se fueron. El rey quisiera mucho que Argamonte, su tío, un conde muy honrado y de gran seso, dixera sobre ello su parescer, mas él gelo remitió a él, diziendo que ninguno sabía el derecho tan complidamente como él, y assí lo fizieron todos los otros. Cuando esto el rey vio, dixo:

—Pues en mí lo dexéis, yo digo que me paresce cosa aguisada la razón de Imosil de Borgoña, que las donzellas deven ser oídas.

—Ciertamente, señor —dixo el conde, y todos los otros—, vos determináis lo justo, y assí se deve fazer.

Entonces llamaron los cavalleros y dixérongelo; y Imosil y Ledaderín le besaron las manos por ello y dixeron:

—Pues, señor, si la vuestra merced fuere, mandad venir a Madasima y a sus donzellas, y salvarlas hemos con derecha razón, o con armas si menester fuere.

—Bien me plaze que assí sea —dixo el rey—, y vengan las donzellas, y veremos si os otorgarán su razón.

Y luego fueron por ellas, y vinieron delante del rey con tan gran temor y tan apuestas que no avía allí hombre que gran piedad dellas no oviesse. Los doze cavalleros de la Insola Firme las tomaron por las manos, y Madasima, Agrajes y don Florestán. Imosil y Ledaderín dixeron:

—Señora Madasima, estos cavalleros vienen por vos salvar de la muerte y a vuestras donzellas. El rey quiere saber si nos otorgáis vuestra razón.

Ella dixo:

—Señores, si razón de donzellas captivas y sin ventura puede ser otorgada, nosotras vos lo otorgamos, y en Dios y vos nos ponemos.

—Pues que así es —dixo Imosil—, agora venga quien quisiere dezir contra vos, que si uno fuere, yo vos defenderé por razón o por armas; y si más vengan fasta doze, que aquí serán respondidos.

Y el rey miró a Gandandel y a Brocadán, y vio cómo tenían los ojos en el suelo y muy desmayados, que no respondían. Dixo a los cavalleros de la Insola Firme:

—Idvos a vuestras posadas fasta mañana, y en tanto tomarán acuerdo los que vos querrán responder.

Entonces se fueron con Madasima fasta la prisión y desde allí a sus posadas. Y el rey tomó aparte a Gandandel y a Brocadán y díxoles:

—Muchas vezes me avéis dicho y consejado que era justo de matar estas donzellas y que vosotros lo defenderíades por derecha razón, y ahun, si menester fuesse, vuestros fijos por armas. Agora es tiempo que lo fagáis, que yo, porque me parece hermosa y justa razón lo que Imosil dize, no mandaré combatir ninguno de mi corte con estos cavalleros. Por ende, poned remedio; si no, las donzellas serán libres, y yo no bien aconsejado de vosotros.

Y ellos le dixeron que luego de mañana vernían con re-

caudo, y fuéronse muy tristes a sus casas. Y fue su acuerdo
que porfiassen lo que començaran con buenas razones, mas
a sus fijos no los poner en afruenta, porque su razón no era
verdadera, y ellos no eran tales en armas como aquellos cavalleros. Mas essa noche llegó nueva al rey cómo Gromadaça, la giganta, era muerta, y que mandó entregar los castillos
al rey por delibrar a su fija y sus donzellas, y que ya los
tenía en su poder el conde Latine, de que ovo gran plazer.
Y otro día después de la missa sentóse allí donde avía de
juzgar, y vinieron ante él los doze cavalleros, y díxoles:

—De oy más no fabléis en fecho de las donzellas, que vos
sois quitos dél, y Madasima y sus donzellas son libres de
muerte y de la prisión, que yo tengo ya los castillos por que
las tenía presas.

Desto ovieron muy gran plazer Gandandel y Brocadán
por cuanto no esperavan sino gran deshonra. Y luego mandó
venir a Madasima y sus donzellas, y díxoles:

—Vosotras sois libres y vos doy por quitas; fazed lo que
más vos pluguiere, que yo tengo los castillos por que vos
tenía.

Y no le quiso dezir cómo su madre era muerta. Madasima le quiso besar las manos, mas el rey no quiso, como aquel
que las nunca dio a dueña ni donzella sino cuando les fazía
alguna merced; y díxole:

—Señor, pues que en mi libre poder me dexáis, me pongo
en el de mi señor don Galvanes, que a tanto trabajo se ha
por mí puesto con sus amigos.

Agrajes la tomó por la mano, y dixo:

—Mi buena señora, vos avéis fecho lo que devíades; y comoquiera que agora seáis de vuestra tierra deseredada, otra
avréis en que honrada estéis fasta que Dios lo remedie.

Imosil dixo al rey:

—Señor, si a Madasima se le guarda derecho, no deve ser
deseredada, que sabido es que los fijos que en poder de sus
padres están, ahunque les pese, se han de fazer su mandado; pero por esso no se pueden condenar a ser deseredados,
pues que la obediencia más que la voluntad los faze obligar
en lo que sus padres quieren. Y pues que vos, señor, estáis
para dar a cada uno su derecho, obligado sois de lo fazer de
vos mismo por dar enxemplo a los otros.

—Imosil —dixo el rey—, las donzellas tenéis libres; en lo
otro no fabléis, porque de aquella tierra he avido muchos

enojos, y agora que la tengo, defenderla he; y no la puedo quitar a mi fija Leonoreta, a quien la di.

Don Galvanes le dixo:

—Señor, en aquel derecho que es de Madasima aquella tierra que fue de sus abuelos, en aquél so yo metido; y ruégoos que os membréis de algunos servicios que os fize, y no me queráis deseredar, pues que yo quiero ser vuestro vasallo y en la vuestra merced, y serviros con ella lo más lealmente y mejor que pudiere.

—Don Galvanes —dixo el rey—, no fabléis en esso, que ya es fecho lo que se no puede desfazer.

—Pues que así es —dixo él— que me no vale derecho ni mesura, yo punaré de la aver como mejor pudiere, y que no entre en el vuestro señorío.

—Fazed lo que pudierdes —dixo el rey—, que ya fue en poder de otros más bravos que no vos, y más ligero será de os la defender que fue de la cobrar dellos.

—Vos la tenéis —dixo don Galvanes— por causa de aquel que ha mal galardón, el cual me ayudará a la cobrar.

El rey dixo:

—Si os él ayudare, muchos otros servirán a mí que no servían por amor dél, que lo tenía en mi casa y lo defendía dellos.

Agrajes, que estava sañudo, dixo:

—Cierto, bien saben cuantos aquí están, y otros muchos, si fue Amadís por vos defendido, o vos por él, ahunque sois rey, y él, que siempre como cavallero andante anduvo.

Don Florestán, que vio a Agrajes con tanta saña, púsole la mano en el ombro y tirólo ya cuanto, y passó adelante y dixo al rey:

—Paresce, señor, que en más tenéis los servicios dessos que dezís que los de Amadís, pues cerca estamos de mostrar la verdad dello.

Don Brian de Monjaste passó por Florestán y dixo:

—Ahunque vos, señor, en poco tengáis los servicios de Amadís y de sus amigos, mucho han de valer aquellos que con razón los pudiessen poner en olvido.

El rey dixo:

—Bien entiendo, don Brian, en vuestro semblante, que sois uno de aquellos sus amigos.

—Ciertamente —dixo él— sí soy, que él es mi cormano y tengo de seguir en todo su voluntad.

—Bien avremos acá con que os escusar —dixo el rey.

—Todo será menester —dixo él— para resistir lo que Amadís podrá fazer.

Entonces se llegaron de un cabo y de otro los cavalleros para responder, mas el rey tendió una vara que en la mano tenía, y mandóles que no fablassen más en aquello; y todos se tornaron a sentar. Entonces legó Angriote de Estraváus, y con él su sobrino Sarquiles, armados de todas armas; y llegaron al rey a le besar las manos. Los doze cavalleros fueron maravillados de su venida, que no sabían la causa della. Mas Gandandel y Brocadán fueron en pavor puestos, y miravánse uno a otro, así como aquellos que sabían lo que Angriote dellos ante dixera, y creían que por aquello venía; y ahunque le tenían por el mejor cavallero del señorío del rey, esforçáronse para responderle. Y llamaron a sus fijos cab'ellos, y mandáronles que no fablassen más de lo que ellos les dixessen. Angriote fue delante del rey y díxole:

—Señor, mandá venir aquí a Gandandel y a Brocadán, y dezirles he tales cosas por donde vos y los que aquí están los conozcan mejor que fasta aquí.

El rey los mandó venir, y todos se llegaron por ver qué sería aquello. Y Angriote dixo:

—Señor, sabed que estos Gandandel y Brocadán vos son desleales y falsos, que os consejaron mal y falsamente, no mirando a Dios, ni a vos ni Amadís, que tantas honras les fizo y nunca los erró; y ellos como malos os dixeron que Amadís andava por se os alçar con la tierra, aquel que nunca su pensamiento fue sino en os servir. Y fizieron perder el mejor hombre que nunca rey tuvo, y con él muchos otros buenos cavalleros sin que gelo meresciessen; así que yo, señor, delante de vos les digo que son malos y falsos y os hizieron gran traición fiando dellos vuestra fazienda. Y si dixeren que no, yo gelo combatiré a ellos ambos; y si su edad los escusa, metan por sí sendos de sus fijos, que con el ayuda de Dios yo les faré conoscer la deslealtad de sus padres, y que vos, buen rey, así lo conozcáis.

—Señor —dixo Gandandel—, ya veis cómo Angriote viene por deshonrar vuestra corte, y esto causa que dexáis entrar en vuestra tierra los que no quieren vuestro servicio; y si lo primero se remediara, no viniera lo presente. Y no os maravilléis, señor, si Amadís viniere otro día a desafiar a vos mismo; y si Angriote me tomara en aquel tiempo que yo con las armas fize muchos servicios en otro de vuestro reino a vuestro hermano, el rey Fallangrís, no osara dezir lo que dize; mas de que me vee viejo y flaco, atrévese como a cosa vencida, y esta mengua más a vos que a mí atañe.

—No, don malo —dixo Angriote—, que ya vuestras falsas mezclas, pues que descubiertas son, no pueden dañar; que bastar deven en lo que con ellas al rey pusiestes; que yo no vengo a rebolver ni a deshonra de su corte, antes, en su honra sacar aquella mala simiente que a la buena de aquí echó.

Sarquiles dixo:

—Señor, bien sabéis que las palabras que sobre esto os uve dicho, que no han pasado muchos días, y por ellas conoçeréis ser verdad lo que mi señor y mi tío Angriote dize; lo cual por mis orejas yo oí toda la maldad que estos dos malos os fizieron en os poner en sospecha contra Amadís y su linaje. Y si dizen que no es así y por viejos se escusan, respondan sus fijos, que son fuertes y mancebos, ellos tres a nosotros dos; y Dios mostrará la verdad y allí se verá si son ellos tales que puedan escusar de vuestro servicio Amadís y a su linaje como sus padres lo fablavan.

Cuando los fijos déstos vieron a su padre tan menguado de razón y que todos los del palacio se reían de lo ver tan malparado, metiéronse con gran saña por entre la gente, desviando con fuerça a unos y otros; y como fueron delante del rey, dixeron:

—Señor, Angriote miente en cuanto ha dicho de nuestro padre y de Brocadán, y nos gelo combatiremos, y veis aquí nuestros gajes.

Y echaron en el regaço del rey sendas lúas, y Angriote le tendió la falda de la loriga y dixo:

—Señor, veis aquí el mío, y luego se vayan armar; y vos, señor, cavalgad y veréis nuestra batalla.

El rey dixo:

—Lo más del día es ya passado, que no ay tiempo de os combatir; y mañana, después de la missa, sed guisados para la batalla, y poneros emos en el campo.

Entonces llegó allí un cavallero que Adamás avía nombre, que era fijo de Brocadán y de la hermana de Gandandel; y comoquiera que de gran cuerpo y muy valiente fuerça fuese, era muy villano de condición, así que todos se despagavan dél; y dixo al rey:

—Señor, yo digo que en lo que Sarquiles dixo mintió, y yo gelo combatiré mañana si con su tío en el campo osare entrar.

Sarquiles fue desto muy alegre por se fallar en compañía de su tío, y dio luego sus gajes al rey, que él quería la batalla. Entonces mandó el rey que todos se fuesen a sus posadas; y así se fizo que Angriote y Sarquiles se fueron con los doze cavalleros, y levaron consigo a Madasima, y a sus donzellas, que ya de la reina y de Oriana era despedida, y la reina le mandó dar una tienda rica en que estuviesse. El rey quedó con don Grumedán y con Giontes, su sobrino; y mandó llamar a Gandandel y a Brocadán, y díxoles:

—Mucho soy maravillado de vosotros averme dicho tantas vezes que Amadís me quería fazer traición y alçárseme con la tierra, y agora que tanto la prueva dello era necessaria, así lo dexastes caer, y avéis puesto a vuestros fijos pleito que no saben la justicia que de su parte tienen. Mucho avéis errado a Dios y a mí, y gran mal fezistes en me fazer perder tal hombre y tan buenos cavalleros; y vosotros no quedaréis sin pena, porque aquel justo Juez la dará a quien la mereçe.

—Señor —dixo Gandandel—, mis fijos se adelantaron, pensando que la prueva tardaría.

—Ciertamente —dixo don Grumedán— ellos pensaron verdad, porque no ay ni avrá ninguna contra Amadís en esto ni en otra cosa en que al rey errado aya; y si vosotros lo sospechastes, fue tanto contra razón que ahun los diablos del infierno no lo podieran pensar. Y si el rey os cortasse mil cabeças que tuviésedes, no sería vengado del daño que le fezistes; pero vosotros quedaréis, y quiera Dios que no sea para más mal, y los cuitados de vuestros fijos padescerán la culpa vuestra.

—Don Grumedán —dixeron ellos—, ahunque vos así lo tengáis y lo queríades, esperança tenemos que nuestros fijos sacarán adelante nuestras honras y las suyas.

—Dios no me salve —dixo Grumedán—, si yo más lo quería de cuanto el consejo bueno o malo que al rey distes lo mereçe.

Entonces les mandó el rey que no fablassen en ello más, pues que era ya escusado; y fuese a comer, y los otros a sus casas. Esa noche adereçaron los unos y los otros sus armas y sus cavallos, y Angriote y Sarquiles velaron de la medianoche ariba en una hermita de Santa María que allí cabe sus tiendas estava. Y al alba del día armáronse todos los doze cavalleros, que recelavan del rey porque le veían sañudo contra ellos; y tomaron consigo a Madasima y a sus donzellas en sus palafrenes, cada uno la suya, y Angriote y Sarquiles delante dellos, y así entraron por la villa y se fueron al campo

donde la batalla avía de ser, que ya el rey y todos los cavalleros y otras gentes allí estavan y tres juezes para la juzgar.
El uno era el rey Arbán de Norgales y el otro Giontes, sobrino del rey, y el tercero Quinorante, el buen justador; y
tomaron Angriote y Sarquiles y pusiéronlos a hun cabo del
campo. Y luego vinieron Tanarín y Corián, los dos hermanos, y Adamás, el cormano, y entraron en el campo muy
bien armados y en fermosos cavallos, en disposición de fazer
todo bien si la maldad de sus padres no gelo estorvara. Y
puestos los unos contra los otros, Giontes tocó una trompa
que tenía, y los cavalleros movieron al más correr de sus cavallos; y Corián y Tanarín endereçaron a Angriote, y Adamás a Sarquiles; y Tanarín firió a Angriote de tal encuentro
que la lança boló en pieças. Y Angriote encuentró a Corián
en el escudo tan bravamente que le lançó por cima de las
ancas del cavallo; y cuando tornó a Tanarín, violo estar con
la espada en la mano. Y como vio a su hermano en el suelo,
fue con gran saña contra Angriote, y cuidólo ferir en el
yelmo; mas echó ante el golpe, de manera que dio al cavallo en la cabeça un gran golpe y cortóle un gran pedaço dello
y las cabeçadas, así que el freno se le cayó en los pechos. Y
como llegó desapoderado, y así venía para él Angriote, topáronse con los escudos uno con otro de tan duro golpe, que
Tanarín fue a tierra desacordado; y Angriote, que así vio el
cavallo, saltó dél lo más presto que pudo, como aquel que
muy ligero y valiente era y se avía muchas vezes visto en
semejantes peligros. Y como fue a pie embraçó su escudo y
puso mano a su espada, con la cual muchos y grandes golpes ya otras vezes diera, y fuese yendo contra los dos hermanos, que juntos estavan, y vio cómo su sobrino Sarquiles
se combatía con Adamás a cavallo de las espadas bravamente; y llegando a ellos, tomáronle en medio y firiéronle de
grandes golpes, como aquellos que eran valientes y de gran
fuerça. Mas Angriote se defendía poniendo al uno el escudo
y al otro con el espada, de manera que los fazía rebolver,
que no alcançava golpe en lleno que las armas no derribase
fasta tierra; que, como se os ha dicho, este cavallero era el
mejor feridor de espada que ninguno de los cavalleros del
señorío del rey, así que en poco rato los paró tales que los
escudos eran fechos rajas y las lorigas rotas por muchos lugares, que la sangre salía por ellos; pero él no estava tan sano
que muchas llagas no tuviese, y mucha sangre se le iva. Sar-

quiles, cuando así vio a su tío y que él no podía vencer a Adamás, quísose poner en toda aventura; y puso las espuelas muy reziamente a su cavallo y juntó con él a braços, y anduvieron asidos una pieça y trabajando por se deribar. Y como Angriote así los vio, llegóse lo más presto que pudo contra ellos por socorrer a Sarquiles si debaxo cayesse, y los dos hermanos siguiéronle cuanto podían por socorrer a su cormano. En esto los dos cavalleros cayeron abraçados en el suelo y alí viérades una gran priessa entre ellos, Angriote por socorrer a su sobrino, y los otros a su cormano; mas aquella ora fazía Angriote maravillas de armas en dar tan duros y tan terribles y esquivos golpes que por mucho que fizieron los dos hermanos, no pudieron tanto resistir que Adamás pudiesse salir de las manos de Sarquiles bivo.

Cuando Gandandel y Brocadán esto vieron, que fasta allí tenían esperança que la fuerça de sus hijos sostenría aquello que con gran maldad ellos urdieran, quitáronse de la ventana con gran dolor y angustia de sus coraçones. Y así lo fizo el rey, que de toda la buena andança de aquellos que amigos eran de Amadís le pesava, y no quiso ver el vencimiento y muerte de aquéllos ni la victoria de Angriote; mas todos los que allí estavan avían dello mucho plazer porque en este mundo pagassen aquellos malos Gandandel y Brocadán algo de la culpa que meresciessen. Mas los cuatro cavalleros que en el campo estavan no entendían sino en se ferir por todas partes de grandes golpes; pero no duró mucho, que Angriote y Sarquiles cansaron de tantos golpes a los dos hermanos que ya no traían defensa alguna, ni fazían sino retraerse buscando alguna guarida, y no la fallando davan algunos golpes y tornavan a huir, pensando de se valer por salvarse las vidas. Mas en el cabo fueron derribados, no podiendo sufrir los golpes que sus enemigos les davan, y fueron muertos por sus manos, con mucho plazer de la muy fermosa Madasima y de los cavalleros de la Insola Firme, y más de Oriana y de Mabilia, que nunca cessavan de rogar a Dios por ellos que les diesse aquella vitoria que avían alcançado. Entonces Angriote preguntó a los juezes si avía más de hazer. Ellos le dixeron que asaz avía fecho para complimiento de su honra; y sacándolos del campo los tomaron sus compañeros, y con Madasima se tornaron a sus tiendas, donde los fizieron de sus llagas curar.

ACÁBASE EL SEGUNDO LIBRO DE AMADÍS

COMIENÇA EL TERCERO LIBRO
DE AMADÍS DE GAULA

En el cual se cuentan de las grandes discordias y cizañas que en la casa y corte del rey Lisuarte uvo por el mal consejo que Gandandel dio al rey por dañar a Amadís y sus parientes y amigos; para en comienço de lo cual mandó el rey a Angriote y a su sobrino que saliessen de su corte y de todos sus señoríos, y los embió a desafiar, y ellos le tornaron la confirmación del desafío, como adelante se contará.

Cuenta la istoria que seyendo muertos los fijos de Gandandel y Brocadán por la mano de Angriote d'Estraváus y de su sobrino Sarquiles como avéis oído, los doze cavalleros, con Madasima, con mucha alegría los levaron a sus tiendas. Mas el rey Lisuarte, que de la finiestra se quitó por los no ver morir, no por el bien que los quería, que ya como a sus padres los tenía por malos, mas por la honra que dello Amadís alcançava con algún menoscabo de su corte, passando algunos días que supo cómo Angriote y su sobrino estavan mejores de sus llagas, que podían cavalgar, embióles a dezir que se fuessen de sus reinos y que no anduviessen más por ellos, si no, que él lo mandaría remediar; de lo cual muy quexados aquellos cavalleros, grandes quexas mostraron dello a don Grumedán y a otros cavalleros de la corte que allí por les fazer honra los ivan a ver, especialmente don Brian de Monjaste y Gavarte de Val Temeroso, diziendo que pues el rey, olvidando los grandes servicios que le fizieran, assí los tractava y estrañava, desí que se no maravillasse si tornados al contrario pesasse en mayor cuantidad lo por venir que lo passado; y levantando sus tiendas, recogida toda su compaña, en el camino de la Insola Firme se pusieron. Y al tercero día fallaron en una hermita a Gandeça, la sobrina de Brocadán y amiga de Sarquiles, aquella que le tuvo encerrado, donde oyó y supo toda la maldad que su tío Gandandel contra Amadís urdiera, así como ya es contado; la cual fuyó de miedo que por ello ovo. Y ovieron mucho plazer con ella, en especial Sarquiles, que la mucho amava, y tomándola consigo continuaron su camino.

El rey Lisuarte, que por no ver la buena ventura de Angriote y su sobrino se quitó de la finiestra, como se ha dicho, y entróse a su palacio muy sañudo porque las cosas se ivan faziendo a la honra y prez de Amadís y de sus amigos. Y allí se fallaron don Grumedán y los otros cavalleros que venían de salir con los que a la Insola Firme ivan, y dixéronle todo lo que les avían dicho y la quexa que dél levavan, lo cual en mucha más saña y alteración le puso. Y dixo:

—Ahunque el sufrimiento es una discreción muy preciada y en todas las más cosas provechosa, algunas vezes da gran ocasión a mayores yerros, así como con estos cavalleros me contesce; que si como ellos de mí se apartaron, me apartara yo de les mostrar buena voluntad y el gesto amoroso, no fueran osados, no solamente dezir aquello que os dixeron, mas ni ahun venir a mi corte ni entrar en mi tierra. Pero como yo fize lo que la razón me obligava, assí Dios terná por bien en el cabo de me dar la honra y a ellos la paga de su locura, y quiero que luego me los vayan a desafiar y a Amadís con ellos, por quien todos se mandan, y allí se mostrará a lo que sus sobervias bastan.

Arbán, rey de Norgales, que amava el servicio del rey, le dixo:

—Señor, mucho devéis mirar esto que dezís antes que se faga, así por el gran valor de aquellos cavalleros que tanto pueden como por aver mostrado Dios tan claramente ser la justicia de su parte; que si así no fuera, ahunque Angriote es buen cavallero, no se partiera de los dos fijos de Gandandel, que por tan valientes y esforçados eran tenidos, de tal forma, ni Sarquiles, de Adamás como se partió; por donde paresce que la gran razón que mantenían les dio y otorgó aquella victoria. Y por esto, señor, ternía yo por bien que se tomassen para vuestro servicio, que no es pro de ningún rey travar guerra con los suyos, podiéndola escusar, que todos los daños que de la una parte y otra se fazen, y las gentes y averes que se pierden, el rey lo pierde sin ganar honra ninguna en vencer ni sobrar a sus vasallos. Y muchas vezes de tales discordias se causan grandes daños, que se da ocasión de poner en nuevos pensamientos a los reyes y grandes señores comarcanos, que con alguna premia a sujeción estavan, de trabajar de salir della y cobrar en lo presente mucho más de lo que en lo passado perdido tenían. Y lo que más se deve temer es no dar lugar a que los vasallos pierdan el temor y la vergüença a sus señores, que governándolos con templada discreción, sojuzgándolos con más amor que temor, pueden los tener y mandar como el buen pastor al ganado; mas si más premia que pueden sufrir les ponen, acaeçe muchas vezes saltar todos por do el primero salta, y cuando el yerro es conocido ser la emienda dificultosa de recebir; assí que, señor, agora es tiempo de lo remediar antes que más la saña se encienda, que Amadís es tan humilde en vuestras cosas que con poca premia lo podéis cobrar, y con él a todos aquellos que por él de vos se partieron.

El rey le dixo:

—Bien dezís en todo, mas yo no daré aquello que di a mi fija Leonoreta, que me ellos demandaron; ni su poder, ahunque grande es, no es nada con el mío; y no me fabléis más en esto, mas adereçad armas y cavallos para me servir. Y de mañana partirá Cendil de Ganota para los desafiar a la Insola Firme.

—En el nombre de Dios —dixeron ellos—, y El faga lo que tuviere por bien, y nosotros vos serviremos.

Estonces se fueron a sus posadas, y el rey quedó en su palacio. Gandandel y Brocadán sabréis que como viendo sus fijos muertos y ellos haver perdido este mundo y el otro, recibiendo aquello que en nuestros tiempos otros muchos semejantes no reciben, guardándolos Dios o por su piadad para que se emienden o por su justicia para que junto lo paguen, no se emendando sin les quedar redención, acordaron de se ir a una ínsola pequeña que havía Gandandel de poca población. Y tomando sus muertos fijos y sus mugeres y compañas, se metieron en dos barcas que tenían para pasar a la Insola de Mongaça, si Gromadaça la giganta no entregara los castillos. Y con muchas lágrimas de todos ellos y maldiciones de los que los veían ir, movieron del puerto, y llegaron donde más la historia no faze mención dellos; pero puédese con razón creer que aquellos que las malas obras acompañan fasta la vejez, que con ellas dan fin a sus días si la gracia del muy alto Señor, más por su santa misericordia que por sus méritos, no les viene para que con tiempo sean reparados.

Fizo pues el rey Lisuarte juntar en su palacio todos los grandes señores de su corte y los cavalleros de menor estado, y quexándoseles de Amadís y sus amigos de las sobervias que contra él havían dicho, les rogó que dello se doliessen assí como él lo fazía en las cosas que a ellos tocavan. Todos le dixeron que le servirían como a su señor en lo que les mandasse. Estonces él llamó a Cendil de Ganota y dixo:

—Cavalgad luego, y con una carta de creencia id a la Insola Firme y desafiadme a Amadís y a todos aquellos que la razón de don Galvanes mantener querrán; y dezidles que se guarden de mí, que si puedo, yo les destruiré los cuerpos y los averes doquiera que los falle, y que assí lo farán todos los de mis señoríos.

Don Cendil, tomando recaudo, armado en su cavallo se puso luego en el camino, como aquel que desseava complir mandado de su señor. El rey estuvo allí algunos días; partióse para una villa suya que Gracedonia havía nombre, porque era muy viciosa de todas las cosas, de que mucho plugo a Oriana y a Mabilia por ser cerca de Miraflores, y esto era porque se le acortava a Oriana el tiempo en que devía parir y pensavan que de allí mejor que de otra parte pornían en ello remedio.

Y los doze cavalleros que levavan a Madasima anduvieron por sus jornadas sin entrevallo alguno fasta que llegaron a dos leguas de la Insola Firme. Y allí cabe una ribera fallaron Amadís, que les atendía, con fasta dos mil y trezientos cavalleros muy bien armados y encavalgados, que los recibió con mucho plazer, faziendo y mostrando gran amor y acatamiento a Madasima, y abraçando muchas vezes Amadís a Angriote, que por un mensajero de su hermano don Florestán sabía ya todo lo que les aviniera en la batalla. Y assí estando juntos con mucho plazer, vieron descender por un camino de un alto monte a don Cendil de Ganota, cavallero del rey Lisuarte, el que los venía a desafiar. El, desque vio tanta gente y tan bien armada, las lágrimas le vinieron a los ojos, considerando ser todos aquellos partidos del servicio del rey su señor, a quien él muy leal amigo y servidor era, con los cuales muy honrado y acreçentado estava. Mas alimpiando sus ojos, hizo el mejor semblante que pudo, como él lo tenía, que era muy hermoso cavallero y muy razonado y esforçado; y llegó a la gente preguntando por Amadís, y mostrárongelo que estava con Madasima y con los cavalleros que de camino llegavan. El se fue para ellos, y como le conoçieron, recibiéronle muy bien, y él los saludó con mucha cortesía y díxoles:

—Señores, yo vengo a Amadís y a todos vosotros con mandado del rey; y pues vos hallo juntos, bien será que lo oyáis.

Estonces se llegaron todos por oír lo que diría, y Cendil dixo contra Amadís:

—Señor, fazed leer essa carta.

Y como fue leída, díxole:

—Esta es de creencia; agora dezid la embaxada.

—Señor Amadís, el rey mi señor os manda desafiar a vos y a cuantos son de vuestro linage, y a cuantos aquí estáis, y a los que se han de trabajar de ir a la Insola de Mongaça, y dízeos que de aquí adelante punéis de guardar vuestras tierras y haveres y cuerpos, que todo lo entiende destruir si pudiere; y dízevos que escuséis de andar por su tierra, que no tomará ninguno que lo no faga matar.

Don Cuadragante dixo:

—Don Cendil, vos havéis dicho lo que os mandaron, y fezistes derecho; pues vuestro señor nos amenaza los cuerpos y haveres, estos cavalleros digan por sí lo que quisieren. Pero dezidle vos por mí que ahunque él es rey y señor de grandes tierras, que tanto amo yo mi cuerpo pobre como él ama el suyo rico, y ahunque de fidalguía no le devo nada, que no es él de más drechos reyes de ambas partes que yo; y pues me tengo de guardar, que se guarde él de mí y toda su tierra.

Amadís le pluguiera que con más acuerdo fuera la respuesta, y díxole:

—Señor don Cuadragante, sufríos para que este cavallero sea respondido por vos y por todos cuantos aquí son; y pues que oído havéis la embaxada, acordarcio la respuesta de con-ouno como a nucstras honras conviene. Y vos, don Cendil de Ganota, podréis dezir al rey que muy duro le será de fazer lo que dize; y idvos con nosotros a la Insola Firme y provar vos heis en el arco de los leales amadores, porque si lo acabardes, de vuestra amiga seréis más tenido y más preciado y fallarla heis contra vos de mejor voluntad.

—Pues a vos plaze —dixo don Cendil—, así lo faré, pero en fecho de amores no quiero dar más a entender de mi fazienda de lo que mi coraçón sabe.

Luego movieron todos para la Insola Firme; mas cuando

Cendil vio la peña tan alta y la fuerça tan grande, mucho fue maravillado, y más lo fue después que fue dentro y vio la tierra tan abundosa; así que conosçió que todos los del mundo no le podían fazer mal. Amadís lo levó a su posada y le fizo mucha honra porque don Cendil era de muy alto lugar.

Otro día se juntaron todos aquellos señores y acordaron de embiar a desafiar al rey Lisuarte, y que fuesse por un cavallero que allí con gente de Dragonís y Palomir era venido, que havía nombre Sadamón; que estos dos hermanos eran fijos de Grasugis, rey de la profunda Alemaña, que era casado con Saduva, hermana del rey Perión de Gaula, y assí éstos, como todos los otros que eran de gran guisa, hijos de reyes y duques y condes, havían allí traído de gentes de sus padres y muchas fustas para passar con don Galvanes a la Insola de Mongaça. Y diéronle a este Sadamón una carta de creencia firmada de todos los nombres dellos, y dixéronle:

—Dezid al rey Lisuarte que pues él nos desafía y amenaza, que assí se guarde de nosotros que en todo le empeçeremos; y que sepa que cuando hayamos tiempo endereçado, passaremos a la Insola de Mongaça; y que si él es gran señor, que cerca stamos donde se conoçerá su esfuerço y el nuestro. Y si algo os dixere, respondedle como cavallero que nosotros lo haremos todo firme si a Dios pluguiere, con tal que no sea en camino de paz, porque ésta nunca le será otorgada hasta que don Galvanes restituído sea en la Insola de Mongaça.

Sadamón dixo que como lo mandavan lo faría enteramente. Amadís fabló con su amo don Gandales, y díxole:

—Conviene de mi parte vayáis al rey Lisuarte, y dezidle, sin temor ninguno que dél hayáis, que en muy poco tengo su desafío y sus amenazas, menos ahún de lo que él piensa; y que si yo supiera que tan desagradeçido me havía de ser de cuantos servicios fechos le tengo, que no me pusiera a tales peligros por le servir; y que aquella sobervia y grande estado suyo con que me amenaza y a mis amigos y parientes, que la sangre de mi cuerpo gelo ha sostenido; y que fío en Dios, aquel que todas las cosas sabe que este desconoçimiento será emendado más por mis fuerças que por grado suyo. Y dezidle que por cuanto yo le gane la Insola de Mongaça, no será por mi persona en que la pierda, ni faré enojo en el lugar donde la reina estuviere, por la honra della que lo mereçe, y assí gelo dezid si la vierdes; y que pues él mi gracia quiere, que la havrá en cuanto yo biva, y de tal forma que las passadas que ha tenido no le vengan a la memoria.

Agrajes le dixo:

—Don Gandales, fazed mucho por ver a la reina, y besadle las manos por mí, y dezidle que me mande dar a mi hermana Mabilia; que pues a tal estado somos llegados con el rey, ya no le faze menester estar en su casa.

Desto que Agrajes dixo pesó mucho a Amadís, porque en esta infanta tenía él todo su esfuerço para con su señora, y no la quería más ver apartada della que si a él le apartassen el coraçón de las carnes; mas no osó contradezirlo por no descobrir el secreto de sus amores.

Esto assí fecho, movieron los mensajeros en compañía de don Cendil de Ganota, y con gran plazer alvergando en lugares poblados. En cabo de los diez días llegaron a la villa donde el rey Lisuarte estava en un palacio con asaz cavalleros y otros hombres buenos; el cual los recibió con buen talante, ahunque ya sabía por mensajero de Cendil de Ganota cómo lo venían a desafiar. Los mensajeros le dieron la carta, y el rey les mandó que dixiessen todo lo que les encomendaron. Don Gandales le dixo:

—Señor, Sadamón os dirá lo que los altos hombres y cavalleros que están en la Insola Firme vos embían dezir, y después deziros he a lo que Amadís me embía, porque yo a vos vengo con mandado y a la reina con mensaje de Agrajes, si vos pluguiere que la vea.

Mucho me plaze —dixo el rey—, y ella havrá plazer con vos, que servistes muy bien a su fija Oriana en tanto que en vuestra tierra moró, lo cual os gradezco yo.

—Muchas mercedes —dixo Gandales—, y Dios sabe si me plazería de vos poder servir y si me pesa en lo contrario.

—Assí lo tengo yo —dixo el rey—, y no vos pese de fazer lo que devéis, compliendo con aquel que criastes, que de otra guisa ser vos ía mal contado.

Estonces Sadamón dixo al rey su embaxada assí como es ya contado, y en el cabo desafiólo a él y a todo su reino y a todos los suyos, como lo traía en cargo. Y cuando le dixo que no esperasse de haver paz con ellos si ante no restituyesse a don Galvanes y a Madasima en la Insola de Mongaça, dixo el rey:

—Tarde verná essa concordia, si ellos esso esperan. Assí

Dios me ayude, nunca terné que soy rey, si no les quebranto aquella gran locura que tienen.

—Señor —dixo Sadamón—, dicho vos he lo que me mandaron, y si algo de aquí adelante vos dixere, esto va fuera de mi embaxada. Y respondiendo a lo que dixistes, yo vos digo, señor, que mucho ha de valer y de muy gran poder será el que su orgullo de aquellos cavalleros quebrantare, y más duro os será de lo que pensar se puede.

—Bien sea esso verdad —dixo el rey—, mas agora pareçerá a qué basta mi poder y de los mios, o el suyo.

Don Gandales le dixo de parte de Amadís todo lo que ya oístes, que nada faltó, assí como aquel que era muy bien razonado; y cuando vino a dezir que no iría Amadís a la Insola de Mongaça pues que él gela hizo ganar, ni al lugar donde la reina estuviesse por la no hazer enojo, todos lo tuvieron a bien y a gran lealtad, y assí lo razonavan entre sí, y el rey assí lo tuvo. Estonces mandó a los mensajeros que se desarmassen y comerían, que era tiempo. Y assí se fizo, que en la sala adonde él comía los fizo assentar a una mesa en fruente de la suya, donde comían su sobrino Giontes y don Guilán el Cuidador y otros cavalleros preciados, que por su valor estremadamente se les fazía esta grande honra entre todos los otros, que dava causa a que su bondad creçiesse, y la de los otros, si tal no era, procurar de ser sus iguales, porque en igual grado del rey su señor fuessen tenidos. Y si los reyes este semejante stilo tuviessen, farían a los suyos ser virtuosos, esforçados, leales, amorosos, en su servicio, y tenerlos en mucho más que las riquezas temporales, recordando en sus memorias aquellas palabras del famoso Fabricio, cónsul de los romanos, que a los embaxadores de los samnitas,[61] a quien iva a conquistar, dixo sobre traerle muy grandes presentes de oro y plata, y otras ricas joyas, haviéndole visto comer en platos de tierra, pensando con aquello aplacarle y desviarle de aquello que el Senador de Roma le mandara que contra ellos fiziesse. Más él, usando de su alta virtud, desechando aquello que muchos por lo cobrar en

---

61. *samnitas o samnites: gamutas* en Z, fol 138, rº, corregido por Place (III, 666,520). «Y por excelencia se deve entender de aquel frugalíssimo y nunca cohechado Fabricio, que ofreciéndole los samnites grandíssimos dones no los quiso recebir» (*TLE,* voz *Fabricio*). Se trata de Gaius Luscinus Fabricius, cónsul y general romano.

grande aventura sus vidas, sus almas ponen, les dixo: «No queremos los romanos los thesoros, mas sojuzgar y mandar a los señores dellos.»[62]

Pues, la razón destas tales palabras no se puede essecutar sin cavalleros de gran prez y que mucho valgan, y que con muy gran amor a sus señores sirvan por los beneficios y honras que dellos hayan recebido.

Pues, estando en aquel comer, el rey estava muy alegre y diziendo a todos los cavalleros que allí estavan que se adereçassen lo más presto que pudiessen para la ida de la Insola de Mongaça, y que, si menester fuesse, él por su persona iría con ellos. Y desque los manteles alçaron, llevó don Grumedán a Gandales a la reina, que lo ver quería, de que mucho plugo a Oriana y a Mabilia, porque dél sabrían nuevas de Amadís que mucho desseavan saber. Y entrando donde ella estava, recibiólo muy bien y con gran amor y fízolo sentar ante sí cabe Oriana; y díxole:

—Don Gandales, amigo ¿conoçéis essa donzella que cabo vos está, a quien vos mucho servistes?

—Señora —dixo él—, si yo algún servicio le he fecho, téngome por bienaventurado; y assí me terné cada que a vos, señora, o a ella servir pueda; y assí lo faría al rey si no fuesse contra Amadís, mi criado y mi señor.

Cuando esto le oyó la reina, díxole que assí lo hiziesse:

—Mas guardando su honra, lo podéis vos, mi buen amigo, consejarle y traerle a la paz, mejor que otro alguno fazer podría, y yo assí lo faré en cuanto pudiere con el rey mi señor.

—Esso faré yo de muy buen grado —dixo Gandales— en cuanto yo pudiere y mi consejo bastare; y en esto faga Dios lo que por bien tuviere.

La reina le dixo:

—Pues assí sea por mi amor como dicho havéis.

Gandales le dixo:

—Señora, yo vine con mandado de Amadís al rey; y mandóme que, si veros pudiesse, que por él os besasse las manos como aquel a quien mucho pesa de ser apartado de

62. Juan de Mena, *Laberinto de la Fortuna:* «Estava la imagen del pobre Fabriçio, / aquel que non quiso que los senadores / oro nin plata de los oradores / tomassen, nin otro ningund benefiçio, provando que fuese más ábil offiçio / al pueblo romano querer poseer / los que poseían el oro que aver / todo su oro con cargo de viçio» (CCXVIII).

vuestro servicio. Y otro tanto digo por Agrajes, el cual os pide de merced le mandéis dar a su hermana Mabilia, que, pues él y don Galvanes no son en amor del rey, no tiene ya ella por qué estar en su casa.

Cuando esto Oriana oyó, muy gran pesar ovo, que las lágrimas le vinieron a los ojos, que sufrir no se pudo, assí porque la mucho amava de coraçón como porque sin ella no sabía qué hazer en su parto, que se le allegava ya el tiempo. Mas Mabilia, que assí la vio, ovo gran duelo della, y díxole:

—¡Ay, señora, qué gran tuerto me faría vuestro padre y madre si de vos vos me partiessen!

—No lloréis —dixo Gandales que vuestro fecho está muy bien parado, que cuando de aquí vais, seréis llevada a vuestra tía la reina Elisena de Gaula; que después d'esta ante quien estamos, no se halla otra más honrada ni acompañada; y folgaréis con vuestra cormana Melicia, que os mucho dessea.

—Don Gandales —dixo la reina—, mucho me pesa desto que Agrajes quiere, y hablarlo he con el rey; y si mi consejo toma, no irá de aquí esta infanta sino casada como persona de tan alto lugar.

—Pues sea luego, señora —dixo él—, porque yo no puedo más detenerme.

La reina lo embió llamar; y Oriana, que le vio venir, y que en su voluntad sola estava el remedio, fue contra él hincando los inojos; le dixo:

—Señor, ya sabéis cuánta honra recebí en la casa del rey de Escocia, y cómo al tiempo que por mí embiastes, me dieron a su hija Mabilia, y cuánto mal contado me sería si a ella no gela pagasse; y demás desto ella es todo el remedio de mis dolencias y males. Agora embía Agrajes por ella, y si me la quitardes, feréisme la mayor crueza y sinrazón que nunca a persona se fizo, sin que primero le sea gualardonado las honras que de su padre recebí.

Mabilia estava de inojos con ella y tenía por las manos al rey, y llorando le suplicava que la no dexasse levar; si no, que con gran desesperación se mataría; y abraçávase con Oriana. El rey, que muy mesurado era y de gran entendimiento, dixo:

—No penséis vos, mi hija Mabilia, que por la discordia que entre mí y los de vuestro linaje está tengo yo de olvidar lo que me havéis servido, ni por esso dexaría de tomar todos los que de vuestra sangre servirme quisiessen y hazerles mercedes, que por los unos no desamaría a los otros, cuanto más a vos a quien tanto devemos. Hasta que el gualardón de vuestros mereçimientos hayáis, no seréis de mi casa partida.

Ella le quiso besar las manos, mas el rey no quiso; y alçándolas suso, las hizo assentar en un estrado, y él se assentó entre ellas. Don Gandales, que todo lo vio, dixo:

—Señoras, pues tanto vos amáis y havéis estado de consuno, desaguisado sería quien vos partiesse. Y de vos, señora Oriana, al mi grado ni por mi consejo Mabilia no será partida sino en la forma qu'el rey y vos dezís; y yo he dicho al rey y a la reina mi embaxada, y la respuesta daré a don Galvanes vuestro tío y Agrajes vuestro hermano; y comoquiera que dello les pese o plega, todos ternán por bien lo que el rey faze y lo que vos, señora, queréis.

Después desto dixo al rey y a la reina:

—Señores, yo me quiero ir.

El rey le dixo:

—Id con Dios, y dezid a Amadis que esto que me embió a dezir, que no irá a la Insola de Mongaça, pues que él me la fizo haver, que yo bien entiendo que más lo faze por guardar su provecho que por adelantar mi honra, y como lo yo entiendo, assí se lo gradezco; y de hoy más faga cada uno lo que entendiere.

Y salióse de la cámara al palacio. La reina dixo:

—Don Gandales, mi amigo, no paredes mientes a las sañudas palabras del rey ni de Amadís, sino toda vía os ruego que se vos acuerde de poner paz entre ellos, que yo assí lo faré; y saludádmelo mucho y dezilde que le gradezco la cortesía que me embió dezir que no faría enojo en el lugar donde yo estuviesse, y que le ruego mucho que me honre cuando viere mi mandado.

—Señora —dixo él—, todo lo faré a todo mi poder como lo mandáis.

Y despidióse della. Y ella lo acomendó a Dios que le guardasse y le diesse gracia que entre el rey y Amadís pusiesse amistad como tener solían. Oriana y Mabilia lo llamaron, y díxole Oriana:

—Señor don Gandales, mi leal amigo, gran pesar tengo porque no vos puedo gualardonar lo que me servistes, qu'el tiempo no da lugar ni yo tengo para satisfazer vuestro tan gran mereçimiento, mas plazerá a Dios que ello se hará como lo yo devo y desseo.

Cuando esto le oyó don Gandales, dixo:

—Señora, según mis servicios pequeños fueron, por mucha satisfación tengo yo el vuestro gran conocimiento, ahunque más gualardón no haya; y señora, siempre me mandad en qué os servir pueda, pues conoçéis ser yo tanto vuestro, no mirando a este desamor que agora es entre Amadís y vuestro padre. Y ahunque él lo desame, vos, señora, no lo desaméis, pues que siempre vos sirvió desde su niñez cuando era Donzel del Mar, y después de cavallero en cuantas afruentas se ha puesto por vos servir; que demás de los muy grandes servicios y tan señalados que al rey vuestro padre hizo, de que mal gualardón sacó, y a vos libró de las manos de aquel malo Arcaláus el Encantador, donde sin muy gran deshonra salir no pudiérades. Assí que, señora, no parezca que de todos es desamado, pues que es muy conoçido que lo él no mereçe; y por esto, señora, mi ánimo gran dolor siente en recebir tan mal gualardón en pago de sus grandes servicios.

Oriana, cuando esto le oyó, dixo con gran humildad:

—Don Gandales, mi buen amigo, en todo dezís muy gran verdad, y mucho me desplaze deste desamor, porque según el coraçón del uno y del otro no se espera sino mucho mal y daño según de cada día va creçiendo, si Dios por su piedá no lo remedia; mas yo espero en El que atajará este mal. Y saludádmelo mucho, y dezilde que le ruego yo mucho que teniendo él en su memoria las cosas que en esta casa de mi padre passó, tiemple las presentes y por venir tomando el consejo y mandado de mi padre, que le mucho precia y ama.

Mabilia le dixo:

—Gandales, de merced vos pido me encomandéis mucho a mi cormano y señor Amadís y a mi señor hermano Agrajes, y al virtuoso señor don Galvanes mi tío; y dezildes que de mí no hayan cuidado ni se trabajen de me apartar de mi señora Oriana, porque les sería afán perdido, que enantes perdería la vida que me partir della siendo a su grado. Y dad esta carta a Amadís, y dezilde que en ella fallará todo el fecho de mi fazienda, y creo que con ella gran consolación recibirá.

Oído esto por Gandales, saludólas y luego se partió dellas. Y tomando a Sadamón consigo, que con el rey stava, se armaron y entraron en su camino. Y a la salida de la villa hallaron gran gente del rey y muy bien armada, que hazían alarde para ir a la Insola de Mongaça; lo cual él mandó porque ellos viessen tanta y tan buena gente, y lo dixessen a los que allí los embiaron por les meter pavor. Y vieron cómo andavan entre ellos por mayorales el rey Arbán de Norgales, que era un esforçado cavallero, y Gasquilán el Follón, hijo de Madarque el gigante bravo de la Insola Triste, y de una hermana de Lançino, rey de Suesa. Este Gasquilán Follón salió tan esforçado y tan valiente en armas que cuando su tío Lancino murió sin heredero, todos los del reino tovieron por bien de lo tomar por su rey y señor. Y cuando este Gasquilán oyó dezir desta guerra d'entre el rey Lisuarte y Amadís, partió de su reino, assí por ser en ella como por se provar en la batalla con Amadís, por mandado de una señora a quien él mucho amava; lo cual todo por más estenso y enteramente en el cuarto libro se recontará, donde se dirá más complidamente deste cavallero y la batalla que con Amadís, fijo del rey Perión de Gaula, huvo, y por esto no se dirá más por quitar alguna prolixidad de palabras.

Don Gandales y Sadamón, después que aquellos cavalleros ovieron mirado, fueron su camino fablando y razonando en cómo era muy buena gente, pero que con hombres lo havían que se no espantarían dellos. Y tanto anduvieron por sus jornadas que llegaron a la Insola Firme, donde con ellos mucho les plugo a aquellos que los atendían. Y cuando fueron desarmados, entráronse en una fermosa huerta, donde Amadís y todos aquellos señores holgando estavan. Y dixéronles todo cuanto lo que con el rey les avino assí como passara, y la gente que vieran que estava para ir a la Insola de Mongaça, y cómo llevavan aquellos dos caudillos el rey Arbán de Norgales y Gasquilán, rey de Suesa, y la razón por que éste de tan lueñe tierra havía venido, que la principal causa era para se combatir con Amadís y con todos ellos, y cómo era valiente y ligero, y de muy gran fama de todos aquellos que le conoçían. Gavarte del Val Temeroso dixo:

—Para sanar esse gran desseo y dolencia que trae, aquí hallará muy buenos y discretos maestros a don Florestán y a don Cuadragante; y si ellos son ocupados, aquí soy yo que le presentaré este mi cuerpo, porque no sería razón que tan luengo camino como anduvo saliesse en vano.

—Don Gavarte —dixo Amadís—, dígoos que si yo fuesse

doliente, antes dexaría toda la phísica y pornía toda mi esperança en Dios, que provar vuestra melezina ni letuario.

Brian de Monjaste dixo:

—Señor, assí no andades vos con tan gran cuidado como aquel que nos demanda; y bien será de lo socorrer porque sepa dezir en su tierra los maestros que acá halló para semejantes enfermedades.

Y desque assí estuvieron por espacio de una gran pieça fablando y riendo, y con gran plazer preguntó Amadís si havía aí alguno que lo conoçiesse, y Listorán de la Torre Blanca dixo:

—Yo le conozco muy bien, y sé harto de su fazienda.

—Dezídnoslo —dixo Amadís.

Estonces les contó quién era su padre y madre, y cómo fuera rey por su gran valentía, y cómo se combatía muy bravamente, y cómo havía ocho años que seguía las armas, y que fiziera tanto con ellas que en toda su tierra ni en las comarcanas no se fallava su igual.

—Mas digo que no se ha fallado con aquellos que agora viene a demandar; y yo me fallé contra él en un torneo que ovimos en Valtierra, y de los primeros encuentros caímos con los cavallos en el suelo; mas la priessa fue tan grande que nos no podimos más ferir, y el torneo fue vencido a la parte donde yo estava por falta de los cavalleros que no fizieron lo que devían fazer, y por la gran valentía deste Gasquilán, que nos fue mortal enemigo; assí que ovo el prez de ambas partes, y no cayó aquel día del cavallo sino aquella vez que nos encontramos.

—Ciertamente —dixo Amadís—, vos fabláis de grande hombre que viene como rey de gran prez por fazer conoçer su bondad.

—Dezís verdad —dixo don Cuadragante—, mas en tanto lo erró, que deviera venirse a nosotros, que somos los menos, y mostrara en ello más esfuerço, pues sin tocar en su honra lo pudiera hazer.

—En esso acertó mejor —dixo don Galvanes—, porque se vino, ahunque a los más, a los que son más flacos, que no pudiera él esperimentar su esfuerço si no tuviera en contra los mejores y más fuertes.

En esto hablando, llegaron los maestros de las naves, y dixeron:

—Señores, armad os y adereçad lo que menester havéis, y

entrad en las naos, qu'el viento havemos muy endereçado para el viaje que fazer queréis.

Estonces salieron todos de la huerta con mucho plazer, y la priessa y el ruido era tan grande, assí de las gentes como de los instrumentos de la flota, que apenas se podían oír; y muy presto fueron armados, y metieron sus cavallos en las fustas, que todas las otras cosas que menester havían dentro estavan, y con mucho plazer acogiéronse a la mar. Y Amadís y don Bruneo de Bonamar, que en una barca entre ellos andavan, fallaron juntos en una fusta a don Florestán y a Brian de Monjaste, y a don Cuadragante y Angriote d'Estraváus, y entraron con ellos. Y Amadís los abraçava como si passara gran pieça que los no viera, viniéndole las lágrimas a los ojos de muy gran amor que les havía y con soledad que dellos tomava; y díxoles:

—Mis buenos señores, mucho fuelgo en veros assí juntos.

Don Cuadragante le dixo:

—Mi señor, assí iremos por la mar y ahún por la tierra, si alguna ventura no nos parte; y assí lo havemos puesto entre nos de nos guardar en esta jornada.

Y mostráronle un pendón muy hermoso a maravilla que llevavan, en que ivan figuradas doze donzellas con flores blancas en las manos, no porque ellas a las donzellas amassen, mas por remembrança de aquellas doze por quien esta cuistión se començava, que tan gran peligro passaron en la prisión del rey Lisuarte, y por dar más honra a don Galvanes, a quien ellos ayudavan, y viesse con qué amor y afición tomavan aquella afruenta; porque las cosas de los amigos tomadas con entera voluntad, enteramente son gradeçidas, y si al contrario, al contrario se tienen; y con mucha razón deve assí ser tenido, que según el afición con que se faze, tal el gualardón de quien lo recibe. Cuando Amadís el pendón vio, huvo gran plazer porque assí jelo mostraron. Y allí les dixo que mucho mirassen de se haver cuerdamente y no dar más lugar a su gran esfuerço que a la discreción, porque todas las más vezes las semejantes cosas que con sufrimiento y seso no eran regidas, ahunque en sí gran fuerça oviessen, se perdían; y por esta causa se fallavan por vencedores los menos y más flacos, alcançando vitoria de los muchos y más fuertes; y que mirassen que cada uno de los que allí ivan havía de ser governador y capitán de sí mismo, porque no eran ellos para ser governados de otro ninguno, sino para regir y governar; que gran diferencia havía entre las batallas particulares que fasta allí havían seguido y las generales de muchodumbre de gentes, porque en las tales se conoçe el saber; porque en las primeras el juizio solamente se havía de ocupar en lo que cada uno fazer devía, y en las otras en lo suyo y de todos los otros que los buenos han de governar; porque assí como la mayor parte del trabajo se les ofrece, assí alcançan lo más de la honra y gloria, y de la mengua y deshonra cuando dello se descuidan. Esto y otras cosas muchas les dixo, de que ellos fueron muy contentos. Estonces se despidió dellos, y tomando consigo en la barca a don Bruneo de Bonamar y Gandales su amo, anduvo por toda la flota fablando con todos aquellos cavalleros fasta que salió en tierra y la flota movió tras la nao en que don Galvanes iva, y Madasima, que la delantera llevava con tan gran ruido de trompas y añafiles que maravilla era de los ver.

Assí como oídes partió esta gran flota de aquel puerto de la Insola Firme para ir al castillo del Lago Ferviente, donde era la Insola de Mongaça, quedando Amadís y don Bruneo de Bonamar en la Insola Firme de camino para passar en Gaula. Pues aquella flota fue por la mar con tal tiempo que a los siete días arribaron un día antes del alva al castillo del Lago Ferviente, que cabe el puerto de la mar estava. Y luego se armaron todos y aparejaron los bateles para saltar en tierra, y ponían puentes de tablas y de cañizos por donde los cavallos saliessen, y esto fazían muy calladamente porque el conde Latine y Galdar de Rascuil, que en la villa estavan con trezientos cavalleros, no los sintiessen. Mas luego de los veladores fueron sentidos y dixéronlo aquellos sus señores que havía gente; mas no supieron qué tanta, que la noche era muy escura. Y luego el conde y Galdar se vistieron y subieron al castillo, y oyeron la buelta de la gente, y semejóles gran compaña, que con el alva del día pareçieron muchas naves; y dixo Galdar:

—Verdaderamente éste es don Galvanes y sus compañeros y amigos que contra nos vienen, y ya Dios no me salve si a mi poder el puerto tomaren tan ligeramente como ellos cuidan.

Y mandando armar toda su gente, y ellos assí mesmo, salieron de la villa contra ellos. Y Galdar fue a un puerto que con la villa se contenía, y el conde Latine a otro a la parte del castillo, en el cual estava don Galvanes, y Agrajes, con todos los que los ayudavan; ivan en la delantera Gavarte de

Val Temeroso y Orlandín, y Osinán de Borgoña y Madancil de la Puente de la Plata; y allí el conde Latine con gran gente de pie y de cavallo. Y Galdar con otra gran compaña llegó al otro puerto, donde venía don Florestán, y Cuadragante, y Brian de Monjaste y Angriote, y los otros sus compañeros. Estonces se començó entre ellos una cruel y peligrosa batalla con lanças y saetas y piedras, assí que muchos feridos y muertos huvo, y los de la tierra defendieron los puertos fasta hora de tercia. Mas don Florestán, que a una barca se falló con Brian de Monjaste y don Cuadragante y Angriote, donde tenían sus cavallos y dos compañeros cada uno consigo, don Florestán tenía a Enil, aquel buen cavallero que ya oístes en el segundo libro, y Amorantes de Salvatria que era su cormano; y los de Brian eran Comán y Nicorán, y los de Cuadragante Landín y Orián el Valiente, y los de Angriote su hermano Gradovoy y Sarquiles su sobrino. Y Florestán dio grandes bozes que derribassen la puente y saldrían por ella en sus cavallos. Angriote le dixo:

—¿Por qué queréis acometer tan gran locura?, que ahunque de la puente salgamos, el agua es tan alta antes que lleguemos a la tierra que los cavallos nadarán.

Y assí lo dezía don Cuadragante, mas Brian de Monjaste fue del voto de Florestán; y echada la puente, passaron entrambos por ella, y llegando al cabo, fizieron saltar los cavallos en el agua, que era tan alta que les dava a los arçones de las sillas. Y allí acudieron muchos de los contrarios, que de grandes golpes y mortales los herían; y ellos se defendían a gran peligro, que ya más no podían por ser los enemigos muchos. Mas llegaron luego don Cuadragante y Angriote, y juntáronse con ellos, y assí lo fizieron aquellos sus compañeros; mas la subida del puerto era tan alta, y la gente tan grande que la defendían, que no sabían dar remedio. Palomir y Dragonís, que en tal peligro los vieron, hizieron tocar las trompas y añafiles con gran grita de su gente, y mandaron embiar dos galeas en tierra a la ventura que Dios les diesse, y ivan en cada una dellas treinta cavalleros muy bien armados, y el golpe fue tan grande, que todas fueron hechas pieças. Allí fue el ruido tan grande y de tantos alaridos de un cabo y de otro, que no pareçía sino ser todo el mundo assonado. Dragonís y Palomir quedaron en el agua, que les dava a los pescueços, y sus cavalleros con ellos travándose a las tablas de las galeas quebradas y puxándose unos a otros, yendo con gran trabajo adelante fasta que ya en el agua les dava a las cintas. Y ahunque la gente de la ribera era mucha y bien armada y resistía con gran esfuerço, no pudieron escusar que don Florestán y sus compañeros no tomassen tierra, y luego assí mismo Dragonís y Palomir con todos los suyos. Cuando Galdar esto vio, que los suyos perdían el campo, no podiendo sufrir a sus contrarios, por estar ya muy apoderados, con gran ánimo y lo mejor qu'él pudo, fízolos retraer porque todos no se perdiessen; qu'él stava muy mal ferido de la mano de don Florestán y de Brian de Monjaste, que lo derribó del cavallo, y fue tan quebrantado que apenas se podía tener en otro cavallo que los suyos le dieron; y yéndose contra la villa, vio cómo el conde Latine se venía con toda su gente a más andar, que ya le havían tomado el puerto don Galvanes y Agrajes y sus compañeros, como aquellos que a su causa la batalla se fazía.

Y agora sabed aquí qu'el conde havía prendido a Dandasido, fijo del gigante viejo, y otros veinte hombres de la villa con él, teniéndolos por sospechosos que le havían de ser contrarios, los cuales estavan en el castillo en una prisión que era en la más alta torre, y hombres que los guardavan; y como la batalla fue entre los cavalleros, los carceleros que los tenían salieron encima de la torre por mirar la batalla. Y cuando Dandasido vio que los no guardavan, y vio que tenía tiempo de se soltar, dixo a aquellos que con él estavan:

—Ayudadme y salgamos de aquí.

—¿Cómo será esso? —dixeron ellos.

—Quebrantemos este candado desta cadena que a todos tiene.

Estonces con una gruessa soga de cáñamo, con que de noche les atavan las manos y pies, metiéronla por el candado lo más presto que pudieron, y con la gran fuerça de Dandasido y de todos los otros quebráronle el ramo, anque asaz gruesso, y salieron todos. Y muy presto tomando las espadas de los carceleros que encima de la torre estavan, como oído avéis, y fueron a ellos, que en ál no entendían sino en mirar la batalla que en los puertos se hazía, y matáronlos todos, y dieron grandes bozes:

—¡Armas, armas por Madasima, nuestra señora!

Cuando los de la villa esto vieron, tomaron las torres más fuertes de la villa, y matavan todos los que alcançar podían. Cuando el conde Latine esto vio, entró por la puerta que

saliera y paró en una casa cerca della, y Galdar de Rascuil
con él, que no osaron passar adelante, atendiendo más la
muerte que la vida. Los de la villa travaban las calles de entre
ellos y esforçávanse cuanto podían con aquel gran socorro,
y davan bozes a los de fuera que llegassen allí a su señora
Madasima y que le entregassen la villa. Cuadragante y Angriote llegaron a una puerta por saber la verdad, y sabiendo
de Dandasido el hecho cómo estava, fuéronlo dezir a don
Galvanes. Y luego cavalgaron todos y llevaron a Madasima,
su fermoso rostro descubierto, en un palafrén blanco, vestida de un capete de oro. Y llegando cerca de la villa, abrieron las puertas y salieron a ella cient hombres de los más
honrados, y besáronle las manos, y ella les dixo:

—Besadlas a mi señor y mi marido don Galvanes, que
después de Dios él me libró de la muerte, y me ha hecho
cobrar a vosotros que sois mis naturales, y contra toda razón
vos tenía perdidos, y a él tomad por señor si a mí amáis.

Entonces llegaron todos a don Galvanes, y hincados los
inojos en tierra, con palabras muy humildes, le besaron las
manos y él los recibió con buena voluntad y muy buen talante, gradesciéndoles y loándoles mucho la gran lealtad y
el buen amor que a Madasima, su buena señora avían tenido. Y luego se metieron a la villa, donde llegó Dandasido,
que muy honrado de Madasima y de todos aquellos señores
fue. Esto assí fecho, dixo Imosil de Borgoña:

—Muy bien sería que de todos nuestros enemigos que
ahún en la villa están nos despachássemos.

Agrajes, el cual con muy gran saña encendido estava, dixo:

—Yo he mandado destravar las calles, y el despacho será
que todos sean despachados sin que ninguno de todos ellos
bivo quede.

—Señor —dixo Florestán—, no deis a la ira ni saña tanto
señorío sobre vos, que vos faga fazer cosa que después de
apartada querríades más presto ser muerto.

—Bien vos dize —dixo don Cuadragante—; basta que se
metan todos en la prisión de don Galvanes, vuestro tío, si
alcançar se puede; porque mayor reparo es de los vencedores tener bivos los vencidos que muertos, considerando las
bueltas de la mudable y incierta fortuna; que assí como a
ellos, a los prosperados tornar en breve podría.

Acordóse, pues, que Angriote d'Estraváus y Gavarte de
Val Temeroso fuessen a lo despachar; los cuales llegados a

la parte de donde el conde Latine y Galdar de Rascuil esta-van, hallaron toda su gente muy mal parada, y a ellos mal heridos, con gran dolor de sus ánimos porque la cosa en tal estado contra ellos venido avía; sobre algunas razones entre ellos havidas, tuvieron por bien de se poner en la voluntad y buena mesura de don Galvanes. Acabado, pues, esto que la villa y el castillo enteramente fue en poder de Madasima y de sus valedores, con gran plazer de todos ellos, otro día siguien-te supieron por nuevas cómo el rey Arbán de Norgales y Gasquilán, rey de Suesa, con tres mill cavalleros eran llegados al puerto de aquella ínsola, y cómo salían todos en tierra a gran priessa y embiavan la flota para que viandas les traxes-sen. En gran alteración les puso esto, sabiendo la muchedum-bre de la gente y los suyos estar tan mal parados; pero como hombres que vergüença dudavan, acordándoseles de lo que Amadís les dixera; que sus cosas fiziessen con acuerdo, co-moquiera que el parecer de algunos fuesse de salir a pelear con ellos, no lo hiziessen fasta que todos reparados fuessen de sus llagas y los cavallos y armas en mejor disposición.

Assí que en esto quedando unos y otros, contará la isto-ria de Amadís y de don Bruneo de Bonamar, que en la In-sola Firme quedado avían.

CAPÍTULO LXV

De cómo Amadís preguntó a su amo don Gandales nuevas de las cosas que passó en la corte. Y de allí se partieron él y sus compañeros para Gaula, y de las cosas que les avino de aventuras en una isla que arri-baron, donde defendieron del peligro de la muerte a don Galaor, su hermano de Amadís, y al rey Cildadán, de poder del gigante Madarque

DESPUÉS que la flota partió de la Insola Firme para la In-sola de Mongaça, como oído avéis, Amadís quedó en la Insola Firme y don Bruneo de Bonamar con él; y con la priessa de la partida no tuvo lugar de saber de su amo don Gandales las cosas que passó en la corte del rey Lisuarte. Y llamándolo aparte, passeando por una huerta donde él posa-va, quiso saber lo que passara. Don Gandales le dixo lo que en la reina falló, y con el amor que recibió su mensaje y en cuánto lo tuvo, y cómo le embiava a rogar la paz con el rey. Y así mismo le contó lo que passara con Oriana y Mabilia, y lo que ellas le respondieron; y diole la carta que traía de Mabilia, por la cual supo cómo avía acrecentado en su linaje, dándole a entender que Oriana estava preñada. Todo lo oía Amadís con gran plazer, ahunque con mucha soledad de su señora, que su coraçón no fallava en ninguna cosa reposo ni descanso alguno, y assí estuvo solo en la torre de la huerta con gran pensamiento, cayéndole las lágrimas de sus ojos, que las fazes le mojavan, como hombre fuera de sentido. Mas tornando en sí, fuese adonde don Bruneo andava, y mandó Gandalín que metiesse las armas en una fusta, y las de don Bruneo, y las otras cosas necessarias, porque en todo caso quería partir otro día para Gaula. Esto se hizo luego, y venida la mañana, entraron en la mar con tiempo endereçado y a las vezes con contrario; y a los cinco días falláronse cabe una ínsola que les paresció muy poblada de árboles, y tierra hermosa al parescer. Don Bruneo dixo:

—¿Vedes, señor?, ¡qué hermosa tierra!

—Tal me paresce —dixo Amadís.

—Pues paremos aquí, señor —dixo don Bruneo—, unos dos días, y podrá ser que en ella fallemos algunas strañas aventuras.

—Así se haga —dixo Amadís.

Entonces mandaron al patrón que acostasse la galea a la tierra, que querían salir a veer aquella ínsola, que muy hermosa les parescía, y también para si algunas aventuras hallassen.

—Dios vos guarde della —dixo el maestro de la nao.

—¿Por qué? —dixo Amadís.

—Por vos guardar de la muerte —dixo él—, o de muy cruel prisión; que sabed que ésta es la Insola Triste,[63] donde es

---

63. Esta Insola Triste dominada por el gigante Madarque podría ser identificada con la Insola del Ploro a la que hace alusión Juan Dueñas en un dezir amoroso (anterior a 1460, ver nota 50), aunque el contexto en que la menciona hace dudar de ello: «Pues pensar bien qué dezís, / mi senyora verdadera, / que por cierto si yo fuera / en el tiempo d'Amadís, / segun vos amo y adoro / muy lealmente sin arte, / nuestra fuera la más parte / de la ínsola del Ploro»; tampoco esta ínsola del Ploro resulta identificable con la Insola Firme. De todo ello se deduce que Juan Dueñas hace alusión a un episodio del A. primitivo que Montalvo suprimió y cuyo nombre lo pone en relación con el Tristán castellano y su Insola del Ploro o Poro.

señor aquel muy bravo gigante Madarque, más cruel y esquivo que en el mundo ay. Y dígovos que passa de quinze años que no entró en ella cavallero, ni dueña, ni donzella que no fuessen muertos o presos.

Cuando esto oyeron, mucho se maravillaron, y no con poco temor de acometer tal aventura; mas como ellos fuessen de tales coraçones y que el su oficio verdadero era quitar del mundo tan malas costumbres, no temiendo el peligro de sus vidas más que la gran vergüença que dexándolo se les podría seguir, dixeron al maestro que en todo caso llegasse la fusta a la tierra, lo cual muy a duro y cuasi por fuerça acabaron. Y tomando sus armas y en sus cavallos, solamente consigo levando a Gandalín y a Lasindo, escudero de don Bruneo, entraron por la ínsola adelante y mandaron aquellos sus escuderos que si fuessen acometidos de otros hombres que cavalleros no fuessen, que les ayudassen como mejor pudiessen. Ellos dixeron que así lo harían. Así anduvieron una pieça hasta que fueron encima de la montaña, y vieron cerca de sí un castillo que les paresció muy fuerte y fermoso, y fuéronse para allá por saber algunas nuevas del gigante. Y llegando cerca, oyeron tañer en la más alta torre un cuerno tan bravamente, que todos aquellos valles hazía reteñir.

—Señor —dixo don Bruneo—, aquel cuerno se tañe según dixo el maestro de la galea, y cuando el gigante sale a la batalla, y esto es si los suyos no pueden vencer o matar algunos cavalleros con que se conbaten; y cuando él assí sale, es tan sañudo que mata todos los que halla, y aun algunas vezes de los suyos.

—Pues vamos adelante —dixo Amadís.

Y no tardó mucho que oyeron muy gran ruido de mucha gente, de muy grandes golpes de lanças y de espadas muy agudas y bien tajantes; y tomando todas sus armas fueron todos para allá. Y vieron muy gran gente que tenían cercados dos cavalleros y dos escuderos que estavan a pie, que los cavallos les havían muerto y queríanlos matar; mas todos cuatro se defendían con las espadas tan bravamente que era maravilla verlos. Y Amadís vio venir descontra ellos a Ardián, el su enano; y como vio el escudo de Amadís, conosció luego, y dixo a grandes bozes:

—¡O señor Amadís, socorred a vuestro hermano don Galaor, que lo matan, y a su amigo, el rey Cildadán!

Cuando esto oyeron, moviéronse al más correr de sus cavallos, juntos uno con otro, que don Bruneo a su poder a él ni a otro en tal menester no daría la aventaja. Y yendo assí, vieron venir a Madarque, el bravo gigante que era señor de la ínsola, y venía en un gran cavallo y armado de hojas de muy fuerte azero y loriga de muy gruessa malla, y en lugar de yelmo una capellina gruessa y limpia y reluziente como espejo, y en su mano un muy fuerte venablo tan pesado, que otro cualquier cavallero o persona que sea apenas y con gran trabajo lo podría levantar, y un escudo muy grande y pesado; y venía diziendo a grandes bozes:

—¡Tiradvos afuera, gente cativa de poco pro, que no podéis matar dos cavalleros lassos y sin poder como vos! ¡Tiradvos afuera y dexaldos a este mi venablo que goze la sangre dellos!

¡O, cómo Dios se venga de los injustos y se descontenta de los que la sobervia siguir quieren, y este orgullo sobervioso cuán presto es derrocado! Y tú, letor, mira cuán por esperiencia se vio en aquel Membrot [64] que la torre de Babel edificó, y otros que por Escriptura dezir podría, los cuales dexo por no dar causa a prolixidad.

Assí contesció a Madarque en esta batalla. Y Amadís, que todo lo oyó, en gran pavor fue puesto por le ver tan grande y tan dessemejado; y acommendándose a Dios, dixo:

—Agora es tiempo de ser socorrido de vos, mi buena señora Oriana.

Y rogó a don Bruneo que firiesse él en los otros cavalleros, que él quería resistir al gigante. Y apretó la lança so el braço y aguijó el cavallo contra Madarque cuanto más rezio pudo, y encontróle tan fuertemente en el pecho que por fuerça le hizo doblar sobre las ancas del cavallo. Y el gigante, que apretó las riendas en la mano, tiró tan fuertemente, que hizo enarmonar el cavallo, assí que cayó sobre él y le quebró una pierna, y el cavallo ovo sacada la una espalda, de manera que ninguno dellos se pudo levantar. Amadís, que así lo vio, puso mano a su espada y dio bozes diziendo:

—¡A ellos, hermano Galaor, que yo soy Amadís, que os socorreré!

Y fue para ellos, y vio cómo don Bruneo avía muerto de un encuentro por la garganta a un sobrino del gigante, y con

64. Nemrod (*Génesis*, X, 8).

la espada hazía cosas estrañas de que mucho se maravilló; y dio un golpe por encima del yelmo a otro cavallero, que no le prestó el yelmo que le no cortase hasta el caxco, y dio con él en el suelo.[65] Galaor saltó en el cavallo y no se quitó de cabe el rey Cildadán; mas llegó Gandalín, y apeóse del suyo y diolo al rey, y él juntóse con los dos escuderos. Cuando todos cuatro fueron a cavallo, allí pudiérades ver las maravillas que hazían en derribar y matar cuantos delante se les paravan; y los escuderos por su parte hazían gran daño en la gente de pie. Assí que en poco rato fueron todos los más muertos y heridos, y los otros huyeron al castillo con miedo de los bravos golpes que les veían dar. Y los cuatro cavalleros ivan empós dellos por los matar, hasta que llegaron a la puerta del castillo, que estava cerrada y no la avían de abrir fasta qu'el gigante viniesse, que assí les era mandado y defendido. Y los que huían, cuando se vieron sin remedio los que a cavallo estavan, apeáronse, y todos juntos echaron las espadas de las manos y fueron contra Amadís, que delante venía; y hincados los inojos ante los pies de su cavallo, le demandaron merced que los no matasse, y traváronle de la falda de la loriga por escapar de los otros, que contra ellos venían. Amadís los amparó del rey Cildadán y don Galaor, que por el gran daño que dellos recibieran, a su grado no dexaran ninguno bivo; y tomó fiança dellos que farían lo que les él mandasse. Entonces se fueron donde el gigante estava muy desapoderado de su fuerça, que el cavallo le yazía sobre la pierna quebrada y teníale tan ahincado que a pocas le salía el alma. El rey Cildadán se apeó de su cavallo y mandó a los escuderos que le ayudassen; y trastornando el cavallo, quedó el gigante más libre dél, y dexólo holgar; que ahunque por su causa fueron llegados al punto de la muerte él y don Galaor, como avedes oído, no tenía en coraçón de lo matar, no por él, que mala cosa y sobervia era, mas por amor de su hijo Gasquilán, rey de Suesa, que era muy buen cavallero a quien él amava. Y assí lo rogó a Amadís que le no hiziesse mal. Amadís gelo otorgó, y dixo al gigante, que en más acuerdo estava:

65. La espada destroza el yelmo llegando hasta el casco. En efecto, debajo del yelmo en forma de tonel se llevaba un casco semiesférico, que además de reforzar la protección ajustaba más el gran yelmo a la cabeza impidiendo su movilidad.

—Madarque, ya veis vuestra hazienda cómo está; y si quisieres tomar mi consejo, hazerte he bivir, y si no, la muerte es contigo.

El gigante le dixo:

—Buen cavallero, pues en mí dexas la muerte y la vida, yo haré tu voluntad por bivir, y dello te haré fiança.

Amadís le dixo:

—Pues lo que yo de ti quiero es que seas christiano y mun tengas tú y todos los tuyos esta ley, faziendo en este señorío iglesias y monesterios, y que sueltas todos los presos que tienes, y de aquí adelante que no mantengas esta mala costumbre que fasta aquí tuviste.

El gigante, que ál tenía en el coraçón, dixo con miedo de la muerte:

—Todo lo haré como lo mandáis, que bien veo, según mis fuerças y de los míos con las de vosotros, que, si por mis pecados no, por otra cosa no pudiera ser vencido, especialmente por un golpe solo como lo fuye. Y si os pluguiere, hazedme llevar al castillo, y allí holgaréis; y se fará lo que mandáis.

—Assí se haga —dixo Amadís.

Entonces mandó llamar a sus hombres los que avía asegurado, y tomaron al gigante y lleváronlo al castillo, donde entró él, y Amadís y sus compañeros. Y desque fueron desarmados abraçáronse muchas vezes Amadís y don Galaor, llorando del plazer que en se ver avían; y estuvieron todos cuatro con mucho plazer fasta que de parte del gigante les dixeron que tenían adresçado de comer, que ya era sazón. Amadís dixo que no comerían hasta que todos los presos allí fuessen venidos, porque delante dellos comiessen.

—Esso luego se hará —dixeron los hombres del gigante—, que ya los ha mandado soltar.

Entonces los hizieron venir, y eran ciento, en que avía treinta cavalleros y más cuarenta dueñas y donzellas. Todos llegaron con mucha humildad a besar las manos a Amadís, diziéndole que les mandasse lo que fiziessen. El les dixo:

—Amigos, lo que a mí más me plazerá es que os vais a la reina Brisena y le digáis cómo os embía el su cavallero de la Insola Firme, y que fallé a don Galaor mi hermano; y besalde las manos por mí.

Ellos le dixeron que lo harían todo como lo mandava, assí aquello como todo lo otro en que le servir pudiesen.

Luego se sentaron a comer, y fueron muy bien servidos de
muchos manjares. Amadís mandó que diessen aquellos presos sus navíos en que se fuessen, y assí se fizo luego; y todos
juntos tomaron la vía de donde la reina Brisena estava por
cumplir lo que les era mandado. Amadís y sus compañeros,
después que ovieron comido, entráronse en la cámara del
gigante por le ver, y hallaron que le curava una giganta su
hermana, que se llamava Andandona, la más brava y esquiva que en el mundo avía. Esta nació quinze años ante que
Madarque, y ella le ayudó a criar. Tenía todos los cabellos
blancos y tan crespos, que los no podía peinar; era muy fea
de rostro que no semejava sino diablo. Su grandeza era demasiada, y su ligereza. No avía cavallo, por bravo que fuese,
ni otra bestia cualquiera en que no cavalgasse, y las amansava. Tirava con arco y con dardos tan rezio y cierto, que matava muchos ossos y leones y puercos, y de las pieles dellos
andava vestida. Todo lo más del tiempo alvergava en aquellas montañas por caçar las bestias fieras. Era muy enemiga
de los christianos y hazíales mucho mal, y mucho más lo
fue allí adelante, y lo hizo ser a su hermano Madarque, fasta
que en la batalla que el rey Lisuarte ovo con el rey Arávigo
y los otros seis reyes lo mató el rey Perión, assí como adelante se dirá.

Después que aquellos cavalleros estuvieron una pieça con
el gigante, y él les prometió de se tornar christiano, salieron
a su aposentamiento, donde aquella noche alvergaron. Y otro
día entrando en sus navíos, tomaron la vía de Gaula por un
braço de mar que de una parte y de otra cercado de grandes arboledas era, en las cuales aquella endiablada giganta
Andandona aguardando estava por les hazer algún pesar. Y
como los vio dentro en el agua, descendióse por la cuesta
ayuso hasta se poner sobre ellos encima de una peña; y es-
cogió el mejor dardo de los que traía, sin que dellos vista
fuesse; y como tan cerca los vio, esgrimió el dardo y lançólo
muy fuertemente, y dio a don Bruneo con él en la una pierna, que gela passó hasta dar en la galea, donde fue quebrado. Y con la gran fuerça que puso y la endicia [66] de los ferir,
fuéronsele los pies de la peña, y dio consigo en el agua tan
gran caída que no semejava sino que cayera una torre. Y

    66.   *Endicia*, Z, fol. 143, rº, «indicio» según Place (III, 940), leonesis-
mo; Cacho Blecua corrige *codicia* siguiendo a S. (p. 981).

aquellos que la miravan, y la vieron tan dessemejada y vestida de cueros negros de ossos, cuidaron verdaderamente que algún diablo era, y començáronse a santiguar y acomendarse a Dios. Y luego la vieron salir nadando tan rezio que era maravilla, y tirávanla con saetas y con arcos; mas ella se metía so el agua fasta que salió en salvo a la ribera. Y al salir en tierra, la hirieron Amadís y el rey Cildadán de sendas saetas por la una espalda; mas como salió fuera, començó de huir por las espessas matas; assí que el rey Cildadán, que assí la vio con las saetas hincadas, no pudo estar que no riesse. Y acorrieron a don Bruneo, haziéndole restañar la sangre y echándole en su cama; mas a poco rato la giganta parescía encima de un otero, y començó a dezir a muy grandes bozes:

—Si pensáis que soy diablo, no lo creáis; mas soy Andandona que vos haré todo el mal que pudiere, y no lo dexaré por afán ni trabajo que me avenga.

Y fuesse corriendo por aquellas peñas con tanta ligereza que no avía cosa que la alcançar pudiesse; de lo cual fueron todos maravillados, que bien creían que de las feridas muriera. Entonces supieron toda su hazienda de dos hombres de los presos que Gandalín allí metiera en la galea para los llevar a Gaula, donde eran naturales, de que muy maravillados fueron; y si no fuera por don Bruneo, que muy ahincadamente les rogó que lo más presto que ser pudiesse lo llevassen a algún lugar donde curado de aquella llaga fuesse, querían bolver a la ínsola y buscar por toda aquella endiablada giganta y hazerla quemar.

Assí fueron, como oís, hasta salir de aquella vía, y entraron en la alta mar, y fablando en muchas cosas como aquellos que de coraçón se amavan sin cautela ninguna. Y Amadís los contó cómo era desavenido del rey Lisuarte, y todos sus amigos y parientes que en la corte estavan a su causa, y por cuál razón; y el casamiento de don Galvanes y de la muy hermosa Madasima, y cómo era ido con aquella gran flota a la Insola de Mongaça para la aver de ganar, pues que de herencia le venía, y diziéndoles todos los cavalleros que con él ivan, y el desseo grande que de le ayudar llevavan. Cuando esto oyó don Galaor, muy triste fue destas nuevas y gran dolor su coraçón sintió, que bien entendía los grandes males que podían recrescer. Y en gran cuitado fue puesto, porque ahunque su hermano Amadís, a quien él tanto amava, y tanto acatamiento deviesse, fuesse de la una parte, no pudo tanto con su coraçón que no otorgasse de servir al rey Lisuarte, con quien él bivía, como adelante se dirá. Assí que en esto pensando, y acordándose cómo Amadís dél se avía partido de la Insola Firme, apartólo a un cabo de la nave, le dixo:

—Señor hermano, ¿qué tan grave ni tan gran cosa os pudo occurir que no fuesse mayor el deudo y amor entre nosotros, que assí como de persona estraña de mí vos encubristes?

—Buen hermano —dixo Amadís—, pues la causa dello tuvo tal fuerça de romper aquellas fuertes ataduras dese deudo y amor que dezís, bien podéis creer que sería muy más peligrosa que la misma muerte; y ruégoos mucho que lo no queráis esta vez saber.

Galaor, tornando en mejor semblante, que algo estava sañudo, veyendo que todavía era su voluntad de se encubrir, se dexó dello, y hablaron en otras cosas.

Assí anduvieron cuatro días navegando, en cabo de los cuales aportaron a una villa de Gaula que avía nombre Mostrol; y allí estava a la sazón su padre el rey Perión, y la reina su madre, porque era puerto de mar descontra la Gran Bretaña, donde mejor podían saber nuevas de aquellos sus hijos; y como vieron la galea, embiaron a saber quién eran los que allí venían. Y llegando el mensajero, mandó Amadís que le respondiessen que dixiesse al rey cómo venía el rey Cildadán, y don Bruneo de Bonamar, que de sí ni de su hermano no quiso que por entonces nada supiessen. Cuando el rey Perión esto oyó, fue mucho alegre, porque el rey Cildadán le diría nuevas de don Galaor, que Amadís le hizo saber cómo entrambos eran en casa de Urganda. Y mandó cavalgar toda su compañía, y saliólos a rescebir, que a don Bruneo amava mucho porque avía estado algunas vezes en su corte, y sabía que aguardava a sus hijos.

Amadís y don Galaor cavalgaron en sus cavallos, ricamente vestidos, y fueron por otra parte al palacio de la reina; y como a su aposentamiento llegaron, dixeron al portero:

—Dezid a la reina que están aquí dos cavalleros de su linaje que la quieren hablar.

La reina mandó que entrassen; y como los vio, conosció Amadís, y a don Galaor por él, que mucho se parescían, y no lo viera desde que el gigante gelo hurtó, y dixo en una boz:

—¡Ay, Virgen María Señora!, ¿y qué es esto que mis hijos veo ante mí?

Y cerrándosele la palabra, cayó en el estrado como fuera de sentido. Y ellos hincaron los inojos y besáronle las manos muy humildosamente; y la reina se descendió del estrado y tomólos entre sus braços y llególos assí, y besava al uno y al otro muchas vezes sin que se pudiessen hablar, hasta que entró su hermana Melicia, que la reina los dexó porque la hablassen, que de su gran fermosura fueron mucho maravillados. ¿Quién podría contar el plazer de aquella noble reina en ver delante de sí aquellos cavalleros sus hijos tan hermosos, considerando las grandes angustias y dolores de que siempre su ánimo atormentado era, sabiendo los peligros en que Amadís andava, esperando su vida o muerte a ella venir lo semejante, y haver perdido por tal aventura a don Galaor cuando el gigante gelo llevó, y viéndolo todo reparado con tanta honra, con tanta fama? Por cierto, ninguno podría bastar a lo dezir si no fuesse ella o otra que en lo semejante stuviesse. Amadís dixo a la reina:

—Señora, aquí traemos mal herido a don Bruneo de Bonamar; mandalde hazer honra como a uno de los mejores cavalleros del mundo.

—Hijo mío —dixo ella—, así se hará, porque lo queréis vos y porque mucho nos ha servido; y cuando yo no le pudiere ver, verlo ha vuestra hermana Melicia.

—Así lo haced, señora hermana —dixo don Galaor—; pues que sois donzella, que vos y todas las que lo sois le devéis honrar mucho como aquel que las sirve y honra más que otro alguno. Y por muy bienaventurada se deve tener aquella que él ama, pues que sin entrevallo pudo ir so el arco encantado de los leales amadores, que fue cierta señal de la nunca aver errado.

Cuando Melicia esto oyó, estremiósele el coraçón, que bien sabía que por ella fue acabada aquella aventura; y respondióle como aquella que muy mesurada era, y dixo:

—Señor, yo haré en ello lo mejor que pudiere, y Dios faga su querer. Esto faré porque lo mandáis, y porque me dizen que es buen cavallero y que mucho vos ama.

Estando así la reina con sus hijos como oís, llegó el rey Perión y el rey Cildadán; y como lo vieron Amadís y Galaor, fueron a él hincando los inojos. Cada uno le besó la una mano, y él los besó, viniéndole las lágrimas

a los ojos del plazer que en sí avía. El rey Cildadán les
dixo:

—Buenos amigos, acuérdeseos de don Bruneo.

Entonces, aviendo ya el rey Cildadán hablado a la reina
y a su fija, fueron todos juntos a don Bruneo, que lo traían
de la galea cavalleros en sus braços por mando del rey Perión; y pusiéronlo en un lecho asaz rico en una cámara del
aposentamiento de la reina, que salía una finiestra della a
una huerta de muchas rosas y flores. Allí fue la reina, y su
hija, a lo ver, mostrando la reina mucho sentimiento de su
mal, y él teniéndogelo en gran merced; y desque allí una
pieça estuvo, díxole:

—Don Bruneo, yo vos veré lo más que pudiere; y cuando
otra cosa me impidiere, será con vos Melicia, vuestra amiga,
que vos curará de la herida.

El le besó las manos por ello, y la reina se fue; y Melicia
y las donzellas que la aguardavan quedaron allí. Y ella se
asentó delante de la cama donde él podía muy bien ver el
su hermoso rostro que tan ledo le hazía que si así lo pudiesse tener, no dessearía ser sano, porque aquella vista le curava y sanava otra llaga más cruel y más peligrosa para su vida.
Ella le desató la herida y viola grande, mas en estar abierta
de ambas partes tuvo esperança de lo presto sanar; y díxole:

—Don Bruneo, yo os cuido sanar desta llaga, mas es menester que me no salgáis de mandado por ninguna guisa, que
dello vos podría recrescer gran peligro.

—Señora —dixo don Bruneo—, nunca Dios quiera que de
mandado vos salga; que cierto soy, si lo fiziesse, que ninguno me podría poner consejo.

Esta palabra entendió ella a la fin que se dixo, mejor que
ninguna de las donzellas que ý estavan. Entonces le puso un
tal ungüento en la pierna, y en la herida, que le quitó todo
lo más de la hinchazón y dolor que tenía, y diole de comer
con aquellas sus muy fermosas manos; y díxole:

—Assosegad agora, que cuando tiempo fuere, yo vos veré.

Y saliendo de la cámara encontró con Lasindo, escudero
de don Bruneo, que sabía su hazienda de cómo se amavan;
y díxole Melicia:

—Lasindo, vos que sois aquí más conoscido, demandad
lo que a vuestro señor cumpliere.

—Señora —dixo él—, plega a Dios de le llegar a tiempo
que vos sirva esta merced que le hazéis.

Y llegándose más a ella, sin que lo oyessen le dixo:

—Señora, quien ha gana de guareçer alguno hale de acorrer a la llaga más peligrosa do mayor cuita le viene. Por Dios, señora, aved dél merced, pues que tanto menester la tiene, no del mal que padesce de la herida, mas de aquel que por vos con tanta crueza sufre y sostiene.

Cuando esto le oyó Melicia, díxole:

—Amigo, a esto que vos parió yo remedio si puedo, que de lo otro no sé ninguna cosa.

—Señora —dixo él—, conoscido es a vos que las mortales cuitas y dolores que por vos passa tuvieron tanta fuerça de le poner ante las imágines de Apolidón y Grimanesa.

—Lasindo —dixo ella—, muchas vezes acaesce sanar las personas de tales dolencias, como esta que dizes que tu señor ha tenido, con la dilación del tiempo, sin que otro remedio se les ponga, y assí puede aver acaeçido a tu señor; y por esto no es menester demandar remedio para él a quien no gelo puede dar.

Y dexándole se fue a su madre. Y comoquiera que esta respuesta se le dixo por Lasindo a don Bruneo, no fue turbado, que creído tenía el tener ella lo contrario de aquello; antes, muchas vezes bendezía a la giganta Andandona porque le avía ferido, pues que con ella gozava de aquel plazer que sin él todo lo ál del mundo le era gran pena y soledad.

Assí como oís estava en Gaula el rey Cildadán y Amadís y Galaor con el rey Perión de Gaula con mucho vicio y plazer de todos ellos, y don Bruneo en guarda de aquella señora que él tanto amava. Y avino assí que un día apartando don Galaor al rey su padre y al rey Cildadán y a su hermano Amadís, les dixo:

—Creído tengo yo, señores, que ahunque mucho me trahajasse, no podrían hallar otros tres que me tanto amassén y mi honra quisiessen como vosotros. Y por esta causa quiero que me deis consejo en aquello que después del ánima en más se deve tener, y esto es que vos, señor hermano Amadís, me pusistes con el rey Lisuarte, mandándome con mucha afición que suyo fuesse. Y agora veyéndovos con él en tan gran rotura sin ser yo despedido de su bivienda, ciertamente muy atormentado me hallo; porque si a vos acudiesse, mi honra mucho menoscabada sería, y si a él, es para mí el estrago de la muerte pensar de ser en vuestro estorvo; assí que, buenos señores, poned remedio en esto mío que lo propio vuestro es, y quered más mi honra que la satisfación de vuestras voluntades.

El rey Perión le dixo:

—Hijo, no podéis vos errar en seguir a vuestro hermano contra un rey tan desconoscido y tan desmesurado; que si con él quedastes, fue salvando la voluntad de Amadís; y con justa causa vos podéis dél despedir, pues que como enemigo quiere y procura destruir a vuestro linaje que tanto le han servido.

Don Galaor dixo:

—Señor, esperança tengo yo en Dios y en la vuestra merced, en quien yo mi honra pongo, que nunca por el mundo dirán que, en tiempo de tal rotura y que tanto ha menester aquel rey mi servicio, me despedí dél, no me haviendo antes despedido.

—Buen hermano —dixo Amadís—, comoquiera que tanto obligados seamos de obedescer el mandamiento de nuestro padre y señor, sabiendo ser su discreción tal que muy mejor que nosotros lo sabíamos complir será lo que mandare, atreviéndome a su merced digo que en tal sazón no seáis apartado ni despedido de aquel rey, si no fuese con tal causa que sin blasmo de ninguno hazerse pudiesse; que en lo que entre él y mí toca no pueden ser ningunos cavalleros de su parte tan fuertes, por fuertes que sean, que lo no sea más el alto Señor que sabe los grandes servicios que le yo hize y el mal gualardón, sin lo yo merescer, que dél ove. Y pues Él es el juez, bien creo yo que dará a cada uno lo que meresce.

Nota razón con dos entendimientos: la una, referirlo a Dios en quien es todo el poder; la otra, conosciendo Amadís la gran afición que su hermano tenía al servicio del rey Lisuarte, no lo tener en mucho.

Determinado por todos que Galaor se fuesse al rey Lisuarte, luego el rey Cildadán dixo contra Amadís y don Galaor:

—Buenos amigos, vosotros sabéis la hazienda de mi batalla y de aquel rey Lisuarte, que por bondad de vosotros fue vencido; y me quitastes aquella gran gloria que yo y mi gente alcançáramos. Y también sabéis, señores, las posturas y firmezas que tengo prometidas, que son que el que vencido fuesse sirviese al otro en cierta manera; y pues mi fuerte ventura fue tal que yo vencido fuesse por vosotros, conviéneme cumplirlas, ahunque a mi pesar sea todos los días de mi vida.

Y de la quexa y pesar que desto mi coraçón tiene anda siempre muy quebrantado; pero como todas las cosas pospongamos por la honra, y la honra sea negar la propia voluntad por seguir aquello a que hombre es obligado, forçado me es de acudir aquel rey con el número de los cavalleros que le prometí hasta que Dios quiera; y quiero me ir con don Galaor, que oy saliendo de la missa me llegó una carta suya llamándome que le acuda como devo.

Con esto se despidieron de su habla, y otro día despedidos de la reina y de su hija Melicia, entraron en una nave para passar en la Gran Bretaña, donde sin entrevallo alguno arribaron. Y salidos en tierra fueron derechamente donde supieron que el rey Lisuarte era; el cual tenía muy gran saña de lo que a su gente aviniera en la Insola de Mongaça, y del gran destroço que sobre ellos fue. Y acordó de no esperar la mucha gente que mandara llamar, antes, ir con aquellos cavalleros que más presto se hallassen. Y tres días antes que en las barcas entrasse, dixo a la reina que tomasse a Oriana su hija y dueñas y donzellas, porque quería ir a caça a la floresta y folgar allí con ellas. Y ella assí lo hizo, que otro día, llevando tiendas y lo que menester avían, partieron con mucho plazer; y fueron aposentados en una vega cubierta de árboles que en la floresta estava. Y allí folgó el rey aquel día y ovo gran suma de venados y otras maneras de caça, con que hizo mucha fiesta a todos los que allí se fallaron. Y cierto, comoquiera que allí estava, su coraçón y pensamiento más estava [67] puesto en el estrago que sus gentes recibido avían en la isla; y passada la fiesta y caça, fizo adereçar las cosas que avía menester para su passaje.

---

67. En Zaragoza (fol. 144 vº) falta *su coraçón y pensamiento más estava* (un salto del **corona** [ρ♭1] al **otra adición** [06Ω]), Place y Cacho Blecua restituyen la laguna a partir de R.

CAPÍTULO LXVI

Cómo el rey Cildadán y don Galaor yendo su camino
para la corte del rey Lisuarte encontraron una dueña
que traía un fermoso donzel acompañado a doze cavalleros, y fueles rogado por la dueña que suplicassen
al rey que lo armasse cavallero, lo cual fue hecho; y
después por el mesmo rey conosció ser su hijo

ANDANDO por sus jornadas el rey Cildadán y don Galaor
donde el rey Lisuarte estava, dixéronles cómo se aparejava para passar a la Insola de Mongaça, y por esta causa
se dieron priessa en su camino por llegar a tiempo de passar
con él. Y acaeçióles que, aviendo dormido en una floresta,
al alva del día oyeron una campana que a missa tañía, y
fueron allá para la oír. Y entrando en la hermita, vieron doze
escudos muy hermosos al derredor del altar ricamente pintados, el campo cárdeno y los castillos de oro por él, y en
medio dellos estava un escudo blanco muy hermoso horlado
con oro y piedras preciosas. Y desque hizieron su oración,
preguntaron a unos escuderos que allí estavan cúyos eran
aquellos escudos; y ellos les dixeron que en ninguna manera
lo podían dezir, mas si ivan a casa del rey Lisuarte, que cedo
lo sabrían. Y ellos assí estando, vieron venir por el coral los
cavalleros señores de los escudos con sendas donzellas por
las manos; y tras ellos venía el novel cavallero hablando con
una dueña que no era muy moça; y él era de muy buen talle,
y muy fermoso y apuesto que a duro se hallaría quien lo
tanto fuesse. Mucho se maravillaron el rey Cildadán y don
Galaor, de ver hombre de estraño, y bien pensaron que de
lueñe tierra venía, pues que en aquélla hasta entonces no ovo
dél memoria. Así passaron hasta el altar, donde todos oyeron la missa. Y desque fue dicha, la dueña les preguntó si
eran de casa del rey Lisuarte.

—¿Por qué lo preguntáis? —dixeron ellos.

—Porque queríamos, si os pluguiesse, vuestra compañía,
que el rey está en aquesta floresta cerca de aquí con la reina
y muchas de sus compañas en tiendas caçando y folgando.

—Pues, ¿qué queréis de nosotros —dixeron ellos— que
vuestro plazer sea?

—Queremos —dixo la dueña— por cortesía que roguéis al rey y a la reina y a su hija Oriana que se leguen aquí y nos hagan a este escudero cavallero, que él es tal que meresce bien toda la honra que le fuere hecha.

—Dueña —dixeron ellos—, muy de grado haremos esto que nos dezís; y creemos que el rey lo fará según en todas las cosas es comedido y mesurado.

Estonces luego cavalgaron la dueña y las doncellas y ellos de consuno, y fuéronse poner en un otero que cerca del camino por donde el rey havía de venir estava. Y no tardó mucho que le vieron venir, y a la reina y su compaña; y el rey venía delante, y vio las donzellas y los dos cavalleros armados; y pensando que querían justar, mandó a don Grumedán, que con él venía con treinta cavalleros que le aguardavan, que fuesse a ellos y les dixiesse que no se trabajassen de querer justar sino que se veniessen para él. Don Grumedán se fue a ellos, y el rey se detuvo; y como el rey Cildadán y don Galaor vieron que se detenía, descendieron del otero con las donzellas y fuéronse contra él. Y cuando alguna pieça anduvieron, conoció don Galaor a Grumedán, y dixo al rey Cildadán:

—Señor, vedes, allí viene uno de los buenos hombres del mundo.

—¿Quién es? —dixo el rey.

—Don Grumedán —dixo Galaor—, aquel que tovo la seña del rey Lisuarte en la batalla contra vos.

—Esso podéis os dezir con verdad —dixo el rey—, que yo fue el que le travé de la seña, y nunca de sus manos la pude sacar hasta que el asta quebró; y vile hazer tanto en armas en mí y en los míos que por ninguna guisa se la quisiera haver quebrado.

Desque se quitaron los yelmos porque los conociessen, y don Grumedán, que ya más cerca era, conoció a don Galaor, y dixo en una boz alta, como él havía manera de fablar:

—¡Ay, mi amigo don Galaor; vos seáis tan bien venido como los ángeles del paraíso!

Y fue cuanto más pudo contra él; y como llegó, díxole Galaor:

—Señor don Grumedán, llegad al rey Cildadán.

Y él fue por le besar las manos, y él lo recibió muy bien; y tornó luego a don Galaor, y abraçáronse muchas vezes como aquellos que de coraçón se amavan; y díxoles:

—Señores, venid vuestro passo, y faré saber al rey vuestra venida.

Y partido dellos, llegó al rey, y díxole:

—Señor, nuevas os trayo con que seréis ledo, que allí viene vuestro vassallo y amigo don Galaor, que vos nunca faltó en el tiempo del menester; y el otro es el rey Cildadán.

—Mucho soy alegre —dixo el rey— con su venida, que bien sabía yo que seyendo él sano y en su libre poder, no faltaría de se venir a mí assí como lo yo haría en lo que su honra fuesse.

En esto llegaron los cavalleros, y el rey los recibió con mucho amor; y don Galaor le quiso besar las manos, mas él no quiso, antes, lo abraçó de tal forma, que bien dio a entender a los que lo miravan que de coraçón le amava. Estonces le dixeron lo que la dueña y las donzellas querían, y cómo vieran aquel novel que cavallero quería ser, y que era muy hermoso y de buen talle. El rey estovo pensando una pieça, porque no acostumbrava hazer cavallero sino hombre de gran valor, y preguntó cúyo fijo era. La dueña dixo:

—Esso no sabréis agora, pero yo vos juro por la fe que a Dios devo que de ambas partes viene de reyes lindos.

El rey dixo a don Galaor:

—¿Qué vos parece que se hará en esto?

—Paréçeme, señor, que lo devéis fazer y no poner en ello escusa, que el novel es muy estraño en su donaire y hermosura, y no puede errar de buen cavallero.

—Pues assí vos pareçe —dixo el rey—, hágase.

Y mandó a don Grumedán que levasse al rey Cildadán y a don Galaor a la reina, y le dixesse que se viniesse con ellos a aquella hermita donde él iva. Ellos se fueron luego; y cómo de la reina y de Oriana y de todas las otras fueron recebidos no es necessario dezirlo, que nunca otros mejor ni con más amor lo fueron. Y sabido la reina lo que el rey mandava, fuéronse todos tras él, hasta que a la hermita llegaron. Y cuando vieron aquellos escudos, y el blanco tan hermoso y tan rico entre ellos, maravilláronse dello, mas mucho más de la gran fermosura del novel; y no podían pensar quién fuesse, pues que hasta estonces nunca dél oyeran dezir. El novel besó las manos al rey con gran humildança, y la reina no gelas quiso dar, ni Oriana, por ser hombre de alto lugar. El rey le hizo cavallero, y díxole.

—Tomad la spada de quien mas vos pluguiere.

—Si a la vuestra merced plazerá —dixo él—, tomarla he de Oriana; que con esto será mi voluntad satisfecha, y será cumplido aquello que mi coraçón desseava.

—Fágase assí —dixo el rey— como vos lo dezís, pues que vos plaze.

Y llamando a Oriana, le dixo:

—Mi amada hija, si a vos plaze, dad la spada a este cavallero, que de vuestra mano antes que de otra ninguna la quiere tomar.

Oriana con gran vergüença, como aquella que por muy estraño lo tenía, tomando la spada jela dio, y assí fue cumplido enteramente su cavallería. Esto assí fecho como havéis oído, la dueña dixo al rey:

—Señor, a mí me conviene con estas donzellas partirme luego, que assí me es mandado; y en esto ál no puedo hazer, que por mi voluntad bien querría algunos días aquí estar. Y quedará en vuestro servicio si mandardes Norandel, este que armastes cavallero, y los otros doze cavalleros que con él vinieron.

Cuando esto oyó el rey, él huvo gran plazer, que muy pagado del cavallero novel era, y díxole:

—Dueña, a Dios vais.

Ella se despidió de la reina y de la muy hermosa Oriana, su hija. Y cuando del rey se huvo de despedir, metióle en la mano una carta, que ninguno lo vio; y díxole aparte lo más passo que pudo:

—Leed esta carta sin que ninguno la vea, y después haced lo que más vos agradare.

Con esto se fue a su barca. Y el rey quedó pensando en aquello que le dixera, y dixo a la reina que tomasse consigo al rey Cildadán y a don Galaor, y se fuessen a las tiendas; y si él tardasse en la caça, que holgassen y comiessen. La reina assí lo hizo. Y cuando el rey fue apartado, abrió la carta.

Carta de la infanta Celinda al rey Lisuarte

«Muy alto Lisuarte, rey de la Gran Bretaña: Yo, la infanta Celinda, fija del rey Hegido, mando besar vuestras manos. Bien se vos acordará, mi señor, cuando al tiempo que como cavallero andante buscando las grandes aventuras andávades, haviendo muchas dellas a vuestra gran honra acabado, que la ventura y buena dicha vos fizo aportar al reino de mi padre, que a la sazón partido deste mundo era, donde me vos hallastes cercada, en el mi castillo que del Gran Rosal se nombra, de Antifón el Bravo, que por ser de mí desechado en casamiento por no ser en linaje mi igual, toda mi tierra tomarme quería. Con el cual aplazada batalla de vuestra persona a la suya, él confiando en la su gran valentía y vos en ser yo una flaca donzella, a gran peligro de vuestra persona vos combatistes, y al cabo, vencido y muerto fue; assí que ganando vos la gloria de tan esquiva batalla, a mí posistes en libertad y en toda buena ventura. Pues, entrando vos, mi señor, en el mi castillo, o porque mi hermosura lo causasse, o porque la fortuna lo quiso, seyendo yo de vos muy pagada, debaxo de aquel fermoso rosal, teniendo sobre nos muchas rosas y flores, perdiendo yo las mías, que hasta estonces poseyera, fue engendrado esse donzel, que según su gran hermosura fermoso fruto aquel pecado acarreó, y como tal del más poderoso Señor perdonado será. Y este anillo, que con tanto amor por vos me fue dado y por mí guardado, vos embío con él como testigo que a todo presente fue. Honralde y amalde, mi buen señor, haziéndole cavallero, que de todas partes de reyes viene. Y tomando de la vuestra el gran ardimiento y de la mía el muy sobrado encendimiento de amor que yo vos tuve, mucha esperança se deve tener que todo será en él muy bien empleado.»

Leída pues, la carta, luego le vino en la memoria a la sazón que él anduvo como cavallero andante por el reino de Denamarcha, cuando por sus grandes fechos que en armas passó fue amado de la muy fermosa Brisena, infanta hija de aquel rey, y la huvo por muger como ya es contado; y cómo hallara cercada esta infanta Celinda y passara con ella todo aquello que le embiara en la carta; y veyendo el anillo, le hizo más cierto ser aquello verdad. Y comoquiera que la gran fermosura del novel gran esperança de ser bueno le pusiesse, acordó de lo encubrir fasta que la obra diesse testimonio de su virtud. Assí se fue a su caça; y tomando mucha della, se tornó a las tiendas con mucho plazer, donde la reina estava. Y fuese a la tienda donde le dixeron que estava el rey Cildadán y don Galaor por les dar honra, y iva acompañado de los más honrados cavalleros de su corte y ricamente ataviados; y ante todos los començó mucho de loar de sus grandes hechos, assí como lo mereçían, y por la gran ayuda que dellos esperava en aquella guerra que tenía con los mejores cavalleros del mundo. Y con mucho plazer les contó la caça que fiziera, y que les no daría della ninguna cosa, riendo y burlando por los agradar; y mandó llevar a Oriana su fija y a las otras infantas, y embióles dezir que lo partiessen con el rey Cildadán y don Galaor; y él comió allí con ellos con mucho plazer. Y desque los manteles alçaron, tomando a don Galaor consigo, se fue debaxo de unos árboles; y echándole el braço sobre el ombro, le dixo:

—Mi buen amigo don Galaor, de cómo vos yo amo y precio Dios lo sabe, porque siempre de vuestro gran esfuerço y de vuestro consejo me vino mucho bien, y en la vuestra fiança, tengo yo gran seguridad, tanto que lo que a vos no descubriesse no lo diría a mi mismo coraçón. Y dexando las más graves cosas que siempre por mí manifiestas vos serán, quiero que una que al presente me ocurre sepáis.

Estonces le dio la carta que la leyesse; y visto por don Galaor que Norandel era su hijo, mucho fue ledo; y díxole:

—Señor, si afán y poligro passastes en el socorro de aquella infanta, bien vos lo pagó con tan fermoso fijo; que, si Dios me salve, yo creo que él será tan bueno que aquel cuidado que agora tenéis de lo encubrir será mucho mayor de lo divulgar. Y si a vos, señor, plaze, yo lo quiero por compañero todo este año porque algo del desseo que yo tengo de vos servir sea empleado en aquel que es tan junto a vuestra sangre.

—Mucho vos lo agradezco yo —dixo el rey— esto que dezís, porque como ninguna cosa secreta sea, toda la honra que a éste se hiziere es mia. Mas ¿cómo vos daré yo por compañero un rapaz que ahún no sabemos a qué pujará su hecho, pues que yo vos ternía por muy contento y honrado de lo ser? Pero pues que a vos plaze, assí se faga.

Estonces tornaron a la tienda donde el rey Cildadán y Norandel y otros muchos cavalleros de gran guisa estavan. Y cuando todos assosegados fueron, Galaor se levantó y dixo al rey:

—Señor, vos sabéis bien que la costumbre de vuestra casa y de todo el reino de Londres es que el primero don que cualquiera cavallero o donzella demandare al cavallero novel le deve ser otorgado con derecho.

—Assí es verdad —dixo el rey—, mas ¿por qué lo dezís?

—Porque yo soy cavallero —dixo Galaor—, y pido a Norandel que me otorgue un don que le demandaré; y es que

mi compañía y la suya sea por año complido, en el cual nos
tengamos buena lealtad, y no nos pueda partir sino la muerte o prisión, en que no podamos más hazer.

Cuando Norandel esto oyó, fue muy maravillado de lo
que Galaor havía dicho, y fue muy alegre, porque ya sabía
la gran fama suya y vio la honra que el rey le hazía estremadamente entre tantos buenos y preciados cavalleros, y que,
después de su hermano Amadís, no havía en el mundo otro
que de bondad de armas lo passasse; dixo:

—Mi señor don Galaor, según vuestra gran bondad y mereçimiento, y el poco mío, bien pareçe que este don se pide
más por vuestra gran virtud que por lo yo mereçer; mas comoquiera que sea, yo vos lo otorgo y gradezco como la cosa
que en este mundo, fueras del servicio de mi señor el rey,
me pudiera venir que más alegre fazerme pudiera.

Visto por el rey Cildadán las cosas cómo passavan, dixo:

—Según vuestra edad y hermosura de ambos, con mucha
causa se pudo pedir el don y otorgarse; y Dios mande que
sea por bien, y assí será como en las cosas que más con razón
que con voluntad se piden, se haze.

Otorgada compañía entre don Galaor y Norandel, assí
como havéis oído, el rey Lisuarte les dixo cómo tenía determinado de al tercero día entrar en la mar; porque, según las
nuevas de la Insola de Mongaça le vinieron, era muy necessario su ida.

—En el nombre de Dios será —dixo el rey Cildadán, —y
nos vos serviremos en todo lo que vuestra honra fuere.

Y don Galaor le dixo:

—Señor, pues que los coraçones de los vuestros enteramente havéis, no temáis sino a Dios.

—Assí lo tengo yo —dixo el rey—, que ahunque el esfuerço de vosotros grande sea, mucho más el amor y afición vuestra me haze seguro.

Aquel día passaron allí con gran plazer, y otro día, haviendo oído missa, cavalgaron todos para se tornar a la vila.
Y el rey dixo a don Galaor y a Grumedán que se fuessen
con la reina; y sacando aparte a don Galaor, le dio licencia
para que a Oriana dixesse el secreto de cómo Norandel era
su hermano, y que lo tuviesse en poridad. Con esto se fue
para sus caçadores, y ellos a la reina, que ya cavalgava. Y
don Galaor llegándose a Oriana la tomó por la rienda, y se
fue fablando con ela; a la cual mucho con él le plugo, assí

por el gran amor que el rey su padre le tenía, como porque le pareçía que, seyendo él hermano de su amigo Amadís, le dava su presencia gran descanso. Pues assí hablando en muchas cosas, vinieron a fablar en Norandel, y dixo Oriana:

—¿Sabéis algo de la hazienda deste cavallero?, que os vi venir en su compañía, y agora por compañero lo tomastes. Según vuestro gran valor no deviera ser esto sin ser sabidor de alguna cosa de su hecho, que todos los que vos conoçen no saben otro que igual vos sea, si no es vuestro hermano Amadís.

—Mi señora —dixo don Galaor—, tanto ay de la igualança y ardimento mío al de Amadís como de la tierra al cielo; y muy gran locura sería de ninguno pensar de ser su igual, porque Dios lo estremó sobre todos cuantos en el mundo son, assí en fortaleza como en todas las otras buenas maneras que cavallero deve tener.

Oriana, cuando esto oyó, començó a pensar consigo misma, y dezía: «¡Ay, Oriana, si ha de venir algún día que tú te falles sin el amor de tal como Amadís, y sin que por ti sea posseída tal fama, assí en armas como en hermosura!» Y porque no fuesse sentida, hízose muy leda y loçana por tener tal amigo que ninguna otra otro semejante alcançar podría.

—Y en lo que, señora, dezís de la compañía que yo tomé con Norandel, bien creo yo que según su disposición y en el acto honrado que usava, que será hombre bueno. Mas otra cosa yo supe dél que, cuando se supiere, a todos pareçerá muy estraña, que dio causa a que lo hiziesse.

—Assí lo creo yo —dixo Oriana—, que no os moveríades vos, seyendo tal, sin gran causa a lo tomar por compañero; y si dezir se puede sin dañar algo de vuestra honra, plazer havría de lo saber.

—Mucho cara sería la cosa en que vos, señora, plazer hoviéssedes por la saber de mí que la yo callase —dixo él—. Yo lo que desto sé, yo lo os diré; pero es menester que por ninguna guisa otra persona lo sepa.

—Desto seréis bien cierto y seguro —dixo ella— que assí se hará.

—Pues sabed, señora —dixo Galaor—, que Norandel es hijo de vuestro padre.

Y contóle cómo viera la carta de la infanta Celinda y el anillo, y todo lo que con el rey su padre fablara.

—Galaor —dixo Oriana—, alegre me hezistes con esto, que

dexistes, y vos lo gradezco, porque de otro alguno no pudiera saber, como por la gran honra que havéis dado a este cavallero, con quien yo tanto deudo tengo; que, ciertamente, si él ha de ser bueno, en muy mayor grado lo será con vos; y si al contrario, la vuestra gran bondad gelo fará ser.

—En mucha merced tengo, señora, la honra que me dais —dixo él—, ahunque en mí haya lo contrario; pero comoquiera que sea, siempre se porná en vuestro servicio, y del rey vuestro padre y de vuestra madre.

—Assí lo tengo yo, don Galaor —dixo ella—, y a Dios plega por su merced que ellos y yo vos lo podamos gualardonar.

Assí llegaron a la villa, donde Oriana quedando con su madre la reina, Galaor se fue a su posada, llevando consigo a Norandel su compañero.

Y otro día, luego después que el rey oyó misa, mandó que le llevassen de comer a las naos, que ya toda la gente que con él passava estavan dentro con sus armas y cavallos. Y él llevando consigo al rey Cildadán y Galaor y Norandel, despedido de la reina y de su hija, y de las dueñas y donzellas, quedando llorando todas, se fue al puerto de Jafoque, donde su armada estava. Y metido en ella, tomó la vía de la Insola de Mongaça, donde con buen tiempo, y a las vezes contrario, en cabo de cinco días fue llegado al puerto de aquella villa de que la ínsola tomava el nombre. Y halló allí en un real muy fuerte al rey Arbán de Norgales con la gente que ya oístes, y supo cómo havían havido una gran batalla con los cavalleros que la villa tenían y que fueran arrincados del campo los suyos, y fueran todos perdidos si el rey Arbán de Norgales no tomara una ventaja de unas muy bravas peñas, donde fueron reparados de sus enemigos; y cómo aquel muy esforçado Gasquilán, rey de Suesa, fuera mal herido por don Florestán, y los suyos le avían llevado por la mar donde guareçiesse; y también cómo tenían preso a Brian de Monjaste, que se metiera por herir al rey Arbán de Norgales entre los enemigos; y que después desta pelea nunca más osaron salir de aquellas peñas donde los halló el rey Lisuarte; y que comoquiera que los cavalleros de la Insola de Mongaça los havían muchas vezes acometido, que nunca los pudieron dañar, por ser el lugar tan fuerte. Esto sabido por el rey Lisuarte, huvo gran saña de los cavalleros de la ínsola; y mandó salir toda la gente de las fustas, y tiendas y otras cosas necessarias, y assentó en el campo fasta saber de sus enemigos.

A Oriana le plugo mucho de la partida del rey su padre, porque se le llegava el tiempo en que le convenía parir.[68] Y llamó a Mabilia, y díxole que según los desmayos y lo que sentía, que no era otra cosa sino que quería parir; y mandando a las otras donzellas que la dexassen, se fue a su cámara, y con ella Mabilia y la donzella de Denamarcha, que de antes tenía ya guisado todas las cosas que menester havían convenientes al parto. Allí estuvo Oriana con algunos dolores fasta la noche, y con ellos recibiendo algún tanto de fatiga; mas de allí adelante la afincaron mucho más en cuantidad, assí que passó muy gran cuita y grande afán, como aquella que de aquel menester fasta entonces nada sabía. Pero el gran miedo que tenía de ser descubierta de aquella afruenta en que estava la esforçó de tal suerte que sin quexarse lo sufría; y a la media noche plugo al muy alto Señor, remediador de todos, que fue parida de un fijo, muy apuesta criatura, quedando ella libre; el cual fue luego embuelto en muy ricos paños. Y Oriana dixo que gelo llegassen a la cama, y tomándolo en sus braços lo besó muchas vezes. La donzella de Denamarcha dixo a Mabilia:

—¿Vistes lo que este niño tiene en el cuerpo?

—No —dixo ella—, que estoy ocupada, y tanto tengo que hazer en socorrer a él, y a su madre para que lo pariesse, que no miré a otra parte.

—Pues ciertamente —dixo la donzella— algo tiene en los pechos que las otras criaturas no han.

Estonces encendieron una vela, y desembolviéndolo vieron que tenía debajo de la teta derecha unas letras tan blancas como la nieve, y so la teta isquierda siete letras tan coloradas como brasas bivas; pero ni las unas ni las otras supieron leer, ni qué dezían, porque las blancas eran de latín muy escuro, y las coloradas en lenguaje griego muy cerrado. Y de que esto vieron, tornáronlo a embolver, y pusiéronlo cabe

68. Podría preguntarse el lector cómo es posible que O. oculte su embarazo hasta el momento de «parir»; pero más que otro hecho de los «inverosímiles» del relato, podría muy bien justificarse por la moda, y que O. fuera vestida como la señora Arnolfini del famoso cuadro de Jan van Eyck, quien, según opina la crítica de arte más reciente, no estaba embarazada sino que simplemente llevaba un modelo con la cintura muy alta y con una especie de polizón sobre el vientre. Al parecer, esta moda de «embarazada», surgida en el siglo XV, persistió hasta finales del siglo XVIII (con las naturales fluctuaciones).

su madre, y acordaron que luego fuesse levado donde lo criassen, assí como lo concertaran. Y assí se fizo, que la donzella de Denamarcha se salió del palacio encubiertamente y rodeó por de fuera a la parte donde la finiestra que a la cámara salía stava, y su hermano Durín con ella, en sus palafrenes. Y Mabilia en tanto havía el niño puesto en una canasta, y ligado con una venda por encima; y colgándolo con una cuerda, lo baxó fasta lo poner en las manos de la donzella; la cual lo tomó y fuese con él la vía de Miraflores, donde como su fijo propio della se havía de criar secretamente. Mas a poco de rato, dexando el drecho camino, tomaron un sendero que Durín sabía que por la floresta muy spessa de árboles guiava, y esto fizieron por ir más encubiertos, y Durín iva delante y la donzella lo seguía; assí llegaron a una fuente que en un llano descombrado de árboles estava. Pero luego ende havía un valle tan spesso y tan esquivo que ninguna persona a mala vez en él podría entrar, según la braveza y spessura de la montaña, y allí criavan leones y otras fieras animalias. Y en somo deste valle havía una pequeña hermita antigua en que morava aquel Nasciano, hermitaño, que por muy santo y devoto hombre de todos era tenido, y acatado en tanto, que era opinión de las gentes comarcanas que algunas vezes era de celestial manjar governado. Y cuando el comer le faltava, ívalo buscar por la tierra, sin qu'el león ni otra animalia alguna mal le fiziesse, ahunque muchos dellos, yendo en su asno, continuamente encontrava; ante semejava que homildança le fiziessen. Y cerca desta hermita havía una cueva entre unas peñas donde una leona sus fijos pequeñuelos criava; y muchas vezes el hombre bueno los visitava y dava de comer, cuando lo tenía, sin temer la leona; antes ella, cuando con ellos le veía, se apartava dende hasta que él se iva. Con estos leoncillos, después que havía sus horas rezado, passava su tiempo, haviendo plazer de los ver trebejar por la cueva.

Y cuando la donzella de Denamarcha y su hermano llegaron aquella fuente, ella traía gran sed del trabajo de la noche y del camino; y dixo a su hermano:

—Descendamos, y tomad este niño, que quiero bever.

El tomó el niño, assí embuelto en sus ricos paños, y púsolo en un tronco de un árbol que aí stava; y queriendo descender a su hermana, oyeron unos grandes bramidos de león que en el spesso valle sonavan, assí que aquellos palafrenes fueron tan espantados que començaron de fuir al más correr sin que la donzella el suyo tener pudiesse; ante pensó que la mataría entre los árboles, y iva llamando a Dios que la socorriesse; y Durín corriendo tras ella pensando la tomar del freno y detener el palafrén. Y tanto corrió que le salió delante y lo detuvo, y halló a su hermana tan maltrecha y desacordada que a duro podía fablar; y fízola deçender, y dixo:

—Hermana, estad aquí, y iré yo en este palafrén por el niño.

—Mas id por el niño —dixo ella—, y traédmelo; no le acaezca alguna cosa.

—Assí lo faré —dixo él—; y tened este palafrén por la rienda, que miedo he, si lo llevase, de le no poder llevar a la fuente.

Y assí se fue a pie. Pero antes acaeçió una estraña aventura; que aquella leona que criava a sus hijos que ya oístes, y diera el bramido, continuava mucho venir cada día aquella fuente por tomar el rastro de los venados que en ella bevían. Y como allí llegó, anduvo al derredor rastreando a un cabo y a otro; y assí andando oyó llorar el niño que en el tronco del árbol estava, y fue para él, y tomólo con su boca entre aquellos muy agudos dientes suyos por los paños, sin que en la carne le tocasse, que fue porque assí le plugo a Dios; y conoçiendo ser vianda para sus hijos, se fue con él, y esto era ya a tal sazón que el sol salía. Mas aquel Señor del mundo, piadoso con aquellos que misericordia le demandan, y con los inocentes que edad ni sentido para la demandar no tienen, acorrióle en esta guisa: que haviendo aquel santo Nasciano cantado missa al alva del día, y yéndose a la fuente por folgar aí, que la noche havía sido muy calorosa, vió cómo la leona llevava el niño en su boca; el cual llorava con flaca boz, como dessa noche naçido; y conoçió ser criatura, de lo cual fue muy spantado adónde tomado lo havía; y luego alçó la mano y santiguólo; y dixo a la leona:

—Vete, bestia mala, y dexa la criatura de Dios, que la no fizo para tu govierno.

Y la leona, blandeando las orejas, como que falagava, se vino a él muy mansa, y puso el niño a sus pies, y luego se fue. Y Nasciano fizo sobre él la señal de la vera cruz, y después tomólo en sus braços y fuese con él a la hermita. Y passando cabe la cueva donde la leona criava sus fijos, viola que les dava la teta, y díxole:

—Yo te mando de la parte de Dios, en cuyo poder son todas las cosas, que quitando las tetas a sus fijos las des a este niño, y como a ellos, le guardes de todo mal.

La leona se fue a echar a sus pies, y el hombre bueno puso el niño a las tetas, y echándole de la leche en la boca, le hizo tomar la teta, y mamó; y de allí adelante venía con mucha mansedad a le dar a mamar todas vezes que era menester. Mas el hermitaño embió luego a un su moçuelo que a las missas le ayudava, que era su sobrino, que muy presto fuesse y llamasse a su madre y a su padre, que luego fuessen con él sin otra compaña alguna, porque mucho los havía menester. El moço fue luego a un lugar donde moravan, que era a la salida de la floresta; pero porque el padre aí en el lugar no estava, no pudieron venir hasta diez días passados, en los cuales el niño muy bien fue governado de la leche de la leona y de una cabra, y una oveja que pariera un cordero. Estas lo mantenían en tanto que la leona iva a caçar para sus fijos.

Cuando Durín de su hermana se partió, como ya oístes, fuese a pie lo más presto que pudo a la fuente donde el niño dexara; y cuando no lo falló, fue muy spantado, y cató a todas partes, mas no halló sino el rastro de la leona, por donde creyó verdaderamente que ella lo comiera, y con muy gran pesar y tristeza se tornó a su hermana. Y como gelo dixo, ella firió con sus palmas en el rostro y fizo un gran llanto, maldiziendo su ventura y la hora en que naçiera, que assí por tal caso havía perdido todo su bien, no sabiendo cómo ante su señora pareçiesse. Durín la consolava llorando, mas consuelo no era menester, que su passión y tristeza era tan demasiada que por más de dos horas stuvo como fuera de sentido. Durín le dixo:

—Mi buena señora hermana, esto que hazedes es sin provecho, y dello podría recreçer gran daño a vuestra señora y a su amigo, que algo de su hazienda se supiesse.

Ella vio que le dezía verdad, y díxole:

—Pues ¿qué haremos?, que mi sentido no basta para lo saber.

—Paréçeme —dixo él— que pues mi palafrén es perdido, que nos devemos ir a Miraflores, y estar allí tres o cuatro días por dar a entender que alguna causa vos allí traxo, y bolviendo a Oriana no le dezir cosa desto, sino que el niño queda a buen recaudo, fasta que sea sana; y despúes tomaréis consejo con Mabilia de lo que fazer se deve.

Ella dixo que lo tenía por bien; y cavalgando entrambos en su palafrén, se fueron a Miraflores, y en cabo de tres días se tornaron a Oriana; y mostrando la donzella buen semblante, le dixo cómo todo quedava fecho según lo havía concertado.

Pues tornando al hermitaño qu'el niño criava, sabed que a los diez días llegaron a él su hermana y su marido; y díxoles cómo hallara aquel niño por gran aventura, y Dios le amava pues assí le quiso guardar; y que les rogava lo criassen en su casa fasta que hablar supiesse, y gelo traxessen para lo enseñar. Ellos dixeron que assí como lo él mandava lo harían.

—Pues quiero le batizar —dixo el hombre bueno.

Y assí se fizo; mas cuando aquella dueña lo desembolvió cabe la pila, viole las letras blancas y coloradas que tenía, y mostrólas al hombre bueno, que se mucho dello spantó. Y leyéndolas vio que dezían las blancas en latín: «Esplandián», y pensó que aquél devía ser su nombre, y assí jelo puso; pero las coloradas, ahunque mucho se trabajó, no las supo leer, ni entender lo que dezían. Y luego fue baptizado con nombre d'Esplandián, con el cual fue conoçido en muchas tierras estrañas en grandes cosas que por él passaron, assí como adelante será contado. Esto assí fecho, la ama lo levó con mucho plazer a su casa, con esperança que por él havía de ser bien librada no sólo ella, mas todo su linaje, y con mucha diligencia le criava como quien tenía su esperança en él. Y al tiempo qu'el hermitaño mandó, gelo traxeron muy fermoso y bien criado, que todos los que le veían folgavan mucho de lo ver.

CAPÍTULO LXVII

En que se recuenta la cruda batalla que ovo entre el rey Lisuarte y su gente con don Galvanes y sus compañeros, y de la liberalidad y grandeza que fizo el rey después del vencimiento, dando la tierra a don Galvanes y a Madasima, quedando por sus vasallos en tanto que en ella habitassen

Como havéis oído, el rey Lisuarte desembarcó en el puerto de la Insola de Mongaça, donde halló al rey Arbán de Norgales y la gente que con él eran retraídos en un real metido en unas peñas, lo cual mandó salir luego a lo llano y se juntasse con lo que él traía. Y supo cómo don Galvanes y sus compañeros, que en el Lago Ferviente estavan, passaron las sierras, que en medio tenían, guisados para les dar batalla. Y luego él movió con todos los suyos contra ellos, esforçándolos cuanto podía, como aquel que lo havía con los mejores cavalleros del mundo; y tanto anduvo que llegó a una legua dellos, ribera de un río, y allí paró aquella noche. Y cuando el alva del día pareçió, oyeron todos missa y armáronse, y hizo el rey dellos tres hazes. La primera huvo don Galaor, de quinientos cavalleros; y con él iva su compañero Norandel, y don Guilán el Cuidador y su cormano Ladasín, y Grimeo el Valiente, y Cendil de Ganota, y Nicorán de la Puente Medrosa, el muy buen justador. Y la segunda haz dio al rey Cildadán, con setecientos cavalleros; y ivan con él Ganides de Ganota, y Acedís el sobrino del rey, y Gradasonel Fallistre, y Brandoivas, y Tasián, y Filispinel, que todos estos eran cavalleros de gran cuenta; y en medio desta haz iva don Grumedán de Nuruega, y otros cavalleros que ivan con el rey Arbán de Norgales, que tenían cargo de guardar al rey sin tener que ver en otra cosa. Assí movieron por el campo, que en gran manera parecía hermosa gente y bien armada, que tantos añafiles y trompas sonavan, que apenas se podían oír; y pusiéronse en un campo llano, y a las espaldas del rey ivan Baladán y Leonís con treinta cavalleros.

Sabido por don Galvanes, y por los altos hombres que con él estavan, la fazienda del rey Lisuarte y la gente que traía, comoquiera que oviesse para cada uno dellos cinco hombres y les fiziesse gran mengua la prisión de don Brian de Monjaste y la ida de Agrajes para les traer viandas que les faltaron, no desmayaron por esso; antes con gran esfuerço animavan su gente, que era poca para la batalla; como aquellos que eran de alto hecho de armas, según esta historia ha contado; y acordaron de fazer de sí dos hazes. La una fue de ciento y seis cavalleros y la otra de cient y nueve. En la primera ivan don Florestán y don Cuadragante, y Angriote d'Estraváus y su hermano Grovedán y su sobrino Sarquiles y su cuñado Gasinán, el cual llevava el pendón de las donzellas; y cerca del pendón ivan Branfil y el bueno de Gavarte de Val Temeroso, y Olivas y Baláis de Carsante, y Enil el buen cavallero que Beltenebrós metió en la batalla del rey Cildadán. En la otra haz iva don Galvanes, y con él los dos buenos hermanos Palomir y Dragonís, y Listorán de la Torre, y Dandales de Sadoca y Tantalís el Orgulloso, y cabe estas hazes ivan algunos ballesteros y archeros. Con esta compaña, tan desigualada del gran número de la gente del rey, fueron a entrar en el campo llano, donde los otros los atendían.

Y don Florestán y don Cuadragante llamaron a Elián el Loçano, que era uno de los más apuestos cavalleros, y que mejor pareçía armado que en gran parte se hallava; y dixéronle que fuesse al rey Lisuarte, él y otros dos cavalleros con él que eran sus primos, y le dixiessen que si mandava quitar los ballesteros y archeros de medio de las hazes de los cavalleros, que havrían una de las más hermosas batallas que él viera. Estos tres fueron luego a lo complir, arredrados de las batallas, pareçiendo tan bien que mucho de todos fueron mirados. Y sabed que este Elián el Loçano era sobrino de don Cuadragante, fijo de su hermana y del conde Liquedo, primo cormano del rey Perión de Gaula. Y llegados a la primera haz de don Galaor, demandaron segurança, que venían al rey con mandado. Don Galaor los asseguró y embió con ellos a Cendil de Ganota, porque de los otros seguros fuessen. Y llegados ante el rey, dixéronle:

—Señor, embíaos dezir don Florestán y don Cuadragante, y los otros cavalleros que allí están para defender la tierra de Madasima, que hagades, si vos plaze, apartar los ballesteros y archeros de entre vos y ellos, y veréis una hermosa batalla.

—En el nombre de Dios —dixo el rey—. Tirad los vuestros y Cendil de Ganota apartará los míos.

Esto fue luego hecho, y aquellos tres cavalleros se fueron a su compaña, y Cendil se fue a don Galaor por le contar con lo que aquéllos havían al rey venido; y luego movieron las hazes, unos contra otros tan de cerca que no havia tres trechos de arco. Y don Galaor conoçió a su hermano don Florestán por las sobrevistas de las armas, y a don Cuadragante y a Gavarte de Val Temeroso, que delante los suyos venían. Y dixo contra Norandel:

—Mi buen amigo, vedes allí do están tres cavalleros juntos, los mejores que hombre pordía fallar; aquel de las armas coloradas y leones blancos es don Florestán y el de las armas indias y flores de oro y leones cárdenos es Angriote d'Estraváus, y aquel que tiene el campo indio y flores de plata es don Cuadragante, y este delantero de todos, de las armas verdes, es Gavarte de Val Temeroso, el muy buen cavallero que mató la sierpe, por donde cobró este nombre. Agora vamos los ferir.

Y luego movieron, las lanças baxas, y cubiertos de sus escudos, y los tres cavalleros contrarios vinieron a los recebir. Mas Norandel herió el cavallo de las espuelas y enderecó a Gavarte de Val Temeroso, y heriólo tan fuertemente que lo lançó del cavallo a tierra y la silla sobr'él; éste fue el primer golpe que hizo, que por todos en muy alto comienço fue tenido. Y don Galaor se juntó con don Cuadragante, y heriéronse ambos tan fieramente, que sus cavallos y ellos fueron a tierra; y Cendil se herió con Elián el Loçano, y comoquiera que las lanças quebraron, y fueron llagados, quedaron en sus cavallos. A esta hora fueron las hazes juntas, y el ruido de las bozes y de las heridas fue tan grande que los añafiles y trompetas no se oían. Muchos cavalleros fueron muertos y heridos, y otros derribados de los cavallos; gran ira y saña crecía en los coraçones de ambas partes. Pero la mayor priessa fue sobre defender a don Galaor y a don Cuadragante, que se combatían a priessa, travándose a braços y heriéndose con sus espadas por se vencer, que spanto ponían a los que los miravan; y ya eran de un cabo y otro más de cient cavalleros apeados con ellos para los ayudar y dar sus cavallos. Pero ellos estavan tan juntos, y se davan tanta priessa, que los no podían apartar; mas aquella hora lo que hazían sobre don Galaor, Norandel y Guilán el Cuidador no se os podría contar, y don Florestán y Angriote sobre don Cuadragante, que como la gente más que la suya fuesse, cargavan sobre ellos; mas de sus golpes eran tan escarmentados que les fazían lugar y no se osavan llegar a ellos. Pero en la fin tantos se metieron entre ellos, que don Galaor y don Cuadragante ovieron tiempo de tomar sus cavallos, y como leones sañudos se metieron entre la gente, derribando y feriendo los que delante sí fallavan, ayudando cada uno a los de su parte.

Aquella ora firió el rey Cildadán con su haz tan bravamente, que muchos cavalleros fueron a tierra de ambas partes; pero don Galvanes socorrió luego, y entró tan bravo firiendo en los contrarios, que bien dava a entender que suyo era el debate, y por su causa aquella batalla se avía juntado; que ni muerte ni peligro recelava, ni en nada tenía en comparación de fazer daño aquellos que tanto desamava y venían por le deseredar. Y los de su haz ivan con él teniendo, y como todos eran muy esforçados y escogidos cavalleros, fizieron gran daño en los contrarios.

Don Florestán, que gran saña traía, considerando ser el cabo desta cuestión Amadís su hermano, ahunque allí no estava, y que si aquellos cavalleros de su parte les convenía por su gran valor fazer cosas estrañas, que a él mucho más, andava como un ravioso con buscando en qué mayor daño fazer pudiese. Y vio al rey Cildadán, que bravamente se combatía y mucho daño hazía en los contrarios, tanto que aquella ora a los suyos passava en bien fazer; y dexóse a él ir por medio de los cavalleros, que por muchos golpes que le dieron no le pudieron estorvar; y llegó a él tan rezio y tan codicioso de lo ferir que otra cosa no pudo fazer sino echar en él los sus fuertes braços, y el rey los suyos en él. Y luego fueron socorridos de muchos cavalleros que les aguardavan; mas desviándose los cavallos uno de otro, ellos fueron en el suelo de pies, y poniendo mano a sus espadas, se firieron de duros y mortales golpes. Mas Enil el buen cavallero y Angriote d'Estraváus, que a don Florestán aguardavan, fizieron tanto que le dieron el cavallo; y cuando don Florestán se vio a cavallo, metióse por la priessa faziendo maravillas de armas, teniendo en la memoria lo que su hermano Amadís pudiera fazer, si allí estuviera.

Y Norandel, que las armas traía rotas y por muchos lugares se salía la sangre, y traía la su espada fasta el puño de muchos golpes que con ella diera, como vio al rey Cildadán a pie, llamó a don Galaor, y dixo:

—Señor don Galaor, vedes cuál está vuestro amigo el rey Cildadán. Acorrámosle; si no, muerto es.

—Agora, mi buen amigo —dixo don Galaor—, parezca la vuestra gran bondad y démosle cavallo, y quedemos con el.

Entonces entraron por la gente, firiendo y derribando cuantos alcançavan, y con grande afán le pusieron en un cavallo, porqu'él estava mal llagado de un golpe de espada que Dragonís le diera en la cabeça, de que mucha sangre se le iva fasta los ojos. Y aquella ora no pudo tanto la gente del rey Lisuarte a la gran fuerça de los contrarios que no fuessen movidos del campo, bueltas las espaldas, sin golpe atender, sino don Galaor y algunos otros señalados cavalleros que los ivan amparando y recogiendo fasta llegar donde el rey Lisuarte estava. El, cuando assí los vio venir vencidos, dixo a altas bozes:

—Agora, mis buenos amigos, parezca vuestra bondad y guardemos la honra del reino de Londres.

Y hirió el cavallo de las espuelas, diziendo: «¡Clarencia, Clarencia!»,[69] que era su apellido, y dexóse ir a sus enemigos por la mayor priessa; y vido a don Galvanes, que se bravamente combatía, y diole tan fuerte encuentro, que la lança fue en pieças, y fízole perder las estriberas, y abraçóse al cuello del cavallo y puso mano a su espada, y començó a herir a todas partes; assí que allí mostró mucha parte de su esfuerço y valentía, y los suyos animosamente tenían, y esforçávanse con él. Mas todo no valía nada, que don Florestán y don Cuadragante y Angriote y Gavarte, que todos juntos se fallaron, fazían tales cosas en armas, que por sus grandes fuerças parescía que los enemigos fuessen vencidos; assí que todos pensaron que de allí adelante no les ternían campo. El rey Lisuarte, que assí vio su gente retraída y maltrecha, fue en todo pavor de ser vencido; y llamó a don Guilán el Cuidador, que mal herido estava, y llegóse a él, y también el rey Arbán de Norgales y Grumedán de Nuruega; y díxoles:

—Veo mal parar nuestra gente, y témome de Dios, que nunca serví como devía, de me no dar la honra desta batalla. Agora les haremos que yo rey vencido o muerto se podrá dezir a su honra, mas no vencido biva a su deshonra.

Entonces firió el cavallo de las espuelas y metióse por ellos sin ningún pavor de su muerte. Y como vio a don Cuadragante venir para él, y él bolvió su cavallo a él, y diéronse con las espadas por cima de los yelmos tan fuertes golpes, que se ovieron de abraçar a las cervizes de sus cavallos; mas como la espada del rey era mucho mejor, cortó tanto que le hizo en la cabeça una llaga. Mas luego fueron socorridos, el rey de don Galaor y de Norandel y de aquellos que con él ivan, y don Cuadragante de don Florestán y de Angriote d'Estraváus. Y el rey, que vio las maravillas que don Florestán fazía, fue a él, y diole con su espada tal golpe en la cabeça de su cavallo, que lo derribó con él entre los cavalleros. No tardó mucho que no llevó el pago, que Florestán salió del cavallo luego y fue para el rey, ahunque muchos le aguardavan, y no le alcançó sino en la pierna del cavallo, y cortándogelo toda dio con él en tierra. El rey salió dél muy ligeramente, tanto que don Florestán fue maravillado; y dio a

69. El grito del rey Arturo en la materia de Bretaña.

don Florestán dos golpes de la su buena espada, así que las armas no defendieron que la carne no le cortasse. Mas Florestán, acordándose de cómo fuera suyo, y las honras que dél recibiera, sufrióse de le ferir, cubriéndose con lo poco que del escudo le avía quedado; mas el rey, con la gran saña que tenía, no dexava de lo ferir cuanto podía. Y don Florestán ni por eso le quería ferir, mas travóle a braços y no le dexava cavalgar ni apartar de sí. Allí fue muy gran priesa de los unos y de los otros por les socorrer, y el rey se nombrava porque los suyos lo conosciessen, y a estas bozes acudió don Galaor y llegó al rey, y dixo:

—Señor, acogedvos a este mi cavallo.

Y ya estavan con él a pie Filispinel y Brandoivas, que le davan sus cavallos. Y Galaor le dixo:

—Señor, a este mi cavallo os acoged.

Mas él, faziéndole que se no apeasse, se acogió al de Filispinel, dexando a don Florestán bien llagado con aquella su buena espada, que nunca golpe le dio que las armas y las carnes no le cortase, sin qu'el otro le quisiesse ferir, como dicho es. Y don Florestán fue puesto en un cavallo que don Cuadragante le traxo.

El rey, poniendo su cuerpo endonadamente a todo peligro, llamando a don Galaor y a Norandel y al rey Cildadán, y a otros que le seguían, se metió por la mayor priesa de la gente, firiendo y estragando cuanto ante sí fallava, de guisa que a él era otorgado aquella sazón la mejoría de todos los de su parte. Y don Florestán y Cuadragante y Gavarte, y otros preciados cavalleros, resistían al rey y a los suyos cuanto podían, haziendo maravillas en armas; pero como ellos eran pocos y muchos dellos maltrechos y feridos, y los contrarios gran muchedumbre de gente que con el esfuerço del rey avían cobrado coraçón, cargaron tan de golpe y tan fuertemente sobre ellos que, así con las muchas heridas como con la fuerça de los cavallos, los arrancaron del campo hasta los poner al pie de lla sierra; donde don Florestán y don Cuadragante y Angriote y Gavarte de Val Temeroso, despedaçadas sus armas, recibiendo muchas heridas, no solamente por reparar los de su parte, mas por tornar a ganar el campo perdido, muertos los cavallos y ellos cuasi muertos, quedaron en el campo tendidos en poder del rey y de los suyos; y junto con ellos, que así mesmo fueron presos por los socorrer Palomir y Elián el Loçano, y Branfil y Enil y Sarquiles, y Maratros de Lisanda, cormano de don Florestán; y ovo muchos muertos y heridos de ambas partes. Y don Galvanes se oviera de perder muchas vezes, si le Dragonís no socorriera con su gente; pero al cabo lo sacó de entre la priessa tan mal llagado, que se no podía tener, así era fuera de sentido; y hízolo levar al Lago Herviente; y él quedó con aquella compaña poca que escapara defendiendo la sierra a los contrarios.

Así que se puede dezir con mucha razón que por la fortaleza del rey, y gran simpleza de don Florestán no le queriendo herir ni estrechar, teniéndole en su poder, fue esta batalla vencida como oídes; que se deve comparar aquel fuerte Ector [70] cuando uvo la primera batalla con los griegos en la sazón que desembarcar querían en el su gran puerto de Troya, que teniéndolos cuasi vencidos, y puesto fuego por muchas partes en la flota, donde ya resistencia no havía, hallóse a caso en aquella gran priesa su cormano Ajas Talamón, hijo de Ansiona su tía; y conosciéndole y abraçándose, a ruego suyo sacó de la lid a los troyanos, quitándoles aquella gran vitoria de las manos, y los hizo bolver a la cibdad; que fue causa que, salidos los griegos en tierra, fortalecido su real, con tantas muertes, tantos huegos, tan gran destruición, aquella tan fuerte gente, tan famosa cibdad en el mundo señalada, aterrada y destruída fuese en tal forma que nunca de la memoria de las gentes caerá en tanto que el mundo durare, por donde se da a entender que en las semejantes afrentas la piedad y cortesía no se deve obrar con amigo ni pariente fasta qu'el vencimiento aya fin y cabo; porque muchas vezes acaesce por lo semejante aquella buena dicha y ventura que los hombres aparejada por sí tienen, no la sabiendo conoçer ni usar della como devían, la tornan en ayuda de aquellos que teniéndola perdida, quitándoles de sí, a ellos gela fazen cobrar.

Pues a propósito tornando, como el rey Lisuarte vido sus enemigos fuera del campo y acogidos a la sierra, y qu'el sol se ponía, mandó que ninguno de los suyos no passasse por entonces adelante, y puso sus guardas por estar seguro y porque Dragonís, que con la gente a la montaña se acogiera, tenía los más fuertes passos della tomados. Y mandó levan-

70. Este suceso entre Héctor y Áyax se narra en la *General Estoria* y en la *Historia troyana en prosa y verso.*

tar sus tiendas de donde antes les tenía, y fízolas asentar en la ribera de una agua que al pie de la montaña descendía. Y dixo que levassen al rey Cildadán y a don Galaor; mas fuele dicho que estavan faziendo gran duelo por don Florestán y don Cuadragante, que eran al punto de la muerte llegados. Y como él ya apeado fuesse, demandó el cavallo, más por los consolar que con sabor de mandar poner remedio aquellos cavalleros, por le ser contrarios, comoquiera que algo a piedad fue movido en se le acordar de cómo don Florestán, en la batalla qu'él uvo con el rey Cildadán, puso su cabeça desarmada delante dél y recibió en el escudo aquel gran golpe del valiente Gadancuriel porque al rey no le diesse; y también cómo aquel día mismo dexó de herir por virtud. Y fuese donde estavan, y consolándolos con palabras amorosas, y de los fazer curar los dexó contentos. Para esto no tuvo tanta fuerça, que antes don Galaor no se amortesciesse muchas vezes sobre su hermano don Florestán. Mas el rey los mandó llevar a una muy buena tienda, y sus maestros que los curassen; y llevando consigo al rey Cildadán, dio licencia a don Galaor que allí con ellos aquella noche quedasse. Y llevó consigo a la tienda misma los siete cavalleros presos que ya oístes, donde los fizo con los otros curar. Assí fueron, como oídes, en guarda de don Galaor aquellos cavalleros feridos, desacordados, y los que presos fueron; donde con ayuda de Dios, principalmente, y de los maestros, que muy sabios eran, antes qu'el alva del día viniesse, fueron todos en su acuerdo, certificando a don Galaor que, según la disposición de sus heridas, que gelos darían sanos y libres.

Otro día estando don Galaor, y Norandel su amigo y don Guilán el Cuidador con él por le hazer compañía en aquella gran tristeza en que por su hermano y por los otros de su linaje estava, oyeron tocar las trompetas y añafiles en la tienda del rey, lo cual era señal de se armar la gente. Y ellos ligaron muy bien sus llagas por la sangre que no saliesse, y armándose, cavalgando en sus cavallos, se fueron luego allá, y hallaron que el rey estava armado de armas frescas, y en un cavallo holgado acordando con el rey Arbán de Norgales y el rey Cildadán y don Grumedán qué faría en el acometimiento de los cavalleros que en la sierra estavan. Y los acuerdos eran diversos, que unos dezían que, según su gente estava mal parada, que no era razón, fasta que reparados fuessen, de acometer sus enemigos; y otros dezían que, como por entonces estavan todos encendidos en saña, si para más dilación dexassen, que serían malos de meter en la hazienda, especialmente si Agrajes viniesse en aquella sazón, que a la Pequeña Bretaña fuera por viandas y gente, que con él tomarían grande esfuerço. Y preguntando don Galaor por el rey qué le parescía que se devía hazer, dixo:

—Señor, si vuestra gente es maltrecha y cansada, assí lo son vuestros contrarios; pues ellos pocos y nosotros muchos, bien sería que luego fuessen acometidos.

—Assí se haga —dixo el rey.

Entonces, ordenada su gente, acometieron la sierra, siendo don Galaor el delantero, y Norandel su compañero que le seguía, y todos los otros empós dellos. Y comoquiera que Dragonís con la gente que tenía defendió alguna pieça los passos y sobidas de la sierra, tantos ballesteros y archeros allí cargaron que, hiriendo muchos dellos, se los hizieron mal su grado dexar; y subiendo los cavalleros a lo llano, ovo entr'ellos una batalla asaz peligrosa. Mas en la fin no pudiendo sufrir la gran gente, por fuerça les convino retraer a la villa y castillo. Y luego el rey llegó, y mandando traer sus tiendas y aparejos, asentó sobr'ellos y cercólos; y mandó venir la flota, que cercassen el castillo por la mar.

Y porque no atañe mucho a esta istoria contar las cosas que allí passaron, pues que es de Amadís, y él no se halló en esta guerra, cessará aquí este cuento. Solamente sabed que el rey les tuvo cercados treze meses por la tierra y por la mar, que de ninguna parte fueron socorridos, que Agrajes fuera doliente y tanpoco no tenía tal aparejo que a la gran flota del rey dañar pudiesse. Y faltando las viandas a los de dentro, se començó pleitesía entr'ellos qu'el rey soltasse todos los presos libremente, y don Galvanes así mesmo los que en su poder tenía, y que entregasse la villa y castillo del Lago Herviente al rey, y toviessen treguas por dos años. Y comoquier que esto fuesse vantaja del rey, según la gran seguridad suya, no lo quería otorgar sino que ovo cartas del conde Argamont, su tío, que en la tierra quedara, cómo todos los reyes de las ínsolas se levantavan contra él, veyéndole en aquella guerra que estava, y que tomavan por mayor y caudillo al rey Arávigo, señor de las ínsolas de Landas, que era el más poderoso dellos; y que todo esto avía urdido Arcaláus el Encantador, qu'él por su persona anduviera por todas aquellas ínsolas levantándolos y juntándolos, haziéndoles ciertos que no hallarían defensa ninguna y que podrían partir entre sí aquel reino de la Gran Bretaña; consejando aquel conde Argomonte al rey que dexadas todas cosas se bolviesse a su reino.

Esta nueva fue causa de traer al rey al concierto qu'él por su voluntad no quisiera, sino tomarlos y matarlos todos; así qu'el concierto fecho, el rey, acompañado de muchos hombres buenos, se fue a la villa, que las puertas halló abiertas, y de allí al castillo. Y salió don Galvanes, y aquellos cavalleros que con él estavan, y Madasima, cayéndole las lágrimas por sus fermosas fazes; y llegó al rey y diole las llaves, y dixo:

—Señor, hazed desto lo que vuestra voluntad fuere.

El rey las tomó y las dio a Brandoivas. Galaor se llegó a él y díxole:

—Señor, mesura y merced, que menester es; y si yo's serví, miémbreseos a esta ora.

—Don Galaor —dixo el rey—, si a los servicios que me avéis fecho yo mirasse, no se fallaría el galardón, ahunque yo mill tanto de lo que valgo valiesse; y lo que aquí faré no será contado en lo que a vos devo.

Entonces dixo:

—Don Galvanes, esto que por fuerça contra mi voluntad me tomastes, y por fuerça lo torné a ganar, quiero yo de mi grado, por lo que vos valéis y por la bondad de Madasima, y por don Galaor, que afincadamente me ruega, que sea vuestro, quedando en el mi señorío, y vos en mi servicio y los que de vos vinieren que como suyo lo avrán.

—Señor —dixo don Galvanes—, pues que mi ventura no me dio lugar a que lo yo oviesse por aquella vía que mi coraçón desseava, como quien ha complido lo que devía sin faltar ninguna cosa, lo recibo en merced a tal condición que en tanto que lo posseyere sea vuestro vassallo; y si otra cosa mi coraçón se otorgare, que dexándooslo libre, libre quede yo para fazer lo que quisiere.

Luego los cavalleros del rey que allí estavan le besaron las manos por aquello que fiziera, y don Galvanes y Madasima por sus vasallos.

Acabada esta guerra, el rey Lisuarte acordó de se tornar luego a su reino, y assí lo fizo; que folgando allí quinze días, en que assí él como los otros que feridos estavan fueron reparados, tomando consigo a don Galvanes, y de los otros los que con él ir quisieron, entró en su flota. Y navegando por la mar aportó en su tierra, donde falló nuevas de aquellos siete reyes que contra él venían. Y ahunque en mucho lo tuviesse, no lo dava a entender a los suyos; antes, mostrava que lo tenía en tanto como nada. Y salido de la mar fuese donde la reina estava, de la cual fue recebido con aquel verdadero amor que della amado era. Y allí sabiendo las nuevas ciertas cómo aquellos reyes venían, no dexando de holgar y aver plazer con la reina y su fija, y con sus cavalleros, aparejava las cosas necessarias para resistir aquella frenta.

CAPÍTULO LXVIII

En que recuenta cómo, desque Amadís y don Bruneo quedaron en Gaula, y don Bruneo estava muy contento y Amadís triste, y cómo se acordó de apartar don Bruneo de Amadís, yendo a buscar aventuras. Y Amadís y su padre el rey Perión y Florestán acordaron de venir socorrer al rey Lisuarte

Como el rey Cildadán y don Galaor partieron de Gaula, quedaron allí Amadís y don Bruneo de Bonamar. Mas ahunque se amavan de voluntad, eran muy diversos en las vidas, que don Bruneo, estando allí donde su señora Melicia era, y hablando con ella, todas las otras cosas del mundo eran fuídas y apartadas de su memoria; pero Amadís, siendo alexado de su señora Oriana sin ninguna esperança de la poder ver, ninguna cosa presente le podía ser sino causa de gran tristeza y soledad. Y assí acaesció que cavalgando un día por la ribera de la mar, solamente llevando consigo a Gandalín, fuese poner encima de unas peñas por mirar desde allí si vería algunas fustas que de la Gran Bretaña viniessen, por saber nuevas de aquella tierra donde su señora estava. Y en cabo de una pieça que allí estuvo, vio venir d'aquella parte qu'él desseava una barca; y como al puerto llegó, dixo a Gandalín:

—Ve a saber nuevas d'aquellos que allí vienen, y apréndelas bien, porque me las sepas contar.

Y esto fazía él más por cuidar en su señora, de que siempre Gandalín le estorvava, que por otra cosa alguna. Y como dél se partió, apeóse de su cavallo, y atándolo a unos ramos

de un árbol, se asentó en una peña por mejor mirar la Gran
Bretaña; y assí estando, trayendo a su memoria los vicios
y plazeres en aquella tierra oviera en presencia de su señora, donde por su mandado todas las cosas fazía, tener aquello tan alongado y tan sin esperança de lo cobrar, fue en tan
gran cuita puesto, que nunca otra cosa mirava sino la tierra,
cayendo de sus ojos en mucha abundancia las lágrimas.

Gandalín se fue a la barca, y mirando los que en ella
venían, vio entr'ellos a Durín, hermano de la donzella de
Denamarcha, y descendió presto y llamólo aparte; y
abraçáronse mucho, como aquellos que se amavan, y tomándole consigo lo llevó a Amadís. Y llegando cerca dond'él estava vieron una forma de diablo de fechura de gigante que
tenía las espaldas contra ellos, y estava esgrimiendo un venablo, y lançólo contra Amadís muy rezio, y pasóle por cima
de la cabeça, y aquel golpe erró por las grandes bozes que
Gandalín dio. Y recordado Amadís, vio cómo aquel gran diablo le lançó otro venablo; mas él, dando un salto, le hizo
perder el golpe; y poniendo mano a su espada fuera para él
por lo ferir, mas viola ir corriendo tan ligeramente que no
avía cosa que lo alcançar pudiesse. Y llegó al cavallo de Amadís, y cavalgando en él, dixo en una boz alta:

—¡Ay, Amadís, mi enemigo! Yo soy Andandona, la giganta de la Insola Triste, y si agora no acabé lo que desseava, no faltará tiempo en que me vengue.

Amadís, que empós della quisiera ir en el cavallo de Gandalín, como vio que era muger, dexóse dello y dixo a Gandalín:

—Cavalga en esse cavallo, y si aquel diablo pudieses cortar la cabeça, mucho bien sería.

Gandalín cavalgando, se fue al más ir que pudo tras ella;
y Amadís, cuando a Durín vio, fuelo abraçar con mucho plazer, que bien creía traerle nuevas de su señora. Y llevándolo
a la peña donde ante estava, le preguntó de su venida. Durín
le dio una carta de Oriana que era de creencia, y Amadís le
dixo:

—Agora me di lo que te mandaron.

El le dixo:

—Señor, vuestra amiga está buena, y salúdaos mucho, y
ruégaos que no toméis congoxa, sino que os consoléis como
ella fasta que Dios otro tiempo traya. Y fázevos saber cómo parió un fijo, el cual mi hermana y yo llevamos a Dalasta,

la abadessa de Miraflores, que por fijo de mi hermana lo críe
—(mas no le dixo cómo le perdieran)—; y ruégaos mucho,
por aquel grande amor que vos ha, que no os partáis desta
tierra fasta que ayáis su mandado.

Amadís fue ledo en saber de su señora y del niño, pero
de aquel mandado que allí estuviesse no le plugo, porque
con ello menoscabaría su honra según lo que las gentes dél
dirían; mas comoquiera que fuesse, no passaría el su mandado.

Y estando allí una pieça sabiendo nuevas de Durín, vio
venir a Gandalín, que tras aquel diablo fuera, y traía el cavallo de Amadís y la cabeça de Andandona atada al petral
por los cabellos luengos y canos; de que Amadís y Durín
ovieron mucho plazer. Y preguntóle cómo la matara, y él
dixo que yendo tras ella por la alcançar, y queriendo descavalgar del cavallo en que iva para se meter en un barco que
enramado tenía, que con la priessa fizo enarmonar el cavallo y la tomó debaxo, así que la quebrantó.

—Y yo llegué y tropelléla, de manera que cayó en el suelo
tendida; y entonces le corté la cabeça.

Luego cavalgó Amadís; se fue a la villa y mandó llevar
la cabeça de Andandona a don Bruneo para que la viesse; y
dixo a Durín:

—Mi amigo, vete a mi señora y dile que le beso las manos
por la carta que me embió y por lo que tú de su parte me
dixiste, y que le pido por merced aya manzilla de mi honra
en no me dexar folgar aquí mucho, pues no tengo de passar
su mandado; que los que en tanta folgança me vieren, no
sabiendo la causa dello, atribuirlo han a covardía y poquedad de coraçón. Y como la virtud muy dificultosamente se
alcançe y con pequeño olvido y entrevallo sea dañada, aquella gran gloria y fama que fasta aquí he procurado de ganar
con su membrança y favor, si mucho escurescer la dexasse,
como todos los hombres naturalmente sean más inclinados
a dañar lo bueno que abogados tener con sus malas lenguas,
muy presto quedaría en tanta mengua y deshonra que la misma muerte no sería a ello igual.

Con esto se tornó Durín por donde viniera.

Y don Bruneo de Bonamar, como ya muy mejorado de
la llaga corporal estuviesse, y de la del espíritu más fuerte ferido, como aquel que veía a su señora Melicia muchas vezes,
que era causa de ser su coraçón encendido en mayores do-

lores, considerando que aquello alcançar no se podía sin que gran afán tomasse, y mayor el peligro, haziendo tales cosas que por su gran valor de tan alta señora querido y amado fuesse, acordó de se apartar de aquel gran vicio, por seguir lo qu'el efeto de lo qu'él más desseava alcançar podría. Y seyendo en disposición de tomar armas, estando en el monte con Amadís, que otra vida sino caçar tenía, le dixo:

—Señor, mi edad y lo poco de honra que he ganado me mandan que, dexando esta gran folgada vida, vaya a otra donde con más loor y prez sea ensalçado. Y si vos estáis en disposición de buscar las aventuras, aguardaros he; y si no, demandos licencia, que mañana quiero andar mi camino.

Amadís, que esto le oyó, de gran congoxa fue atormentado, desseando él con mucha afición aquel camino, y por el defendimiento de su señora no lo poder fazer; y dixo:

—Don Bruneo, yo quisiera ser en vuestra compañía, porque mucha honra della me podría ocurrir, pero el mandamiento del rey mi padre me lo defiende, que me dize averme menester para el reparo de algunas cosas de sus reinos; así que por el presente no puedo ál fazer sino encomendaros a Dios, que vos guarde.

Tornados a la villa essa noche, fabló don Bruneo con Melicia, y certificado della que seyendo voluntad del rey su padre y de la reina, le plazería casar con él, se despidió della. Y así se despidió del rey y de la reina, teniéndoles en mucha merced el bien que le fizieran, y que siempre en su servicio sería, se fue a dormir. Y al alva del día oyendo missa, y armado en su cavallo, saliendo con él el rey y Amadís, y con gran humildad dellos despedido, entró en su camino donde la ventura lo guiava; en el cual fizo muchas cosas y estrañas en armas que sería largo de las contar.[71] Mas por agora no se dirá más dél fasta su tiempo.

Amadís quedó en Gaula como oís, donde moró treze meses y medio, en tanto qu'el rey Lisuarte tuvo el castillo del Lago Ferviente cercado, andando a caça y monte, que a esto más que a otras cosas era inclinado; y en este medio tiempo aquella su gran fama y alta proeza tan escurescida y

---

71. Es posible que se trate de una supresión de Montalvo; en cual quier caso, el refundidor rompe la estructura de entrelazamiento, que justamente se creó para poder dar entrada a diversos personajes cuyas aventuras van alternando.

tan abiltada de todos, que, bendiziendo a los otros cavalleros que las aventuras de las armas seguían, a él muchas maldiciones davan, diziendo aver dexado en el mejor tiempo de su edad aquello de que Dios tan cumplidamente sobre todos los otros ornado le avía, especialmente las dueñas y donzellas que a él con grandes tuertos y desaguisados venían para que remedio les pusiesse, y no lo fallando como solían, ivan con gran pasión por los caminos publicando el menoscabo de su honra. Y comoquiera que todo o la mayor parte a sus oídos viniesse, o por gran desaventura suya lo tuviesse, ni por esso ni por otra cosa más grave no osaría passar ni quebrar el mandamiento de su señora. Assí estuvo este dicho tiempo que oís difamado y abiltado de todos, esperando que su señora le mandasse, fasta tanto qu'el rey Lisuarte, sabiendo por nuevas ciertas cómo el rey Arávigo y los otros seis reyes eran ya con todas sus gentes en la Insola Leonida para passar en la Gran Bretaña, y Arcaláus el Encantador, que con mucha acucia los movía, haziéndoles seguros que no estava en más ser señores d'aquel reino de cuanto en él passassen, y otras muchas cosas por los atraer que otro medio no tomassen, adereçava toda cuanta más gente podía para los resistir. Y ahunqu'él con su fuerte coraçón y gran discreción en poco aquella afrenta mostrava tener, no lo fazía así la reina; antes, con mucha angustia dezía a todos la gran pérdida qu'el rey hizo perder Amadís y su linaje; que si ellos allí fuessen, en poco ternía lo que aquella gente pudiese fazer.

Pero aquellos cavalleros que en la Insola de Mongaça desbaratados fueron, ahunque el bien del rey no desseassen, veyendo de su parte a don Galaor, y a don Brian de Monjaste, que por mandado del rey Lazadán d'España venían con dos mill cavalleros que en su ayuda embió, de qu'él avía de ser caudillo le avía de seguir, y don Galvanes, que era su vasallo, acordaron de ser en su ayuda en aquella batalla donde gran peligro de armas se esperava. Y los que se fallaron allí eran don Cuadragante y Listorán de la Torre Blanca, y Imosil de Borgoña, y Mandancil de la Puente de la Plata, y otros sus compañeros que por amor dellos allí quedaron. Todos ponían acucia en adreçar sus armas y cavallos y lo necessario, esperando que en saliendo aquellos reyes de aquella ínsola movería el rey Lisuarte contra ellos.

Mabilia fabló un día con Oriana, diziéndole que era mal recaudo en tal tiempo no tomar acuerdo de lo que Amadís hazer devía; que si por ventura fuesse contra su padre, podría recrescer peligro alguno dellos; que si la parte de su padre fuesse vencida, demás del gran daño que a ella venía perdiéndose la tierra que suya avía de ser, según su esfuerço cierto estava que allí quedaría muerto; y por el semejante si la parte donde Amadís se fallase vencida fuesse. Oriana, conosciendo que verdad dezía, acordó de tomar por partido de escrevir a Amadís que no fuesse en aquella batalla contra su padre, pero que a otra parte que le contentasse pudiesse ir, o estar en Gaula si le agradasse. Esta carta de Oriana fue metida en otra de Mabilia, y levada por una donzella que a la corte era venida con donas de la reina Helisena a Oriana y a Mabilia; la cual despedida dellas y passando en Gaula, dio la carta a Amadís del mensaje, que después de la aver leído fue tan ledo, que cierto más ser no podía, assí como aquel que semejava salir de la teniebla a la claridad. Pero fue puesto en gran cuitado no se sabiendo determinar en lo que haría, que por su voluntad no avía talante de ser en la batalla a la parte del rey Lisuarte, y contra él no lo podía fazer, porque su señora gelo defendía; así que estava suspenso sin saber qué fiziesse. Y luego se fue al rey su padre con el continente más alegre que fasta allí lo tuviera, y fablando entrambos se assentaron a la sombra de unos olmos que en una plaça cabe la playa de la mar estavan. Y allí fablaron en algunas cosas, y todo lo más en aquellas grandes nuevas que de la Gran Bretaña oyeran del levantamiento de aquellos reyes con tan grandes compañas contra el rey Lisuarte.

Pues así estando como oís el rey Perión y Amadís, vieron venir un cavallero en un cavallo lasso y cansado, y las armas, que un escudero le traía, cortadas por muchos lugares, assí que las sobreseñales no mostravan de qué fuessen, y la loriga rota y mal parada en que poca defensa avía. El cavallero era grande y parescía muy bien armado. Ellos se levantaron de donde estavan y ivan a lo recebir por le fazer toda honra como a cavallero que las aventuras demandava. Y seyendo más cerca, conosciólo Amadís que era su hermano don Florestán, y dixo al rey:

—Señor, vedes allí el mejor cavallero que después de don Galaor yo sé, y sabed que don Florestán vuestro hijo es.

El rey fue muy alegre, que lo nunca viera, y sabía su gran fama, y anduvo más que ante; pero llegado don Florestán, apeóse del cavallo, y hincados los inojos quiso besar el pie al rey; mas el rey lo levantó y diole la mano, y besólo en la boca. Entonces levaron consigo al palacio, y hiziéronlo desarmar y lavar su rostro y manos, y Amadís le hizo vestir unos paños suyos muy ricos y bien fechos que fasta entonces no se vestieran; y como él era grande de cuerpo y bien tallado y fermoso de rostro, parescía tan bien que pocos oviera que tan apuestos como él paresciessen. Assí lo levaron a la reina, que della y de su hija Melicia fue con tanto amor recibido, como lo fuera cualquier de sus hermanos, que en no menos le tenían, según los grandes fechos en armas por que avía passado, que dél sabían. Y fablando con él en algunos dellos, y él respondió como cavallero cuerdo y bien criado, preguntáronle, pues de la Gran Bretaña venía, qué cosa era aquello de los reyes de las ínsolas y de sus compañas. Don Florestán les dixo:

—Esso sé yo bien cierto; y creed, señores, qu'el poder de aquellos reyes es tan grande, y de tan estraña y fuerte gente, que creyo yo qu'el rey Lisuarte no podrá valer a ssí ni a su tierra, de que no nos deve mucho pesar, según las cosas passadas.

—Hijo don Florestán —dixo el rey—, yo tengo al rey Lisuarte, por lo que dél me dizen, en tal possessión, así de esfuerço como de las otras buenas maneras que rey deve tener, que saldrá desta afrenta con la honra que de las otras ha salido; y puesto que al contrario fuesse, no nos deve plazer dello, porque ningún rey deve ser alegre con la destruición de otro rey, si él mismo no le destruyesse por legítimas causas que le a ello obligassen.

Assí estuvieron allí una pieça, y el rey se acogía a su cámara, y Amadís y don Florestán a la suya. Y cuando solos estavan, Florestán dixo:

—Señor, yo os vine a demandar por vos dezir una cosa que he oído por todas las partes donde anduve, de que gran dolor mi coraçón siente, y no os pese de lo oír.

—Hermano —dixo Amadís—, toda cosa por vos dicha he yo plazer de la oír, y si es tal que deva ser castigada, con vuestro acuerdo lo faré.

Don Florestán dixo:

—Creed, señor, que profaçan de vos todas las gentes, menoscabando vuestra honra, pensando que con maldad avéis dexado las armas y aquello para que señaladamente estremado entre todos nascistes.

Amadís le dixo riendo:

—Ellos cuidan de mí lo que no deven, y de aquí adelante se fará de otra guisa, y de otra guisa lo dirán.

Aquel día passaron con mucho plazer con la venida de aquel cavallero, al cual muchas gentes ocurrieron por le ver y hazer honra. La noche venida, acostáronse en ricos lechos; y Amadís no podía dormir, pensando en dos cosas: la una, en fazer tanto aquel año en armas que lo que dél avían dicho con lo contrario se purgasse; el otra, qué faría en aquella batalla que se esperava, que según la grandeza della, no podía él sin gran vergüença escusarse no ser en ella, pues ser contra el rey Lisuarte su señora gelo defendía, y ser en su ayuda defendíalo la razón, según le fuera desgradescido y havía mal parado a los de su linaje. Pero en la fin, determinóse de ser en la batalla en ayuda del rey Lisuarte por dos cosas: la una, porque su gente era mucho menos que los contrarios, y la otra, porque seyendo vencido perdíase la tierra que de su señora Oriana avía de ser.

Otro día en la mañana Amadís tomó consigo a Florestán y fuese a la cámara del rey su padre, y mandando salir a todos, le dixo:

—Señor, yo no he dormido esta noche pensando en esta batalla que se apareja entre aquellos reyes de las ínsolas y el rey Lisuarte; que como ésta será una cosa señalada, todos los que armas traen devían ser en tan gran cosa como ésta será, de la una o de la otra parte. Y como yo aya estado tanto tiempo sin exercitar mi persona, y con ello aya cobrado tan mala fama como vos, hermano, sabéis, en fin de mi cuidado determiné ser en ella y de la parte del rey Lisuarte, no por le tener amor, mas por dos cosas que agora oiréis: la primera, por tener menos gente, a que todo bueno deve socorrer; la segunda, porque mi pensamiento es de morir allí, o fazer más que en ninguna parte donde me fallase. Y si de la parte contraria del rey Lisuarte fuesse, está en ella Galaor, y don Cuadragante y Brian de Monjaste, que cada uno déstos, según su bondad, ternán este mismo pensamiento; y no podiendo escusar de encontrar comigo, ved que desto podrá redundar no otra cosa sino su muerte o la mía. Pero mi ida será tan encubierta que a todo mi poder no seré conoscido.

El rey le dixo:

—Fijo, yo soy amigo de los buenos, y como sepa ser este rey que dezís uno dellos, siempre mi voluntad fue aparejada de le honrar y ayudar en lo que pudiese; y si dello por agora soy apartado, ha sido por estas diferencias que con vos y vuestros amigos ha tenido. Y pues que vuestra intención es tal, también quiero ser en su ayuda y ver las cosas que allí se farán. Pésame qu'el negocio es tan breve que no podré levar la gente que querría, pero con la que pudiere aver iremos.

Oído esto por don Florestán, estuvo una pieça cuidando, y después dixo:

—Señores, acordándoseme de la crueza de aquel rey, y cómo nos dexara morir en el campo si por don Galaor no fuera, y de la enemistad que sin causa nos tiene, no ay en el mundo cosa por que mi coraçón fuesse otorgado a le ayudar; pero dos cosas que al presente me ocurren hazen que mi propósito mudado sea. La una es querer vosotros, señores, a quien yo de servir tengo, ser en su ayuda. Y la otra, que al tiempo que don Galvanes con él pleiteó, cuando la Insola de Mongaça le fue entregada, assentamos treguas por dos años; assí que, pues yo no le puedo deservir, conviene que a mal de mi grado le sirva. Y quiero ir en vuestra compañía, que siempre en gran congoxa mi ánimo sería si tal batalla passasse sin que yo en ella fuesse, en cualquiera de las partes.

Amadís fue muy alegre de cómo se hazía todo a su voluntad, y dixo al rey:

—Señor, por mucha gente se deve contar vuestra sola persona, y nosotros que os serviremos. Solamente queda en darse orden cómo encubiertos vamos, y con armas señaladas y conoçidas que nos guíen a que socorrernos podamos; que si más gente llevássedes impossible sería nuestra ida ser secreta.

—Pues que assí vos pareçe —dixo el rey—, vayamos a la mi cámara de las armas y tomemos dellas las más olvidadas y señaladas que allí fallaremos.

Estonces, saliendo de la cámara, entraron en un corral donde havía unos árboles; y seyendo debaxo dellos, vieron venir una donzella ricamente vestida y en un palafrén muy fermoso, y tres escuderos con ella, y un rocín con un lío encima dél. Y llegó al rey después que los escuderos la apearon, y saludólos. Y el rey la recibió muy bien y díxole:

—Donzella, ¿queréis ir a la reina?

—No —dixo ella—, sino a vos y a esos dos cavalleros, y

vengo de parte de la dueña de la Insola no Fallada, y vos trayo aquí unas donas que vos embía; por ende mandad apartar toda la gente, y mostrároslas he.

El rey mandó que se tirassen afuera. La donzella fizo a sus escuderos desliar el lío que el palafrén traía, y sacó dél tres scudos, el campo de plata, y sierpes de oro por él tan estrañamente puestas que no pareçían sino bivas, y las orlas eran de fino oro con piedras preçiosas. Y luego sacó tres sobresenales de aquella misma obra que los escudos, y tres yelmos, diversos unos de otros, el uno blanco, y el otro cárdeno, y el otro dorado. El blanco con el un escudo y su sobreseñal dio al rey Perión, y lo cárdeno a don Florestán, y el dorado con lo otro a Amadís; y díxole:

—Señor Amadís, mi señora os embía estas armas, y dízeos que obréis mejor con ellas que lo havéis fecho después que en esta tierra entrastes.

Amadís huvo recelo que descubriría la causa dello y dixo:

—Donzella, dezid a vuestra señora que en más tengo esse consejo que me da que las armas, ahunque ricas y fermosas son, y que a todo mi poder, assí como ella lo manda, lo faré.

La donzella dixo:

—Señores, estas armas os embía mi señora, porque por ellas en la batalla os conosçáis y ayudéis donde fuere menester.

—¿Cómo supo vuestra señora —dixo el rey— que seríamos en la batalla, que ahún nosotros no lo sabemos?

—No sé —dixo la donzella—, sino que me dixo que a esta hora os fallaría juntos en este lugar, y que aquí os diesse las armas.

El rey mandó que le diessen de comer y le hiziessen mucha honra. La donzella, desque comido huvo, partióse luego a la Gran Bretaña, donde la mandavan ir.

Amadís, como tal aparejo de armas vio, aquexávase mucho por la partida, con recelo que la batalla se daría sin qu'él en ello se fallasse, y conoçido esto por el rey su padre, mandó secretamente que una nave fuesse luego adereçada; en la cual, con achaque de ir a monte, una noche a la media noche entrados en ella, sin ningún entrevallo passaron en la Gran Bretaña, aquella parte donde ante sabían que los siete reyes eran arribados. Y passaron en una floresta entre espessas matas, donde sus hombres les armaron un tendejón, y de allí embiaron un escudero, que supiesse lo que hazían los siete reyes, y en qué parte stavan, que punasse por saber en qué día se daría la batalla. Y assí mesmo embiaron una carta al real del rey Lisuarte para don Galaor, como que de Gaula jela embiavan, y que de palabra le dixesse cómo ellos quedavan en Gaula todos tres, que le rogavan mucho que en passando la batalla les fiziesse saber de su salud. Esto fazían por ser más encubiertos.

El escudero bolvió otro día tarde, y díxoles que la gente de los reyes no tenía número, y que entre ellos havía muy estraños hombres y de lenguajes desvariados; y que tenían cercado un castillo de unas donzellas, cuyo era, y ahunque el castillo muy fuerte era, ellas stavan en gran fatiga según oyera dezir; y que andando por el real, viera a Arcaláus el Encantador, que iva hablando con dos reyes y diziendo que convenía darse la batalla en cabo de seis días, porque las viandas serían malas de haver para tanta gente.

Assí estuvieron en aquel alvergue viciosos y con mucho plazer matando de las aves con sus arcos, que a una fuente que cerca de sí tenían venían a bever, y ahun algunos venados; y al cuarto día llegó el otro mensajero, y díxoles:

—Señores, yo dexo a don Galaor muy bueno y esforçado, tanto que todos se esforçan con él. Y cuando le dixe vuestro mandado, y que quedávades todos tres en Gaula juntos, las lágrimas le vinieron a los ojos, y sospirando dixo: «¡O Señor, si a vos pluguiera que assí juntos fueran en esta batalla de parte del rey como solían, perdiera todo pavor!» Y díxome que si de la batalla bivo saliesse, que luego vos faría saber de su fazienda y de todo lo que passasse.

—Dios le guarde —dixeron ellos—, y agora nos dezid de la gente del rey Lisuarte.

—Señores —dixo él—, muy buena compaña trae, y de cavalleros muy señalados y conoçidos, pero con la de los contrarios muy poca dizen que es. Y el rey será estos dos días a vista de sus enemigos por socorrer las donzellas que están cercadas.

Y assí fue, que el rey Lisuarte vino con sus gentes, y posó en un monte a media legua de la vega donde sus enemigos estavan, donde se veían los unos a los otros, pero bien serían dos tantos la gente de los reyes. Allí estovo aquella noche adereçando todas sus armas y cavallos para les dar la batalla otro día. Agora sabed que los seis reyes y otros grandes señores fizieron aquella noche omenaje al rey Arávigo de le tener en aquella afruenta por mayor y se guiar por su mandado. Y él les juró de no tomar más parte de aquel reino que cualquiera dellos; solamente quería para sí la honra. Y luego fizieron passar toda su gente un río que entre ellos y el rey Lisuarte estava, assí que se pusieron muy cerca dél.

Otro día de mañana armáronse todos y paráronse delante del rey Arávigo tan gran número de gente y tan bien armados que no tenían a los contrarios en tanto como nada. Y dezían que, pues el rey les osava dar batalla, que la Gran Bretaña era suya. El rey Arávigo fizo de su gente nueve hazes, cada una de mil cavalleros, pero en la suya havía mil y quinientos; y diolas a los reyes y otros cavalleros, y púsolas unas tras otras muy juntas.

El rey Lisuarte mandó a don Grumedán y a don Galaor y don Cuadragante y Angriote d'Estraváus que repartiessen sus gentes y las parassen en el campo como havían de pelear, que éstos sabían mucho en todo hecho de armas. Y luego deçendió del monte por el recuesto ayuso a se poner en lo llano, y como era a tal hora que salía el sol, fería en las armas y parecían tan bien y tan apuestos que aquellos sus contrarios, que de ante en poco los tenían, de otra manera los juzgavan. Aquellos cavalleros que vos digo fizieron de la gente cinco hazes. Y la primera ovo don Brian de Monjaste con mil cavalleros d'España que le aguardavan, que su padre embiara al rey Lisuarte. Y la segunda hovo el rey Cildadán con su gente y con otra que le dieron. La tercera ovo don Galvanes y Agrajes su sobrino, que allí viniera por amor dél y de los amigos que allí eran, más que por servir al rey. En la cuarta iva Giontes, sobrino del rey, con asaz de buenos cavalleros. La quinta levava el rey Lisuarte, en que havía dos mil cavalleros, y rogó y mandó a don Galaor, y a don Cuadragante y Angriote d'Estraváus, y a Gavarte de Val Temeroso y a Grimón el Valiente que le guardassen y mirassen por él. Y por esta causa no les dava cargo de gente. Assí como oís, en esta ordenança movieron por el campo muy passo los unos contra los otros. Mas a esta sazón eran ya llegados a la vega el rey Perión y sus fijos Amadís y Florestán en sus hermosos cavallos y con las armas de las sierpes, que mucho con el sol resplandecían; y veníanse derechos a poner entre los unos y los otros, blandiendo sus lanças con unos fierros tan limpios, que luzían como estrellas; y iva el padre entre los fijos. Mucho fueron mirados de ambas las

partes, y de grado los quisiera cada una dellas de su parte;
mas ninguno sabía a quién querían ayudar, ni los conoçían.
Y ellos, como vieron que la haz de Brian de Monjaste iva
por se juntar con los enemigos, pusieron las spuelas a los
cavallos y llegaron cerca de la seña de Brian de Monjaste. Y
luego se bolvieron contra el rey Targadán, que contra él
venía. Ledo fue don Brian con su ayuda, pero que los no
conoçía; y cuando vieron que era tiempo, fueron todos tres
a ferir en la haz de aquel rey Targadán tan duramente, que
a todos ponían gran pavor. De aquella ida firió el rey Perión
aquel rey tan duramente que lo puso en tierra, y entróle por
el pecho una parte del fierro de la lança. Amadís firió Ab-
dasián el Bravo, que le no prestó armadura, y passó la lança
de un costado a otro, y cayó como hombre de muerte. Don
Florestán derribó a Carduel a los pies del cavallo, y la silla
sobre él. Aquestos tres, como los más preciados de aquella
haz, vinieron delante por se combatir con los de las sierpes.
Y luego pusieron mano a las spadas, y passaron por aquella
haz primera derribando cuantos ante sí fallavan, y dieron en
la otra segunda. Y cuando assí se vieron en medio de entrambas, allí pudiérades ver las sus grandes maravillas, que
con las spadas fazían, tanto, que la una ni otra parte no havía
hombre que a ellos se llegasse, y tenían debaxo de sus cavallos más de diez cavalleros que havían derribado. Pero a la
fin, como los contrarios viessen que no eran más de tres, cargavan ya sobre ellos de todas partes con grandes golpes; assí
que fue bien menester el ayuda de don Brian de Monjaste,
que llegó luego con los sus spañoles, que era fuerte gente y
bien encavalgada. Y entraron tan rezio por ellos, derribando
y matando, y dellos también muriendo y cayendo por el
suelo, que los de las sierpes fueron socorridos, y los contrarios tan afrontados que por fuerça llevaron aquellas dos hazes
fasta dar en la tercera. Y allí fue muy gran priessa y gran
peligro de todos, y murieron muchos cavalleros de ambas
las partes; pero lo que el rey Perión y sus fijos fazían no se
puede contar. La rebuelta fue tan grande, qu'el rey Arávigo
temió que los mismos suyos que se havían retraído harían
fuir a los otros, y dio grandes bozes a Arcaláus que fiziesse
mover todas las hazes, y rompiessen de golpe. Y assí se fizo,
que todos rompieron juntos y el rey Arávigo con ellos; mas
no tardó que lo mismo se hiziesse por el rey Lisuarte. Assí
que las batallas todas fueron mezcladas, y las feridas fueron

tantas, y las bozes y el estruendo de los cavalleros, que la tierra temblava y los valles reteñían.

A esta hora el rey Perión, que muy bravo andava en los delanteros, metióse tan de rondón por ellos que se oviera de perder, mas luego fue socorrido de sus fijos, que muchos dellos que le ferían fueron por ellos muertos, y dezían las donzellas desde la torre a bozes:

—¡Ea, cavalleros, qu'el del yelmo blanco lo faze mejor!

Pero en este socorro fue el cavallo de Amadís muerto, y cayó con él en la mayor priessa, y los de su padre y hermano mal feridos. Y como a pie le vieron con tan gran peligro, descavalgaron de los suyos y pusiéronse con él. Allí cargó mucha gente por los matar, y otros por los socorrer; pero en gran peligro stavan, que si no fuera por los duros y crueles golpes de que ferían, que no se osavan a ellos llegar, fueran muertos. Y como el rey Lisuarte anduviesse discurriendo por las batallas a un cabo y a otro con aquellos sus siete compañeros que ya oístes, vio a los de las sierpes en tan gran afrenta, y dixo a don Galaor y a los otros:

—Agora mis buenos amigos, parezca vuestra bondad: socorramos aquellos que tan bien nos ayudan.

—¡Agora, a ellos! —dixo don Galaor.

Entonces firieron de las espuelas a sus cavallos y entraron por medio de aquella gran priessa fasta llegar a la seña del rey Arávigo, el cual dava bozes esforçando los suyos. Y el rey Lisuarte iva tan bravo, y aquella su muy buena spada en la mano, y dava tantos y tan mortales golpes, que todos eran espantados de lo ver, y sus aguardadores apenas lo podían seguir. Y por mucho que le firieron, no pudieron tanto resistir qu'él no llegasse a la seña y la no sacasse por fuerça de la manos del que la tenía, y echándola a los pies de los cavallos, dixo a grandes bozes:

—¡Clarencia, Clarencia, que yo soy el rey Lisuarte! —que éste era su apelido.

Tanto fizo y tanto duró entre sus enemigos, que le mataron el cavallo y cayó, de que fue muy quebrantado, assí que los que le aguardavan no le podían subir en otro. Mas llegaron luego allí Angriote y Antimón el valiente, Landín de Fajarque; descendiendo de su cavallo le pusieron a él en el de Angriote a mal de su grado de los enemigos, con ayuda de aquellos que lo aguardavan. Y comoquiera que mal ferido y quebrantado estuviesse, no partió de allí fasta que cavalga-

ron Arcamón [72] y Landín de Fajarque, y traxeron otro cavallo a Angriote, de los que el rey mandara andar por la batalla para se socorrer dellos.

Aquella hora que esto acaeçió quedó todo el fecho de la
batalla y afruenta en don Galaor y Cuadragante, y allí mostraron bien la su gran valentía en sufrir y dar golpes mortales;
y sabed que si por ellos no fuera, que con su gran esfuerço
detovieron la gente, qu'el rey Lisuarte y los que con él eran,
cuando estavan a pie, se vieran en gran peligro; y las donzellas de la torre davan bozes diziendo que aquellos dos cavalleros de las devisas de las flores llevavan lo mejor. Pero ni
por eso no se pudo escusar que la gente del rey Arávigo en
aquella sazón no toviesse la mejoría, y cobravan campo reziamente; y la causa principal dello fue que entraron de refresco
dos cavalleros de tan alto hecho de armas y tan valientes que
con ellos cuidavan vencer a sus enemigos, porque pensavan
que a la parte del rey Lisuarte no havía cavallero que les
campo tuviesse; el uno havía nombre Brontaxar d'Anfania y el
otro Argomades de la Insula Profunda. Este traía armas verdes y palomas blancas sembradas por ellas, y Brontaxar, de
veros de oro y colorado; y como fueron en la batalla pareçían
tan grandes que los yelmos y los ombros mostravan sobre
todos, y cuanto las lanças les turaron, no les quedó cavallero
en la silla; y como quebradas fueron, metieron mano a sus
spadas grandes y descomunales. ¿Qué vos diré? Tales golpes dieron con ellas que ya cuasi no fallavan a quien ferir,
tanto escarmentavan con ellos a todos. Y assí ivan delante
librando el campo de todos, y las donzellas de la torre dezían:

—Cavalleros, no fuyáis, que hombres son, que no diablos.

Mas los suyos dieron grandes bozes, diziendo:

—Vencido es el rey Lisuarte.

Cuando el rey esto oyó, començó a esforçar los suyos diziendo:

—Aquí quedaré muerto o vencedor, porque el señorío de
la Gran Bretaña no se pierda.

Todos los más se llegavan a él, que mucho era menester. [73]

72. *Arcamón: Z,* fol. 154 r°. Cacho Blecua lo corrige por *Antimón,*
p. 1042.
73. El pasaje se encuentra en el manuscrito de 1420 publicado por
Rodríguez Moñino (véase Bibl.). Corresponde al *Fragmento I,* col. 1 (pp.
207-208) y se encuentra en un estado muy deteriorado.

Amadís tomara ya otro cavallo muy bueno y folgado, y atendía a su padre que cavalgasse; y cuando oyó aquellas grandes bozes, y dezir que el rey Lisuarte era vencido, dixo contra don Florestán, que a cavallo estava:

—¿Qué es esto, o por qué brama aquella astrosa gente?

El le dixo:

—¿No vedes aquellos dos más fuertes y valientes cavalleros que se nunca vieron que estragan y destruyen cuantos ante sí hallan; y ahun en esta batalla fasta agora no han pareçido, y fazen con su fortaleza ganar campo a las gentes de su parte?

Amadís bolvió la cabeça, y vio venir contra aquella parte do él estava a Brontaxar d'Anfania, firiendo y derribando cavalleros con su spada; y algunas vezes la dexava colgar de una cadena con que travada la tenía, y tomava a braços y a manos los cavalleros que alcançava, assí que ninguno le quedava en la silla y todos se alongavan dél fuyendo.[74]

—¡Santa María, val! —dixo Amadís—, ¿qué puede ser esto?

Estonces tomó una fuerte lança que el escudero que el cavallo le dio tenía, y membrándose aquella hora de Oriana y de aquel gran daño, si su padre perdiesse, que ella recibía, enderençóse en la silla y dixo a don Florestán:

—Aguardad a nuestro padre.

A esta hora llegava Brontaxar más cerca, y vio a Amadís cómo endereçava contra él, y cómo tenía el yelmo dorado; y por las nuevas de las grandes cosas que dél le dixeron antes que en la batalla entrasse, andava con gran saña raviando

74. *Fragmento 1*, col. 2: «oyó dezir que era vençido el rey Lisuarte, non le plugo e dixo contra don Florestán que ya avía cavalgado: "¿Qué es esto o por qué braman así aquella gente astrosa?" Et don Florestán le dixo: "Buen señor, ¿non vedes los dos más fuertes cavalleros que pueden ser, ni que más endiabladamente fieren de espada? Cada uno dellos por do van vencen y estragan cuanto pueden y fallan, y aún oy en este día ninguno dellos nunca paresçió en esta vatalla, y folgados llegan y malamente fazen tomar canpo a los del rey Arávigo." Y Amadís alçó la cabeça y vio venir contra aquella parte do él estava a Brontaxar y venía firiendo y derribando cavalleros de su espada y cuando él dexava el ferir de la espada tan bravamente tomava a manos de los braços, que non fallava cavallero que non derribase de la silla, y traya el espada prendida por una cadena de fierro por el braço y cuando quería travar a manos dexávala y después cobrávala cuando quería, y con ella fería, y todos le dexavan el campo por do él iva y alongávanse dél...».

por le encontrar. Y tomó luego una lança muy gruessa, y dixo a una boz alta:

—Agora veréis fermoso golpe, si aquel del yelmo de oro me osare atender.

Y firió el cavallo de las espuelas, la lança so el sobaco, y fue contra él, y Amadís, que ya movía, por el semejante, y firiéronse con las lanças en los escudos,[75] que luego fueron falsados y las lanças quebradas; y ellos se toparon de los cuerpos de los cavallos uno con otro tan fuertemente que a cada uno le semejó que en una peña dura topara. Y Brontaxar fue tan desvaneçido de la cabeça que se no pudo tener en el cavallo, y cayó en el suelo como si fuesse muerto; y con la gran pesadumbre suya dio todo el cuerpo sobre el un pie, y quebró la pierna cabe él; y levó un troço de la lança metido por el escudo, maguer fuerte era. El cavallo de Amadís se fizo atrás bien dos braçadas y estovo por caer. Y Amadís fue tan desacordado que le no pudo dar de las espuelas ni poner mano a la spada para se defender de los que le ferían. Pero el rey Perión, que ya era a cavallo, y vio el gran cavallero y el encuentro que Amadís le diera tan fuerte, fue muy espantado, y dixo:

—Señor Dios, guarda aquel cavallero. Agora, hijo Florestán, acorrámosle.[76]

75. *Fragmento 1*, col. 3: «... quella parte de la villa do le dixieron que estava et dixo muy paso entre sí: "Oriana, mi buena señora, menester es que vos menbredes de mí, que me ayude en mi honra la vuestra buena y sabrosa menbrança que me sienpre acorrió et adelantó los mis fechos. Dios poderoso, el vuestro buen acorro me dé oy poder, porque se de aquí oy no prospera tan buen rey como vuestro padre y la tierra que ha de ser vuestra cuando a Dios ploguiere, mi buena señora, que, yo el vuestro leal serviente, et cuántos omnes buenos se podrían perder." Estonçe se endesçó todo en la silla y tornó la cabeça del cavallo contra do vio a Brontaxar d'Anpania, et dixo contra don Florestán: "Aguardad bien a nuestro padre." Cómo Amadís derribó a Brontaxar de Canpania y le metió la lança en los pechos. Aquella ora que lo vio Brontaxar endereçar contra sí, dexó colgar la espada de la cadena et tomó una lança muy buena de un escudero que le aguardava que le traía, et dixo a una bos alta y espantable: "Agora veredes fermoso golpe de la lança, si me osare atender aquel cavallero que se endereçó contra mí." Estonce metió la lança so el sobaco et dexó correr el cavallo contra él, et firiénrose de las lanças en los escudos tan cruamente, que luego fueron falsados [...] et del ferir... et tan vano...»

76. *Fragmento 1*, col. 4: corresponde a estas líneas, aunque se encuentra en un estado muy deteriorado.

Estonces llegaron tan bravos, que maravilla era de los ver, y metiéronse por entre todos, firiendo y derribando fasta llegar a Amadís; y díxole el rey:

—¿Qué es esso, cavallero? Esforçad, esforçad, que aquí estó yo.

Amadís conoçió la boz de su padre, ahunque no era enteramente en su acuerdo y puso mano a su spada, y vio cómo ferían muchos a su padre y a su hermano, y començó a dar por los unos y por los otros, ahunque no con mucha fuerça. Y aquí ovieran de recebir mucho peligro porque la gente contraria era muy esforçada, y los del rey Lisuarte havían perdido mucho campo, y estavan muchos sobre ellos por los matar, y muy pocos en su defensa. Mas aquella sazón acudieron allí Agrajes y don Galvanes y Brian de Monjaste, que venían a gran priessa por se encontrar con Brontaxar d'Anfania, que tanto estrago como ya oístes fazía, y vieron los tres cavalleros de las sierpes en tal afruenta. Llegaron en su acorro como aquellos qu'e'ninguna cosa de peligro les falleçían los coraçones, y en su llegada fueron muchos de los contrarios muertos y derribados, assí que los de las armas de las sierpes tuvieron lugar de poder ferir más a su salvo a los enemigos.

Amadís, que ya en su acuerdo estava, miró a la diestra parte, y vio al rey Lisuarte con alguna compaña de cavalleros que atendían al rey Arávigo, que contra él venía con gran poder de gentes, y Argomades delante todos, y dos sobrinos del rey Arávigo, valientes cavalleros, y el mismo rey Arávigo dando bozes, esforçando a los suyos, porque oía dezir desde la torre:

—El del yelmo de oro mató al gran diablo.

Entonces dixo:

—Cavalleros, socorramos al rey, que menester le haze.

Luego fueron todos de consuno, y entraron por la priessa de la gente fasta llegar donde al rey Lisuarte estava; el cual, cuando cerca de sí vio los tres cavalleros de las sierpes, mucho fue esforçado, porque vio que el del yelmo dorado havía muerto de un golpe aquel tan valiente Brontaxar d'Anfania. Y luego movió contra el rey Arávigo que cerca dél venía; y Argomades, que venía con su spada en la mano, esgrimiéndola por ferir al rey Lisuarte, parósele delante el del yelmo dorado, y su batalla fue partida por el primero golpe: el del yelmo de oro, de que vio venir la gran spada contra él, alçó el escudo y recibió en él el golpe, y la spada deçendió por el brocal bien un palmo, y entró por el yelmo tres dedos, assí que por poco lo oviera muerto, y Amadís lo firió en el ombro siniestro de tal golpe, que le tajó la loriga, que era de muy gruessa malla, y cortóle la carne y los huessos hasta el costado, de guisa qu'el braço con parte del ombro fue del cuerpo colgado. Este fue el más fuerte golpe de spada que en toda la batalla se dio; Argomades començó a fuir como hombre tollido que no sabía de sí, y el cavallo lo tornó por donde viniera. Y los de la torre dezían a grandes bozes:

—El del yelmo dorado espanta las palomas.

Y el uno de aquellos sobrinos del rey Arávigo, que llamavan Ancidel, dexóse ir a Amadís y diole un golpe del spada en el rostro del cavallo, que gelo cortó todo al traviesso, y cayó el cavallo muerto en tierra. Don Florestán, cuando esto vio, dexóse ir a él, que se estava alabando, y firiólo por cima del yelmo de tal golpe que le hizo abaxar al cuello del cavallo, y travóle por el yelmo tan rezio que al sacar de la cabeça dio con él a los pies de Amadís. Y don Florestán fue llagado en el costado de la punta de la spada de Ancidel.

A esta hora se juntó el rey Lisuarte con el rey Arávigo, y la una gente con la otra, assí que ovo entre ellos uns esquiva y cruel batalla, y todos tenían mucho que fazer en se defender los unos de los otros y en socorrer a los que muertos y feridos caían.

Durín, el donzel de Oriana, que allí viniera por llevar nuevas de la batalla, estava en uno de los cavallos que el rey Lisuarte mandara traer por la batalla para socorro de los cavalleros que menester los oviessen; y cuando vio al del yelmo dorado en tierra, dixo contra los otros donzeles, que en otros cavallos estavan:

—Quiero socorrer con este cavallo aquel buen cavallero, que no puedo fazer mayor servicio al rey.

Y luego se metió a gran peligro por donde era la menos gente, y llegó a él y dixo:

—Yo no sé quién vos sois, mas por lo que he visto os trayo este cavallo.

El lo tomó y cavalgó en él, y díxole passo:

—¡Ay, amigo Durín, no es éste el primero servicio que me tú feziste!

Durín le travó del braço, y dixo:

—No vos dexaré fasta que me digáis quién sois.

Y él se abaxó lo más que pudo, y díxole:

—Yo soy Amadís, y no lo sepa de ti ninguno sino aquella que tú sabes.

Y luego se fue donde vio la mayor priessa, haziendo cosas estrañas y maravillosas en armas como las fiziera si su señora estoviera delante, que assí lo tenía, estándolo aquel que muy bien gelo sabría contar.

El rey Lisuarte, que se combatía con el rey Arávigo, y diole con la su buena spada tales tres golpes que lo no osó más atender, que como no sabía que aquél era el cabo y el caudillo de sus enemigos, puso todas sus fuerças por le ferir, y retráxose detrás de los suyos, maldiziendo a Arcaláus el Encantador, que aquella tierra le hizo venir, esforçándole que gela haría ganar.

Don Galaor se herió con Sarmadán, un valiente cavallero, y como el braço traía cansado de los golpes que diera, y la spada no cortava, travóle con sus muy duros braços, y sacándolo de la silla dio con él en tierra, y cayó sobre el pescueço, assí que luego fue muerto.

Y dígovos de Amadís que membrándose aquella hora del perdido tiempo que en Gaula estuvo, y de cómo su honra fue tan abiltada y menoscabada, y que aquello no se podía cobrar sino con lo contrario, hizo tales cosas que ya no fallava quien delante se le osasse parar; y ivan teniendo con él su padre y don Florestán, y Agrajes y don Galvanes, y Brian de Monjaste, y Norandel y Guilán el Cuidador, y el rey Lisuarte, que muy bravo aquella hora se mostrava. Assí que tantos derribaron de los contrarios, y tanto los estrecharon y pusieron en pavor, que lo no pudiendo sufrir y haviendo visto al rey Arávigo ir fuyendo ferido, desamparando el campo, se metieron en fuída, trabajando de se acojer a las barcas, y otros a las sierras, que cerca tenían; mas el rey Lisuarte y los suyos, los ivan feriendo y matando muy cruelmente, y los de las armas de las sierpes delante todos, que los no dexavan. Y todos los más se acogían a una fusta con el rey Arávigo y a las otras que podían alcançar; mas muchos murieron en el agua, y otros presos.

A esta sazón que la batalla se venció era ya noche cerrada, y el rey Lisuarte se tornó a las tiendas de sus enemigos, y allí albergó aquella noche con muy gran alegría del vencimiento que Dios le havía dado. Mas los cavalleros de las armas de las sierpes, como vieron el campo despachado, y que no quedava defensa ninguna, desviáronse todos tres del camino por donde cuidavan qu'el rey tornaría, y metiéronse debaxo de unos árboles donde hallaron una fuente. Y allí descavalgaron y bevieron del agua, y sus cavallos, que lo mucho menester havían según lo que trabajaran aquel día. Y queriendo cavalgar para se ir, vieron venir un escudero en un rocín, y poniéndose los yelmos porque los no conoçiessen, lo llamaron encubiertamente. El escudero dudava, pensando ser de los enemigos, mas como las armas de las sierpes les vio, sin ningún recelo se llegó a ellos. Y Amadís le dixo:

—Buen escudero, dezid nuestro mensaje al rey, si os pluguiere.

—Dezid lo que vos pluguiere —dixo él—, que yo gelo diré.

—Pues dezilde —dixo él— que los cavalleros de las armas de las sierpes, que en su batalla nos hallamos, le pedimos por merced que nos no culpe porque le no vemos, porque nos conviene de andar muy lexos de aquí a estraña tierra, y a nos poner a mesura y merced de quien no creemos que la havrá de nosotros; y que le rogamos que la parte del despojo que a nosotros daría lo mande dar a las donzellas de la torre por el daño que les hizieron; y levalde este cavallo, que tomé a un donzel suyo en la batalla, que no queremos dél otro gualardón más déste que dezimos.

El escudero tomó el cavallo y se partió dellos, que se fue al rey para gelo dezir. Y ellos cavalgaron, y anduvieron tanto hasta que llegaron a su alvergue, que en la floresta tenían; y después de ser desarmados y lavados sus rostros y manos de la sangre y del polvo, y reparando sus feridas como mejor pudieron, cenaron, que muy bien guisado lo tenían; y acostáronse en sus lechos, donde con mucho reposo durmieron aquella noche.

El rey Lisuarte, como fue tornado a las tiendas de sus enemigos, seyendo ya todos ellos destruidos, preguntó por los tres cavalleros de las armas de las sierpes, mas no halló quien otra cosa le dixesse sino que los vieron ir a más andar hazia la floresta. El rey dixo a don Galaor:

—¿Por ventura sería aquel del yelmo dorado vuestro hermano Amadís?, que según lo que él hizo, no podía ser otorgado a otro sino a él.

—Creed, señor —dixo Galaor—, que no es él, porque no

passan cuatro días que dél supe nuevas, que está en Gaula con su padre y con don Florestán su hermano.

—¡Santa María! —dixo el rey—. ¿Quién será?

—No sé —dixo don Galaor—; pero quienquier que sea, Dios le dé buena ventura, que a grande afán y peligro ganó honra y prez sobre todos.

Estando en esto, llegó el escudero y dixo al rey todo lo que le mandaron, y mucho le pesó cuando le dixo que ivan a tal peligro como ya oístes; mas si Amadís lo dixo burlando, muy de verdad salió, como adelante se dirá. Assí que los hombres siempre devrían dar buenas anuncias y fados en sus cosas. Y el cavallo qu'el escudero llevava cayó delante del rey muerto de las grandes feridas que tenía.

Aquella noche alvergaron Galaor y Agrajes y otros muchos de sus amigos en la tienda de Arcaláus, que muy rica y fermosa era, en la cual hallaron broslada de seda la batalla que con Amadís huvo y cómo lo encantó, y otras que avía fecho. Otro día luego el rey partió el despojo por todos los suyos, y dio gran parte a las donzellas de la torre; y dando licencia a los que quisiessen a sus tierras ir, con los otros se fue a una su villa que Gadampa havía nombre, donde la reina y su fija stavan. El plazer que de sí ovieron no es de contar, pues que cada una según lo passado puede pensar qué tal sería.

CAPÍTULO LXIX

COMO LOS CAVALLEROS DE LAS ARMAS DE LAS SIERPES EMBARCARON PARA SU REINO DE GAULA, Y FORTUNA LOS ECHÓ DONDE POR ENGAÑO FUERON PUESTOS EN GRAN PELIGRO DE LA VIDA EN PODER DE ARCALÁUS EL ENCANTADOR, Y DE CÓMO, DELIBRADOS DE ALLÍ, EMBARCARON, TORNANDO SU VIAJE, Y DON GALAOR Y NORANDEL VINIERON ACASO EL MESMO CAMINO BUSCANDO AVENTURAS, Y DE LO QUE LES ACAECIÓ

ALGUNOS días holgaron en aquella floresta el rey Perión y sus fijos, y como el tiempo bueno y endereçado viessen, metiéronse luego a la mar en su galea, pensando ser en breve en Gaula. Mas de otra guisa les avino, que aquel viento fue presto trocado y fizo embraveçer la mar, assí que por fuerça les convino tornar a la Gran Bretaña, no a la parte do de ante estavan, sino a otra más desviada. Y llegaron la galea al pie de una montaña que tocava con la mar en cabo de cinco días de tormenta; y fizieron sacar sus cavallos y armas por andar por aquella tierra en tanto que la mar assosegasse y les viniesse más endereçado viento, y los sus hombres metiessen agua dulce en la galea, que les havía faltado. Y desque ovieron comido, armáronse y cavalgaron, y entraron por la tierra por saber dónde havían aportado. Y mandaron a los de la galea que los atendiessen, y llevaron tres escuderos consigo; pero Gandalín no iva allí porque era muy conoçido.

Assí como oís, subieron por un valle, encima del cual fallaron un llano, y no anduvieron mucho por él que fallaron cabe una fuente una donzella que a su palafrén a bever dava, vestida ricamente y encima una capa de escarlata que con hevillas y ojales de oro se abrochava, y dos escuderos y dos donzellas con ella, que le traían falcones y canes con que caçava. Y como ella los vio, conoçiólos luego en las armas de las sierpes, y fue haziendo grande alegría contra ellos; y como llegó, saludólos con mucha humildad, faziendo señas que era muda. Ellos la saludaron, y pareçióles muy fermosa, y ovieron manzilla qu fuesse muda. Ella se llegava al del yelmo dorado y abraçávalo, y queríale besar las manos; y cuando assí una pieça estuvo, conbidávalos por señas que fuessen aquella noche sus huéspedes en un su castillo. Mas ellos no la entendían, y ella fizo señas a sus scuderos que gelo declarassen, y assí lo fizieron. Ellos, veyendo aquella buena voluntad y que era ya muy tarde, fuéronse con ella a salva fe; y no anduvieron mucho que llegaron a un fermoso castillo. Teniendo a la donzella por muy rica, pues que dél era señora, y entrando en él, hallaron gentes que los recibieron humildosamente y otras dueñas y donzellas, que todas catavan la muda como a señora. Luego les tomaron los cavallos, y subieron a ellos a una rica cámara que sería veinte codos en alto de la tierra. Y faziéndolos desarmar, les traxeron ricos mantos que cubriessen; y desque ovieron hablado con la muda y con las otras donzellas, traxéronles de cenar, y fueron muy bien servidos. Y ellas se fueron a sus aposentamientos, mas no tardó mucho que luego bolvieron con muchas candelas, y istrumentos acordados para les dar plazer; y cuando fue tiempo de dormir, dexáronlos y fuéronse.

En aquella cámara havía tres camas muy ricas que la donzella muda mandara hazer, y pusiéronles sus armas cabe cada cama. Ellos se acostaron y durmieron muy assosegadamente, como aquellos que trabajados y fatigados andavan; y ahunque sus spíritus reposavan, no lo hazían sus vidas, según en el peligroso lazo en que metidos eran, que con mucha causa se puede comparar a las cosas deste mundo; que sabed que aquella cámara era fecha por una muy engañosa arte, que toda ella se sostenía sobre un estello de fierro fecho como fusillo de lagar, encerrado en otro de madero que en medio de la cámara estava, y podía se baxar y alçar por debaxo, trayendo una palanca de hierro al derredor, que la cámara no llegava a pared ninguna; assí que, cuando a la mañana despertaron, halláronse en fondón otros veinte codos que en alto estava cuando en ella entraron.

A esta donzella muda, hermosa, podemos comparar el mundo en que bivimos, que paresçiéndonos hermoso, sin boca, sin lengua halagándonos, lisonjándonos, nos combida con muchos deleites y plazeres, con los cuales sin recelo alguno siguiéndole, nos abraçamos; y perdiendo de nuestras memorias las angustias y tribulaciones que por alvergue dellos se nos aparejan después de los haver seguido y tratado, echámonos a dormir con muy reposado sueño; y cuando despertamos, seyendo ya passados de la vida a la muerte, ahunque con más razón se devría dezir de la muerte a la vida, por ser perdurable, hallámonos en tan gran fondura que ya apartada de nos aquella gran piedad del muy alto Señor, no nos queda redención alguna; y si estos cavalleros la ovieron, fue por ser ahún en esta vida, donde ninguno por malo, por pecador que sea, deve perder la sperança del perdón, tanto que, dexando las malas obras, sigua las que son conformes al servicio de aquel Señor que jelo dar puede.

Pues tornando a los tres cavalleros, cuando fueron despiertos y no vieron señal ninguna de claridad, y sentían cómo la gente del castillo sobre ellos andava, mucho se maravillaron, y levantáronse de los lechos; y buscando a tiento la puerta y las finiestras, falláronlas; pero metiendo las manos por ellas, topavan en el muro del castillo, assí que luego conoçieron que eran traídos a engaño. Estando con gran pesar de se ver en tal peligro, paresçió suso a una finiestra de la cámara un cavallero grande y membrudo, y el rostro havía medroso, y en la barba y cabeça más cabellos blancos que negros. Y vestía paños de duelo, y en la mano diestra tenía una lúa de paño blanco que al codo le llegava, y dixo a una boz alta:

—¿Quién yaze allá dentro, que mal seáis albergados?; que según el gran pesar que me havéis hecho, assí hallaréis la mesura y merced, que serán muy crueles y amargas muertes; y ahún con esto no seré vengado, según lo que de vos recebí en la batalla del falso rey Lisuarte. Sabed que yo soy Arcaláus el Encantador; si me nunca vistes, agora me conoçed, que nunca ninguno me fizo pesar que me dél no vengasse, si no es de uno solo que ahún yo cuido tener donde os estáis, y cortarle las manos por esta que me él cortó, si yo ante no muero.

Y la donzella, que cabe él estava, dixo:

—Buen tío, aquel mançebo que allí está es el que traía el yelmo dorado.

Y tendía la mano contra Amadís. Cuando ellos esto vieron que aquél era Arcaláus, fueron en gran pavor de muerte, y por estraña cosa tuvieron ver hablar a la donzella muda que los allí traxera. Y sabed que esta donzella se llamava Dinarda, y era fija de Ardán Canileo, y era muy sotil en las maldades. Y viniera a aquella tierra por fazer por algún arte matar a Amadís, y por esso se hazía muda.

Arcaláus les dixo:

—Cavalleros, yo vos faré ante mí tajar las cabeças, y embiarlas he al rey Arávigo en alguna emienda de lo que deservistes.

Y tiróse de la finiestra, y mandóla cerrar; y quedó la cámara tan escura que se no veían unos a otros. El rey Perión les dixo:

—Mis buenos hijos, esto en que somos nos muestra las grandes mudanças de la fortuna. ¿Quién pudiera pensar que seyendo escapados de una tal batalla do tantos cavalleros, donde tantos peligros passamos, con tanta fama, con tanta gloria, que por una flaca donzella sin lengua y sin fabla engañados de tal forma fuéssemos? Por cierto, maravillosa cosa paresería aquellos que en las mundanales y pereçederas cosas ponen su esperança sin se les acordar cuán poco valen y en cuán poco deven ser tenidas. Pero a nosotros, que muchas vezes por la esperiencia lo emos ensayado, no se nos deve hazer estraño ni grave, porque seyendo nuestro principal oficio buscar las aventuras, assí las buenas como las con-

trarias, conviene de las tomar como vinieren, y poniendo
nuestras fuerças en el remedio dellas, lo restante, donde ellas
no bastaren, dexarlo aquel alto Señor en quien el poder es entero; assí que, mis hijos, dexando aparte el gran dolor que la
humanidad nos acarrea de aver vosotros de mí, y yo más de
vosotros, a Él dexemos que, como más su servicio sea, ponga
el remedio.

Los hijos, que en más tenían la piedad del padre que el
afruenta ni peligro en que estavan, cuando aquel tan gran
esfuerço en él sintieron, mucho fueron alegres; y fincando
los inojos le besaron las manos, y él les echó su bendición.
Assí como oís, passaron aquel día sin comer y sin bever. Y
desque Arcaláus cenó, y passó ya parte de la noche, vínose
a la finiestra donde ellos estavan con dos fachas encendidas,
y Dinarda y dos hombres ancianos con él, y mandóla abrir,
y dixo:

—Vos, cavalleros que allá yazéis, cuido que comeríades si
tovíssedes qué.

—De grado —dixo don Florestán—, si nos lo mandássedes dar.

El dixo:

—Si en voluntad lo tengo, Dios me la quite; pero porque
del todo no quedeis desconsolados, en emienda de la comida os quiero dezir unas nuevas. Sabed cómo agora después
que fue noche, vinieron a la puerta del castillo dos escuderos y un enano, que preguntavan por los cavalleros de las
armas de las sicrpes. Y mándolos prender y echar en una
prisión que ende debaxo tenéis. Déstos sabré mañana quién
sois, o los faré cortar miembro a miembro.

Sabed que esto que Arcaláus les dixo era assí verdad, que
los de la galea viendo que tardavan, y tenían el tiempo endereçado para navegar, acordaron que los buscasse Gandalín y el enano y Orfeo, el repostero del rey, y a éstos tenían
en la prisión como es dicho. Mucho les pesó al rey y a sus
hijos destas nuevas, porque muy peligrosas eran. Amadís respondió a Arcaláus, diziendo:

—Bien cierto so yo que después que sepáis quién somos,
que nos no faréis tanto mal como ante, porque como vos
seáis cavallero y ayáis passado por muchas cosas, no ternéis
a mal lo que nosotros fezimos en ayudar a nuestros amigos
sin ninguna fealtad, y así lo fiziéramos seyendo de vuestra
parte. Y si alguna bondad en nosotros uvo, por esso devría-

mos ser en más tenidos y fecha más honra; lo que al contrario dentro en la batalla merescíamos, mas teniéndonos así
presos tratarnos de tal manera, no fazéis en ello cortesía.

—¿Quién se pusiesse con vos en disputa sobre esso? —dixo
Arcaláus—; la honra que os yo faré será la que faría a Amadís de Gaula si aí lo tuviesse, que es el hombre del mundo
que yo peor quiero y de quien más me querría vengar.

Dinarda dixo:

—Tío, comoquiera que las cabeças déstos embiéis al rey
Arávigo, entretanto no los matéis de fambre; sostenedles la
vida, porque con ella mayor pena sostengan.

—Pues que assí os paresce, sobrina —dixo él—, yo lo faré.

Y díxoles entonces:

—Cavalleros, dezidme en vuestra fe cuál os aquexa más,
la hambre o la sed.

—Pues que hemos de dezir verdad —dixeron ellos—, ahunque el comer era más conveniente primero, la sed nos aquexa mucho.

—Entonces —dixo Arcaláus a una donzella—, sobrina,
echadles una empanada de tocino, porque no digan que no
acorro a su menester.

Y fuesse de allí, y todos los otros. Aquella donzella vio a
Amadís tan apuesto, y sabiendo las grandes cavallerías que
en la batalla fiziera, era mucho movida a piedad dél y de
los otros; y luego puso en un cesto un baril de agua y otro
de vino y la empanada, y colgándolo por una cuerda, gelo
dio diziendo:

—Tomad esto y tenedme poridad, que si yo puedo, no lo
passaréis mal.

Amadís gelo gradesció mucho, y ella se fue. Con aquello
cenaron, y acostáronse en sus camas y mandaron a sus escuderos, que allí con ellos estavan que tuviessen las armas en
tal parte donde las fallassen; que si de fambre no morían, de
otra manera ellos venderían bien sus vidas.

Gandalín y Orfeo y el enano fueron metidos en la prisión que era de yuso de aquel sobrado donde sus señores
estavan, y fallaron allí una dueña y dos cavalleros, el uno,
que era su marido y ya de días, y el otro su fijo, asaz mancebo, y avía un año que allí estavan. Y fablando unos con
otros, dixo Gandalín cómo veniendo en busca de los tres cavalleros de las armas de las sierpes, los avían prendido.

—¡Santa María! —dixo el cavallero—. Sabed que essos que

dezís fueron en este castillo muy bien recebidos; y estando dormiendo, entraron aquí cuatro hombres, y trayendo a derredor esta palanca de fierro que aquí veis, baxaron con ella este sobrado, assí que han recebido gran traición.

Gandalín, que muy avisado era, entendió luego que su señor y los otros estavan allí, y el peligro grande de muerte en que estavan; y dixo:

—Pues que aɔí es, trabajemos nos de lo subir suso; si no, ellos ni nosotros nunca de aquí saliremos. Y creed que si ellos se salvan, que nosotros seremos libres.

Entonces el cavallero y su fijo de una parte, y Gandalín y Orfeo de la otra, començaron a rodear la palanca, assí que el sobrado començó luego a subir. Y el rey Perión, que no dormía sosegado, más con cuita de sus fijos que de sí, sintiólo luego, y dispertólos y díxoles:

—¿Veis cómo el sobrado se alça?; no sé por cuál razón.

Amadís dixo:

—Sea por cualquiera, que morir como cavalleros o como ladrones gran diferencia es.

Y luego saltaron de los lechos y fizieron a sus escuderos que los armassen, y esperaron qué sería aquello. Mas el sobrado fue alçado, a gran afán de los que lo subían, tanto como era menester; y el rey Perión y sus fijos, que a la puerta estavan, vieron por entre las tablas la claridad, y conoscieron que por allí avían entrado. Y travaron della todos tres tan fuerte que la derribaron, y salieron al muro, donde eran los veladores, con tan gran coraje y braveza que maravilla era; y començaron a matar y derribar del muro cuantos fallavan; y dezir:

—¡Gaula, Gaula, que nuestro es el castillo!

Arcaláus, que lo oyó, fue muy espantado; y cuidando que traición era de alguno de los suyos que allí avía traído sus enemigos, fuyó desnudo a una torre, y subió consigo el escalera que andadiza era; y no se temía de los presos, que aquéllos a buen recauda a su parescer estavan. Y assomándose a una finiestra, vio a los de las armas de las sierpes andar por el castillo a gran priesa; y ahunque los conosció, no osó salir ni baxar a ellos. Mas dava bozes diziendo a los suyos que les no temiessen, que no eran más de tres hombres. Algunos de los suyos que abaxo posavan començáronse armar, mas los tres cavalleros, que ya el muro avían de los veladores delibrado, baxaron luego a ellos, que los oyeron, y en poco de ora los pararon tales, así muertos como feridos, que ninguno paresció ante ellos. Los que estavan en la cárcel, que oyeron lo que se fazía, dieron bozes que los acorriesen. Amadís conosció la boz de su enano, que éste y la dueña avían más temor, y fueron luego para los sacar; y así lo fizieron que a gran fuerça quebrantaron las armellas y abrieron la puerta, por donde salieron. Y buscando por las casas baxas que al coral salían, fallaron los cavallos suyos y de sus señores, y otros de Arcaláus, que dieron al cavallero y a su fijo, y un palafrén de Dinarda para la dueña; y sacáronlos todos fuera del castillo. Y cuando fueron a cavallo, mandó el rey poner fuego a las casas que dentro eran, y començó arder tan bravamente, que todo semejava una llama; el fuego era grande que dava en la torre. El enano dezía a grandes bozes:

—Señor Arcaláus, recebid en paciencia esse fumo como lo yo fazía cuando me colgastes por la pierna, al tiempo que fezistes la gran traición a Amadís.

Mucho se pagó el rey de cómo el enano deshonrava a Arcaláus, y mucho reían todos en ver que aquél era el cabo de su esfuerço. Entonces se fueron por el camino que allí vinieran a la galea, y subiendo una sierra vieron las grandes llamas del castillo y las bozes de las gentes que ovieron plazer. Así anduvieron fasta ser en el monte alto. Entonces esclaresció el día, y vieron ayuso en la ribera la su galea, y fueron para allá; y entraron dentro, desarmándose para folgar.

La dueña, cuando al rey vio desarmado, fuésele fincar de inojos delante, y él la conosció, y levantóla por la mano, abraçándola de su buen talante, que la mucho amava. Y la dueña dixo al rey:

—Señor, ¿cuál de aquéllos es Amadís?

El le dixo:

—Aquel del gambax verde.

Entonces se fue a él, y fincados los inojos le quiso besar el pie, mas él la levantó y uvo vergüença de aquello. La dueña se le fizo conoscer, diziéndole cómo ella era aquella que en la mar lo echara, al tiempo que nasció, por salvar la vida de su madre, y que le demandava perdón. Amadís le dixo:

—Dueña, agora sé lo que nunca supe, que ahunque de mi amo, Gandales, avía sabido cómo me falló en la mar, no sabía por qué causa fue; y yo os perdono lo que me no errastes, pues lo que se fizo fue por servicio de aquella a quien yo toda mi vida tengo de servir.

El rey folgó mucho en fablar de aquel tiempo, y estuvo riendo con ellos gran pieça; y así fueron por la mar adelante, mucho alegres de sus aventuras, fasta que llegaron en el reino de Gaula.

Arcaláus, como ya oístes, estava en la torre, desnudo, donde se acogiera, y como la llama dava en la puerta, nunca pudo descendir. El fumo y la calor eran tan demasiados, que se no podía valer ni darse ningún remedio, ahunque se metió en una bóveda; pero allí era el fumo tan espesso, que le puso en gran cuita. Así estuvo dos días, que ninguno en el castillo pudo entrar, tanto era el fuego grande; mas el tercero entraron sin peligro y subieron a la torre, y fallaron Arcaláus tan desacordado que estava ya para le salir el alma; y echándole del agua por la boca, le fizieron acordar, mas a gran trabajo suyo. Y tomáronle en sus braços para le llevar a la villa; y como vio el castillo quemado y todo muy destroçado, dixo sospirando y con gran dolor de su coraçón:

—¡Ay, Amadís de Gaula, cuánto daño por ti me viene! Si te yo puedo aver, yo faré en ti tantas crueldades que mi coraçón sea vengado de cuantos daños de ti recebidos tengo; y por tu causa juro y prometo de nunca dar la vida a cavallero que tome, porque si en mis manos cayeres, no escapes dellas, como agora lo feziste.

El estuvo en la villa cuatro días por tomar alguna recreación; y poniéndose en unas andas con siete cavalleros que lo guardassen, se partió para el su castillo de Monte Aldín, y Dinarda la muy fermosa, y otra donzella, con él. Esa noche durmieron en casa de un su amigo, y otro día avía de llegar al su castillo; y siendo ya passadas las dos partes del día que iva por su camino, vieron ir por la falda de una floresta dos cavalleros que cabe una fuente que allí era avían folgado, y ivan muy ricamente armados y cavalgavan muy apuesto. Y como vieron las andas y los cavalleros, atendieron por saber qué cosa era. Y ellos ansí estando, llegóse Dinarda a Arcaláus y dixo:

—Buen tío, vedes allí dos cavalleros estraños.

El levantó la cabeça, y como los vio, llamó a los suyos y díxoles:

—Tomad vuestras armas y traedme aquellos cavalleros, no

les diziendo quién soy; y si se defendieren, traedme sus cabeças.

Y sabed que los cavalleros eran don Galaor y su compañero Norandel. Y los cavalleros de Arcaláus les dixeron, llegando a ellos, que dexassen las armas y fuessen a mandado del que en las andas venía.

—En el nombre de Dios —dixo Galaor—, ¿y quién es esse que lo manda, o qué va a él que vamos armados o desarmados?

—No sabemos —dixeron ellos—, mas conviene que lo fagáis, o levaremos vuestras cabeças.

—Ahún no estamos en tal punto —dixo Norandel— que lo fazer podáis.

—Agora lo veréis —dixeron ellos.

Entonces se fueron ferir, y de los primeros encuentros cayeron los dos dellos en el suelo feridos de muerte. Pero los otros quebraron en ellos sus lanças y no los movieron de llas sillas; y luego pusieron mano a sus espadas, y ovieron entre sí una esquiva y cruel batalla; mas a la fin, siendo los tres dellos derribados y mal feridos, los dos que quedaran no osaron atender aquellos mortales golpes, y fuéronse por la floresta al más correr de sus cavallos. Los dos compañeros no los siguieron; antes, fueron luego a saber quién en las andas venía. Y cuando llegaron, toda la otra compaña que con Arcaláus estava echaron a huir, sino dos hombres en sendos rocines. Ya alçaron el paño, y dixeron:

—Don cavallero que Dios maldiga, ¿assí tratáis los cavalleros que van por el camino seguros? Si fuéssedes armado, fazeros íamos conoscer que sois malo y falso a Dios y al mundo. Y pues que sois doliente, embiaros hemos a don Grumedán, que os juzgue y dé la pena que merescéis.

Arcaláus, cuando esto oyó, fue muy espantado, que bien vía, si don Grumedán le viesse, que su muerte era llegada; y como era sotil en todas las cosas, respondió faziendo buen semblante, y dixo:

—Cierto, señores, en vos me embiar a don Grumedán mi cormano y mi señor, mucha merced me fazéis, que él sabe muy bien mi maldad y mi bondad; pero téngome por malaventurado de ser quexoso de mí contra razón, ni mi pensamiento es sino de servir a todos los cavalleros andantes. Y ruégoos, señores, por cortesía que me oyáis mi desventura, y después fazed de mí lo que vuestra voluntad fuere.

Como ellos oyeron dezir que era cormano de don Grumedán, a quien ellos tanto amavan, pesóles por las palabras deshonestas que le avían dicho, y dixéronle:

—Agora dezid, que de grado os oiremos.

El dixo:

—Sabed, señores, que yo cavalgava un día armado por la floresta de la Laguna Negra, en la cual fallé una dueña que me quexo de un tuerto que le fazían; y yo fue con ella y hízele alcançar su derecho ante el conde Guncestra. Y tornándome a un mi castillo, no anduve mucho que encontré con aquel cavallero que allí matastes, que Dios maldiga, que era muy perverso hombre, y con otros dos cavalleros que consigo traía, y por aver de mí aquel castillo, acometióme. Y yo, cuando esto vi, enderecé mi lança y fuime para ellos, y fize mi poder defendiéndome; mas fue vencido y preso, y túvome en un castillo suyo un año; y si alguna honra me fizo, fue curarme destas llagas.

Entonces gelas mostró, que muchas tenía, que él, valiente cavallero, y avía dado y recebido muchas.

—Y como yo desesperado fuesse, acordé por salir de su prisión de le entregar el castillo; pero estava tan flaco, que me no pudo traer sino en estas andas. Y yo tenía pensado de me ir luego a don Grumedán, mi cormano y al rey Lisuarte, mi señor, y demandar justicia de aquel traidor que me tenía robado, lo cual, señores, me paresce que, sin lo yo pedir, partistes mejor que lo yo pensava; y si allí no fallasse remedio, buscar a Amadís de Gaula, o a su hermano don Galaor, y pedirles que, aviendo piedad de mí, me pusiessen el remedio que a todos los otros que agravio reciben ponen. Y la causa por que aquellos traidores os acometieron fue porque no supiéssedes de mí, que en estas andas venía, la razón que os he dicho.

Cuando esto oyeron, pensaron de todo en todo que verdad dezía; y demandándole perdón por las palabras deshonestas que le avían dicho, le preguntaron cómo avía nombre. El dixo:

—A mí llaman Granfiles. No sé si de mí avéis noticia.

—Sí he —dixo don Galaor—, y sé que fazéis mucha honra a todos los cavalleros andantes, según me ha dicho vuestro cormano.

—A Dios merced —dixo él— que ya por esso me conosceréis. Y pues que sabéis mi nombre, mucho os ruego por mesura que os quitéis los yelmos y me digáis vuestros nombres.

Galaor le dixo:

—Sabed que este cavallero ha nombre Norandel y es fijo del rey Lisuarte, y yo he nombre don Galaor, hermano de Amadís.

Y quitáronse los yelmos.

—A Dios merced —dixo Arcaláus— que de tales cavalleros fue socorrido.

Y mirando mucho a don Galaor por le conoscer para le dañar si la dicha gelo pusiesse en poder, dixo:

—Yo fío en Dios, señores, que ahún tiempo verná que la ventura os ponga en parte donde el deseo que yo contra vos tengo se pueda satisfazer; y ruegos que me digáis lo que faga.

—Lo que vuestra voluntad sea —dixeron ellos.

El dixo:

—Pues yo quiero andar fasta llegar a mi castillo.

—Dios os guíe —dixeron ellos.

Assí se partió luego a tal ora que era noche cerrada, pero fazía luna clara; y como trasposo un recuesto, dexó aquel camino y tomó otro más encubierto que él sabía. Los dos cavalleros acordaron que, pues sus cavallos eran cansados y la noche sobrevenida, que folgassen cabe aquella fuente.

—Pues assí vos paresce —dixo el escudero de don Galaor—, ahun mejor alvergue se os apareja de lo que pensáis.

—¿Cómo es esso? —dixo Norandel.

—Sabed —dixo él— que en aquel edificio antiguo entre aquellos çarçales se escondieron dos donzellas que venían con el cavallero de las andas.

Entonces se apearon de los cavallos cabe la fuente, y lavaron sus rostros y manos; y fuéronse donde las donzellas estavan, y entraron por unos lugares estrechos; y dixo don Galaor a una boz alta:

—¿Quién está aquí escondido? Dame acá fuego, que yo los haré salir.

Dinarda, cuando esto oyó, uvo miedo, y dixo:

—¡Ay, señor cavallero, merced, que yo saldré fuera!

—Pues salid —dixo él—, y veré quién sois.

—Ayudadme —dixo ella—, que de otra guisa no podré salir.

Galaor se allegó, y ella le tendió los braços, que con la luna se parescían, y él la tomó por las manos, y sacóla de donde estava; y pagóse tanto della que no viera otra que tan bien le paresciesse, y ella tenía saya de escarlata y capa de xamete blanco. Y Norandel sacó la otra, y leváronlas a la fuente,

donde con mucho plazer cenaron de lo que sus escuderos
traían y de lo que fallaron en un rocín de Arcaláus.

Dinarda estava con miedo que Galaor sabía cómo ella
metiera en la prisión a su padre y hermanos, y avía gana
que se pagasse della y quisiesse su amor, el cual fasta entonces a ninguno avía dado, y por esto siempre le reguardava
con ojos amorosos y fazía señas a su donzella loando la gran
fermosura dél; todo esto con pensamiento que si aquello con
ella passasse, que después no sería tal que la mal quisiesse
fazer. Pero Galaor, que según sus mañas, en aquel caso no
tenía el pensamiento sino cómo a su grado della por amiga
le pudiesse aver, no tardó en aver el conoscimiento que ella
tenía mucho; assí que después de la cena, dexando a Norandel con la donzella, él se fue con Dinarda fablando por entre
las matas de la floresta, y ívala abraçando, y ella echávale
los braços al cuello mostrándole mucho amor, ahunque le
desamava, como algunas lo suelen fazer, o por miedo o por
codicia de interesse más que por contentamiento; donde se
siguió que aquella que fasta allí requerida de muchos, por
guardar su honestidad, desseándolos por amigos, los dese-
chara, aquel su enemigo, queriéndolo la su contraria fortuna,
teniéndolo ella por merced, de donzella en dueña la tornó. Norandel, que con la donzella quedara, afincóla mucho
que le diesse su amor porque estava della pagado; mas ella
le dixo:

—Por fuerça podéis fazer vuestra voluntad, pero por la mía
no será si mi señora Dinarda no lo manda.

Norandel dixo:

—¿Es esta Dinarda la fija de Ardán Canileo, que nos dizen
que es venida a esta tierra por aver consejo con Arcaláus el
Encantador para vengar la muerte de su padre?

—No sé la causa de su venida dixo ella—, mas ésta es
qué dezís, y creed que es bienaventurado el cavallero que su
amor alcançó, porque es muger de todos codiciada más que
otra, y requerida; pero fasta agora no la pudo ninguno aver.

En esto estando, llegaron a ellos Galaor y Dinarda, que
mucho avían folgado, no entrambos; antes digo que en mayor
grado era la tristeza della qu'el plazer dél. Y Norandel tomó
a don Galaor a parte y díxole:

—¿No sabéis quién es essa donzella?

—No más de lo que vos —dixo él.

—Pues sabed que ésta es Dinarda, fija de Ardán Canileo,

aquella que os dixo vuestra cormana Mabilia que viniera a esta tierra por buscar por alguna arte la muerte a Amadís.

Don Galaor estuvo cuitando, y dixo:

—De su coraçón no sé nada, mas de lo que paresce mucho muestra que me ama, y por cosa del mundo no le faría mal, que es la muger de cuantas yo vi que más me ha contentado, y no la quiero partir por agora de mí. Y pues que a Gaula vamos, yo terné manera cómo con alguna emienda que Amadís le faga, della sea perdonado.

En tanto que ellos fablavan, estuvo Dinarda con su donzella, y supo cómo no quisiera consentir en el ruego de Norandel, y cómo la avía descubierto, de que mucho le pesó; y dixo:

—Amiga, en tales tiempos es menester la discreción para negar nuestras voluntades, que de otra guisa seríamos en gran peligro; ruégoos que fagáis mandado de aquel cavallero, y mostrémosles amor fasta que veamos tiempo de ser dellos partidas.

Ella dixo que assí lo faría. Don Galaor y Norandel, desque una pieça fablaron, tornáronse a las donzellas, y estuvieron parte de la noche fablando y jugando con ellas en risa y plazer. Entonces, tomando cada uno la suya, se acostaron en camas de yerva que los escuderos avían fecho, y allí durmieron y folgaron toda aquella noche. Don Galaor preguntó entonces a Dinarda cómo avía por nombre aquel cavallero malo que los quería matar, y dezíalo por el qu'él matara, y entendió que por el de las andas, y díxole:

—¿Cómo no supiestes al allegar de las andas que era Arcaláus? Los cavalleros que desbaratastes suyos eran.

—¿Es cierto —dixo don Galaor— que aquél era Arcaláus?

—Sí, verdaderamente —dixo ella.

—¡O Santa María —dixo él—, cómo escapó de la muerte con tales sotilezas!

Cuando Dinarda oyó que lo no avían muerto, fue la más alegre del mundo, pero no lo mostró, y dixo:

—Ora fue oy que pusiera yo mi vida por la suya; mas agora que soy en vuestro amor y en la vuestra merced y mesura, quisiera que fuera de mala muerte muerto, porque sé que os desama en mucho grado; y lo qu'él os desea y a vuestro linaje a Dios plega que cedo sobre él caya.

Y abraçándose con él, le mostrava todo el amor que podía. Así como oís, alvergó aquella noche, y venido el día, armáronse y tomaron sus amigas y sus escuderos, que les levavan las armas, y fuéronse la vía de Gaula a entrar en la mar.

Arcaláus llegó a la media noche a su castillo con gran espanto de lo que le aviniera. Y mandó cerrar las puertas y que persona no entrasse sin su mandado; y fízose curar con entención de ser peor que de ante, y fazer mayores males que de antes, como fazen los malos, que aunque Dios en ellos espira, no quieren ni desean ser desatados de aquellas fuertes cadenas qu'el enemigo malo les tiene echadas; antes con ellas son levados al fondón del infierno, como se deve creer que este malo lo fue.

Don Galaor y Norandel y sus amigas anduvieron dos días contra un puerto para passar en Gaula, y al tercero día llegaron a un castillo, en el cual acordaron de alvergar. Y fallando la puerta abierta, metiéronse dentro sin fallar persona alguna. Mas luego salió de un palacio un cavallero que era el señor del castillo; y cuando dentro los vio, fizo mal semblante contra los suyos porque dexaran la puerta abierta; mas fízolo bueno contra los cavalleros, y recibiólos muy bien, y fízoles fazer mucha honra, pero contra su voluntad, porque este cavallero avía nombre Anbades y era cormano de Arcaláus el Encantador, y conosció a Dinarda, que era su sobrina, y supo della cómo la traían forçada; y la madre deste Ambades lloró con ella encubiertamente y quisiera fazerlos matar. Mas Dinarda le dixo:

—No entre en vos ni en mi tío tal locura.

Entonces les contó cómo desbarataran a los siete cavalleros de Arcaláus, y todo lo que con él passaron; y dixo:

—Señora, fazeldes honra, que son muy esforçados cavalleros, y a la mañana yo y mi donzella quedaremos çagueras; y como ellos salieron, echen la puerta colgadiza, y assí quedaremos en salvo.

Esto assí concertado con Ambades y su madre, dieron de cenar a don Galaor y Norandel, y a sus escuderos, y buenas camas en que durmiessen. Y Anbades no durmió en toda la noche, tanto estava espantado en tener tales hombres en su castillo. Y como fue la mañana, levantóse y armóse, y fuese a sus huéspedes y dixo:

—Señores, quiero fazeros compañía y mostraros el camino, que éste es mi oficio andar armado buscando las aventuras.

—Huésped —dixo don Galaor—, mucho os lo agradescemos.

Entonces se armaron, y fizieron cavalgar a sus amigas en sus palafrenes, y salieron del castillo. Mas el huésped y las donzellas quedaron atrás; y como ellos y sus escuderos eran fuera, echaron la puerta colgadiza, de manera que el engaño uvo efecto. Ambades descendió del cavallo con mucho plazer, y subióse al muro, y vio los cavalleros que aguardavan si verían alguno para les pedir las donzellas; y dixo:

—Idvos, malos huéspedes y falsos, a quien Dios confonda y dé mala noche como a mí la vosotros distes, que las dueñas que gozar pensávades comigo quedan.

Don Galaor le dixo:

—Huésped, ¿qué es esso que dezís? No seréis vos tal que aviéndonos hecho en esta vuestra casa tanto servicio y plazer, en la fin fagáis tan gran deslealtad en nos tomar nuestras dueñas por fuerça.

—Si ansí fuesse —dixo él—, más plazer avría, porque el enojo sería mayor; mas de su grado las tomé, porque andavan forçadas con sus enemigos.

—Pues parescan ellas —dixo Galaor—, y veremos si es así como dezís.

—Fazerlo he —dixo él—, no por os dar plazer, mas porque veáis cuán aborrescidos dellas sois.

Entonces se puso Dinarda en el muro, y don Galaor le dixo:

—Dinarda, mi señora, ese cavallero dize que quedáis aquí de vuestro grado. Yo no lo puedo creer, según el gran amor que es entre nosotros.

Dinarda dixo:

—Si yo os mostré amor, fue con sobrado miedo que tenía; pero sabiendo vos ser yo fija de Ardán Canileo, y vos hermano de Amadís, ¿cómo se podía fazer que os amasse, especialmente en me querer llevar a Gaula en poder de mis enemigos? Idos, don Galaor, y si algo por vos fize, no me lo agradescáis, ni se os acuerde de mí sino como de enemiga.

—Agora quedad —dixo Galaor— con la mala ventura que Dios os dé, que de tal raíz como Arcaláus no podía salir sino tal pinpollo.

Norandel, que muy sañudo estava, dixo contra su amiga:

—Y vos ¿qué faréis?

—La voluntad de mi señora —dixo ella.

—Dios confonda su voluntad —dixo él—, y la desse mal hombre que assí nos engañó.

—Si yo soy malo —dixo Ambades—, ahún no sois tales vosotros que me tuviesse por honrado de vencer tales dos hombres.

—Si tú eres cavallero como te alabas —dixo Norandel—, sal fuera y combátete comigo, yo a pie y tú a cavallo, Y si me matas, cree que quitarás un enemigo mortal de Arcaláus; y si te yo venciere, danos las donzellas.

—¡Cómo eres nescio! —dixo Ambades—; a entrambos no tengo en nada. Pues, ¿qué faré a ti solo a pie, estando yo de cavallo? Y en esso que dizes de Arcaláus, mi señor, por tales veinte como tú ni como esse otro, tu compañero, no daría él una paja.

Y tomando un arco turquí, lles començó a tirar con flechas. Ellos se tiraron afuera y tornaron al camino que de ante ivan, fablando cómo la maldad de Arcaláus alcançava a todos los de su linaje, y riendo mucho uno con otro de la respuesta de Dinarda y de su huésped, y de la gran saña de Norandel, y de cómo el huésped, estando a salvo, en cuán poco lo tenía. Assí anduvieron tres días, alvergando en poblados y a su plazer; y al cuarto día llegaron a una villa que era puerto de mar que avía nombre Alfind, y fallaron dos barcas que passavan a Gaula. Y entrando en ellas, aportaron sin entrevallo alguno donde era el rey Perión, y Amadís y Florestán. Así acaesció que estando Amadís en Gaula adereçando para se partir a buscar las aventuras, por emendar y cobrar el tiempo que en tanto menoscabo de su honra allí estuvo, continuando cada día de cavalgar por la ribera del mar, mirando la Gran Bretaña que allí eran sus deseos y todo su bien, andando un día él y don Florestán passeando, vieron venir las barcas, y fueron allá por saber nuevas. Y llegando a la ribera, venían ya don Galaor y Norandel en un batel por salir en tierra. Amadís conosció a su hermano, y dixo:

—¡Sancta María!, aquél es nuestro hermano don Galaor. El sea muy bien venido.

Y dixo a don Florestán:

—¿Conoscéis vos el otro que con él viene?

—Sí —dixo él—, aquél es Norandel, fijo del rey Lisuarte, compañero de don Galaor. Y sabed que es muy buen cavallero, y por tal en la batalla se mostró que con su padre ovimos en la Insola de Mongaça; pero entonces no era conoscido por su fijo fasta agora, cuando fue la gran batalla de los siete reyes, que al rey plugo que se divulgasse por la bondad que en sí tiene.

Mucho fue alegre Amadís con él, por ser hermano de su señora, y que sabía que le ella amava, según Durín gelo avía dicho. En esto llegaron los cavalleros a la ribera, y salieron en tierra, donde fallaron Amadís y Florestán apeados, que los recibieron y abraçaron muchas vezes. Y dándoles sendos palafrenes, se fueron al rey Perión, que quería cavalgar para los recebir. Y cuando a él llegaron, quisiéronle besar las manos, mas el rey no las dio a Norandel, antes, lo abraçó y fizo mucha honra, y llevólos a la reina, donde no recibieron menos. Amadís, como ya vos dixe, tenía adereçado para partir de allí al cuarto día. Y un día antes fabló con el rey y con sus hermanos, diziéndoles cómo le convenía partirse dellos, y que otro día entraría en su camino. El rey le dixo:

—Mi fijo, Dios sabe la soledad que dello yo siento; pero ni por esso seré en vos destorvar que vayáis a ganar honra y prez, como siempre lo fezistes.

Don Galaor dixo:

—Señor hermano, si no fuesse por una demanda de que con derecho no nos podemos partir, en que Norandel y yo somos metidos, fazervos íamos compañía; pero conviene que la acabemos o passe primero un año y un día, como es costumbre de la Gran Bretaña.

El rey le dixo:

—Hijo, ¿qué demanda es éssa? ¿Puédese saber?

—Sí, señor —dixo él—, que públicamente la prometimos, y es ésta: sabed, señor, que en la batalla que ovimos con los siete reyes de las ínsolas, fueron de la parte del rey Lisuarte tres cavalleros con unas armas de sierpes de una manera; mas los yelmos eran diferentes, que el uno era blanco y el otro cárdeno, y el otro dorado. Estos hizieron maravillas en armas, tanto que todos somos maravillados, en especial el que traía el yelmo dorado, que a la bondad déste no creo que ninguno se podría igualar. Ciertamente, se cree que si por éstos no fuera, que el rey Lisuarte no oviera la vitoria que uvo. Y como la batalla fue vencida, partieron todos tres del campo tan encubiertos, que no pudieron ser conoscidos; y por lo que dellos se fabla hemos prometido de los buscar y conoscer:

El rey dixo:

—Aquí nos han dicho desos cavalleros, y Dios vos dé dellos buenas nuevas.

Assí passaron aquel día fasta la noche. Y Amadís apartó a su padre, y a don Florestán, y díxole:

—Señor, yo me quiero partir de mañana, y parésceme que, después de yo ido, se deve dezir a don Galaor la verdad desto en que anda, porque su trabajo sería en vano, que si por nosotros no, por otro ninguno no lo puede saber; y mostradle las armas, que bien las conoscerá.

—Bien dezís —dixo el rey—, y así se fará.

Essa noche estuvieron con la reina y su fija, y con muchas dueñas y donzellas suyas, folgando con gran plazer; mas todas sentían gran soledad de Amadís, que se querría ir, y no sabían dónde. Pues despedido de todas ellas, se fueron a dormir. Y otro día oyeron todos missa, y salieron con Amadís, que iva armado en su cavallo, y Gandalín y el enano sin otro alguno que le fazía compañía; al cual dio la reina tanto aver que por un año bastasse a su señor. Don Florestán le rogó muy afincadamente que lo llevasse consigo, mas no lo pudo con él acabar, por dos cosas: la una, por ser más desembargado para pensar en su señora; y la otra, porque las cosas de grandes afruentas por que él esperava passar, passándolas solo, assí solo la muerte o la gloria alcançasse. Y cuanto una legua anduvieron, despedióse Amadís dellos, entrando en su camino; y el rey y sus fijos se bolvieron a la villa, donde fabló aparte con don Galaor su fijo, y con Norandel; y díxoles:

—Vosotros sois metidos en una demanda, que si aquí no, en todo el mundo no fallaríades recaudo della; de lo cual do gracias a Dios que a esta parte os guió por vos aver quitado de gran trabajo sin provecho. Agora sabed que los tres cavalleros de las armas de las sierpes que demandáis somos yo y Amadís y don Florestán. Y yo llevava el yelmo blanco, y don Florestán el cárdeno, y Amadís el dorado, con que fizo las grandes estremedades que vistes.

Y contóles el concierto que para aquella ida tuvieron, y cómo Urganda les embiara las armas.

—Y porque enteramente lo creáis y tengáis vuestra aventura por acabada, venid comigo.

Y levándolos a otra cámara de las armas, les mustró las de las sierpes por muchas partes de grandes golpes foradadas, las cuales fueron muy bien dellos conoscidas, porque mucho en la batalla las miraron, algunas vezes plaziéndoles ser en su ayuda, y otras aviendo grande imbidia de lo que sus señores fazían con ellas.

Don Galaor dixo:

—Señor, mucha merced nos ha hecho Dios, y vos, en nos quitar deste afán, porque nuestro pensamiento era de con todas nuestras fuerças buscar los cavalleros destas armas, y si no nos cayeran en parte que sin gran vergüença, no nos pudiéramos de su enojo partir, de nos combatir con ellos fasta la muerte, y dar a entender a todos, ahunque allí en lo general más que todos fizieron, que en lo particular de otra manera se juzgara, o morir sobre ello.

—Mejor lo ha hecho Dios —dixo el rey— por su merced.

Norandel le demandó aquellas armas con afincamiento, mas con mucha más gravedad por el rey le fueron otorgadas. Entonces les contó el rey cómo fueran metidos en la prisión de Arcaláus, y por cuál aventura fueron della salidos. A Galaor le vinieron las lágrimas a los ojos aviendo duelo de tan gran peligro, y contó lo que les aviniera a él y a Norandel con Arcaláus, y cómo llamándose Granfiles se les avía escapado, y todo lo que con Dinarda passaron, y cómo se les quedó en el castillo, y lo que con Anbades el huésped les contesció. Assí estuvieron allí cuatorze días folgando; y despedidos del rey y reina, entraron en una barca llevando consigo aquellas armas de las sierpes; y con buen tiempo passaron en la Gran Bretaña. Y llegados a la villa donde el rey Lisuarte y la reina eran, desarmándose en su posada, se fueron al palacio por mostrarle cómo su demanda avían acabado, y llevaron consigo las armas de las sierpes en sus fundas. Bien fueron recebidos del rey y de todos los de la corte. Galaor dixo al rey:

—Señor, si os pluguiere mandarnos oír ante la reina.

—Sí —dixo él.

Y fuéronse luego a su aposentamiento, y todos con ellos por ver lo que traían. La reina uvo plazer con su venida, y ellos le besaron las manos. Galaor dixo:

—Señores, ya sabéis cómo Norandel y yo salimos de aquí con demanda de buscar los tres cavalleros de las armas de las sierpes, que en vuestra batalla y servicio fueron; y, loado Dios, sin trabajo cumplido lo hemos, así como Norandel lo mostrará. Entonces Norandel tomó en sus manos el yelmo blanco, y dixo:

—Señor, este yelmo ¿bien lo conoscéis?

—Sí —dixo él—, que muchas vezes lo vi donde yo le ver desseava.

—Pues éste traxo en la cabeça el rey Perión, que os mucho ama.

Y luego tomó el cárdeno y dixo:

—Veis aquí, éste traxo don Florestán.

Y sacando el dorado, dixo:

—Veis, señor, éste, que tanto en vuestro servicio fizo cual ninguno otro fazer pudiera, traxo Amadís. Si yo digo verdad en ello o no, vos sois el mejor testigo, que muchas vezes entre ellos vos hallastes, ellos gozando de la fama y vos del vencimiento.

Y contóles cómo vinieran el rey Perión y sus fijos encubiertos a la batalla, y por cuál razón después se havían ido sin que los conoçiessen, y cómo fueran metidos en la prisión de Arcaláus y cómo salieron, quemando el castillo, y cómo lo fallaran en las andas él y don Galaor, y cómo se les escapara llamándose Granfiles, cormano de don Grumedán, de lo cual mucho con él, que allí presente stava, se reían, y él con ellos, diziendo que muy alegre era en aver hallado tal deudo de que no sabía. El rey preguntó mucho por el rey Perión, y Norandel le dixo:

—Creed, señor, que en el mundo no ay rey de tanta tierra como él tiene que su igual sea.

—Pues no se perderá nada —dixo don Grumedán— por sus fijos.

El rey calló por no loar a Galaor, que estava presente, ni a los otros, de que muy poco por entonces se pagava; pero mandó poner las armas en el arco de cristal de su palacio, donde otras de hombres famosos eran puestas.

Don Galaor y Norandel hablaron con Oriana y con Mabilia, y diéronles las saludes y encomiendas de la reina Elisena y de su hija, y por ellas fueron con gran amor recebidas como aquellas que las mucho amavan. Y ovieron gran pesar en que les dixeron que Amadís se iva solo a tierras estrañas de diversos lenguajes a buscar las aventuras más fuertes y peligrosas. Estonces se fueron a sus posadas y el rey quedó fablando con sus cavalleros en muchas cosas.

CAPÍTULO LXX

Que recuenta de Esplandián cómo stava en compañía de Nasciano el hermitaño, y de cómo Amadís, su padre, se fue buscar aventuras, mudado el nombre en el Cavallero de la Verde Spada, y de las grandes aventuras que huvo, recontando sus vencimientos

AVIENDO Esplandián cuatro años que naçiera, Nasciano el hermitaño embió por él que gelo truxessen, y él vino bien criado de su tiempo; y violo tan fermoso que fue maravillado, y santiguándolo lo llegó a sí, y el niño lo abraçava como si lo conoçiera. Estonces hizo bolver el ama, y quedando allí un su fijo, que de la leche dél criara a Esplandián, y entrambos estos niños andavan trebejando cabe la hermita, de que el santo hombre era muy ledo, y dava gracias a Dios porque havía querido guardar tal criatura.

Pues assí acaeçió que siendo Esplandián cansado de folgar, echóse a dormir debaxo de un árbol, y la leona que ya oístes, que algunas vezes venía al hermitaño y él le dava de comer cuando lo havía, vio el niño y fuese a él, y anduvo un poco al derredor oliéndolo, y después echóse cabe él. Y el otro niño fue llorando al hombre bueno, diziendo cómo un can grande quería comer a Esplandián. El hombre bueno salió, y vio la leona, y fue allá; mas ella se vino a él, falagándolo, y tomó el niño en sus braços, que era ya despierto, y como vio la leona, dixo:

—Padre, fermoso can es éste; ¿es nuestro?

—No —dixo el hombre bueno—, sino de Dios, cuyas son todas las cosas.

—Mucho querría, padre, que fuesse nuestro.

El hermitaño huvo plazer, y díxole:

—Fijo, ¿queréisle dar de comer?

—Sí —dixo él.

Estonces traxo una pierna de gamo, que unos ballesteros le dieran, y el niño diola a la leona, y llegóse a ella, y poníale las manos por las orejas y por la boca. Y sabed que de allí adelante siempre la leona venía cada día, y aguardávalo en tanto que fuera de la hermita andava. Y de que más creçido fue, diole el hermitaño un arco a su medida, y otro a su collaço, y con aquéllos después de haver leído tirava, y la leona iva con ellos, que si ferían algún ciervo, ella jelo tomava, y algunas vezes venían allí algunos ballesteros amigos del hermitaño, y ívanse con Esplandián a caçar por amor de la leona, que les alcançava la caça, y de estonces aprendió Splandián a caçar. Assí passava su tiempo debaxo de la doctrina de aquel santo hombre.

Y Amadís se partió de Gaula, como os ya contamos, con voluntad de hazer tales cosas en armas que aquellos que lo havían profaçado y menoscabado su honra por la luenga estada que por mandado de su señora allí fiziera quedassen por mentirosos; y con este pensamiento se metió por la tierra de Alemaña, donde en poco tiempo fue muy conoçido, que muchos y muchas venían a él con tuertos y agravios que les eran fechos, y les fazía alcançar su derecho, passando grandes afruentas y peligros de su persona, combatiéndose en muchas partes con valientes cavalleros, a las vezes con uno, otras vezes con dos y tres, assí como el caso era. ¿Qué os diré? Tanto fizo que por toda Alemaña era conoçido por el mejor cavallero que en toda aquella tierra entrara; y no le sabían otro nombre sino el Cavallero de la Verde Spada, o del Enano, por el enano que consigo traía. Desta ida qu'él fizo en tanto passaron cuatro años que nunca bolvió a Gaula ni a la Ínsola Firme, ni supo de su señora Oriana, que esto le dava mayor tormenta, y cuitava tanto su coraçón que en comparación dello todos los otros peligros y trabajos tenía por folgança, y si algún consuelo sentía, no era sino saber cierto que su señora, seyendo firme en su membrança dél, padeçía otra semejante soledad.

Pues assí anduvo por aquella tierra todo el verano, y viniendo el ivierno, temiendo el frío, acordó de se ir al reino de Bohemia y passarlo allí con un buen rey que tenía guerra con el Patín, que era ya emperador de Roma, a quien él mucho desamava por lo de Oriana su señora, que ya oístes, que a la sazón reinava, llamado Tafinor, del cual grandes bienes y bondades oyera dezir, y fuese luego para allá. Y acaeçió que llegando a un río, de la otra parte vio andar mucha gente, y lançaron un girifalte a una garça, y vínola a matar a la parte donde el Cavallero de la Verde Spada estava. Y él se apeó assí armado como andava, y dio muchas bozes a los de la otra parte, si lo cevaría. Ellos dixeron que sí. Estonces le dio allí de comer aquello que vio que era menester, como aquel que muchas vezes lo avía fecho. El río era bien fondo, y no podían allá passar. Y sabed que era allí el rey Tafinor de Bohemia; y como vio al cavallero, y el enano con él, preguntó si lo conoçía alguno de aquéllos. Y no ovo quien lo conoçiesse.

—¿Si será —dixo el rey— por ventura un cavallero que ha andado por tierra de Alemaña, que ha hecho maravillas de armas, de que todos por milagro fablan dél y dízenle el Cavallero de la Verde Spada, y el Cavallero del Enano? Dígolo por aquel enano que consigo trae.

Havía allí un cavallero que dezían Sadián, y era cabdillo de los que al rey aguardavan; y dixo:

—Cierto éste es, que la spada verde trae ceñida.

El rey se dio priessa en el llegar a un passo del río, porque el de la Verde Spada venía ya con el girifalte en su mano. Y como a él llegó, díxole:

—Mi buen amigo, vos seáis muy bien venido a esta mi tierra.

—¿Sois vos el rey?

—Sí soy —dixo él—, cuanto a Dios pluguiere.

Estonces llegó con mucho acatamiento por le besar las manos; y dixo:

—Señor, perdonadme, ahunque os no erré, que no os conoçía; yo vengo por os ver y servir, que me dixeron que teníades guerra con tal hombre, y tan poderoso, que havéis bien menester el servicio de los vuestros, y ahún de los estraños. Y comoquiera que yo sea uno dellos, en tanto que convusco fuere, por vasallo natural me podéis contar.

—Cavallero de la Verde Spada, mi amigo, cómo vos gradezco esta venida y lo que me dezís; aquel mi coraçón, que con ello ha doblado el esfuerço, lo sabe; y agora acojámonos a la villa.

Assí se fue el rey hablando con él, y de todos era loado de fermosura y de pareçer mejor armado que otro ninguno que visto oviessen. Llegados al palacio, mandó el rey que allí le aposentassen. Y desque fue desarmado en una rica cámara, vistióse unos paños loçanos y hermosos que el enano le traía; y fuese donde el rey estava, con tal presencia que dava testimonio de ser creídas las grandes proezas que dél se dezían, y allí comió con el rey, servido como a mesa de tan buen hombre. Y alçados los manteles, estando todos assosegados, el rey dixo:

—Cavallero de la Verde Spada, mi amigo, las vuestras grandes nuevas y honrada presencia me combidan a vos demandar ayuda, ahunque fasta agora no os lo merezca, pero plazerá a Dios que en algún tiempo será gualardonada. Sabed, mi buen amigo, que yo he guerra contra mi voluntad con el más poderoso hombre de los christianos, que es el Patín, emperador de Roma, que assí con su gran poder como con su gran sobervia querría este reino que Dios libre me dio que le fuesse sujeto y tributario; pero yo fasta agora con la fiança y fuerça de mis vasallos y amigos hégelo defendido reziamente, y defenderé cuanto la vida me durare. Pero como es cosa de gran trabajo y peligro defenderse mucho tiempo los pocos a los muchos, tengo siempre atormentado mi coraçón en buscar el remedio, pues éste no es, después de Dios, sino la bondad y esfuerço que ay de los unos hombres a los otros; y porque Dios os ha fecho tan estremado en el mundo en bondad y fortaleza, tengo yo mucha esperança en el vuestro gran esfuerço, que como siempre procura prez y honra, la querrá ganar con los menos. Assí que, buen amigo, ayudad a defender este reino, que siempre a vuestra voluntad será.

El Cavallero de la Verde Spada le dixo:

—Señor, yo os serviré; y como mis obras veredes, así juzgad mi bondad.

Assí como oís, quedó el Cavallero de la Verde Spada en casa del rey Tafinor de Bohemia, donde mucha honra le hazían, y en su compañía por mando del rey un fijo suyo que Grasandor se llamava, y un conde, cormano del rey, llamado Galtines, porque más acompañado y honrado stuviesse.

Pues assí avino que un día cavalgava el rey por el campo con muchos hombres buenos, y iva fablando con su fijo Grasandor y con el Cavallero de la Verde Spada en el fecho de su guerra, que la tregua salía en essos cinco días; y assí yendo en su fabla, vieron venir por el campo doze cavalleros, y las armas traían liadas en palafrenes, y los yelmos y escudos y lanças, sus escuderos. El rey conoçió entre ellos el scudo de don Garadán, que era primo cormano del emperador Patín, y era el más preciado cavallero de todo el señorio de Roma, y éste fazía la guerra a este rey de Bohemia; y dixo contra el Cavallero de la Verde Spada, sospirando:

—¡Ay, qué de enojo me ha fecho aquel cuyo es aquel escudo!

Y mostrógelo. Y el escudo havía el campo cárdeno y dos águilas de oro tan mañas como en él cabían. El Cavallero de la Verde Spada le dixo:

—Señor, cuanto más sobervias y demasías de vuestro enemigo recibierdes, estonces tened más fiuza en la vengança que Dios os dará. Y señor, pues que assí vienen a vuestra tierra a se poner en vuestra mesura, honradlos y habladlos bien, pero pleitesía no la fagáis sino a vuestra honra y provecho.

El rey lo abraçó y dixo:

—A Dios pluguiesse por su merced que siempre fuéssedes comigo, y de lo mío fiziéssedes a vuestra voluntad.

Y llegaron a los cavalleros, y Garadán y sus compañeros fueron ante el rey, y él los recibía de mejor palabra que de coraçón, y díxoles que se entrassen a la villa y les harían toda honra. Don Garadán dixo:

—Yo vengo a dos cosas que ante sabréis, en que no havréis menester consejo sino de vuestro coraçón; y respondednos luego, porque no nos podemos detener, que la tregua sale muy cedo.

Estonces le dio una carta de creencia que era del emperador, en que dezía que él fazía cierto y estable sobre su fe todo lo que don Garadán con él assentasse.

—Paréçeme —dixo el rey, después de la haver leído— que no se faze poca fiança de vos. Y agora dezid lo que os mandaron.

—Rey —dixo don Garadán—, comoquiera qu'el emperador sea de más alto linaje y señorío que os, porque tiene mucho en otras cosas que entender, quiere dar cabo en vuestra guerra de dos guisas, la una cual más os agradare; la primera, si quisierdes haver batalla con Salustanquidio, su primo, príncipe de la Calabria, de ciento por ciento fasta mil; y la segunda, de doze por doze cavalleros comigo y con estos que yo trayo, que él lo fará a condición que si os vencierdes, seades quito dél para siempre; y si vencido, que quedéis por su vassallo assí como en las historias de Roma se falla que este reino lo fue en los tiempos passados de aquel imperio. Agora tomad lo que os agradare, que si lo refusáis, el emperador os faze saber que dexando todas las otras cosas, verná sobre os en persona, y no partirá de aquí fasta vos destruir.

—Don Garadán —dixo el Cavallero de la Verde Spada—, asaz havéis dicho de sobervias, assí de parte del emperador como de la vuestra, pues Dios muchas vezes las quebranta con poca de su piedad; y el rey vos dará la respuesta que le pluguiere, pero quiero preguntar tanto: si él tomasse cualquiera dessas batallas, ¿cómo sería seguro que se le guardaría lo que dezís?

Don Garadán lo miró y maravillóse cómo respondiera sin esperar a lo que el rey diría, y díxole:

—Don cavallero, yo no sé quién sois, mas en vuestro lenguaje pareçéis de tierra estraña, y dígoos que os tengo por hombre de poco recaudo en responder sin que el rey lo mandasse; pero si él ha por bien lo que dezís, y otorga lo que le yo pido, mostraré esso que os preguntáis.

—Don Garadán —dixo el rey—, yo doy por dicho, y otorgo, todo lo que el Cavallero de la Verde Spada dixere.

Cuando Garadán oyó fablar de hombre de tan alto fecho de armas, mudósele el coraçón en dos guisas: la una, pesarle porque tal cavallero fuesse de la parte del rey, y la otra, plazerle por se combatir con él. Y según él en sí sentía, pensava vencerle o matarle, y ganar toda aquella honra y gloria que él havía ganado por Alemaña y por las tierras donde no se fablava de ninguna bondad de cavallero sino de la dél, y dixo:

—Pues ya os otorga el rey su voluntad, agora dezid si querrá alguna destas batallas.

El Cavallero de la Verde Spada le dixo:

—Esso el rey lo dirá como más le pluguiere, pero dígoos que en cualquier dellas que escogiere le serviré yo, si me aí meter querrá, y assí lo faré en la guerra en tanto que en su casa morare.

El rey le echó el braço al cuello, y dixo:

—Mi buen amigo, en tanto esfuerço me han puesto estas vuestras palabras, que no dudaré de tomar cualquier partido de los que se me ofreçen, y ruégoos mucho que escojáis por mí lo que dello mejor os pareçerá.

—Cierto, señor, esso no faré yo —dixo él—; antes, con vuestros hombres buenos os consejad sobre ello, y tomad lo que mejor fuere; y a mí mandadme en qué vos sirva, que de otra guisa con mucha razón serían quexosos de mí, y yo tomava a cargo aquello que en mi discreción no cabia; pero todavía, señor, digo que devéis ver el recaudo que don Garadán trae para lo fazer firme.

Cuando don Garadán esto oyó, dixo:

—Comoquiera que os, don cavallero, por vuestras razones mostráis en alargar la guerra, yo quiero mostrar lo que pedís por atajar vuestras dilaciones.

El Cavallero del Enano le respondió:

—No os maravilléis, don Garadán, desso, porque más sabrosa cosa es la paz que entrar en las batallas peligrosas; pero la vergüença trae y acarrea lo contrario, y agora despreciáisme, que no me conocéis; mas tanto que el rey os dé la respuesta, yo fío en Dios que de otra guisa me juzgaréis.

Estonces don Garadán, llamando a un scudero que traía una arqueta, y sacó della una carta en que andavan treinta sellos colgados de cuerdas de seda, y todos eran de plata sino el que en medio andava, que era de oro y del emperador, y los otros de los grandes señores del imperio; y diola al rey. Y él se apartó con sus hombres buenos, y leyéndola halló ser cierto lo que Garadán dezía, y que sin duda podía tomar cualquiera de las batallas, y demandóles que le consejassen. Pues fablando en ello huvo algunos que tenían por mejor la batalla de los ciento por ciento, otros la de los doze por doze, diziendo que en menor cuantidad el rey podría mejor escojer en sus cavalleros. Y otros dezían que sería mejor mantener la guerra como hasta allí, y no poner su reino en aventura de una batalla; assí que los votos eran muy diversos. Estonces el conde Galtines dixo:

—Señor, remitíos al pareçer del Cavallero de la Verde Spada, que por ventura havrá visto muchas cosas, y tiene gran desseo de vos servir.

El rey y todos se otorgaron en esto, y fiziéronle llamar, que él y Grasandor fablavan con don Garadán; y el Cavallero de la Verde Spada lo mirava mucho, y como le veía tan valiente de cuerpo y que por razón devía haver en sí gran fuerça, algo le hazía dudar su batalla; mas por otra parte veíale dezir tantas palabras vanas y soberviosas que le ponían en esperança que Dios le daría lugar a que la sobervia le quebrantasse. Y cómo oyó el mandado del rey, fuese allá, y el rey le dixo:

—Cavallero del Enano, mi gran amigo, mucho os ruego que os no escuséis de dar aquí vuestro consejo sobre lo que hemos hablado.

Estonces le contaron en las diferencias que estavan. Oído todo por él, dixo:

—Señor, muy grave es la determinación de tan gran cosa, porque la salida está en las manos de Dios, y no en el juizio de los hombres; pero comoquiera que sea, hablando en lo que yo, si el caso mío fuesse, faría, digo, señor, que si yo tuviesse un castillo solo y cient cavalleros, y otro mi enemigo teniendo diez castillos y mil cavalleros me lo quisiesse tomar, y Dios guiasse por alguna vía que esto se partiesse por una batalla de iguales partes de gente, faría cuenta que era gran merced que me fazía; y por esto que yo digo, vosotros, cavalleros, no devéis de consejar al rey lo que más su servicio sea, que de cualquier guisa que lo determinardes, tengo de poner mi persona en ello.

Y quísose ir, mas el rey lo tomó por la punta del manto y fízolo sentar cabe sí; y díxole:

—Mi buen amigo, todos otorgamos en vuestro pareçer, y quiero la batalla de los doze cavalleros; y Dios, que sabe la fuerça que se me haze, me ayudará, assí como lo fizo al rey Perión de Gaula no ha mucho tiempo, que teniéndole entrada su tierra el rey Abiés de Irlanda con gran poder, y estando en punto de la perder, fue remediado todo por una batalla que un cavallero solo huvo con el mismo rey Abiés, que era a la sazón uno de los más valientes y bravos cavalleros del mundo, y el otro tan mancebo, que no llegava a diez y ocho años; en la cual el rey de Irlanda murió, y fue el rey Perión restituido en todo su reino. Y dende a pocos días por una aventura maravillosa le conoçió por su fijo. Y estonces se llamava el Donzel del Mar, y dende allá se llamó Amadís de Gaula, aquel que por todo el mundo es nombrado por el más esforçado y valiente que se falla fasta agora; no sé si lo conoçéis.

—Nunca le vi —dixo el Cavallero de la Verde Spada—, pero yo moré algún tiempo en aquellas partes, y oí mucho dezir desse Amadís de Gaula, y conozco a dos hermanos suyos que no son peores cavalleros que él.

El rey le dixo:

—Pues teniendo fiuza en Dios como aquel rey Perión la tuvo, yo acuerdo de tomar la batalla de los doze cavalleros.

—En el nombre de Dios —dixo el Cavallero de la Verde Spada—; ésse me pareçe a mí el mejor acuerdo, porque, ahunque el emperador sea mayor que vos, y tenga más gentes, para doze cavalleros, tan buenos se fallarán en vuestra casa como en la suya. Y si pudierdes fazer con Garadán que ahun fuesse de menos, por bien lo ternía yo, fasta venir de uno por uno; y si él quisiere ser, yo seré el otro, que fío en Dios según vuestra gran justicia y su demasiada sobervia que os daré vengança dél, y partiré la guerra que con su señor tenéis.

El rey gelo gradeçió mucho, y fuéronse para donde Garadán estava quexándose porque tardavan tanto en le responder. Y como llegaron a él, dixo el rey:

—Don Garadán, no sé si será vuestro plazer, pero otórgome en tomar la batalla de los doze cavalleros, y sea luego de mañana.

—Assí Dios me salve —dixo Garadán—, vos havéis respondido a mi voluntad, y mucho soy ledo de tal respuesta.

El de la Verde Spada dixo:

—Muchas vezes son los hombres alegres con el comienço, que la fin les sale de otra guisa.

Garadán le cató de mal semblante y díxole:

—Vos, don cavallero, en cada pleito queréis hablar; bien pareçéis estraño, pues tan estraña y corta es vuestra discreción. Y si supiesse que fuéssedes uno de los doze, darvos ía yo estas lúas.

El de la Verde Spada las tomó, y dixo:

—Yo os fago cierto que seré en la batalla, y assí como agora aquí tomo estas lúas de vos, assí en ella entiendo tomar y levar vuestra cabeça, que vuestra gran sobervia y desmesura me la ofreçen.

Cuando le oyó esto Garadán, fue tan sañudo que tornó como fuera de seso, y dixo a una boz alta:

—¡Ay de mí sin ventura! ¡Fuesse ya mañana y estuviéssemos en la batalla, porque todos viessen, don Cavallero del Enano, cómo vuestra locura castigada sería!

El de la Verde Spada le dixo:

—Si de aquí a mañana por luengo plazo tenéis, ahún el día es grande en que el que oviere ventura podrá matar al otro; y armémosnos, si vos quisierdes, y començemos la batalla por tal pleito qu'el que bivo quedare pueda ayudar mañana a sus compañeros.

Don Garadán le dixo:

—Cierto, don cavallero, si como lo havéis dicho lo osáis fazer, agora os perdono lo que contra mí dixistes.

Y començó a pedir sus armas a gran priessa. El Cavallero del Enano mandó a Gandalín que traxesse las suyas, y assí se hizo. Y a don Garadán armaron sus compañeros, y al de la Verde Spada el rey y su fijo, y tiráronse afuera, dexándolo en el campo donde se havían de combatir. Don Garadán cavalgó en un cavallo muy hermoso y grande, y arremetiólo por el campo muy rezio, y bolviéndose a sus compañeros les dixo:

—Tened buena esperança que desta vez quedará este rey sujeto al emperador, y vosotros sin ferir golpe con mucha honra. Esto os digo porque toda la esperança de vuestros contrarios está en este cavallero, el qual si esperarme usa, venceré luego, y esté muerto, no osarán mañana entrar en campo comigo ni con vosotros.

El Cavallero de la Verde Spada le dixo:

—¿Qué fazes, Garadán? ¿Por qué pones tan poca cuidança que dexas passar el día en alabanças? Pues cerca está de pareçer quién será cada uno, que las lisonjas no han de hazer el hecho.

Y poniendo las espuelas a su cavallo, fue para él, y el otro vino contra él, y firiéronse con las lanças en los scudos, que, ahunque muy fuertes eran, fueron falsados, tan grandes se dieron los golpes, y las lanças quebradas; mas juntáronse uno con otro de los escudos y de los yelmos tan bravamente, que el cavallo del de la Verde Spada se retraxo desacordado atrás, pero no cayó, y Garadán salió de la silla, y dio tan fuerte caída en el suelo que fue cuasi salido de su memoria. Y el de la Verde Spada, que lo vio rebolver por el campo por se levantar y no podía, quiso ir a él, más el cavallo no pudo moverse, tanto era cansado; y él era ferido en el braço siniestro de la lança, qu'el escudo le havía passado; y apeóse luego, como aquel que con gran saña estava. Y poniendo mano a la su ardiente spada, fue contra Garadán, que estava assaz maltrecho, pero más acordado, que tenía ya la spada en su mano esgrimiéndola, y bien encubierto de su escudo, mas no tan bravo como ante; y fuéronse ferir tan bravamente y de tan mortales golpes que mucho se maravillavan los que lo veían. Mas el de la Verde Spada, como le tomó malparado de la caída, y él estava con gran saña, cargóle de tantos golpes y tan pesados que no le podiendo el otro sofrir, tiróse ya cuanto afuera, y dixo:

—Cierto, Cavallero de la Verde Spada, agora vos conozco más que ante, y más que ante vos desamo, y comoquiera que mucha de vuestra bondad me sea manifiesta, ni por esso la mía no es en tal disposición que sepa determinar cuál de

nosotros será vençedor; y si os pareçe que devemos alguna
pieça folgar; si no, venid a la batalla.

El de la Verde Spada le dixo:

—Cierto, don Garadán, en holgar mucho mejor partido
me sería a mí que de combatirme; lo que a vos, según vuestra gran bondad y alta proeza de armas, sería al contrario
según las palabras hoy havéis dicho. Y porque tan buen hombre como vos no quede envergonçado, no quiero dexar la
batalla hasta que haya fin.

A don Garadán pesó mucho, que se veía muy maltrecho,
y las armas y la carne cortada por muchos lugares, de que
le salía mucha sangre, y fallávase muy quebrantado de la
caída. Estonces le vino a la memoria la sobervia suya, specialmente contra aquel que delante de sí tenía; pero mostrando buen esfuerço, trabajó de llegar al cabo de la mala
ventura haziendo todo su poder, y luego se acometieron
como de primero. Mas no tardó mucho que el Cavallero del
Enano lo traía a toda su guisa y voluntad, de manera que
todos los que allí estavan veían que ahunque dos tanto bueno
fuesse, no le ternía pro, según su esfuerço. Y andando ambos
a dos assí rebueltos, cayó Garadán sin sentido en el campo,
maltrecho de un gran golpe que el Cavallero del Enano le
diera encima del yelmo, que apenas la spada dél podía sacar;
y fue luego sobre él con esfuerço, y quitóle el yelmo de la
cabeça, y vio que de aquel golpe gela fendiera tanto que los
meollos eran esparzidos por ella, de lo cual le plugo mucho
por el pesar del emperador y por el plazer del rey que él
desseava servir. Y alimpiando su spada y poniéndola en la
vaina, hincó los inojos y dio gracias a Dios por aquella honra
y merced que le fiziera. El rey, como assí lo vio, deçendió
del palafrén, y con otros dos cavalleros se puso cabe el de
la Verde Spada, y viole las manos tintas de sangre, assí de la
suya como de la de su contrario, y díxole:

—Mi buen amigo, ¿cómo os sentís?

—Muy bien —dixo él—, merced a Dios, que ahún yo seré
de mañana con mis compañeros en la batalla.

Y luego le hizo cavalgar, y leváronlo a la villa con muy
gran honra, donde fue en su cámara desarmado y curado de
sus feridas. Los cavalleros romanos levaron a Garadán assí
muerto a las tiendas, y allí fizieron gran duelo sobre él, que
lo mucho amavan; y fallávanlo mengua en la batalla que otro
día esperavan, tanto que mucho les fazía dudar, creyendo que

faltando él y quedando en contra el Cavallero de la Verde Spada, que no eran para en ninguna guisa la sostener; y hablando en lo que farían, fallavan dos cosas muy graves: la primera, esta que oídes de ser muerto aquel valiente compañero suyo, y quedar su enemigo en guisa de se poder combatir; la otra, que si la batalla dexassen, el emperador quedava deshonrado y ellos en aventura de muerte. Pero acogiéronse a no fazer la batalla, y escusarse delante el emperador con las sobervias de Garadán, y como contra la voluntad dellos havía tomado la batalla en que muriera. Todos los más eran en este voto, y los otros callavan. Era allí entre ellos un cavallero mancebo de alto linaje, Arquisil llamado, assí como aquel que venía de la sangre derecha de los emperadores, y tan cerca que, si el Patín muriesse sin fijo, éste heredava todo el señorío, y por essa causa era desamado dél, y lo traía alongado de sí. Como vio el mal acuerdo de sus compañeros, y hasta allí por ser en tan poca edad, que no passava de veinte años, no havía osado fablar, díxoles:

—Ciertamente, señores, yo soy maravillado de caer tan buenos hombres como vos en tan gran yerro, que si alguno os lo consejasse, lo devríades tener por enemigo y no tomarlo de vuestra voluntad; que si la muerte dudáis, muy mayor es lo que vuestra flaqueza y desaventura vos acarrea. ¿Qué es lo que dudáis y teméis? ¿Es gran diferencia de onze a doze? Si lo fazéis por la muerte de don Garadán, antes vos deve plazer que hombre tan sobervio, tan desconcertado, sea fuera de nuestra compañía, porque de su culpa nos pudiera redondar a nosotros la pena. Pues si es por aquel cavallero que tanto teméis, aquél yo lo tomo a mi cargo, que yo vos prometo de nunca fasta la muerte dél me partir. Pues aquél ocupado alguna pieça de tiempo, mirad la diferencia que queda entre vosotros y los contrarios. Assí que, mis señores, no deis causa de tan gran temor a vuestros ánimos, pues que de vuestro propósito se nos seguirá muerte perpetua deshonrada.

Tanta fuerça tovieron estas palabras deste Arquisil que el propósito de sus compañeros fue mudado. Y dándole muchas gracias y loando su consejo, se determinaron con gran esfuerço a tomar la batalla. El Cavallero de la Verde Spada, después que fue curado de sus llagas y le dieron de comer, dixo al rey:

—Señor, bien será que hagáis saber a los cavalleros que

han de ser mañana en la batalla porque se adereçen y sean aquí al alva del día a oír missa en vuestra capilla porque salgamos juntos al campo.

—Assí se fará —dixo el rey—, que mi hijo Grasandor será el uno, y los otros serán tales, que con ayuda de Dios y vuestra ganaremos la vitoria.

—No plega a Dios —dixo él— que, en tanto que yo armas pueda tener, vos ni vuestro hijo las vistáis, pues que los otros serán tales que a él y ahun a mí podrían escusar.

Grasandor le dixo:

—Señor Cavallero de la Verde Spada, no seré yo escusado donde vuestra persona se pusiere, assí en esta batalla como en todas las otras que en mi presencia se hiziessen; y si yo fuesse tan digno que de tal cavallero como vos me fuesse un don otorgado, desde agora vos demandaría que en vuestra compañía me traxéssedes; assí que por ninguna guisa yo dexaré de ser mañana en esta afruenta, siquiera por aprender algo de vuestras grandes maravillas.

El de la Verde Spada se le humilló por la honra que le dava con gran acatamiento, como lo él merecía, y díxole:

—Mi señor, pues que assí vos plaze, assí sea con la ayuda de Dios.

El rey le dixo:

—Mi buen amigo, vuestras armas son tales paradas que no tienen en sí defensa alguna, y yo vos quiero dar unas que se nunca vestieron, que entiendo que vos agradarán, y un cavallo que ahunque otros muchos havréis visto, no sería ninguno mejor.

Y luego gelo hizo allí traer enfrenado y ensillado de muy rica guarnición. Cuando él lo vio tan hermoso y tan guarnido, sospiró, cuidando que si él estuviesse en tal parte que lo pudiesse embiar al su leal amigo Angriote de Estraváus, que lo hiziera, que en aquél sería bien empleado. Las armas eran muy ricas y havían el campo de oro y leones cárdenos, y las sobreseñales de aquella guisa; pero la spada era la mejor que él nunca vio, fueras de la del rey Lisuarte y de la suya; y desque la huvo mirado, diola a Grasandor, con que entrasse en la batalla.

Otro día bien de mañana oyeron missa con el rey, y armáronse todos, y besándole las manos, cavalgaron en sus cavallos, y muchos cavalleros con ellos, y fuéronse al campo donde havía de ser la batalla. Y vieron cómo los romanos salían ya armados y cavalgavan ya, tañiendo sus hombres muchas trompas con grande alegría por los esforçar, y Arquisil entre ellos en un cavallo blanco y las armas verdes, y dixo a sus compañeros:

—Miémbreos lo que fablamos, que yo terné lo que prometí.

Estonces fueron unos contra otros, y Arquisil vio venir delante al Cavallero de la Verde Spada, y fue contra él, y encontráronse con las lanças, que luego fueron quebradas, y Arquisil salió de la silla a las ancas del cavallo; mas de tanto le avino, que echó mano de los arçones, y como era valiente y ligero, tornóla a cobrar. El de la Verde Spada passó por él, y con un pedaço de la lança que le quedara encontró al primero que ante sí falló en el yelmo, y sacógelo de la cabeça, y oviéralo derribado; mas a él le encontraron dos cavalleros, el uno en el escudo y el otro en la pierna, que, passando por la falda de la loriga, la cuchilla de la lança le fizo una ferida de que mucho se sintió y le fizo ensañar más que ante lo estava. Y poniendo mano a la spada, firió a un cavallero, y el golpe fue en soslayo, y deçendió el cuello del cavallo y cortógelo todo, assí que fue al suelo y cayó sobre la pierna de su señor, y quebrógela. Arquisil, que ya se endereçava en la silla, apretó rezio la spada y fue ferir al Cavallero del Enano de toda su fuerça por cima del yelmo, que las llamas salieron dél y de la spada, y fízole baxar la cabeça ya cuanto; mas no tardó mucho de levar el gualardón, que él le firió por cima del ombro, y cortóle las armas y la carne de manera que Arquisil cuidó que el braço havía perdido. El de la Verde Spada, como assí lo vio, passó por él y fue ferir en los otros, que Grasandor y los suyos los tenían maltrechos. Mas Arquisil lo siguió, y feríale por todas partes, pero no con tanta fuerça como al comienço. El de la Verde Spada bolvía a él y heríale, pero luego iva a dar en los otros, y no havía gana de le herir porque lo tenía en más que a todos los de su parte, que le viera adelantarse de los suyos por se con él encontrar; mas Arquisil no curava de golpes que le diessen, antes se metía entre todos, y fería al Cavallero de la Verde Spada como mejor podía. Y a esta hora ya los de su parte eran destroçados: dellos muertos, otros feridos, y los otros rendidos que se no defendían. Y como el de la Verde Spada vio que Arquisil le siguía sin temer sus golpes, dixo:

—¿No hay quien me defienda deste cavallero?

Grasandor, que lo oyó, fue con otros dos cavalleros, y encontráronle todos juntos; y como le tomaron lasso y cansado, sacáronle por fuerça de la silla y dieron con él en el suelo, y luego fueron con él para lo matar. Mas el Cavallero del Enano le socorrió, y dixo:

—Señores, pues que déste yo he recebido más mal que todos, a mí lo dexad para tomar la emienda.

Luego se quitaron todos afuera, y él llegó y dixo:

—Cavallero, sed preso, y no queráis morir a manos de quien mucha gana lo tiene.

Arquisil, que ya otra cosa sino la muerte no esperava, fue muy alegre, y dixo:

—Señor, pues que mi ventura quiso que más no pudiesse fazer, yo me doy por vuestro preso, y gradézcovos la vida que me dais.

Y él tomóle la spada y diógela luego, faziéndole fiança que faría lo qu'él mandasse, y deçendió de su cavallo y estuvo con él; y faziéndole cavalgar en un cavallo que le mandó traer, y él cavalgando en el suyo, se fueron al rey, que con gran gozo de ver su peligrosa guerra acabada los atendía; y tomándolos consigo, se fue a su palacio. Y puso en su cámara al Cavallero de la Verde Spada, y él hizo allí estar consigo a su preso por le fazer mucha honra, porque él lo merecía, que era buen cavallero y de alta sangre, como ya oístes. Pero él le dixo:

—Señor Cavallero de la Verde Spada, ruégovos por vuestra mesura que, quedando yo por vuestro preso para os acudir cuando vos me llamardes y tener prisión donde por vos me fuere señalada, me des licencia para ir a reparar mis compañeros aquellos que bivos quedaron y fazer llevar los muertos.

El Cavallero de la Verde Spada dixo:

—Yo os lo otorgo, y mémbreseos de la fiança que me fazéis.

Y abraçándolo lo despidió, y él se fue a sus compañeros, que los falló cual entender podéis. Y luego dieron orden cómo llevassen a Garadán y los otros muertos, y entraron en su camino. Assí que agora no se hablará más deste cavallero fasta su tiempo, que se contará a qué pujó su gran valor.

El de la Verde Spada estuvo allí con el rey Tafinor fasta que fue sano de sus heridas. Y como vio la guerra del rey

acabada, pensó que las cuitas y los mortales desseos que su
señora Oriana le causava, de los cuales en aquella sazón muy
ahincado era, que mejor los passaría caminando y en fatiga
que en aquel gran vicio y descanso en que estava; y fabló
con el rey diziéndole:

—Señor, pues que ya vuestra guerra es acabada, y el tiempo en que mi ventura assosegar no me dexa es venido, conviene que negando mi voluntad la suya sigua, y quiérome
partir mañana, y Dios por la su merced me llegue a tiempo
que algo de las honras y mercedes que de vos he recebido
vos las pueda servir.

Cuando el rey esto lo oyó, fue turbado, y dixo:

—¡Ay, Cavallero de la Verde Spada, mi verdadero amigo,
tomad de mi reino lo que vuestra voluntad fuere, assí del
mando como de interesse, y no vos vea apartar de mi compañía!

—Señor —dixo él—, creído tengo yo que, conosciendo el
desseo que yo tengo de vos servir, que assí me faríades la
honra y la merced; pero no es en mí más, ni puedo sossegar
fasta que mi coraçón sea en aquella parte donde siempre el
pensamiento tiene.

El rey, viendo su determinada voluntad, y teniéndole por
tan sossegado y cierto en sus cosas, que por ninguna guisa
de aquel proposito sería mudado, díxole con semblante muy
triste:

—Mi leal amigo, pues que assí es, dos cosas vos ruego: la
una, que siempre de mí y deste mi reino se os acuerde en
vuestras necessidades si vos ocurrieren; y la otra, que mañana oyáis missa conmigo, que vos quiero hablar.

—Señor —dixo él—, esta palabra que me dais yo la recibo
para se me acordar della si el caso lo ofresciere, y mañana
armado y de camino estaré con vos en la missa.

Essa noche mandó el Cavallero de la Verde Spada a Gandalín que le adereçasse todo lo que era menester, que otro
día de mañana se quería partir, y assí fue por él fecho. Aquella noche no pudo él dormir, porque así como el trabajo del
cuerpo se le avía apartado, assí el del spíritu fallando mayor
entrada con grandes cuitas y mortales desseos que de su señora le venían le dava muy mayor fatiga. Y venida la mañana, aviendo mucho llorado se levantó, y armándose de sus
armas, cavalgando en su cavallo, y Gandalín y el enano en
sus palafrenes llevando las cosas necessarias al camino, se

fue a la capilla del rey, y fallólo que le atendía. Pues allí oída la missa, el rey mandando salir a todos fuera, con él solo quedando, le dixo:

—Mi grande amigo, demándovos un don que me otorguéis, y no será en estorvo de vuestro camino ni de vuestra honra.

—Así lo tengo yo —dixo él—, que lo vos, señor, pediréis según vuestra gran virtud, y yo vos lo otorgo.

—Pues, mi buen amigo —dixo el rey—, demándovos que me digáis vuestro nombre y cúyo fijo sois, y creed que por mí será encubierto fasta que por vos sea divulgado.

El Cavallero de la Verde Spada estovo una pieça que no fabló, pesándole de lo que prometiera, y dixo:

—Señor, si a la vuestra merced pluguiere dexarse desta pregunta, pues que no le tiene pro.

—Mi buen amigo —dixo él—, no dudéis de me lo dezir, que como por vos por mí será guardado.

El le dixo:

—Pues que así vos plaze, ahunque por mi voluntad no sea, sabed que yo soy aquel Amadís de Gaula, fijo del rey Perión, del que el otro día fablastes en el concierto de la batalla.

El rey le dixo:

—¡Ay, cavallero bienaventurado, de muy alto linaje, bendita fue la ora en que fuistes engendrado, que tanta honra y provecho ovieron por vos vuestro padre y madre y todo vuestro linaje, y después los que lo no somos! Y havéisme fecho muy alege en me lo dezir, y fío en Dios que será por vuestro bien y causa de pagar yo algo de las grandes deudas que vos devo.

Y comoquiera que este rey aquello más con buena voluntad lo dixo que por otra necessidad que él supiesse tener aquel cavallero, así se cumplió adelante en dos maneras: la una, que fizo escrivir [77] todas las cosas que en armas por aquellas tierras passó; y la otra, que se fue muy buen ayudador con su fijo y gentes de su reino en un gran menester en que se vio, como adelante en el Libro cuarto se dirá.

Esto assí fecho, cavalgó en su cavallo y despidióse del

77. En el *Lancelot en prosa* aparece por vez primera en la corte del rey Artús el hábito de escribir las aventuras realizadas por los caballeros.

rey, haziéndole quedar, que con él salir quería. Saliendo con él Grasandor y el conde Galtines y muchos hombres buenos, se puso en el camino con intención de andar por las ínsolas de Romanía y provarse en las aventuras que en ellas fallasse; y cuanto media legua de la villa, tornándose aquellos cavalleros, lo acomendaron a Dios, y él siguía su vía.

CAPÍTULO LXXI

CÓMO EL REY LISUARTE SALIÓ A CAÇA CON LA REINA Y SUS FIJAS, ACOMPAÑADO BIEN DE CAVALLEROS; Y SE FUE A LA MONTAÑA DONDE TENÍA LA HERMITA AQUEL SANTO HOMBRE NACIANO, DONDE HALLÓ UN MUY APUESTO DONZEL CON UNA ESTRAÑA AVENTURA, EL CUAL ERA FIJO DE ORIANA Y DE AMADÍS, Y FUE POR ÉL MUY BIEN TRATADO SIN CONOSCERLE

POR dar descanso el rey Lisuarte a su persona y plazer a sus cavalleros, acordó de se ir a caça a la floresta y llevar consigo a la reina y sus fijas, y a todas sus dueñas y donzellas, y mandó que las tiendas le assentassen a la Fuente de las Siete Hayas, que era lugar muy sabroso. Y sabed que ésta era la floresta donde el hermitaño Nasciano morava, donde criava y tenía consigo a Esplandián. Pues allí llegado el rey y la reina con su compaña, quedando la reina en las tiendas, el rey se metió con sus caçadores a lo más espesso del monte, y como la tierra guardada era, fizieron gran caça. Y assí acaesció que estando el rey en su armada, vio salir un ciervo muy cansado, y pensándolo matar, corrió tras él en su cavallo fasta entrar en el valle; y allí acaesció una cosa estraña, que vio descendir por la cuesta de la otra parte un donzel de fasta cinco o seis años, el más fermoso que él nunca vio, y traía una leona en una traílla; y como vio el ciervo echógela dando bozes que le tomasse. La leona fue cuanto más pudo, y alcançándolo, derribólo en el suelo y començó a beverle la sangre. Y llegó el donzel muy alegre, y luego otro moço poco mayor que venía tras él; llegaron al ciervo faziendo gran alegría, y sacando sus cuchillos cortaron por donde la leona comiese. El rey estovo entre unas matas maravillado de aquello que veía, y el cavallo se le espantava de la leona, y no podía llegar a ellos; y el fermoso donzel tocó una bozina pequeña que traía a su cuello, y vinieron corriendo dos sabuesos, el uno amarillo y el otro negro, y encarnáronlos en el ciervo. Y cuando la leona uvo comido, pusiéronla en la traílla, y el donzel mayor ívase con ella por la montaña, y el otro tras él. Mas el rey, que ya a pie estava y avía atado el cavallo a un árbol, salió contra ellos y llamó al fermoso doncel, que más çaguero iva, que le atendiesse. El donzel estovo quedo, y el rey llegó y violo tan hermoso que mucho fue maravillado; y díxole:

—Buen donzel, que Dios os bendiga y guarde a su servicio; dezidme dónde os criastes y cúyo fijo sois.

Y el donzel le respondió y le dixo:

—Señor, el sancto hombre Nasciano, hermitaño, me crió, y a él tengo por padre.

El rey estuvo una gran pieça cuidando cómo hombre tan santo y tan viejo tenía fijo tan pequeño y tan fermoso, pero a la fin no lo creyó. Y el donzel quísose ir, mas el rey le preguntó a qué parte era la casa del hermitaño.

—Acá suso —dixo él— es la casa en que moramos.

Y mostrándole un sendero pequeño no muy follado, le dixo:

—Por allí iréis allá, y a Dios seáis, que me quiero ir tras aquel moço, que la leona lieva a una fuente donde tenemos nuestra caça.

Y assí lo fizo. El rey tornó a su cavallo, y cavalgando en él se fue por el sendero; y no anduvo mucho que vio la hermita metida entre unas hayas y çarçales muy espessos. Y llegándose a ella no vio persona alguna a quien preguntasse; y apeóse del cavallo, y atándolo debaxo de un portal, entró en la casa y vio un hombre fincado de inojos rezando por un libro, vestido de paños de orden y la cabeça toda blanca, y fizo su oración. El buen hombre, acabado de leer el libro, vínose al rey, que se le fincó de rodillas delante, rogándole que le diese la bendición. El hombre bueno gela dio, preguntándole qué demandava. El rey le dixo:

—Buen amigo, yo fallé en esta montaña un donzel muy fermoso caçando con una leona, y díxome que era vuestro criado. Y porque me paresció muy estraño en su fermosura y apostura, y en traer aquella leona, vengo a os rogar que me digáis su fazienda, que yo os prometo como rey que dello no verná a vos ni a él daño ninguno.

Cuando el hombre bueno aquello oyó, miróle más que ante y conosciólo, que otras vezes lo viera, y fincó los inojos ante él por le besar las manos. Mas el rey lo levantó y le abraçó, y díxole:

—Mi amigo Nasciano, yo vengo con mucha gana de saber lo que os pregunto, y no dudéis de me lo dezir.

El hombre bueno lo levó fuera de la hermita al portal donde su cavallo estava, y sentados en un poyo, le dixo:

—Señor, bien tengo creído lo que me dezís, que como rey guardaréis este niño, pues Dios lo quiere guardar. Y pues tanto os agrada de saber dél, dígovos que lo fallé y crié por muy estraña aventura.

Entonces le contó cómo lo tomara de la boca de la leona enbuelto en aquellos ricos paños, y cómo lo criara a la leche della y de una oveja fasta que uvo ama natural, que fue una muger de un su hermano que llamaron Sargil.

—Y assí se llama el otro moço que con él vistes.

Y dixo:

—Cierto, señor, yo creo que el niño es de alto lugar, y quiero que sepáis que tiene una cosa la más estraña que se nunca vio, y ésta es que, cuando le baptizé, falléle en la diestra parte del pecho unas letras blancas en escuro latín que dizen «Esplandián», y assí le puse el nombre; y en la parte siniestra en derecho del coraçón tiene siete letras más ardientes y coloradas como un fino rubí, pero no las pude leer, que son fuera del latín y de nuestro lenguaje.

El rey le dixo:

—Maravillas me dezís, padre, de que nunca oí fablar, y bien creo yo que pues la leona le traxo tan pequeño como dezís, que lo no podría tomar sino cerca de aquí.

—Esso no lo sé yo —dixo el hermitaño—, ni curemos de saber más dello de lo que a nuestro Señor Dios plaze.

—Pues mucho os ruego —dixo el rey— que seáis mañana a comer comigo aquí en esta floresta a la Fuente de las Siete Hayas, y allí fallaréis a la reina y a sus fijas, y otros muchos de nuestra compaña. Y levad a Esplandián con la leona assí como lo yo fallé, y el otro moço vuestro sobrino, que derecho he de le fazer bien por su padre Sargil, que fue buen cavallero y sirvió bien al rey mi hermano.

Cuando esto oyó el santo hombre Nasciano, dixo:

—Yo lo faré como vos, señor, lo mandáis, y a Dios plega por su merced que sea su servicio.

El rey, cavalgando en su cavallo, se tornó por el sendero que allí viniera, y anduvo tanto que llegó a las tiendas dos

oras después de mediodía; y falló allí a don Galaor y a Norandel y Guilán el Cuidador, que llegavan entonces con dos
ciervos muy grandes que avían muerto, con que folgó y rió
mucho, pero de su aventura no les dixo nada; y demandando los manteles para comer, llegó don Grumedán y dixo:

—Señor, la reina no ha comido, y pídeos por merced que,
antes que comáis, fabléis con ella, que assí cumple.

El se levantó luego y fue allá, y la reina le mostró una
carta çerrada con una esmeralda muy fermosa, y passavan
por ella unas cuerdas de oro, y tenía unas letras en derredor
que dezían: «Este es el sello de Urganda la Desconoscida.»
Y dixo:

—Sabed, señor, que cuando yo venía por el camino, paresció allí una donzella muy ricamente vestida en un palafrén, y con ella un enano encima un cavallo hovero fermoso; y ahunque llegaron a ella los que delante de mí ivan, no
les quiso dezir quién era, ni tanpoco a Oriana y a las infantas que con ella ivan. Y como yo llegué, salió a mí y díxome: «Reina, tomá esta carta y léela con el rey oy en este día
antes que comáis.» Y partiéndose luego de mí, y el enano
tras ella, aguijando el palafrén se apartó tanto y tan presto
que no ove lugar de preguntarle ninguna cosa.

El rey abrió la carta y leyóla, y dezía assí:

«Al muy alto y muy honrado rey Lisuarte: Yo, Urganda
la Desconoscida, que os mucho amo, os consejo de vuestro
pro, que al tiempo que el fermoso donzel criado de las tres
amas desvariadas paresciere, que lo amedes y guardedes
mucho, que ahún él os meterá en gran plazer, y quitará del
mayor peligro que nunca ovistes. El es de alto linaje; y sabed,
rey, que de la leche de la su primera ama será tan fuerte,
tan bravo de coraçón que a todos los valientes de su tiempo
porná en sus fechos de armas gran escuridad. Y de la su segunda ama será manso, mesurado, humildoso, y de muy
buen talante, y sofrido más que otro hombre que en el
mundo aya. Y de la criança de la su tercera ama será en
gran manera sesudo y de gran entendimiento, muy católico,
y de buenas palabras. Y en todas las sus cosas será pujado y
estremado entre todos, y amado y querido de los buenos
tanto que ningún cavallero será su igual. Y los sus grandes
fechos en armas serán empleados en el servicio del muy alto
Dios, despreciando él aquello que los cavalleros deste tiempo más por honra de vana gloria del mundo que de buena

conciencia siguen, y siempre traerá a sí en la su diestra parte, y a su señora en la siniestra. Y ahun más te digo, buen rey, que este donzel será ocasión de poner entre ti y Amadís y su linaje paz que durará en tus días, lo cual a otro ninguno es otorgado.»

El rey, acabando la carta de leer, santiguóse en ver tales razones, diziendo:

—La sabiduría desta muger no se puede ponear ni escrevir —y dixo contra la reina—: Sabed que oy he fallado este mesmo donzel que Urganda dize.

Y contóle en qué manera se le vio con la leona y cómo se fue al hermitaño y lo que dél supo, y cómo avía de ser con ellos el otro día a comer y que traería aquel niño. Mucho fue leda la reina de lo oír por ver el donzel estraño y por fablar con aquel santo hombre algunas cosas de su conciencia. Y partiéndose el rey della, diziéndole que de aquello ninguna cosa dixese, se fue a su tienda a comer, donde falló muchos cavalleros que lo atendían; y allí estuvo fablando con ellos en las caças que avían fecho y diziéndoles que otro día ninguno fuesse a caçar porque les quería leer una carta que Urganda la Desconoscida le embiara. Y mandó a los monteros que levassen todas las bestias que allí eran a un valle apartado, donde todo el día detrás estuviésen. Esto fazía él porque no se espantassen de la leona.

Assí como oídes passaron aquel día folgando por aquel prado, que era lleno de flores y de yerva muy fresca y verde. Otro día vinieron todos a la tienda del rey, y allí oyeron missa; y luego el rey los tomó a todos consigo y fuese a la tienda de la reina, que assentada estava cabe una fuente en un prado muy fresco para el tiempo, que era en el mes de mayo, y tenía las alas alçadas, así que todas las dueñas y infantas y otras donzellas de gran guisa se párescían como crian en sus estrados. Y allí llegavan los cavalleros de gran cuenta a las fablar. Y seyendo assí todos, mandó el rey que leyessen la carta de Urganda que ya oístes, la cual oyeron, y fueron maravillados qué donzel tan bienaventurado sería aquél. Mas Oriana, que más que todos en ella catara, sospiró por su fijo que perdiera, pensando que por ventura podría ser aquél. El rey les dixo:

—¿Qué os paresce desta carta?

—Ciertamente, señor —dixo don Galaor—, yo no dudo de passar assí como ella lo dize, por otras cosas muchas dichas por Urganda que tan verdaderas han salido, y ahunque por ventura a muchos plega con la venida deste donzel cuando Dios por bien tuviere de nos le mostrar, a mí con razón deve plazer más que a todos, pues que será causa de ser cumplida la cosa que yo más desseo, que es ver en vuestro amor y servicio a mi hermano Amadís con todo su linaje, como lo ya fueron.

El rey le dixo:

—Todo es en la mano de Dios; El fará a su voluntad y con ella seremos contentos.

Pues assí estando como oídes fablando en estas cosas, vieron venir el hermitaño, y sus criados con él. Esplandián venía delante, y Sargil su collaço tras él, y traía la leona en una traílla asaz flaca, y empós dellos venían dos arqueros, aquellos que ayudaran a criar a Esplandián en la montaña, y traían en una bestia el ciervo que el rey viera matar y en otra, dos corços, y liebres y conejos, que matara Esplandián y ellos con sus arcos. Y los dos sabuesos traía Esplandián en una traílla, y empós dellos venía el santo hombre Nasciano. Y cuando los de las tiendas vieron tal compaña, y la leona tan grande y tan medrosa, levantáronse arrebatadamente y ivan se poner delante del rey. Mas él tendió una vara y fizo que estuviessen en sus lugares, diziendo:

—Aquel que el poder de traer la leona tiene os defenderá della.

Don Galaor dixo:

—Bien sea esso, mas a mí semeja que flaca defensa tenemos en el montero que la trae si ella se ensaña, y cosa maravillosa paresce ver esto.

Los niños y los arqueros atendieron que el hombre bueno passasse adelante; y seyendo ya cerca, el rey les dixo:

—Amigos, sabed que éste es el santo hombre Nasciano que en esta montaña faze su bivienda. Vayamos a él que nos dé su bendición.

Entonces se fueron fincar de inojos ante él, y el rey le dixo:

—Siervo de Dios bienaventurado, dadnos la bendición.

El alçó la mano y díxole:

—En el su nombre la recebid, como de hombre pecador.

Y luego le tomó el rey y fue con él a la reina, mas cuando las mugeres vieron la leona tan fiera que rebolvía los ojos a una y a otra parte mirándolas y traía la su lengua bermeja por los beços, y mostrava los dientes tan fuertes y tan agudos, que gran espanto les tomava en la ver. La reina y su fija y todas recibieron muy bien a Nasciano, y todas eran mucho maravilladas de la gran fermosura del donzel; y él fue ante la reina con su caça y dixo:

—Señora, traemos os aquí esta caça.

Y el rey le llegó a sí, y dixo:

—Buen donzel, partidla como vos quisierdes.

Esto fazía por ver lo que él faría en ello. El donzel dixo:

—La caça es vuestra, y vos dadla a quien vos quisierdes.

—Todavía —dixo el rey— quiero que vos la partáis.

El donzel uvo vergüença, y vínole una color al rostro como una rosa, que mucho más hermoso lo fizo; y dixo:

—Señor, tomad vos el ciervo para os y para vuestros compañeros.

Y fuese a la reina, que con su amo Nasciano fablava, y fincando los inojos le besó las manos y diole los corços. Y miró a su diestra, y paresció le que después de la reina no avía ninguna más digna de ser honrada, según su presencia, que Oriana su madre, que lo no conoscía. Y llegó a ella, fincadas las rodillas, y dióle las perdizes y conejos, y díxole:

—Señora, nos no caçamos con nuestros arcos otra caça sino ésta.

Oriana le dixo:

—Fermoso donzel, Dios os haga bienandante en vuestras caças y en todo lo ál.

El rey lo llamó, y Galaor y Norandel, que más cerca dél estavan, lo tomaron, y abraçávanlo muchas vezes, como que naturaleza que con él avían los atraía a ello. Entonces mandó el rey que todos callassen, y dixo al hombre bueno:

—Padre, amigo de Dios, agora dezid delante todos la fazienda deste donzel como la a mí dixistes.

El hombre bueno les contó allí cómo, saliendo de su hermita, viera cómo traía una leona brava aquel donzel en la boca embuelto en ricos paños para govierno de sus fijos, y cómo por la gracia de Dios gelo pusiera a sus pies, y cómo le diera de su leche, assí ella como una oveja que él tenía parida, hasta que lo dio a criar a una ama. Y contóles todas las cosas que en su criança le acaescieron, que no faltó nada, como el libro lo ha contado. Cuando Oriana y Mabilia y la donzella de Denamarca esto oyeron, mirávanse unas a otras, y las carnes les temblavan de plazer conosciendo verdadera-

mente ser aquel niño fijo de Amadís y de Oriana, el cual la
donzella de Denamarcha perdiera como ya oístes. Mas cuando vino el hermitaño a dezir de las letras blancas y coloradas que en el pecho le falló, las cuales fizo allí ver a todas,
de todo en todo creyeron ser su sospecha verdadera, de lo
cual era tan grande alegría en sus ánimos que se no puede
contar, principalmente la muy fermosa Oriana cuando del
todo conosció ser aquél su fijo, que por perdido le tenía.[78]

El rey demandó al santo hombre Naciano los donzelles
con mucha eficacia para los fazer criar; el cual veyendo que
más para aquello que para la vida que él les dava los avía
Dios fecho, ahunque gran soledad en sí sentiesse, gelos otorgó, mas con gran dolor que en su coraçón quedava, porque
amava mucho a Esplandián. Y cuando el rey en su poder
los tuvo, dio a Esplandián a la reina, que sirviesse ante ella;
y dende a poco tiempo le dio ella a su fija Oriana, que le
mucho con él plugo, como aquella que lo avía parido. Assí
como oídes, fue este niño en guarda de su madre, teniéndole perdido como ya oístes, fuyendo con él de gran miedo,
sacado de la boca de aquella muy fiera leona, criado a su
leche.

Estas son maravillas de aquel muy poderoso Dios y guardador de todos nosotros que El faze cuando es su voluntad,
y a otros fijos de reyes y de grandes señores ser criados en
las ricas sedas y en las cosas muy blandas y delicadas; y con
tanto amor de quien las cría, con tanto regalo y cuidado, sin
dormir, sin sosegar los que en cargo los tienen, con un pequeño acidente y flaco mal son salidos deste mundo. Quié-
relo Dios que así passe, como justo en todo, y así como cosa
justa se debe recebir por los padres y madres, dándole gracias porque quiso hazer su voluntad, que como las nuestras
errar no puede.

La reina se confessó con aquel santo hombre, y Oriana
assí mesmo; al cual uvo de descobrir todo el secreto suyo y
de Amadís, y cómo aquel niño era su fijo y por cual aventura lo perdiera, lo que fasta allí a persona del mundo lo avía
dicho sino a aquellos que lo sabían, rogándole que oviesse
dél memoria en sus oraciones. El hombre bueno fue muy

---

78. Aquí se supone que O. está al corriente de todo lo sucedido con
su hijo, pero sin embargo, según el texto de Montalvo, la Doncella de
Dinamarca y Durín deciden no decirle nada al respecto.

maravillado de tal amor en persona de tan alto lugar, que muy más que otra obligada era a dar buen enxemplo de sí, y reprehendióla mucho diziéndole que se quitasse de tan gran yerro, si no, que la no absolvería y sería su ánima puesta en peligro. Mas ella dixo llorando cómo, al tiempo que Amadís la quitara de Arcaláus el Encantador, donde primero la conosció, tenía dél palabra como de marido se podía y devía alcançar. Desto fue el hermitaño muy ledo, y fue causa de mucho bien para muchas gentes que fueron remediadas de las muertes crueles que esperavan, assí como el cuarto libro más largo lo dirá. Entonces la absolvió y le dio penitencia cual convenía; y luego se fue para el rey, y tomando a Esplandián consigo, abraçándolo llorando le dixo:

—Criatura de Dios, que por Él me fuiste dado a criar, Él te guarde y defienda y te faga hombre bueno al su santo servicio.

Y besándolo le echó la bendición y lo entregó al rey; y despedido dél y de la reina y de todos, tomando consigo la leona y los arqueros, se tornó a su hermita, donde mucho fará dél mención la istoria adelante. El rey se tornó con su compaña a la villa.

CAPÍTULO LXXII

DE CÓMO EL CAVALLERO DE LA VERDE ESPADA, DESPUÉS QUE SE PARTIÓ DEL REY TAFINOR DE BOEMIA PARA LAS ÍNSOLAS DE ROMANÍA, VIO VENIR UNA MUCHEDUMBRE DE COMPAÑA, DONDE VENÍA GRASINDA; Y UN CAVALLERO SUYO LLAMADO BRADANSIDEL QUISO POR FUERÇA FAZER AL CAVALLERO DE LA VERDE ESPADA VENIR ANTE SU SEÑORA GRASINDA; Y DE CÓMO SE COMBATIÓ CON ÉL Y LE VENCIÓ

CONTADO os ávemos ya cómo el Cavallero de la Verde Espada, al tiempo que del rey Tafinor de Boemia se partió, su voluntad era de se meter por las ínsolas de Romanía por aver oído ser allí bravas gentes; y assí lo fizo, no por el derecho camino, mas andando a unas y otras partes, quitando y emendando muchos tuertos y agravios que a personas flacas, assí hombres como mugeres, por cavalleros sobervios se les fazían; en lo cual muchas vezes fue ferido y otras vezes doliente, assí que le convenía, mal su grado, folgar. Pero cuando en las partes de Romanía fue, allí passó él los mor-

tales peligros con fuertes cavalleros y bravos gigantes, que
con gran peligro de su vida quiso Dios otorgarle la victoria
de todos ellos, ganando tanto prez, tanta honra, que como
por maravilla era de todos mirado. Mas ni por esto no tuvieron tanta fuerça estas grandes afruentas y trabajos que de
su coraçón pudiessen apartar aquellas encendidas llamas y
mortales cuitas y desseos que por su señora Oriana le venían. Y por cierto podéis creer que si no fuera por los consejos de Gandalín, que siempre lo esforçava, no tuviera él
tanto poder en sí que el su triste y atribulado coraçón no
fuesse en lágrimas desfecho.

Pues assí andando por aquellas tierras en la vida que oís,
discurriendo por todas las partes que él podía, no teniendo
folgança del cuerpo ni del espíritu, aportó a una villa puerto
de mar de contra Grecia, assentada en fermoso sitio y muy
poblada de grandes torres y huertas al cabo de la tierra firme,
y avía nombre Sadiana. Y por ser grande parte del día por
passar, no quiso entrar en ella, mas ívala mirando, que le
parescía fermosa, y pagávase de ver el mar, que lo no viera
después que de Gaula partió, que serían ya passados más de
dos años. Y yendo así vio venir por la ribera de la mar contra
la villa una gran compaña de cavalleros y dueñas y donzellas,
y entre ellos una dueña vestida de muy ricos paños, sobre la
cual traían un paño fermoso en cuatro varas por la defender
del sol. El Cavallero de la Verde Espada, que no folgava en
ver gentes, sino en andar solo pensando en su señora, desvió
del camino por no aver razón de los encontrar; y no fue mucho alongado dellos que vio venir contra sí un cavallero en
un gran cavallo y bien armado, blandiendo una lança en su
mano, que parescía quererla quebrar. El cavallero era valiente de cuerpo, muy membrudo y bien encavalgante, así que
parescía aver en sí gran fuerça, y una donzella de la compaña
de la dueña, ricamente vestida, con él; y como vio que contra él venían, estovo quedo. La donzella llegó delante, y dixo:

—Señor cavallero, aquella dueña mi señora, que allí está,
os manda dezir que vayáis luego a ella a su mandado: esto
os dize por vuestro pro.

El Cavallero del Enano, comoquiera que el lenguaje de la
donzella era alemán, entendióla luego muy bien, porque él
siempre procurava de aprender los lenguajes por donde andava; y respondióle:

—Señora donzella, Dios dé honra a vuestra señora y a

vos. Mas dezidme, aquel cavallero, ¿qué es lo que demanda?

—No os tiene esso pro —dixo ella—, sino fazed lo que os digo.

—No iré con vos en ninguna guisa si me lo no dezís.

En esto respondió ella y dixo:

—Pues assí es, fazerlo he, ahunque no a mi grado. Sabed, señor cavallero, que mi señora os vio, y vio esse enano que con vos anda, y porque le han dicho de un cavallero estraño que así anda por estas tierras faziendo maravillas de armas, las cuales nunca se vieron, cuidando que sois vos, quiere fazeros mucha honra y descobriros un secreto que en el su coraçón tiene, el cual fasta agora nunca della persona lo supo. Y como este cavallero entendió su voluntad, dixo que él os faría ir a su mandado, ahunque no quisiéssedes; lo cual puede él bien fazer, según es poderoso en armas más que ninguno destas tierras; y por esto os consejo yo que dexándolo a él vos vengáis comigo.

—Donzella —dixo él—, de os he gran vergüença por no cumplir el mandado de vuestra señora, pero quiero que veáis si fará lo que dixo.

—Pésame —dixo ella—, que muy pagada soy de vuestra palabra y mesura.

Entonces se apartó dél, y el Cavallero de la Verde Espada se fue por el camino como ante iva. Cuando esto vio el otro cavallero, dixo a una boz alta:

—Vos, don cavallero malo que no quisiestes ir con la donzella, descendid luego de vuestro cavallo y cavalgad aviessas,[79] llevando la cola en la mano por freno y el escudo al revés, y assí os presentad ante aquella señora si no queréis perder la cabeça. Escoged lo que dello quisierdes.

—Cierto, cavallero —dixo él—, no tengo agora en coraçón de escoger ninguno dessos partidos, antes quiero que sean para vos.

—Pues agora veréis —dixo él— cómo os lo faré tomar.

Y puso las espuelas a su cavallo con esperança que del primer encuentro lo lançaría de la silla, assí como a otros muchos lo avía fecho, porque era el mejor justador que avía

---

79. Este modo de *cavalgar aviessas* (del revés) con las armas también al revés (en este caso, el escudo) aparece en el *Perlesvaus,* en el personaje llamado «Caballero Cobarde» (véase Introducción, II, pp. XXXVII-XXXVIII).

en gran parte. El Cavallero del Enano, que ya tomara sus armas, movió para él bien cubierto de su escudo, y aquella justa fue partida de los primeros encuentros, que las lanças fueron quebradas y el cavallero amenazador fue fuera de la silla, y el de la Verde Espada su escudo falsado y la loriga, y la cuchilla de la lança le fizo una llaga en la garganta, de que se oviera de sentir mal. Y passó por él, y quitando el pedaço de la lança que por el escudo tenía metido, bolvió contra Bradansidel, que assí avía nombre el cavallero, y violo tendido en el campo como muerto; y dixo a Gandalín:

—Desciende y tira el escudo y el yelmo a esse cavallero y cátalo si es muerto.

Y él assí lo fizo; y el cavallero cogió huelgo y esforçóse ya cuanto, pero no en manera que toviesse sentido. Y el de la Verde Espada le puso la punta de la espada en el rostro y rompióle ya cuanto, y dixo:

—Vos, don cavallero amenazador y desdeñador de quien no conoscéis, conviene que perdáis la cabeça o passéis por la ley que señalastes.

Él, con el temor de la muerte, acordó más y baxó el rostro. Y el de la Verde Espada dixo:

—¿No queréis fablar? Tajarvos he la cabeça.

Entonces el otro dixo:

—¡Ay, cavallero, por Dios merced!, que antes faré vuestro mandado que morir en sazón en que perdiesse el alma, según en el estado en que agora estó.

—Pues luego sea fecho sin más tardar. [80]

80. La justa de Amadís y Bradansidel se describía con toda seguridad en el *A.* primitivo, como atestigua el *Fragmento II* transcrito por Rodríguez Moñino. La columna 1 se encuentra en un estado muy deteriorado, pero la 2 se puede leer: «de se después sentió muy mal. Et él tiró el pedaço de la lança desí et de su escudo et del yelmo a grand afán et cató do yazía Brandasidel, et viole yazer tendido en el campo tal como muerto, et dixo a Gandalín: "Dize et tírale el escudo del cuello et el yelmo de la cabeça a este cavallero." Et Gandalín fízolo así como su señor le mandó, et cuando tiró al cavallero el yelmo de la cabeça, estremeçió et vínole el fuelgo et esforçó, mas non en tal manera que non fincase estremeçido del entendimiento que avía perdido. Et [...] o irguióse asentado el de la Verde Espada, llegóse contra él a [...] o estava en el cavallo y tornara ya su lança de sobre mano et púsole el fierro de la lança en el rostro de guisa que le ronpió ya cuanto de la faz. Et Brandasidel sintióse ende et tornó más en su acuerdo, et en menbrança del peligro en que estava, baxó el rostro sobre [...] "... do de que me después

Bradansidel llamó a sus escuderos que allí tenía, y pusiéronle por su mandado en el cavallo al revés, y metiéronle el rabo en la mano, y echáronle el escudo al revés al cuello, y assí lo levaron por delante de la fermosa dueña y por medio de la villa, que lo viessen todos y fuesse enxemplo para aquellos que con su gran sobervia quieren abaxar y menospreciar a los que no conocen, y ahún a Dios, si alcançarle pudiessen, no pensando en las desaventuras que en este mundo y después en el otro se les aparejan. Y tanto cuanto la dueña y su compaña y las gentes de la villa se maravillavan de la desaventura que aquel que por tan fuerte cavallero tenían avía alcançado, tanto y más la fortaleza del que lo venciera ensalçavan y loavan, afirmando ser verdaderas las grandes cosas que fasta allí dél avían oído.

Pues esto assí fecho, el Cavallero de la Verde Espada vio la donzella que le llamara, que la batalla avía mirado, y oído todas las palabras que ante passaran, y yéndose contra ella le dixo:

—Señora donzella, agora iré al mandado de vuestra señora, si a vos pluguiere.

—Mucho me plaze —dixo ella—, y assí lo fará a Grasinda mi señora —que assí avía nombre la dueña.

Assí fueron de consuno; y como llegaron, el de la Verde Espada vio la dueña tan fermosa y tan loçana, que después que de su hermana Melicia partiera, no viera otra alguna que lo tanto fuesse. Y por el semejante paresció él a ella más apuesto y más fermoso cavallero, y que mejor paresciesse armado, de cuantos en su vida viera; y díxole:

—Señor, yo he oído hablar de muchas estrañas cosas que, después que en esta tierra entrastes, en armas avéis fecho.

---

ser tornado y vos me prometistes que me mataríades o que me faríades levar el escudo al cuello el cospe contra suso et el blocal contra yuso et que me faríades levar el rabo del cavallo en la mano por freno et que así pasase toda la villa, que me fuese para do quisiese, et esta promesa quiero yo que sea vuestra, et escoged cuál quisierdes". Et Brandasidel dixo con grand pavor de muerte en que se veía: "Ay, buen cavallero, a mí es tan menester de pensar en mi ánima, que averá a ser perdida si en tal estado moriere, que ante quiero tomar la vergüença de pasar por la villa, que morir." "Pues luego sea fecho, dixo el de la Verde Espada, que yo he de ir contra do me Dios guiare."» La acción es más lenta en el Λ. primitivo que en el de M. que, como ya se ha visto en nota 74, tiende a resumir.

Según vuestra presencia veo, a mí es muy cierto de lo creer. Y también me han dicho que estuviestes en casa del rey Tafinor de Boemia, y la honra y provecho que de vos le occurrió; y dixéronme que os llaman el Cavallero de la Verde Espada o del Enano, porque todo lo veo junto con vos, y yo assí os llamaré. Pero ruégoos mucho por vuestro pro, que os veo llagado, que seáis mi huésped en esta mi villa, y curaros han de vuestras llagas, que tal aparejo no lo fallaréis en toda la comarca.

El le dixo:

—Mi señora, veyendo yo la voluntad de vuestro ruego, si fuesse cosa en que peligro y afán aventurasse por os servir, lo faría, cuanto más ser lo que tanto a mí necessario es.

La dueña, tomándole consigo, se fue para la villa. Y un cavallero viejo, que de rienda la levava, tendió la mano y diola al Cavallero de la Verde Espada; y él se fue a la villa para aderecar donde el cavallero posasse, que éste era mayordomo de la dueña. El Cavallero del Enano levó la dueña fablando con ella en algunas cosas; y si antes le tenía por su gran fama en mucho, en más lo estimó viendo su gran discreción y apuesta fabla; y assí lo fue él della, que muy fermosa y graciosa era en todo su razonar. Y entrando por la villa, salían todas las gentes a las puertas y ventanas por ver a su señora, que de todos muy amada era, y al cavallero que por sus grandes fechos en mucho tenían, y parescíales el más fermoso y apuesto que avían visto; y pensavan ellos que no avía fecho mayor cosa en armas que aver vencido a Bradansidel, según era dudado y temido de todos.

Así llegaron al palacio de la dueña, y allí le fizo ella aposentar en una muy rica cámara guarnida, como casa de tal señora, y fízole desarmar y lavar las manos y el rostro del polvo que traía, y diéronle una capa de escarlata rosada que se cubriese. Cuando Grasinda assí lo vio, fue maravillada de su gran fermosura, que no pensava ella que tal hombre humano tener pudiesse; y fizo venir allí luego un maestre de curar llagas suyo, el mejor y más sabio que en gran parte se fallaría; y católe la ferida de la garganta, y díxole:

—Cavallero, vos sois ferido en lugar peligroso, y es menester de folgar; si no, veros íades en gran trabajo.

—Maestro —dixo él—, ruégoos, por la fe que a Dios y a vuestra señora que aquí está devéis, que tanto que yo sea en disposición de poder cavalgar, me lo digáis; porque a mí conviene aver ningún descanso ni reposo hasta que Dios por la su merced me llegue a aquella parte donde mi coraçón dessea.

Y diziendo esto le cresció tal cuidado que no pudo escusar que las lágrimas a los ojos no le viniessen, de que ovo mucha vergüença; y alimpiándolas presto fizo alegre semblante. El maestro le curó la ferida y le dio a comer lo que era menester; y Grasinda le dixo:

—Señor, folgad y dormid, y iremos nosotros a comer, y veros hemos cuando fuere tiempo; y mandad a vuestro escudero que sin empacho demande todas las cosas que menester ovierdes.

Con esto se despidió. Y él, cuando en su lecho pensando muy afincadamente en su señora Oriana, que allí era todo su gozo, toda su alegría, mezclada con tormentos, con passiones que contino en uno batallavan, y ya cansado se adormesció.

De Grasinda os digo que desque uvo comido, se retraxo a su cámara, y echada en su lecho começó a pensar en la fermosura del Cavallero de la Verde Espada y en las grandes cosas que dél le avían dicho. Y comoquiera que ella tan fermosa y tan rica fuesse, y de tal linaje como sobrina del rey Tafinor de Boemia y casada con un gran cavallero, con el cual no bivió sino un año sin dexar fijo alguno, determinó de lo aver por marido, ahunque dél otra cosa no veía sino ser un cavallero andante. Y pensando en cuál guisa gelo faría saber, vínole en mente cómo le viera llorar, y cuidó que aquello no sería sino por amor de alguna muger que amasse, y la no podía aver. Esto la fizo detener fasta que de su fazienda más saber pudiese; y sabiendo como él era despierto, tomando consigo sus dueñas y donzellas se fue a su cámara por lo honrar y por el gran plazer y delite que en sí sentía en le ver y hablar. Y no menos lo avía él, pero muy desviado su pensamiento de lo que ella pensava. Así estava aquella dueña faziéndole compañía, dándole todo el plazer que se le podía dar. Mas un día, no lo podiendo más sufrir, apartando a Gandalín, le dixo:

—Buen escudero, que Dios os ayude y haga bienaventurado; dezidme una cosa, si la sabéis, que os quiero preguntar, y yo os prometo que por mí nunca será descubierta. Y esto es, si sois sabidor de alguna muger que vuestro señor ame estremadamente de ahincado amor.

—Señora —dixo Gandalín—, yo ha poco que bivo con él, y este enano, que por las grandes cosas que dél supimos nos otorgamos a lo servir; y él nos dixo que le no preguntássemos por su nombre ni por su fazienda, si no, que nos fuéssemos luego a buena ventura. Y desque con él quedamos, hemos visto tanto de sus proezas y valentías, que nos ha puesto en gran spanto, como aquel que sin duda, señora, podéis creer que es el mejor cavallero que en el mundo ay; y de su fazienda no sé más.

La dueña tenía la cabeça baxa y los ojos, y pensava mucho. Gandalín, que assí la vio, pensó que amava a su señor, y quísola quitar de aquello que por ninguna guisa alcançar podía; y díxole:

—Señora, yo le veo muchas vezes llorar, y con tan gran angustia de su coraçón que me maravillo cómo la vida puede sostener. Y esto creo yo que según su gran esfuerço, que todas las cosas bravas y temerosas en poco tiene, que de otra parte no le puede venir sino de algún demasiado y ahincado amor que de alguna mujer tenga, porque ésta es una tal dolencia que al remedio della no basta esfuerço ni discreción alguna.

—Si Dios me salve —dixo ella—, yo creo lo que me dezís, y mucho os lo gradezco. Id vos para él, y Dios le ponga remedio en sus cuitas.

Y ella se fue a sus mugeres con voluntad de no se trabajar de allí adelante en lo que pensava, por le ver tan sossegado en fechos y palabras, creyendo que se no mudaría de su propósito.

Assí como oís, estuvo el Cavallero de la Verde Spada en casa de aquella gran señora fermosa y rica dueña Grasinda curándose de sus llagas, donde recibió tanta honra, tanto plazer como si de cavallero pobre andante que parecía fuera manifestado a ella ser fijo de tan noble rey como lo era, el noble rey Perión de Gaula, su padre. Y cuando en disposición de poderse armar se vio, mandó a Gandalín que le tuviesse aparejado las cosas necessarias al camino. El le dixo que todo estava endereçado. Y estando en esto fablando, entró Grasinda, y con ella cuatro donzellas suyas, y él a ella saliendo, tomándola por la mano, se assentó en un estrado encima de un paño de seda labrado con oro, y díxole:

—Mi señora, yo soy en disposición de andar camino, y la honra que de os he recebido me pone gran cuidado cómo la

podré servir. Por ende, mi señora, si en algo mi servicio os
puede plazer acarrear, con toda voluntad se porná en obra.

Ella le respondió:

—Ciertamente, Cavallero de la Verde Spada, señor, assí
como lo dezís, lo tengo yo creído; y cuando la satisfación
del plazer y servicio que aquí fallastes, si alguno fuesse, demandaré; estonces sin ningún empacho ni vergüença será descubierto a vos lo que ninguno fasta oy de mí ha sabido; pero
tanto os ruego me digáis a cuál parte se otorga más vuestra
voluntad de ir.

—A la parte de Grecia —dixo él—, si Dios lo endereçare,
por ver la vida de los griegos y a su emperador, de quien
buenas nuevas he oído.

—Pues yo quiero —dixo ella— ayudar al tal viaje, y esto
será que os daré una muy buena nave basteçida de marineros que os serán mandados, y de viandas que para un año
basten; y daros he al maestro que os curó, que se llama Elisabad, que a duro de su oficio en gran parte otro tal se fallaría, a condición que seyendo en vuestro libre poder, seáis
en esta villa comigo dentro de un año.

El cavallero fue muy alegre del tal socorro, que mucho
lo havía menester, y en gran cuidado era puesto pensando
dónde lo havría, y díxole:

—Mi señora, si os yo no sirviesse estas mercedes que me
fazéis, tenerme ía por el cavallero más sin ventura del
mundo; y por tal me ternía si por empacho o vergüença supiesse que lo dexávades de demandar.

—Mi señor —dixo ella—, cuando Dios os traxere deste
viaje, yo os demandaré aquello que mi coraçón mucho tiempo ha desseado, que será en acreçentamiento de vuestra
honra, ahunque algún peligro se aventure.

—Assí con dixo él, y yo fío en la vuestra gran mesura
que me no demandará sino cosa que yo con derecho otorgar
deva.

—Pues folgaréis aquí —dixo Grasinda— estos cinco días,
en tanto que las cosas al camino necessarias se aparejan.

El acordó de lo fazer, comoquiera que otro día tenía en
la voluntad de partir de allí. En este espacio de tiempo fue
la nave basteçida de todo aquello que convenía levar. Y el
Cavallero de la Verde Spada con el maestro Elisabad, en
quien él, después de Dios, gran fiuza de su salud tenía, entró
en ella. Y despedido de aquella fermosa señora, y alçando

las velas y dando a los remos, tomaron su viaje, no drechamente a Constantinopla, donde el emperador era, mas a las
ínsolas de Romanía que le havían quedado de andar y a otras
del señorío de Grecia, por las cuales el Cavallero de la Verde
Spada anduvo asaz a tiempo faziendo grandes cosas en armas
combatiéndose con gentes estrañas, dello con grandes causas
que le movían por endereçar sus sobervias, y con otros que
a la su gran fama dél eran venidos a esperimentar sus fuerças con las suyas. Assí que muchas afruentas y peligros passó
y muchas feridas huvo, las cuales alcançando la vitoria y
honra, de todos por gloria se tenían, y dellas fue curado por
aquel gran maestro que consigo levava.

Pues andando en esta gran rebuelta, navegando de unas
islas a otras, y de otras a otras, los marineros sintiéndolo por
mucha fatiga al maestro se querellaron dello; y él diziéndolo
al Cavallero del Enano, acordóse que comoquiera que su voluntad aparejada estuviesse en acabar de ver todas aquellas
tierras, que pues la dellos en fatiga lo sentía, que drechamente bolviessen la nao la vía de Constantinopla; porque en
aquella ida y venida, si Dios no lo conturbasse, llegaría al cabo
del año a Grasinda prometido. Con este acuerdo, a plazer
de todos los de la nave tomaron el viaje de Constantinopla
con viento bueno y endereçado.

En el segundo libro vos contamos cómo el Patín seyendo
cavallero sin estado alguno, solamente esperando de lo haver
después de la muerte del Siudán su hermano que emperador de Roma era, por no tener fijo qu'el imperio heredasse,
oyendo la gran fama de los cavalleros que a la sazón en la
Gran Bretaña eran en servicio del rey Lisuarte, acordó de se
venir a provar con ellos. Y comoquiera que a la sazón fuesse muy enamorado de la reina Sardamira, reina de Cerdeña,
y por su servicio aquel camino emprendiesse, llegado a casa
del rey Lisuarte, donde muy honradamente, según su gran
linaje, recebido fue, viendo a la muy hermosa Oriana su hija,
que en el mundo par de fermosura no tenía, tanto fue della
pagado que olvidando el viejo amor, siguiendo aquel nuevo,
a su padre en casamiento la demandó. Y ahunque la respuesta con alguna esperança honesta fuesse, la voluntad del
rey muy apartada de tal juntamiento era; mas él, teniendo
que alcançado havía lo que desseava, queriendo mostrar sus
fuerças, creyendo ser con ello de aquella señora más amado,
por aquellas tierras a buscar los cavalleros andantes para se

con ellos combatir se fue. Y su desventura, que assí lo guió, fue aportar en la floresta donde Amadís aquella sazón, desesperado de su señora, faziendo un llanto muy dolorido estava. Y allí haviendo primero sus razones el Patín, loándose del amor, y Amadís quexándose dél, ovieron su batalla, en la cual el Patín fue en tierra del justar; y después, cobrando el cavallo, de un solo golpe de la spada fue tan mal ferido en la cabeça que llegó muchas vezes al punto de la muerte; por causa de lo cual, dexando en pendencia el casamiento de Oriana, se tornó en Roma; donde a poco tiempo muriendo el emperador su hermano, él por emperador tomado fue. Y no se le olvidando aquella passión en que Oriana su coraçón puesto avía, creyendo con el mayor estado en que puesto era más ligeramente la cobrar, acordó de la demandar otra vez al rey Lisuarte en casamiento; lo cual encomendó a un cormano suyo Salustanquidio llamado, príncipe de Calabria, cavallero famoso en armas, y con él a Brondajel de Roca, su mayordomo mayor, y al arçobispo de Talancia, y con ellos fasta trezientos hombres, y la reina fermosa Sardamira con copia de dueñas y donzellas para la guarda de Oriana cuando la traxessen. Ellos veyendo ser aquélla la voluntad del emperador, començaron adereçar las cosas convenibles al camino, lo cual adelante más largo se contará.

CAPÍTULO LXXIII

De cómo el noble Cavallero de la Verde Spada, después de partido de Grasinda para ir a Constantinopla, le forçó fortuna en el mar de tal manera que le arribó en la ínsola del Diablo, donde falló una bestia fiera llamada Endriago,[81] y al fin huvo el vencimiento dello

Por la mar navegando el Cavallero de la Verde Spada con su compaña la vía de Constantinopla, como oído havéis, con muy buen viento, súbitamente tornando al contrario, como muchas vezes acaeçe, fue la mar tan embrave-

81. *Endriago.* el concepto podria haber surgido de un nombre más antiguo *hidriago,* cruce de *hidra* y *drago,* lo que aún destacaría más el carácter híbrido del monstruo (como resultado a su vez de dos híbridos).

çida, tan fuera de compás, que ni la fuerça de la fusta, que grande era, ni la sabiduría de los mareantes no pudieron tanto resistir, que muchas vezes en peligro de ser anegada no fuesse. Las lluvias eran tan espessas y los vientos tan apoderados, y el cielo tan escuro, que en gran desesperación estavan de ser las vidas remediadas por ninguna manera, assí como el maestro Elisabad y los otros todos podían creer, si no fuesse por la gran misericordia del muy alto Señor. Muchas vezes la fusta, assí de día como de noche se les hinchía de agua que no podían sossegar, ni comer ni dormir, sin grandes sobresaltos, pues otro concierto alguno en ella no havía sino aquel que la fortuna le plazía que tomassen.

Assí anduvieron ocho días, sin saber ni atinar a cuál parte de la mar anduviessen, sin que la tormenta un punto ni momento cessasse; en cabo de los cuales con la gran fuerça de los vientos, una noche antes que amanesciesse, la fusta a la tierra fue llegada tan reziamente que por ninguna guisa de allí la podrían despegar. Esto dio gran consuelo a todos como si de muerte a la vida tornados fueran. Mas la mañana venida, reconoçiendo los marineros en la parte que stavan, sabiendo ser allí la ínsola que del Diablo se llamava, donde una bestia fiera toda la havía despoblado, en dobladas angustias y dolores sus ánimos fueron, teniéndolo en muy mayor grado de peligro qu'el que en la mar esperavan. Y feriéndose con las manos en los rostros, llorando fuertemente, al Cavallero de la Verde Spada se vinieron sin otra cosa le dezir. El, muy maravillado de ser assí su alegría en tan gran tristeza tornada, no sabiendo la causa dello, stava como embaraçado y preguntándoles qué cosa tan súpita y breve tan presto su plazer en gran lloro mudara.

—¡O cavallero! —dixeron ellos—, tanta es la tribulación que las fuerças no bastan para la recontar, mas cuéntela esse maestro Elisabad que bien sabe por qué razón esta ínsola del Diablo tiene nombre.

El maestro, que no menos turbado que ellos era, esforçado por el Cavallero del Enano, temblando sus carnes, turbada la palabra, con mucha gravedad y temor contó al cavallero lo que saber quería, diziendo assí:

—Señor Cavallero del Enano, sabed que desta ínsola a que aportados somos fue señor un gigante Bandaguido llamado, el cual con su braveza grande y esquiveza fizo sus tributarios a todos los más gigantes que con él comarcavan. Este

fue casado con una giganta mansa de buena condición; y
tanto cuanto el marido con su maldad de enojo y crueza fazía
a los christianos matándolos y destruyéndolos, ella con piadad los reparava cada que podía. En esta dueña ovo Bandaguido una fija que, después que en talle de donzella fue llegada, tanto la natura la ornó y acreçentó en hermosura que
en gran parte del mundo otra mujer de su grandeza ni sangre que su igual fuesse no se podía hallar. Mas como la gran
hermosura sea luego junta con la vanagloria, y la vanagloria
con el pecado, viéndose esta donzella tan graciosa y loçana,
y tan apuesta y digna de ser amada de todos, y ninguno,
por la braveza del padre, no la osara emprender, tomó por
remedio postrimero amar de amor feo y muy desleal a su
padre; assí que muchas vezes, siendo levantada la madre de
cabe su marido, la hija veniendo allí, mostrándole mucho
amor, burlando riendo con él, lo abraçava y besava. El padre
luego al comienço aquello tomava con aquel amor que de
padre a fija se devía, pero la muy gran continuación y la
gran fermosura demasiada suya, y la muy poca conçiencia y
virtud del padre dieron causa que sentido por él a qué tirava el pensamiento de la fija que aquel malo y feo deseo della
oviesse efecto. De donde devemos tomar enxemplo que ningún hombre en esta vida tenga tanta confiança de sí mismo
que dexe de esquivar y apartar la conversación y contratación, no solamente de las parientas y hermanas, mas de sus
propias fijas; porque esta mala passión venida en el estremo
de su natural encendimiento, pocas vezes el juizio, la conciencia, el temor son bastantes de le poner tal freno con que
la retraer puedan. Deste pecado tan feo y yerro tan grande
se causó luego otro mayor, assí como acaeçe aquellos que
olvidando la piedad de Dios y siguiendo la voluntad del enemigo malo quieren con un gran mal remediar otro, no conoçido que la melezina verdadera del pecado es el arrepentimiento verdadero y la penitencia, que le faze ser perdonado
de aquel alto Señor que por semejantes yerros se puso después de muchos tormentos en la cruz, donde como hombre
verdadero murió y fue como verdadero Dios resuscitado. Que
siendo este malaventurado padre en el amor de su hija encendido y ella assí mesmo en el suyo, porque más sin empacho el su mal desseo pudiessen gozar, pensaron de matar
aquella noble dueña, su mujer dél y madre della. Seyendo
el gigante avisado de sus falsos ídolos, en quien él adorava,

que si con su fija casasse, sería engendrado una tal cosa en
ella la más brava y fuerte que en el mundo se podría fallar,
y poniéndolo por obra, aquella malaventurada fija que su
madre más que a sí mesma amava, andando por una huerta
con ella hablando, fingiendo la fija ver en un pozo una cosa
estraña y llamando a la madre que lo viesse, diole de las
manos, y echándola a lo hondo, en poco spacio ahogada fue.
Ella dio bozes, diziendo que su madre cayera en el pozo.
Allí acudieron todos los hombres y el gigante, qu'el engaño
sabía; y como vieron la señora, que muy amada de todos
ellos era, muerta, hizieron grandes llantos. Mas el gigante les
dixo: «No fagáis duelo, que esto los dioses lo han querido; y
yo tomaré muger en quien será engendrado tal persona por
donde todos seremos muy temidos y enseñoreados sobre
aquellos que mal nos quieren.» Todos callaron con miedo
del gigante, y no osaron fazer otra cosa. Y luego esse día
públicamente ante todos tomó por mujer a su fija Bandaguida, en la cual aquella malaventurada noche fue engendrado
una animalia por ordenança de los diablos en quien ella y
su padre y marido creían, de la forma que aquí oiréis. Tenía
el cuerpo y el rostro cubierto de pelo, y encima havía conchas sobrepuestas unas sobre otras, tan fuertes que ninguna
arma las podía passar, y las piernas y pies eran muy gruess-
sos y rezios. Y encima de los ombros havía alas tan grandes
que fasta los pies le cubrían, y no de péndolas, mas de un
cuero negro como la pez, luziente, velloso, tan fuerte que ninguna arma las podía empeçer, con las cuales se cubría como
lo fiziesse un hombre con un escudo. Y debaxo dellas le salían braços muy fuertes assí como de león, todos cubiertos
de conchas más menudas que las del cuerpo; y las manos
havía de fechura de águila con cinco dedos, y las uñas tan
fuertes y tan grandes que en el mundo podía ser cosa tan
fuerte que entre ellas entrasse, que luego no fuesse desfecha.
Dientes tenía dos en cada una de las quixadas, tan fuertes y
tan largos, que de la boca un codo le salían; y los ojos grandes y redondos, muy bermejos como brasas, assí que de muy
lueñe, siendo de noche, eran vistos y todas las gentes huían
dél. Saltava y corría tan ligero que no havía venado que por
pies se le pudiesse escapar; comía y bevía pocas vezes, y algunos tiempos ningunas, que no sentía en ello pena ninguna. Toda su holgança era matar hombres y las otras animalias bivas; y cuando fallava leones y ossos que algo se le de-

fendían, tornava muy sañudo, y echava por sus narizes un
humo tan spantable que semejava llamas de huego, y dava
unas bozes roncas espantosas de oír; assí que todas las cosas
bivas huían ant'él como ante la muerte. Olía tan mal, que
no havía cosa que no emponçoñasse; era tan espantoso cuando sacudía las conchas unas con otras y hazía cruxir los dientes y las alas, que no pareçía sino que la tierra fazía estremeçer. Tal es esta animalia Endriago llamado como vos digo
—dixo el maestro Elisabad—. Y ahún más vos digo, que la
fuerça grande del pecado del gigante y de su fija causó que
en él entrasse el enemigo malo, que mucho en su fuerça y
crudeza acreçienta.

Mucho fue maravillado el Cavallero de la Verde Spada
desto qu'el maestro le contó de aquel diablo Endriago llamado, nascido de hombre y de muger, y la otra gente muy
spantados; mas el cavallero le dixo:

—Maestro, ¿pues cómo cosa tan dessemejada pudo ser na-
çida de cuerpo de mujer?

—Yo vos lo diré —dixo el maestro— según se falla en un
libro que el emperador de Constantinopla tiene, cuya fue esta
ínsola, y hala perdido porque su poder no basta para matar
este diablo. Sabé —dixo el maestro— que sintiéndose preñada aquella Bandaguida, lo dixo al gigante; y él ovo dello
mucho plazer, porque vía ser verdad lo que sus dioses le dixeran, y assí creía que sería lo ál. Y dixo que eran menester
tres o cuatro amas para lo que pariesse, pues que havía de
ser la más fuerte cosa que oviesse en el mundo. Pues creçiendo aquella mala criatura en el vientre de la madre, como
era fechura y obra del diablo hazíala adoleçer muchas vezes,
y la color del rostro y de los ojos eran jaldados, de color de
ponçoña; mas todo lo tenía ella por bien, creyendo que,
según los dioses lo havían dicho, que sería aquel su fijo el
más fuerte y más bravo que se nunca viera, y que si tal fuesse, que buscaría manera alguna para matar a su padre, y que
se casaría con el hijo, que éste es el mayor peligro de los
malos: enviciarse y deleitarse tanto en los pecados que ahunque la gracia del muy alto Señor en ellos espira, no solamente no la sienten ni la conoçen, mas como cosa pesada y
estraña la aborreçen y desechan, teniendo el pensamiento
y la obra en siempre creçer en las maldades como sujetos y
vencidos dellas. Venido, pues, el tiempo, parió un fijo, y no
con mucha premia, porque las malas cosas fasta la fin siem-

pre se muestran agradables. Cuando las amas que para le criar aparejadas estavan vieron criatura tan desemejada, mucho fueron espantadas; pero haviendo gran miedo del gigante, callaron y embolviéronle en los paños que para él tenían; y atreviéndose una dellas más que las otras, diole la teta y él la tomó, y mamó tan fuertemente que la hizo dar grandes gritos; y cuando se lo quitaron, cayó ella muerta de la mucha ponçoña que la penetrara. Esto fue dicho luego al gigante, y viendo aquel su fijo maravillóse de tan desemejada criatura; y acordó de preguntar a sus dioses por qué le dieran tal hijo, y fuese al templo donde los tenía, y eran tres, el uno figura de hombre y el otro de león, y el tercero de grifo. Y faziendo sus sacrificios les preguntó por qué le havían dado tal fijo. El ídolo que era figura de hombre le dixo: «Tal convenía que fuesse, porque assí como sus cosas serán estrañas y maravillosas, assí conviene que lo sea él, specialmente en destruir los christianos que a nosotros procuran de destruir; y por esto yo le di de mi semejança en le hazer conforme al alvedrío de los hombres, de que todas las bestias careçen». El otro ídolo le dixo: «Pues yo quise dotarle de gran braveza y fortaleza, tal como los leones lo tenemos.» El otro dixo: «Yo le di alas y uñas y ligereza sobre cuantas animalias serán en el mundo.» Oído esto por el gigante, díxoles: «¿Cómo lo criaré, que el ama fue muerta luego que le dio la teta?» Ellos le dixeron: «Faz que las otras dos amas le den de mamar, y éstas también morirán; mas la otra que quedare, críelo con la leche de tus ganados fasta un año, y en este tiempo será tan grande y tan fermoso como lo somos nosotros, que hemos sido causa de su engendramiento. Y cata que te defendemos que por ninguna guisa tú, ni tu muger, ni otra persona alguna no lo vean en todo este año, sino aquella muger que te dezimos que dél cure.» El gigante mandó que lo hiziessen assí como los sus ídolos jelo dixeron, y desta forma fue criada aquella esquiva bestia como oís. En cabo del año que supo el gigante del ama cómo era muy creçido y oíanle dar unas bozes roncas y espantosas, acordó con su hija, que tenía por muger, de ir a verlo; y luego entraron en la cámara donde estava, y viéronle andar corriendo y saltando. Y como el Endriago vio a su madre, vino para ella, y saltando echóle las uñas al rostro y fendióle las narizes y quebróle los ojos; y antes que de sus manos saliesse, fue muerta. Cuando el gigante lo vio, puso mano a la spada para lo matar, y diose con ella en la una pierna tal ferida que toda la tajó; y cayó en el suelo, y a poco rato fue muerto. El Endriago saltó por cima dél, y saliendo por la puerta de la cámara, dexando toda la gente del castillo emponçoñados, se fue a las montañas. Y no passó mucho tiempo que los unos muertos por él, y los que barcas y fustas pudieron haver para fuir por la mar, que la ínsola no fuesse despoblada; y assí lo está passa ya de cuarenta años. Esto es lo que yo sé desta mala y endiablada bestia —dixo el maestro.

El Cavallero de la Verde Spada dixo:

—Maestro, grandes cosas me havéis dicho, y mucho sufre Dios nuestro Señor a aquellos que le desirven; pero al fin si se no emiendan, dales pena tan creçida como ha sido su maldad. Y agora os ruego, maestro, que digáis de mañana missa, porque yo quiero ver a esta ínsola, y si El me endereçare, tornarla a su santo servicio.

Aquella noche passaron con gran spanto, assí de la mar, que muy brava era, como del miedo que del Endriago tenían, pensando que saldría a ellos de un castillo que allí cerca tenía, donde muchas vezes alvergava. Y el alva del día venida, el maestro cantó missa y el Cavallero de la Verde Spada la oyó con mucha humildad, rogando a Dios le ayudasse en aquel peligro que por su servicio se quería poner, y si su voluntad era que su muerte allí fuesse venida, Él por la su piedad le oviesse merced al alma. Y luego se armó y hizo sacar su cavallo en tierra, y Gandalín con él; y dixo a los de la nao:

—Amigos, yo quiero entrar en aquel castillo, y si allí hallo el Endriago, combatirme con él; y si no le fallo, miraré si está en tal disposición para que allí seáis aposentados en tanto que la mar faze bonança. Y yo buscaré esta bestia por estas montañas; y si della escapo, tornarme he a vosotros; y si no, fazed lo que mejor vierdes.

Cuando esto oyeron ellos, fueron muy espantados más que de ante eran, porque ahún allí dentro en la mar todos sus ánimos no bastavan para sufrir el miedo del Endriago, y por más afrenta y peligro que la braveza grande de la mar le tenían, y que abastasse el de aquel cavallero que de su propia voluntad le fuesse a lo buscar para se con él combatir. Y por cierto todas las otras grandes cosas que dél oyeran y vieran que en armas fecho havía, en comparación désta en nada lo estimavan. Y el maestro Elisabad, que como hombre de letras y de missa fuesse, mucho gelo estrañó, trayéndole a la memoria que las semejantes cosas seyendo fuera de la natura de los hombres, por no caer en omicida de sus ánimas se havían de dexar. Mas el Cavallero de la Verde Spada le respondió que si aquel inconveniente qu'él dezía tuviesse en la memoria, escusado le fuera salir de su tierra para buscar las peligrosas aventuras; y que si por él algunas havían passado, sabiéndose que ésta dexava, todas ellas en sí quedavan ningunas; assí que a él le convenía matar aquella mala y dessemejada bestia o morir, como lo devían fazer aquellos que dexando su naturaleza, a la agena ivan para ganar prez y honra. Estonces miró a Gandalín, que en tanto qu'él fablava con el maestro y con los de la fusta se havía armado de las armas que allí falló para le ayudar; y viole estar en su cavallo llorando fuertemente, y díxole:

—¿Quién te ha puesto en tal cosa? Desármate, que si lo fazes para me servir y me ayudar, ya sabes tú que no ha de ser perdiendo la vida, sino quedando con ella para que la forma de mi muerte puedas recontar en aquella parte que es la principal causa y membrança por donde yo la recibo.

Y faziéndole por fuerça desarmar, se fue con él la vía del castillo, y entrando en él falláronlo yermo, si no de las aves; y vieron que havía dentro buenas casas, ahunque algunas eran derribadas, y las puertas principales, que eran muy fuertes, y rezios candados con que se cerrassen; de lo cual le plugo mucho. Y mandó a Gandalín que fuesse llamar a todos los de la galea y les dixiesse el buen aparejo que en el castillo tenían; y él assí lo fizo. Todos salieron luego, ahunque con gran temor del Endriago, pero que la mar no cessava de su gran tormenta; y entraron en el castillo, y el Cavallero de la Verde Spada les dixo:

—Mis buenos amigos, yo quiero ir a buscar por esta ínsola al Endriago, y si me fuere bien, tocará esta bozina Gandalín, y estonces creed qu'él es muerto y yo bivo; y si mal me va, no será menester de fazeros seña alguna. Y en tanto, cerrad estas puertas y traed alguna provisión de la galea, que aquí podéis estar fasta que el tiempo sea para de navegar más endereçado.

Estonces se partió el Cavallero de la Verde Spada dellos, quedando todos llorando. Mas las cosas de llantos y amarguras que Ardián su enano fazía, esto no se podría dezir, qu'él messava sus cavellos y fería con sus palmas en el rostro, y

dava con la cabeça a las paredes, llamándose cativo porque
su fuerte ventura lo traxera a servir a tal hombre, que mil
vezes él llegava al punto de la muerte mirando las estrañas
cosas que le vía acometer, y en el cabo aquella donde el emperador de Constantinopla con todo su gran señorío no osava
ni podía poner remedio. Y como vio que su señor iva ya
por el campo, subióse por una escalera de piedra en somo
del muro, cuasi sin ningún sentido, como aquel que mucho
se dolía de su señor. Y el maestro Elisabad mandó poner un
altar con las reliquias que para dezir missa traía, y fizo tomar
cirios encendidos a todos, y hincados de rodillas rogavan a
Dios que guardasse aquel cavallero que por su servizio d'Él,
y por escapar la vida dellos, assí conoçidamente a la muerte
se ofreçía.

El Cavallero de la Verde Spada iva como oís con aquel
esfuerço y semblante que su bravo coraçón lo otorgava, y
Gandalín empós dél llorando fuertemente, creyendo que los
días de su señor con la fin de aquel día la havrían ellos. El
cavallero se bolvió a él, y díxole riendo:

—Mi buen hermano, no tengas tan poca esperança en la
misericordia de Dios, ni en la vista de mi señora Oriana, que
assí te desesperes; que no solamente tengo delante mí la su
sabrosa membrança, mas su propia persona; y mis ojos la
veen, y me está diziendo que la defienda yo desta bestia
mala. Pues ¿qué piensas tú, mi verdadero amigo, que devo
yo fazer? ¿No sabes que en la su vida y muerte está la mía?
¿Consejarme has tú que la dexe matar y que yo ante tus ojos
muera? No plega a Dios que tal pensasses. Y si tú no la vees,
yo la veo, que delante mí está. Pues si su sola membrança
me fizo passar a mi gran honra las cosas que tú sabes, qué
tanto más deve poder su propia presencia.

Y diziendo esto creçióle tanto el esfuerço que muy tarde
se le fazía en no fallar el Endriago. Y entrando en un valle
de brava montaña y peñas de muchas concavidades, dixo:

—Da bozes, Gandalín, porque por ellas podrá ser que el
Endriago a nosotros acudirá; y ruégote mucho que si aquí
muriere, procures de llevar a mi señora Oriana aquello que
es suyo enteramente, que será mi coraçón. Y dile que gelo
embío por no dar cuenta ante Dios de cómo lo ageno levava comigo.

Cuando Gandalín esto oyó, no solamente dio bozes, mas
messando sus cabellos, llorando dio grandes gritos, desean-

do su muerte antes que ver la de aquel su señor que tanto amava. Y no tardó mucho que vieron salir de entre las peñas el Endriago muy más bravo y fuerte que lo nunca fue, de lo cual fue causa que como los diablos viessen que este cavallero ponía más esperança en su amiga Oriana que en Dios, tuvieron lugar de entrar más fuertemente en él y le fazer más sañudo, diziendo ellos:

—Si déste le escapamos, no ay en el mundo otro que tan osado ni tan fuerte sea que tal cosa ose acometer.

El Endriago venía tan sañudo, echando por la boca humo mezclado con llamas de fuego, y firiendo los dientes unos con otros, faziendo gran espuma y faziendo cruxir las conchas y las alas tan fuertemente, que gran espanto era de lo ver. Assí lo huvo el Cavallero de la Verde Spada, specialmente oyendo los silvos y las spantosas bozes roncas que dava; y comoquiera que por palabra gelo señalaran, en comparación de la vista era tanto como nada. Y cuando el Endriago lo vido, començó a dar grandes saltos y bozes, como aquel que mucho tiempo passara sin que hombre ninguno viera, y luego se vino contra ellos. Cuando los cavallos del de la Verde Spada y de Gandalín lo vieron, començaron a fuir, tan espantados que apenas los podían tener, dando muy grandes bufidos. Y cuando el de la Verde Spada vio que a cavallo a él no se podía llegar, deçendió muy presto, y dixo a Gandalín:

—Hermano, tente afuera en esse cavallo porque ambos no nos perdamos, y mira la ventura que Dios me querrá dar contra este diablo tan espantable; y ruégale que por la su piedad me guíe cómo le yo quite de aquí y sea esta tierra tornada a su servicio; y si aquí tengo de morir, que me aya merced del ánima. Y en lo otro faz como te dixe.

Gandalín no le pudo responder, tan reziamente llorava porque su muerte vía tan cierta, si Dios milagrosamente no lo scapasse. El Cavallero de la Verde Spada tomó su lança y cubrióse de su escudo. Como hombre que ya la muerte tenía tragada, perdió todo su pavor; y lo más que pudo se fue contra el Endriago, assí a pie como estava.

El diablo, como lo vido, vino luego para él, y echó un fuego por la boca con un humo tan negro, que apenas se podían ver el uno al otro. Y el de la Verde Spada se metió por el humo adelante, y llegando cerca dél, le encontró con la lança por muy gran dicha en el un ojo, assí que gelo quebró. Y el Endriago echó las uñas en la lança y tomóla con la boca, y hízola pedaços, quedando el fierro con un poco del asta metido por la lengua y por las agallas, que tan rezio vino que él mismo se metió por ella. Y dio un salto por le tomar, mas con el desatiento del ojo quebrado no pudo, y porque el cavallero se guardó con gran esfuerço y biveza de coraçón, assí como aquel que se vía en la misma muerte. Y puso mano a la su muy buena spada y fue a él, que estava como desatentado, assí del ojo como de la mucha sangre que de la boca le salía; y con los grandes resoplidos y resollos que dava, todo lo más della se le entrava por la garganta de manera que cuasi el aliento le quitara, y no podía cerrar la boca ni morder con ella. Y llegó a él por el un costado y diole tan gran golpe por cima de las conchas, que le no pareció sino que diera en una peña dura, y ninguna cosa le cortó. Como el Endriago le vio tan cerca de sí, pensóle tomar entre sus uñas, y no le alcançó sino en el escudo, y levógelo tan rezio, que le fizo dar de manos en tierra. Y en tanto que el diablo lo despedaçó todo con sus muy fuertes y duras uñas, ovo el Cavallero de la Verde Spada lugar de levantarse; y como sin escudo se vio, y que la spada no cortava ninguna cosa, bien entendió que su fecho no era nada si Dios no le endereçasse a que el otro ojo le pudiesse quebrar, que por otra ninguna parte no aprovechava nada trabajar de lo ferir. Y como león sañudo, pospuesto todo temor, fue para el Endriago, que muy desfalleçido y flaco estava, assí de la mucha sangre que perdía y de ojo quebrado. Y como las cosas passadas de su propia servidumbre se caen y pereçen, y ya enojado nuestro Señor qu'el enemigo malo oviesse tenido tanto poder y fecho tanto mal en aquellos que, ahunque pecadores, en su santa fe cathólica creían, quiso darle esfuerço y gracia special, que sin ella ninguno fuera poderoso de acometer ni osar esperar tan gran peligro a este cavallero para que sobre toda orden de natura diesse fin aquel que a muchos la havía dado, entre los cuales fue aquellos malaventurados su padre y madre; y pensando acertarle en el otro ojo con la spada, quísole Dios guiar a que gela metió por una de las ventanas de las narizes, que muy anchas las tenía. Y con la gran fuerça que puso y la qu'el Endriago traía, el espada caló, que le llegó a los sesos. Mas el Endriago, como lo vido tan cerca, abraçose con él, y con las sus muy fuertes y agudas uñas rompióle todas las armas de las spaldas, y la carne y los huesos fasta las entrañas; y como él estava afogado de la mucha sangre que bevía, y con el golpe de la spada que a los sesos le passó, y sobre todo la sentencia que de Dios sobr'él era dada y no se podía revocar, no se podiendo ya tener, abrió los braços y cayó a la una parte como muerto sin ningún sentido. El cavallero, como assí lo vio, tiró por la spada y metiósela por la boca cuanto más pudo tantas vezes que lo acabó de matar. Pero quiero que sepáis que antes qu'el alma le saliesse, salió por su boca el diablo, y fue por el aire con muy gran tronido, assí que los que estavan en el castillo lo oyeron como si cabe ellos fuera; de lo cual ovieron gran espanto, y conoçieron como el cavallero estava ya en la batalla. Y comoquiera que encerrados stuviessen en tan fuerte lugar y con tales aldabas y candados, no fueron muy seguros de sus vidas; y si no porque la mar todavía era muy brava, no osaran allí atender que a ella no se fueran. Pero tornáronse a Dios con muchas oraciones que de aquel peligro los sacasse, y guardasse aquel cavallero que por su servicio cosa tan estraña acometía.

Pues como el Endriago fue muerto, el cavallero se quitó afuera, y yéndose para Gandalín, que ya contra él venía, no se pudo tener, y cayó amorteçido cabe un arroyo de agua que por allí passava. Gandalín, como llegó y le vio tan espantables heridas, cuidó que era muerto, y dexándose caer del cavallo, començó a dar muy grandes bozes, messándose. Estonces el cavallero acordó ya cuanto, y díxole:

—¡Ay, mi buen hermano y verdadero amigo!, ya veis que soy muerto. Yo te ruego por la criança que de tu padre y madre uve, y por el gran amor que te siempre he tenido, que me seas bueno en la muerte como en la vida lo has sido; y como yo fuere muerto, tomes mi coraçón y lo lleves a mi señora Oriana. Y dile que pues siempre fue suyo, y lo tuvo en su poder desde aquel primero día que la yo vi, mientras en este cuitado cuerpo encerrado estuvo, y nunca un momento se enojó de la servir, que consigo la tenga en remembrança de aquel cuyo fue, ahunque como ajeno lo posseía, porque desta memoria allá donde mi ánima stuviere recibirá descanso.

Y no pudo más hablar. Gandalín, como assí lo vio, no curó de le responder; antes, cavalgó muy presto en su cavallo, y subiéndose en un otero, tocó la bozina lo más rezio que pudo en señal qu'el Endriago era muerto. Ardián el

enano, que en la torre stava, oyólo, y dio muy grandes bozes
al maestro Elisabad que acorriesse a su señor, qu'el Endriago era muerto; y él, como estava apercebido, cavalgó con
todo el aparejo que menester era, y fue lo más presto que
pudo por el derecho que el enano le señaló. Y no anduvo
mucho que vio a Gandalín encima del otero; el cual, como
el maestro vio, vino corriendo contra él y dixo:

—¡Ay, señor, por Dios y por merced acorred a mi señor,
que mucho es menester, que el Endriago es muerto!

El maestro, cuando esto oyó, uvo un gran plazer con
aquellas buenas nuevas que Gandalín dezía, no sabiendo el
daño del cavallero, y aguijó cuanto más pudo, y Gandalín le
guiava fasta que llegaron donde el Cavallero de la Verde Espada estava. Y halláronlo muy desacordado sin ningún sentido y dando muy grandes gemidos, y el maestro fue a él, y
díxole:

—¿Qué es esto, señor cavallero? ¿Dónde es ido el vuestro
gran esfuerço a la ora y sazón que más menester lo avíades?
No temáis de morir, que aquí es vuestro buen amigo y leal
servidor maestro Elisabad, que os socorrerá.

Cuando el Cavallero de la Verde Espada oyó al maestro
Elisabad, comoquiera que muy desacordado estuviesse, conosciólo y abrió los ojos y quiso alçar la cabeça, mas no
pudo; y levantó los braços como que le quisiesse abraçar. El
maestro Elisabad quitó luego su manto y tendiólo en el suelo,
y tomáronlo él y Gandalín; y poniéndolo encima, le desarmaron lo más quedo que pudieron. Y cuando el maestro le
vido las llagas, ahunque él era uno de los mejores del mundo
de aquel menester y avía visto muchas y grandes heridas,
mucho fue espantado y desafuciado de su vida; mas como
aquel que lo amava y tenía por el mejor cavallero del mundo,
pensó de poner todo su trabajo por le guarescer. Y catándole las heridas vio que todo el daño estava en la carne y en
los huessos, y que no le tocara en las entrañas. Tomó mayor
esperança de lo sanar, y concertóle los huessos y las costillas, y cosióle la carne y púsole tales melezinas, y ligóle tan
bien todo el cuerpo al deredor, que le fizo restañar la sangre
y el aliento que por allí salía. Y luego le vino al cavallero
mayor acuerdo y esfuerço, de guisa que pudo fablar, y abriendo los ojos dixo:

—¡O Señor Dios todopoderoso que por tu gran piedad quisiste venir en el mundo y tomaste carne humana en la Vir-

gen María; y por abrir las puertas del paraíso que cerradas las tenían quisiste sofrir muchas injurias, y al cabo muerte de aquella malvada y malaventurada gente!; pídote, Señor, como uno de los más pecadores, que ayas merced de mi ánima, que el cuerpo condenado es a la tierra.

Y callóse, que no dixo más. El maestro le dixo:

—Señor cavallero, mucho me plaze de os ver con tal conoscimiento, porque de Aquel que vos pedís merced os ha de venir la verdadera melezina, y después de mí como de su siervo que porné mi vida puesta por la vuestra, y con su ayuda yo os daré guarido. Y no temáis de morir esta vez, solamente que os esforçéis vuestro coraçón, que tenga esperança de bivir como la tiene de morir.

Entonces tomó una esponja confacionada contra la ponçoña, y púsosela en las narizes, assí que le dio gran esfuerço. Gandalín le besava las manos al maestro, hincado de rodillas ante él, rogándole que oviesse piedad de su señor. El maestro le mandó que cavalgando en su cavallo fuesse presto al castillo y traxesse algunos hombres para que en andas llevassen al cavallero ante que la noche sobreviniesse. Gandalín assí lo hizo; y venidos los hombres, hizieron unas andas de los árboles de aquella montaña como mejor pudieron. Y poniendo en ellas al Cavallero de la Verde Espada, en sus ombros al castillo lo levaron; y adereçando la mejor cámara que allí avía de ricos paños que Grasinda allí en la nave mandara poner, le pusieron en su lecho con tanto desacuerdo que lo no sentía. Y assí estuvo toda la noche, que nunca habló, dando grandes gemidos como aquel que bien llagado estava, y queriendo hablar, mas no podía.

El maestro mandó fazer allí su cama, y estovo con él por consolarle, poniéndole tales y tan convenientes melezinas para le sacar aquella muy mala ponçoña que del Endriago cobrara, que al alba del día le hizo venir un muy sossegado sueño, tales y tan buenas cosas le puso. Y luego mandó quitar todos afuera porque lo no despertassen, porque sabía que aquel sueño le era mucha consolación. Y a cabo de una gran pieça el sueño rompido, començó a dar bozes con gran pressurança, diziendo:

—¡Gandalín, Gandalín, guárdate deste diablo tan cruel y malo, no te mate!

El maestro, que lo oyó, fue a él riendo de muy buen talante, mejor que en el coraçón lo tenía, temiendo todavía su vida; y dixo:

—Si así os guardárades vos como él, no sería vuestra fama tan divulgada por el mundo.

El alçó la cabeça y vio al maestro, y díxole:

—Maestro, ¿dónde estamos?

El se llegó a él, y tomóle por las manos, y vio que ahún desacordado estava; y mandó que le traxiessen de comer, y diole lo que vio que para le esforçar era necessario. Y él lo comió como hombre fuera de sentido. El maestro estuvo con él poniéndole tales remedios, como aquel que era de aquel oficio el más natural que en el mundo hallarse podría; y antes que ora de bísperas fuesse, le tornó en todo su acuerdo, de manera que a todos conoscía y hablava. Y el maestro nunca dél se partió, curando dél y poniéndole tantas cosas necessarias a aquella enfermedad, que assí con ellas como principalmente con la voluntad de Dios, que lo quiso, vio conoscidamente en las llagas que lo podría sanar. Y luego lo dixo a todos los que allí estavan, que muy gran plazer ovieron, dando gracias aquel soberano Dios porque assí los avía librado de la tormenta de la mar y del peligro de aquel diablo. Mas sobre todos era el alegría de Gandalín, su leal escudero, y del enano, como aquellos que de coraçón entrañable lo amavan, que tornaron de muerte a vida. Y luego todos se pusieron al derredor, con mucho plazer, de la cama del Cavallero de la Verde Espada consolándole, diziéndole que no tuviese en nada el mal que tenía, según la honra y buenaventura que Dios le avía dado, la cual hasta entonces en caso de armas y de esfuerço nunca diera a hombre terrenal que igual le fuesse. Y rogaron muy ahincadamente a Gandalín les quisiesse contar todo el hecho como avía passado, pues que con sus ojos lo avía visto, porque supiessen dar cuenta de tan gran proeza de cavallero. Y él les dixo que lo faría de muy buena voluntad a condición que el maestro le tomasse juramento en los santos Evangelios, porque ellos lo creyessen y con verdad lo pusiessen por escrito, y una cosa tan señalada y de tan gran fecho no quedasse en olvido de la memoria de las gentes. El maestro Elisabad assí lo hizo, por ser más cierto de tan gran hecho. Y Gandalín se lo contó todo enteramente assí como la istoria lo ha contado; y cuando lo oyeron, espantávanse dello como de cosa de la mayor hazaña de que nunca oyeran hablar. Y ahún ninguno dellos

nunca viera el Endriago, que entre unas matas estava caído;
y por socorrer al cavallero no pudieron entender en él.

Entonces dixeron todos que querrían ver el Endriago. Y
el maestro les dixo que fuessen, y dioles muchas confecio-
nes para remediar la ponçoña. Y cuando vieron una cosa
tan espantable y tan dessemejada de todas las otras cosas
bivas que fasta allí ellos vieran, fueron mucho más maravillados que ante, y no podían creer que en el mundo oviesse
tan esforçado coraçón que tan gran diablura osasse acometer. Y ahunque cierto sabían que el Cavallero de la Verde
Espada lo avía muerto, no les parescía sino que lo soñavan.
Y desque una gran pieça lo miraron, tornáronse al castillo, y
razonando unos con otros de tan gran hecho poder acabar
aquel Cavallero de la Verde Espada. ¿Qué vos diré? Sabed
que allí estuvieron más de XX. días, que nunca el Cavallero
de la Verde Espada uvo tanta mejoría que del lecho donde
estava le osassen levantar. Pero como por Dios su salud permitida estuviesse, y la gran diligencia de aquel maestro Elisabad la acrescentasse, en este medio tiempo fue tan mejorado, que sin peligro alguno pudiera entrar en la mar. Y
como el maestro en tal disposición le viesse, habló con él
un día y díxole:

—Mi señor, ya por la bondad de Dios, que lo ha querido,
que otro no fuera poderoso, vos sois llegado a tal punto, que
yo me atrevo con su ayuda y vuestro buen esfuerço de os
meter en la mar y que vais donde vos pluguiere. Y porque
nos faltan algunas cosas muy necessarias, ansí para lo que
toca a vuestra salud como para sostenimiento de la gente, es
menester que se dé orden para el remedio dello, porque
mientra más aquí estuviéremos, más cosas nos faltarán.

El Cavallero del Enano le dixo:

—Señor y verdadero amigo, muchas gracias y mercedes
doy a Dios porque ansí me ha querido guardar de tal peligro, más por la su sancta piedad que por mis merecimien-
tos; y al su gran poder no se puede comparar ninguna cosa,
porque todo es permitido y guiado por su voluntad, y a Él
se deven atribuir todas las buenas cosas que en este mundo
passan. Y dexando lo suyo aparte, a vos, mi señor, agrades-
co yo mi vida, que ciertamente yo creo que ninguno de los
que oy son nascidos en el mundo no fuera bastante para me
poner el remedio que vos me posistes. Y comoquiera que
Dios me aya hecho tan gran merced, mi ventura me es muy

contraria, que el galardón de tan gran beneficio como de vos
he recebido no lo pueda satisfazer sino como un cavallero
pobre que otra cosa sino un cavallo y unas armas posee, assí
rotas como las veis.

El maestro le dixo:

—Señor, no es menester para mí otra satisfación sino la
gloria que yo comigo tengo, que es aver escapado de muerte
después de Dios el mejor cavallero que nunca armas traxo,
y ante aso lo dezir delante por lo que delante mí avéis fecho.
Y el galardón que yo de vos espero es muy mayor que el
que ningún rey ni señor grande me podría dar, que es el
socorro que en vos hallarán muchos y muchas cuitados que
os avrán menester para su ayuda, a los cuales vos socorre-
réis, y será para mí mayor ganancia que otra ninguna seyendo causa, después de Dios, de su reparo.

El Cavallero de la Verde Espada uvo vergüença de que
se oyó loar, y dixo:

—Mi señor, dexando esto en que hablamos, quiero que
sepáis en lo que más mi voluntad se determina. Yo quisiera
andar todas las ínsolas de Romanía, y por lo que me dexistes de la fatiga de los marineros mudé el propósito y bolvi-
mos la vía de Constantinopla; la cual el tiempo tan contrario
que vistes nos la quitó. Y pues que ya es abonado, todavía
tengo desseo de a él tornar y ver aquel grande emperador,
porque, si Dios me tornare donde mi coraçón dessea, sepa
contar algunas cosas estrañas que pocas vezes se puede ver
sino en semejantes casas. Mi señor maestro, por el amor que
me avéis, os ruego que en esto no rescibáis enojo, porque
algún día será de mí galardonado; y de allí que nos tornemos, plaziendo al soberano Señor Dios, al plazo que aquella
muy noble señora Grasinda me puso; porque me es fuerça
de lo cumplir, como vos bien sabéis, para que, si pudiere,
según el desseo tengo, le pueda servir algunas de las grandes mercedes que della, sin gelo merescer, tengo recebido.

CAPÍTULO LXXIV

De cómo el Cavallero de la Verde Espada escrivió al emperador de Constantinopla, cuya era aquella ínsola, cómo avía muerto aquella fiera bestia, y de la falta que tenía de bastimentos; lo cual el emperador proveyó con mucha diligencia, y al cavallero pagó con mucha honra y amor la honra y servicio que él avía hecho en le delibrar aquella ínsola que perdida tenía tanto tiempo havía

Pues que ésta es vuestra voluntad, señor —dixo el maestro Elisabad—, menester es que escriváis al emperador de cómo os ha acaescido; y traerán de allá algunas cosas que para el camino nos faltan.

—Maestro —dixo él—, yo nunca le vi ni conozco, y por esto lo remito todo a vos, que fagáis lo que mejor os paresciere, y en esto recebiré de vos una señalada merced.

El maestro Elisabad, por le complazer, escrivió luego una carta haziendo saber al emperador todo lo que al cavallero estraño, llamado el de la Verde Espada, acaesciera después que de Grasinda, su señora, se partió; y cómo aviendo hecho muy grandes cosas en armas por las ínsolas de Romanía, las que otro cavallero ninguno hazer pudiera, se ivan la vía de donde él estava; y cómo la gran tormenta de la mar los echara a la ínsola del Diablo, donde el Endriago era; y cómo aquel Cavallero de la Verde Espada, de su propia voluntad, contra el querer de todos ellos, lo avía buscado, y combatiéndose con él le matara. Y escribiéndole por estenso cómo la batalla passara, y las heridas con que el Cavallero de la Verde Espada escapó, assí que no faltó nada que saber no le hiziesse; y que, pues aquella ínsola era ya libre de aquel diablo y estava en su señorío, mandasse poner en ella remedio cómo se poblasse; y que el Cavallero de la Verde Espada le pedía por merced que la mandasse llamar la ínsola de Sancta María.

Esta carta, fecha como oís, diola a un escudero su pariente que allí consigo traía, y mandóle que en aquella fusta, tomando los marineros que eran menester, passasse en Constantinopla y la diesse al emperador, y traxesse de allá las cosas que les faltavan para su provisión. El escudero se metió luego a la mar con su compaña, que ya el tiempo era muy endereçado, y al tercero día fue la fusta llegada al puerto, y saliendo della al palacio del emperador se fue; el cual halló con muchos hombres buenos, como tan gran señor lo devía estar; y hincados los inojos le dixo:

—Vuestro siervo el maestro Elisabad manda besar vuestros pies y vos embía esta carta con que recebiréis muy gran plazer.

El emperador la tomó, y leyéndola vio aquello que dezía, de que muy espantado fue; y dixo a una boz alta, que todos lo oyeron.

—Cavalleros, unas nuevas me son venidas, tan estrañas que de otras tales nunca se oyó fablar.

Entonces se llegaron más a él Gastiles, su sobrino, hijo de su hermana la duquesa de Gajaste, que era buen cavallero mancebo, y el conde Saluder, hermano de Grasinda, aquella que tanta honra al Cavallero de la Verde Espada hiziera, y otros muchos con ellos. El emperador le dixo:

—Sabed que el de la Verde Espada, de que grandes cosas de armas nos han dicho, que ha fecho en las ínsolas de Romanía, se combatió con su propia voluntad con el Endriago y lo mató. Y si de tal cosa como ésta todo el mundo no se maravillasse, ¿qué podría venir que espanto no diesse?

Y mostróles la carta de Elisabad, y mandó al mensajero que de palabra les contasse cómo avía passado; el cual lo dixo enteramente, como aquel por quien todo passara seyendo presente. Entonces dixo Gastiles:

—Ciertamente, señor, cosa es ésta de gran milagro, que yo nunca oí dezir que persona mortal con el diablo se combatiesse, si no fuesse aquellos santos con sus armas spirituales, porque estos tales bien lo podrían hazer con sus sanctidades. Y pues tal hombre como éste es venido en vuestra tierra con gran desseo de os servir, sin razón sería no le hazer mucha honra.

—Sobrino —dixo él—, bien dezís; y aparejadvos y el conde Saluder algunas fustas y traédmelo, que como cosa que se nunca vio lo devemos mirar. Y llevad con vos maestros que me trayan pintado el Endriago así como es, porque le mandaré hazer de metal, y el cavallero que con él se combatió assí mesmo, de la grandeza y semejança que ambos fueron. Y faré poner estas figuras en el mesmo lugar donde la batalla passó, y en una gran tabla de cobre escrivir cómo fue y el nombre del cavallero; y mandaré fazer allí un monasterio en que bivan frailes religiosos que tornen a reformar aquella ínsola en el servicio de Dios, que estava muy dañada la gente de aquella tierra con aquella visión mala de aquel enemigo.

Mucho fueron todos ledos de aquello que el emperador dezía, y mucho más que todos Gastiles y el marqués porque los mandava ir tal viaje donde podrían ver el Endriago y aquel que lo mató. Y faziendo endereçar las fustas, entraron en la mar y passaron en la ínsola de Santa María, que assí mandó el emperador que de allí adelante nombrada fuesse. Y como el Cavallero de la Verde Espada supo su venida, mandó ataviar allí donde posava de lo mejor y más rico que en su fusta Grasinda mandara poner; y él era ya en tal disposición que andava por la cámara algunas vezes. Y ellos llegaron al castillo ricamente vestidos y acompañados de hombres buenos, y el Cavallero de la Verde Espada salió a rescebirlos ya cuanto fuera de la cámara; y allí se fablaron con mucha cortesía, y fízolos sentar en los estrados que para ellos mandara fazer. Y ya sabía él por el maestro Elisabad como el marqués era hermano de su señora Grasinda, y allí le gradesció mucho lo que su hermana avía por él hecho, las honras y las mercedes que della avía recebido, y cómo después de Dios ella le diera la vida dándole aquel maestro que le avía guarescido y librado de la muerte. Los griegos que allí venían miravan mucho al Cavallero de la Verde Espada; y comoquiera que con la flaqueza mucho de su parescer avía perdido, dezían nunca aver visto cavallero más fermoso ni más gracioso en su fablar. Estando assí con mucho plazer, Gastiles le dixo:

—Buen señor, el emperador mi tío os dessea ver, y por nos os ruega que a él vayáis porque os mande fazer aquella honra que él es obligado, según le servistes en le ganar esta ínsola que tenía perdida, y la que vos merescéis.

—Mi señor —dixo el Cavallero del Enano—, yo faré lo que el emperador manda, que mi desseo es de le ver y servir cuanto puede alcançar un pobre cavallero estraño como lo yo soy.

—Pues veamos el Endriago —dixo Gastiles—, y verlo han los maestros que el emperador embía para que figurado gelo lleven muy enteramente según su figura y parescer.

El maestro le dixo:

—Señor, menester es que vais bien guarnescido para la defensa de la ponçoña; si no, podríades recebir gran peligro en vuestra vida.

El le dixo:

—Buen amigo, vos lo avéis esso de remediar.

—Assí lo faré —dixo él.

Entonces les dio unas buxetas que a las narizes pusiesen en tanto que lo mirassen; y luego cavalgaron, y Gandalín con ellos para gelo mostrar, y ívales contando lo que les acaesciera a su señor y a él en aquellos lugares por donde ivan, y de la manera que la batalla havía sido, y cómo a los gritos suyos, messándose por ver a su señor tan llegado a la muerte, saliera aquel diablo, y de la forma que a ellos venía, y todo lo que le acaesciera, como oído avéis. En esto llegaron al arroyo donde su señor cayó amortescido, y de allí metiólos por entre las matas cabe las peñas, y fallaron el Endriago muerto, que muy gran espanto les puso, tanto, que no creían que en el mundo ni en el infierno oviesse bestia tan desemejada ni tan temerosa. Y si fasta allí en mucho tenían lo que aquel cavallero avía fecho, en mucho más lo estimaron veyendo aquel diablo, que ahunque sabían ser muerto, no lo osavan catar ni se llegar a él. Y dizía Gastiles que tal esfuerço como osar acometer aquella bestia, que se no devía tener en mucho, porque seyendo tan grande no se devía atribuir a ningún hombre mortal sino a Dios, que a El, sin otro alguno, era devido. Los maestros lo miraron y midieron todo para le sacar propio como él era, y assí lo fizieron porque eran singulares en aquel oficio a maravilla.

Entonces se bolvieron al castillo, y fallaron qu'el Cavallero del Enano los atendía a comer, y fueron allí servidos, según el lugar donde estavan, con mucho plazer y alegría. Todos assí folgaron en el castillo tres días mirando aquella tierra, que muy fermosa era, y la huerta y el pozo donde la malaventurada fija lançó a su madre; y el cuarto día entraron todos en la mar, assí que en poco espacio de tiempo fueron aportados en Costantinopla, debaxo de los palacios del emperador. La gente salió a las finiestras por ver el Cavallero de la Verde Espada, que lo mucho desseavan ver. Y el emperador les mandó llevar unas bestias en que cavalgassen. Aquella ora estava ya el Cavallero de la Verde Espada mucho más mejorado en su salud y fermosura, vestido de unos muy fermosos y ricos paños que el rey de Boemia le fizo tomar cuando dél se partió, a su cuello echada aquella estraña y rica espada verde que él ganara por el sobrado amor que a su señora tenía; que en la ver y se le acordar del tiempo en que la ganó y el vicio en que entonces en Miraflores estava con aquella que él tanto amava y tan apartada de sí tenía, muchas lágrimas derramava assí angustiosas como deleitosas, siguiendo el estilo de aquellos que de semejante passión y alegría son sojetos y atormentados.

Pues salidos de la mar, cavalgando en aquellos ricos y ataviados palafrenes que los traxeron, se fueron al emperador, que ya contra ellos venía muy acompañado de grandes hombres y muy ricamente ataviados. Y apartándose todos, llegó el Cavallero de la Verde Espada, y quísose apear para le besar las manos. Mas el Emperador, cuando esto vio, no gelo consintió; antes se fue para él y lo tovo abraçado, mostrándole muy gran amor, que assí lo tenía con él; y dixo:

—Por Dios, Cavallero de la Verde Espada, mi buen amigo, comoquiera que Dios me aya fecho tan grande hombre y venga del linaje de aquellos que este señorío tan grande tuvieron, más merescéis vos la honra que la yo merezco, que vos la ganastes por vuestro gran esfuerço, passando tan grandes peligros cual nunca otro passó, y yo tengo la que me vino durmiendo y sin merescimiento mío.

El Cavallero del Enano le dixo:

—Señor, a las cosas que tienen medida puede hombre satisfazer, pero no a esta que por su gran virtud en tanto loor me ha puesto; y por esto, señor, quedará para que esta mi persona hasta la muerte le sirva en aquellas cosas que me mandare.

Assí fablando, se tornó el emperador con él a sus palacios; y el de la Verde Espada iva mirando aquella gran ciudad y las cosas estrañas y maravillosas que en ella vía, y tantas gentes que lo salían a ver. Y dava en su coraçón con grande humildad muchas gracias a Dios porque en tal lugar le guiara donde tanta honra del mayor hombre de los christianos recebía, y todo cuanto en las otras partes viera le parescía nada en comparación de aquello. Pero mucho más maravillado fue cuando entró en el gran palacio, que allí le paresció ser junta toda la riqueza del mundo. Avía allí un aposentamiento donde el emperador mandava aposentar los grandes señores que a él venían, que era el más fermoso y deleitoso que en el mundo se podría fallar, assí de ricas casas como de fuentes de aguas y árboles muy estraños; y allí mandó quedar al Cavallero de la Verde Espada, y al maestro Elisabad, que lo curasse, y a Gastiles y el marqués Saluder, que le fiziessen compañía; y dexándolo reposar, se fue con sus hombres buenos donde él posava. Toda la gente de la ciudad que vieran al Cavallero de la Verde Espada fablavan mucho en su gran fermosura y mucho más en el grande esfuerço suyo, que era mayor que de cavallero otro ninguno. Y si él no avía maravillado de ver tal ciudad como aquélla y tanto número de gente, mucho más lo eran ellos en le ver a él solo, assí que de todos era loado y honrado más que lo nunca fue rey ni grande ni cavallero que allí de otras tierras estrañas viniessen.

El emperador dixo a su muger la emperatriz:

—Señora, el Cavallero de la Verde Espada, aquel de que tantas cosas famosas hemos oído, está aquí; y assí por su gran valor como por el servicio que nos fizo en nos ganar aquella ínsola que tanto tiempo en poder de aquel malvado enemigo estava, y pues que tal cosa como ésta fizo, es razón de le fazer mucha honra. Por ende mandad que vuestra casa sea muy bien adereçada, en tal forma y manera que donde él fuere, pueda loarla con gran razón y fable en ella como yo os fablava de otras que en algunos lugares avía visto. Y quiero que vea vuestras dueñas y donzellas con el atavío y aparejo que deven estar personas que a tan alta dueña como vos sois sirven.

Y visto todo lo que él dezía, dixo ella:

—En el nombre de Dios, que todo se fará como lo vos mandáis.

Otro día de mañana levantóse el Cavallero de la Verde Espada y vistióse de sus paños loçanos y fermosos, según él vestirlos solía, y el marqués y Gastiles con él, y el maestro Elisabad, y fueron todos de consuno juntos a oír missa con el emperador a su capilla, donde los atendía; y luego se fueron a ver a la emperatriz. Pero antes que a ella llegassen, fallaron en comedio muchas dueñas y donzellas, muy ricamente ataviadas de ricos paños, que les fazían lugar por do passassen, y buen recebimiento. La casa era tan rica y tan bien guarnida que si la rica cámara defendida de la Ínsola Firme no, otra tal nunca el Cavallero de la Verde Espada viera; y los ojos le cansávan de mirar tantas mugeres y tan fermosas, y las otras cosas estrañas que vía. Y llegando a la emperatriz, que en su estrado estava, fincó los inojos ante ella con mucha humildad y dixo:

—Señora, mucho agradezco a Dios en me traer donde viesse a vos y a vuestra grande alteza, y el valor que sobre las otras señoras tiene que en el mundo son, y la vuestra casa acompañada y ornada de tantas dueñas y donzellas de tan gran guisa; y a vos, señora, gradezco mucho porque verme quisistes. A Él le plega por la su merced de me llegar a tiempo que algo destas grandes mercedes le pueda servir. Y si yo, señora, no acertare en aquellas cosas que la voluntad y la llengua dezir querrían, por ser este lenguaje estraño a mí, mande me perdonar, que muy poco tiempo ha que del maestro Elisabad lo aprendí.

La emperatriz le tomó por las manos y díxole que no estuviesse así de inojos, y fízole sentar cerca de sí; y estuvo con él fablando una gran pieça en aquellas cosas que tan alta señora con cavallero estraño que no conoscía devía hablar, y él respondiendo con tanto tiento y tanta gracia, que la emperatriz, que muy cuerda era y lo mirava, dezía entre sí que no podía ser su esfuerço tan grande que a su mesura y discreción sobrepujar pudiesse. El emperador estava a esta sazón en su silla sentado, hablando y riendo con las dueñas y donzellas como aquel que haziéndoles muchas mercedes y dándoles grandes casamientos de todas muy amado era; y díxoles en una boz alta, que todas lo oyeron:

—Onradas dueñas y donzellas, vedes aquí el Cavallero de la Verde Espada, vuestro leal sirviente. Honralde y amalde, que así lo haze él a todas vosotras cuantas sois en el mundo; que poniéndose a muy grandes peligros por vos hazer alcançar derecho, muchas vezes es llegado al punto de la muerte, según que dél he oído a aquellos que sus grandes cosas saben.

La duquesa madre de Gastiles dixo:

—Señor, Dios le honre y lo ame, y gradezca el amaramiento que a nosotras faze.

El emperador hizo levantar dos infantas que eran hijas del rey Garandel, que era entonces rey de Ungría, y díxoles:

—Id por mi hija Leonorina, y no vengan con ella sino vos ambas.

Ellas así lo hizieron, y a poco rato vinieron con ella trayéndola entre sí por los braços. Y comoquiera que ella viniesse muy bien guarnida, todo parescía nada ante lo natural de la su gran hermosura; que no avía hombre en el mundo que la viesse que se no maravillase y no alegrasse en la catar. Ella era niña que no passava de nueve años; y llegando donde su madre la emperatriz estava, besóle las manos con húmil reverencia y sentóse en el estrado más baxo que ella estava. El Cavallero de la Verde Espada la mirava muy de grado, maravillándose mucho de su gran hermosura, que le parescía ser más hermosa de las que él visto avía por las partes donde andado avía. Y membróse aquella hora de la muy hermosura Oriana su señora, que más que a sí amava, y del tiempo en que la él començó amar, que sería de aquella edad, y de cómo el amor que entonces con ella pusiera siempre avía crescido y no menguado; y ocurriéndole en la memoria los tiempos prósperos que con ella oviera de muy grandes deleites, y los adversos de tantas cuitas y dolores de su coraçón como a su causa passado avía; así que en este pensar estuvo gran pieça, y en cómo no esperava verla sin que gran tiempo passasse. Tanto fue encendido en esta membrança, que como fuera de sentido le vinieron las lágrimas a los ojos; así que todos le vieron llorar, que por su gran bondad todos en él paravan mientes. Mas él, tornando en sí, aviendo gran vergüença, alimpió los ojos y fizo buen semblante. Mas el emperador, que más cerca estava, que assí lo vio llorar, atendió si vería alguna cosa que lo oviesse causado. Mas no veyendo en él más señales dello, uvo gran desseo de saber cómo un cavallero tan esforçado, tan discreto, ante él y ante la emperatriz y tantas otras gentes, avía mostrado tanta flaqueza, que ahún a una muger en tal logar seyendo alegre, como lo él era, le fuera a mal tenido; pero bien creyó que lo no haría sin algún gran misterio. Gastiles, que cabe él estava, dixo:

—¿Qué será que tal hombre como éste en tal parte assí llorasse?

—Yo no se lo preguntaría —dixo el emperador—, mas creo que fuerça de amor gelo fizo fazer.

—Pues señor, si lo saber queréis, no ay quien lo sepa sino el maestro Elisabad, en quien mucho se fía, y habla mucho con él apartadamente.

Entonces lo mandó llamar y hízolo sentar ante sí; y mandando que todos se tirassen afuera, le dixo:

—Maestro, quiero que me digáis una verdad si la sabéis; y yo vos prometo como quien soy que por ello a vos ni a otro alguno no verná daño.

El maestro le dixo:

—Señor, tal fiança tengo yo en la vuestra gran alteza y virtud que así lo hará y que siempre me hará merced, ahunque lo no merezca; y si la yo supiere, dezírvosla he de muy buena voluntad.

—¿Por qué lloró agora —dixo el emperador— el Cavallero de la Verde Espada? Dezídmelo, que de lo ver estoy espantado; que si alguna necessidad tiene en que aya menester mi ayuda, yo gela haré tan entera de que él será bien contento.

Cuando esto oyó el maestro, dixo:

—Señor, esso no lo sabría dezir, porque es el hombre del mundo que mejor encubre aquello que él quiere que sabido no sea, porque es el más discreto cavallero que jamás vistes. Pero yo le veo muchas vezes llorar y cuidar tan fieramente, que no paresce aver en él sentido alguno, y sospira con tan gran ansia como si el coraçón en el cuerpo se le quebrasse. Y ciertamente, señor, en cuanto yo cuido, es gran fuerça de amor que le atormenta teniendo soledad de aquella que ama; que si otra dolencia fuesse, antes a mí que a otro ninguno soy cierto que se descubriría.

—Ciertamente —dixo el emperador—, assí lo cuido yo como lo dezís; y si él ama alguna muger, a Dios pluguiesse que acertasse ser en mi señorío, que tanto aver y estado le daría yo, que no ay rey ni príncipe que no oviesse plazer de me dar su hija para él. Y esto faría yo muy de grado por le tener comigo por vasallo, que no le podría hazer tanto bien que él más no me sirviesse, según su gran valor. Y mucho vos ruego, maestro, que pones con él cómo quede comigo; y todo lo que demandare se le otorgará.

Y estovo una pieça cuidando, que no habló, y después dixo:

—Maestro, id a la emperatriz y dezilde en poridad que ruegue al cavallero que quede comigo; y vos assí se lo consejad por mi amor, y en tanto guisaré yo una cosa que a la memoria me ocurrió.

El maestro se fue a la emperatriz y al Cavallero del Enano; y el emperador llamó a la hermosa Leonorina su hija y a las dos infantas que la aguardavan, y habló con ellas una gran pieça muy ahincadamente, mas por ninguno era oído nada de lo que les dezía. Y Leonorina, aviendo él ya acabado su habla, besóle las manos y fuese con las infantas a su cámara, y él quedó hablando con sus hombres buenos. Y la

emperatriz habló con el de la Verde Espada para que con el
emperador quedasse, y el maestro gelo rogava y consejava.
Y como quiera que aquél le sería el mejor partido y más
honroso que turante la vida del rey Perión su padre le podría venir, no lo pudo él acabar con su coraçón, que ningún
descanso ni reposo fallava sino en pensar de ser tornado en
aquella tierra donde la su muy amada señora Oriana era assí
que ruego ni consejo no lo pudo atraer, ni retraer de aquel
deseeo que tenía. Y la emperatriz fizo señas al emperador
que el cavallero no acetava su ruego. El se levantó y fuese
para ellos, y dixo:

—Cavallero de la Verde Espada, ¿podría ser por alguna guisa que quedássedes comigo? No ay cosa que para ello
me fuesse demandada, si en mi poder fuesse, que la no otorgasse.

—Señor —dixo él—, tan grandes es la vuestra virtud y grandeza que no osaría yo ni sabría pedir tanta merced como
por ella me sería otorgada, pero no es en mí tanto poder
que mi coraçón lo pudiesse sufrir. Y señor, no me culpéis
en que no cumplo vuestro mandado; que si lo fiziesse, no
me dexaría la muerte mucho tiempo en vuestro servicio.

El emperador creyó verdaderamente que su passión no
la causava sino gran sobra de amor, y assí lo pensaron todos.
Pues a esta sazón entró en el palacio aquella hermosa Leonorina con el su jesto resplandesciente, que todas las hermosuras desatava, y las dos infantas con ella. Y ella traía en su
cabeça una muy rica corona y otra muy más rica en la mano,
y fuese derechamente al Cavallero de la Verde Espada y díxole:

—Señor Cavallero de la Verde Espada, yo nunca fue llegada a tiempo que pida don sino a mi padre, y agora quiérolo pedir a vos. Dezidme qué fuels.

Y el hincó los inojos ante ella, y dixo:

—Mi buena señora, ¿quién sería aquel de tan poco conoscimiento que dexasse de fazer vuestro mandado podiéndolo cumplir? Y mucho loco sería yo si vuestra voluntad no
fiziesse; y agora, mi señora, demandad lo que más vos agradare, que hasta la muerte será cumplido.

—Mucho me hezistes alegre —dixo ella—, y mucho os lo
gradezco, y quiero de vos pedir tres dones.

Y tirándose la fermosa corona de la cabeça, dixo:

—Esta sea el uno, que deis esta corona a la más hermosa

donzella que vos sabéis, y saludándola de mi parte le digáis que me embíe su mandado por carta o mensajero, y que le embío yo esta corona, que son las donas que en esta tierra tenemos, ahunque la no conozco.

Y luego tomó la otra corona, en que avía muchas perlas y piedras de muy gran valor, especialmente tres que alumbravan toda una cámara, por escura que estuviesse; y dándola al cavallero, dixo:

—Esta daréis a la más fermosa dueña que vos sabéis. Y dezilde que gela embío yo por aver su conoscencia, y que le ruego yo mucho que se me haga conoscer por su mandado; éste es el otro don. Y antes que el tercero os demande, quiero saber qué faréis de las coronas.

—Lo que yo haré —dixo el cavallero— será cumplir luego el primero don y quitarme dél.

Entonces tomó la primera corona, y poniéndola en la cabeça della, dixo:

—Yo pongo esta corona en la cabeça de la más hermosa donzella que yo agora sé; y si oviere alguno que lo contrario dixere, yo se lo faré conoscer por armas.

Todos ovieron mucho plazer de lo que él fizo, y Leonorina no menos, ahunque con vergüença estava de se ver loar; y dezían que con derecho se avía quitado del don. Y la emperatriz dixo:

—Por cierto, Cavallero de la Verde Espada, antes querría yo por mí los que venciéssedes por armas que las que mi fija venciesse con su hermosura.

El ovo vergüença de se oír loar de tan alta señora, y no respondiendo nada bolvióse a Leonorina, y dixo:

—Mi señora, ¿queréis me demandar el otro don?

—Sí —dixo ella—, y pídovos que me digáis la razón por qué llorastes, y quién es aquella que ha tan gran señorío sobre vos y sobre vuestro coraçón.

Al cavallero se le mudó la color y el buen semblante en que antes era, assí que todos conoçieron que era turbado de aquella demanda; y dixo:

—Señora, si a vos pluguiere dexar esta demanda, y demandad otra que sea más vuestro servicio.

Y ella dixo:

Ésto es lo que yo demando, y más no quiero.

—Él abaxó la cabeça y estuvo una pieça dudando, assí que muy grave parecía a todos haverlo él de dezir. Y no tardó mucho que, alçando la cabeça, con semblante alegre miró a Leonorina, que delante dél estava, y dixo:

—Mi señora, pues por ál no me puedo quitar de mi promessa, digo que cuando aquí primero entrastes y vos mire, acordéme de la edad y del tiempo en que agora sois, y vínome al coraçón una remembrança de otro tal tiempo, en que ya fue muy bueno y sabroso, tal que haviéndole ya passado, me hizo llorar como vistes.

Y ella dixo:

—Pues agora me dezid quién es aquella por quien se manda vuestro coraçón.

—La vuestra gran mesura —dixo él—, que a ninguno falleçió, es contra mí. Esto haze mi gran desdicha; y pues que más no puedo, conviene que contra mi plazer lo diga. Sabed, señora, que aquella que yo más amo es la misma a quien vos embiáis la corona, que al mi cuidar es la más hermosa dueña de cuantas yo vi, y ahún creo que de cuantas en el mundo hay. Y por Dios, señora, no queráis de mí saber más, pues que soy quito de mi promessa.

—Quito sois —dixo el emperador—, mas por tal guisa que no sabemos más que ante.

—Pues a mí pareçe —dixo él— que dixe tanto cual nunca por mi boca salió jamás, y esto causó el desseo que yo tengo de servir a esta fermosa señora.

—Assí Dios me salve —dixo el emperador—, mucho devéis ser guardado y cerrado en vuestros amores, pues esto tenéis en algo lo haver descubierto. Y pues que mi hija fue la causa dello, menester es que os demande perdón.

—Este yerro —dixo él— han hecho otros muchos, y nunca tanto supieron de mí; assí que, ahunque dellos fuesse yo quexoso, lo suyo desta tan fermosa señora tengo en merced, porque siendo ella tan alta y tan señalada en el mundo, quiso con tanto cuidado saber las cosas de un cavallero andante como lo yo soy. Mas a vos, señor, no perdonaré yo tan ligero, que según la luenga y secreta fabla con ella antes ovistes bien pareçe que no por su voluntad, mas por la vuestra lo fizo.

El emperador se rió mucho, y dixo:

—En todo os hizo Dios acabado. Sabed que assí es como dezís; por ende yo quiero corregir lo suyo y lo mío.

El de la Verde Spada hincó los inojos por le besar las manos, mas él no quiso, y dixo:

—Señor, esta emienda recibo yo para la tomar cuando por ventura más sin cuidado della estuvierdes.

—Esso no podrá ser —dixo el emperador—, que vuestra memoria nunca de mí falleçerá, ni la emienda de la mía cuando la quisierdes.

Estas palabras passaron entre aquel emperador y el de la Verde Spada cuasi como en juego; mas tiempo vino qu'el efecto dellas salió en gran hecho, como en el cuarto libro desta historia será contado.

La fermosa Leonorina dixo:

—Señor Cavallero de la Verde Spada, comoquiera que de mí quexa no ayáis, no soy por ende quita de culpa en vos ahincar tanto contra vuestra voluntad; y en emienda dello quiero que ayáis este anillo.

El dixo:

—Señora, la mano que lo trae me havéis vos de dar que la bese como vuestro servidor, que el anillo no puede andar en otra donde quexoso de mí no fuesse.

—Todavía —dixo ella— quiero que sea vuestro, porque se os acuerde de aquel encubierto lazo que os armé, y cómo con tanta sotileza dél escapastes.

Estonces sacó el anillo y lançólo ant'el cavallero en el estrado, diziendo:

—Otro tal queda a mí en esta corona, que no sé si con razón me la distes.

—Grandes y buenos testigos —dixo él— son essos lindos ojos y fermosos cabellos, con todo lo ál que Dios por su especial gracia vos dio.

Y tomando el anillo vio que era el más fermoso y más estraño que él nunca viera, ni en el mundo havía sino la otra piedra que en la corona quedava. Y estándolo assí mirando el Cavallero de la Verde Spada, dixo el emperador:

—Quiero que sepáis de dónde vino esta piedra. Ya vedes como la meitad della es el más fino y ardiente rubí que se nunca vio, y la otra media es rubí blanco, que por ventura nunca lo vistes, que mucho más fermoso es y más preciado que el bermejo, y el anillo de una esmeralda que a duro otra tal en gran parte se fallaría. Agora sabed que Apolidón, aquel que por el mundo tanto sonado es, fue mi abuelo; no sé si lo oístes assí.

—Esso sé yo bien —dixo el de la Verde Spada— porque siendo gran tiempo en la Gran Bretaña vi la Insola Firme que se llama, donde ay grandes maravillas que él dexó, la cual, según la memoria de las gentes, ganó mucho él a su honra; que llevando a hurto la hermana del emperador de Roma aportó con gran tormenta a aquella ínsola, y, según la costumbre della, fuele forçado de se combatir con un gigante que a la sazón la señoreava; al cual con gran esfuerço matando, quedó él por señor en la ínsola, donde moró gran tiempo con su amiga Grimanesa. Y según las cosas allí dexó, más passaron de cient años que nunca allí aportó cavallero que de bondad de armas le passasse. Y yo fue ya allí, y dígoos, señor, que pareçéis bien ser de aquel linaje según vuestra forma y la de las imágines suyas que so el arco de los leales amadores dexó, que no pareçen sino verdaderamente bivas.

—Mucho me hazéis ledo —dixo el emperador— en me traer a la memoria las cosas de aquel que en su tiempo par de bondad no tuvo; y ruégovos que me digáis el nombre del cavallero que mostrándose más valiente y fuerte en armas qu'él, que la Insola Firme ganó.

El cavallero dixo:

—El ha nombre Amadís de Gaula, fijo del rey Perión, de quien tan grandes cosas y tan estrañas por todo el mundo se suenan, aquel que en la mar, en naçiendo, encerrado en una arca fue fallado. Y llamándose el Donzel del Mar mató en batalla de uno por otro al fuerte rey Abiés de Irlanda, y luego fue conoçido de su padre y madre.

—Agora soy más alegre que antes, porque, según sus grandes nuevas, no tengo por mengua que de bondad passasse a mi abuelo, pues que la passa a todos cuantos hoy son naçidos. Y si yo creyesse que siendo él fijo de tal rey y tan gran señor, que se atreviera a salir tan lueñe de su tierra, ciertamente creería que érades os; mas esto que digo me lo faze dudar, y también si lo fuéssedes, no me haríades tal desmesura en me lo no dezir.

Mucho fue afrontado con esta razón el de la Verde Spada, mas todavía se quiso encubrir; y no respondiendo a esto nada, dixo:

—Señor, si a vuestra merced plazerá, diga cómo la piedra fue partida.

—Esso os diré —dixo él— de grado. Pues aquel Apolidón, mi abuelo que vos digo, seyendo señor deste imperio, embióle Felipanos, que a la sazón rey de Judea era, doze coro-

nas muy ricas y de grandes precios; y ahunque en todas ellas
venían grandes perlas y piedras preciosas, en aquella que a
mi fija distes venía esta piedra que era toda una. Pues viendo Apolidón ser esta corona por causa de la piedra más hermosa, diola a Grimanesa mi abuela; y ella, porque Apolidón
oviesse su parte, mandó a un maestro que la partiesse y fiziesse de la meitad esse anillo; y dándole Apolidón, quedóle
la otra media en aquella corona como veis; assí que esse anillo por amor fue partido y por él fue dado. Y así creo que
de buen amor mi fija os le dio, y podrá ser que de otro muy
mayor será por vos dado.

Y assí acaeçió adelante como lo el emperador dixo, hasta
que fue tornado a la mano de aquella donde salió por aquel
que passando tres años sin verla muchas cosas en armas fizo
y muy grandes cuitas y passiones por su amor sufrió, assí
como en un ramo que desta historia sale se recuenta que *LAS
SERGAS DE ESPLANDIÁN* se llama, que quiere tanto dezir
como las proezas de Esplandián.

Assí como oídes, folgó el Cavallero de la Verde Spada
seis días en casa del emperador, siendo tan honrado dél, y
de la emperatriz y de aquella hermosa Leonorina, que más
no podía ser. Y acordándosele lo que a Grasinda prometiera
de ser con ella dentro de un año, y el plazo se acercava,
habló con el emperador, diziéndole cómo le convenía partir
de allí; y luego que le pedía por merced se mandasse dél
servir dondequiera que estuviesse; que no sería en parte con
tanta honra ni plazer ni necessidad, que todo por le servir
no le dexasse; y que si a su noticia dél viniesse haverle menester para su servicio, que no esperaría su mandado, que
sin él tenía de allí acudir.

El emperador le dixo:

—Mi buen amigo, esta ida tan breve no faréis a mi grado,
si escusarse puede sin que vuestra palabra en falta sea.

—Señor —dixo él—, no se puede escusar sin que mi honra
y verdad passen gran menoscabo, assí como el maestro Elisabad lo sabe, que tengo de ser a plazo cierto donde lo dexé
prometido.

—Pues que assí es —dixo él—, ruégoos que folguéis aquí
tres días.

El dixo que lo faría pues que se lo mandava. A esta sazón
estava delante la fermosa Leonorina, y tomándole del manto
le dixo:

—Mi buen amigo, pues que a ruego de mi padre quedáis tres días, quiero que al mío quedéis dos, y éstos siendo mi huésped y de mis donzellas donde yo y ellas posamos, porque queremos fablar con os sin que ninguno os empache sino solamente dos cavalleros cual vos más pluguiere que os fagan compaña a vuestro comer y dormir. Y este don vos demando que le otorguéis de grado; si no, faré que os prendan estas mis donzellas, y no havrá qué os gradeçer.

Estonçes le cercaron más de veinte donzellas muy fermosas y ricamente guarnidas, y Leonorina con gran risa y plazer dixo:

—Dexalde fasta ver lo que dirá.

El fue muy ledo desto que aquella fermosa señora fazía, teniéndolo por la mayor honra que allí se le havía fecho; y díxole:

—Bienaventurada y fermosa señora, ¿quién sería osado de no otorgar lo que vuestra voluntad es, esperando, si lo no fiziesse, ser puesto en tan esquiva prisión?; y yo lo otorgo como lo mandáis, assí esto como todo lo otro que servicio de vuestro padre y madre y vuestro sea. Y a Dios plega por la su merced, mi buena señora, que las honras y mercedes que dellos y de os recibo me lleguen a tiempo que de mí y de mi linaje os sean gradeçidas y servidas.

Esto se cumplió muy enteramente, no por este Cavallero de la Verde Spada, mas por aquel su fijo Esplandián, que socorrió a este emperador en tiempo y sazón que lo mucho havía menester, assí como Urganda la Desconoçida en el cuarto libro lo profetizó, lo cual se dirá adelante en su tiempo. Las donzellas le dixeron:

—Buen acuerdo tomastes; si no, no pudiérades escapar de mayor peligro que lo fue el del Endriago.

—Assí lo tengo yo, señoras —dixo él—, que mayor mal me podría venir enojando a los ángeles que al diablo, como lo él era.

Gran plazer hovo destas razones que passaron el emperador y la emperatriz, y todos los hombres buenos que allí eran, y muy bien les pareçió las graciosas respuestas que el Cavallero de la Verde Spada dava a todo lo que le dezían; assí que esto les fazía creer, ahún más que el su gran esfuerço, ser él hombre de alto lugar, porque el esfuerço y valentía muchas vezes acierta en las personas de baxa suerte y gruesso juizio, y pocas la honesta mesura y polida criança, porque esto es devido aquellos que de limpia y generosa sangre vienen. No afirmo que lo alcançan todos, mas digo que lo devrían alcançar como cosa a que tan tenidos y obligados son, como este Cavallero de la Verde Spada lo tenía; que poniendo a la braveza del su fuerte coraçón una orla de gran sofrimiento y contratación amorosa, defendía que la sobervia y la ira lugar no fallassen por donde su alta virtud dañar pudiesse.   .

Pues allí folgó el de la Verde Spada tres días con el emperador, faziendo que Gastiles su sobrino y el marqués Saluder le traxessen por aquella ciudad y le mostrassen las cosas estrañas que en ella avía, como cabeça y más principal cosa que era de toda la christiandad; y después en el palacio siendo todo lo más del tiempo en la cámara de la emperatriz fablando con ella y con otras grandes señoras de que muy aguardada y acompañada era. Y luego se passó al aposentamiento de la fermosa Leonorina, donde falló muchas fijas de reyes y duques y condes y otros hombres grandes, con las cuales passó la más honrada y graciosa vida que fuera de la presencia de Oriana, su señora, en otro ningún lugar tuvo; preguntándole ellas con mucha afición que les dixesse las maravillas de la Insola Firme, pues que en ella havía estado, specialmente lo del arco de los leales amadores y de la cámara defendida, y quién y cuántos pudieron ver las fermosas imágines de Apolidón y Grimanesa; assí mesmo que les dixesse la manera de las dueñas y donzellas de casa del rey Lisuarte y cómo se llamavan las más fermosas. El respondióles a todo con mucha discreción y humildad lo que dello sabía como aquel que tantas vezes lo viera y tratara, como la historia lo ha contado.

Y assí acaeció que mirando él la gran y sobrada fermosura de aquella infanta y de sus donzellas, començó a pensar en su señora Oriana, creyendo que si allí ella estoviesse, que toda la beldad del mundo sería junta. Y ocurrióle en la memoria tenerla tan apartada y alongada de sí, sin ninguna esperança de la poder ver; fue puesto en tan gran desmayo, que cuasi fuera de sentido estava; assí que aquellas señoras conoçieron cómo nada de lo que le fablavan por él era oído. Y assí stovo por una gran pieça, fasta que la reina Menoresa, que era señora de la gran ínsola llamada Gabasta, la más fermosa mujer de toda Grecia después de Leonorina, le tomó por la mano, y le fizo recordar de aquel gran pensamiento tirándolo a sí; del cual se partió gimiendo y sospirando como hombre que gran cuita sentía. Mas de que en su acuerdo fue, huvo gran vergüença, que bien conoçió que de todas ellas le havía de ser reutado; y dixo:

—Señoras, no tengáis por straño ni por maravilla a quien vee vuestras grandes fermosuras y gracias que Dios en vos puso de se membrar de algún bien, si lo ya vio y passó con grandes honras plazeres, y sin mereçimiento lo perder en tal guisa que no sé tiempo en que cobrarlo pueda por afán ni por trabajo que yo pueda haver.

Esto les dezía él con aquella tristeza qu'el su atormentado coraçón a su semblante embiava; assí que aquellas señoras fueron a gran piedad dél movidas. Mas él, con gran fuerça retrayendo las lágrimas que del coraçón a los ojos le venían, punó de tornar a sí y a ellas a la perdida alegría. En estas cosas y otras semejantes passó allí el Cavallero de la Verde Spada el tiempo prometido; y queríendose ya despedir, aquellas señoras le davan joyas muy ricas. Pero él ninguna quiso tomar sino tan solamente seis spadas que la reina Menoresa le dio, que eran de las fermosas y bien guarnidas que en el mundo se podían fallar, diziéndole que no gelas dava sino porque, cuando las diesse a sus amigos, se membrasse della y de aquellas señoras que tanto le amavan. La fermosa Leonorina le dixo:

—Señor Cavallero del Enano, pídoos yo por cortesía que si ser pudiere, cedo nos vengáis a ver y estar con mi padre, que os mucho ama. Y sé yo que le faréis mucho plazer y a todos los altos hombres de su corte, y a nosotras mucho más, porque seremos so vuestro amparo y defensa si alguno nos enojare. Y si esto ser no puede, ruégoos yo, con todas estas señoras, que nos embiéis un cavallero de vuestro linaje, cual entendierdes que será para nos servir do menester nos fuere, y con quien en remembrança vuestra hablemos y perdamos algo de la soledad en que vuestra partida nos dexa: que bien creemos, según lo que en vos pareçe, que los havrá tales, que sin mucha vergüença vos podrán escusar.

—Señora —dixo él—, esso se puede con gran verdad dezir, que en mi linaje ay tales cavalleros, que ante la su bondad la mía en tanto como nada se ternía; y entre ellos ay uno que fío yo por la merced de Dios, si él a vuestro servicio venir puede, que aquellas grandes honras y mercedes que yo de vuestro padre y de vos he recebido sin jelo mereçer, las satisfará con tales servicios que, dondequiera que yo esté, pueda creer ser ya fuera desta tan gran deuda.

Esto dezía él por su hermano don Galaor, que pensava de le fazer venir allí donde de tanta honra le sería, y también serían sus grandes bondades tenidas en aquel grado que devían ser. Mas esto no se cumplió assí como el Cavallero de la Verde Spada lo pensava; antes, en su lugar de don Galaor su hermano, vino allí otro cavallero de su linaje en tal punto y sazón, que fizo aquella hermosa señora sofrir tantas cuitas y tanto afán, que a duro contar se podría; porque él passó assí por la mar como por la tierra las aventuras estrañas y peligrosas, cual nunca otro en su tiempo ni después mucha sazón se supo que igual le fuesse, assí como en un ramo que destos libros sale llamado *LAS SERGAS DE ES-PLANDIÁN,* como ya se os ha dicho, se recontará. Pues aquella señora Leonorina con mucha afición le rogando que él, o aquel cavallero que él dezía, les embiasse. Y él assí gelo prometiendo, dándole licencia, subieron todas a las fenestras del palacio, donde, fasta le perder de vista por la mar donde en su galea iva, no se quitaron.

Ya se os a contado ante cómo el Patín embió a Salustanquidio, su primo, con gran compaña de cavalleros, y la reina Sardamira con muchas dueñas y donzellas, al rey Lisuarte a le demandar a su fija Oriana para casar con ella. Agora sabed que estos mensajeros, por doquiera que ivan, davan cartas del emperador a los príncipes y grandes que por el camino fallavan, en que les rogava que honrassen y sirviessen a la emperatriz Oriana, hija del rey Lisuarte, que ya por su muger tenía. Ahunque ellos por sus palabras mostrassen buena voluntad a lo fazer, entre sí rogavan a Dios que tan buena señora, fija de tal rey, no la llegasse a hombre tan despreciado y desamado de todas las gentes que le conoçían; lo cual era con mucha razón, porque su desmesura y sobervia era tan demasiada que a ninguno, por grande que fuesse, de los de su señorío y de los otros que él sojuzgar podía, no fazía honra; antes, los despreciava y abiltava, como si con aquello creyesse ser su estado más seguro y creçido.

¡O loco el tal pensamiento, creer ningún príncipe que seyendo por sus mereçimientos desamado de los suyos, que pueda ser amado de Dios! Pues si de Dios es desamado, ¿qué puede esperar en este mundo y en el otro? Por cierto no él, salvo en el uno y en el otro ser desonrado y destruido, y su ánima en los infiernos perpetuamente.

Pues estos embaxadores llegaron a un puerto descontra la Gran Bretaña que llaman Çamando, y allí aguardaron fasta fallar barcas en que passassen; y en tanto fizieron saber al rey Lisuarte cómo ellos ivan a él con mandado del emperador su señor, con que mucho le plazería.

CAPÍTULO LXXV

De cómo el Cavallero de la Verde Spada se partió de Constantinopla para cumplir la promessa por él fecha a la muy fermosa Grasinda; y cómo, estando determinado de partir con esta señora a la Gran Bretaña por complir su mandado, acaeçió andando a caça que halló a don Bruneo de Bonamar malamente ferido; y también cuenta la aventura con que Angriote d'Estraváus se topó con ellos, y se vinieron juntos a casa de la fermosa Grasinda

Partido el Cavallero de la Verde Spada del puerto de Constantinopla, el tiempo le fizo bueno y endereçado para su viaje, el cual era pensar ir a aquella tierra donde su señora Oriana era. Esto le fazía ser muy ledo, ahunque en aquella sazón fuesse tan cuitado y tan atormentado por ella como nunca tanto lo fue, porque él morara tres años en Alemaña y dos en Romanía y en Grecia, que en este medio tiempo nunca della no solamente no haver havido su mandado, mas ni saber nuevas algunas. Pues tan bien le avino que a los veinte días fue aportado en aquella villa donde Grasinda era. Y cuando ella lo supo, fue muy leda, que ya sabía como el Endriago matara, y los fuertes gigantes que en las ínsolas de Romanía havía vencido y muerto. Y ella se adereçó lo mejor que pudo, como rica y gran señora que era, para lo recebir; y mandó que levassen cavallos para él y para el maestro Elisabad, en que de la galea saliessen. Y el de la Verde Spada se vistió de ricos paños, y en un cavallo fermoso y el maestro en un palafrén se fueron a la villa, donde haviendo ya sabido sus strañas y famosas cosas, como por maravilla era mirado y honrado de todos, y assí mesmo al maestro, que muy emparentado y muy rico en aquella tierra era. Grasinda le salió a recebir al corral con todas sus dueñas y donzellas. Y él, descavalgando, se le humilló mucho y ella a él, como aquellos que de buen amor de amavan. Y Grasinda le dixo:

—Señor Cavallero de la Verde Spada, en todas las cosas os hizo Dios complido, que haviendo passado tantos peligros, tantas estrañas cosas, la vuestra buena ventura, que lo quiso, os traxo a complir y quitar la palabra que me dexastes, que de hoy en cinco días es la fin del año por vos prometido; y a Él plega de os poner en coraçón que tan enteramente me cumpláis el otro don que ahún por demandar está.

—Señora —dixo él—, nunca yo, si Dios quisiere, faltaré lo que por mí fuere prometido, specialmente a tan buena señora como vos sois, que tanto bien me fizo; que si en vuestro servicio la vida pusiere, no se me deve gradeçer, pues que por vuestra causa dándome al maestro Elisabad la tengo.

—Bien empleado sea el servicio —dixo ella—, pues tan bien gradeçido es. Y agora os id a comer, que no puedo yo por voluntad pedir tanto que vuestro gran esfuerço no cumpla más.

Estonces lo levaron al corral de los hermosos árboles, donde ya de la ferida le havían curado, como se os contó. Y allí fue servido él, y el maestro Elisabad, como en casa de señora que tanto los amava; y en una cámara que con aquel corral se contenía alvergó el Cavallero de la Verde Spada aquella noche. Y antes que durmiesse habló muy gran pieça con Gandalín, diziéndole cómo iva ledo en su coraçón por ir contra la parte donde su señora era, si el don de aquella dueña no le storvasse. Gandalín le dixo:

—Señor, tomad el alegría cuando viniere, y lo ál remitid a Dios nuestro Señor, que puede ser qu'el don de la dueña será en ayudar acreçentar vuestro plazer.

Assí durmió aquella noche con algo más de sosiego; y a la mañana se levantó y fue a oír missa con Grasinda en su capilla, que con sus dueñas y donzellas lo atendía. Y desque fue dicha, mandando a todos apartar, tomándole por la mano, en un poyo que allí estava con él se assentó; y razonando con él dixo:

—Cavallero de la Verde Spada, sabréis cómo un año antes que aquí vos veniéssedes, todas las dueñas que stremadamente sobre las otras fermosas eran se juntaron en unas bodas que el duque de Vaselia fazía, a las cuales bodas fue yo en guarda del marqués Saluder, mi hermano que vos conoçéis. Y estando todas juntas, y yo con ellas, entraron aí todos los altos hombres que a aquellas fiestas vinieron; y el marqués mi hermano, no sé si por afición o por locura, dixo en voz alta, que todos lo oyeron, que tan grande era mi hermosura que vencía a todas las dueñas que allí eran, y si alguno lo contrario dixiesse, que él por armas jelo faría dezir. Y no sé si por su esfuerço dél, o porque assí a los otros como a él pareçiesse, basta que no respondiendo ninguno yo quedé y fue juzgada por la más fermosa dueña de todas las fermosas de Romanía, que es tan grande como lo vos sabéis; assí que con esto siempre mi coraçón es muy ledo y muy loçano. Y mucho más lo sería y en muy mayor alteza, si por vos pudiesse alcançar lo que tanto mi coraçón dessea; y no dudaría trabajo de mi persona, ni gasto de mi estado, por grande que fuesse.

—Mi señora —dixo él— demandad lo que más os plazerá, y sea cosa que yo cumplir pueda, porque sin duda se porná luego en esecución.

—Mi señor —dixo ella—, pues lo que os pido por merced es que seyendo sabidora de cierto haver en la casa del rey Lisuarte, señor de la Gran Bretaña, las más hermosas mujeres de todo el mundo, me leváis allí, y por armas, si por otra guisa ser no puede, me fagáis ganar aquella gran gloria de hermosura sobre todas las donzellas que allí oviere que aquí en estas partes gané sobre las dueñas, como os ya dixe, diziendo que en su corte no ay ninguna donzella tan fermosa como lo es una dueña que os levades. Y si alguno lo contradixere, gelo fagáis conoçer por fuerça de armas; y yo levaré una rica corona que por mi parte pongáis, y assí ponga otra el cavallero que con vos se oviere de combatir, para que el vençedor en señal de tener la más fermosa de su parte las lieve ambas. Y si Dios con honra nos fiziere partir de allí, levarme hedes a una que llaman la Insola Firme, donde me dizen que ay una cámara encantada en que ninguna mujer, dueña ni donzella, entrar puede sino aquella que de fermosura passare a la muy fermosa Grimanesa, que en su tiempo par no tuvo. Y éste es el don que vos demando.

Cuando esto fue oído por el Cavallero de la Verde Spada, fue todo demudado, y dixo con semblante muy triste:

—¡Ay, señora, muerto me havéis!; y si gran bien me fezistes, en creçido mal me lo havéis tornado.

Y fue assí tollido que ningún sentido le quedó. Esto fue cuidando que si con tal razón a la corte del rey Lisuarte fuesse, era perdido con su señora Oriana, que más que a la muerte la temía; y sabía bien que en la corte havía muy buenos cavalleros que por ella tomarían la empresa, que teniendo el derecho y la razón de su parte tan enteramente, según la diferencia tan grande de la hermosura de Oriana a la de todas las del mundo, que no podía él salir de la tal demanda que tomasse sino deshonrado o muerto. Y de otra parte pensava, si falleçiesse de su palabra a aquella dueña, que sin le conoçer tantas honras y mercedes della havía recebido, que sería muy gran confondimiento de su prez y honra; assí que él estava en la mayor afruenta que después que de Gaula saliera estado havía. Y maldezía a sí y a su ventura, y a la hora en que naçiera y a la venida en aquellas tierras de Romanía. Pero luego le vino súpitamente un gran remedio a la memoria, y éste fue acordársele que Oriana no era donzella, que el que por ella la batalla tomasse la tomava a tuerto. Y cuando después él pudiesse ver a Oriana, le faría entender la razón de cómo aquello passava. Y fallado este remedio, dexando el cuidado grande en que estava, que mucho atormentado le havía, a le poner en el mayor estrecho que él nunca pensó tener, mas luego tornó muy ledo y de buen semblante, como si por él nada passado oviera; y dixo a Grasinda:

—Mi buena señora, demándoos perdón por el enojo que os he fecho, que yo quiero cumplir todo lo que me pedís, si la voluntad de Dios fuere. Y si en algo dudé, no por mi voluntad, mas por la de mi coraçón, a quien yo resistir no puedo, que a otra parte endereçava su viaje, y de las palabras que yo dixe, él fue la causa como aquel que en todas las cosas sojuzgado me tiene. Mas las grandes honras que yo de os he recebido tuvieron tales fuerças que las suyas quebrantando me dexan libre para que sin ningún entrevallo aquello que tanto os agrada complir pueda.

Grasinda le dixo:

—Cierto, mi buen señor, yo creo muy bien lo que me dezís. Mas dígovos que fue puesta en muy gran alteración cuando assí os vi.

Y tendiendo sus muy fermosos braços, poniéndolos en sus ombros le perdonó aquello que havía passado, y diziendo:

—Mi señor, ¿cuándo veré yo aquel día que la vuestra gran

prez de armas me fará en mi cabeça tener aquella corona que de las más hermosas donzellas de la Gran Bretaña por vos ganada será, tornando a mi tierra con aquella gran gloria que, de todas las dueñas de Romanía, della me partí?

Y él le dixo:

—Mi señora, quien tal camino ha de andar no deve perder el cuidado, que havéis de passar por muy estrañas tierras y gentes de lenguajes desvariados, donde gran trabajo y peligro se ofreçe; y si el don yo no oviesse prometido, y mi consejo se demandasse, no sería otro salvo que persona de tanta honra y estado como lo vos sois no se devría poner a tal afruenta por ganar aquello que sin ello con tan gran parte de beldad y de fermosura muy bien y con mucha gloria passar puede.

—Mi señor —dixo ella—, más me pago del vuestro buen esfuerço que para el camino tomastes que del consejo que me daríades; pues que teniendo tal ayudador como os, sin recelo alguno spero satisfazer a mi desseo, que tanto tiempo por lo alcançar con mucha pena ha estado. Y estas estrañas tierras y gentes que dezís muy bien escusarse pueden, pues que por la mar, mejor que por la tierra, se podrá hazer nuestro camino, según de muchos que lo saben soy informada.

—Mi señora —dixo él—, yo os he de aguardar y servir; mandad lo que más a vuestra voluntad satisfaze, que aquello por mí en obra será puesto.

—Mucho vos lo gradezco —dixo ella—; y creed que yo llevaré tal atavío y compaña cual tal caudillo como lo vos sois mereçe.

—En el nombre de Dios —dixo él— sea todo.

Y assí quedó la fabla por estonces. Y desque el Cavallero de la Verde Spada folgó dos días, huvo sabor de ir a correr a monte, assí como aquel que no haziendo en que las armas exercitar, en otra cosa su tiempo passava. Y tomando consigo algunos cavalleros que allí avía, y monteros sabidores de aquel menester, se fue a un muy espesso monte dos leguas de la villa, donde muchos venados havía. Y pusiéronle a él con dos muy hermosos canes en una armada entre la espessa montaña y una floresta que no muy lexos della stava, donde más contino la caça acostumbrava salir. Y no tardó mucho que mató dos venados muy grandes, y los monteros mataron otro; y seyendo ya cerca de la noche, tocaron los monteros las bozinas. Mas el Cavallero de la Verde Spada,

queriendo a ellos ir, vio salir de una gran mata un venado
muy fermoso a maravilla; y poniéndole los canes, el venado, como muy aquexado se vio, metióse en una gran laguna, pensando guareçer; mas los canes entraron dentro, como
ivan muy codiciosos de la caça, y tomáronlo; y llegando el
Cavallero de la Verde Spada, lo mató. Y Gandalín, que con
él estava, con quien él gran alegría recibía, y había mucho
fablado en aquella ida, que a la tierra donde su señora estava cedo pensava ir, tomando en ello muy gran descanso,
como aquel que no havía visto gran tiempo havía, como havéis oído, se apeó muy prestamente de su cavallo y encarnó
los canes, que muy buenos eran, como aquel que muchas
vezes de aquel arte usado havía.

En este tiempo passando, ya la noche era cerrada, que
cuasi nada veían; y poniendo el venado muy prestamente
en una mata, echando sobre él de las ramas verdes, cavalgaron en sus cavallos. Prestamente, perdieron el tino donde havían de acudir con la gran spessura de las matas. No sabían
qué fiziessen, y sin saber dónde ivan, anduvieron una pieça
por la montaña pensando topar algún camino o alguno de
su compaña; mas no lo fallando, a caso dieron en una fuente. Y allí bevieron sus cavallos, y ya sin sperança de tener
otro alvergue, descavalgaron dellos. Quitándoles las sillas y
los frenos, los dexaron paçer por la yerva verde que allí cabe
ella era. Mas el de la Verde Spada, mandando a Gandalín
que los guardasse, se fue contra unos grandes árboles que
cerca de allí eran, porque estando solo mejor pudiesse pensar en su fazienda y de su señora. Y llegando cerca dellos,
vio un cavallo blanco muerto, herido de muy grandes golpes; y oyó entre los árboles gemir muy dolorosamente, mas
no veía quién, que la noche era escura y los árboles muy
espessos. Y sentándose debaxo de un árbol, estuvo escuchando qué podría ser aquello; y no tardó mucho que oyó dezir
con gran angustia y dolor:

—¡Ay cativo mezquino sin ventura, Bruneo de Bonamar, ya
te conviene que contigo fenezcan y mueran los tus mortales
desseos, de que tan atormentado siempre fueste! ¡Ya no verás
aquel tu grande amigo Amadís de Gaula, por quien tanto afán
y trabajo por tierras estrañas has levado, aquel que tan preciado y amado de ti sobre todos los del mundo era, pues sin
él y sin pariente ni amigo que de ti se duela, te conviene
passar desta vida a la cruel muerte, que se te ya llega!

Y después dixo:

—¡O mi señora Melicia, flor y espejo sobre todas las mujeres del mundo, ya no os verá ni servirá el vuestro leal vassallo Bruneo de Bonamar, aquel que en fecho ni dicho nunca falleçió de vos amar más que a sí! Mi señora, vos perdéis lo que jamás cobrar podéis, que cierto, mi señora, nunca havrá otro que tan lealmente como yo os ame. Vos érades aquella que con vuestra sabrosa membrança era yo mantenido y fecho loçano, donde me venía esfuerço y ardimiento de cavallero sin que os lo pudiesse servir; y agora que en obra lo ponía en buscar este hermano que vos tanto amades, de la demanda del cual jamás me partiera sin lo fallar, ni osara ante vos pareçer, mi fuerte ventura, no me dando lugar a que este servicio os fiziesse, me ha traído a la muerte, la cual siempre temí, que por causa vuestra de venirme havía.

Y luego dixo:

—¡Ay mi buen amigo Angriote d'Estraváus!, ¿dónde sois agora os, que tanto tiempo esta demanda mantovimos, y en el fin de mis días que no pueda haver socorro ni ayuda? Cruda fue mi ventura contra mí cuando quiso que ambos anoche partidos fuéssemos; áspero y cuidoso fue aquel partimiento, que ya mientra el mundo durare, nunca más nos veremos; mas Dios reciba la mi ánima y la vuestra gran lealtad guarde como lo ella mereçe.

Estonces callando, gemía y sospirava muy dolorosamente. El Cavallero de la Verde Spada, que todo lo oyera, estava muy fieramente llorando; y como le vio sossegado, fue a él y dixo:

—¡Ay mi señor y buen amigo don Bruneo de Bonamar! No os quexéis, y tened esperança en aquel muy piadoso Dios, que quiso que a tal sazón os fallasse para socorreros con aquello que bien menester havéis, que será melezina para el mal de que vos pena sofrís. Y creed, mi señor don Bruneo, que si hombre puede haver remedio y salud por sabiduría de persona mortal, que lo vos havréis con ayuda de nuestro Señor Dios.

Don Bruneo cuidó que Lasindo su scudero era, según tan fieramente lo vio llorar, que havía embiado a buscar algún religioso que lo confessasse; y dixo:

—Mi amigo Lasindo, mucho tardastes, que mi muerte se allega. Agora te ruego que tanto que de aquí me lieves, te vayas drechamente a Gaula, y besa las manos a la infanta

por mí, y dale esta parte de una manga de mi camisa en
que siete letras van scritas con un palo tinto de la mi sangre,
que las fuerças no bastaron para más; y yo fío en la su gran
mesura que aquella piedad que sosteniendo la vida de mí
no huvo, que veyéndolas con algún doloroso sentimiento, de
mi muerte la havrá, considerando haverla en su servicio recebido buscando con tantas afruentas y trabajos aquel hermano que ella tanto amava.

El Cavallero de la Verde Spada le dixo:

—Mi amigo don Bruneo, no so yo Lasindo, sino aquel por
quien tanto mal recebistes. Yo soy vuestro amigo Amadís de
Gaula, que assí como os vuestro peligro siento. No temáis, que
Dios vos acorrerá, y yo con un tal maestro que con su ayuda
tanto qu'el ánima de las carnes despedida no sea, os dará salud.

Don Bruneo, comoquiera que muy desacordado y flaco
stuviesse de la mucha sangre que se le fuera, conoçiólo en la
palabra, y tendiendo los braços contra él, lo tomó y juntó
consigo, cayéndole las lágrimas por las sus fazes en gran
abundancia. Mas el de la Verde Spada, assí mesmo teniéndolo abraçado y llorando, dio bozes a Gandalín que presto
a él viniesse; y llegando le dixo:

—¡Ay, Gandalín! Ves aquí a mi señor y leal amigo don
Bruneo, que por me buscar ha passado gran afán, y agora es
llegado al punto de la muerte. Ayúdame a lo desarmar.

Entonces lo tomaron ambos, y muy passo lo desarmaron
y pusieron encima de un tabardo de Gandalín, y cobriéron-
lo con otro del Cavallero de la Verde Espada. Y mandóle
que lo más presto que pudiesse, subiendo en algún otero
atendiesse la mañana y se fuesse a la villa al maestro Elisabad, y le dixesse de su parte que, por la gran fiança que en
él tenía, tomando todas las cosas necessarias se viniesse luego
para él a curar de un cavallero que mal llagado estava, y
que creyesse que era uno de los mayores amigos que él tenía;
y a Grasinda que le pedía mucho por merced mandasse traer
aparejo en que lo levassen a la villa tal cual convenía a cavallero de tan alto linaje y de tan gran bondad de armas
como lo él era. Y quedando allí con él, teniéndole la cabeça
en sus inojos consolándole, se fue luego Gandalín con aquel
mandado. Y subido en un otero alto de la floresta, el día
venido vio luego la villa, y puso las espuelas a su cavallo y
fue para allá. Y assí con aquella priessa que levava entró por
ella sin responder ninguna cosa a los que le preguntavan por

se no detener, y todos pensavan que alguna ocasión acontesciera a su señor. Y llegó a la casa del maestro Elisabad, el cual, oído el mandado del Cavallero de la Verde Espada y la gran priesa de Gandalín, creyendo que el fecho era muy grande tomó todo aquello que para tal menester necessario era, y cavalgando en su palafrén aguardó a Gandalín que lo guiasse, que estava contando a Grasinda lo que a su señor le acaesciera y lo que le pedía por merced. Y partiéndose della tomaron el camino de la montaña, donde en poco de espacio de tiempo fueron llegados al lugar do los cavalleros estavan. Y cuando el maestre Elisabad vio cómo el Cavallero de la Verde Espada, su leal amigo, tenía la cabeça del otro cavallero en su regaço y fieramente llorava, bien cuidó que lo amava mucho; y llegó riendo y dixo:

—Mis señores, no temades, que Dios porná presto consejo con que seréis alegres.

Desí llegóse a don Bruneo y católe las llagas, y fallólas hinchadas y enconadas del frío de la noche. Mas él le puso en ellas tales melezinas, que luego el dolor le fue quitado, assí que el sueño le sobrevino, que le fue gran bien y descanso. Y cuando el de la Verde Espada vio aquello y cómo el maestro en poco el peligro de don Bruneo tenía, fue muy ledo, y abraçándolo le dixo.

—¡Ay, maestro Elisabad, mi buen señor y mi amigo, en buen día fue vuestra compañía donde tanto bien y tanto provecho se me ha seguido! Pido yo a Dios por merced que en algún tiempo os lo pueda galardonar, que ahunque agora me vedes como un pobre cavallero, puede ser que, ante que mucho passe, de otra guisa me juzgaréis.

—Si Dios me salve, Cavallero de la Verde Espada —dixo él—, más contento y agradable es a mí serviros y ayudar a la vuestra vida que lo veo seríades en me dar el galardón; que bien cierto so yo que nunca el vuestro buen gradescimiento me faltará; y en esto no se fable más, y vayamos a comer, que tiempo es.

Y assí lo fizieron, que Grasinda gelo mandara llevar muy bien adobado, como aquella que, demás de ser tan gran señora, tenía mucho cuidado de dar plazer al Cavallero de la Verde Espada en lo que se ofrescía. Y desque comieron, estavan fablando en cómo eran muy fermosas aquellas hayas que allí veían, y que a su parescer eran los más altos árboles que en ninguna parte avían visto.

Y ellos, estándolas catando, vieron venir un hombre a cavallo, y traía dos cabeças de cavalleros colgadas del pedral, y en sus manos una hacha toda tinta de sangre. Y como vido aquella gente cabe los árboles, estovo quedo, y quísose tirar afuera. Mas el Cavallero de la Verde Espada y Gandalín lo conoscieron, que era Lasindo, escudero de don Bruneo; y temíendose, si a ellos llegasse, que con inocencia los descubriría, el de la Verde Espada dixo:

—Estad todos quedos, y yo veré quién es aquel que de nos se recela, y por cuál razón trae assí aquellas cabeças.

Entonces cavalgando en un cavallo y con una lança, se fuera para él, y dixo a Gandalín que fuesse empós dél.

—Y si aquel hombre no me atiende, seguirle has tú.

El escudero, cuando vio que contra él ivan, fuese tirando afuera por la floresta con temor que avía, y el de la Verde Espada tras él. Mas llegando a un valle, que los ya no podían ver ni oír, començólo a llamar, diziendo:

—Atiéndeme, Lasindo; no temas de mí.

Cuando él esto oyó, bolvió la cabeça y conosció que era Amadís, y con mucho plazer a él se vino y besóle las manos, y díxole:

—¡Ay, señor! No sabéis las desventuras y tristes nuevas de mi señor Bruneo, aquel que tantos peligrosos afanes en os buscar ha por tierras estrañas passado.

Y començó a fazer gran duelo, diziendo:

—Señor, estos dos cavalleros dixeron a Angriote que muerto aquí cerca en esta floresta lo dexavan, sobre lo cual les tajó estas cabeças y mandóme que las pusiesse cabe él si era muerto, y si bivo, que de su parte gelas presentasse.

—¡Ay Dios! —dixo el Cavallero de la Verde Espada—, ¿qué es esto que me dezís?, que yo fallé a don Bruneo, pero no en tal disposición que ninguna cosa contarme pudiesse. Y agora te detén un poco, y Gandalín contigo como que él te alcançó y te dixo las nuevas de tu señor; y cuando ante mí fueres, no me llames sino el Cavallero de la Verde Espada.

—Ya desso —dixo Lasindo— estava yo avisado que assí lo devía fazer.

—Y allá nos contarás las nuevas que sabes.

Y luego se tornó a su compaña y dixo como Gandalín iva empós del escudero, y a poco rato viéronlos venir a entrambos. Y como Lasindo llegó y vio el Cavallero de la

Verde Espada, descendió presto y fue fincar los inojos ante él, y dixo:

—Bendito sea Dios que a este lugar os traxo porque seáis ayudador en la vida de mi señor don Bruneo, que vos tantos amades.

Y él lo alçó por la mano y dixo:

—Mi amigo Lasindo, tú seas bien venido, y a tu señor fallarás en buen estado. Mas agora nos cuenta por cual razon traes assí essas cabeças de hombres.

—Señor —dixo él—, ponedme ante don Bruneo, y allí os lo contaré, que así me es mandado.

Luego se fueron a él donde estava en un tendejón que Grasinda con las otras cosas allí mandara traer. Y Lasindo fincó los inojos ante él y dixo:

—Señor, veis aquí las cabeças de los cavalleros que os tan gran tuerto fizieron, y embíaoslas vuestro leal amigo Angriote de Estraváus, que sabiendo el aleve que os fizieron, se combatió con ellos ambos y los mató. Y será aquí con vos a poca de ora, que quedó en un monesterio de dueñas que es en cabo desta floresta a se curar de una llaga que en la pierna tiene; y cuando la sangre aya restañada, luego se verná.

—¡Dios val! —dixo don Bruneo—, ¿y cómo acertará acá venir?

—El me dixo que viniesse a los más altos árboles desta floresta, que muerto os fallaría, que él assí lo cuidava según lo que uno destos traidores le dixo antes que lo matasse; y el duelo que por os faze no se puede contar ni dezir.

—¡Ay, Dios! —dixo el Cavallero de la Verde Spada—, guardadlo de mal y de peligro. Dezid —dixo a Lasindo—, ¿saberme as guiar a esse monesterio?

—Sabré —dixo él.

Entonces dixo al maestro Elisabad que levássen a don Bruneo en andas a la villa. Y armándose de las armas de don Bruneo, cavalgó en su cavallo y metióse por la floresta, y Lasindo con él, que escudo y yelmo y lança le levava. Y llegando donde essa noche avía dexado el venado debaxo del árbol, vieron venir Angriote en su cavallo, la cabeça baxa como que duelo fazía, con el cual el de la Verde Espada gran plazer ovo. Y luego vio venir empós dél cuatro cavalleros muy bien armados que a altas bozes le dezían:

—Esperad, don falso cavallero; conviene que la cabeça perdáis por las que tajastes a los que mucho más que vos valían.

Angriote bolvió su cavallo contra ellos, y embraçó su escudo y quisóse de se dellos defender sin que al de la Verde Espada viesse; el cual ya tomara sus armas y fue cuanto el cavallo llevarlo pudo, y llegó a Angriote ante que a los otros llegasse, y dixo:

—Buen amigo, no temáis, que Dios será por vos.

Angriote cuidó por las armas que Don Bruneo era, de que muy alegre sin comparación fue. Mas el de la Verde Espada firió al primero que delante los otros venía, que era Bradansidel, aquel con quien ya justara y fiziera llevar la cola del cavallo en la mano, cavallero al revés, como ya oístes; que era uno de los más valientes en armas que en toda aquella comarca se fallava; y encontróle por cima del escudo so la falda del yelmo en el pecho tan fuertemente, que lo lançó de la silla en el campo sin que pie ni mano buliesse. Y los tres firieron a Angriote, y él a ellos, assí como aquel que muy esforçado era. Mas el de la Verde Espada puso mano a ella, y metióse con tanta saña entre ellos firiéndolos de tan fuertes golpes que de un golpe que al uno dio por cima del ombro no pudieron tanto las armas resistir que cortadas no fuessen con la carne y con los huessos, assí que cayó a los pies de Angriote, que se mucho maravillava de tales feridas, que no pudiera él creer que tanta bondad en don Bruneo oviesse, que ya avía él derribado otro. El que quedava solo vio venir contra sí al de la Verde Espada, y no lo osando atender, començó de fuir al más correr del cavallo, y el de la Verde Espada iva tras él por le ferir; y el otro con el gran miedo erró un passo de un río y cayó en el fondo; assí que, saliendo el cavallo, el cavallero con el peso de las armas afogado fue. Entonces, dando el escudo y el yelmo a Lasindo, se tornó para Angriote, que espantado estava de su gran valentía, cuidando que don Bruneo fuesse, como ya os dixe. Mas llegando cerca conosció que era Amadís, y fue contra él los braços tendidos, dando gracias a Dios que gelo fiziera fallar. Y el de la Verde Espada así mesmo fue a lo abraçar, viniendo al uno y al otro las lágrimas a los ojos de buen talante, que se mucho amavan. Y el de la Verde Espada le dixo:

—Agora paresce, mi señor, aquel leal y verdadero amor que me avéis, en me buscar tanto tiempo con tantos peligros por tierras estrañas.

—Mi señor, no puedo tanto fazer ni trabajar en vuestra

honra y servicio que a más no os sea obligado, pues que me fezistes aver aquella que sin ella no pudiera yo sostener la vida; y dexemos esto, pues que la deuda es tan grande que a duro se podrá pagar. Mas dezidme si sabéis las desaventuradas nuevas del vuestro gran amigo don Bruneo de Bonamar.

—Ya las sé —dixo el de la Verde Espada—, y son de buena ventura, pues Dios por su merced quiso que en tal sazón lo yo fallasse.

Entonces le contó por cuál guisa lo fallara y cómo lo dexava en guarda del mejor maestro que en el mundo avía con seguridad de la vida. Angriote alçó las manos al cielo gradesciendo a Dios que assí lo avía remediado. Entonces movieron para se ir, y passando cabe los cavalleros que avían vencido, fallaron el uno dellos que bivo estava, y el de la Verde Espada se paró sobre él y díxole:

—Mal cavallero que Dios confonda, dezid por qué a sin guisado queréis matar los cavalleros andantes. Dezidlo luego; si no, tajaros he la cabeça; y si fuestes vos en el mal del cavallero que traía estas armas que yo tengo.

—Esso no lo puede negar —dixo Angriote—, que yo le dexé, con otros dos en su compañía, con don Bruneo, y después fallé yo los dos, que se alabavan que avían muerto a don Bruneo, el cual ellos llevavan para les ayudar, diziéndole que les querían quemar una hermana suya; assí que todos devieran ser en la traición, porque don Bruneo se fue con ellos a salva fe por socorrer la donzella que no padeçiesse, y yo me fue con un cavallero viejo, que essa noche nos avía alvergado, por le fazer tornar un fijo suyo que preso le tenían en unas tiendas acá suso en una ribera; y avínome tan bien que gelo fize dar, y metí en su prisión el que preso gelo tenía; y en esta manera nos partimos el uno del otro. Agora diga éste por qué le fizieron tan grande aleve.

El de la Verde Espada dixo a Lasindo:

—Desciende y tájale la cabeça, que traidor es.

El cavallero uvo gran miedo, y dixo:

—Señor, merced por Dios, que yo vos diré la verdad de lo que passó. Sabed, señor cavallero, que nos supimos cómo estos dos cavalleros buscavan al Cavallero de la Verde Espada, que nosotros mortalmente desamamos; y sabiendo cómo eran sus amigos, acordamos de los matar; y no lo pensando acabar tomándolos juntos, movimos aquellas razones que este cavallero ha dicho. Y yendo nuestro camino con achaque de librar la donzella, fablando desarmadas las cabeças y las manos, llegamos a aquella fuente de las Altas Hayas; y en tanto que el cavallero dava a bever a su cavallo, tomamos las lanças, y yo, que cabe él estava, arrebatéle la espada de la vaina; y antes que él se pudiesse valer, lo derribamos del cavallo y dímosle tantas feridas que por muerto le dexamos, y assí creo yo que lo estará.

El de la Verde Espada le dixo:

—¿Por qué razón me desamáis, que tal aleve cometistes?

—Y ¡cómo! —dixo él—, ¿vos sois el Cavallero de la Verde Espada?

—Sí soy —dixo él—, y veis aquí que la trayo.

—Pues agora os diré lo que preguntáis. Bien se os acordará cómo avrá un año que pasastes por esta tierra, y combatióse convuesco aquel cavallero que allí muerto yaze —y tendió la mano contra Bradansidel—, que era el más rezio y fuerte cavallero de toda esta tierra, y la batalla fue ante la fermosa Grasinda. Y Bradansidel con gran sobervia puso la ley que el vencido avía de guardar, la cual era que cavalgando aviessas en el cavallo, y el scudo al revés y la cola del cavallo en la mano por freno, passasse ante aquella fermosa dueña y por medio de una villa suya; lo cual Bradansidel como vencido le convino complir con gran desonra y mengua suya. Y por esta deshonra que le fezistes os desamava él de muerte, y todos aquellos que sus parientes y amigos somos; y caímos en aquel yerro que avéis visto. Agora mandadme matar o dexar bivo, que dicho os he lo que saber queríades.

—No os mataré —dixo el de la Verde Espada—, porque los malos biviendo mueran muchas vezes y paguen aquello que sus malas obras merescen, que según vuestras mañas así se cumplirá como lo digo.

Y mandó a Lasindo que tomasse un cavallo de aquellos que sueltos andavan para levar el venado, y desenfrenando los otros cavallos, corriéndolos por la floresta se fueron contra la villa, donde pensavan fallar a don Bruneo, y levaron ante sí en el cavallo el venado.

Y el Cavallero de la Verde Espada avía gran sabor de preguntar a Angriote por nuevas de la Gran Bretaña, y él le contava las que sabía, ahunque ya avía año y medio que él y don Bruneo de allá en su demanda dél avían partido; y entre las otras cosas le dixo:

—Sabed, mi señor, que en casa del rey Lisuarte queda un donzel, el más estraño y más fermoso que se nunca vio, del cual Urganda la Desconoscida ha fecho por su carta saber al rey y a la reina las grandes cosas, si bive, a que ha de pujar.

Y contóle cómo el hermitaño lo criara, sacándolo de la boca de una leona, y en la forma que el rey Lisuarte lo falló, y díxole de las letras blancas y coloradas que en el pecho tenía, y cómo el rey lo criara muy honradamente por lo que Urganda dixera, y cómo demás de ser el donzel tan fermoso y de buen donaire, era muy bien acostumbrado en todas sus cosas.

—¡Dios val! —dixo el Cavallero de la Verde Espada—, de muy estraño hombre me fabláis. Agora me dezid qué edad avrá.

—Puede ser de fasta doze años [82] —dixo Angriote—. Y él y Ambor de Gadel, mi fijo, sirven ante Oriana, que mucha merced les faze, tanto es bueno su servicio; tanto, que en aquella casa del rey no ay otros tan honrados ni mirados como ellos. Pero muy diferentes son en el parescer, que el uno es el más hermoso que se fallar podría y muy mejor acostumbrado, y Ambor me semeja muy perezoso.

—¡Ay, Angriote! —dixo el Cavallero de la Verde Espada—, no juzguéis a vuestro fijo en la edad que ni bien ni mal puede alcançar a saber. Y dígoos, mi buen amigo, que si él de más días fuesse y Oriana me lo quisiesse dar, que lo traería yo comigo, y faría cavallero a Gandalín, que tanto tiempo ha que me sirve y aguarda.

—Si Dios me salve —dixo Angriote—, esso meresce él muy bien, y creo que cavallería será en él muy bien empleada, como en uno de los mejores escuderos del mundo. Y seyendo él cavallero y mi fijo entrado a vos servir en su lugar, entonces perdería yo la sospecha que tengo, y sería puesto en gran esperança que de vuestra compañía saldría él tal que mucha honra diesse a todo su linaje. Y dexémoslo agora fasta su tiempo, que Dios lo enderece. —Y luego le dixo—: Sabed, señor, que don Bruneo y yo hemos andado por todas las partes destas ínsolas de Romanía, donde fallamos grandes cosas

82. De ningún modo puede contar Esplandián con doce años. A diferencia del *Lancelot en prosa* (donde los días, meses y años están contados con un rigor sorprendente) en el *A* se observa un descuido en la cronología de los sucesos.

que en armas avéis fecho, assí contra cavalleros muy sobervios como contra fuertes y esquivos gigantes, que todas las
gentes que lo saben quedan con espanto en ver cómo pudo
un cuerpo de hombre solo tales afruentas y peligros sofrir. Y
allí sopimos de la muerte del temeroso y fuerte Endriago,
que nos avéis fecho mucho maravillar cómo osastes acometer al mesmo diablo, que assí nos dizen que es su fechura y
que ellos lo engendraron y criaron, comoquiera que fijo de
aquel gigante y su fija fuesse; y ruégovos, mi señor, que me
digáis cómo con él os ovistes, por oír la más estraña y fuerte
cosa que nunca por hombre mortal passó.

Y el Cavallero de la Verde Espada le dixo:

—Desto que preguntáis son mejores testigos que yo Gandalín y el maestro que de don Bruneo cura, y ellos lo dirán.

Assí fablando como oís, llegaron a la villa, donde con
mucho plazer de Grasinda recebidos fueron, seyendo ya Angriote avisado que lo no avía de llamar por otro nombre sino
de la Verde Espada; y fallaron pieça de cavalleros armados
que por mandado de Grasinda los querían ir a buscar. Y tomándolos ella consigo los levó a la cámara del cavalero de
la Verde Spada, donde tenía en un lecho a don Bruneo de
Bonamar. Y cuando entraron dentro y lo fallaron en buena
disposición, ¿quién os podría dezir el plazer que a sus ánimos vino en se ve todos tres juntos? Y assí lo avía aquella
señora muy fermosa, teniéndose por mucho honrada en ser
en su casa y en guarda de cavalleros tan preciados, donde
fallavan la guarida y reparo que a duro en otra parte no podrían fallar. Y luego fue curado Angriote de la ferida de su
pierna, que mucho enconada, con el camino y con la fuerça
que en la batalla de los cavalleros puso, traía. Y en otra cama
junta con la de don Bruneo fue echado; y cuando ovieron
comido aquello que el maestro mandó, saliéronse todos fuera
por los dexar dormir assussegar. Y dieron de comer al Cavallero del Enano en otra cámara, y allí estuvo contando a
Grasinda la bondad y gran valor de aquellos sus muy leales
amigos. Y desque uvo comido, ella se fue a sus dueñas y
donzellas, y el de la Verde Espada a sus compañeros, que
los mucho amava; a los cuales falló despiertos y fablando.
Mandó juntar su lecho con los suyos, y allí folgaron con
mucho plazer fablando en muchas cosas por que avían passado. Y el Cavallero de la Verde Espada les contó el don
que a la dueña avía prometido y lo que ella le demandó, y

cómo adereçava para ir por la mar a la Gran Bretaña, de que mucho a don Bruneo y Angriote plugo, porque ya ellos, aviendo fallado a aquel que demandavan, de esse año bolver a aquella tierra.

Estavan, pues, assí como la istoria cuenta, en casa de aquella fermosa dueña Grasinda el de la Verde Espada y don Bruneo de Bonamar y Angriote de Estraváus con mucho vicio y plazer. Y cuando fueron en disposición que sin peligro de sus personas entrar pudiessen en la mar, ya la flota estava guarnescida de viandas para un año, y de gente de mar y de guerra, tanto cuanto convenía. Y un domingo de mañana en el mes de mayo entraron en las naves, y con buen tiempo començaron a navegar la vía de la Gran Bretaña.

CAPÍTULO LXXVI

DE CÓMO LLEGARON A LA ALTA BRETAÑA LA REINA SARDA-
MIRA CON LOS OTROS EMBAXADORES QUE EL EMPERADOR DE
ROMA EMBIAVA PARA QUE LE LEVASSEN A ORIANA, FIJA DEL
REY LISUARTE, Y DE LO QUE LES ACAESCIÓ EN UNA FLORESTA
DONDE SE SALIERON A RECREAR CON UN CAVALLERO ANDAN-
TE QUE LOS EMBAXADORES MAL TRATARON DE LENGUA, Y EL
PAGO QUE LES DIO DE LAS DESMESURAS QUE LE DIXERON

LOS embaxadores del emperador Patín, que en la Lombardía eran llegados, ovieron barcas y passaron en la Gran Bretaña, y aportaron en Fenusa, donde el rey Lisuarte era, del cual con mucha honra fueron muy bien recebidos, y les mandó dar muy abastadamente buenas posadas y todo lo ál que menester avían. Y a esta sazón eran con el rey muchos hombres buenos, y atendia a otros por quien avía embiado por aver consejo con ellos de lo que en el casamiento de su fija Oriana faría; y puso plazo a los embaxadores de un mes para les dar la respuesta, poniéndoles en gran esperança que sería tal con que alegres fuessen. Y acordó que la reina Sardamira, que allí el emperador con veinte dueñas y donzellas avia embiado para que a Oriana por la mar fieziessen compañía y la sirviessen, que se fuesse a Miraflores, donde ella estava, y le contasse las grandezas de Roma y la grande alteza en que sería con aquel casamiento, mandando tantos reyes y príncipes y otros muchos grandes señores. Esto fazía el rey Lisuarte porque de su fija conoscía tomar mucho contra su voluntad aquel casamiento, y porque esta reina, que muy cuerda era, la atraxiesse a ello. Pero a esta sazón era Oriana tan cuitada y con tan gran angustia que el entendimiento y la palabra le faltava, cuidando que su padre contra toda su voluntad la entregaría a los romanos, por donde a ella y a su amigo Amadís la muerte les sobrevernía.

Pues la reina Sardamira partió para Miraflores, y don Grumedán por mandado del rey con ella, para que la fiziesse servir; y ivan en su guarda cavalleros romanos y de Cerdeña, donde ella era reina. Y assí acaesció que estando en una ribera verde y de fermosas flores, esperando que la calor del sol passasse, los sus cavalleros, que preciados en armas eran, pusieron sus escudos fuera de las tiendas, y eran cinco, y don Grumedán les dixo:

—Señores, fazed meter los escudos en la tienda, si no queréis mantener la costumbre de la tierra, que es que cualquiera cavallero que pone el escudo o la lança fuera de la tienda, o casa o choça, donde posare, le conviene mantener justa a los cavalleros que gela demandaren.

—Bien entendemos essa costumbre, y por esso los ponemos fuera —dixeron ellos—; Dios mande que antes que de aquí vamos, nos sea la justa por algunos demandada.

—En el nombre de Dios —dixo don Grumedán—, pues algunos cavalleros suelen andar por aquí, y si vinieren, miraremos cómo lo fazéis.

Y assí estando como oís, no tardó mucho que vino aquel preciado y valiente don Florestán, que muchas tierras avía andado buscando a su hermano Amadís, que nunca dél ningunas nuevas supo, y andava con gran pesar y tristeza. Y porque supo que en casa del rey Lisuarte eran venidas gentes de Roma, y de otras partes, que passaran la mar, vino allí por saber dellos algunas nuevas de su hermano. Y cuando vio las tiendas cerca del camino por donde él iva, fuese para allá por saber quién allí estava; y llegando a la tienda de la reina Sardamira, viola estar en un estrado, y era una de las fermosas mugeres del mundo, y la tienda tenía las alas alçadas, assí que se parescían todas sus dueñas y donzellas. Y por mirar mejor a la reina, que tan bien y tan apuesta le semejava, llegóse assí a cavallo por entre las cuerdas de la tienda por la mejor mirar, y estóvola catando una pieça. Y assí estando, llegó a él una donzella que le dixo:

—Señor cavallero, no estáis muy cortés a cavallo tan cerca de tan buena reina y otras señoras de gran guisa que allí están; mejor os estaría catar a aquellos escudos que allí están, que os demandan, y a los señores dellos.

—Cierto, muy buena señora —dixo don Florestán—, vos dezís gran verdad; mas por fuerça mis ojos, desseando ver la muy fermosa reina, dieron causa que en tan gran yerro cayesse; y pidiendo perdón a la buena señora y a todas vosotras, faré la emienda que por ella me fuere mandada.

—Bien dezís —dixo la donzella—, pero es menester que, antes del perdón, que la emienda se faga.

—Buena donzella —dixo don Florestán—, eso luego lo faré yo, si por mí se puede fazer, con tal que se me no demande que dexe de fazer lo que devo contra aquellos escudos; o los mandad poner dentro en la tienda.

—Señor cavallero —dixo ella—, no creáis que tan ligeramente los escudos allí se pusieron; que antes que sean quitados, avrán ganado por el gran esfuerço de sus señores todos los otros que por aquí passaren que defenderse les quisieren, para los levar a Roma, y los nombres de los cavalleros cuyos fueron, escritos en los brocales en señal que paresca la bondad que los romanos han sobre los cavalleros de otras tierras. Y si queréis guardaros de vergüença caer, tornadvos por do venistes, y no será levado vuestro escudo y nombre donde con pregón vuestra honra será menoscabada.

—Donzella —dixo él—, si a Dios pluguiere, yo me guardaré dessas vergüenças que me dezís; ni me fío tanto en vuestro amor que a ninguno destos consejos me atenga; antes, entiendo levar estos escudos a la Insola Firme.

Entonces dixo a la reina:

—Señora, a Dios seáis encomendada, y El, que tan fermosa os fizo, vos dé mucha alegría y plazer.

Y movió contra los escudos. Y don Grumedán, que bien oyera todo lo que con la donzella passó, preciólo mucho, y más cuando en la Insola Firme le oyó fablar, que luego cuidó que del linaje de aquel muy esforçado Amadís sería, y bien creyó que faría lo que a la donzella avía dicho, de levar los escudos a la Insola Firme; y plúgole mucho por ver los cavalleros romanos qué tales eran en armas. Y no conoscía él a don Florestán, pero parescióle muy bien armado a maravilla y muy fermoso cavalgante, y así lo era; y teníale por muy esforçado en cometer tan gran cosa, y desseávale todo bien; y más lo fiziera si supiera ser don Florestán, que le mucho amava y preciava. Y don Florestán, que se veía delante dél, que sabía no aver en toda la corte cavallero que tanto conoscimiento de las cosas de las armas como él oviesse, crecíale el coraçón y ardimiento porque en él punto de cobardía no sintiesse. Y llegóse a los escudos, y puso el cuento de la lança en el primero y segundo y tercero y cuarto y quinto; y esto fazía él porque assí avían de ir a las justas, uno empós de otro según los escudos tocados fueron. Esto fecho, apartóse por el campo cuanto un trecho de arco, y echó su escudo al cuello, y tomó una lança gruessa y buena; y endereçándose en la silla, estuvo atendiendo. Y don Florestán traía siempre consigo cada que podía dos o tres escuderos por ser mejor servido, y porque le traxiessen lanças y hachas, de que él muy bien se sabía ayudar, que en muchas tierras no se fallaría otro cavallero que tan bien justase como él. Y estando así atendiendo los romanos que armados estavan en una tienda, arrebatáronse a cavalgar presto y ir a él; y don Florestán les dixo:

—¿Qué es esso, señores? ¿Queréis venir todos a uno? Quebradas la costumbre desta tierra.

Gradamor, un cavallero romano por quien los otros se mandavan, dixo a don Grumedán que les dixesse cómo devían fazer, pues que él mejor que otro lo sabía. Don Grumedán le dixo:

—Assí como los escudos fueron tocados uno empós de otro, así los cavalleros han de ir a las justas. Y si me creríedes, no iredes locamente, que, según lo que de aquel cavallero paresce, no querrá para sí la vergüença.

—Don Grumedán —dixo Gradamor—, no son los romanos de la condición de vosotros, que vos loáis antes que el fecho venga; y nosotros ahún lo que fazemos lo dexamos olvidar. Y por esto no ay ningunos que nos iguales sean, y a Dios pluguiesse que sobre esta razón fuesse nuestra batalla y de aquel cavallero, ahunque mis compañeros no metiessen aí la mano.

Don Grumedán le dixo:

—Señor, passad agora con aquel cavallero lo que a Dios pluguiere; y si él queda libre y sano destas justas, yo faré que sobre esta razón que dezís se combata con vos. Y si por ventura tal impedimiento oviere que lo no pueda fazer, yo tomaré la batalla en mí en nombre de Dios. Y id agora a

vuestra justa, y si della bien escapardes, quedaremos delante
desta noble reina, que nos no podamos tirar afuera.

Gradamor rió como en desdén, y dixo:

—Agora tuviéssemos essa batalla que dezís tan cerca como
la justa de aquel cavallero sandio que nos atender osa.

Y dixo al cavallero del primero escudo que se tocó:

—Id luego y fazed de guisa que nos libredes del poco prez
que en vencer a aquel cavallero se ganaria.

—Agora folgad —dixo el cavallero—, que yo os lo traeré a
toda vuestra voluntad; y el escudo y de su nombre fazed
como os es mandado del emperador; y el cavallo, que me
semeja bueno, será mío.

Entonces en su cavallo passó el agua y fuesse endereçando sus armas contra don Florestán; el cual, que lo assí vio
venir y que el agua passara, firió el cavallo de las espuelas y
fue para él, y el romano assí mesmo. Y juntáronse de los
cavallos y escudos uno con otro, que de los encuentros de
las lanças fallescieron; y el romano, que peor cavalgante era,
fue en tierra sin detenimiento. Y fue la caída tan grande que
el braço diestro ovo quebrado, y fue muy mal tollido, assí
que a los que miravan les semejava que muerto era, tal le
vieron. Y don Florestán mandó descender a un escudero de
los suyos que le tomasse el escudo y lo colgasse de un árbol,
y assí mesmo le fizo tomar el cavallo; y él se tornó al lugar
donde ante estava, faziendo señales como que se quexava
contra sí porque el encuentro errara; y puso el cuento de la
lança en tierra atendiendo. Y luego vio venir otro cavallero
contra sí, y fue para él lo más rezio que el cavallo lo pudo
levar, mas no erró aquella vez el golpe; antes lo firió tan fuertemente en el escudo, que gelo falsó, y puxó tan rezio que
lo lançó del cavallo, y la silla sobre él, en el campo, y la
lança metida por el escudo y por la carne, que de la otra
parte le apuntó. Y don Florestán passó por él muy apuesto
y buen cavalgante, y luego tornó sobre él, y díxole:

—Don cavallero romano, la silla que con vos levastes sea
vuestra, y el cavallo sea mío; y si estas fuerças en Roma quisierdes contar, yo os lo otorgo.

Y esto dezia él en boz tan alta que bien lo oían la reina
y sus dueñas y donzellas. Y dígoos de don Grumedán que
en gran manera fue ledo cuando esto oyó que el cavallero
de la Gran Bretaña dezía y fazía con el de Roma; y dixo
contra Gradamor:

—Señor, si vos y vuestros compañeros mejores no os mostráis, no es razón que os derriben los muros de Roma por donde entréis cuando allá llegardes.

Gradamor le dixo:

—En mucho tenéis lo que passó; pues si mis compañeros acabassen sus justas, yo faré que ál digáis, y no con tanta ufanía como agora tenéis.

—Cerca estamos de lo ver —dixo don Grumedán—, que según me paresce, aquel cavallero de la Insola Firme bien defiende su ropa; y yo fío tanto en él, que escusará la batalla que yo con vos tengo puesta.

Gradamor començó a reír sin gana, y dixo:

—Cuando a mí viniere el fecho, yo os otorgaré todo lo que dezís.

—En el nombre de Dios —dixo don Grumedán—, y yo terné mi cavallo y mis armas presto para cumplir lo que dixe, que según vuestro parescer, poco os durará aquel cavallero en el campo; ahunque yo creo que el su pensamiento es muy diverso del vuestro.

Y a la reina pesava mucho en oír las locuras de Gradamor y de los otros romanos. Mas don Florestán fizo tomar el escudo y el cavallo al cavallero, que como muerto sin ningún sentido en el suelo estava; y cuando le sacaron el troço de la lança, dio el cavallero una boz dolorida demandando confessión.

Y don Florestán, tomando una lança, se tornó al mesmo lugar do ante estava. Y no tardó que vio venir otro cavallero en un grande y fermoso cavallo, pero no con tanto esfuerço como el primero, y fue cuanto pudo a don Florestán, y salió el encuentro en soslayo, así que la lança barahuestó y fue partido el encuentro. Y don Florestán lo firió en el yelmo, y quebrándole los lazos, gelo derribó de la cabeça rodando por el campo, y fízole abraçar a las cervizes del cavallo, mas no cayó. Y don Florestán tomó la lança a sobremano, y vino a él muy sañudo; y el cavallero, que lo vio venir assí, alçó el escudo, y don Florestán le dio un tal golpe en él que se le fizo juntar al rostro, assí que fue atordido y perdió la rienda de la mano. Y como lo vio con tal desacuerdo, don Florestán dexó caer la lança, y tiró por el escudo tan rezio que gelo sacó del cuello; y diole con él por encima de la cabeça dos golpes tan pesados que lo fizo caer del cavallo tan sin sentido que no fazía sino rebolverse por el campo. Y mandó tomar el cavallo y a él que le diessen su lança, y fue al romano y díxole:

—De hoy más, si pudierdes, podéis ir a Roma a lloraros de los cavalleros de la Gran Bretaña.

Y endereçándose en la silla, fue contra el cuarto cavallero, que vio venir contra sí. Mas su justa fue por los primeros encuentros partida, que don Florestán lo encontró tan duramente, que él y el cavallo fueron en tierra, y el cavallero ovo la pierna quebrada cabe el pie; y levantándose el cavallo, el cavallero quedó en el suelo sin se poder levantar. Y fízole tomar el escudo y el cavallo como a los otros.

Y él tomó una muy buena lança de sus escuderos, y vio que venía contra él Gradamor con unas armas muy fermosas y frescas, y en un cavallo overo grande y fermoso, y blandiendo la lança como que la quebrar quería. D'éste tenía don Florestán gran saña porque le amenazara. Y Gradamor dezía a una boz alta:

—Don Grumedán, no dexéis de os armar, que antes que en vuestro cavallo seáis, yo faré que este cavallero que me atiende os aya menester en su ayuda.

—Agora lo veremos —dixo don Grumedán—, mas por essas alabanças no me quiero poner en esse trabajo fasta que vea cómo lo passáis.

Gradamor, que ya el agua passara, vio a don Florestán contra sí venir al más correr de su cavallo, muy bien cubierto de su escudo, y la lança baxó por lo ferir, y él movió contra él a gran correr de su cavallo. Y ambos los cavalleros eran fuertes y valientes, y encontráronse de las lanças, y Gradamor le passó el escudo y metió por él bien un palmo de la hasta de la lança, y allí quebró. Y don Florestán le passó el escudo en derecho del costado sinistro y quebrantó las fojas por fuerça del golpe, que fue grande, y lançólo fuera de la silla en una cava que aí avía que yazía llena de agua y de lodo; y passó por él, y mandóle tomar el cavallo a sus escuderos. Y don Grumedán, que esto vio, dixo contra la reina:

—Señora, seméjame que ya podré una pieça folgar en cuanto Gradamor enxuga sus armas y busca otro cavallo en que se combata.

Le reina dixo:

—Malditas sean sus locuras y sobervias dellos, que a todo el mundo fazen enseñar contra sí, y después pássanlo a su vergüenza.

Gradamor se yugo rebolviendo en el agua y en el lodo una pieça; y cuando dello salió, ovo gran pesar de lo que le aveniera. Y quitó el yelmo de la cabeça, y limpióse con su mano los ojos y el rostro del agua y del lodo que en él tenía, y sacudióse dello lo más que pudo; desí lançó el yelmo en la cabeça. Y don Florestán, que lo así vio, llegóse a él y díxole:

—Señor cavallero amenazador, dígoos que si no os ayudáis mejor de la espada que de la lança, no será por vos levado mi escudo ni mi nombre a Roma.

Gradamor le dixo:

—Pésame de la prueva de las lanças, mas no trayo esta espada sino para me vengar, y esto os haré yo luego ver si la costumbre desta tierra osardes mantener.

Y don Florestán, que muy mejor que él la sabía, le dixo:

—¿Y qué costumbre es esta que dezís?

—Que me deis mi cavallo —dixo él—, o descendid del vuestro, y a pie nos ensayaremos a las spadas; y será el juego comunal, y el que peor lo jugare quede sin mesura y mercé.

Don Florestán le dixo:

—Bien creo yo que esta costumbre no la manterníades vos seyendo vencedor; pero yo quiero descendir de mi cavallo, porque no es razón que cavallero romano tan hermoso como vos sois suba en cavallo que lo otro derribasse.

Estonces se apeó y dio el cavallo a sus escuderos, y metió mano a su spada. Y cubriéndose muy bien de su escudo fue a gran passo contra él con muy gran saña, y firiéronse de las spadas muy bravamente, assí que la batalla era asaz brava y pareçía a todos bien peligrosa por la saña que entre ellos era. Mas no duró, que don Florestán, que más rezio y fuerte era en bondad de armas, viendo que la reina y las sus mugeres lo miravan, y don Grumedán, que muy mejor que ellas sabía de tales fechos, provó toda su fuerça, dándole tan grandes y pesados golpes, que Gradamor, ahunque muy valiente era, no lo pudo sofrir y ívale dexando el campo, tirándose afuera contra la tienda de la reina, a fiuza que don Florestán por su acatamiento della lo dexaría. Mas don Florestán se le paró delante, y a su pesar le fizo bolver contra donde viniera; y tanto lo cansó que Gradamor cayó tendido en el campo, desapoderado de toda su fuerça. Y la espada le cayó de la mano, y don Florestán le tomó el escudo y diolo a sus escuderos; desí travóle del yelmo, y tirógelo tan fuertemente de la cabeça, que una pieça lo arrastró por el campo, y lançó el yelmo en la cava del lodo que ya oístes. Y tornó a él, y tomándolo de la una pierna, quiso lo assí mesmo echar con el yelmo; y Gradamor començó a dezir a altas bozes que por Dios le oviesse piedad. Y la reina, que lo veía, dixo:

—Mal ha baratado aquel desventurado cuando sacó que el vencedor no oviesse mesura ni merced del vencido.

Y don Florestán dixo a Gradamor:

Postura que tan honrado cavallero como vos puso, no es razón que quebrada sea, y yo vos la terné muy complidamente, assí como lo agora veréis.

El, cuando esto oyó, dixo:

—¡Ay, cativo que muerto soy!

—Assí es —dixo don Florestán— si no fazéis mi mandado en dos cosas.

—Dezidlas —dixo él—, que yo las faré.

—La una —dixo don Florestán—, que por vuestra mano, y de la sangre vuestra y de vuestros compañeros, scriváis vuestro nombre y los suyos en los brocales de los escudos; y esto hecho, deziros he la otra cosa que quiero que hagáis.

Y diziéndole esto, tenía sobre él su spada esgrimiéndola, y el otro debaxo tremiendo con gran espanto. Y fizo llamar un scrivano suyo, y mandóle que quitando la tinta de su tintero, lo hinchiesse de su sangre y escriviesse su nombre en el escudo, pues que él no podía, y todos los nombres de sus compañeros en los otros sus escudos, y que lo hiziesse presto porque él no perdiesse la cabeça. Esto fue luego assí fecho, y don Florestán limpió su spada y púsola en la vaina, y fue cavalgar en el cavallo suyo; y cavalgó muy ligeramente, assí que semejava que no havía aquel día trabajado ninguna cosa. Y dio su escudo al scudero, mas el yelmo no quitó porque don Grumedán no lo conoçiesse. Y el cavallo en que otava era grande y fermoso y de estraña color, y el cavallero era de una grandeza y talle tan apuesto, que pocos se fallarían que tan bien como él pareçiessen armados. Y tomó en su mano una lança con un pendón rico y hermoso, y paróse sobre Gradamor, que se ya levantara, y blandiendo la lança le dixo:

—Vuestra vida no está sino en que don Grumedán me os pida que os no mate ante él.

El començó a dar grandes bozes llamando a don Grumedán que por Dios le acorriesse, pues que en él era su vida o su muerte. Y luego don Grumedán vino assí a pie como estava, y dixo:

—Cierto, Gradamor, si os no vale merced ni piedad, esto es con gran derecho, porque con vuestra sobervia assí lo pedistes a este señor; mas yo le ruego que os dexe bivir, porque mucho gelo agradeçeré y serviré.

—Esso haré yo de grado —dixo don Florestán— por vos, y todo lo ál que vuestra honra y plazer sea.

Y luego dixo:

—Vos, don cavallero romano, de hoy más cuando vos pluguiere, podréis contar en el juizio de Roma, si allá fuerdes, las grandes sobervias y amenezas que os contra los cavalleros de la Gran Bretaña havéis dicho, y cómo con ellos vos mantovistes, y la gran prez y honra que dellos ganastes en tan poco espacio de un día; y assí lo dezid al vuestro gran emperador y a las potestades porque dello hayan plazer. Y yo faré saber en la Insola Firme cómo los cavalleros de Roma son tan liberales y francos que dan ligeramente sus cavallos y armas a los que no conoçen. Mas yo desta dádiva que a mí fezistes no tengo que os agradeçer, y agradézcolo yo a Dios, que sin vuestro grado me lo quiso dar.

Gradamor, que tan maltrecho estava, cerca de le salir el alma, que esto oía, más grave le eran estas palabras que las feridas. Y don Florestán le dixo:

—Señor cavallero, vos llevaréis a Roma toda la sobervia que de allá traxistes, pues que la aman y precian; que en esta tierra los cavalleros della no la dessean, ni conoçen sino aquello que vosotros aborrecéis, que es mesura y buen talante. Y si vos, mi señor, sois tan enamorado como valiente en armas, y quisierdes que a la Insola Firme os lieve, provaréis el arco encantado de los leales amadores que allí van con lealtad de sus amigas. Y con este prez y honras que de la Gran Bretaña levardes preciaros ha mucho más vuestra amiga; y si es de buen conoçimiento, no vos trocará por otro alguno.

Dígoos de don Grumedán que havía gran sabor de oír aquellas palabras, y reía de mucha gana en ver quebrantada la sobervia de los romanos. Mas no lo fazía assí Gradamor; antes las oía con gran quebranto de su coraçón, y dixo a don Grumedán:

—Buen señor, por Dios mandadme levar a las tiendas, que mucho soy maltrecho.

—Bien pareçe en vos y en vuestras armas —dixo él—, y vuestra es la culpa.

Estonces lo fizo tomar a sus escuderos, que lo levassen. Y dixo a don Florestán:

—Señor, si vos pluguiere dezidnos vuestro nombre, que tan buen hombre como os no lo deve encubrir.

Y él le dixo:

—Mi señor don Grumedán, ruégovos que no os pese de vos lo no dezir, porque según la descortesía que yo fize a aquella muy fermosa reina, por ninguna guisa no querría que lo supiesse, que por muy culpado me siento, ahunque ella y sus donzellas lo son más, que la su gran fermosura fue ocasión de me hazer errar, que de mi entendimiento me sacaron. Y ruégoos, señor don Grumedán, que fagáis con ellas que tomando de mí la emienda que yo complir pueda me perdonen y me embiéis la respuesta dello a la hermita redonda que es cerca de aquí, que allí alvergaré hoy.

Don Grumedán le dixo:

—Yo lo faré al mi poder como lo queréis, y con el recaudo que hallare os embiaré un mi escudero, y al mi grado el mandado que vos llevará será bueno, como lo vos mereçeis.

El cavallero de la Insola Firme le dixo:

—Ruégoos, señor don Grumedán, que si algunas nuevas de Amadís, sabéis, me las digáis.

Y don Grumedán, que mucho amava a aquel por quien le preguntava, viniéronle las lágrimas a los ojos con soledad dél, y dixo:

—Si Dios me salve, buen cavallero, desde aquel tiempo que se él partió de Gaula, de casa de su padre el rey Perión, nunca dél oí nuevas ningunas; y mucho sería ledo de las oír y las dezir a vos y a todos los sus amigos.

—Esso creo yo bien —dixo don Florestán—, según vuestro buen talante y la gran lealtad que en vos, señor, mora; que si todos tales fuessen, la desmesura y deslealtad no fallarían posada en ningún lugar donde alvergassen, y salerían por fuerça fuera del mundo. Y a Dios seáis encomendado, que me voy a la hermita que vos dixe a esperar vuestro escudero.

—A Dios vayáis —dixo don Grumedán.

—Y fuesse a las tiendas, y don Florestán a donde sus scuderos estavan. Y mandó que los cavallos que havía ganado los levassen a las tiendas, y el cavallo overo lo diessen a don

Grumedán de su parte porque le pareçía bueno, y los otros cuatro los diessen a la donzella que con él hablara, que fiziesse dellos a su voluntad, y le dixiessen que se los embiava don Florestán. Mucho fue alegre don Grumedán con el cavallo por aver sido de los romanos, y mucho más en saber que aquél era don Florestán, a quien él mucho amava y preciava. Y los escuderos dieron los otros cavallos a la donzella, y dixéronle:

—Señora donzella, aquel cavallero que con vuestras palabras hoy despreciastes en loor de los vuestros romanos os embía estos cavallos que los deis a quien os plazerá, y que los toméis en señal de hazer verdad las palabras que él dixo.

—Mucho gelo gradezco —dixo ella—, y cierto él los ganó con gran prez y alta bondad; pero más me pluguiera que dexara él aquí el suyo solo que recebir estos cuatro.

—Bien puede ser —dixo uno de los escuderos—, mas quien el suyo oviere de ganar menester havrá mejores cavalleros que estos que gelo demandavan.

La donzella dixo:

—No vos maravilléis en que yo desseo más la honra d'éstos que la del que no conozco ni sé quién es. Pero comoquiera que ello sea, él me embió fermoso don, y pésame de haver dicho a tan buen hombre cosa que le diesse enojo; mas yo lo emendaré en lo que él mandare.

Con esto se tornaron a su señor, que los atendía, y contáronle lo que havían passado, de que plazer huvo. El, mandando tomar los escudos de los romanos a sus escuderos, se fue a la hermita redonda por atender allí el mandado de don Grumedán y porque aquél era el derecho camino de la Insola Firme, que no havía a voluntad de entrar en la corte del rey Lisuarte y querría fablar a don Gandales, que la Insola tenía, y preguntarle si sabía algunas nuevas de su hermano, y poner allí los escudos que levava.

Mas dígoos de don Grumedán que luego fue delante la reina Sardamira y muy humildosamente le dixo lo que don Florestán le encomendara, y díxole su nombre. La reina lo escuchó muy bien, y dixo:

—¿Si será este don Florestán fijo del rey Perión y de la condesa de Selandia?

—Éste es mismo que os, señora, dezís; y creed que es uno de los esforçados y mesurados cavalleros del mundo.

—Acá no sé cómo le ha ido —dixo ella—, mas dígovos,

don Grumedán, que estrañamente hablan dél los fijos del marqués de Ancona, de su alta bondad de armas y su alto hecho, y de cómo es entendido y mesurado; y dévese creer, porque éstos fueron sus compañeros en las grandes guerras que en Roma huvo, donde él tres años moró cuando era él cavallero mançebo. Pero la su bondad no la osan dezir ante el emperador, que lo no ama, ni quiere oír que dél bien digan.

—¿Sabéis vos —dixo don Grumedán— por qué lo no ama el emperador?

—Sí —dixo la reina—, por razón de su hermano Amadís, de que el emperador ha gran quexa porque conquirió las aventuras de la Insola Firme, que él iva a ganar, y fue allí primero que él; y por esto le desama mucho en le haver quitado la honra y el prez que en ello ganar alcançava.

Don Grumedán se sonrió ende y dixo:

—Ciertamente, señora, su quexa es sin razón; antes entiendo que por solo esto le devía amar, pues le quitó que no alcançasse allí la mayor deshonra que por ventura nunca le avino, asší como la ovieron otros muchos cavalleros que lo provaron de alta bondad de armas, y no la pudo ganar sino aquel a quien Dios estremado sobre todos los del mundo fizo en esfuerço y en todas las otras maneras que buen cavallero deve haver. Y creed, mi señora, que otra aventura fue por que el emperador lo desama.

La reina dixo:

—Por la fe que a Dios devéis, don Grumedán, que me lo digáis.

—Señora —dixo él—, yo os lo diré, y no os enojés dello.

Y ella riendo le dixo:

—Comoquiera que sea, saberlo quiero.

—En el nombre de Dios —dixo él.

Estonces le contó todo cuanto aviniera al emperador con Amadís en la floresta de noche cuando se iva loando del amor y Amadís quexando, y todas las palabras que entre ellos passaron, y en qué guisa la batalla fue, asší como lo ya en el segundo libro oístes. Mucho se pagava la reina de lo oír, y fízogelo contar tres vezes; y dixo:

—Sí Dios me salve, don Grumedán, según lo que me dezis, bien dio a entender esse cavallero que puede servir al amor siendo dél contento, y hazer lo contrario cuando el amor lo hiziesse. Pero a mi pareçer, no fue éssa pequeña causa para poner desamor entre el emperador y Amadís.

CAPÍTULO LXXVII

Cómo la reina Sardamira embió su mensaje a don
Florestán, rogándole, pues que havía vencido los cavalleros poniéndolos mal parados, que quisiesse ser su
aguardador fasta el castillo de Miraflores, donde
ella iva a hablar con Oriana; y de lo que allí
passaron

Assí estando fablando la reina Sardamira y don Grumedán en esto que oído havéis, y ella lo escuchava ledamente porque aquel camino que el emperador estonces fiziera, llamándose el Patín, fue por su amor della, que la
mucho amava, y pensando ganarla vino en la Gran Bretaña
a se provar con los buenos cavalleros que allí havía, y desto
que con Amadís le avino nunca nada le dixo, y reíase mucho
entre sí de cómo gelo encubriera. Y don Grumedán le dixo:

—Señora, dadme el recaudo que vos más pluguiere que
embíe a don Florestán.

Ella estuvo una pieça cuidando; desí dixo:

—Don Grumedán, vos veis a mis cavalleros tan maltrechos que no pueden aguardar a mí ni a sí, y conviéneles quedar para su salud. Y querría, pues los cavalleros desta tierra
son tales, que don Florestán fuesse mi aguardador con vos.

El dixo:

—Yo os digo, mi señora, que don Florestán es tan mesurado, que no ha cosa que dueña o donzella le ruegue que la
no faga, cuanto más por vos, que sois tal señora y a quien
ha de hazer emienda del yerro que fizo.

—Mucho me plaze —dixo ella— de lo que me dezís; y
agora me dad quien guíe a aquella donzella, y embiarle he
mi mandado.

El le dio cuatro escuderos, y la reina embió con una carta
de creencia a la donzella que ovo los cavallos, y dixo en poridad lo que dixesse. Y cavalgando en su palafrén y los escuderos con ella, se acuitó mucho por andar el camino; assí
que llegando a la hermita redonda halló a don Florestán, que
con el hermitaño hablava, y hízose apear del palafrén. Y
como el rostro llevava descubierto, conoçióla luego don Florestán y recibióla muy bien. Ella le dixo:

—Señor, tal hora fue hoy que no cuidava buscaros, porque mi pensamiento era que de otra guisa passara el hecho entre vos y los nuestros cavalleros.

—Buena señora —dixo él—, ellos ovieron la culpa, que me demandaron lo que no podía escusar sin mi vergüença. Mas tanto me dezid si la reina vuestra señora alvergará aí esta noche donde la yo dexé.

La donzella le dixo:

—Mi señor, la reina os embía a saludar, y tomad esta carta que della trayo.

El la vio y dixo:

—Señora, dezid lo que os mandaron, y yo faré su mandado.

—No es sin razón —dixo ella— que assí lo fagáis; antes, es vuestra honra y cortesía de buen cavallero; y dígoos que me mandó que vos dixiesse que los cavalleros que la aguardavan dexastes tan maltrechos, que no se puede dellos servir; y pues de os le vino este estorvo, quiere que seáis su aguardador della fasta la poner en Miraflores, do ella va a ver Oriana.

—Mucho gradezco yo a vuestra señora lo que me embía a mandar, y en grande honra y merced lo tengo para gelo servir. Y partamos de aquí a tal hora que a la luz del alva seamos en su tienda.

—En el nombre de Dios —dixo la dueña—. Y agora os digo que sois bien conoçido de don Grumedán, que él dixo a la reina que tal respuesta como dais se fallaría en vos.

Mucho fue pagada la donzella de la buena palabra y gran mesura de don Florestán, y de cómo era fermoso y de buen donaire, y en todo le semejava hombre de alto lugar, assí como él era. Pues allí cenaron de consuno y stuvieron fablando en muchas cosas gran pieça de la noche. Y cuando fue sazón de dormir, hizieron en la hermita a la donzella en qué alvergasse, y don Florestán estuvo so los árboles con los escuderos, y durmió aquella noche muy sossegado del afán del día. Mas cuando fue tiempo, despertáronlo los escuderos, y armándose tomó consigo la donzella y la otra compaña, y fuese camino de las tiendas, y llegaron a ellas bien de mañana. La donzella se fue a la reina, y don Florestán a la tienda de don Grumedán, que ya era levantado y andava hablando con sus cavalleros, y quería oír missa. Y cuando vio a don Florestán, en gran manera fue ledo; y abraçáronse ambos con mucho plazer, y fuéronse luego a la tienda de la reina. Y don Grumedán le dixo:

—Señor, esta reina quiere vuestro aguardamiento; bien es que lo hagáis, que mucho es noble señora. Y paréçeme que no barata mal ganando a vos y perdiendo sus cavalleros.

Esto le dezía en riendo.

—Assí Dios me salve —dixo don Florestán—, mucho querría poderla servir en algo que le pluguiesse, especialmente yendo en vuestra compañía, que ha mucho que os no vi.

—Señor, cómo a mí plaze con vuestra vista —dixo él— Dios lo sabe. Y dezidme, ¿qué fezistes de los escudos que de aquí llevastes?

—Embiélos esta noche con un mi escudero a la Insola Firme a vuestro amigo don Gandales, que los ponga en lugar que sean vistos de cuantos allí vinieren y lo sepan los de Roma si los querrán venir a demandar.

—Si esso ellos fazen —dixo don Grumedán—, bien bastecida será la ínsola de sus escudos y armas.

Assí hablando llegaron donde la reina era, que ya sabía su venida. Y don Florestán fue ante ella y quísole besar las manos, mas ella no quiso, y púsole su mano en la manga de la loriga en señal de buen recebimiento; y díxole:

—Don Florestán, mucho os agradezco vuestra venida y el afán que en mi servicio queréis tomar. Pues que assí havéis emendado el mal que a mis cavalleros fezistes, razón es que perdonado os sea.

—Mi buena señora —dixo él—, no siento yo afán ni trabajo en os servir; antes, mucho más lo sintiera si con enojo os dexara; y en esto yo recibo honra y gran merced, y en lo que más fuere vos pido yo, señora, que como a vuestro cavallero y servidor me mandéis, y aquello con toda afición por mí se cumplirá.

La reina preguntó a don Grumedán si estava aparejado para el camino. Oído lo que dezía, dixo él:

—Señora, cuando vos plazerá podéis andar, y estos cavalleros feridos hazerlos he llevar a una villa que cerca de aquí es, donde curarán dellos hasta que guaridos sean, porque según sus heridas no poría ir con nos fasta que sea sanos.

—Assí se haga —dixo ella.

Estonces traxeron a la reina un palafrén blanco como la nieve, y venía ensillado de una silla toda guarnida de oro, muy bien labrada a maravilla, y assí mesmo el freno; y ella vestida de muy ricos paños, y al cuello, perlas y piedras de gran valor que mucho en su gran fermosura acrecentavan. Y luego cavalgaron sus dueñas y donzellas ricamente ataviadas; y tomando don Florestán a la reina por la rienda, entraron en el camino de Miraflores.

Dígoos de Oriana que ya sabía su venida, de que mucho le pesava, que en el mundo no havía cosa que más grave le fuesse que oír hablar en el emperador de Roma, y sabía cierto que esta reina no venía a otra cosa. Mas mucho le plugo con la venida de don Florestán, cuando supo que con ella venía, por le preguntar por nuevas de Amadís y por se le quexar del rey su padre. Pero comoquiera que su turbación grande fuesse, tovo por bien de mandar adreçar la casa de fermosos y ricos estrados para los recebir, y vistióse ella de lo mejor que tenía, y assí lo fizo Mabilia y las otras sus donzellas.

Y cuando la reina Sardamira entró por el palacio donde Oriana estava, llevávala por el braço don Florestán y Grumedán. Y cuando Oriana la vio venir, mucho le pareció bien, y pensó que, si su demanda no fuesse tal, que gran plazer oviera con ella. Y llegando la reina, homillóse ante Oriana y quísole besar las manos, mas ella las tiró a sí, y díxole que élla era reina y señora, y ella una donzella pobre a quien sus pecados querían fazer mal. Estonces la saludaron Mabilia y las otras donzellas, mostrando muy gran plazer por le dar a la reina. Mas eso no fazía Oriana, que nunca lo oviera después que los romanos fueron en casa de su padre. Mas dígoos que con don Florestán y don Grumedán holgó mucho, como que su coraçón con ellos algo descansava. Y todos se assentaron en un estrado, y Oriana fizo assentar ante sí a don Florestán y a don Grumedán; y desque habló algo con la reina, bolvióse a don Florestán y díxole:

—Buen amigo, muy gran tiempo ha que no os vi, y pésame dello, que mucho os amo, assí como lo fazen todos aquellos que os conoçen. Y grande es la mengua que vos y Amadís y vuestros amigos hazéis en ser fuera de la Gran Bretaña, según los grandes tuertos y agravios que en ella emendar hazíades. Y malditos sean aquellos que fueron causa de vos apartar de mi padre, que si aquí agora os fallárades juntos, como solía, alguna desaventurada, que agora su mal atiende en ser desheredada y llegada fasta el punto de la muerte, pudiera tener esperança de algún remedio. Y si allí fuésse-

des, razonaríades por ella y seríades en su defensa como
siempre lo hezistes, que nunca desamparastes a los cuitados
que os ovieron menester. Mas tal fue la ventura desta que
digo, que todo le falleçe sino la muerte.

Y cuando esto dezía, llorava fuertemente, y esto por dos
cosas: la una, porque si su padre la entreguasse a los romanos, esperava de echarse en la mar; y la otra, con soledad
de Amadís, que la remembrança de don Florestán, que delante sí tenía, le dava, que le mucho semejava. Y don Florestán, que mucho entendido era, bien conoçió que por sí
misma lo dezía; y dixo:

—Mi buena señora, a las grandes cuitas acorre Dios con
la su piedad, y en El tened vos, señora, esperança, que porná
consejo en vuestras cosas. Y de lo que dezís de Amadís mi
señor hermano, aquel que yo mucho desseo ver, assí como
en las unas partes falleçe su socorro, assí en las otras lo fallan aquellos que menester lo han; y creed, mi buena señora, que él es sano y en su libre poder, y anda por tierras
estrañas haziendo maravillas en armas y socorriendo a los
que tuerto reciben, assí como aquel que Dios estremó en este
mundo sobre cuantos en él naçer fizo.

La reina Sardamira, que cerca estava dellos y oía toda la
fabla, dixo:

—¡Ay! Dios le guarde a Amadís de caer en las manos del
emperador, que muy mortalmente lo desama; y yo havría
pesar de su enojo por el que tan preciado es, y por vos, don
Florestán, que es vuestro hermano.

—Señora —dixo él—, otros muchos le aman y dessean su
bien y honra.

—Yo os digo —dixo la reina— que según he sabido no ay
hombre que tanto desame el emperador como a él, si no es
un cavallero que moró un tiempo en casa del rey Tafinor de
Bohemia en tiempo que gentes del emperador lo guerreavan;
y aquel cavallero que os digo mató en batalla a don Garadán, que era el mejor cavallero que en todo el linaje del emperador havía, y en todo el señorío de Roma, si no es Salustanquidio, este príncipe muy honrado que vino con mandado
del emperador a vuestro padre en fecho de vuestro casamiento. Y aquel cavallero que os digo fizo vencer otro día
después que mató a don Garadán, por la su gran bondad de
armas, otros onze cavalleros del emperador de los mejores
que en toda Roma havía. Y con estas dos batallas que os

digo hizo aquel cavallero quedar libre de la guerra al rey de Bohemia, que con el emperador tenía, donde no esperava remedio sino de perder todo su reino; assí que en buen día entró en su casa tan noble cavallero para sus males remediar.

Estonces les contó la reina Sardamira la razón de las batallas mucho por estenso, y cómo la guerra fue partida tanto a honra y provecho del rey Tafinor, assí como este libro os lo ha contado. Y desque ella se calló, dixo don Florestán:

—Mi buena señora, ¿sabéis os cómo ha nombre esse cavallero que todas essas cosas passó a su honra?

—Sí —dixo la reina—, que lo llaman el Cavallero de la Verde Spada o el Cavallero del Enano, y a cada uno dessos nombres responde él cuando lo llaman; pero bien creído tienen todos que no es aquél su derecho nombre; mas porque dizen que trae una grande spada de un guarnimiento verde, y un enano en su compañía, le llaman estos nombres. Y comoquiera que otro scudero consigo, trae, nunca el enano dél se parte.

Cuando don Florestán esto oyó fue muy ledo, y creía verdaderamente que Amadís su hermano sería, según las señales dél oía. Y assí lo creyeron Oriana y Mabilia. Y don Florestán estuvo una pieça pensando que, tanto que aquellas cortes del rey Lisuarte se partiessen, lo iría a buscar. Y Oriana, que moría por fablar con Mabilia, dixo a la reina:

—Buena señora, os venís de lueñe y havéis menester de folgar, y será bien que descanséis en las buenas posadas que tenéis.

—Assí se haga —dixo ella—, pues que, señora, lo mandáis.

Estonces se fueron todas juntas al aposentamiento de la reina, que muy sabroso era, assí de árboles y fuentes como de casas muy ricas. Y dexándola allí con sus dueñas y donzellas y don Grumedán, que las fazía servir, Oriana se tornó a su cámara, y apartando a Mabilia y a la donzella de Denamarcha, les dixo cómo creía verdaderamente que aquel cavallero que la reina Sardamira dixera sería Amadís. Y ellas dixeron que assí lo cuidavan y creían; y Mabilia dixo:

—Señora, agora es suelto un sueño que esta noche soñava, que es que me pareçía que estávamos metidas en una cámara muy cerrada, y oíamos de fuera muy gran ruído, assí que nos ponía en pavor. Y el vuestro cavallero quebrantava la puerta y preguntava a grandes bozes por vos, y yo os mostrava que estávades echada en un estrado; y tomándoos por

la mano, nos sacava a todas de allí y nos ponía en una muy
alta torre a maravilla, y dezía: «Vos estad en esta torre y no
temáis de ninguno»; y a esta sazón desperté. Y por esto, señora, mi coraçón es mucho esforçado, y él vos acorrerá.

Cuando esto oyó Oriana, fue muy leda, y abraçóla llorando de sus ojos, que las lágrimas le caían por las sus muy
fermosas fazes; y díxole:

—¡Ay Mabilia, mi buena señora y verdadera amiga, qué
bien me acorréis con vuestro esfuerço y buenas palabras! Y
Dios mande por la su merced que assí avenga de vuestro
sueño como lo dezís; y si esto no es su voluntad, que haga
de guisa que viniendo Amadís ambos muramos y no quede
ninguno de nos bivo.

—Dexados desso —dixo Mabilia—, que Dios, que tan bien
aventurado en las cosas estrañas le fizo, no le desamparará
en las suyas propias. Y fablad con don Florestán, mostrándole mucho amor, y rogadle qu'él y sus amigos punen cuanto pudieren cómo no seáis fuera desta tierra llevada, y que
assí lo diga a don Galaor de vuestra parte y de la suya.

Mas dígoos que don Galaor, sin que ninguno gelo dixesse, estava ya él en este cuidado puesto, de lo assí consejar
al rey, y deziros hemos en qué manera. Sabed que el rey
Lisuarte fuera a caça, y con él don Galaor; y desque ovieron
caçado, yendo el rey por un valle tovo la rienda a su palafrén, y passando todos adelante llamó a don Galaor y díxole:

—Mi buen amigo y leal servidor, nunca en cosa vos demandé consejo que me bien dello no fallasse. Ya sabéis el
gran poder y alteza del emperador de Roma, que a mi fija
embía a pedir para emperatriz. Y yo entiendo en ello dos
cosas mucho de mi pro: la una, casar a mi fija tan honradamente, siendo señora de un tan alto señorío, y tener aquel
emperador para mi ayuda cada que menester oviesse; y la
otra, que mi hija Leonoreta quedará señora y heredera de la
Gran Bretaña. Y esto quiérolo hablar con mis hombres buenos, por quien he embiado, para ver en este casamiento qué
me consejarán; y en tanto dezidme vos aquí donde apartados estamos, si os plazerá, qué os pareçe desto; que bien conoçido de os, tengo que en este caso me consejaréis todo
aquello que mucho a mi honra será.

Don Galaor, cuando esto le oyó, estuvo una pieça cuidando; desí dixo:

—Señor, no soy yo de tan gran seso, ni por mí han passado tantas cosas desta cualidad, que en una cosa de tan gran fecho como ésta supiesse dar entrada ni salida. Y por esto, señor, sea yo escusado dello, si vos pluguiere, porque essos que dezís, con quien se ha de platicar, os dirán mucho mejor lo que vuestra honra y servicio sea, porque muy mejor que yo lo alcançarán.

—Don Galaor —dixo el rey—, todavía quiero que me lo digáis; si no, recibiría el mayor pesar del mundo, especialmente que hasta hoy nunca de vos recibí sino mucho plazer y servicio.

—Dios me guarde de os enojar —dixo don Galaor—; pues que todavía vos plaze provar mi simpleza, quiérolo hazer. Y digo que en lo que dezís que casaréis vuestra fija muy honradamente y con gran señorío, esto me pareçe muy al contrario, porque siendo ella vuestra sucessora heredera destos reinos después de vuestros días, no le podéis fazer mayor mal que quitárselos y ponerla en sujeción de hombre estraño donde mando ni poder terná. Y puesto caso que alcançe aquello que es el cabo de semejantes señoras, que son los fijos, y éstos vea casados, luego será puesta en mayor sujeción y pobreza que ante, viendo mandar otra emperatriz. En esto que dezís de os ayudar dél, cierto, señor, según vuestra persona y vuestros cavalleros y amigos que tanto valen, con que havéis adelantado vuestros señoríos y gran fama por el mundo, antes vos sería mengua pensar y creer que aquél os havía de sacar de neccssidades; que según sus maneras soberviosas que dizen todos que tiene, tornárseos ia al revés, que siempre recibiríedes por su causa afrentas y gastos muy sin provecho. Y lo que peor desto sería es que como servicio que le fiziéssedes sería sojuzgado, y assí quedaríades perpetuamente en sus libros y crónicas; assí que, señor, esto que vos por gran honra tenéis tengo yo por la mayor deshonra que os podría venir. Y en lo que dezís de heredar a vuestra fija Leonoreta en la Gran Bretaña, éste es un muy mayor yerro, que assí acaeçe de uno venir muchos si la buena discreción no lo ataja. Quitaros, señor, este señorío a una tal hija en el mundo señalada, viniéndole de derecho, y darlo a quien no lo deve haver, nunca Dios plega que tal consejo yo diesse; y no digo a vuestra hija, mas a la más pobre mujer del mundo no sería en qu'el suyo se le quitasse. Esto he dicho por la lealtad que a Dios y a vos y a mi ánima devo, y a vuestra fija, que por yo ser vuestro vassallo por señora la tengo; y yo me voy mañana, si a Dios pluguiere, camino de Gaula, que el rey mi padre, no sé por cuál razón, me embió a llamar. Y si os pluguiere, yo dexaré un scripto de mi mano, que fagáis mostrar a todos vuestros hombres buenos, de lo que os he dicho; y si cavallero oviere que lo contrario diga, teniéndolo por mejor, yo se lo combatiré y le faré conoçer ser verdad todo lo que dicho tengo.

El rey, cuando esto le oyó, fue mal pagado de sus razones, ahunque no se lo demostró; y díxole:

—Don Galaor amigo, pues que vos ir queréis, dexadme el scripto.

Mas esto no lo demandava él para lo mostrar, sino en caso que mucho menester fuesse.

Assí como oído havéis, se fue el rey Lisuarte con don Galaor hasta que llegaron a su palacio; y aquella noche folgaron con mucho plazer y hablando todos en este casamiento, principalmente el rey, que lo mucho gana tenía. Y otro día de mañana don Galaor diole el scripto y despidióse dél y de los hombres buenos, y partióse para Gaula. Y sabed que la intención de don Galaor en este fecho era estorvar aquel casamiento porque no sentía ser pro del rey, y también que sospechava lo de Amadís y de Oriana, fija del rey Lisuarte, ahunque ninguno no se lo dixera, y quiso fallarse fuera, donde más en ello fablar no pudiesse, conoçiendo estar ya de todo en todo el rey determinado a lo fazer. Y desto no sabía nada Oriana, y por esto rogava ella a don Florestán, como ya oístes, que lo fablasse de su parte a don Galaor.

Pues assí passaron aquel día como oís en Miraflores, siendo la reina Sardamira espantada mucho de la gran fermosura de Oriana, que no pudiera creer que persona mortal tanto lo fuesse, ahunque muy menoscabada era de lo que solía por las grandes angustias y tribulaciones de su coraçón que muy propincas le eran, temiendo aquel casamiento del emperador y no sabiendo ningunas nuevas del su amado amigo Amadís de Gaula. Y no quiso la reina fablarla por estonces en hecho del emperador, salvo en otras cosas de nuevas y de plazer. Mas otro día que en ello le fabló, ovo tal respuesta de Oriana, comoquiera que honesta y con cortesía fuesse, que nunca más osó dezirle ni fablarle en ello.

Pues Oriana, sabiendo cómo don Florestán se quería partir, tomólo consigo y levólo so unos árboles que allí eran, donde havía un muy rico estrado; y faziéndolo sentar ante sí, díxole descubiertamente toda su voluntad y la gran fuerça que su padre le fazía queriéndola desheredar y embiarla a tierras estrañas, rogándole que della se doliesse, pues que no esperava otra cosa sino la muerte, y que no solamente a él, que ella tanto amava y en quien tanta esperança y fiuza tenía, mas a todos los grandes de aquellos reinos se quería quexar, y a todos los cavalleros andantes, que oviessen della duelo y gran piedad, y rogassen a su padre que de tal propósito mudado fuesse.

—Y vos, mi buen señor y amigo don Florestán —dixo ella—, assí gelo rogad y consejad que lo faga faziéndole entender el gran pecado en que está por esta tan gran crueza y tuerto que me fazer quiere.

Don Florestán le dixo:

—Mi buena señora, sin duda podéis bien creer que os tengo de servir, en todo lo que por vos me fuere mandado, con tanta voluntad y humildad como lo faría a mi señor el rey Perión mi padre. Mas esto que me dezís que a vuestro padre ruegue, no lo puedo fazer en ninguna manera porque yo no soy su vassallo ni él me pornía en su consejo sabiendo que lo desamo por el mal que a mí y a mi linaje ha fecho. Y si algún servicio de mí hovo, no ay por qué me lo deva gradeçer, que yo lo hize por mandado de mi hermano y mi señor Amadís, a quien yo contradezir no podía ni devía; el cual, no por el rey vuestro padre, mas porque si esta tierra se perdiesse la perderíades os, se dispuso a ser en aquella batalla de los siete reyes y traer consigo al rey Perión y a mí, assí como ya supistes. Porque él os tiene por una de las mejores infantas del mundo, y si él agora supiesse esta fuerça y agravio que tanto contra vuestra voluntad se os faze, creed, mi señora, que con todas sus fuerças y amigos se pornía al remedio della; y no digo por vos que tan alta señora sois, mas por la más pobre mujer de todo el mundo lo faría. Y vos, mi buena señora, tened buena esperança, que ahún plazo havrá para vos poder socorrer si a Dios pluguiere, que yo no pararé fasta ser en la Ínsula Firme, donde es el cavallero Agrajes, que mucho en gran grado os dessea servir por aquella criança que su padre y madre vos fizieron, y por el gran amor que a su hermana Mabilia tenéis. Y allí havremos consejo de lo que fazer se puede.

—¿Sabéis os —dixo Oriana— ser allí cierto Agrajes?

—Sélo —dixo él—, que don Grumedán me lo dixo que lo sabía por un scudero suyo que le embió.

—A Dios merced —dixo ella—, y El lo guíe, y mucho me lo saludad. Y dezilde que en él tengo yo aquella verdadera esperança que con razón de haver tengo. Y si en este medio tiempo algunas nuevas supierdes de vuestro hermano Amadís, fazédmelo saber porque las diga a Mabilia su cormana, que muere con soledad dél. Y Dios guíe cómo os y Agrajes ayáis algún buen acuerdo en mi fazienda.

Don Florestán, besando las manos a Oriana, se despidió della; y tomando consigo a don Grumedán, se fue a la reina Sardamira, y díxole:

—Señora, yo quiero andar, y por doquiera que fuere soy vuestro cavallero y servidor; y así vos ruego yo que lo tengáis y me mandéis en qué os sirva.

La reina le dixo:

—Mucho sería sin conoscimiento la que no quisiesse servicio y honra de hombre de tanto valor como vos, don Florestán, lo sois, y si Dios quisiere, en tal yerro no caeré yo; antes recibo vuestra buena cortesía y os lo gradezco cuanto puedo, y siempre terné memoria de os rogar lo que por mí fazer pudierdes.

Don Florestán, que la mucho mirando estava, dixo:

—Dios, que os tan fermosa fizo, os gradezca por mí essa respuesta, pues que yo por agora no puedo sino con la voluntad y con la palabra.

Y con esto se despidió della, y de Mabilia y de todas las otras señoras que allí estavan. Y rogando a don Grumedán que si nuevas de Amadís supiesse, se las fiziesse saber en la Insola Firme, y fue a su posada y armóse, y cavalgó en su cavallo, y con sus escuderos entró en el derecho camino de la Insola Firme, donde él quería ir con intención de hablar con Agrajes y dar orden cómo con sus amigos Oriana socorrida fuesse, si su padre la diesse a los romanos.

CAPÍTULO LXXVIII

De cómo el Cavallero de la Verde Espada, que después llamaron el Cavallero Griego, y don Bruneo de Buenamar y Angriote de Estraváus se vinieron juntos por el mar acompañando aquella muy fermosa Grasinda, que venía a la corte del rey Lisuarte, el cual estava delibrado de embiar su fija Oriana al emperador de Roma por muger; y de las cosas que passaron declarando su demanda

Con Grasinda fueron navegando por la mar el Cavallero de la Verde Espada y don Bruneo de Bonamar y Angriote de Estraváus, a las vezes con buen tiempo y otras con contrario, assí como Dios lo embiava, fasta que llegaron al mar océano, que es en derecho de la costa de España. Y cuando el de la Verde Espada se vio tan llegado a la Gran Bretaña, gradesciólo mucho a Dios porque, aviéndole escapado de tantos peligros y de tantas tormentas como por la mar passado avía, le traxiera donde ver pudiesse aquella tierra donde su señora era; assí que muy grande alegría le sobrevino a su coraçón. Entonces con gran alegría fizo juntar todas las fustas, y rogó a todos los hombres que en ellas eran que lo no llamassen por otro nombre sino el Cavallero Griego, y mandóles que punassen de se llegar a la Gran Bretaña. Entonces se assentó con Grasinda en su estrado, y díxole:

—Fermosa señora, ya se llega el tiempo por vos desseado, en que, si a Dios pluguiere, será cumplido lo que tanto vuestro coraçón ha desseado y dessea. Y cierto creed, señora, que por afán ni peligro de mi persona no dexaré de os pagar algo de las mercedes que me hezistes.

—Cavallero Griego, mi amigo —dixo ella—, tal fiança tengo yo en Dios que assí lo guiara, que si otra cosa su voluntad fuera, no me diera por guardador tal cavallero como vos; y mucho os gradezco lo que me dezís, pues que estando tan cerca de tal afruenta paresce qu'el coraçón dobla su ardimiento.

El Cavallero Griego mandó a Gandalín que le traxesse las seis espadas que la reina Menoresa en Constantinopla le diera, y Gandalín las traxo y se las puso delante. Y dio las dos dellas a don Bruneo y Angriote, que maravillados fueron de ver la riqueza de sus guarnimientos. Y el Cavallero Griego tomó otra para sí, y mandó a Gandalín que guardando la verde suya donde la no viessen, aquélla pusiesse con sus armas. Esto fazía él porque en la corte del rey Lisuarte, donde él íva y se quería encubrir, no fuesse por la verde espada descubierto. Y cuando assí en esto que oís estavan, siendo entre nona y vísperas, Grasinda, que muy enojada de la mar andava, hizo con el Cavallero Griego y con don Bruneo y Angriote que la sacassen al borde de la fusta porque viendo la tierra algún descanso sentiesse. Y allí estando todos cuatro hablando en lo que más les agradava, siguiendo su viaje, a la hora que el sol se quería poner vieron una fusta que queda estava en la mar, y el Cavallero Griego mandó a los marineros que endereçassen contra ella. Y llegando cerca, que se bien podrían oír, dixo el Cavallero Griego a Angriote que preguntasse a los de la fusta por algunas nuevas. Y Angriote los saludó muy cortésmente, y dixo:

—¿Cúya es esta fusta y quién anda en ella?

Ellos, cuando oyeron esta pregunta, le dixeron:

—La fusta es de la Ínsola Firme y andan en ella dos cavalleros que os dirán lo que os pluguiere.

Y cuando el Cavallero Griego oyó fablar de la Ínsola Firme, alegrósele el coraçón, y a sus compañeros, por los oír hablar de lo que desseavan saber. Y Angriote dixo:

—Amigos, ruégovos por cortesía que digáis a esos cavalleros que se lleguen ende, y preguntarles emos por nuevas que queríamos saber; y si vos pluguiere, dezinos quién son.

—Esso no faremos nos, mas dezirles emos vuestro mandado.

Y llamándolos, se pusieron los dos cavalleros allí cabe sus hombres. Entonces Angriote dixo:

—Señores, querríamos saber de vos en qué lugar es el rey Lisuarte, si por ventura lo sabéis.

—Todo lo que sabemos —dixeron ellos— se os dirá. Pero antes querríamos saber una cosa que por della ser certificados emos llevado mucho afán, y ahún llevar más esperamos fasta lo saber.

—Dezid lo que vos pluguiere —dixo Angriote—, que si lo sé, saberlo éis vos.

Ellos dixeron:

—Amigo, lo que nos desseamos es saber nuevas de un cavallero que se llama Amadís de Gaula, aquel que por le hallar andan todos sus amigos muriendo y lazerando por tierras estrañas.

Cuando el Cavallero Griego esto oyó, las lágrimas le vinieron a los ojos muy cedo con el gran plazer que su ánimo sintió en ver cómo sus parientes todos y amigos le eran tan leales, pero estovo callado. Y Angriote les dixo:

—Agora me dezid quién sois, y yo os diré lo que desso supiere.

El uno dellos dixo:

—Sabed que yo he nombre Dragonís, y este mi compañero Henil, y queremos correr el mar Mediterráneo y los puertos de la una y otra parte si pudiéramos saber nuevas deste por quien preguntamos.

—Señores —dixo Angriote—, Dios vos dé buenas nuevas dél. Y en estas fustas vienen gentes de muchas partes. Yo preguntaré si algo dello saben y os lo diré de grado.

Esto dezía él por mandado del Cavallero Griego, y díxoles:

—Agora vos ruego que me digáis dónde es el rey Lisuarte, y qué nuevas dél sabéis y de la reina Brisena su mujer, y de su corte.

—Esso os diré yo —dixo Dragonís—. Sabed que él es en una su villa que Tagades se llama, que es un gran puerto de mar contra Normandía; y ha fecho cortes en que están todos sus hombres buenos, por aver con ellos consejo si dara a su fija Oriana al emperador de Roma, que por muger la pide. Y allí son para la llevar muchos romanos, entre los cuales es el mayor Salustanquidio, príncipe de Calabria, y otros muchos a quién él manda, que son cavalleros de cuenta. Y tienen consigo una reina, que Sardamira se llama, para acompañar a Oriana, y que el emperador la llamava ya emperatriz de Roma.

Cuando esto oyó el Cavallero Griego, estremesciósele el coraçón y estuvo una pieça desmayado. Mas cuando Dragonís vino a contar las cosas que Oriana fazía de amarguras y llantos, y cómo se avía embiado a quexar a todos los altos hombres de la Gran Bretaña, sosegósele el coraçón y esforçóse, pensando que pues a ella pesava, que los romanos no serían tantos ni tan fuertes que él no se la tomasse por la mar o por la tierra; y que aquello haría él por la más pobre donzella del mundo, pues ¿qué devía fazer por la que solo un momento, perdiendo la esperança della, él no podría bivir? Y dava muchas gracias a Dios porque en tal sazón lo arribara en aquella tierra donde pudiesse servir a su señora algo de las grandes mercedes que le avía fecho, y que tomándola la ternía como lo él desseava sin su culpa della. Y con esto se hazía tan alegre y tan loçano como si ya fecho y acabado lo tuviesse. Y dixo su passo Angriote que preguntasse a Dragonís dónde sabía él aquellas nuevas. Y preguntado por él, Dragonís le dixo:

—Oy ha cuatro días que llegaron a la Insola Firme, donde nos partimos, don Cuadragante y su sobrino Landín, y Gavarte de Valtemeroso, y Madancián de la Puente de la Plata, y Helián el Loçano. Estos cinco vinieron por aver consejo con Florestán y con Agrajes, que aí son, cómo les paresce que deven entrar en la demanda de Amadís, aquel que nos buscamos; y don Cuadragante quería embiar a la corte del rey Lisuarte por saber de aquellas gentes estrañas que allí son algunas nuevas de aquel muy esforçado Amadís. Mas don Florestán le dixo que lo no fiziesse, que él venía de allá y no sabían ningunas nuevas; y sus escuderos han dicho de una contienda que él con los romanos uvo, de que su gran pres será loada en tanto que el mundo durare.

Cuando esto oyó Angriote, dixo:

—Señor cavallero, vos digáis qué hombre es ésse, y qué cosas hizo que tan loadas son.

—Éste es —dixo Dragonís— fijo del rey Perión de Gaula, y bien paresce en la su gran bondad a sus ermanos.

Y contóle todo lo que le acaesciera con los cavalleros romanos delante de la reina Sardamira, y cómo levó los escudos dellos a la Insola Firme, y los nombres de los señores de los escritos de su sangre.

—Y este don Florestán contó allí las nuevas que os dezimos, y cómo siendo los cavalleros de la reina Sardamira tan maltrechos que por ruego suyo della la aguardó don Florestán hasta la poner en Miraflores, donde ella iva a ver a Oriana, la fija del rey Lisuarte.

Mucho fueron alegres el Cavallero Griego y sus compañeros de aquella buena ventura de don Florestán. Y cuando el Cavallero Griego oyó mentar a Miraflores, el coraçón le saltava, que lo no podía sosegar, veniéndole a la memoria el sabroso tiempo que allí passó con aquella que de allí señora era; y dexando a Grasinda y a los otros cavalleros, se apartó con Gandalín, y díxole:

—Mi verdadero amigo, ya has oído las nuevas de Oriana, que si así passasse, passaríamos ella y yo por la muerte. Ruégote mucho que tomes gran cuidado en esto que te yo mandaré, y esto es: que te despidas tú, y Ardián el enano, de mí y de Grasinda, diziendo que os queréis ir con aquellos de la fusta a buscar a Amadís. Y di a mi cormano Dragonís y a Enil las nuevas de mí y que luego se tornen a la Insola Firme. Y cuando allí llegardes, diréis a don Cuadragante y Agrajes que les ruego yo mucho que no se partan dende, que yo seré con ellos en estos quinze días y que detengan consigo todos essos cavalleros nuestros amigos que ende están, y embíen por más si dellos supieren. Y di a don Florestán y a tu padre don Gandales que hagan bastecer todas las fustas que se aí hallaren de viandas y armas, porque tengo de ir con ellas a un lugar que prometido tengo, lo cual de mí sabrán cuando los viere; en esto con gran recaudo, que ya sabéis lo que en ello me va.

Entonces llamó al enano, y díxole:

—Ardián, vete con Gandalín y haz lo que te mandare.

Gandalín, que mucho desseava cumplir el mandado de su señor, fuese para Grasinda y díxole:

—Señora, nosotros queremos dexar al Cavallero Griego por entrar en la demanda con aquellos cavalleros que en aquella fusta andan buscando a Amadís; y Dios vos agradesca las mercedes que de vos, señora, recebidos tenemos.

Y assí mesmo se despidieron del Cavallero Griego, y de don Bruneo y Angriote, y ellos los encomendaron a Dios, y entraron en la fusta. Y Angriote les dixo:

—Señores, veis ende un escudero y un enano que andan en la demanda que vos andáis.

Mas cuando ellos vieron que eran Gandalín y el enano, mucho fueron alegres. Y como supieron las nuevas ciertas dellos, partiéronse de la flota con su galea y llevaron el camino de la Insola Firme.

Y el Cavallero Griego y Grasinda con su compaña fueron corriendo su mar contra Tagades, donde el rey Lisuarte era. El rey Lisuarte era en Tagades, aquella su villa, y estavan con él juntos muchos grandes y otros hombres buenos de su reino, que los hiziera llamar para consejarse con ellos lo que haría del casamiento de Oriana su fija, que el emperador de Roma para se casar con ella le embiava muy ahincadamente a demandar. Y todos le dezían que lo no hiziesse, que era cosa en que mucho contra Dios erraría quitando su hija aquel señorío de que eredera avía de ser y ponerla en sujeción de hombre estraño de condición liviana y muy mudable, que así como por el presente aquello mucho desseava, assí a poco espacio de tiempo otra cosa se le antojaría; y muy cierto es que ésta es la manera de los hombres livianos. Pero el rey, pesándole deste tal consejo, siempre en su propósito firme estava, permitiéndolo Dios que, aquel Amadís que tantas vezes le asseguró su reino y su vida haziéndole tan señalados servicios, poniéndole en la mayor fama, en la mayor alteza que ningún rey de su tiempo estava, y tan malas gracias dello sacó sin lo merescer de aquel mismo, su grandeza, su gran honra menoscabada y abatida fuese, como en el cuarto libro más largo se dirá. Pero ahún este rey Lisuarte, no para se bolver de su propósito, mas porque su porfía y riguridad más clara a todos manifiesta fuesse, tuvo por bien que al mismo consejo fuesse llamado el conde Argamonte, su tío, que muy viejo y doliente de gota estava; el cual a sabiendas no quería salir de su casa, conosciendo la voluntad errada que el rey en aquel caso tenía, pues que en todo le havía de contradezir; mas como el mandado del rey vio, fue luego para allá. Y llegando a la puerta del palacio, allí salió el rey a lo rescebir, y tomándole por la mano, se fue con él a su estrado, y fízole sentar cabe sí, y díxole:

—Buen tío, yo os fize llamar, y a estos hombres buenos que aquí veis, por aver consejo de lo que hazer devo en este casamiento de mi fija con el emperador de Roma, y mucho os ruego que me digáis vuestro parescer, y ellos assí mesmo.

—Mi señor —dixo él—, muy grave cosa me paresce consejar en esto que mandáis, porque aquí ay dos cosas: la una, queriendo seguir vuestra voluntad, y la otra, queriéndola contradezir; que si la contradezimos, tomaréis enojo assí como por la mayor parte los reyes lo hazen, que con el su gran poder querían contentar y satisfazer sus opiniones no seyendo encrepados ni contrariados de aquellos que mandar pueden. La otra, que si la otorgamos, ponéisnos a todos en gran condición con Dios y con su justicia, y con el mundo en gran deslealtad y aleve que por nos sea otorgado que vuestra hija, siendo eredera destos reinos después de vuestros días, los pierda; porque aquel mesmo derecho y ahun más fuerte tiene ella a ellos que vos tovistes de los aver del rey vuestro hermano. Pues mirad bien, señor, que tanto sintiérades vos al tiempo que vuestro hermano murió, que haziendo a vos estraño de lo que de razón aver devíades, lo dieran a otro que le no pertenescía. Y si por ventura vuestra intención es que haziendo a Oriana emperatriz y a Leonoreta señora destos vuestros reinos a entrambas las daréis muy grandes y muy honradas señoras, y si lo miráis todo por razón, puede al contrario salir, que no pudiendo vos de derecho remover la orden de vuestros antecessores, que fueron señores destos reinos, quitando ni acrescentando, el emperador teniendo por muger a Oriana vuestra hija terná por sí el derecho de los heredar con ella; y como es poderoso, si vos faltássedes, no con mucho trabajo los podría tomar, asší que entrambas seyendo deseredadas, sería esta tierra, tan honrada y señalada en el mundo, sujeta a los emperadores de Roma sin que Oriana en ella más mando toviese de lo que fuesse otorgado por el emperador, de manera que de señora la dexáis sujeta. Y por esto, mi señor, si Dios quisiere, yo me escusaré de dar consejo a quien muy mejor que yo sabe lo que hazer deve.

—Tío —dixo el rey—, bien entiendo lo que me dezís; pero más me pluguiera que me loárades vos y ellos esto que tengo dicho y prometido a los romanos, pues que en ninguna guisa dello no me puedo retraer.

—En esso no os detengáis —dixo el conde—, que todas las cosas consisten en el cómo se han de hazer y assegurar; y allí guardando vuestra vergüença y palabra honestamente, podéis desviar o allegar lo que mejor vos estuviere.

—Bien dezís —dixo el rey—, y por agora no se hable más. Assí se desbarató aquel consistorio, y fueron a sus posadas.

Y los marineros que en las fustas de la fermosa Grasinda venían, donde estava el Cavallero Griego, y don Bruneo de Bonamar y Angriote d'Estraváus, que por la mar navegavan como ya oístes, devisaron una mañana la montaña que Tagades avía nombre, por donde se llamó asší la villa do era el rey Lisuarte, que al pie de la montaña estava; y fueron donde su señora estava fablando con el Cavallero Griego y con sus compañeros, y dixéronles:

—Señores, dadnos albricias, que si este viento no se cambia, antes de una ora seréis arribados en el puerto de Tagades donde ir queréis.

Grasinda fue muy leda y el Cavallero Griego assí mismo, y fuéronse todos al borde de la nao y miravan con gran gozo aquella tierra que tanto ver desseavan; y Grasinda dava muchas gracias a Dios por la assí aver guiado, y con mucha humildad le rogava que endereçase su hazienda y la fiziesse ir de allí con la honra que desseava. Mas del Cavallero Griego os digo que mucho folgavan sus ojos en ver aquella tierra donde era su señora, de quien tanto tiempo tan alongado anduviera. Y no pudo tanto resistir que las lágrimas no le viniessen, y bolvió el rostro de Grasinda porque se las no viesse; y alimpiólas lo más cubierto que pudo. Y faziendo buen semblante, se bolvió a ella, y dixo:

—Mi señora, tened esperança que iréis desta tierra con la honra que desseáis, que yo muy esforçado estoy viendo la vuestra gran fermosura, que me faze cierto de tener el derecho y razón de mi parte; y pues Dios es el juez, querrá que assí lo sea la honra.

Grasinda, que temerosa estava como quien ya al estrecho era llegada, esforçóse mucho y díxole:

—Caballero Griego, mi señor, mucha más fiuza tengo yo en vuestra buena ventura y buena dicha que en la fermosura que dezís; y aquello teniendo vos en la memoria, hará que vuestro buen pres se adelante como en todas las otras grandes cosas que con ello avéis acabado, y a mí la más alegre de cuantas biven.

—Dexémoslo a Dios —dixo él—; fablemos en lo que conviene que se faga.

Entonces llamaron a Grinfesa, una donzella fija del mayordomo, que era buena y entendida y sabía ya cuanto del lenguaje francés, lo cual el rey Lisuarte entendía; y diéronle un escrito en latín que de ante tenían fecho, para que lo diese al rey Lisuarte y a la reina Brisena; y mandáronla que no fablasse ni respondiesse sino por el lenguaje francés en tanto que entre ellos estuviesse, y que tomando la respuesta se bolviesse a las fustas. La donzella, tomando el escrito, se fue a la cámara de su señora y vistióse unos paños muy ricos y fermosos; y como ella era en floresciente edad y asaz fermosa, paresció muy bien y apuesta a los que la miravan. Y su padre el mayordomo mandó sacar de una fusta palafrenes y cavallos muy bien guarnidos, y los marineros lançaron un batel en el agua y tomaron la donzella y dos sus hermanos, buenos cavalleros, y dos escuderos que las armas les levavan, y pasáronlos prestamente en tierra contra la villa. Y el Cavallero Griego mandó sacar de la mar en otro batel a Lasindo, escudero de don Bruneo, y díxole que se fuesse por otro camino a la villa y preguntasse si allá sabían nuevas de su señor, diziendo que él quedara doliente en su tierra al tiempo que don Bruneo se metió en la demanda de Amadís; y que con este achaque punase mucho en saber qué recaudo se le dava a su donzella, y que en todo caso se bolviesse a él a la mañana, que él faría que con un batel lo atendiessen. Lasindo se partió dél y fue a recadar su mandado.

Y dígoos de la donzella, cuando entró por la villa, que todos avían plazer de la mirar, y dezían que a maravilla venía bien guarnida y acompañada de aquellos dos cavalleros; y ella iva preguntando dó eran los palacios del rey. Pues assí acaesció que el fermoso donzel Esplandián y Ambor de Gadel, fijo de Angriote, que por mando de la reina allí estavan para la servir en tanto que aquella gente estraña allí estuviesse, salían ambos a caça de esmerejones, y encontraron la donzella. Y como viessen que preguntava por los palacios del rey, dio Esplandián el esmerejón a Sargil y fuese para ella, que la vio estrañamente vestida; y díxole por el lenguaje francés:

—Mi buena señora, yo os guiaré, si os pluguiere, y vos mostraré al rey si lo no conoscéis.

La donzella lo cató y fue muy maravillada de su gran fermosura y buen donaire, tanto, que a su parescer nunca en su vida viera hombre ni muger tan hermosa; y dixo:

—Gentil donzel, a quien Dios haga tan bien aventurado como fermoso, mucho os lo gradezco lo que me dezís, y a Dios que con tan buen aguardador me encontró.

Entonce su ermano dio la rienda al donzel, y él tomándola se fue con ellos fasta llegar al palacio. Y a esta sazón estava el rey en el corral debaxo de unos portales muy bien labrados, y con él muchos hombres buenos y todos los de Roma. Y entonce acabava de les prometer a su fija Oriana para que la levassen al emperador, y ellos de la recebir por su señora. Y la donzella, siendo ya apeada de su palafrén, entró por la puerta, levándola de la mano Esplandián, y sus ermanos con ella; y como llegó al rey fincó los inojos y quísole besar las manos, mas él no las dio, porque lo no acostumbrava sino cuando fazía merced señalada alguna donzella. Y dándole la carta, le dixo:

—Señor, menester es que la oya la reina y todas sus donzellas; y si por ventura las donzellas se enojaren de oír lo que ende viene, procuren de aver de su parte algún buen cavallero, como la mi señora trae, por cuyo mandado aquí vengo.

El rey mandó al rey Arbán de Norgales y a su tío el conde Argamón que fuessen por la reina y atraxessen consigo todas las infantas y donzellas que en su palacio eran. Esto fue assí fecho, que la reina vino con tanta compaña de señoras, assí de hermosura como guarnidas ricamente, cual en todo el mundo a duro se podría fallar, y sentóse cerca del rey, y las infantas y todas las otras enderredor della. La donzella mandadera fue a besar las manos a la reina, y díxole:

—Señora, si mi demanda estraña os paresciere, n'os maravilléis, pues que para semejantes cosas estremó Dios vuestra corte de todas las del mundo, y esto causa la gran bondad del rey y vuestra. Y pues aquí se falla el remedio que en otras partes fallesce, oíd esta carta y otorgad lo que por ella se os pide, y verná a vuestra corte una fermosa dueña y el valiente Cavallero Griego que la aguarda.

El rey mandóla leer, y dezía assí:

«Al muy alto y honrado Lisuarte, rey de la Gran Bretaña: yo, Grasinda, señora de la fermosura de todas las dueñas de Romanía, mando besar vuestras manos y fágoos saber, mi señor, en cómo yo soy venida en vuestra tierra en guarda del Cavallero Griego. Y la causa dello es porque así como yo fue juzgada por la más hermosa dueña de todas las de Romanía, así siguiendo aquella gloria que mi coraçón tan ledo fizo, lo quiero ser más que ninguna de cuantas donzellas en vuestra corte son, porque con el vencimiento de las unas y de las otras yo pueda quedar en aquella folgança que tanto deseo. Y si tal cavallero oviere que por alguna de vuestras donzellas esto quiera contradezir, apáréjese a dos cosas: la primera, a la batalla con el Cavallero Griego, y la otra, a poner en el campo una rica corona, como la yo trayo, para que el vencedor las pueda, en señal de aver ganado aquella vitoria, dar aquella por quien se combatiere. Y muy alto rey, si esto a que vengo os plaze que en efecto venga, mandadme segurar con toda mi compaña, y al Cavallero Griego; si no, solamente de aquellos que con él la batalla querrán aver.

Y si el cavallero que por las donzellas se combatiere fuere vencido, venga el segundo, assí el tercero, que a todos manterná campo con la su alta bondad.»

Leída la carta, el rey dixo:

—Assí Dios me salve, yo creo que la dueña es muy hermosa, y el cavallero no se precia poco de armas; mas comoquiera que ello sea, ellos han començado gran fantasía de que sin su daño se podrían escusar. Pero las voluntades de las personas son en diversas maneras, y en ellas ponen sus coraçones y no dudan las aventuras que les podrán venir. Y vos, donzella, os podéis ir, y yo mandaré pregonar la segurança como lo pide vuestra señora, assí que ella podrá venir cuando le plazerá; y si no fallare quien su demanda contradiga, avrá satisfecho su voluntad.

—Mi señor —dixo ella—, vos respondéis assí como lo atendíamos, que de vuestra corte ninguno con razón puede ir con querella. Y porque el Cavallero Griego trae consigo dos compañeros que justas demandarán, es menester que la misma segurança ayan.

—Assí sea —dixo el rey.

—En el nombre de Dios —dixo la donzella—; pues mañana los veréis en vuestra corte. Y vos, mi señora —dixo a la reina—, mandad estar vuestras donzellas donde vean cómo su honra se adelanta o menoscaba por sus aguardadores, que así lo hará mi señora; y a Dios seáis encomendada.

Entonces se despidió dellos y se fue a las barcas, donde con gran plazer fue recebida. Y contándoles cómo avía su mensaje librado, mandaron luego sacar de las fustas sus armas y cavallos, y fizieron armar una muy rica tienda y dos tendejones en la ribera de la mar; mas aquella noche no salió en tierra sino el mayordomo con algunos sirvientes para la guarda dello.

Y agora sabed que, al tiempo que la donzella mandadera de Grasinda se partió del rey Lisuarte y de la reina con el recaudo que ya oístes, Salustanquidio, cormano del emperador de Roma, que presente estava, se levantó en pie y bien .c. cavalleros romanos con él; y dixo al rey en alta boz, assí que todos lo oyeron:

—Mi señor, yo y estos hombres buenos de Roma que aquí ante vos somos os queremos pedir un don que será vuestra pro y honra nuestra.

—Mucho me plaze de os dar cualquier don que demandardes —dixo el rey—, endemás tal como el que dezís.

—Pues dadnos —dixo Salustanquidio— que podamos tomar la demanda por las donzellas, que muy mejor recaudo daremos della que los cavalleros desta vuestra tierra, porque nosotros y los griegos nos conoscemos bien, y más nos temerán solamente por el nombre de romanos que por el fecho y obra de los de acá.

Don Grumedán, que allí estava, se levantó en pie, y fue ante el rey y dixo:

—Señor, comoquiera que grande honra sea a los príncipes venir las estrañas aventuras a sus cortes y mucho sus honras y reales estados acrescienten, muy presto se podrían tornar en deshonras y menguas si no son con buena discreción rescebidas y governadas. Y esto digo yo, señor, por este Cavallero Griego que nuevamente con tal demanda es venido; y si su gran sobervia oviesse lugar a que por él fuessen vencidos aquellos que en vuestra corte contradezirle quisiessen, ahunque el peligro y daño fuesse suyo dellos, la honra y mengua vuestra sería; assí que, señor, parésceme que sería bien, antes que por vos ninguna cosa se determine, que esperéis a don Galaor y a Norandel vuestro fijo, que según he sabido serán aquí dentro de cinco días; y en este tiempo será mejorado don Guilán el Cuidador y podrá tomar armas. Y éstos tomarán la empresa de forma que vuestra honra, y la suya, sea guardada.

—Esso no puede ser —dixo el rey—, que ya les he el don otorgado; y tales son que a mayor fecho que éste darán buen fin.

—Bien puede ser —dixo don Grumedán—, mas yo faré que las donzellas a que esto atañe no lo otorguen.

—Dexad vos desso —dixo el rey— que todo lo que yo fago por las donzellas de mi casa fecho es; demás esto que a mí es demandado.

Salustanquidio fue besar las manos al rey, y dixo a don Grumedán:

—Yo passaré esta batalla a mi honra y de las donzellas; y pues vos, don Grumedán, en tanto tenéis essos cavalleros que dezís y a vos, creyendo que mejor ellos que nosotros la passarían, si tal de la batalla saliere que armas pueda tomar, yo tomaré dos compañeros y me combatiré con éssos y con vos; y si yo no pudiere, daré otro en mi lugar que ligeramente me podrá escusar.

—En el nombre de Dios —dixo don Grumedán— yo tomo esta batalla por mí y por aquellos que comigo entrar quisieren.

Y sacando un anillo de su dedo, lo tendió contra el rey, y díxole:

—Señor, veis aquí mi gaje por mí y por los que comigo metiere en la batalla. Y pues esto por ellos se demandó, no lo podéis negar de derecho si se no otorgan por vencidos.

Salustanquidio dixo:

—Antes las mares serán secas que palabra de romano se torne atrás, sino a su honra. Y si vuestra vejez os quitó el seso, el cuerpo lo pagará si lo en la batalla metierdes.

—Ciertamente —dixo don Grumedán— no soy tan mancebo que no ay'asaz de días; y esto que vos pensáis que me será contrario, esto tengo por mayor remedio, que con ellos he visto muchas cosas, entre las cuales sé que la sobervia nunca ovo buena fin; y assí espero yo que os acaescerá, pues que según vuestra alabança sois capitán y caudillo della.

El rey Arbán de Norgales se levantó para responder a los romanos, y bien .xxx. cavalleros que las aventuras demandavan con él, y más otros ciento. Mas el rey, que lo conosció, tendió una vara y mandóles que en aquello no fablassen, y assí lo mandó a don Grumedán. El conde Argamón dixo al rey:

—Mandad, señor, a los unos y a los otros que se vayan a sus posadas, que mengua es vuestra passar ante vos tales razones.

Y el rey así lo fizo; y el conde le dixo:

—¿Qué os paresce, señor, de la locura desta gente romana que assí amenguan a los de vuestra corte, no os teniendo ningún acatamiento? Pues, ¿qué farán estando en su tierra, o en qué vuestra fija será tenida?, que me dicen, señor, que se la avéis ya prometido. No sé qué engaño es éste, hombre tan cuerdo y que tantas buenas venturas por el querer de Dios ha avido y por el vuestro buen seso: en lugar de le dar gracias por ello queréisle tentar y enojar. Catad que muy presto podría fazer que la fortuna su rueda rebolviese; y cuando así es enojado de aquellos que muchos bienes fizo, no con un açote solo, mas con muchos muy crueles los castiga. Y como las cosas deste mundo sean transitorias, perescederas, no tura más la gloria, la fama dellas, de cuanto ante los ojos andan; ni es juzgado cada uno sino como al presente le veen, que todas aquellas buenas venturas vuestras y grande alteza en que sois agora serían en olvido puestas, somidas so la tierra, si la fortuna os fuesse contraria; y si alguna recordación dellas se oviesse, no sería sino para que culpándoos en lo passado os menguassen en lo presente. Acuérdeseos, señor, del yerro tan grande que sin causa ninguna feziste en apartar de vuestra casa tan honrada cavallería como lo era Amadís de Gaula, y sus hermanos y los de su linaje, y otros muchos cavalleros que por causa suya os dexaron, con que tan honrado y temido por todo el mundo érades; y cuasi no siendo aún salido de aquel yerro, ¿queréis entrar en otro peor? Pues esto no os viene sino de gran parte de sobervia; que si así no fuesse, temeríades a Dios y tomaríades consejo de los que os han de servir lealmente. Y yo, señor, con esto descargo aquella fe y vasallaje que os devo, y quiérome ir a mi tierra; que si Dios quisiere, no veré yo llantos y amarguras que vuestra fija Oriana hará al tiempo que la entregardes, que me han dicho que para ello la mandáis venir de Miraflores.

—Tío —dixo el rey—, no fabléis más en esto, que es fecho y desfazer no se puede. Y ruégoos que os detengáis fasta tercero día por ver a qué fin vernán estas batallas que aquí son puestas, y seréis juez dellas con otros cavalleros cuales quisierdes. Esto fazed porque mejor que hombre de mi tierra entendéis el lenguaje griego, según el tiempo que en Grecia moraste.

Argamón le dixo:

—Pues assí os plaze, yo lo faré: pero passadas las batallas no me deterné más, que no lo podría sofrir.

Quedando la fabla, se fue el conde a su posada, y el rey quedó en su palacio.

Lasindo, el escudero de don Bruneo, que por mandado del Cavallero Griego allí viniera, aprendió bien todo lo que ante el rey passara después que la donzella de allí partiera. Y fuesse luego a las naos, y contó cómo los romanos pidieran al rey las batallas y él se las otorgara, y las palabras que Grumedán passó con Salustanquidio, y cómo tenían su batalla aplazada, y todas las otras que ya oístes que allí passaron. Y assí mesmo dixo cómo el rey avía embiado por su fija Oriana para la entregar a los romanos tanto que las batallas passassen. Cuando el Cavallero Griego oyó dezir que los romanos avían de fazer las batallas y se avían de combatir por las donzellas, fue muy ledo, porque lo que él más dudava en aquella afrenta era pensar que su hermano don Galaor tomaría aquella batalla por las donzellas, que esto tenía él en más que otra afrenta que le venir pudiesse, porque don Galaor fue el cavallero que en más estrecho le puso que ninguno con quien él se combatiera, ahunque gigante fuesse, assí como lo cuentó el primer libro desta istoria, que bien creía que si en la corte se fallara, que como el más preciado en armas de todos los que en ella avía, tomara esta recuesta; de la cual no podía redundar sino de dos cosas la una: o morir él, o matar a su hermano don Galaor, que antes sufriera la muerte que otorgar cosa que en mengua le tornasse. Y por esto fue ledo en saber que en la corte no era, y demás desto porque no se avía de combatir con ninguno de sus amigos que en la corte eran. Y dixo a Grasinda:

—Señora, en la mañana oyamos missa en aquella tienda; y guisadvos muy apuestamente, y llevad las donzellas que os pluguiere bien ataviadas, y iremos a dar cabo en esto en que estamos, que fío en la merced de Dios alcançaréis aquella honra por vos tanto deseada y porque a esta tierra venistes.

Con esto se acogió Grasinda a su cámara, y el Cavallero Griego y sus compañeros a su fusta.

CAPÍTULO LXXIX

DE CÓMO EL CAVALLERO GRIEGO Y SUS COMPAÑEROS SACARON DEL MAR A GRASINDA Y LA LLEVARON CON SU COMPAÑA A LA PLAÇA DE LAS BATALLAS, DONDE SU CAVALLERO AVÍA DE DEFENDER SU PARTIDO, CUMPLIENDO SU DEMANDA

DE la mar sacaron a Grasinda con cuatro donzellas, y fueronse a oír missa a la tienda; y de allí cavalgaron ellos todos tres armados en sus cavallos, y Grasinda tan apuesta ella y su palafrén de paños de oro y de seda, con piedras y perlas tan preciadas que la mayor emperatriz del mundo no pudiera más llevar; porque esperando ella siempre aquel día en que estava, mucho antes se apercebía de tener para ello las más fermosas y ricas cosas que pudo aver como gran señora que era, que no teniendo marido ni fijos ni gente, y siendo abastada de gran tierra y renta, no pensava en lo gastar salvo en esto que oís, y sus donzellas assí mesmo de preciosas ropas vestidas. Y como Grasinda de su natural fermosa fuese, aquellas riquezas artificiales tanto la acrescentavan que por maravilla lo tenían todos los que la miravan, y gran esfuerço dava su parescer aquel que por ella se avía de combatir. Y llevava encima de su cabeça solamente la corona que en señal de ser más fermosa que todas las dueñas de Romanía avía ganado, como ya oístes. Y el Cavallero Griego la levava de rienda, y armado de unas armas que Grasinda le mandara fazer, y la loriga era tan alva como la luna, y las sobreseñales de la misma librea y colores que Grasinda era vestida, y abrochávase de una y otra parte con cuerdas texidas de oro, y el yelmo y el escudo eran pintados de las mismas señales de la sobrevista. Y don Bruneo llevava unas armas verdes, y en el escudo havía figurada una donzella, y ante ella un cavallero armado de ondas de oro y de cárdeno, y semejava que le demandava merced.[83] Y Angriote d'Estraváus iva en un cavallo rezio y ligero, y levava unas armas de veros de plata y de oro, y llevava por la rienda a la donzella que ya oístes que fuera al rey con el mensaje; y don Bruneo llevava otra su hermana, y todos levavan los yelmos enlazados, y el mayordomo y sus fijos con ellos. Con tal compaña llegaron a una plaça en cabo de la villa donde las batallas se acostumbravan fazer. En medio de la plaça havía un padrón de mármol alto como un estado de hombre, y los que justas y batallas allí venían a demandar ponían sobre él el escudo o yelmo, o ramo de flores o guante, en señal dello. Y llegado allí el Cavallero Griego y su compaña, vieron al rey al un cabo del campo, y al otro los romanos, y entre ellos Salustanquidio con unas armas prietas, y por ellas unas sierpes de oro y de plata; y era tan grande que parecía un gigante, y estava en un cavallo muy creçido a maravilla. La reina estava a sus finiestras, y las infantas cabe ella, y Olinda la fermosa, que entre sus ricos atavíos tenía encima de sus fermosos cabellos una rica corona.

Cuando el Cavallero Griego llegó al campo, vio la reina y las infantas y otras dueñas y donzellas de gran guisa; y como no vio a su señora Oriana, que entre ellas ver solía, stremeciósele el coraçón con soledad della. Y cuando vio

---

83. La descripción del escudo es idéntica a una que aparece en el *Lancelot* (en el episodio de *l'Île de la Joie*) (véase Introducción, II, p. XXXIX).

estar a Salustanquidio bravo y fuerte, tornó el rostro contra Grasinda y viola estar ya cuanto desmayada, y díxole:

—Mi señora, no os espantéis por ver hombre tan desmesurado de cuerpo, que Dios será por vos, y yo os faré ganar aquello que a vuestro coraçón folgança dará.

—Assí plega a El por la su piedad —dixo ella.

Estonces le tomó él la rica corona que en la cabeça tenía, y fue su passo en su cavallo, y púsola encima del padrón de mármol; y desí tornóse luego a do estavan sus escuderos, que le tenían tres lanças muy fuertes con pendones ricos de diversas colores. Y tomando la que mejor le pareçió, echó su scudo al cuello y fuese do el rey estava, y díxole, haviéndosele homillado, en lenguaje griego:

—Sálvate Dios, rey. Yo soy un cavallero estraño que del imperio de Grecia vengo con pensamiento de me provar con tus cavalleros que tan buenos son; y no por mi voluntad, mas por la de aquella que en este caso mandarme puede. Y aora, guiándolo mi dicha, paréceme que la recuesta será entre mí y los romanos. Mandaldes que pongan en el padrón la corona de las donzellas, assí como contigo mi donzella lo assentó.

Estonces blandió la lança rezio y arremetió su cavallo cuanto pudo, y púsose al un cabo del campo. El rey no entendió lo que le dixo, que no sabía el lenguaje griego, pero dixo a Argamón, que cabe él stava:

—Seméjame, tío, que aquel cavallero no querrá la mengua para sí, según parece.

—Cierto, señor —dixo el conde—, ahunque alguna vergüença passássedes por estar esta gente de Roma en vuestra casa, muy ledo sería en que algo de su sobervia quebrantada fuesse.

—No sé lo que será —dixo el rey—, mas creo que fermosa justa se apareja.

Los cavalleros y la otra gente de la casa del rey, que vieron lo qu'el Cavallero Griego fiziera, maravilláronse y dezían que nunca vieran tan apuesto ni tan fermoso cavallero armado sino Amadís. Salustanquidio, que cerca stava y vio cómo toda la gente tenían los ojos en el Cavallero Griego y lo loavan, dixo con gran saña:

—¿Qué es esso, gente de la Gran Bretaña? ¿Por qué vos maravilláis en ver un cavallero griego loco que no sabe ál sino trebejar por el campo? Bien paresce que los no conoçéis como nosotros, que como al fuego el nombre romano temen. ¡Qué señal de haver visto ni passado por vosotros grandes fechos de armas cuanto deste tan pequeño os spantáis! Pues ahora veréis cómo aquel que tan fermoso armado y a cavallo os parece, cuán frío y deshonrado en el suelo os parecerá.

Estonces se fue a la parte donde la reina stava, y dixo contra Olinda:

—Mi señora, dadme essa vuestra corona, que vos sois la que yo amo y precio sobre todas; dádmela, mi señora, y no dudéis, que yo la tornaré luego con aquella que en el padrón está, y con ella entraréis en Roma, qu'el rey y la reina serán contentos que os yo con Oriana lleve, y os faga señora de mí y de mi tierra.

Olinda, que esto oía, no tuvo en nada sus locuras, y estremeçióse le el coraçón y las carnes, y vínole una color biva al rostro; pero no le dio la corona. Salustanquidio, que assí la vio, dixo:

—No temáis, mi señora, de me dar la corona, que yo faré que quedando vos con esta honra, sin ella vaya de aquí aquella dueña loca que la quiso poner en la fuerça de aquel griego covarde.

Mas por todo esto Olinda nunca se la quiso dar, hasta que la reina se la tomó de la cabeça y se la embió. Y tomándola en su mano, la fue poner en el padrón cabe la otra. Y demandó sus armas a gran priessa, y diéronselas presto tres cavalleros de Roma; y tomó su escudo y echóle al cuello, y puso el yelmo en su cabeça; y tomando una lança más gruessa que otra, con un fierro grande y agudo, se asossegó en su cavallo. Y como se vio tan grande y tan bien armado, y que todos le miravan, creçióle el esfuerço y la sobervia, y dixo contra el rey:

—Agora quiero que vean vuestros cavalleros la diferencia dellos y de los romanos, que yo venceré aquel griego; y si él dixo que venciendo a mí se combatiría con dos, yo me combatiré con los dos mejores qu'él trae; y si el esfuerço les faltare, entre el tercero.

Don Grumedán, que stava herviendo con saña en oír aquello y en ver la paciencia del rey, y díxole:

—Salustanquidio, olvídaseos la batalla que havéis de haver comigo si désta escapáis, y demandáis otra.

—Ligero es esso de passar —dixo Salustanquidio.

Y el Cavallero Griego dixo a altas bozes:

—Bestia mala dessemejada, ¿qué estás fablando? ¿Cómo dexas passar el día? Entiende en lo que has de fazer.

Cuando esto oyó, bolvió el cavallo contra él, y movieron uno contra otro a gran correr de los cavallos, las lanças baxas y cubiertos de sus escudos. Los cavallos eran ligeros y corredores, y los cavalleros fuertes y sañudos, y juntáronse ambos en medio de la plaça y ninguno faltó de su golpe. Y el Cavallero Griego lo firió en el brocal del escudo y falsógele, y la lança topó en unas hojas fuertes y no las pudo passar. Mas púxolo tan fuertemente que lo echó fuera de la silla, assí que todos fueron maravillados; y passó por él muy apuesto llevando la lança de Salustanquidio metida por el escudo y por la manga de la loriga, assí que todos pensaron que iva ferido, mas no era assí. Y tirando la lança del escudo, la tomó a sobremano y fuese donde estava Salustanquidio, y violo que no bullía y yazía como muerto. Y no era maravilla, que él era grande y pesado, y cayera del cavallo, que era alto, y las armas pesadas y el campo muy duro; assí que todo fue causa de le llevar cerca de la muerte como lo estava. Y sobre todo, huvo el braço siniestro, sobre que cayera, quebrado cabe la mano, y las más costillas movidas de su lugar. El Cavallero Griego, que pensó que más esforçado estava, paróse sobr'él, assí a cavallo, y púsole el fierro de la lança en el rostro, qu'el yelmo le cayera de la cabeça con la fuerça de la caída, y díxole:

—Cavallero, no seáis de tan mal talante en no otorgar la corona de las donzellas aquella fermosa dueña, pues que la mereçe.

Salustanquidio no respondió, y dexándole allí se fue para el rey, y dixo en su lenguaje:

—Buen rey, aquel cavallero, ahunque ya está sin sobervia, no quiere otorgar la corona aquella señora que la atiende, ni la quiere defender ni responder. Otorgalda vos por juizio como es drecho; si no, cortarle he la cabeça y será la corona otorgada.

Estonces se tornó donde el cavallero estava, y el rey preguntó lo que dixera. Y el conde su tío se lo hizo entender, y díxole:

—Vuestra es la culpa en dexar morir aquel cavallero ante os; pues que no puede defonderse, con drecho podéis juzgar las coronas para el Cavallero Griego.

—Señor —dixo don Grumedán—, dexad al cavallero faga lo que quisiere, que en los romanos ay más artes que en la raposa; que si él bive, dirá que ahún estava en dispusición de mantener la batalla si vos no aquexárades tanto en el juizio.

Todos se reían de lo que don Grumedán dixo, y a los romanos les quebravan los coraçones. Y el rey, que vio al Cavallero Griego descendir del cavallo y querer cortar la cabeça a Salustanquidio, dixo a Argamón:

—Tío, acorred presto y dezilde que se sufra de lo matar y que tome las coronas, que yo gelas otorgo, y las dé donde deve.

Argamón fue contra él, dando bozes que oyesse mandado del rey. El Cavallero Griego tiróse afuera y puso la spada sobre el ombro. En esto llegó el conde, y díxole:

—Cavallero, el rey os ruega que por él os sufráis de matar esse cavallero, y mándaos que toméis las coronas.

—Plázeme —dixo él—; y sabed, señor, que si me yo combatiesse con algún vasallo del rey, no lo mataría si por otra cualquier guisa pudiesse acabar lo que començasse; mas a los romanos, matarlos y deshonrarlos como a malos que ellos son, siguiendo las falsas maneras de aquel sobervio emperador, su señor, de quien todos ellos aprenden a ser sobervios, y a la fin covardes.

El conde se tornó al rey, y díxole cuanto el cavallero dixera. Y el cavallero cavalgó en su cavallo, y tomando del padrón ambas las coronas, las llevó a Grasinda. Y púsole en la cabeça la corona de las donzellas, y la otra diola a una su donzella que la guardasse. El Cavallero Griego dixo a Grasinda:

—Mi señora, vuestro fecho es en el estado que desséavades, y yo por la merced de Dios quito del don que os prometí. Idvos, si os pluguiere, a las tiendas a folgar y yo atenderé si los romanos con este pesar que han havido saldrán al campo.

—Mi señor —dixo ella—, yo no me partiré de os por ninguna guisa, que no puedo yo haver mayor descanso ni folgura en cosa que en ver vuestras grandes cavallerías.

—Fágase —dixo él— vuestra voluntad.

Estonces arremetió el cavallo y fallólo rezio y folgado, que poco afán levara aquel día; y echó su escudo al cuello y tomó una lança con un pendón muy fermoso. Y llamó a la donzella que allí viniera con el mensaje de Grasinda, y díxole:

—Amiga, id al rey y dezilde que ya sabe cómo quedó que si de la primera batalla yo quedasse para me poder combatir, que ternía campo a dos cavalleros que juntos a mí viniessen. Y agora conviéneme complir aquella locura y que le pido de merced que no mande combatir comigo ninguno de sus cavalleros, porque ellos son tales que no ganarían honra comigo en me vencer; mas déxeme con los romanos, que han començado sus batallas, y verá si por yo ser griego los temeré.

La donzella se fue al rey, y por el lenguaje francés le dixo aquello qu'el Cavallero Griego le mandara dezir.

—Donzella —dixo el rey—, a mí no me plaze que ninguno de mi casa ni de mi señorío se combata con él. El lo ha passado hoy a su honra y yo lo precio mucho; y si pluguiesse quedar comigo, fazerle ía mucho bien. Y a los de mi mesnada y tierra defiendo yo que lo dexen, que en ál tengo que fazer; pero los de Roma, que son sobre sí, fagan lo que les pluguiere.

Esto dezía el rey porque tenía mucho que fazer en la partida de Oriana su fija, y porque no tenía a essa sazón en su corte ninguno de sus preciados cavalleros, que por no ver la crueza y sinrazón que a su fija fazía, de allí se havían partido. Solamente eran en la corte Guilán el Cuidador, que doliente stava, y Cendil de Ganota, que las piernas tenía passadas de una frecha con que le ferió Brondajel de Roca, romano, en un monte qu'el rey corría por dar a un venado.

Oída la respuesta por la donzella qu'el rey le dio, díxole:

—Señor, muchas mercedes hayáis del bien y merced que al Cavallero Griego fazéis, mas sed cierto que si él en Grecia quisiesse quedar con el emperador, todo lo qu'él demandara le fuera otorgado; pero su voluntad no es sino de andar suelto por el mundo socorriendo a las dueñas y donzellas que tuerto reciben, y a otros muchos que se lo piden justamente. Y en estas cosas y otras que siempre se le descubren ha fecho tanto que no tardará de venir a vuestra noticia, por do en mucho más de vos, señor, y de los otros que lo no conoçen, será tenido y preciado.

—Si Dios os salve, donzella, dezidme de quién será esse mandado.

—Cierto, señor, yo no lo sé; pero si en su fuerte coraçón de alguna cosa es sojuzgado, creo que no será sino de alguna que en estremo ama, que debaxo de su señorío es puesto. Y a Dios quedad encomendado, que a él me buelvo con esta respuesta; y quien lo quisiere, allí en este campo lo fallará fasta mediodía.

Oída la respuesta, el Cavallero Griego fuese yendo a passo contra donde Grasinda estava, y dio al uno de los fijos del mayordomo el scudo y al otro la lança, y no se quitó el yelmo por no ser conoçido. Y dixo al que le tomara el escudo que lo fuesse poner encima del padrón, y que dixesse qu'el Cavallero Griego lo mandara poner contra los cavalleros de Roma para atener lo que havía prometido. Y él tomó a Grasinda por la rienda y estovo con ella fablando.

Havía entre los romanos un cavallero que después de Salustanquidio en mayor prez de armas lo tenían, que Maganil havía nombre, y bien cuidavan ellos que dos cavalleros de aquella tierra no le ternían campo; y él traía dos hermanos consigo, otrosí buenos cavalleros. Y como el escudo fue en el padrón puesto, miravan los romanos a este Maganil como que dél esperavan la honra y la vengança. Pero él les dixo:

—Amigos, no me catéis, que no puedo en aquello fazer ninguna cosa, que yo tengo prometido al príncipe Salustanquidio, si saliesse de su batalla en guisa que se combatir no pudiesse, que tomaré a mi cargo la batalla de don Grumedán, y mis hermanos comigo. Y si él no osare combatir con nosotros, y sus compañeros, que por él la he de tomar, estonces yo os vengaré del cavallero.

Y ellos estando assí fablando, vinieron dos cavalleros de su compaña, romanos, bien armados de ricas armas y en hermosos cavallos. Al uno dezían Gradamor y al otro Lasanor, y ambos eran hermanos, y sobrinos de Brondajel de Roca, fijos de su hermana, que era brava y sobervia. Y assí lo era el marido y los fijos, por causa de lo cual eran muy temidos de los suyos y por ser sobrinos de Brondajel, que era mayordomo mayor del emperador. Y éstos llegados al campo, como oís, sin fablar ni se homillar al rey fuéronse al padrón, y el uno dellos tomó el scudo del Cavallero Griego y dio con él tal golpe en el padrón que lo fizo pedaços; y dixo en boz alta:

—¡Mal haya quien consiente que delante romanos se ponga escudo de griego contra ellos!

El Cavallero Griego, cuando su escudo vio quebrado, fue

tan sañudo qu'el coraçón le ardía con saña, y dexando a Grasinda, fue a tomar la lança que el escudero le tenía; y no
cató por escudo, ahunque Angriote le dezía que tomasse el
suyo; y dexóse ir a los cavalleros de Roma, y ellos a él. Y
firió de la lança al que le quebrara el scudo tan duramente
que lo lançó de la silla, y de la caída le saltó el yelmo de la
cabeça; assí que quedó tollido sin se poder levantar, y todos
cuidaron que muerto era. Y allí perdió la lança el Cavallero
Griego, y echó mano a su espada y bolvió a Lasanor, que
de grandes golpes le fería, y diole por cima del ombro y
cortóle las armas y la carne fasta los huessos, y fízole caer la
lança de la mano; y diole otro golpe por cima del yelmo
que perdiendo las estriberas le hizo abraçar a la cerviz del
cavallo. Y como assí lo vio, passó presto la spada a la mano
siniestra, y travóle del escudo y llevóselo del cuello; y el cavallero cayó en el campo, mas levantóse luego con el temor
de la muerte; y vio a su hermano, que estava a pie, la spada
en la mano, y fuese juntar con él. Y el Cavallero Griego,
temiendo qu'el cavallo le matarían, descavalgó dél y embraçó su escudo qu'él tomara, y con su espada se fue para ellos
y firiólos tan rezio, que los hermanos no lo pudieron sufrir
ni tener campo, assí que los que le miravan se espantavan
de le ver tan valiente que en poco los estimava. Allí fizo él
conocer a los romanos la bondad dél y la flaqueza dellos. Y
dio luego a Lasanor un golpe en la pierna siniestra que
se no pudo tener, pidiéndole merced; mas él fizo que lo no
entendía, y diole del pie en los pechos y lançóle en el campo
tendido. Y tornó contra el otro, qu'el scudo le quebrara, mas
no le osó atender, que mucho dudava la muerte que contra
él venía; y fuese a donde el rey estava, pidiéndole merced a
altas bozes que lo no dexasse matar. Mas aquel que lo siguía
se le paró delante, y a grandes golpes que le dio le fizo tornar al padrón; y cuando a el llegó, andava al derredor por
se guardar de los golpes. Y el Cavallero Griego, que gran
saña tenía, queríale ferir, y a las vezes acertava en el padrón,
que de piedra muy dura era, y fazía dél y de la spada salir
llamas de fuego. Y como lo vio cansado que ya no se mudava, tomóle entre sus braços y apretóle tan fuerte que de toda
su fuerça lo desapoderó, y dexóle caer en el campo. Estonces tomóle el escudo y diole con él tal golpe encima de la
cabeça que fue fecho pieças, y el romano quedó tal como
muerto. Y púsole la punta de la spada en el rostro y puxóla

ya cuanto, y Gradamor estremeçióse, y ascondía el rostro del
gran miedo, y ponía sus braços sobre la cabeça con temor
de la spada, y començó a dezir:

—¡Ay buen griego, señor!, no me matéis, y mandad lo que
haga.

Mas el Cavallero Griego mostrava que lo no entendía; y
como lo vio acordado, tomóle por la mano, y dándole de
llano con la espada en la cabeça le hizo mal de su grado
poner en pie, y hízole señal que se subiesse en el padrón.
Mas él era tan flaco que no podía, y el griego le ayudó; y
estando assí de pies, sossegado, diole de las manos tan rezio
que le fizo caer tendido. Y como él era grande y pesado, y
cayera de alto, quedó tan quebrantado, que no bullía; y el
griego le puso las pieças del escudo sobre los pechos, y yendo
a Lasanor, tomóle por la pierna y llevólo arrastrando cabe
su hermano. Y todos cuidavan que los quería descabeçar; y
don Grumedán, que con plazer lo mirava, dixo:

—Paréçeme qu'el griego bien ha vengado su escudo.

Esplandián, el donzel, que la batalla mirava, cuidando que
el Cavallero Griego quería matar los dos cavalleros que vencidos tenía, haviendo duelo dellos dio de las espuelas a su
palafrén y llamó a Ambor su compañero, y fue donde los
cavalleros estavan. El Cavallero Griego, que assí lo vio venir,
esperóle por ver lo que quería; y como cerca llegó pareçióle
el mas fermoso donzel de cuantos en su vida viera. Y Esplandián se llegó a él y díxole:

—Señor, pues que estos cavalleros son en tal estado que
se no pueden defender, y es conoçida la vuestra bondad, hazedme gracia dellos, pues con vos queda toda la honra.

El dava a conoçer que lo no entendía. Y Esplandián començó a llamar a altas bozes al conde Argamón que se llegasse allí, que el Cavallero Griego no le entendía su lenguaje. El conde vino luego, y el griego le preguntó qué demandava el donzel, y él le dixo:

—Pídevos essos cavalleros, que gelos deis.

—Mucho sabor havía de los matar —dixo él—, pero gelos
otorgo.

Y dixo al conde:

—Señor, ¿quién es este tan fermoso donzel, y cúyo fijo es?

El conde le dixo:

—Cierto, cavallero, esso no os diré yo, que no lo sé, ni
ninguno que en esta tierra sea.

Y contóle la manera de su criança.

—Ya yo oí hablar deste donzel en Romanía, y pienso que se llama Esplandián. Y dixéronme que tenía en los pechos unas letras.

—Verdad es —dixo el conde—, y bien las podéis ver si quisierdes.

—Mucho os lo gradeçeré, y a él que me las muestre que estraña cosa es de oír y más de ver.

El conde le rogó a Esplandián que gelas mostrasse. Y llegóse más cerca, y traía cota y capirote francés trenado con leones de oro y una cinta de oro estrecha ceñida, y la saya y capirote se brochava con brochas de oro. Y quitando algunas de las brochas mostró al Cavallero Griego las letras, de que fue maravillado, teniéndolo por la más estraña cosa que nunca oyera. Y las letras blancas dezían *ESPLANDIÁN*, mas las coloradas no las pudo entender, ahunque bien tajadas y fechas eran; y díxole:

—Donzel fermoso, Dios vos faga bienaventurado.

Estonces se despidió del conde y cavalgó en su cavallo, que allí su escudero le tenía, y fuese donde Grasinda stava, y díxole:

—Mi señora, enojada havéis estado en esperar mis locuras; mas poned la culpa a la sobervia de los romanos que lo han causado.

—Sí Dios me salve —dixo ella—, antes, las vuestras venturas buenas me fazen muy leda.

Estonces movieron de allí contra las fustas, y Grasinda con gran gloria y alegría de su ánimo, y no menos el griego cavallero en haver parado tales a los romanos, de que muchas gracias a Dios dava. Pues llegados a las barcas, faziendo poner las tiendas dentro, movieron luego la vía de la Ínsola Firme.

Mas digoos de Angriote d'Estraváus y don Bruneo que quedaron por mandado del Cavallero Griego en una galea porque ascondidamente ayudassen a don Grumedán en la batalla que puesta tenía con los romanos, rogándoles que, passando aquella afrenta como a Dios pluguiesse, procurassen de saber algunas nuevas de Oriana y se fuessen luego a la Insola Firme.

Al buen donzel Esplandián fue mucho gradeçido lo que fizo por los cavalleros romanos en les quitar de muerte a que tan llegados estavan.

CAPÍTULO LXXX

De cómo el rey Lisuarte embió por Oriana para la entregar a los romanos, y de lo que le acaeçió con un cavallero de la Insola Firme, y de la batalla que passó entre don Grumedán y los compañeros del Cavallero Griego contra los tres romanos desafiadores; y de cómo, después de ser vencidos los romanos, se fueron a la Insola Firme los compañeros del Cavallero Griego, y de lo que allí fizieron

Oído havéis cómo Oriana estava en Miraflores, y la reina Sardamira con ella, que por mandado del rey Lisuarte la fue a ver para le contar las grandezas de Roma y el mando tan creçido que con aquel casamiento del emperador se le aparejava. Agora sabed que, haviéndola ya el rey su padre prometido a los romanos, acordó de embiar por ella para dar orden cómo la levassen. Y mandó a Giontes, su sobrino, que tomasse consigo otros dos cavalleros y algunos servientes y la traxiesse, y no consintiesse que ningún cavallero con ella fablasse. Giontes tomó a Ganjel de Sadoca y a Lasanor, y otros servidores, y fuesse donde Oriana estava; y tomándola en unas andas, que de otra guisa venir no podía, según estava desmayada del mucho llorar, y sus donzellas y la reina Sardamira con su compaña, partieron de Miraflores y veníanse camino de Tagades, donde el rey estava.

Y al segundo día acaeçió lo que agora oiréis: que cerca del camino, debaxo de unos árboles, cabe una fuente estava un cavallero en un cavallo pardo, y él muy bien armado; y sobre su loriga vestía una sobreseñal verde que de una parte y otra se brochava con cuerdas verdes en ojales de oro, assí que les pareçió en gran manera hermoso. Y tomó un escudo y echólo al cuello, y tomó una lança con un pendón verde y esblandeçióla un poco; desí dixo a su escudero:

—Ve y di a aquellos aguardadores de Oriana que les ruego yo que me den lugar cómo la yo fable, que no será daño dellos ni della; y que si lo fizieren, que gelo gradeçeré; y si no, que me pesará, pero será forçado de provar lo que puedo.

El escudero llegó a ellos y díxoles el mensaje; y cuando

les dixo que faría su poder por la fablar, riéronse dello y dixéronle:

—Dezid a vuestro señor que la no dexaremos ver, y que cuando su poder provare, no havrá fecho nada.

Mas Oriana, que le oyó, dixo:

—¿Qué os faze a vosotros que el cavallero me fable? Quiçá me trae algunas nuevas de mi plazer.

—Señora —dixo Giontes—, el rey vuestro padre nos mandó que no consintiéssemos que ninguno se llegasse a os fablar.

El escudero se fue con esta respuesta, y Giontes se aparejó para la batalla. Y como el cavallero de las armas verdes la oyó, fue luego contra él, y diéronse grandes encuentros en los escudos, assí que las lanças fueron en pieças; mas el cavallo de Giontes con la gran fuerça del encuentro hovo la una pierna salida de su lugar, y cayó con su señor; y tomándole el un pie debaxo con la estribera donde le tenía, no se pudo levantar. El cavallero de las armas verdes passó por él, fermoso cavalgante, y tornó luego y dixo:

—Cavallero, ruégoos que me dexéis hablar con Oriana.

El le dixo:

—Ya por mi defensa no lo perderéis, ahunque mi cavallo ha la culpa.

Estonces Ganjel de Sadoca le dio bozes que se guardasse y no pusiesse las manos en el cavallero, que moriría por ello.

—Ya os tuviesse a vos en tal estado —dixo él.

Y movió contra él cuanto el cavallo lo pudo levar con otra lança que su escudero le dio, y erró el encuentro; y Ganjel de Sadoca lo encontró en el escudo, donde quebró la lança, mas otro mal no le fizo. Y el cavallero tornó a él, que le vio estar con su spada en la mano, y encontróle tan fuertemente, que la lança boló en pieças, y Ganjel fue fuera de la silla y dio gran caída. Y luego sobrevino Lasanor; mas el cavallero, que muy diestro era en aquel menester, guardóse tan bien, que le fizo perder el golpe de la lança, assí que Lasanor la perdió de la mano, y juntáronse tan bravamente uno con otro, que los scudos fueron quebrados y Lasanor ovo el braço en que lo tenía quebrado; y el de las armas verdes, que a él bolvió con la espada en la mano, vio cómo estava desacordado, y no lo quiso ferir; mas desenfrenóle el cavallo y diole de llano con la spada en la cabeça, y fízole ir fuyendo por el campo con su señor. Y como lo assí vio ir, no pudo estar que no riesse.

Estonces tomó una carta que traía y fuese contra donde Oriana en sus andas stava. Y ella, que assí lo vio vencer aquellos tres cavalleros tan buenos en armas, cuidó que era Amadís, y estremeçiósele el coraçón. Mas el cavallero llegó a ella con mucha humildad, y tendió la carta y dixo:

—Señora, Agrajes y don Florestán os embían esta carta, en la cual fallaréis tales nuevas que vos dará plazer. Y a Dios quedéis, señora, que yo me buelvo a aquellos que a vos me embiaron; que sé cierto que me havrán bien menester, ahunque sea de poco valor.

—Al contrario desso me pareçe a mí —dixo Oriana—, según lo que he visto; y ruégoos que me digáis vuestro nombre, que tanto afán passastes por me dar plazer.

—Señora —dixo él—, yo soy Gavarte de Val Temeroso, a quien mucho pesa de lo qu'el rey vuestro padre contra os haze. Mas yo fío en Dios que muy duro le será de acabar; antes, morirán tantos de vuestros naturales y de otros, que por todo el mundo será sabido.

—¡Ay, don Gavarte, mi buen amigo, a Dios plega por la su merced de me llegar a tiempo que esta vuestra gran lealtad de mí os sea gualardonada!

—Señora —dixo él—, siempre fue mi desseo os servir en todas las cosas como a mi señora natural, y en ésta mucho más, conoçiendo la gran sinrazón que os fazen; y yo seré en vuestro socorro con aquellos que la servir quisieren.

—Mi amigo —dixo ella—, ruégoos mucho que assí lo razonés donde vos fallardes.

—Assí lo faré —dixo él—, pues que con lealtad fazerlo puedo.

Estonces se despidió della. Y Oriana se fue a Mabilia, que estava con la reina Sardamira, y la reina le dixo:

—Paréçeme, mi señora, que iguales hemos sido en nuestros aguardadores. No sé si lo ha fecho su flaqueza o la desdicha deste camino, que aquí donde los vuestros, los míos fueron vencidos y maltrechos.

Desto que la reina dixo reyeron todas mucho, mas los cavalleros estavan avergonçados y corridos, que no osavan ante ellas pareçer. Oriana estuvo allí una pieça en tanto que los cavalleros se remediavan, que el cavallo que levava Lasanor no le pudo bolver fasta gran pieça; y apartóse con Mabilia, y leyeron la carta, en la cual hallaron cómo Agrajes y don Florestán y don Gandales la hazían saber cómo era ya en la Insola Firme Gandalín, y Ardián el enano, y que essos ocho días sería con ellos Amadís; y cómo por ellos les embiava dezir que tuviessen una gran flota aparejada, que la havía menester para ir a un lugar muy señalado, y que assí la tenían ellos; que oviesse plazer y tuviesse esperança que Dios sería por ella. Mucho fueron alegres de aquellas nuevas sin comparación, como quien por ellas esperavan bivir, que por muertas se tenían si aquel casamiento passasse. Y Mabilia confortava a Oriana y rogávala que comiesse, y ella fasta allí con la gran tristeza no quería ni podía comer, ni con la mucha alegría.

Assí fueron por su camino fasta que llegaron a la villa donde el rey era, pero antes salió el rey y los romanos a las recebir, y otras muchas gentes. Cuando Oriana los vio, començó a llorar fieramente, y fízose deçendir de las andas, y todas sus donzellas con ella; y como la veían fazer aquel llanto tan dolorido, lloravan ellas y messavan sus cabellos y besávanle las manos y los vestidos como si muerta ante sí la tuviessen, assí que a todos ponían gran dolor. El rey, que assí las vio, pesóle mucho, y dixo al rey Arbán de Norgales:

—Id a Oriana y dezidle que siento el mayor pesar del mundo en aquello que faze, y que la embío a mandar que se acoja a sus andas y sus donzellas, y faga mejor semblante y se vaya a su madre, que yo le diré tales nuevas de que será alegre.

El rey Arbán gelo dixo como le fue mandado, mas Oriana respondió:

—¡O rey de Norgales, mi buen cormano!, pues que mi gran desventura me ha sido tan cruel, que os y aquellos que por socorrer las tristes y cuitadas donzellas muchos peligros havéis passado, ¿no me podéis con las armas socorrer? Acorredme siquiera con vuestra palabra, consejad al rey mi padre no me faga tanto mal, y no quiera tentar a Dios, porque las sus buenas venturas que fasta aquí le ha dado al contrario no gelas torne; y trabajad os, mi cormano, cómo aquí me lo fagáis llegar, y vengan con él el conde Argamón y don Grumedán; que en ninguna guisa de aquí no partiré fasta que esto se faga.

El rey Arbán en todo esto no hazía sino llorar muy fieramente, y no le podiendo responder, se tornó al rey y díxole

el mandado de Oriana; mas a él se le fazía grave ponerse
con ella en plaça en aquella afruenta, porque mientra más
sus dolores y angustias eran a todos notorias, más la culpa
dél era creçida. El conde Argamón veyéndole dudar, rogóje-
lo mucho que lo fiziesse, y tanto le ahincó que, venido don
Grumedán, el rey con ellos tres se fue a su fija. Y cuando
ella le vio, fue contra él assí de inojos como estava, y sus
donzellas con ella; pero el rey se apeó luego, y alçándola
por la mano la abraçó. Y ella le dixo:

—Mi padre, mi señor, aved piedad desta fija que en fuerte punto de vos fue engendrada, y oídme ante estos hombres
buenos.

—Fija —dixo el rey—, dezid lo que os pluguiere, que con el
amor de padre que os devo os oiré.

Ella se dexó caer en tierra por le besar los pies. Y él se
tiró afuera y levantóla suso. Ella dixo:

—Mi señor, vuestra voluntad es de me embiar al emperador de Roma y partirme de os y de la reina mi madre y desta
tierra donde Dios natural me fizo. Y porque desta ida yo no
spero sino la muerte, o que ella me venga, o que yo mesma
me la dé; assí que por ninguna guisa se puede complir vuestro querer, de lo que a vos se sigue gran pecado en dos maneras: la una, ser yo a vuestro cargo desobediente, y la otra,
morir a causa vuestra. Y porque todo esto sea escusado y Dios
sea de nosotros servido, yo quiero ponerme en orden y allí
bivir, dexándoos libre para que de vuestros reinos y señoríos dispongáis a vuestra voluntad; y yo renunciaré todo el
derecho que Dios me dio en ellos a Leonoreta mi hermana,
o a otro, cual vos más quisierdes. Y señor, mejor seréis servido del que con ella casare que de los romanos, que por
causa mía, allá me teniendo, luego vuestros enemigos serán;
assí que por esta vía que los ganar cuidáis, por esta misma
no solamente los perdéis, mas como dixe, los fazéis enemigos mortales vuestros, que nunca en ál pensarán sino en
cómo havrán esta tierra.

—Mi fija —dixo el rey—, bien entiendo lo que me dezís, y
yo os daré la respuesta ante vuestra madre. Acojed os a vuestras andas y idvos para ella.

Estonces aquellos señores la pusieron en las andas y la
levaron a la reina su madre; y a ella llegada, recibióla con
mucho amor, pero llorando, que mucho contra su voluntad
se hazía aquel casamiento.

Mas ni ella ni todos los grandes del reino ni los otros menores nunca pudieron mudar al rey de su propósito. Y esto causó que ya la fortuna, enojada y cansada de le haver puesto en tan gran alteza y buenas venturas, por causa de las cuales mucho más que solía de la ira, de la sobervia, se iva faziendo sujeto, quiso, más por reparo de su ánima que de su honra, mudársele al contrario, como en el cuarto libro desta grande historia vos será contado, porque aí se declarárá más largamente.

Mas la reina con mucha piedad que tenía consolava a la fija; y la fija con muchas lágrimas, con mucha humildad, hincados los inojos, le demandava misericordia, diziendo que pues ella señalada en el mundo fuesse para consejar las mugeres tristes, para buscar remedio a las atribuladas, que cuál más que ella, ni tanto, en todo el mundo fallarse podría en esto y en otras cosas de gran piedad. A quien las veía, estovieron abraçadas la madre y la fija, mezclando con los grandes deleites passados las angustias y grandes dolores que muchas vezes a las personas les son sobrevenidos sin que ninguno, por grande y por discreto que sea, los puede fuir.

Y el conde Argamón y el rey Arbán de Norgales y don Grumedán apartaron al rey debaxo de unos árboles, y el conde le dixo:

—Señor, por dicho me tenía de os no fablar más en este caso, porque siendo vuestra gran discreción tan estremada entre todos, conoçiendo mejor lo bueno y contrario, bien y honestamente me podría escusar. Pero como yo sea de vuestra sangre y vuestro vasallo, no me contento ni satisfago con lo dicho, porque veo, señor, que assí como los cuerdos muchas vezes aciertan, assí cuando una yerran, es mayor que de ningún loco, porque atreviéndose en su saber, no tomando consejo, cegándoles amor, desamor, codicia o sobervia, en en donde muy a duro levantarse pueden. Catad, señor, que fazéis gran crueza y pecado, y muy presto podríades haver tal açote del Señor muy alto con que la vuestra gran claridad y gloria en mucha escuridad puesta fuesse. Acojed os a consejo esta vez, considerando cuántos cuerdos, desechando los suyos, doblando sus voluntades, los vuestros y la vuestra siguieron; porque si dello mal os viniere, dellos más que de vos quexaros podéis, que éste es un gran remedio y descanso de los errados.

—Buen tío —dixo el rey—, bien tengo en la memoria todo

lo que ante me havéis dicho, mas yo no puedo más fazer sino cumplir lo que a éstos tengo prometido.

—Pues, señor —dixo el conde—, demándoos licencia para que a mi tierra me vaya.

—A Dios vayáis —dixo el rey.

Assí se partieron de aquella fabla, y el rey se fue a comer. Y los manteles alçados, mandó llamar a Brondajel de Roca y díxole:

—Mi amigo, ya vedes cuánto contra voluntad de mi fija y de todos mis vasallos, que la mucho aman, se faze este casamiento. Pero yo, conoçiendo darla a hombre tan honrado y ponerla entre vosotros, no me quitaré de lo que os he prometido. Por ende, aparejad las fustas, que dentro el tercero día vos entregaré a Oriana con todas sus dueñas y donzellas. Y poned en ella recaudo que os no salga de una cámara, porque no acaezca algún desastre.

Brondajel le dixo:

—Todo se fará, señor, como lo mandáis; y ahunque agora se le faga grave a la emperatriz mi señora salir de su tierra, donde a todos conoçe, veyendo las grandezas de Roma y el su gran señorío, cómo los reyes y príncipes ante ella para la servir se homillaren, no passará mucho tiempo que su voluntad con mucho contentamiento será satisfecha; y tales nuevas antes de mucho os serán, señor, escritas.

El rey le abraçó riendo y díxole:

—Sí Dios me salve, Brondajel, mi amigo, yo creo que tales sois vosotros que muy bien sabréis fazer cómo ella sea en su alegría cobrada.

Y Salustanquidio, que ya se levantara, le pidió por merced que mandasse ir con su fija a Olinda, y que él le prometía que, seyendo él rey como el emperador gelo prometiera, en llegando con Oriana él la tomaría por su muger. Al rey plugo dello, y estuvo gela loando mucho, diziendo que, según su discreción y honestidad y gran fermosura, que muy bien meresçía ser reina y señora de gran tierra. Assí como oís passaron aquella noche, y otro día pusieron en las barcas todo lo que avían de levar. Y Maganil y sus hermanos paresçieron ante el rey, y con gran orgullo dixeron a don Grumedán:

—Ya vedes cómo se acerca el día de vuestra vergüença, que mañana se cumple el plazo en que la batalla que con sandez demandastes se ha de fazer. No penséis que la partida la ha de estorvar ni otra cosa ninguna; que necesario es, si no os otorgáis por vencido, que paguéis los desvaríos que dexistes como hombre de muy mayor edad que seso ni tiento.

Don Grumedán, que cuasi fuera de sentido estava oyendo aquello, levantóse para responder. Mas el rey, que lo conoscía ser muy sentible en las cosas de honra, uvo recelo dél y dixo:

—Don Grumedán, ruégoos por mi servicio que no fabléis en esto; y aparejad os a la batalla, pues que vos mejor que ninguno sabéis que semejantes autos más consisten en obras que en palabras.

—Señor —dixo él—, faré lo que mandáis por vuestro acatamiento, y mañana yo seré en el campo con mis compañeros. Y allí parescerá la bondad o maldad de cada uno.

Los romanos se fueron a sus posadas. Y el rey llamó a parte a don Grumedán y díxole:

—¿Quién tenéis que os ayude contra estos cavalleros?, que me parescen rezios y valientes.

—Señor —dixo él—, yo he por mí a Dios, y este cuerpo y coraçón y manos que me dio; y si don Galaor viniere mañana fasta la tercia, averlo he, que soy cierto que manterná él mi razón, y no me quexaría con el tercero. Y si no viniere, combatirm'é con ellos, uno a uno si de derecho fazerse puede.

—¿No vedes —dixo el rey— que la batalla fue demandada de tres por tres? Y vos assí lo otorgastes, y no la querrán mudar, porque assí lo tienen puesto y jurado en las manos de Salustanquidio. Y don Grumedán —dixo el rey—, sí me Dios salve, mucho he gran pesar en el mi coraçón porque os veo menguado de tales compañeros cuales avedes menester en tal afruenta; y mucho me temo de cómo esta vuestra fazienda irá.

—Señor —dixo él—, no temáis; en poca de ora faze Dios gran merced y acorro a quien le plaze, y yo fue contra la sobervia con la mesura y buen talante; y ello, que es conforme a Dios, me ayudará. Y si don Galaor no viniere, ni otro de los buenos cavalleros de vuestra casa, meteré comigo dos destos míos cuales mejor viere.

—No es esso nada —dixo el rey—, que lo avéis con fuertes hombres y usados de tal menester, y no os cumplen tales compañeros. Mas, mi amigo don Grumedán, yo os daré mejor consejo. Yo quiero secretamente meter mi cuerpo con el vuestro en esta batalla, que muchas vezes lo aventurastes vos en mi servicio; y, mi amigo leal, mucho sería yo desagradescido si en tal sazón no osasse yo por vos mi vida y mi honra en pago de cuantas vezes posistes la vuestra en el estremo y filo de la muerte por me servir.

Y en todo esto lo tenía abraçado el rey, cayéndole las lágrimas de los ojos. Don Grumedán le besó las manos y le dixo:

—No plega a Dios que tan leal rey como lo vos sois caesse en tal yerro por aquel que siempre en crescer vuestra fama y honra será; y comoquiera, señor, que esto tenga en una de las más señaladas mercedes que de vos he recebido, y mis servicios no puedan ser bastantes para lo servir, no se recibirá por mí por ser vos rey y juez que assí a los estraños como a los vuestros justamente juzgar en tal caso deve.

Bienaventurados los vasallos a quien Dios tales reyes da, que teniendo en más el amor que les deven que los servicios que les fazen, olvidando sus vidas, sus grandezas, quieren poner sus cuerpos a la muerte por ellos como lo éste fazer quería por un pobre cavallero, ahunque muy rico y abastado de virtudes.

—Pues que assí es —dixo el rey—, no puedo fazer ál sino rogar a Dios que os ayude.

Don Grumedán se fue a su posada, y mandó a dos cavalleros de los suyos que se adereçassen para otro día ser con él en la batalla. Mas dígoos que ahunque muy esforçado y fuerte era, y usado en las armas, que tenía su coraçón quebrantado, porque los que consigo metía en la batalla no eran cuales él avía menester para tan gran fecho; que él era de tan alto y fuerte coraçón que antes la muerte que cosa en que vergüença se le tornasse faría ni diría. Pero esto no lo mostrava, sino al contrario todo. Aquella noche alvergó en la capilla de Santa María, y a la mañana oyeron missa con mucha devoción, y don Grumedán rogando a Dios que le dexasse acabar aquella batalla a su honra, y si su voluntad fuesse de ser allí sus días acabados, le oviese merced al ánima.

Y luego con gran esfuerço demandó sus armas; y desque vestió su loriga fuerte y muy blanca, vistió encima una sobreseñal de sus colores que era cárdena y cisnes blancos. Y ahún no era acabado de armar, cuando entró por la puerta la fermosa donzella que con mandado de Grasinda y del Cavallero Griego allí avía venido, y con ella venían dos donzellas y dos escuderos; y traía en su mano una muy fermosa espada y ricamente guarnida, y preguntava por don Grumedán, y luego gelo mostraron. Ella le dixo por el lenguaje francés:

—Señor don Grumedán, el Cavallero Griego, que os mucho ama por las nuevas que de vos ha oído después que en esta tierra es, y porque ha sabido una batalla que con los romanos tenéis aplazada, déxaos dos cavalleros muy buenos que vistes que le aguardavan. Y embíaos dezir que no queráis otros para esta batalla y que sobre su fe los toméis sin otra cosa temer; y embíaos esta fermosa espada que por muy buena es ya provada, según vistes, en los grandes golpes que con ella dio en el padrón de piedra cuando el cavallero le andava fuyendo.

Muy alegre fue don Grumedán cuando esto oyó, considerando en la necessidad que puesto estava y que en compañía de tal hombre como el Cavallero Griego no podía andar sino quien mucho valiesse. Y díxole:

—Donzella, aya buena ventura el buen Cavallero Griego que tan cortés es contra quien no conosce; y esto causa la su gran mesura. A Dios plega de me llegar a tiempo que gelo pueda servir.

—Señor —dixo ella—, mucho lo preciaríades si lo conosciéssedes, y así lo faréis a estos compañeros suyos tanto que los ayáis provado. Y cavalgad luego, que a la entrada del campo do avéis a lidiar os esperan.

Don Grumedán sacó la espada y católa cómo era muy limpia y no parescía en ella señal alguna de los golpes que en el padrón diera, y santiguándola la ciñó y dexó la suya. Y cavalgando en el cavallo que don Florestán le diera cuando le ganó a los romanos, como ya oístes, paresciendo en él fermoso viejo y valiente, se fue a los cavalleros que lo atendían; y todos tres se recibieron muy ledamente, mas don Grumedán nunca ninguno dellos pudo conoscer; y assí entraron en el campo tan bien apuestos que los que a don Grumedán bien querían ovieron gran plazer. El rey, que ya venido era, fue maravillado cómo aquellos cavalleros, sin causa ninguna, no conosciendo a don Grumedán, se querían poner a tan gran peligro; y como vio la donzella, mandóla llamar. Ella vino ant'él, y díxole:

—Donzella, ¿por cuál razón estos dos cavalleros de vuestra compaña han querido ser en batalla tan peligrosa, no conosciendo a aquel por quien la fazen?

—Señor —dixo ella—, los buenos assí como los malos por sus nuevas son conoscidos; y oyendo el Cavallero Griego las buenas maneras de don Grumedán y la batalla que aplazada tenía, sabiendo que a esta sazón aquí pocos de los vuestros buenos cavalleros, tuvo por bien de dexar estos dos compañeros suyos que le ayudassen; que son de tan alta bondad y prez de armas, que ante que el mediodía passado sea, será ahún más quebrantada la gran sobervia de los romanos, y la honra de los vuestros muy guardada. Y no quiso que don Grumedán lo supiesse fasta los fallar en el campo, como vos, señor, avéis visto.

Mucho fue alegre el rey con tal socorro, que el coraçón tenía quebrantado temiendo alguna desventura que a don Grumedán, por falta de ayudarle en aquella batalla, le podría sobrevenir; y mucho lo gradesció al Cavallero Griego, ahunque le no mostrava tanto como en la voluntad lo tenía.

Los tres cavalleros, yendo don Grumedán en medio, se pusieron a un cabo de la plaça atendiendo a sus enemigos. Y luego entraron en ella el rey Arbán de Norgales y el conde de Clara por su parte para los juzgar, y por parte de los romanos fueron Salustanquidio y Brondajel de Roca, todos por mandado del rey. Y a poco rato llegaron los romanos que se avían de combatir, y venían en fermosos cavallos y armas frescas y ricas; y como eran membrudos y altos, mucho parescía que devían en sí gran fuerça y valentía aver. Y traían consigo gaitas y trompetas y otras cosas que gran ruido fazían, y todos los cavalleros de Roma que los acompañavan; y assí llegaron ante el rey, y dixéronle:

—Señor, nosotros queremos llevar las cabeças de aquellos cavalleros griegos a Roma, y no os pese que assí lo fagamos en la de don Grumedán, que de vuestro enojo nos pesaría; o mandadle que se desdiga de lo que ha dicho, y que otorgue ser los romanos los mejores cavalleros de todas las otras terras.

El rey no les respondió a aquello que dezían, mas dixo:

—Id a fazer vuestra batalla, y los que ganaren las cabeças de los otros fagan dellas lo que por bien tuvieren.

Ellos entraron en el campo, y Salustanquidio y Brondajel los pusieron a una parte de la plaça; y el rey Arbán y el conde de Clara pusieron a don Grumedán y sus compañeros a la otra. Entonces llegó la reina con sus dueñas y donzellas a las finiestras por ver la batalla; y mandó venir allí a don Guilán el Cuidador, que flaco estava de su dolencia, y a don Cendil de Ganota, que ahún no era bien sano de su llaga; y dixo contra don Guilán:

—Mi amigo, ¿qué os paresce que será en esto que mi padre don Grumedán está puesto? —que la reina siempre le llamava padre porque él la criara—; que veo aquellos diablos tan grandes y tan valientes que me ponen grande espanto.

—Mi señora —dixo él—, todo el fecho de las armas en la mano de Dios es, y en la razón que los hombres por sí toman, que es a El conforme, y no en la gran valentía. Y señora, conosciendo yo a don Grumedán por un cavallero muy cuerdo, temeroso de Dios y defendiendo justicia, y a los romanos ser tan desmesurados, tan sobervios, tomando las cosas por sola voluntad, dígoos que si yo estuviesse donde Grumedán está con aquellos dos compañeros, que no temería estos tres romanos, ahunque el cuarto a ellos se llegasse.

Mucho fue la reina consolada y esforçada con lo que don Guilán le dixo, y rogava a Dios de coraçón que ayudasse a su amo y le sacasse con honra de aquel peligro. Los cavalleros que en el campo estavan endereçaron los cavallos contra sí, y movieron al más correr dellos; y como ellos fuessen muy diestros en las armas y en las sillas, parescían unos y otros muy apuestos. Y encontráronse muy bravamente en los escudos, que ninguno fallesció de su encuentro, assí que las lanças fueron quebradas; y acaesció entonces lo que se nunca viera en batalla que en casa del rey se fiziesse de tantos por tantos, que todos tres romanos fueron lançados de las sillas en el campo, y don Grumedán y sus compañeros passaron muy apuestos sin ser de las sillas movidos por ellos. Desí tornaron luego los cavallos contra ellos, y viéronlos cómo punavan de se levantar y juntar de consuno. Don Bruneo ovo una ferida no grande en el costado siniestro de la lança de aquel con quien justara. Muy grande fue el pesar que los romanos uvieron de la justa, y grande el plazer de las otras gentes, que los desamavan y amavan a don Grumedán. El cavallero de las armas verdes dixo a don Grumedán:

—Pues que les avéis mostrado cómo saben justar, no es razón que a cavallo los acometamos seyendo ellos a pie.

Don Grumedán y el otro cavallero dixeron que dezía bien. Y descavalgaron de sus cavallos y diéronlos a quien los tuviesse, y fueron todos tres juntos contra los romanos, que ya no estavan tan bravos como ante; y el de las armas verdes dixo:

—Señores cavalleros de Roma, dexastes vuestros cavallos; esto no deve ser sino por nos tener en poco, pues ahunque no seamos de tal nombradía como la vuestra, no quisimos que esta honra nos levássedes, y por esso descendimos de los nuestros.

Los romanos, que antes muy locos eran, estavan espantados de se ver tan ligeramente en el suelo, y no respondían ninguna cosa y tenían sus espadas en las manos y sus escudos ante sí. Y luego se cometieron muy bravamente y dávanse muy duros y esquivos golpes, tanto que a todos los que los miravan fazían maravillar; y en poco espacio paresció en sus armas la valentía y saña dellos, que por muchas partes fueron rotas y la sangre salía por ellas, y assí mesmo los yelmos y escudos eran mal parados. Mas don Grumedán, que con la grande enemiga y saña que tenía aquexóse mucho, adelantávase de sus compañeros, de manera que recibiendo más golpes era mal ferido. Y sus compañeros, que eran los que sabéis, y que más temían vergüença que muerte, veyendo que los romanos se defendían, provaron todas sus fuerças y començaron a los cargar de grandes golpes que fasta allí se avían sofrido; así que los romanos fueron espantados, creyendo que las fuerças se les doblavan. Y tanto fueron afrontados y apartados que ya en otra cosa no entendían sino en se guardar, y tirávanse afuera tan desacordados que no tenían tiento para se juntar. Mas los otros, que de vençida los levavan, no los dexavan folgar ni descansar, que entonces fazían sus enemigos maravillas, como si en todo el día no ferieran golpe. Maganil, que el mejor de los hermanos era y el más valiente, que en todo el día mucho dello se avía señalado, veyendo su escudo fecho pieças y el yelmo cortado y abollado en muchas partes, y en la loriga que no avía defensa, fuese cuanto más pudo contra las finiestras de la reina, y el de las armas de los veros, que lo seguía, no le dexava descansar; mas él dava bozes diziendo:

—Señora, merced por Dios; no me dexéis matar, que yo otorgo ser verdad todo lo que don Grumedán dixo.

—Mal ayáis —dixo el de los veros—, que eso conoscido es.

Y tomándole por el yelmo, gelo sacó de la cabeça y fizo infinta que gela quería tajar. Y la reina, que lo vio, tiróse de la finiestra. Don Guilán, que allí estava a las finiestras de la reina, como ya oístes, díxole:

—Señor cavallero de Grecia, no os tome codicia de levar a vuestra tierra cabeça tan soberviosa como éssa. Dexadla, si os pluguiesse, bolver a Roma, donde son preciadas sus maneras, y allá serán aborrescidas.

—Fazerlo he —dixo él— porque pidió merced a la señora reina y por vos que lo queréis, ahunque no vos conozco. Yo os lo dexo; mandadle sanar las feridas, que de la locura curado es.

Y bolviéndose a sus compañeros vio cómo don Grumedán tenía al uno de los romanos de espaldas en el suelo, y él las rodillas sobre sus pechos, y dávale en el rostro grandes golpes de la mançana de la espada; y el romano dezía a grandes bozes:

—¡Ay, señor don Grumedán!, no me matéis, que yo otorgo ser verdad todo lo que vos dexistes en loor de los cavalleros de la Gran Bretaña, y lo mío es mentira.

El cavallero de las armas do los veros, que mucho plazer avía de cómo don Grumedán estava, llamó los fieles que oyessen lo que el cavallero dezía y cómo el de las armas verdes avía echado del campo al otro, que le ya fuera. Mas Salustanquidio y Brondajel de Roca fueron tan tristes y tan quebrantados en veer aquel vencimiento tan abiltado, que sin fablar al rey se salieron del campo y se fueron a sus posadas, y mandaron que les llevassen aquellos cavalleros que se desdixeran, pues que su fuerte ventura les fuera tan contraria. Y don Grumedán, veyendo que no quedava qué hazer, con licencia de los fieles cavalgó él, y sus compañeros, y fueron besar las manos al rey. Y el de las armas verdes le dixo:

—Señor, a Dios finquéis encomendado, que nos vamos al Cavallero Griego, en cuya compaña somos muy honrados y bienaventurados.

—Dios os guíe —dixo el rey—, que bien nos avéis mostrado él y vosotros que sois de alto fecho de armas.

Así se despidieron dél. Y la donzella que allí con ellos viniera llegó al rey y dixo:

—Mi señor, oídme a poridad, si vos pluguicre, antes que me vaya.

El rey fizo apartar a todos, y díxole:

—Agora dezid qué vos pluguiere.

—Señor —dixo ella—, vos fuistes fasta aquí el más preciado

rey de los christianos y siempre vuestro buen prez levastes adelante, y entre las vuestras buenas maneras tovistes siempre en la memoria el fecho de las donzellas, faziéndoles mercedes y compliéndoles de derecho, seyendo muy cruel contra aquellos que tuerto les fazían. Y agora perdida aquella grande esperança que en vos tenían, tiénense todas por desamparadas de vos, veyendo lo que contra vuestra fija Oriana fazéis queriéndola tan sin causa ni razón deseredar de aquello de que Dios heredera la fizo. Mucho son espavoridas y espantadas cómo aquella vuestra doble condición así es tan al contrario en este caso tornada, que muy poca fiuza ternán en sus remedios cuando assí contra Dios, contra vuestra fija y de todos vuestros naturales usáis de tanta crueza, seyendo más que otro ninguno obligado, no como rey, que a todos derecho ha de guardar, mas como padre; que ahunque de todo el mundo ella fuese desamparada, de vos avía con mucho amor ser acogida y consolada. Y no solamente al mundo es mal enxemplo, mas ante Dios sus llantos, sus lágrimas reclamarán. Miraldo, señor, y conformad el fin de vuestros días con el principio dellos, pues que más gloria y fama vos han dado que a ninguno de los que oy biven. Y, mi señor, a Dios seáis encomendado, que yo me voy aquellos cavalleros que me atienden.

—A Dios vayáis —dixo el rey—, que si Dios me salve, yo vos tengo por buena y de buen entendimiento.

Ella se fue para sus aguardadores, y tomándola entre sí se fueron a la galea, que el tiempo les fazía endereçado para su viaje. Pues luego movieron del puerto; y como sabían que el rey Lisuarte avía de entregar su fija Oriana a los romanos, y qué día avía de ser, cuitáronse mucho de andar porque lo supiesse el Cavallero Griego; assí que en dos días y dos noches le alcançaron porque él los iva esperando. Mucho bien se recibieron y con gran plazer por así aver acabado aquellas aventuras tanto a su honra. La donzella les contó cómo la batalla passara, y lo que se avía hecho en ayuda de don Grumedán y la necessidad tan grande que tenía por falta de compañeros, y el plazer que con ella ovo y las gracias que embiava al Cavallero Griego por tal socorro: todo lo contó, que no faltó nada.

Grasinda le dixo:

—¿Supiste lo que el rey ordena de fazer de su fija?

—Sí, señora —dixo la donzella—, que en cuatro días después que de allí partistes la han de meter en la mar en poder de los romanos para que la lieven. Mas ver, señora, los llantos que ella y sus donzellas fazen, y todos los del reino, no ay persona que lo pueda contar.

A Grasinda le vinieron las lágrimas a los ojos, y rogava a Dios que mostrando la su misericordia en esta gran sinrazón le embiasse algún remedio. Mas el Cavallero Griego fue muy alegre de aquellas nuevas porque ya tenía él en su coraçón de la tomar, y no via la ora de estar embuelto con los romanos, y que esto hecho, gozaría de su señora con descanso de su triste coraçón, y por otra guisa no le podía aver; que lo del rey Lisuarte ni del emperador no lo tenía en mucho, que bien pensava de les dar harto que fazer. Y lo que más a su ánimo alegría dava era pensar que sin culpa de su señora esto se fazía.

Pues así fablando y folgando como oís, llegaron un día a ora de tercia al gran puerto de la Insola Firme. Y los de la ínsola, que ya por Gandalín sabían el tiempo de su venida, vieron de muy lejos las fustas y conoscieron según las señas que él era. El alegría fue muy grande en todos ellos, que lo mucho amavan, y acudieron con mucha priessa a la ribera, y con ellos todos los grandes hombres de su linaje y amigos que lo atendían. Y cuando Grasinda llegó al puerto y vio tanta gente y el alegría que a todas partes fazían, mucho fue maravillada, y más cuando oyó dezir a muchos: «Bien venga nuestro señor, que tanto tiempo de nos ha sido alongado.» Y dixo contra el Cavallero Griego:

—Señor, ¿por qué causa vos fazen estas gentes tanto acatamiento y honra, diziendo «bien venga nuestro señor»?

El le dixo:

—Señora, demand'os perdón porque tan luengamente de vos me encobrí, que no pude menos fazer sin gran peligro de mi vergüença, y assí lo he fecho por todas las tierras estrañas que anduve, que ninguno mi nombre saber pudo. Y agora quiero que sepáis que yo soy el señor desta ínsola, y soy aquel Amadís de Gaula de que algunas vezes oiríades fablar; y aquellos cavalleros que allí vedes son del mi linaje y mis amigos, y las otras gentes mis vasallos. Y a duro se fallarían en el mundo otros tantos cavalleros que en gran valor se les igualassen.

—Si yo, señor —dixo Grasinda— plazer siento en saber vuestro nombre, assí mi coraçón es triste en no vos aver hecho aquel servicio que hombre tan alto y de tal linaje meresçía; y aviend'os tratado como un pobre cavallero andante siéntome por muy desdichada. Y si alguna cosa me consuela, no es ál salvo que la honra que en mi tierra se vos fizo, si alguna fue que vos agradasce, se puede atribuir al valor de vuestra sola persona, sin dar parte ninguna al vuestro grande estado ni alto linaje, ni tanpoco a estos cavalleros que me tanto loáis.

Amadís le dixo:

—Señora, no se fable más en esto, que las honras y mercedes que de vos recebí fueron tantas y tales y en tal sazón, que comigo ni con aquellos que allí veis, que más que yo valen, no las podría pagar.

Entonces se llegaron al puerto, donde todos los atendían; y allí era don Gandales con .xx. palafrenes en que las mugeres subiessen arriba al castillo. Mas para Grasinda sacaron de las naos un palafrén muy hermoso con guarniciones de oro y plata esmaltados, y ella se vistió de paños ricos a maravilla. Y desde el batel donde ella y Amadís venían echaron tablas muy fuertes fasta el arena por donde salieron. Y a la ribera los atendían Agrajes, y don Cuadragante, y don Florestán, y Gavarte de Val Temeroso, y el bueno de don Dragonís, y Orlandín, y Ganjes de Sadoca, y Argamón el Valiente, y Sardonán, hermano de Angriote de Estraváus, y sus sobrinos Pinores y Sarquiles, Madansil de la Puente de la Plata, y otros muchos hombres buenos que las aventuras demandavan, más de treinta. Y Enil, el bueno y entendido, estava ya dentro en el batel fablando con Amadís, y Ardián el enano y Gandalín con las donzellas de Grasinda. Entonces tomó Amadís a Grasinda por el braço y sacóla del batel fasta la poner en tierra, donde con mucho acatamiento y cortesía de todos aquellos señores fue recebida, y diola Agrajes y a Florestán, que en el palafrén la pusieron. Mucho fueron todos pagados de su gran fermosura y rico atavío. Así la levaron como oís, y a sus dueñas y donzellas, a la ínsola, donde en las fermosas casas que Amadís y sus hermanos alvergaron cuando fue la ínsola ganada la fizieron ser. Allí por le fazer mayor fiesta comieron con ella todos los más de aquellos cavalleros, que don Gandales lo fiziera tener muy bien aparejado, siendo maestresala Ardián el enano, que de plazer no cabía consigo, diziendo muchas cosas con que les fazía reír. Mas Amadís en toda esta rebuelta nunca de sí tiró al maestro Elisabad; antes lo traía por la mano, y mostrándolo a todos les dezía que Dios y aquél le fiziera bivir, y a la mesa lo fizo sentar entre él y don Gavarte de Val Temeroso. Pero todos estos plazeres y la vista de aquellos cavalleros que Amadís tanto amava no podían tanto que el coraçón suyo no fuesse en grande apretura puesto, pensando que los romanos podrían con Oriana passar por la mar antes que él los encontrasse; y no podía sosegar ni aver descanso con otra ninguna cosa, porque en comparación d'aquella que él tanto amava todo lo otro le era causa de gran soledad.

Pues aviendo todos con gran plazer comido, y levantados los manteles, Amadís les rogó que ninguno de su lugar no se moviesse, que les quería fablar, y ellos lo fizieron assí. Veyendo, pues, Amadís sosegados aquellos cavalleros que a las mesas estavan atendiendo lo que él diría, fablóles en esta guisa:

—Después que no me vistes, mis buenos señores, muchas tierras estrañas he andado, grandes aventuras han pasado por mí que largas serían de contar; pero las que más me ocuparon y mayores peligros me atraxeron, fue socorrer dueñas y donzellas en muchos tuertos y agravios que les fazían, porque assí como éstas nascieron para obedescer con flacos ánimos y las más fuertes armas suyas sean lágrimas y sospiros, assí los de fuertes coraçones estremadamente entre las otras cosas las suyas deven tomar, amparándolas, defendiéndolas de aquellos que con poca virtud las maltratan y deshonran, como los griegos, los romanos en los tiempos antiguos lo fizieron, passando las mares, destruyendo las tierras, venciendo batallas, matando reyes y de sus reinos los echando, solamente por satisfazer las fuerças y injurias a ellas fechas; por donde tanta fama y gloria dellos en sus istorias ha quedado, y quedará en cuanto el mundo durare. Pues lo que en nuestros tiempos passa, ¿quién mejor que vosotros, mis buenos señores, lo sabe?, que sois testigos por quien muchas afruentas y peligros por esta causa cada día passan. No vos hago tan luenga fabla poniendo delante los enxemplos antiguos verdaderos, pensando con ellos esforçar vuestros coraçones, que ellos son en sí tan fuertes, que si lo que les sobra por el mundo repartirse pudiese, ningún covarde en él quedaría. Mas porque las buenas hazañas passadas recordadas en las memorias, con mayor cuidado, con mayor desseo las presentes se procuran y toman. Pues veniendo al caso, yo he sabido después que a esta tierra vine el gran tuerto y agravio que el rey Lisuarte a su fija Oriana fazer quiere, que seyendo ella la legítima sucessora de sus reinos, él contra todo derecho desechándola dellos, al emperador de Roma por muger la embía, y según me dizen, mucho contra la voluntad de todos sus naturales, y más della, que con grandes llantos, grandes querellas a Dios y al mundo reclamando, de tan gran fuerça se querella. Pues si es verdad que este rey Lisuarte sin temor de Dios ni de las gentes tal crueza faze, dígovos que en fuerte punto acá nascimos si por nosotros remediada no fuesse; pues que dexándola passar se passavan y ponían en olvido los peligros y trabajos que por ganar honra y prez fasta aquí tomado avemos. Agora diga cada uno, si vos pluguiere, su parescer, que el mío ya vos he manifestado.

Luego respondió Agrajes por ruego de todos aquellos cavalleros, y dixo:

—Ahunque vuestra presencia, mi señor y buen cormano, nuestras fuerças doblado aya, y las cosas que ante mucho dudávamos, con ella livianas y de poca sustancia parezcan, nosotros con poca esperança de vuestra venida, aviendo sabido esto que el rey Lisuarte hazer quiere, determinados éramos al remedio y socorro dello, no dexando tan gran fuerça passar, antes o ellos o nosotros ser passados de la vida a la muerte. Y pues que en la voluntad conformes somos, seámoslo en la obra, y tan presto que aquella gloria que deseamos alcançar se pueda sin que por nuestra negligencia se pierda.

Oído por aquellos cavalleros la respuesta de Agrajes, todos a una boz teniéndola por buena, dixeron que el socorro de Oriana se devía fazer y que se no tardasse; que si era verdad que por muchas cosas livianas sus vidas aventuravan, con más voluntad lo devían fazer en ésta tan señalada, que perpetua gloria en este mundo les daría.

Como Grasinda vio el concierto, abraçando a Amadís le dixo:

—¡Ay Amadís, mi señor! Agora paresce bien el vuestro gran valor y de los vuestros amigos y parientes en fazer el mejor acorro que nunca cavalleros fizieron, que no solamente a esta tan buena señora, mas a todas las dueñas y donzellas del mundo se faze; porque los buenos y esforçados cavalleros de otras tierras tomando enxemplo en esto con mayor cuidado y osadía se pornán en lo que con razón por ellas deven fazer; y los desmesurados y sin virtud aviendo temor de ser tan duramente costreñidos, refrenarse han de les fazer tuertos y agravios. Y, mi señor, id con la bendición de Dios, y El vos guíe y enderesce. Yo vos atenderé aquí fasta ver el cabo, y después faré lo que demandardes.

Amadís se lo gradesció mucho, y dexóla en guarda de Isanjo, el governador de la ínsola, que la fiziesse servir y le mostrasse todas las cosas sabrosas que por la ínsola eran, y fiziesse mucha honra al su gran amigo maestro Elisabad. Mas el maestro le dixo:

—Buen señor, si yo en algo vos puedo servir, no es sino en semejantes cosas que estas a que vais, que con las armas, según mi ábito, escusado me avréis, assí que por ninguna guisa quedaré; antes quiero ser en socorro vuestro con esto que Dios me dio, si a vos, señor, pluguiere, que bien sé, según la gran locura de los romanos y la porfía de vosotros, que seréis de mí bien servidos y ayudados.

Amadís lo abraçó, y dixo:

—¡Ay maestro, mi verdadero amigo!, a Dios plega por la su merced que lo que por mí havéis fecho y fazéis, de mí vos sea galardonado. Y pues vos plaze de ir, entremos luego en la mar con la ayuda de Dios.

Como la flota aparejada estuviesse de todo lo necessario al viaje y la gente apercebida, a la prima noche, mandando Amadís que todos los caminos se tornassen porque nuevas algunas dellos no fuessen sabidas, entraron todos en la flota, y sin fazer roído ni bullicio començaron a navegar contra aquella parte que los romanos avian de acudir según el camino que les pertenescía llevar, para que en la delantera los fallassen.

CAPÍTULO LXXXI

DE CÓMO EL REY LISUARTE ENTREGÓ SU FIJA MUY CONTRA SU GANA, Y DEL SOCORRO QUE AMADÍS CON TODOS LOS OTROS CAVALLEROS DE LA INSOLA FIRME FIZIERON A LA MUY HERMOSA ORIANA; Y LA LEVARON A LA INSOLA FIRME

COMO determinado estuviesse el rey Lisuarte en entregar a su fija Oriana a los romanos, y el pensamiento tan firme en ello que ninguna cosa de las que havéis oído le pudo remover, llegado el plazo por él prometido, fabló con ella

tentando muchas maneras para la atraer que por su voluntad tomasse aquel camino que a él tanto le agradava, mas por ninguna guisa pudo sus llantos y dolores amansar; así que seyendo muy sañudo, se apartó della, y se fue a la reina,
diziéndole que amansasse a su fija, pues que poco le
aprovechava lo que fazía, que se no podía escusar aquello
que él prometiera. La reina, que muchas vezes con él fablara sobre ello, pensando fallar algún estorvo, y siempre en su
propósito le falló sin le poder ninguna cosa dél mudar, no
quiso dezirle otra cosa sino fazer su mandado, ahunque tanta
angustia su coraçón sintiesse que más ser no podía; y mandó
a todas las infantas y otras donzellas que con Oriana avían
de ir que luego a las barcas se acogiessen. Solamente dexó
con ella a Mabilia y Olinda y la donzella de Denamarcha; y
mandó llevar a las naves todos los paños y atavíos ricos que
ella le dava. Mas Oriana, cuando vio a su madre y a su hermana, fuese para ellas faziendo muy gran duelo, y travando
de la mano a su madre començógela de besar; y ella le dixo:

—Buena fija, ruégovos agora que seáis allegre en esto que
vos el rey manda, que fío en la merced de Dios que será
por vuestro bien y no querrá desamparar a vos y a mí.

Oriana le dixo:

—Señora, yo creyo que este apartamiento de vos y de mí
será para siempre porque la mi muerte es muy cerca.

Y diziendo esto cayó amortescida y la reina otrosí, assí
que no sabían de sí parte. Mas el rey, que luego allí
sobrevino, fizo tomar a Oriana así como estava y la llevassen
a las naos y Olinda con ella; la cual, fincados los inojos, le
pedía por merced con muchas lágrimas que la dexasse ir a
casa de su padre, no la mandasse ir a Roma. Pero él era tan
sañudo que lo no quiso oír, y fízola luego llevar tras Oriana,
y mandó a Mabilia y a la donzella de Denamarcha que así
mesmo se fuessen luego. Pues todas recogidas a la mar, y
los romanos, como oídes, el rey Lisuarte cavalgó y fuese al
puerto donde la flota estava, y allí consolava a su fija con
piedad de padre, mas no de forma que esperança le pusiesse de ser su propósito mudado. Y como vio que esto no tenía
tanta fuerça que a su passión algún descanso diesse, uvo en
alguna manera piedad, así que las lágrimas le vinieron a los
ojos; y partiéndose della fabló con Salustanquidio, y con
Brondajel de Roca y el arçobispo de Talancia, encomendándogela que la guardassen y serviessen, que de allí gela en-

tregava como lo prometiera. Y bolvióse a su palacio dexando en las naves los mayores llantos y cuitas en las dueñas y donzellas, cuando ir lo vieron, que escrevir ni contarse podrían.

Salustanquidio y Brondajel de Roca, después que el rey Lisuarte fue dellos partido, teniendo ya en su poder a Oriana, y a todas sus donzellas metidas en las naves, acordaron de la poner en una cámara que para ella muy ricamente estava ataviada; y puesta allí y con ella Mabilia, que sabían ser ésta la donzella del mundo que ella más amava, cerraron la puerta con fuertes candados. Y dexaron en la nave a la reina Sardamira con su compaña y otras muchas dueñas y donzellas de las de Oriana. Y Salustanquidio, que moría por los amores de Olinda, hízola llevar a su nave con otra pieça de donzellas, no sin grandes llantos por se ver assí apartar de Oriana su señora; la cual, oyendo en la cámara donde estava lo que ellas fazían, y cómo se llegavan a la puerta de la cámara abraçándola y llamándola a ella que las socorriesse, muchas vezes se amortescía en los braços de Mabilia.

Pues assí todo endereçado, dieron las velas al viento y movieron su vía con gran plazer por aver acabado aquello que el emperador su señor tanto desseava. Y fizieron poner una muy gran seña del emperador en cima del mastel de la nave donde Oriana iva, y todas las otras naves al deredor della guardándola. Y yendo así muy loçanos y alegres cataron a su diestro, y vieron la flota de Amadís, que mucho se les llegava en la delantera, entrando entr'ellos y la tierra donde salir querían; y assí era ello, que Agrajes y don Cuadragante y Dragonís y Listorán de la Torre Blanca pusieron entre sí que, antes que Amadís llegasse ellos se embolviessen con los romanos y punassen de socorrer a Oriana, y por esso se metían entre su flota y la tierra.

Mas don Florestán y el bueno de don Gavarte de Val Temeroso, y Orlandín y Imosil de Borgoña otrosí avían puesto con sus amigos y vassallos de ser los primeros en el socorro, y ivan a más andar metidos entre la flota de los romanos y la nave de Agrajes. Y Amadís con sus naves muy acompañadas de gentes, assí de sus amigos como de los de la Insola Firme, venían a más andar porque el primero que el socorro hiziesse fuesse el. Digovos de los romanos que cuando la flota de lueñe vieron, cuidaron que alguna gente de paz sería que por la mar de un cabo a otro passa-

van; mas veyendo que en tres partes se partían y que las
dos les tomavan la delantera a la parte de la tierra y la otra
los siguía, mucho fueron espantados y luego fue entre ellos
hecho gran ruido, diziendo a altas bozes:

—Armas, armas, que estraña gente viene.

Y luego se armaron muy presto y pusieron los ballesteros, que muy buenos traían, donde havían de estar, y la otra
gente. Y Brondajel de Roca con muchos y buenos cavalleros de la mesnada del emperador estava en la nave donde
Oriana era, y donde pusieran la seña que ya oístes del emperador. A esta sazón se juntaron los unos y otros; y Agrajes
y don Cuadragante se juntaron a la nave de Salustanquidio,
donde la fermosa Olinda levavan, y començáronse de herir
muy bravamente. Y don Florestán y Gavarte de Val Temeroso, que por medio de las flotas entraron, ferieron en las
naves que ivan el duque de Ancona y el arçobispo de Talancia, que gran gente tenían de sus vassallos, que muy armados y rezios eran, assí que la batalla era fuerte entre ellos.
Y Amadís hizo endreçar su flota a la que la seña del emperador levava, y mandó a los suyos que lo aguardassen; y poniendo la mano en el hombro de Angriote, le dixo assí:

—Señor Angriote, mi buen amigo, mémbreseos la gran
lealtad que siempre ovistes y tenéis a los vuestros amigos;
punad de me ayudar esforçadamente en este fecho. Y si Dios
quiere que lo yo con bien acabe, aquí acabare toda mi honra
y toda mi buena ventura complidamente; y no vos partáis
de mí en tanto que pudierdes.

El le dixo:

—Mi señor, no puedo más fazer sino perder la vida en
vuestro favor y ayuda porque vuestra honra sea guardada; y
Dios sea por vos.

Luego fueron juntas las naves. Grande era allí el ferir de
saetas y piedras y lanças de la una y de la otra parte, que no
semejava sino que lluvía, tan espessas andavan. Y Amadís
no entendía con los suyos en ál sino en juntar a su fusta con
la de los contrarios; más no podían, que ellos, ahunque muchos más eran, no se osavan llegar, viendo cuán denodadamente eran acometidos, y defendíanse con grandes garfios
de fierro y otras armas muchas de diversas guisas. Estonces
Tantalis de Sobradisa, mayordomo de la reina Briolanja, que
en el castillo estava, como vio que la voluntad de Amadís
no podía haver efecto, mandó traer una áncora muy gruessa

y pesada travada a una fuerte cadena, y desd'el castillo lançáronla en la nave de los enemigos; y assí él como otros muchos que le ayudavan tiraron tan fuerte por ella, que por gran fuerça fizieron juntar las naves una con otra, assí que se no podían partir en ninguna manera si la cadena no quebrasse. Cuando Amadís esto vio, passó por toda la gente con gran afán, que estavan muy apretados, y por la vía qu'él entrava ivan tras el Angriote y don Bruneo; y como llegó en los delanteros, puso el un pie en el borde de su nave y saltó en la otra, que nunca los contrarios quitar ni estorvar lo pudieron. Y como el salto era grande y él iva con gran furia, cayó de inojos y allí le dieron muchos golpes; pero él se levantó mal su grado de los que le ferían tan malamente, y puso mano a su buena spada ardiente. Y vio cómo Angriote y don Bruneo havían con él entrado y ferían a los enemigos de muy fuertes y duros golpes, deziendo a grandes bozes: «Gaula, Gaula, que aquí es Amadís», que assí gelo rogara él que lo dixiessen si la nave pudiessen entrar.

Mabilia, que en la cámara encerrada estava con Oriana, que oyó el ruido y las bozes y después aquel apellido, tomó a Oriana por los braços, que más muerta que biva estava, y díxole:

—Estorçad, señora, que socorrida sois de aquel bienaventurado cavallero vuestro vasallo y leal amigo.

Y ella se levantó en pie preguntando qué sería aquello, que del llorar estava tan desvanescida que no oía ninguna cosa, y la vista de los ojos cuasi perdida.

Y después que Amadís se levantó y puso mano a la su espada, y vio las maravillas que Angriote y don Bruneo hazían y cómo los otros de su nave se metían de rendón con ellos, fue con su espada en la mano contra Brondajel de Roca, que delante sí halló, y diole por cima del yelmo tan fuerte golpe que dio con él tendido a sus pies; y si el yelmo tal no fuera, hiziera la cabeça dos partes. Y no passó adelante porque vio que los contrarios suyos eran rendidos y demandavan merced. Y como vio las armas muy ricas que Brondajel tenía, bien cuidó que aquél era al que los otros aguardavan; y quitándole el yelmo de la cabeça dávale con la mançana de la espada en el rostro, preguntándole dónde estava Oriana. Y él le mostró la cámara de los candados, diziendo que allí la fallaría. Amadís se fue apriessa contra allá y llamó a Angriote y a don Bruneo; y con la gran fuerça que de consuno pusieron, derribaron la puerta y entraron dentro, y vieron a Oriana y a Mabilia. Y Amadís fue hincar los inojos ante ella por le besar las manos, mas ella lo abraçó y tomóle por la manga de la loriga, que toda era tinta de sangre de los enemigos.

—¡Ay, Amadís! —dixo ella—, lumbre de todas las cuitadas, agora pareçe la vuestra gran bondad en aver hecho este socorro a mí y a estas infantas, que en tanta amargura y tribulación puestas éramos. Por todas las tierras del mundo será sabido y ensalçado vuestro loor.

Mabilia estava de inojos ante él y teníale por la falda de la loriga, que teniendo él los ojos en su señora no la havía visto; mas como la vio, levantóla, y abraçándola con mucho amor, le dixo:

—Mi señora y mi cormana, mucho vos he desseado.

Y quiso se partir dellas por ver lo que se hazía, mas Oriana le tomó por la mano y dixo:

—Por Dios, señor, no me desamparéis.

—Mi señora —dixo él—, no temáis, que dentro en esta fusta está Angriote d'Estraváus, y don Bruneo y Gandales con treinta cavalleros que vos aguardarán; y yo iré acorrer a los nuestros, que mucho han gran batalla.

Estonces salió Amadís de la cámara; y vio a Landín de Fajarque, que havía combatido los que en el castillo estavan, y se le havían dado; y mandó que pues a prisión se davan, que no matassen ninguno. Y luego se passó a una muy fermosa galea en que estavan Enil y Gandalín con hasta cuarenta cavalleros de la Insola Firme; y mandóla guiar contra aquella parte que oía el apellido de Agrajes, que se combatía con los de la gran nave de Salustanquidio. Y cuando él llegó, vio que ya la havían entrado; y llegóse con su galea hasta el borde por entrar en la nao, y el que le ayudó fue don Cuadragante, que ya dentro estava. Y la priessa y el ruido era muy grande, que Agrajes y los de su compaña los andavan heriendo y matando muy cruelmente. Mas desque a Amadís vieron, los romanos saltavan en los bateles y otros en el agua, y dellos murían y otros se passavan a las otras naves que ahún no eran perdidas. Mas Amadís iva todavía adelante por entre la gente preguntando por Agrajes su cormano, y hallólo, y vio que tenía a sus pies a Salustanquidio, que le diera una gran herida en un braço, y pedíale merced. Mas Agrajes, que de ante sabía cómo amava a Olinda, no dexava de lo herir y llegarlo a la muerte, como aquel que mucho desamava. Y don Cuadragante le dezía que lo no matasse, que buen preso ternía en él. Mas Amadís le dixo riendo:

—Señor don Cuadragante, dexad a Agrajes cumpla su voluntad, que si ende lo partimos, todos somos muertos cuantos de nos hallare, que no dexará hombre a vida.

Pero en estas razones la cabeça de Salustanquidio fue cortada, y la nave libre de todos, y los pendones de Agrajes y de don Cuadragante puestos encima de los castillos, y ambos muy bien guardados de muchos buenos cavalleros y muy esforçados. Esto fecho, Agrajes se fue luego a la cámara donde le dixeron que estava Olinda su señora, que demandava por él.

Y Amadís y don Cuadragante, y Landín y Listorán de la Torre Blanca, todos juntos, fueron ver cómo le iva a don Florestán y a los que le aguardavan; y luego entraron en la galea que allí Amadís traxera, y luego encontraron otra galea de las de don Florestán, en que venía un cavallero, su pariente de parte de su madre, que havía nombre Isanes; y díxoles:

—Señores, don Florestán y Gavarte de Val Temeroso vos hazen saber cómo han muerto y preso todos los de aquellas fustas, y tienen al duque de Ancona y el arçobispo de Talancia.

Amadís, que dello mucho plazer ovo, embióles dezir que juntassen su galea con la que él havía tomado, donde estava Oriana, y que allí havrían consejo de lo que hiziessen. Estonces cataron a todas partes, y vieron que la flota de los romanos era destroçada, que ninguno dellos se pudo salvar, ahunque lo provaron en algunos bateles; mas luego fueron alcançados y tomados, de forma que no quedó quien la nueva pudiesse llevar. Y fueronse derechamente a la nave de Oriana, y allí era preso Brondajel de Roca. Entrados dentro, desarmaron las cabeças y las manos, y laváronse de la sangre y sudor; y Amadís preguntó por don Florestán, que no le veía allí. Landín de Fajarque le dixo:

—Está con la reina Sardamira en su cámara, que a altas bozes demandava por él, diziendo que gelo llamassen prestamente, que él sería su ayudador; y ella está ante los pies de Oriana pidiéndole merced, que la no dexe matar ni deshonrar.

Amadís se fue allá y preguntó por la reina Sardamira, y

Mabilia gela mostró, que estava con ella abraçada, y don Florestán la tenía por la mano. Y fue ante ella muy homildoso, y quísole besar las manos, y ella las tiró a sí; y díxole:

—Buena señora, no temáis nada, que teniendo a vuestro servicio y mandado a don Florestán, a quien todos aguardamos y seguimos, todo a vuestra voluntad,[84] dexando aparte nuestro desseo, que es servir y honrar todas las mugeres, a cada una según su mereçimiento. Y como vos, buena señora, entre todas muy señalada y estremada seáis, assí estremadamente es razón que se mucho mire vuestro contentamiento.

La reina dixo contra don Florestán:

—Dezidme, buen señor, ¿quién es este cavallero tan mesurado y tan vuestro amigo?

—Señora —dixo él—, es Amadís, mi señor y mi hermano, con quien aquí todos somos en este socorro de Oriana.

Cuando ella esto oyó, levantóse a él con gran plazer, y dixo:

—Buen señor Amadís, si vos no recebí como devía, no me culpéis, que el no tener conoçimiento de vos fue la causa. Y mucho gradezco a Dios que en esta tanta tribulación me haya puesto en la vuestra mesura y en la guarda y mamparo de don Florestán.

Amadís la tomó por la mano, y lleváronla al estrado de Oriana y allí la hizieron sentar; y él se assentó con Mabilia, su cormana, que mucho desseo tenía de la hablar. Mas en todo esto la reina Sardamira, comoquiera que supiesse ser la flota de los romanos ser vencida y destroçada, y la gente, muchos muertos y otros presos, ahún no havía venido a su notiçia la muerte del príncipe Salustanquidio, a quien ella de bueno y leal amor mucho amava y tenía por el más principal y grande de todos los del señorío de Roma, ni lo supo déssa gran pieça. Estando assí sentados como oís, Oriana dixo a la reina Sardamira:

—Reina señora, fasta aquí fue yo enojada de vuestras palabras que al comienço me dexistes, porque eran dichas sobre cosa que tan aborreçida tenía; mas conoçiendo cómo vos dellas partistes, y la mesura y cortesía vuestra en todo lo otro que por vos passa, dígovos que siempre os amaré y honraré

84. *todo a vuestra voluntad*, Z, fol. 202 rº; *todo tenéys a v.v.* (Place, 916, 444); *todo se fará a v.v.* (CB, 1294, siguiendo a S).

de todo coraçón, porque a lo que a mí pesava érades costreñida sin poder fazer otra cosa, y lo que me dava contentamiento manava y sucedía de vuestra noble condición y propia virtud.

—Señora —dixo ella—, pues que tal es vuestro conoçimiento, escusado será hazer yo dello más salva.

En esto hablando, llegó Agrajes con Olinda y las donzellas que con ella havían apartado. Cuando Oriana la vio, levantóse a ella y abraçávala como si mucho tiempo passara
que la no viera, y ella le besava las manos. Y bolviéndose a
Agrajes, lo abraçó con gran amor, y assí recibió a todos los
cavalleros que con él venían; y dixo contra Gavarte de Val
Temeroso:

—Mi amigo Gavarte, bien os quitastes de la promessa que
me distes; y cómo os lo yo gradezco, y el desseo que tengo
de lo gualardonar, el Señor del mundo lo sabe.

—Señora —dixo él—, yo he hecho lo que devía como vuestro vassallo que soy. Y vos, señora, como mi señora natural,
cuando el tiempo fuere, acuérdesevos de mí, que siempre seré
en vuestro servicio.

A esta sazón eran allí juntos todos los más honrados cavalleros de aquella compaña, los cuales a un cabo de la nao
se apartaron por hablar qué consejo tomarían. Y Oriana
llamó a Amadís a un cabo del estrado, y muy passo le dixo:

—Mi verdadero amigo, yo vos ruego y mando, por aquel
verdadero amor que me tenéis, que agora más que nunca se
guarde el secreto de nuestros amores; y no habléis comigo
apartadamente sino ante todos, y lo que vos pluguiere dezirme secreto, hablando con Mabilia. Y punad cómo de aquí
nos levéis a la Insola Firme, porque estando en lugar seguro, Dios proveerá en mis cosas, como El sabe que tengo la
justicia.

—Señora —dixo Amadís—, yo no bivo sino en esperança
de vos servir, que si ésta me faltasse, faltarme ía la vida; y
como lo mandáis se fará. Y en esta ida de la ínsola bien será que con Mabilia lo embiéis a dezir a estos cavalleros,
porque parezca que más de vuestra gana y voluntad que
de la mía procede.

—Assí lo haré —dixo ella—, y bien me pareçe. Agora vos
id —dixo— aquellos cavalleros.

Amadís assí lo fizo, y hablaron en lo que adelante se
devía hazer; mas como eran muchos, los acuerdos eran di-

versos, que a los unos parescía que devían llevar a Oriana a
la Insola Firme, otros a Gaula y otros a Escocia, a la tierra
de Agrajes, assí que se no acordavan. En esto llegó la infanta Mabilia y cuatro donzellas con ella. Todos la recibieron
muy bien, y la pusieron entre sí. Y ella les dixo:

—Señores, Oriana vos ruega, por vuestras bondades y por
el amor que en este socorro le havéis mostrado, que la levéis a la Insola Firme, que allí quiere estar fasta que sea en
el amor de su padre y madre; y ruégavos, señores, que a tan
buen comienço deis el cabo mirando su gran fortuna y fuerça que se le haze, y hagáis por ella lo que por las otras donzellas hazer soléis que no son de tan alta guisa.

—Mi buena señora —dixo don Cuadragante—, el bueno y
muy esforçado de Amadís y todos los cavalleros que en su
socorro hemos sido estamos de voluntad de la servir hasta
la muerte, assí con nuestras personas como con las de nuestros parientes y amigos, que mucho pueden y muchos serán;
y todos seremos juntos en su defensa contra su padre y contra el emperador de Roma, si a la razón y justicia no se
allegaren con ella. Y dezilde que, si Dios quisiere, que assí
como dicho tengo se hará sin falta, y assí lo tenga firme en su
pensamiento, y, ayudándonos Dios, por nosotros no faltará. Y
si con deliberación y esfuerço este servicio se le ha fecho, que
assí con otro mayor y mayor acuerdo será por nos socorrida, hasta su seguridad y nuestras honras satisfechas sean.

Todos aquellos cavalleros tuvieron por bien aquello que
don Cuadragante respondió, y con mucho esfuerço otorgaron que desta demanda nunca serían partidos hasta que Oriana en su libertad y señoríos restituida fuesse, seyendo cierta
y segura de los haver si ella más que su padre y madre la
vida posseyesse. La infanta Mabilia se despidió dellos y se
fue a Oriana, que por ella sabida la respuesta y recaudo que
de su mensaje le traía, fue muy consolada, creyendo que la
permissión del justo Juez lo guiaría de forma que la fin fuesse la que ella deseava. Con este acuerdo se fueron aquellos
cavalleros a sus naves por mandar poner reparo en los presos y despojo, que muchos eran. Dexaron con Oriana todas
sus donzellas y a la reina Sardamira con las suyas, y a don
Bruneo de Bonamar y Landín de Fajarque, y a don Gordán,
hermano de Angriote de Estraváus, y a Sarquiles su sobrino
y Orlandín, hijo del conde de Urlanda, y a Enil, que andava
llagado de tres llagas, las cuales él encubría como aquel que

era esforçado y sofrido de todo afán. A estos cavalleros fue encomendada la guarda de Oriana y de aquellas señoras de gran guisa que con ella eran, y se no partiessen dellas hasta que en la Insola Firme puestas fuessen, donde tenían acordado de las llevar.

(ACÁBASE EL TERCERO LIBRO DEL NOBLE Y VIRTUOSO CAVALLERO AMADÍS DE GAULA)

LIBRO CUARTO

AQUÍ comiença el cuarto libro del noble y virtuoso cavallero Amadís de Gaula, fijo del rey Perión y de la reina Elisena, en que trata de sus proezas y grandes hechos de armas que él y otros cavalleros de su linaje hizieron.

PRÓLOGO

ASSÍ como la largueza y antigüedad del tiempo passado muchas y grandes cosas nos dexaron en memoria, assí se puede creer que otras infinitas quedaron ocultas sin que dellas ninguna quedasse. Y por esto creo yo que aquel famoso y gracioso dotor Juan Bocacio [85] no fizo mención en las sus *Caídas de príncipes* de cosa alguna que en la primera edad desde el primer padre fasta Nembrot acaeçiesse que de contar sea, ni desde Nembrot fasta el rey Ladino,[86] dando aquellas tan grandes boladas de tanta distancia de tiempo, en el cual con mucha causa se deve creer que grandes cosas acaescerían, pero perdida ya dellas toda la memoria, no supo ni pudo dar cuenta de lo que passó. Y a esta causa se hallan por el mundo muy estrañas cosas y muchos y grandes edificios, sin que los primeros fundadores y obradores dellas se sepa quién fueron; y no solamente de aquellos tiempos tan antiguos, mas ahún de los nuestros otras semejantes podríamos contar.

Pues luego no ternemos por estraño haver pareçido en cabo de tantos años este libro que oculto y encerrado se halló en aquella muy antigua sepultura que en el prólogo primero de los tres libros de Amadís se recuenta; en el cual se haze

---

85. *De casibus virorum illustrium* de Boccaccio; traducido al castellano (los ocho primeros libros de los diez) a finales del siglo XIV por Pero López de Ayala y terminada por Alonso García en 1422.

86. *Ladino*: es un error; se trata de Cadmo, tal y como aparece correctamente en Boccaccio.

mención de aquel cathólico y virtuoso príncipe Esplandián, su hijo, en quien estos dos nombres muy bien empleados fueron, como los más de cerimonia preciados, y por tales quiso ser dellos intitulado, desechando todos los otros que, ahunque más altos parescan, son más a lo temporal que a lo divinal conformes, pues que la vida fallesciendo, ellos en uno con ella falleçen, assí como el espesso y alto fumo, que faltando el fuego donde procede en el aire es resolvido y desfecho sin que dello señal ni memoria quede; considerando el que seyendo cathólico sería amigo de Dios, havría conoçimiento ser en aquellos grandes imperios y señoríos su lugarteniente, su visorey, temerlo y servirlo, tratar su gran estado no como suyo dél, mas como quien prestado lo tenía, esperando dar muy estrecha cuenta al su Señor recordándose de la triste muerte, del temeroso infierno, y del glorioso paraíso por donde fuiría de lo dañado y se allegaría a lo firme y seguro, que sería causa de alcançar su ánima aquella folgança que fin no tiene, pues seyendo virtuoso que sería humano, sería gracioso, liberal en franqueza, no donde el afición mas la razón le guiasse, piadoso, acompañado de aquellas maneras por donde los príncipes y grandes hombres son de los suyos amados y con toda voluntad servidos, assí con las oraciones y rogarios al muy alto Señor como con sus armadas personas poniéndolas en su servicio mil vezes en el filo de la muerte. Y con esto las faziendas, ahunque dellos muy amadas fuessen, sin ninguna premia ni dolor gelas entregaría donde en los autos cathólicos y virtuosos fuessen bien empleadas. Pues, ¿osaremos dezir que el desseo deste príncipe en efeto vino y assí como por la voluntad por la obra lo esperimentó? Por cierto sí, si alguna fe, tal que fengida no fuesse, se deve dar de aquello que dél en estas sus sergas se scrive; porque, según en ellas paresçe, en tanto que la tierna edad sostuvo, siempre temió a Dios perseverando en toda virginidad, en vida santa, en acreçentar la su santa fe, desviarse de emplear sus grandes fuerças, el ardimiento del su bravo coraçón contra los de su ley, ponerlo todo muchas vezes en el punto de la muerte contra los infieles enemigos del Redemptor del mundo. Y después que a la más edad fue llegado y en tan gran estado puesto como ser emperador de Costantinopla, rey de la Gran Bretaña y Gaula, estonces siguiendo la vía virtuosa fue más humano, más liberal, más conoçido a los suyos, faziéndoles mercedes, allegándolos, honrándolos como amigos, castigándolos en sus yerros con piadosa mano, con coraçón tierno sin ninguna dureza de sobervia ni vengança, queriendo antes con la razón que con la ira ser la justicia esecutada; y otras muchas buenas maneras que en sí huvo que muy largas serían de contar, que dan testimonio cómo con justa causa y razón justamente se pudo intitular en aquellos dos tan excellentes nombres como cathólico y virtuoso, por donde el Señor del mundo permitió que demás de lo que su ánima en la gloria alcançar pudo en el fin de sus días, seyendo ya tanto tiempo passado, quedando la recordación de los sus grandes fechos tan oculta y encerrada como ya se dixo, que a todos manifiesta fuesse, no por lo a él necessario, mas porque sea enxemplo aquellos que más en efecto de verdad que él los muy grandes estados y señoríos posseen, que esta su historia leer querrán para que, apartadas las sobervias, las iras y sañas indevidas que los faze enemigos de aquel que amigos y servidores deven ser, les tornen y executen en aquellos infieles enemigos de la nuestra santa fe cathólica, pues que sus trabajos y gastos, y en cabo la muerte, puesto caso que les sobreviniesse, sería todo muy bien empleado porque con ello se gana la perpetua y bienaventurada vida.

CAPÍTULO LXXXII

DEL GRANDE DUELO QUE FIZO LA REINA SARDAMIRA POR LA MUERTE DEL PRÍNCIPE SALUSTANQUIDIO

LA parte tercera desta gran historia vos ha contado en el fin y cabo della cómo el rey Lisuarte, contra la voluntad de todos los grandes y pequeños de sus reinos y de otros muchos que su servicio deseavan, entregó a los romanos a su fija Oriana para la casar con el Patín, emperador de Roma; y cómo fue por Amadís y sus compañeros, que en la Insola Firme juntos se fallaron, en la mar tomada, y muerto el príncipe Salustanquidio y presos Brondajel de Roca, mayordomo mayor del emperador, y el duque de Ancona y el arçobispo de Talancia, y otros muchos de los suyos muertos y presos, y destroçada toda la flota en que la levavan. Y agora os diremos lo que desto sucedió.

Sabed que vencida esta gran batalla que Amadís con otros

cavalleros de su parte, dexando a Oriana y a la reina Sardamira, y a todas las otras dueñas y donzellas que con ella estavan, en su nao, y ciertos cavalleros que las guardassen, entraron en otra nave y fueron a mandar poner recaudo en la
flota de los romanos y en el despojo, que muy grande era, y
los presos, que demás de ser muchos, la mayor parte eran
de gran valor, que tales convenía embiar en semejante embaxada. Y llegados a la fusta donde el príncipe Salustanquidio muerto estava, oyeron grandes bozes y llantos. Y sabida
la causa dello, era que los suyos, assí cavalleros como otra
gente, estavan arededor dél faziendo el mayor duelo del
mundo retrayendo sus bondades y grandeza; assí que los de
Agrajes, que la fusta ocupada tenían, no los podían quitar ni
apartar de allí. Amadís mandó que a otra nave los passassen
porque cessasse el duelo que hazían; y mandó poner el cuerpo de Salustanquidio en una arca para le fazer dar la sepultura que a tal señor convenía, comoquiera que enemigo fuesse, pues que como bueno muriera en servicio de su señor. Y
ésta fue la causa que, assí dél como de los otros que bivos
quedaron, ovieron compassión mandando espressamente que
la vida les fuesse dada; lo cual en los virtuosos cavalleros
acaeçer deve, que apartada la ira y la saña, la razón quedando libre dé conoçimiento al juizio que siga la virtud.

El mormulo deste llanto fue tan grande, que la nueva
llegó a la nao donde Oriana estava cómo aquella gente hazían aquel duelo por aquel príncipe, de guisa que por la reina
Sardamira fue sabido. Aunque fasta estonces supiesse y por
sus ojos oviesse visto ser toda la flota de su parte destruida y
muchos muertos y presos, no havía llegado a su noticia la
muerte de aquel cavallero. Y como lo oyó, salió con el gran
pesar de todo su sentido; y olvidando el miedo y gran temor
que hasta allí tuviera, desseando más la muerte que la vida,
con mucha passión y gran alteración torciendo sus manos
una con otra, llorando muy fuertemente, se dexó caer en el
suelo diziendo estas palabras:

—¡O príncipe generoso de muy alto linaje, luz, espejo de
todo el imperio romano, qué dolor y pesar será la tu muerte
a muchos y muchas que te amavan y servían y de ti esperavan grandes bienes y mercedes! ¡O qué nueva tan dolorida
será para ellos cuando supieren la tu malaventurada y desastrada fin! ¡O gran emperador de Roma, qué angustia y
dolor havrás en saber la muerte deste príncipe tu cormano a

quien tanto tú amavas y le tenías como un fuerte estelo o
escudo de tu imperio, y la destrución de tu flota con muertes tan amanzilladas de tus nobles cavalleros, y sobre todo
haverte tomado por fuerça de armas en tan gran deshonra
tuya la cosa del mundo que más amavas y desseavas! Bien
puedes dezir que si la fortuna de un cavallero andante que
las aventuras seguía, y de tan pequeño estado, te ensalçó a
te poner en tal alta cumbre como es la silla, cetro y corona
imperial, que con duro açote te quiso abaxar tu honra fasta
la poner en el abismo y centro de la tierra; que deste tal
golpe no se te puede seguir sino uno de dos estremos: o lo
desimular quedando el más deshonrado príncipe del mundo,
o lo vengar poniendo tu persona y gran estado en mucha
congoxa y fatiga de spíritu y al cabo tener dello la salida
muy dudosa, que por cierto en lo que yo he visto, después
que en la Gran Bretaña mi desastrada ventura me traxo, no
ay en el mundo tan alto emperador ni rey a que estos cavalleros y los de su linaje, que muchos y poderosos son, no
den guerra y batalla; y creído tengo, comoquiera que dellos
tanto mal y dolor me ha venido, ser la flor de toda la cavallería del mundo. Y más llora ya mi afligido coraçón los
bivos, y los males que desta desaventura adelante se spera,
que los muertos, que ya su deuda han pagado.

Oriana, que assí la vio, huvo della piedad porque la tenía
por muy cuerda y de buen talante, si no fue la primera vez
que la fabló en el fecho del emperador, de que ella huvo
gran enojo y le rogó que en ello más no le fablasse. Siempre
la falló con mucho comedimiento y como persona de gran
discreción para la nunca más enojar, antes diziéndole cosas
con que plazer le diesse. Y llamó a Mabilia y díxole:

—Mi amiga, poned remedio en aquel llanto de la reina y
consolalda como lo os sabéis fazer, y no miréis a cosa que
diga ni faga, porque como veis está cuasi fuera de sentido
teniendo mucha razón de se quexar. Mas a lo que yo soy
obligada es lo que deve fazer el vencedor al vencido teniéndolo en su poder.

Mabilia, que era de muy buen talante, llegó a la reina, y
hincados los inojos, tomándola por las manos, le dixo:

—Noble reina y señora, no conviene a persona de tan alto
lugar como os assí se vencer y sojuzgar de la fortuna; que
ahunque todas las mugeres naturalmente seamos de flaca
complixión y coraçón, mucho bien pareçe en los antiguos

enxemplos de aquellas que con sus fuertes ánimos quisieron pagar la deuda a sus antecessores mostrando en las cosas adversas la nobleza del linaje y sangre donde vienen. Y comoquiera que agora sintáis este tan gran golpe de la contraria fortuna vuestra, acuérdesevos que ella misma vos puso en gran honra y alteza, no para que más tiempo dello gozar pudiéssedes de cuanto la su movible voluntad os otorgasse, y que más a su cargo y culpa que vuestra la havéis perdido, porque siempre le plugo y plaze de trabucar y ensayar estos semejantes juegos. Y con esto devéis mirar que sois en poder desta noble princesa que con mucho amor y voluntad que vos tiene se duele de vuestra passión, teniendo en la memoria de os fazer aquella compañía y cortesía que vuestra virtud y real estado demanda.

La reina le dixo:

—O muy noble y graciosa infanta, ahunque la discreción de vuestras palabras es de tanta virtud que a todo desconsuelo consolar podrían, por grande que él fuesse, la mi desastrada suerte es en tanto grado que mis apassionados y flacos spíritus no la pueden sofrir. Y si alguna esperança para esta tan gran desesperança a la memoria me ocurre, no es otra sino verme como dezís en poder desta tan alta y noble señora, que por su gran virtud no consentiría que mi estima y fama sea menoscabada, porque éste es el mayor thesoro que toda muger más guardar deve y haver temor de lo perder.

Estonces la infanta Mabilia con grandes promessas la hizo cierta y segura que assí como lo ella quería, Oriana lo mandaría complir. Y levantándola por las manos, la fizo sentar en un estrado, donde muchas de aquellas señoras que allí estavan le vinieron a hazer compañía.

CAPÍTULO LXXXIII

CÓMO CON ACUERDO Y MANDAMIENTO DE LA PRINCESA ORIANA AQUELLOS CAVALLEROS LA LEVARON A LA INSOLA FIRME

DESPUÉS que Amadís y aquellos cavalleros salieron de la fusta de Salustanquidio y vieron cómo la flota toda de los romanos era en poder de los suyos sin ninguna contradición, juntáronse todos en la nave de don Florestán, y ovieron su acuerdo que pues el querer de Oriana y el pareçer dellos era que se fuessen a la Insola Firme, que sería bueno ponerlo luego por obra. Y mandaron poner todos los presos en una fusta que Gavarte de Val Temeroso y Landín, sobrino de don Cuadragante, con copia de cavalleros los guardassen y posiessen a recaudo. Y en otra nave mandaron poner el despojo, que muy grande era, y lo guardassen don Gandales, amo de Amadís, y Sadamón, que dos muy cuerdos y fieles cavalleros eran. Y en todas las otras naves repartieron gente de armas y marineros para que las guiassen, y ellos se quedaron cada uno en las suyas assí como de la Insola Firme salieron.

Esto aparejado, rogaron a don Bruneo de Bonamar y a Angriote d'Estraváus que lo hiziessen saber a Oriana y les truxessen su querer de lo que mandava, porque assí se compliesse. Estos dos cavalleros entraron en una barca, y passaron a la nave donde ella estava y entraron en su cámara, hincaron los inojos ante ella y dixéronle:

—Buena señora, todos los cavalleros que aquí son ayuntados en vuestro acorro para seguir vuestro servicio os hazen saber cómo toda la flota es aparejada y en dispusición de mover de aquí. Quieren saber vuestra voluntad, porque aquélla complirán con toda afición.

Oriana les dixo:

—Mis grandes amigos, si este amor que todos me mostráis y a lo que por mí os havéis puesto, yo en algún tiempo no oviesse lugar de gualardonarlo, desde agora desesperaría de mi vida. Mas yo tengo fiuza en nuestro Señor que por la su merced querrá que assí como en la voluntad lo tengo, por obra lo pueda complir. Y dezid a essos nobles cavalleros que el acuerdo que sobre esto se tomó se deve poner en obra, que es ir a la Insola Firme, y allí llegados, tomarse ha consejo de lo que se deve fazer, que sperança tengo en Dios, que es el justo juez y conoçe todas las cosas, que esto que agora pareçe en tanta rotura lo guiará y reduzirá en mucha honra y plazer; porque de las cosas justas y verdaderas como ésta lo es, ahunque al comienço se muestra áspero y trabajoso como al presente pareçe, de la fin no se deve esperar sino buen fruto, y de las contrarias aquello que la falsedad y deslealtad suele dar.

Con esta respuesta se tornaron estos dos cavalleros. Y sabida por aquellos que la esperavan, mandaron tocar las trompetas, de las cuales la flota muy guarnida estava, y con mucha alegría y gran grita de la más baxa gente, de allí movieron. Todos aquellos grandes señores y cavalleros ivan muy alegres y con gran esfuerço, y puesto en sus voluntades de se no partir de consuno ni de aquella princesa fasta dar cabo y buena cima en aquello que començó havían. Y como todos fuessen de gran linaje y en gran hecho de armas, creíales el esfuerço y coraçones en saber el gran derecho que de su parte tenían, y por se ver en discordia con dos tan altos príncipes, donde no esperavan sino ganar mucha honra, comoquiera que las cosas prósperas o adversas les viniessen, y que ellos harían en esta demanda, si en rotura parasse, cosas de grandes hazañas, donde para siempre loados fuessen y en el mundo dellos quedasse perpetua memoria. Y como ivan todos armados de armas muy ricas y eran muchos, ahún a los que de sus grandezas y grandes proezas noticia no oviessen les pareçería una compaña de un gran emperador, y por cierto assí era ello, que a duro se podría fallar en ninguna casa de príncipe, por grande que fuesse, tantos cavalleros juntos de tal linaje y de tanto valor.

Pues ¿qué se puede aquí dezir sino que tú, rey Lisuarte, devieras pensar que de infante desheredado la ventura te havía puesto en tan grandes reinos y señoríos, dándote seso, esfuerço, virtud, templança, y la preciosa franqueza más complidamente que a ninguno de los mortales que en tu tiempo fuesse; y por te poner la diadema o corona preciosa, fazerte señor de tal cavallería por la cual en todas las partes del mundo eras preciado y en gran estima tenido? Y no se sabe si por la misma ventura ser tornada en desventura o por tu mal conoscimiento lo as perdido, recibiendo tan gran revés en tu gran estima y honrada fama que la satisfación desto en la mano de Dios es para te la dar o quitar, pero a la mi fe antes entiendo que para que con ella bivas lastimado, menoscabado de aquella alteza en que puesto estavas, que tanto más lo sentirás cuanto más los tiempos prósperos oviste sin ninguna contradición que te mucho doliesse. Y si desto tal te quexares, quéxate de ti mismo que quisiste sojuzgar las orejas a hombres de poca virtud y menos verdad, creyendo antes lo que dellos oíste que lo que tú con tus propios ojos veías. Y junto con esto sin ninguna piedad y conciencia diste tanto lugar a tu alvedrío, que, no imprimiendo en tu coraçón los amonestamientos, que muchos y de muchos fueron, los doloridos llantos de tu fija, la quesiste poner en destierro y en toda tribulación, aviéndola Dios adornado de tanta fermosura, de tanta nobleza y virtud sobre todas las de su tiempo. Y si en algo de su honra se puede travar, según su bondad y sano pensamiento, y en la fin que dello redundó, más se deve atribuir a permissión de Dios, que lo quiso y fue su voluntad, que a otro yerro ni pecado, assí que si la fortuna bolviendo la rueda te fuere contraria, tú la desataste donde ligada estava.

Pues tornando al propósito, assí como oís fue la flota navegando por la mar, y a los siete días amanescieron en el puerto de la Insola Firme, donde en señal de alegría fueron tirados muchos tiros de lombardes. Cuando los de la ínsola vieron allí arribadas tantas fustas, fueron maravillados, y todos con sus armas ocurrieron a la marina; mas desque llegados, conoscieron ser de su señor Amadís por los pendones y devisas que en las gavias traían, que eran los mismos que de allí avían levado. Y luego echando los bateles, salió gente y don Gandales con ellos, assí para fazer el aposentamiento como para que de barcas se fiziesse una puente desde la tierra fasta las fustas por donde Oriana y aquellas señoras salir pudiessen.

CAPÍTULO LXXXIV

CÓMO LA INFANTA GRASINDA, SABIDA LA VITORIA QUE AMADÍS AVÍA AVIDO, SE ATAVEÓ, ACOMPAÑADA DE MUCHOS CAVALLEROS Y DAMAS, PARA SALIR A RECEBIR A ORIANA

DESTOS que vos digo la muy fermosa Grasinda, que allí avía quedado, supo la venida y todas las cosas como passaron, y luego con mucha diligencia se aparejó para recebir a Oriana, que por las grandes nuevas que della sonavan por todas partes deseava mucho ver más que a persona que en el mundo fuesse. Y assí como dueña de gran guisa y muy rica que ella era, se quiso mostrar, que luego se vistió saya y cota con rosas de oro sembradas, puestas por estraña arte, guarnidas y cercadas de perlas y piedras preciosas de gran valor, que fasta entonces no lo avía vestido ni mostrado a persona porque lo tenía para se provar en la cámara defendida, como después lo fizo; y encima de sus fermosos cabellos no quiso poner salvo la corona, que muy rica era, que por su fermosura y gran bondad del Cavallero Griego avía ganado de todas las donzellas que a la sazón en la corte del rey Lisuarte se fallaron, con mucha vitoria del uno y del otro. Y cavalgó en un palafrén blanco guarnido de silla y freno y las otras guarniciones, todo cubierto de oro esmaltado de lavores fechas por gran arte, que esto tenía ella para que, si su ventura la dexasse acabar aquella aventura de la cámara defendida, de se tornar por la corte del rey Lisuarte con estos ricos y grandes atavíos y se fazer conoscer con la reina Brisena y con Oriana su fija y con las otras infantas y dueñas y donzellas, y con gran gloria se bolver a su tierra. Mas esto tenía y estava muy alexado de lo acabar como lo cuidava, porque ahunque ella muy guarnida y fermosa al parescer de muchos fuesse, y mucho más al suyo, no se igualava con gran parte con la muy fermosa reina Briolanja, que ya aquella aventura provado avía sin la poder acabar.

Pues con este gran atavío que oís que esta señora Grasinda levava, movió de su posada, y con ella sus dueñas y donzellas ricamente vestidas, y diez cavalleros suyos a pie, que de las riendas la levavan sin otro alguno a ella llegar. Y así fue a la ribera de la mar, donde con mucha priessa se avía acabado de fazer la puente que ya oístes fasta la nave donde Oriana venía; y allí llegada, estuvo queda a la entrada de la puente esperando la salida de Oriana, la cual estava ya aparejada, y todos aquellos cavalleros passados a su fusta para la acompañar. Y vestida más convenible a su fortuna y honestidad a ella conforme que en acrescentamiento de su fermosura, vio esta dueña y preguntó a don Bruneo si era aquella la dueña que viniera a la corte del rey su padre y ganara la corona de las donzellas. Don Bruneo le dixo que aquélla era, y que la honrasse y allegasse, que era una de las buenas dueñas del mundo de su manera. Y contóle mucho de su fecho y de las grandes honras que della Amadís y Angriote y él avían recebido. Oriana le dixo:

—Cosa muy aguisada es que vosotros y vuestros amigos la honren y amen mucho, y yo assí lo faré.

Entonces la tomaron por los braços don Cuadragante y Agrajes, y a la reina Sardamira don Florestán y Angriote, y a Mabilia Amadís solo, y a Olinda don Bruneo y Dragonís, y a las otras infantas y dueñas otros cavalleros, y todos venían armados y muy alegres riendo por las esforçar y dar plazer. Assí como Oriana llegó cerca de tierra, Grasinda se apeó del palafrén y fincó las rodillas al cabo de la puente, y tomóle las manos para gelas besar. Mas Oriana las tiró a ssí y no gelas quiso dar; antes, la abraçó con mucho amor como aquella que por costumbre tenía de ser muy humilde y graciosa con quien lo devía ser. Grasinda, como tan cerca la vio y miró la su gran fermosura, fue muy espantada, ahunque mucho gela avían loado. Según la diferencia por la vista fallava, no pudiera creer que persona mortal pudiesse alcançar tan gran belleza; y así como estava de inojos, que nunca Oriana la pudo fazer levantar, le dixo:

—Agora, mi buena señora, con mucha razón devo dar muchas gracias a nuestro Señor y le servir la gran merced que me fizo en no estar vos en la corte del rey vuestro padre a la sazón que yo a ella vine; porque ciertamente, ahunque en mi guarda y amparo traía el mejor cavallero del mundo, según mi demanda ser por razón de fermosura, digo que él se pudiera ver en gran peligro si en las armas ayuda Dios al derecho como se dize, y yo fuera en aventura de ganar la honra que gané, que, según la gran estremidad y ventaja tiene vuestra fermosura a la mía, no tuviera en mucho, ahunque el cavallero que por vos se combatiera fuera muy flaco, que mi demanda no uviera la fin que uvo.

Entonces miró contra Amadís, y díxole:

—Señor, si desto que he dicho recebís injuria, perdonadme; porque mis ojos nunca vieron lo semejante que delante sí tienen.

Amadís, que muy ledo estava porque assí loavan a su señora, dixo:

—Mi señora, a gran sinrazón ternía aver por mal lo que a esta noble señora avéis dicho; que si dello me quexase, sería contra la mayor verdad que nunca se pudo dezir.

Oriana, que algún tanto con vergüença estava de así se oír loar, y más con pensamiento de la fortuna que a la sazón tenía que de se preciar de su fermosura, respondió:

—Mi señora, no quiero responder a lo que me avéis dicho, porque si lo contradixesse, erraría contra persona de tan buen conocimiento, y si lo afirmase, sería gran vergüença y denuesto para mí. Solamente quiero que sepáis que tal cual yo soy, seré muy contenta de acrescentar en vuestra honra, assí como lo puede hazer una donzella pobre deseredada como yo soy.

Entonces rogó a Agrajes que la tomasse y la pusiesse cabe Olinda y la acompañasse, y ella quedó con don Cuadragante, y él assí lo fizo. Y salidos todos de la puente, pusieron a Oriana en un palafrén el más ricamente guarnido que nunca se vio, que su madre la reina Brisena le avía dado para cuando en Roma entrasse, y la reina Sardamira en otro, y assí a todas las otras, y Grasinda en el suyo. Y por mucho que Oriana porfió, nunca pudo escusar ni quitar a todos aquellos señores y cavalleros que a pie no fuessen con ella, de lo cual mucho empacho levava; pero ellos consideravan que toda la honra y servicio que le fiziessen a ellos en loor suyo se tornava.

Assí como oís entraron en la ínsola por el castillo, y llevaron aquellas señoras con Oriana a la torre de la huerta, donde don Gandales les avía fecho aparejar sus aposentamientos, que era la más principal cosa de toda la ínsola, que ahunque en muchas partes della oviesse casas ricas y de grandes lavores, donde Apolidón avía dexado los encantamientos que en la parte segunda más largo lo recuenta, la su principal morada, donde más contino su estancia era aquella torre. Y por esta causa obró en ella tantas cosas y de tanta riqueza que el mayor emperador del mundo no se atreviera ni emprendiera a otra semejante fazer. Avía en ella nueve aposentamientos de tres en tres a la par, unos encima de otros, cada uno de su manera; y ahunque algunos dellos fuessen fechos por ingenio de hombres que mucho sabían, todo lo otro era por la arte y gran sabiduría de Apolidón tan estrañamente labrado que persona del mundo no sería bastante de lo saber ni poder estimar, ni menos entender su gran sotileza. Y porque gran trabajo sería contarlo todo por menudo, solamente se dirá cómo esta torre estava assentada en medio de una huerta: era cercada de alto muro de muy fermoso canto y betún, la más fermosa de árboles y otras yervas de todas naturas, y fuentes de aguas muy dulces, que nunca se vio. Muchos árboles avía que todo el año tenían fruta, otros que tenían flores fermosas. Esta huerta tenía por de dentro pegado al muro unos portales ricos cerrados todos con redes doradas desde donde aquella verdura se parescía, y por ellos se andava todo al derredor sin que salir pudiessen dellos sino por algunas puertas. El suelo era losado de piedras blancas como el cristal y otras coloradas y claras como rubís, y otras de diversas maneras, las cuales Apoli-

dón mandara traer de unas ínsolas que son a la parte de
Oriente donde se crían las piedras preciosas y se fallan en
ellas mucho oro y otras cosas estrañas y diversas de las que
acá en las otras tierras parescen, las cuales cría el gran fervor del sol que allí contino fiere; pero no son pobladas salvo
de bestias fieras, de guisa que fasta aquel tiempo deste gran
sabidor Apolidón, que con su ingenio fizo tales artificios en
que sus hombres sin temor de se perder pudieron a ellas passar, donde los otros comarcanos tomaron aviso, ninguno antes
a ellas avía passado; assí que desde entonces se pobló el
mundo de muchas cosas de las que fasta allí no se avían visto,
y de allí ovo Apolidón grandes riquezas.

A las cuatro partes desta torre venían de una alta sierra
cuatro fuentes que la cercavan, traídas por caños de metal, y
el aguas dellas salía tan alto por unos pilares de cobre dorados, y por bocas de animalias, que desde las ventanas primeras bien podían tomar el agua, que se recogía en unas
pilas redondas que engastadas en los mismos pilares estavan.
Destas cuatro fuentes se regava toda la huerta.

Pues en esta torre que oís fue aposentada la infanta Oriana y aquellas señoras que oístes, cada una en su aposentamiento assí como lo merescía y la infanta Mabilia gelo
mandó repartir. Aquí eran servidas de dueñas y donzellas
de todas las cosas, y abastadamente, que Amadís les mandara dar. Y ningún cavallero en la huerta, ni donde ellas posavan, entrava, que assí le plugo a Oriana que se fiziesse, y
assí lo embió a rogar aquellos señores todos que lo tuviessen
por bien, por cuanto ella quería estar como en orden fasta
que con el rey su padre algún asiento de concordia y paz se
tomasse. Todos gelo tuvieron a mucha virtud y loaron su
buen propósito, y le embiaron a dezir que, assí en aquello
como en todo lo otro que su servicio fuesse, no avían de seguir sino su voluntad.

Amadís, comoquiera que su cuitado coraçón a una parte
ni a otra fallasse assiento ni reparo sino cuando en la presencia de su señora se fallava, porque aquel era todo el fin
de su descanso, y sin él las grandes cuitas y mortales desseos contino le atormentavan, como muchas vezes en este
grande istoria avéis oído, queriendo más el contentamiento
della y temiendo más el menoscabo de su honra que cient
mill vezes su muerte dél, más que ninguno mostró contentamiento y plazer de aquello que aquella señora por bueno y

onesto tenía, tomando por remedio de sus passiones y cuidados tenerla ya en su poder en tal parte donde al restante del mundo no temía y donde, antes que la perdiesse perdería su vida, en que cessarían y serían resfriadas aquellas grandes llamas que a su triste coraçón continuamente abrasavan.

Todos aquellos señores y cavalleros y la otra gente más baxa fueron aposentados a sus guisas en aquellos lugares de la ínsola que más a sus condiciones y cualidades conformes eran, donde muy abastadamente se les dava las cosas necesarias a la buena y sabrosa vida; que ahunque Amadís siempre anduvo como un cavallero pobre, falló en aquella ínsola grandes tesoros de la renta della, y otras muchas joyas de gran valor que la reina su madre y otras grandes señoras le avían dado, que por las no aver menester fueron allí embiadas. Y demás desto, todos los vezinos y moradores de la ínsola, que muy ricos y muy guardados eran, avían a muy buena dicha de le servir con grandes provisiones de pan y carnes y vinos, y las otras cosas que darle podían.

Pues assí como oís fue traída la princesa Oriana a la Ínsola Firme con aquellas señoras y aposentada, y todos los cavalleros que en su servicio y acorro estavan.

CAPÍTULO LXXXV

CÓMO AMADÍS FIZO JUNTAR AQUELLOS SEÑORES, Y EL RAZONAMIENTO QUE LES FIZO Y LO QUE SOBRE ELLOS ACORDARON

AMADÍS, comoquiera que gran esfuerço mostrase, como lo él tenía, mucho pensava en la salida que deste gran negocio podía ocurrir, como aquel sobre quien todo cargava, ahunque allí estuviessen muchos príncipes y grandes señores y cavalleros de alta guisa, y tenía ya su vida condenada a muerte o salir con aquella gran empresa que a su honra amenazava y en gran cuidado ponía. Y cuando todos dormían, él velava pensando en el remedio que poner se devía. Y con este cuidado, con acuerdo y consejo de don Cuadragante y de su cormano Agrajes, fizo llamar a todos aquellos señores que en la posada de don Cuadragante se juntassen en una gran sala que en ella avía, que de las más ricas de toda la ínsola era. Y allí venidos todos, que ninguno faltó, Amadís se levantó en pie teniendo por la mano al maestro

Elisabad, a quien él siempre mucha honra fazía, y fablóles en esta guisa:

—Nobles príncipes y cavalleros, yo os fize aquí juntar por traer a vuestras memorias cómo por todas las partes del mundo donde vuestra fama corre se sabe los grandes linajes y estados de donde vosotros venís, y que cada uno de vos en sus tierras podía bivir con muchos vicios y plazeres, teniendo muchos servidores con otros grandes aparejos que para recreación de la vida viciosa y folgada se suelen procurar y tener, allegando riquezas a riquezas. Pero vosotros, considerando aver tan grande diferencia en el seguir de las armas, o en los vicios y ganar los bienes temporales, como es entre el juizio de los hombres y las animalias brutas, avéis desechado aquello que muchos se pierden, queriendo passar grandes fortunas por dexar fama loada siguiendo este oficio militar de las armas, que desde el comienço del mundo fasta este nuestro tiempo ninguna buena ventura de las terrenales al vencimiento y gloria suya se pudo ni puede igualar; por donde fasta aquí otros intereses ni señoríos avéis cobrado sino poner vuestras personas, llenas de muchas feridas, en grandes trabajos peligrosos fasta las llegar mill vezes al punto y estrecho de la muerte, esperando y desseando más la gloria y fama que otra alguna ganancia que dello venir pudiesse; en galardón de lo cual, si lo conocer queréis, la próspera y favorable fortuna vuestra ha querido traer a vuestras manos una tan gran vitoria como al presente tenéis. Y esto no lo digo por el vencimiento fecho a los romanos, que según la diferencia de vuestra virtud a la suya no se deve tener en mucho, mas por ser por vosotros socorrida y remediada esta tan alta princesa y de tanta bondad, que no recebiesse el mayor desaguisado y tuerto que ha grandes tiempos que persona de tan gran guisa recibió; por causa de lo cual, demás de aver mucho acrescentado en vuestras famas, avéis fecho gran servicio a Dios usando de aquello para que nasciestes, que es socorrer a los corridos, quitando los agravios y fuerças que les son fechas. Y lo que en más se deve tener y más contentamento nos deve dar es aver descontentado y enojado a dos tan altos y poderosos príncipes como es el emperador de Roma y el rey Lisuarte, con los cuales, si a la justicia y razón llegar no se quisieren, nos converná tener grandes debates y guerras. Pues de aquí, nobles señores, ¿qué se puede esperar? Por cierto otra cosa no, salvo como aquellos que la razón y verdad mantienen en mengua y menoscabo suyo dellos, que la desechan y menosprecian, ganar nosotros muy grandes vitorias que por todo el mundo suenen. Y si de su grandeza algo se puede temer, pues no estamos tan despojados de otros muchos y grandes señores, parientes y amigos, que ligeramente no podamos enchir estos campos de cavalleros y gentes en tan gran número que ningunos contrarios, por muchos que sean, puedan ver con una jornada la Insola Firme; assí que, buenos señores, sobre esto cuada uno diga su parescer, no de lo que quiere, que mucho mejor que yo conoscéis y queréis la virtud y a lo que sois obligados, mas de lo que para sostener esto y lo llevar adelante con aquel esfuerço y discreción se deve fazer.

Con mucha voluntad aquella graciosa y esforçada fabla que por Amadís se fizo de todos aquellos señores oída fue; los cuales considerando aver entre ellos tantos que muy bien según su gran discreción y esfuerço responder sabrían, por una pieça estuvieron callados, combidando los unos a los otros que fablassen. Entonces don Cuadragante dixo:

—Mis señores, si por bien lo ovierdes, pues que todos calláis, diré lo que mi juizio a conoscer y responder me da.

Agrajes le dixo:

—Señor don Cuadragante, todos os lo rogamos que así lo fagáis, porque según quien vos sois y las grandes cosas que por vos han passado y con tanta honra al fin dellas llegastes, a vos más que a ninguno de nosotros conviene la respuesta.

Don Cuadragante le gradesció la honra que le dava, y dixo contra Amadís:

—Noble cavallero, vuestra gran discreción y buen comedimiento ha tanto contentado nuestras voluntades, y assí avéis dicho lo que fazer se deve, que aver de responder replicando a todo sería cosa de gran prolixidad y enojo a quien lo oyesse. Solamente será por mí dicho lo que al presente remediar se deve, lo cual es que pues vuestra voluntad en lo pasado no ha sido proseguir passión ni enemistad, sino solamente por servir a Dios y guardar lo que como cavalleros tenéis jurado, que es quitar las fuerças, especialmente de las dueñas y donzellas que fuerça ni reparo tienen sino de Dios y vuestro, que sea esto por vuestros mensajeros manifestado al rey Lisuarte, y de vuestra parte sea requerido aya conoscimiento del yerro passado y se ponga en justicia y razón con esta infanta su fija, desatando la gran fuerça que por él se le faze, dando tales seguridades, que con mucha causa y certinidad de no ser nuestras honras menoscabadas gela podamos y devamos restituir; y de lo que dél a nosotros toca no se le hazer mención alguna, porque esto acabado, si acabarse puede, yo fío tanto en vuestra virtud y esfuerço grande que ahún él nos demandará la paz y se terná por muy contento si por vos le fuere otorgada. Y entretanto que la embaxada va, por cuanto no sabemos cómo las cosas sucederán y quien demandarnos quisiere nos falle, no como cavalleros andantes, mas como príncipes y grandes señores, sería bien que nuestros amigos y parientes, que muchos son, por nosotros sean requeridos para que, cuando llamarse convenga, puedan venir a tiempo que su trabajo aya aquel efecto que deve.

CAPÍTULO LXXXVI

CÓMO TODOS LOS CAVALLEROS FUERON MUY CONTENTOS DE TODO LO QUE DON CUADRAGANTE PROPUSO

DE la respuesta de don Cuadragante fueron muy contentos aquellos cavalleros, porque a su parescer no fincava nada por dezir. Y luego fue acordado que Amadís lo fiziesse saber al rey Perión su padre, pidiéndole toda la ayuda y favor, assí dél y de los suyos como de los otros que sus amigos y servidores fuessen, para cuando llamado fuesse; assí mesmo embiasse a todos los otros que él sabía que le podrían y querrían acudir, que muchos eran por los cuales grandes cosas en su honra y provecho fiziera con gran peligro de su persona; y que Agrajes embiasse o fuesse al rey de Escocia, su padre, a lo semejante; y don Bruneo embiasse al marqués su padre, y a Branfil su hermano, que con gran diligencia aparejasse toda la más gente que aver pudiesse, y no partiesse de allí fasta saber su mandado; y que assí lo fiziessen todos los otros cavalleros que allí estavan que estados y amigos tenían.

Don Cuadragante dixo que embiaría a Landín su sobrino a la reina de Irlanda, y que creía que si el rey Cildadán su marido acudía al rey Lisuarte con el número de la gente que le era obligado, que ella daría lugar a todos los de su reino que le quisiessen venir a servir, y que assí de aquéllos como de sus vasallos y otros amigos suyos se llegaría buena gente.

Esto assí acordado, rogaron a Agrajes y a don Florestán que lo fiziessen saber a la infanta Oriana, porque sobre todo mandasse lo que más su servicio fuesse. Y assí se salieron todos juntos del ayuntamiento con mucho esfuerço, especial los que eran de más baxa condición, que en alguna manera tenían este negocio por muy grave, temiendo la salida del más que lo mostravan; y como agora veían el gran cuidado y proveimiento de los grandes, y por razón dello gran socorro se esperasse, crescíales el esfuerço y perdían todo temor.

Y llegando a la puerta del castillo por aquella que toda la ínsola se mandava, vieron por la cuesta subir un cavallero armado en su cavallo y cinco escuderos con él, que las armas le traían y otros atavíos de su persona. Todos estuvieron quedos fasta saber quién sería. Y como de más cerca lo vieron, conoscieron que era don Brian de Monjaste, de que muy gran plazer se les siguió, porque de todos era amado y tenido por buen cavallero, y por cierto tal era, que dexando aparte ser de tan alto lugar como fijo de Ladasán, rey de España, él por su persona en discreción y esfuerço era tenido en todas partes donde le conoscían en gran reputación; y demás desto era el cavallero del mundo que más a sus amigos amasse, y nunca con ellos estava sino en burlas de plazer, como aquel que muy discreto y de linda criança era. Y assí ellos lo amavan y holgavan mucho con él. Y todos juntos descendieron por la cuesta ayuso a pie como estavan; y él, cuando los vio, mucho fue maravillado, y no pudo pensar qué ventura los fiziera juntar, ahunque algo le havían dicho después que de la mar salió en aquella tierra. Y apeóse del cavallo y fue contra ellos los braços tendidos, y dixo:

Juntos vos quiero abraçar, que a todos tengo por uno.

Entonces llegaron los que delante ivan, y tras ellos Amadís. Y cuando don Brian lo vido, si uvo dello gran plazer, esto no es de contar, porque, demás del gran deudo que con él tenía como ser fijos de dos hermanos, que la madre deste don Brian, muger del rey de España, era hermana del rey Perión, era el cavallero del mundo que más amava. Y díxole riendo:

¿Aquí sois vos? Pues en vuestra busca venía yo, que ahunque todas las aventuras nos faltassen, terníamos harto que hazer en vos buscar, según os escondéis.

Amadís le abraçó y díxole:

—Dezid lo que quisierdes, que venido sois en parte donde presto tomaré la emienda. Y estos señores os mandan que subáis en vuestro cavallo y os metáis en esta ínsola, donde una prisión está aparejada para los semejantes que vos.

Entonces llegaron todos los otros a lo abraçar; y ahunque contra su voluntad, le fizieron subir en su cavallo, y ellos a pie se fueron con él por la cuesta arriba, fasta que llegaron a la posada de Amadís, donde descavalgó, y sus cormanos Agrajes y don Florestán lo desarmaron y le mandaron traer un manto de escarlata que se cubriesse. Y como desarmado fue, y en derredor de sí vio tantos y tan nobles cavalleros de quien sus bondades y proezas sabía, díxoles:

—Compaña de tantos buenos no pudo sin gran misterio y causa ser aquí allegada. Dezídmelo, señores, que mucho lo desseo saber, porque algo he oído después que en esta tierra entré.

Todos rogaron a Agrajes que por él la relación le fuesse fecha; el cual, como aquel que en todo lo passado presente avía sido, y assí en ello, y en lo por venir gran gana tuviesse de lo acrescentar y favorescer, gelo dixo todo assí como la istoria lo ha contado, culpando al rey Lisuarte y loando y aprovando con gran afición lo que aquellos cavalleros avían fecho y querían adelante fazer. Cuando Brian de Monjaste esto oyó, en mucho lo tuvo como persona de gran discreción que antes a la salida que al entrada mira. Y si por fazer estuviera, no sabiendo el secreto de los amores de Amadís, pudiera ser que su consejo fuera al contrario, o a lo menos que por otras vías más honestas se templara el negocio sin venir en tanto rigor como al presente estava; que según el conoscimiento él tenía del rey Lisuarte en ser tan sospechoso y guardador de su honra y la injuria fuesse tan crescida, bien consideró que así tan crescida se avía de buscar la vengança. Pero veyendo la cosa ser llegada en tal estado que más ayuda que consejo se requería, especial seiendo el cabo dello Amadís, con mucha afición aprovó lo fecho, loando la gran virtud que con Oriana avían usado, faziéndoles cierta su persona con la más gente de su padre que él aver pudiese para lo sostener. Y díxoles que quería ver la infanta Oriana porque dél supiesse cómo enteramente avía de seguir su servicio. Amadís le dixo:

—Señor cormano, vos venís de camino y estos señores no

han comido, y en tanto que vuestra venida se les embía dezir, reposéis y comáis, y a la tarde se podrá mejor fazer.

Don Brian lo tuvo por bueno; y con esto aquellos señores, dél despedidos, se fueron a sus posadas. Y la tarde venida, Agrajes y don Florestán, que señalados por aquellos estavan para fablar con Oriana, como dicho es, tomaron consigo a don Brian, y todos tres se fueron ricamente vestidos a donde Oriana estava. Y falláronla que los esperava en el aposentamiento de la reina Sardamira, acompañada de todas aquellas señoras que avéis oído y la istoria os ha recontado. Pues llegados allí, don Brian se fue a Oriana y fincó los inojos por le besar las manos, más tirólas ella assí y no gelas quiso dar; antes, le abraçó y lo recibió con mucha cortesía, assí como en aquella que toda la nobleza del mundo se fallava; y díxole:

—Mi señor don Brian, vos seáis muy bien venido, que ahunque, según vuestra nobleza y virtud, en cualquiera tiempo ser muy bien recebido merescía, en este presente mucho más lo deve ser. Y porque tengo creído que aquellos nobles cavalleros amigos vuestros os avrán fecho relación de todo lo passado, remitiéndome a ellos será escusado dezir yo ninguna cosa, ni tampoco traeros a la memoria lo que en ello fazer devéis, porque, según lo avéis usado y acostumbrado, más para dar consejo que para lo pedir basta vuestra discreción.

Don Brian le dixo:

—Mi señora, la causa de mi venida ha sido como ha mucho tiempo que me yo partiesse de la batalla qu'el rey vuestro padre uvo con los siete reyes de las ínsolas, y en España me fuesse a mi padre; estando en una cuestión qu'él tenía con los africanos, supe cómo mi cormano y señor Amadís era ido en tierras estrañas donde dél ningunas nuevas se sabían; y cómo éste sea la flor y espejo de todo mi linaje y aquel a quien yo más precio y amor tenga, tanto dolor me puso su ausencia en mi coraçón, que trabajé cómo en aquel debate algún assiento se diesse por me poner en demanda de lo buscar. Y considerando que en esta ínsola suya antes que en otra alguna parte podría algunas nuevas fallar de mi cormano,[87] fue por aquí, donde mi buena dicha y ventura

---

87. *algunas nuevas fallar fue por aquí mi cormano donde* Z, fol. 208 rº; corregido en Place y por CB, 1329; *algunas nuevas fallar de mi cormano, fue por aquí, donde mi...*

me guió, assí por lo aver fallado como ser venido en tiempo
qu'el desseo que siempre tuve de os servir por obra pueda
parescer. Y como, señora, avéis dicho, ya sé lo que ha passado, y aun pienso algo de lo que dello pueda redundar,
según la dura condición del rey vuestro padre; y comoquiera
que venga y la ventura lo guiare y a mi persona pudiere aver,
está con toda voluntad ofrecida y aparejada al remedio dello.

Oriana le rendió muchas gracias por ello.

CAPÍTULO LXXXVII

CÓMO TODOS LOS CAVALLEROS TENÍAN MUCHA GANA
DEL SERVICIO Y HONRA DE LA INFANTA ORIANA

GRAND razón es que se sepa y no quede en olvido por
qué causa estos señores cavalleros, y otros muchos que
adelante se dirán, con tanto amor y voluntad desseavan el
servicio desta señora, poniéndose en el estremo de las afrentas como con tan altos príncipes puestos estavan. ¿Sería por
ventura por las mercedes que della havían recebido, o porque sabían el secreto y cabo de los amores della y Amadís y
por causa suya a ello se disponían? Por cierto digo que ni lo
uno ni lo otro fizo a ello mover sus voluntades, porque comoquiera que ella fuesse de tan alto estado, el tiempo no le
avía dado lugar a que a ninguno pudiese hazer merced, pues
otra cosa no posseía más que una pobre donzella. Pues en
lo que a sus amores y de Amadís toca, ya la grande istoria,
si leido la avéis, os da testimonio del secreto dellos. Pues por
alguna causa será, ¿sabéis cuál? Porque esta infanta siempre
fue la más mansa, de mejor criança y cortesía, y sobre todo
la templada humildad que en su tiempo se falló, teniendo
memoria de honrar y bien tratar a cada uno según lo merescía; que este es un lazo, una red, en que los grandes que assí
lo fazen prenden muchos de los que poco cargo tienen de
su servicio, como cuada día lo vemos, que sin otro interesse
alguno de sus bocas son loados, de sus voluntades muy amados, obligados a los servir como estos señores fazían aquella
noble princesa. Pues ¿qué se dirá aquí de los grandes que con
mucha esquiveza y demasiada presunción tienen [88] con aque-

88.   En Z, fol. 208 vº falta *tienen*; corregido en P. y en CB. p. 1330.

llos que la no devían tener? Yo os lo diré: que queriéndose con los menores poner en respuestas desabridas, con gestos sañudos teniendo en poco sus cortesías y profertas, son en menos tenidos, menos acatados, maltratados de sus lenguas, desseando que algún revés les viniesse para los deservir y enojar. ¡O, qué yerro tan grande, y qué poco conoscimiento por merced tan pequeña como dar la habla graciosa, el gesto amoroso que tan poco cuesta, perder de ser queridos, amados, y servidos de aquellos a quien nunca merced ni bien fizieron! ¿Queréis saber lo que muchas vezes a estos desdeñosos despreciadores acaesce? Yo os lo diré: que como aquellos que lo suyo despienden y gastan, no mirando lugares ni tiempos, dándolo donde no deven, son tenidos en lugar de francos y liberales por torpes y por indiscretos; así éstos por el semejante dexando de honrar aquellos que por virtud les sería reputado, omillándose y sojuzgándose a otros mayores, o por ventura sus iguales, que más por servicio y poco esfuerço que por virtud es tenido.

Pues al propósito tornando, acabada la habla de Brian de Monjaste y fecha reverencia a la reina Sardamira y aquellas infantas con Grasinda, Agrajes y don Florestán llegaron a Oriana, y con mucho acatamiento todo lo que aquellos cavalleros les encomendaron le dixeron; lo cual aviendo por buen acuerdo, les remitió y dexó el cargo de lo que fazerse devía, pues el auto y efecto dello más de cavalleros que de donzellas era, embiándoles mucho a rogar que siempre estuviessen en la memoria, cumpliendo con sus honras, de querer y allegar la paz con el rey su padre por lo que a ella y a su fama tocava. Esto fecho, Oriana, dexando a don Florestán y a Brian de Monjaste con la reina Sardamira y aquellas señoras, tomó por la mano Agrajes, y con él a una parte de la sala se fue assentar. Y assí le dixo.

—Mi buen señor y verdadero hermano Agrajes, ahunque la fiuza y esperança que en vuestro cormano Amadís y en aquellos nobles cavalleros que yo tengo sea muy grande, que con todo cuidado y gran diligencia mirando por sus honras complirán muy enteramente con lo que a mí toca, muy mayor la tengo en vos, como sea cierto averme criado mucho tiempo en la casa del rey vuestro padre, donde assí dél como de la reina vuestra madre recebí muchas honras y plazeres, y sobre todo averme dado a la infanta Mabilia vuestra hermana, de la cual puedo bien dezir que si Dios nuestro Señor

me dio el primero ser de la vida, assí después d'El ésta me
la ha dado muchas vezes; que si por su gran discreción y
consuelos no fuesse, según mis dolencias y sobre todo la mi
contraria fortuna, que después que los romanos en casa de
mi padre vinieron me ha fatigado, si sus remedios me falta-
ran, impossible fuera poder sostener la vida. Y assí por esto
como por otras causas muchas que dezir podría, a que, si
Dios lugar me diesse para lo satisfazer, soy tan obligada; y
creyendo que assí como en mis entrañas lo tengo, conoscéis
que venido el tiempo por obra lo pornía como dicho tengo,
me da causa a que los secretos de mi apassionado coraçón
antes a vos que a otro ninguno se digan, y así lo faré, que lo
que a todos será encubierto a vos solo manifiesto será. Y por
el presente solamente os encargo con la mayor afición que
yo puedo, que dexando aparte la saña y sentimiento que de
mi padre tengáis, se ponga toda la paz y concordia por vuestra mano y consejo entre él y vuestro cormano Amadís; porque, según su grandeza de coraçón y la enemistad de tanto
tiempo acá tan endurescida, no dudo sino que ninguna razón
que se atreviesse de buen amor le pueda satisfazer; y si por
vos, mi verdadero hermano y amigo, en esto algún remedio
se puede poner, no solamente muchos de grandes muertes
serán quitados y reparados, mas mi honra y fama, que por
ventura en muchas partes está en disputa, será aclarada con
aquel remedio que a su honestidad se conviene.

Oído esto por Agrajes, con mucha cortesía y humildad
assí respondió:

—Con mucha razón se puede y deve otorgar todo lo que
por vos, señora, se ha dicho, que según lo que del rey mi
padre y mi madre conoscéis ser su desseo [89] en cuanto pudiessen ayudar a crescer vuestra honra y gran estado, como
agora por obra parecerá, pues de mi hermana Mabilia y de
mí no será menester dezirlo, que las obras dan testimonio
de muy enteramente querer y dessear vuestro servicio. Y viniendo a lo que me manda, digo que verdad es, señora, que
más que otro ninguno soy en más descontentamiento del rey
vuestro padre; que assí como soy testigo de los grandes y
señalados servicios que Amadís mi cormano y todo su linaje
le fezimos, como a todo el mundo notorio es, assí lo so del

89. *Conosci es ser su desseo*, Z, fol. 208 vº; *conosci, es su desseo*, P; *conoscéis ser su desseo*, CB. p. 1333.

gran desconoçimiento y desagradeçimiento suyo; que por nosotros nunca merced le fue pedida si no fue la ínsola de Mongaça para mi tío don Galvanes, la cual fue ganada a la más honra de su corte y al mayor peligro de la vida de quien la ganó que pensar ni dezir se podría, assí como os, mi buena señora, por vuestros ojos vistes, y que no bastássemos todos, ni la bondad y gran mereçimiento de mi tío para que alcançar se pudiesse una tan pequeña cosa, quedando en su vasallaje y señorío; ante, sacudirse de nosotros, desechando nuestra suplicación con tanta descortesía como si de servidores que éramos le fuéramos enemigos. Y por esto negar no puedo que en cuanto en mí fuesse no haría gran plazer de ayudar a qu'él en tal estrecho y necessidad fuesse puesto, que arrepentiéndose de lo fecho diesse a todo el mundo a conoçer la gran pérdida que en nosotros fizo, sabiéndose la honra que nuestros servicios le davan. Pero assí como negando y apremiando hombre su voluntad gana ante Dios más mérito, faziéndolo en su servicio, assí yo, señora, compliendo con el vuestro, quiero negar y forçar mi saña, porque en esto, que tan grave me es, pueda conoçer en las otras cosas que tanto obligado me tiene para la servir; pero esto será con mucha templanza, porque como yo sea entre estos señores tenido por muy principal acreçentador de vuestra honra, sería gran causa de poner flaqueza en muchos dellos, si en mí la sintiessen.

—Assí lo pido yo, mi buen amigo —dixo Oriana—, que bien conozco, según la calidad de lo passado y con quien este gran debate es, que no solamente es menester del fuerte esfuerço fazer flaco, mas del muy flaco con mucho cuidado fazer fuerte. Y porque muy mejor que yo lo sabría pedir, sabréis os lo que conviene y en qué tiempo os puede aprovechar o dañar, yo os lo remito con aquel verdadero amor que entre nosotros está.

Assí acabaron su habla y se tornaron adonde aquellas señoras y cavalleros estavan. Agrajes no podía partir los ojos de su señora Olinda, como aquella que dél con mucha afición era muy amada, lo cual assí se deve creer, pues que por su causa mereçió passar por el arco encantado de los leales amadores, assí como el segundo libro desta historia lo ha contado; mas como él fuesse de noble sangre y crianza, que los tales no con mucha premia son obligados, desechando la passión y afición a seguir la virtud, y sabiendo la vida

honesta que Oriana le plazía tener, determinado estava de
sojuzgar su voluntad ahunque en ello mucha graveza sintiesse fasta ver en qué los negocios començados paravan. Assí
stuvieron una pieça fablando en muchas cosas, y aquellos cavalleros, como muy esforçados, esforçando su partido, quitándoles el temor que las mugeres en autos tan estraños para
ellos como aquel en que estavan suelen tener; pues despedidos dellas y dada la respuesta de Oriana aquellos que a ella
les havían embiado, con mucha diligencia començaron a
poner en obra lo que acordado havían y despedir los embaxadores que al rey Lisuarte fuessen, lo cual fue encomendado por todos a don Cuadragante y don Brian de Monjaste,
que eran tales que a tal embaxada convenían.

CAPÍTULO LXXXVIII

Cómo Amadís habló con Grasinda, y lo que ella respondió

AMADÍS se fue a la posada de Grasinda, que él mucho
amava y preciava, assí por quien ella era como por las
muchas honras que havía recebido; y no pensava que paga-
das fuessen, ahunque por ella havía fecho lo que la historia
ha contado, considerando haver muy gran diferencia entre
los que por su virtud hazen las proezas, no haviendo mucho
conoçimiento de aquellos que las reciben, o los que después
de recebidas las satisfazen y pagan; porque lo primero es de
coraçón generoso, y lo segundo, comoquiera que sea buen
conoçimiento y gradeçimiento, pero es deuda conoçida que
se paga. Y sentado con ella en un estrado, assí le dixo:

—Mi señora, si assí como yo desseo y querría, por mí no
se os faze el servicio y plazer que vuestra virtud mereçe,
séame perdonado, porque el tiempo que veis es la culpa
dello; y porque vuestra noble condición assí lo juzgara, dexando esto a parte, acordé de os fablar y pedir por merced
me digáis el cabo de vuestro querer y voluntad, porque ha
mucho tiempo que de vuestra tierra salistes, y no sé si en
ello vuestro ánimo recibe alguna congoxa, porque sabido se
ponga vuestro mando en exsecución.

Grasinda le dixo:

—Mi señor, si no tuviesse creído que de vuestra compaña

y amistad no se me haya seguido la mayor honra que de
ninguna cosa me podría venir, y ser pagado y satisfecho todo
el servicio y plazer que en mi casa os fizieron, si alguno fue
que contentamiento os diesse, sería de juzgar por la persona
del peor conoçimiento del mundo. Y porque esto es muy
cierto y sabido por todos, quiero, mi señor, que mi voluntad
entera, assí como lo tengo, os sea manifiesta; yo veo que
ahunque aquí son juntos tantos príncipes y cavalleros de gran
valor a este socorro desta princesa, que vos, mi buen señor,
sois aquel a quien todos miran y acatan, de manera que en
vuestro seso y esfuerço está toda la sperança y buena ventura
que esperan; y según vuestro gran coraçón y condición, no
podéis escusaros de no tomar el cargo de todo enteramente,
porque a ninguno assí justo ni devido como a vos viene,
donde será forçado que vuestros amigos y valedores acudan
y procuren de sostener vuestra honra y gran estado. Y porque
yo en la voluntad principalmente por uno dellos me tenga,
quiero que assí en la obra parezca mi desseo, y tengo acordado qu'el maestro Elisabad se vaya a mi tierra, y con mucho
cuidado todos mis vasallos y amigos con una gran flota tenga
apercebidos y aparejados para cuando menester fueren que
vengan, señor, a serviros en lo que les mandardes. Y entre
tanto quedaré yo en compaña y servicio desta señora, con
las otras que consigo tiene, y della ni de vos no me partiré
hasta que el cabo deste negocio me diga lo que fazer devo.

Cuando Amadís esto le oyó, abraçóla riendo y dixo:

—Yo creo que si toda la virtud y nobleza que en el mundo
ay se perdiesse, que en vos, mi buena señora, se podría cobrar; y pues assí os plaze, assí se haga. Es menester que por
servicio vuestro y ruego mío el maestre Elisabad, ahunque
en ello fatiga reciba, vaya al emperador de Costantinopla,
con mi mandado, que según la graciosa proferta por él me
fue dada, y el mal contentamiento que muchos me dixeron
cuando aquellas partes fue que del emperador de Roma tiene,
y sabiendo que la cuistión principalmente con él es, por dicho
me tengo que usando de su gran virtud acostumbrada me
mandará ayudar como si mucho servido le oviesse.

Grasinda dixo que lo tenía por buen acuerdo, y qu'el
maestro, según la gran afición le tenía, que escusado era su
mandamiento para lo que su servicio fuesse, y que éste tal
camino con mensaje de tal persona más por honra y descanso lo ternía que por trabajo. Amadís le dixo:

—Mi señora, pues vuestra voluntad es de quedar con esta señora, razón será que assí como a las otras infantas y grandes señoras como vos sois están cabe ella y en su aposentamiento, assí vos lo estéis y della recibáis aquella honra y cortesía que vuestra gran virtud mereçe.

Y luego mandó llamar a su amo don Gandales, y le rogó que fuesse a Oriana y le dixesse la gran voluntad que aquella señora a su servicio tenía y cómo lo ponía por obra, y le suplicasse de su parte la tomasse consigo y la hiziesse aquella honra que a las más principales de aquéllas hazía; lo cual assí fue fecho, que Oriana la recibió con aquel amor y voluntad que acostumbrava de acoger y recebir las tales personas, pero no tanto por el servicio presente como por el passado que a Amadís havía fecho en le dar tal aparejo para passar en Grecia; y sobre todo el maestro Elisabad, que después de Dios, como la historia lo ha contado en la tercera parte, dio la vida a él y a ella, que un día no pudiera bivir ella después de su muerte, y esto fue cuando le sanó de las grandes feridas que huvo cuando mató al Endriago.

Esto assí fecho después que Grasinda dio todo el despacho que necessario era al maestro Elisabad para hazer lo susodicho, y le rogó y mandó que, sabiendo lo que Amadís quería que por él hiziesse, lo pusiesse assí en obra que en semejante cosa de tan gran fecho se devía poner. El maestro le respondió que por falta de no poner su persona a todo peligro y trabajo no se dexaría de complir lo que le mandassen. Amadís gelo gradeçió mucho; y luego acordó d'escrevir una carta al emperador, la cual assí dezía:

Carta de Amadís al emperador de Constantinopla:

«Muy alto emperador: aquel Cavallero de la Verde Spada que por su propio nombre Amadís de Gaula es llamado mando besar vuestras manos y le traer a la memoria aquel ofreçimiento que más por su gran virtud y nobleza que por mis servicios le plugo de me fazer; y porque agora es venido el tiempo en que principalmente a vuestra grandeza y a todos mis amigos y valedores que justicia y razón querrán seguir, como el maestro Elisabad más largo le dirá, he menester, le suplico mande dar fe y aya su embaxada aquel efeto que yo con mi persona y todos los que han de guardar y seguir pornían en vuestro servicio.»

Acabada la carta y dada por extenso la creencia al maestro como adelante pareçerá, tomando licencia dél y de su señora Grasinda, se metió a la mar para fazer su viaje, el cual acabó tan complidamente como en su tiempo se dirá.

CAPÍTULO LXXXIX

CÓMO AMADÍS EMBIÓ OTRO MESAJERO A LA REINA BRIOLANJA

L A historia dice que después que Amadís ovo despachado al maestro Elisabad y aposentado a Grasinda con la infanta Oriana, que mandó llamar a Tantiles, el mayordomo de la fermosa reina Briolanja, y díxole:

—Mi buen amigo, yo quería que por mí tomássedes el trabajo y cuidado que en las cosas que a vos tocassen tomaría, y esto es que, mirando en el punto que mi honra tengo, y cuanto con buen recaudo y aparejo acreçentar se puede, y con el contrario lo que menoscabar se podría, vais a vuestra señora, y como quien todo lo ha visto le digáis lo que conviene, trabajando mucho como toda su gente y amigos mande aparejar para cuando menester será. Y dezilde que yu sabe que lo que a mi toca suyo es, pues que yo perdiendo, lo de su servicio se pierde.

Tantiles le respondió:

—Señor, assí como lo mandáis se hará luego por mí; y podéis ser bien cierto que no pudiera venir cosa en que la reina mi señora oviesse tanto plazer como en ser llegado el tiempo en que conozcáis el gran amor y voluntad que tiene para seguir todo lo que della y de todo su reino mandar quisierdes. Y de lo que a esto toca perded cuidado, que yo vernó cuando menester sera con aquel recaudo y aparejo que gran señora, tal como lo ésta es, deve embiar a quien, después de Dios, le dio todo su reino.

Amadís jelo gradeçió mucho y diole una carta de creencia que para con él, como persona que todo su estado governava, bastava. El se metió luego a la mar en una nave que allí havía venido y fizo lo que delante se dirá. Esto fecho, Amadís se apartó con Gandalín, y díxole:

—Mi amigo Gandalín, si yo he menester amigos y parientes en esta necessidad que sin la poder escusar me he pues-

to, tú lo vees; y ahunque mucha graveza sienta verte alongado de mí, la razón me obliga que lo faga. Ya vees cómo por
todos estos cavalleros es acordado que sean todos nuestros
amigos requeridos y apercebidos, porque con tiempo puedan venir a sostener nuestras honras. Y ahunque en muchos
por quien yo mucho he fecho, como tu sabes, tengo gran
esperança que querrán pagar la deuda en que me son, mucho
más la tengo en el rey Perión mi padre, que éste con razón
o sin ella ha de acudir a lo que me tocare. Y porque tú mejor
que otro y más sin empacho le dirás que tanto esto me toca,
y cómo en la voluntad y pensamiento de todos, ahunque aquí
aya tantos cavalleros famosos y de gran linaje, a mí solo,
como a más principal, lo atribuyen, será bien que a él te partas luego y le digas lo que has visto y sabes que conviene a
la necessidad en que me dexas. Y a bueltas de las otras cosas
le dirás cómo yo no temo fuerça ninguna de todo el restante
del mundo según esta fuerça es, pero que harta fuerça sería
para él si yo, que su fijo y el mayor soy, no pudiesse responder a estos dos príncipes, si contra mí viniessen, en la
forma y manera que ellos me llamassen. Y porque entiendo
que estás al cabo de todo, no será menester que más te diga,
sino antes que te partas vayas a fablar con mi cormana Mabilia si manda algo para su tía y Melicia, mi hermana; y verás
a mi señora Oriana qué tal está, porque ahunque a los otros
se encubra, a ti solo descubrirá su querer y voluntad. Y esto
fecho, partir te has luego con esta creencia que por scripto
te doy, la cual dize assí:

«Dirás al rey mi señor que ya su merced sabe cómo, después que Dios quiso que por su mano yo fuesse cavallero,
nunca mi pensamiento fue de seguir otro estado sino de cavallero andante, a todo mi poder quitar los tuertos y desaguisados de muchos que lo recibían, specialmente de las dueñas y donzellas, que ante que otros algunos acorridos deven
ser. Y por esto he puesto mi persona a muchos trabajos y
peligros, sin que dello otro interesse esperasse sino servir a
Dios y cobrar prez y fama entre las gentes; y con este desseo
cuando de su reino partí quise andar por las tierras estrañas,
buscando los que mi acorro y defensa havían menester, viendo lo que visto no havía, donde por muchas aventuras passé,
como tú le puedes bien dezir si saber lo quisiere; y que a
cabo de mucho tiempo veniéndome a esta ínsola, supe cómo

el rey Lisuarte, no catando al temor de Dios, ni a consejo de sus naturales ni de otros que lo no son y su honra y servicio desseavan, antes con toda crueza y gran menoscabo de su fama, quiso desheredar a la infanta Oriana su hija, que después de sus días ha de ser señora de sus reinos, por heredar a otra fija menor, que por ningún derecho le venía, dándola al emperador de Roma por muger. Y como se querellasse esta princesa a todos cuantos la vían, y a los otros por sus mensajeros, con muchos llantos y angustias por ella fechas que della oviessen piedad y no consintiessen que a tan gran sinrazón desheredada fuesse, aquel justo Juez, emperador de todas las cosas, la oyó, y por su voluntad y permissión fueron juntos en esta ínsola muchos príncipes y grandes cavalleros para el remedio della, donde yo, cuando vine, los fallé y dellos supe esta fuerça tan grande que passava y con acuerdo y consejo suyo se consideró que, pues a las cosas desta calidad más que a otras ningunas son los cavalleros más obligados, en esta que tan señalada era se pusiesse remedio porque lo que fasta aquí con mucho peligro y trabajo de nuestras personas havíamos ganado en una sola no se perdiesse, pues razón no lo mandava, porque según la grandeza de su cualidad más a covardía y poco esfuerço que a otra causa juzgar se devría. Y assí se fizo que, desbaratada la flota de los romanos y muertos muchos y los otros presos, fue por nosotros tomada y socorrida esta princesa con todas sus dueñas y donzellas; sobre que tenemos acordado de embiar a don Cuadragante de Irlanda y a mi cormano don Brian de Monjaste al rey Lisuarte a le requerir de nuestra parte se quiera poner en toda razón; y que si caso fuere que no la quiera, antes el rigor, será menester principalmente su ayuda y después de todos aquellos que nuestros amigos son, la cual le suplico esté presta, con toda la más gente que haver se pudiere, para cuando fuere llamada. Y a la reina mi señora besa las manos por mí, y le suplica mande venir aquí a mi hermana Melicia, que tenga compañía a Oriana, y porque su nobleza y gran hermosura sea conoçida de muchos por vista assí como lo es por fama.»

Esto fecho, díxole:

—Adereça para te ir en una fusta dessas que mejor proveída hallares, y lieva quien te guíe, y habla con mi cormana Mabilia ante, como te dixe.

Gandalín le dixo que assí lo faría.

Agrajes fabló con don Gandales, amo de Amadís, para que se partiesse a Escocia al rey su padre, y con éste bien se pudo escusar el trabajo d'escrevir, porque era tanto suyo y de tan largo tiempo y tan fiable en todas las cosas que ya más por deudo y consejero que por vasallo era tenido, pues de creer es que este cavallero con toda afición y diligencia procuraría el efecto deste viaje tocando tanto a su criado Amadís, que era la cosa del mundo que más amava, y cómo lo fizo adelante se dirá.

CAPÍTULO XC

CÓMO DON CUADRAGANTE FABLÓ CON SU SOBRINO LANDÍN Y LE DIXO FUESSE A IRLANDA Y FABLASSE CON LA REINA SU SOBRINA PARA QUE DIESSE LUGAR A ALGUNOS DE SUS VASSALLOS LE VINIESSEN A SERVIR

DON Cuadragante habló con Landín su sobrino, que muy buen cavallero era, y díxole:

—Amado sobrino, menester es que con toda diligencia partáis y seáis en Irlanda, y fabléis con la reina mi sobrina sin qu'el rey Cildadán ninguna cosa sepa, porque, según lo que tiene jurado y prometido al rey Lisuarte, no sería razón que ninguna cosa desto se le diga. Y contalde en lo que estoy puesto, y que, ahunque aquí aya muchos cavalleros de gran guisa, en mí por quien yo soy y del linaje donde vengo se tiene mucha esperança y se haze gran cuenta, como vos, sobrino, lo veis; que le pido mucho a su merced dé lugar a los que de sus vassallos me querrán venir a servir, y que crea que la rebuelta es acá tan grande que destas semejantes cosas muchas vezes acaeçe trabucarse los estados y señoríos, de suerte y forma que los vasallos quedan por señores, y los señores por vasallos, y que por esto no dude de mandar esto que le suplico, y assí con los que déstos haver pudieres, como de mis vasallos y amigos, adreça una flota, la mayor que ser pudiere, y con ella staréis prestos para cuando mi llamamiento veáis.

Landín le respondió que con ayuda de Dios él pornía tal recaudo de que fuesse contento, y se mostraría mucho de su valor y grandeza. Con esto se despidió dél, y en una nave de las que a los romanos tomaron se metió en la mar, y lo que recaudó deste camino adelante se dirá.

Don Bruneo de Bonamar habló con Lasindo, su escudero, que luego partiesse para su padre el marqués y para Branfil su hermano con su carta, y que muy ahincadamente hablasse con su hermano, y de su parte le rogasse que, sin otra cosa se entremeter, trabajasse en juntar la más gente que ser pudiesse, y navíos para ella, y que se no partiesse de allí hasta ver su mandado. Y demás desto le dixo:

—Lasindo, mi buen amigo, ahunque tu vees aquí tantos cavalleros, y de tan gran cuenta, bien deves creer que toda la mayor parte deste fecho es de Amadís; pues si yo tengo razón de le ayudar, dexando a parte el grande amor que comigo tiene, que a ello mucho me obliga, ya tú lo sabéis, que éste es hermano de mi señora Melicia, éste es el que ella ama y precia más que a ninguno de su linaje. Pues si éste mi enemigo fuesse, a mí no me convenía otra cosa sino seguir su voluntad y mandamiento, porque esto sería seguir el servicio y voluntad suya della; pues seyendo al contrario en ser el hombre del mundo que yo más amo, con más afición y voluntad me tengo de aparejar a sostener su honra y estado, especial en este caso en que ninguno más que yo está puesto, ni más que a mí le toca. Todo esto, mi buen amigo, dexando aparte lo de mi señora, puedes fablar con mi padre y con mi hermano, porque les fará mover a lo que con gran razón se deve complir con mi honra, ahunque de Branfil, mi hermano, cierto soy yo que antes querría estar aquí y haver sido en lo passado que ganar un gran señorío, porque su condición y desseo más inclinado es a ganar prez y fama de cavallero que a otras cosas de las que otros, mirando más a los vicios que a la virtud, dessean.

Lasindo le dixo:

Señor, para mí no es menester de me dezir más de lo que sé que es necessario. Yo fío en Dios que de allí os traeremos tal aparejo, que vuestra señora sea muy servida y vuestro estado puesto en mucha más honra.

Con esto se partió en otra fusta, y lo que fizo la historia lo contará cuando tiempo fuere, que este Lasindo era muy buen escudero y de gran linaje, y iva con toda afición y voluntad; y assí puso en obra su viaje en servicio de su señor, que con honra suya acreçentó en el negocio grande ayuda.

CAPÍTULO XCI

Cómo Amadís embió al rey de Bohemia

AMADÍS, como aquel que sobre sí tenía tan gran carga, especial tocando a su señora, nunca su pensamiento apartava de proveer en lo que menester era, acordó de embiar a Isanjo, cavallero muy honrado y de muy gran discreción, el cual halló por governador en la Insola Firme al tiempo que la ganó, el cual cargo le havía sucedido de sus antecessores, como más largo lo cuenta el segundo libro desta historia. Y apartado con él, le dixo:

—Mi buen señor y gran amigo, conoçiendo vuestra virtud y buen seso, y el desseo que siempre, desque me conoçistes, havéis tenido de guardar mi honra, y el que yo de lo gualardonar tengo, que cuando el caso viniesse, he acordado de os poner en un poco de trabajo, porque según a quien vos embío no se requiere sino semejante mensajero; y esto es que havéis de ir luego al rey Tafinor de Bohemia con una mi carta y más la creencia que os será remitida, en que muy por entero le diréis este caso cómo passa, y cuánta fiuza y esperança tengo en la su merced. Y yo fío en Dios que de vuestra embaxada se nos seguirá gran provecho, porque aquél es un muy noble rey, y con mucho amor y afición me quedó ofrecido al tiempo que de su casa me partí.

Isanjo le respondió, y dixo:

—Señor, para mucho más que vuestro servicio sea mi voluntad aparejada está, que este camino más por honra que por pena ni trabajo lo tengo. Y en cuanto en mí fuere, podéis, señor, ser cierto que assí en esto como en todo lo que acreçentamiento de vuestro estado fuere tengo de poner mi persona fasta el punto de la muerte. Y por esto, señor, no es menester sino qu'el despacho se haga, que mi partida será cuando por bien tovierdes.

Amadís jelo gradeçió con mucho amor, conoçiendo con la voluntad que le respondía que en no menos la buena voluntad reputar se deve que la buena obra, porque de allí naçe y aquel es el fundamento della. Pues con este concierto Amadís scrivía una carta al rey, la cual assí dezía:

«Noble rey Tafinor de Bohemia, si en el tiempo que en vuestra casa como cavallero andante estuve algún servicio os fize, yo me tengo por muy bien pagado dello, según las honras y buenas obras, assí de vuestra persona como de todos los vuestros, yo he recebido. Y si agora embío a requerir a la merced vuestra, pidiendo ayuda en mi necessidad, no es teniendo en la memoria otra cosa sino conoçer vuestro noble desseo y mucha virtud, que siempre en aquel poco tiempo que en vuestra corte me fallé la vi aparejada a seguir toda cosa justa y conforme a toda virtud y buena conciencia, y porque este cavallero que de mi parte dirá el caso más por estenso como passa, le pido, después de le mandar dar fe, aya aquel efecto su embaxada que havría la que de vuestra parte a mí embiada fuesse.»

Acabada la carta y dicha la creencia, Isanjo fizo aparejar una nave, y luego, como le era mandado, se partió; y muy bien se puede dezir ser su camino bien empleado, según la gente que este buen rey embió a Amadís, como adelante se dirá.

CAPÍTULO XCII

De cómo Gandalín habló con Mabilia y con Oriana, y lo que le mandaron que dixesse a Amadís

CUENTA la historia que, partidos estos mensajeros como oído havéis, Gandalín estava muy aquexado por ir donde su señora le mandava, porque le mandó que se no partiesse hasta ver a su cormana Mabilia. Fuese luego al aposentamiento de Oriana, donde hombre alguno entrar no podía sin su especial mandado, que era aquella torre que ya oístes, la cual no era guardada ni cerrada sino por dueñas y donzellas; y llegando a la puerta de la huerta, dixo que dixessen a Mabilia cómo estava allí Gandalín, que se partía para Gaula, y que la quería ver ante que se partiesse. Sabido por Mabilia, díxolo a Oriana, y cuando lo oyó, plúgole mucho dello y mandó que entrasse. Y como llegó donde Oriana estava, hincó los inojos ante ella y besóle las manos. Y luego se fue a Mabilia y díxole lo que su señor le havía mandado. Mabilia dixo a Oriana tan alto que todas lo oyeron:

—Señora, Gandalín parte para Gaula. Ved si le mandáis que diga algo a la reina y a Melicia mi cormana.

Oriana le dixo que havía plazer de les embiar con él su mandado, y llegóse donde ellos estavan, apartados de todos los otros, y díxole:

—¡Ay amigo Gandalín!, ¿qué te pareçe de mi contraria fortuna?; que la cosa del mundo que más desseava era estar en parte donde nunca pudiesse de mis ojos partir a tu señor; ¡y que mi dicha me haya puesto en su poder en caso de tal calidad, que le no ose ver sin que su honra y la mía mucho menoscabada sean! Puedes creer que mi cuitado coraçón siente dello tan gran fatiga, que si sentir lo pudiesses, muy gran piedad havrías de mí. Y porque desto se le dé la cuenta, assí para su consuelo como para desculpa mía, dezirle has que tenga manera cómo él y todos essos cavalleros me vengan a ver; y buscarse ha medio cómo delante todos, no oyendo alguno lo que passa, le pueda fablar. Y esto será con achaque desta tu partida.

Gandalín le dixo:

—¡O señora, cuánta razón tenéis de tener en la memoria el remedio que a este cavallero conviene, que tantas fortunas en este camino que hezimos he tenido por le sostener la vida! Si lo yo pudiesse dezir, mucho mayor dolor y angustia vuestro spíritu recibiría de lo que siente; que es cierto, señora, que las grandes cosas que en armas fizo y passó por aquellas tierras estrañas, que fueron tales y tantas, que no solamente ser fechas por otro, mas ni pensadas, no pusieron en su vida de mil vezes la una el estrecho de la muerte que vuestra membrança y apartamiento de vuestra vista le ponía. Y porque hablar en esto es muy escusado pues que cabo no tiene, solamente queda que hayáis, señora, dél piedad y le consoléis, pues que según yo he visto, y lo creo verdaderamente, en su vida está la vuestra.

Oriana le dixo:

—Mi buen amigo, esso puedes tú dezir con gran verdad, que sin él no podría yo bivir ni lo querría, que la vida me sería muy más penosa y grave que la muerte; y en esto no hablemos más, sino que luego te vayas a él y le digas lo que te mando.

—Assí se hará, señora, y se porná en obra.

Con esto se despidió dellas, y se fue para su señor. Pero antes le mandó Oriana delante todas las que allí estavan que se no partiesse fasta que le mandasse dar una carta para la reina Elisena y otra para su fija Melicia; y él le dixo que assí lo faría, y que le suplicava le mandasse luego despachar, porque ya todos los otros mensajeros eran idos, y no quedava otro alguno sino él. Assí se despidió, y se fue a Amadís y díxole todo lo que Oriana le dixera y la respuesta suya, y cómo le embiava mandar que él y aquellos señores todos la fuessen a ver con algún achaque, porque le quería fablar. Amadís, cuando aquello oyó, estuvo una pieça cuidando, y díxole:

—¿Sabéis cómo se podrá esso mejor fazer? Fabla con mi cormano Agrajes y dile cómo hablando tú con Mabilia si mandava algo para Gaula, te dixo que le pareçía que sería bueno qu'él tuviesse manera con todos estos señores que aquí están cómo fuessen a ver y esforçar a Oriana, porque según la gravedad del caso en que estava y tan estraño para ella que necessario le era su vista y esfuerço; y demás lo que tú vieres que será necessario dezirle, y por este camino se fará mucho mejor lo que ella manda. —Y luego le dixo—, dime ¿qué te pareçió de mi señora; está triste en se ver assí?

Gandalín le dixo:

—Ya, señor, sabéis su gran cordura, y cómo con ella no puede mostrar sino la virtud de su noble coraçón; pero, ciertamente, me pareçió su semblante más conforme a tristeza que alegría.

Amadís alçó las manos al cielo y dixo:

—O Señor muy poderoso, plégaos de me dar lugar que yo pueda dar el remedio que a la honra y servicio desta señora conviene, y mi muerte o mi vida passe como la ventura lo guiare.

Gandalín le dixo:

—Señor, no toméis congoxa, que assí como en las otras cosas siempre Dios por vos fizo y adelantó más vuestra honra que de otro cavallero ninguno, assí en esta que con tanta razón y justicia havéis tomado lo hará.

Assí se partió Gandalín de Amadís, y se fue a Agrajes y le dixo todo lo que su señor mandó y lo que más vio que cumplía. Agrajes le dixo:

—Mi amigo Gandalín, mucha razón es que assí se faga como mi hermana lo manda, y luego se cumplirá; que si hasta aquí no se ha hecho, no es la causa salvo conoçer estos cavalleros la voluntad de Oriana ser conforme a tener la vida más honesta que ser pudiere, y bien será que lo vayamos a dezir a Amadís mi cormano.

Y tomándole consigo, se fue a la posada de Amadís, y le dixo aquello que Mabilia su hermana le mandó por Gandalín dezir. El respondió como si nada supiera, que lo remitía a su pareçer. Estonces Agrajes habló con aquellos cavalleros, y tuvo manera que, sin saber que Oriana lo quería, la fuessen a ver y consolar, diziéndoles que en los semejantes casos ahún los muy esforçados havían menester consuelo, que más se devía fazer a las febles mujeres. Todos lo tuvieron por bien, y les plugo mucho dello; y acordaron de la ver otro día en la tarde. Y assí lo fizieron, que vestidos de muy ricos paños de guerra, y en sus palafrenes bien guarnidos y con sus spadas todas guarnidas de oro, llegaron al aposentamiento donde Oriana estava; y como todos eran mançebos y fermosos, pareçían tan bien que maravilla era. Y ya Agrajes havía embiado a dezir a Oriana cómo la querían ver, y ella embió por la reina Sardamira y por Grasinda, y por todas las infantas, dueñas, y donzellas de gran guisa que con ella estavan porque con ella juntas stuviessen para los recebir

CAPÍTULO XCIII

CÓMO AMADÍS Y AGRAJES, Y TODOS AQUELLOS CAVALLEROS DE ALTA GUISA QUE CON ÉL ESTAVAN, FUERON VER Y CONSOLAR A ORIANA Y AQUELLAS SEÑORAS QUE CON ELLA ESTAVAN, Y DE LAS COSAS QUE PASSARON

DONDE Oriana estava llegando aquellos cavalleros, saludáronla todos con gran reverencia y acatamiento, y después a todas las otras. Y ella los recibió con muy buen talante, como aquella que de muy noble condición y criança era. Amadís dixo a don Cuadragante y a Brian de Monjaste que se fuessen para Oriana, y él se fue a Mabilia, y Agrajes a donde Olinda estava con otras dueñas, y don Florestán, a la reina Sardamira, y don Bruneo y Angriote, a Grasinda, que ellos mucho amavan y preciavan, y los otros cavalleros, a las otras dueñas y donzellas, cada uno a la que más le agradava y de quien esperava recebir más honra y favor. Assí stuvieron todas fablando con mucho plazer en las cosas que más les agradava.

Estonces Mabilia tomó por la mano a su cormano Amadís, y a una parte de la sala se fue con él, y díxole que todos lo oyeron:

—Señor, mandad llamar a Gandalín, porque en presencia vuestra le mande lo que diga a la reina mi tía y a Melicia mi cormana; y aquello le encargad vos, pues con vuestro mandado va al rey Perión a Gaula.

Oriana, cuando esto oyó, dixo:

—Pues también quiero que lleve mi mandado a la reina y a su fija con el vuestro.

Amadís mandó llamar a Gandalín, el cual en la huerta estava con otros scuderos, que él bien sabía que lo havían de llamar. Y desque fue venido, fuese a la parte de la sala donde él y Mabilia estavan, y fablaron con él una gran pieça. Y Mabilia dixo contra Oriana:

—Señora, yo he despachado con Gandalín; ved si le mandáis algo.

Oriana se bolvió contra la reina Sardamira, y díxole:

—Señora, tomad con vos a don Cuadragante mientra yo voy a despachar aquel escudero.

Y tomando por la mano a don Brian de Monjaste, se fue donde Mabilia stava. Y como ella llegó, don Brian de Monjaste le dixo, como aquel que muy gracioso y comedido era en todas las cosas que a cavallero convenían:

—Pues que estoy elegido para ser embaxador a vuestro padre, no quiero ser presente a embaxada de donzellas, que he miedo, según vosotras sois engañosas y la gracia que en todo lo que havéis gana tenéis, que me pornéis en más cortesía de lo que conviene a lo que estos cavalleros me han mandado que diga.

Oriana le dixo, riendo muy hermoso:

—Mi señor don Brian, por esso os traxe yo aquí comigo, porque viéndolo de nosotras templéis algo de vuestra saña con mi padre; mas he miedo que vuestro coraçón no está tan sojuzgado ni aficionado a las cosas de las mujeres que en ninguna guisa puedan quitar ni estorvar nada de vuestro propósito.

Esto le dezía aquella muy fermosa princesa en burla con tanta gracia que era maravilla; porque don Brian, ahunque mancebo fuesse y muy fermoso, más se dava a las armas y cosas de palacio con los cavalleros que sojuzgar ni aficionar a ninguna muger, comoquiera que en las cosas que ellas su

defensa y amparo havían menester ponía su persona a toda
afrenta y peligro por les hazer alcançar su derecho; y a todas
amava y de todas era muy amado, pero no ninguna en particular.

Don Brian le dixo:

—Mi señora, ahun por esso me quiero quitar de vosotras
y de vuestras lisonjas, por no perder en poco tiempo lo que
en tan grande he ganado.

Y assí riendo todos, se partió de Oriana y se tornó donde
Grasinda estava, qu'él mucho desseava conoçer por lo que
della le havían dicho.

Cuando Amadís se vio ante su señora, que tanto amava
y que tanto tiempo havía que la no viera, que no contava
por vista la de la mar porque con tan gran rebuelta y entre
tanta gente havía sido, como lo ha contado la historia tercera, todas las carnes y el coraçón le tremían con plazer en
ver la su gran fermosura y a su pareçer con más alegría que
él la esperava hallar; y estava tan fuera de sí, que dezir ni
hablar cosa alguna podía, de manera que Oriana, que los ojos
dél no partía, lo conoçió luego, y llegóse a él, y tomóle las
manos por debaxo del manto, y apretógelas en señal de le
mostrar mucho amor y como si le abraçasse. Y díxole:

—Mi verdadero amigo sobre cuantos en el mundo son,
ahunque mi ventura me aya traído a la cosa que en este
mundo más desseava, que es estar en vuestro poder donde
nunca mis ojos, assí como el coraçón, de vos apartar pudiesse, ha querido mi gran desdicha que en tal manera sea que
agora más que nunca me convenga apartar de vuestra conversación porque este caso, tan señalado y tan publicado que
por el mundo será, sea a todos manifiesto con aquella fama
que a la grandeza de mi estado y a la virtud a que ella me
obliga se deve; y parezca que os, mi amado amigo, más por
seguir aquella nobleza que siempre procurastes en socorrer
a los cuitados y menesterosos que socorro han menester,
manteniendo siempre razón y justicia, que por otra causa alguna vos movistes a una tan grande y señalada empresa
como al presente paresce; porque si la causa principal de
nuestros amores publicada fuesse, assí de los vuestros como
de los contrarios en diversas maneras sería juzgado. Y por esto
es necessario que lo que con mucha congoxa y grandes fatigas fasta aquí emos encubierto, de aquí adelante con aquellas mismas, y ahunque mayores fuessen, lo sostengamos. Y

tomemos por remedio ser en nuestra libertad, tomar aquello que más a la voluntad de nuestros desseos pueda satisfazer en cualquiera tiempo que más nos agrade, pero esto sea cuando remedio ninguno hallar se pudiere; y assí passemos fasta que a Dios plega de lo traer aquel fin que desseamos.

Amadís le dixo:

—¡Ay, señora, por Dios no se me dé a mí cuenta ni escusa para lo que a vuestro servicio tocare, que yo no nascí en este mundo sino para ser vuestro y os servir mientra esta ánima en el cuerpo toviere!; que en mí no ay otro querer ni otra buenaventura sino seguir lo que vuestra voluntad sea. Y lo que yo, señora, pido en galardón de mis mortales cuitas y desseos no es ál, salvo que nunca de vuestra memoria se aparte el cuidado de me mandar en que la sirva; que esto será gran parte del remedio y descanso que a mi apassionado coraçón conviene.

Y cuando esto Amadís dezía, Oriana le estava mirando, y víale caer las lágrimas de los ojos que todo el rostro le mojavan, y díxole:

—Mi buen amigo, así lo tengo yo como me lo dezís; y no es nuevo para mí creer que en todo seguiríades mi voluntad, pues cómo yo querría contentar y satisfazer a la vuestra aquel Señor, a quien nada se esconde, lo sabe, y mas conviene, como dicho tengo, que por agora se sufra. Y entretanto que El lo remedia, si mi amor queréis con aquella afición que siempre quisistes, os pido que las ansias y fatigas de vuestro coraçón sean por vos apartadas, que no puede ya mucho tardar que de una manera o de otra no se sepa nuestro secreto, y con paz o con guerra no seamos juntos en aquella forma que tanto tiempo emos desseado. Y porque emos hablado gran pieça quiérome tornar aquellos señores cavalleros que no ayan alguna sospición. Y vos, señor, limpiad essas lágrimas de los ojos lo más encubierto que ser puede, y quedad con Mabilia, que ella os dirá algunas cosas que vos, mi señor, no sabéis, ni fasta aquí he avido lugar para os las dezir, con que mucho plazer y alegría vuestro coraçón sentirá.

Entonces mandó llamar a don Cuadragante y a don Brian de Monjaste, y con ellos se tornó donde antes estava. Amadís quedó con Mabilia, y allí le contó ella todo el hecho de Esplandián, cómo era su hijo y de Oriana, y todas las cosas que acaescieron, así en su nascimiento como en su criança, y cómo la donzella de Denamarcha y Durín su hermano llevándolo a criar a Miraflores lo perdieron, y lo tomó la leona, y la criança que el hermitaño en él hizo. Todo gelo contó mucho por estenso, que no faltó nada, como la tercera parte desta gran istoria lo cuenta. Amadís, cuando esto lo oyó, fue muy ledo de lo oír, que más no podía ser; y estuvo una gran pieça que no la habló, y después que aquella alteración de alegría que su coraçón sintió le fue passada, díxole así:

—Mi señora y buena cormana, sabed que, estando yo con esta muy noble dueña Grasinda en aquel tiempo que allí llegaron aquellos cavalleros Angriote de Estraváus y don Bruneo, acaso me contó Angriote todo el hecho de Ésplandián, mas no me supo dezir cúyo hijo era; y luego me ocurrió a la memoria la carta que con mi amo Gandales a esta ínsola me embiastes, por la cual me hazíades saber que avía acrescentado en mi linaje, y pensé según en el tiempo que me escrivistes, el cual me lo dixo, y que no se sabían de dónde ni cúyo hijo fuesse aquel donzel, que podría ser mi hijo y de Oriana; pero esto fue por sospecha, y no por otra alguna certenidad. Mas agora que lo sé cierto, creed, señora y amada cormana, que soy más alegre dello que si de la meitad del mundo me hiziesen señor. Y esto no lo digo yo por ser el donzel tal y tan estraño, mas por ser hijo de tal madre; que como Dios la señaló y apartó, assí en fermosura como en todas las otras bondades que buena señora deve tener, de todas las que en este mundo son nascidas, assí quiso que las cosas que della proceden, de dulçura, de amargura, sean estremadas de las otras; que yo como aquel que por la esperiencia lo prueva, y siente lo puedo muy bien dezir. ¡O, señora cormana, si pudiesse contaros las angustias y grandes congoxas que en este tiempo que me no avéis visto mi cativo coraçón ha passado, que sin duda podéis creer que en comparación dellas todos los peligros y afrentas que por aquellas tierras estrañas passé no se deven juzgar sino como el miedo y espanto que se sueña, o el que en efecto y verdad passa! Y Dios queriendo aver piedad de mí, me quiso traer a tiempo que a ella de gran afrenta y a mí de la más dolorosa muerte que nunca cavallero murió, quitasse; donde ya mi coraçón, que hasta aquí en ninguna parte descanso ni reposo fallava, está seguro, porque desto no puede redundar sino ganarla del todo a la satisfación de sus desseos y míos, o perder la vida donde con ella todas las cosas temporales fenescen. Y pues mi buena ventura ha querido remediar y socorrer mis fatigas, es gran razón que todos seamos en reparar las suyas, que como persona que nunca en tal se vio, ni a ella es dado saber en qué cae, entiendo que no estará sin las tener muy grandes; y vos, mi señora, que en los tiempos passados avéis sido el mayor reparo de su vida, en este presente la aconsejad y esforçad, poniéndole delante que ni ante Dios ni su padre no es cargo desto que passó, ni con razón por ninguna persona del mundo puede ser culpada. Pues si teme el gran poder de su padre con el del emperador de Roma, podéis, mi señora, dezirle que tantos y tales somos en su servicio, que si su enojo no temiesse, yo los buscaría en sus reinos; y esto podrá muy bien ver tanto que don Cuadragante y don Brian de Monjaste vengan deste camino que a su padre van, donde sabremos si quiere la paz o tenemos guerra. Y entretanto siempre me avisad de aquello en que más plazer y servicio aya, porque assí como su voluntad fuere se cumpla.

Mabilia le dixo:

—Mi señor, si quisiesse contaros lo que yo he passado, después que desta tierra partistes, por la consolar y remediar sus angustias y dolores, especial después que los romanos a casa de su padre vinieron, sería causa de nunca acabar. Y por esto, y porque enteramente conoscéis el gran amor que os tiene, os dexaré de más en ello hablar; y esto que, mi señor, mandáis, yo lo hago siempre, ahunque su discreción es tan crescida que, así en las cosas en que se ha criado, conformes a la cualidad y flaqueza de las mugeres, como en todas las otras que para nosotras son muy nuevas y estrañas, las conosce y siente con aquel ánimo y coraçón que a su real estado se requiere; y si no es en lo vuestro, que la haze salir de todo sentido, en todo lo otro ella basta para consolar a todo el mundo. Y de las cosas que ella avía plazer seréis siempre por mí avisado.

Con esto acabaron su habla, y se tornaron donde Oriana estava. Gandalín se despidió dellos, y fue a entrar en la mar para ir a Gaula, del cual se dirá en su tiempo. Después que estos señores estovieron gran pieça con la princesa Oriana y con aquellas señoras que con ella estavan, hablando en muchas cosas de gran solaz, y mucho esforçando su partido, despidiéronse dellas y tornáronse a sus posadas, donde con mucho plazer y alegría estavan todos teniendo las cosas necessarias muy abastadamente, y viendo todas las cosas maravillosas de aquella ínsola, las cuales otras semejantes que ellas en ninguna parte del mundo se podrían ver, hechas y ordenadas por aquel gran sabidor Apolidón, que, seyendo señor della, allí las dexó.

Mas agora dexará la istoria de hablar dellos por contar del rey Lisuarte, que desto nada sabía.

CAPÍTULO XCIV

CÓMO LLEGÓ LA NUEVA DESTE DESBARATO DE LOS ROMANOS Y TOMADA DE ORIANA AL REY LISUARTE, Y DE LO QUE EN ELLO FIZO

SALIÓ el rey Lisuarte, el día que entregó a su hija a los romanos, con ella una pieça de la villa, y ívala consolando algo con gran piedad como padre, a otras vezes con passión demasiada por le quitar esperança que su propósito por ninguna manera se podía mudar; mas lo uno y lo otro poco consuelo ni remedio le dava, y sus llantos y dolores eran tan grandes, que no avía hombre en el mundo que le no moviesse a piedad. Y comoquiere que el rey su padre en aquel caso avía estado muy duro y muy crudo, no pudo negar aquel amor paternal que a su hija tan acabada devía, y las lágrimas le vinieron a los ojos sin su grado; y sin más le dezir se bolvió muy más triste que en el semblante mostrava, y antes habló con Salustanquidio y con Brondajel de Roca, encomendándogela mucho. Y tornóse a su palacio donde grandes llantos así en hombres como en mugeres halló por la partida de Oriana, que no bastó para el remedio dello el mandamiento muy estrecho que por él se les hizo, porque esta infanta era la más querida, y más amada de todos que nunca persona en la Gran Bretaña lo fue.

El rey miró por el palacio y no vio cavallero ninguno como ver solía, sino fue a Brandoivas, que le dixo cómo la reina estava en su cámara llorando con mucho dolor. El se fue para ella, y no halló en su aposentamiento ninguna de las dueñas y infantas, y otras donzellas de que muy acompañada estar solía. Y como assí lo vio todo tan desierto y mudado de como solía, assí de cavalleros como de mugeres, y los que en él estavan con tan gran tristeza, ovo tan gran pesar, que el coraçón se le cubrió de una nuve escura, de

manera que por una pieça no habló. Y entró en la cámara
donde la reina estava, y cuando ella le vio entrar, cayó
amortescida en un estrado sin ningún sentido. El rey la levantó
y la llegó a sí, teniéndola en sus braços fasta que en acuerdo
fue tornada. Y como ya en mejor diposición la viesse, y más
reposada, díxole:

—Dueña, no conviene a vuestra discreción ni virtud
mostrar tanta flaqueza por ninguna adversidad, cuanto más
por esto en que tanta honra y provecho se recibe; y si mi
amor y amistança queréis vos aver, cesse, de manera que esto
sea lo postrimero, que vuestra hija no va tan despojada que
no se pueda tener por la mayor princesa que nunca en su
linaje uvo.

La reina no le pudo responder ninguna cosa, sino assí
como estava se dexó caer de rostro sobre una cama sospirando con gran cuita de su coraçón. El rey la dexó y se tornó
a su palacio, donde no halló a quien hablar, sino fue el rey
Arbán de Norgales y a don Grumedán, los cuales demostra-
van en sus gestos y semblantes la tristeza que en sus coraçones tenían; y ahunque él era muy cuerdo y sofrido, y mejor
que otro hombre supiesse desimular todas las cosas, no pudo
tanto consigo que bien no mostrasse en su gesto y fabla el
dolor que en lo secreto tenía. Y luego pensó que sería bien
de se apartar por las florestas con sus caçadores hasta dar
lugar al tiempo que curasse aquello que por entonces mal
remedio tenía; y mandó al rey Arbán que le fiziesse llevar
tiendas y todo el aparejo que para la caça convenía a la floresta, porque se quería ir a correr monte luego otro día de
mañana. Y así se fizo, que essa noche no quiso dormir en la
cámara de la reina por le no dar más passión de la que tenía;
y otro día en oyendo missa se fue a su caça, en la cual, como
solo se fallasse, mucho más la tristeza y pensamiento le agra-
viavan, de manera que en ninguna parte fallava descanso;
que como éste fuesse un rey tan noble, tan gracioso, cudi-
cioso de tener los mejores cavalleros que aver pudiesse, como
los ya tuviera, y con ellos le aver venido todas las honras y
buenas dichas y venturas a la medida de sus desseos, y agora
en tan poco espacio verlo todo trocado, y tanto al contrario
de lo que solía y su condición desseava, no tuvo tanto poder
su discreción ni fuerte coraçón que muchas vezes no se pu-
siese en grandes congoxas. Pero como muchas vezes acaesce cuando la fortuna comiença a mandar sus vezes, no ser

contenta con los enojos que los hombres de su propia voluntad toman, antes ella con mucha crueza desseando los aumentar y crescer, siguiendo la orden de su estilo, que es en ninguna cosa ser ordenada, allí donde este rey estava lo quiso mostrar, que, olvidando aquel pesar que a parescer della por tan liviana causa y de su grado avía tomado, se doliesse de otro más duro açote de que él no sabía; que venidos algunos de los romanos que de la Insola Firme avían fuido, y sabiendo como el rey allí estava, se fueron para él y le contaron todo lo que les avía acaescido, assí como la istoria lo ha contado, que no faltó ninguna cosa, como aquellos que presentes avían seído a todo ello.

Cuando el rey esto oyó, comoquiera que el dolor fuese muy grande, como de cosa tan estraña para él y que tanto le tocava, con buen semblante, no mostrando ningún pesar como los reyes suelen hazer, les dixo:

—Amigos, de la muerte de Salustanquidio y de la pérdida de vosotros me pesa mucho, que de lo que a mí toca usado soy de recebir afrentas y darlas a otros. Y no os partáis de mi corte, que yo os mandaré remediar de todo lo que menester ovierdes.

Ellos le besaron las manos y le pidieron por merced que se les acordasse de los otros sus compañeros y de aquellos señores que con ellos estavan presos. El les dixo:

—Amigos, desso no tengáis cuidado, que ello se remediará como a la honra de vuestro señor y mía cumple.

Y mandóles que a la villa se fuessen donde la reina estava, y que nada dixessen de aquello fasta que él fuesse; y ellos assí lo fizieron. El rey anduvo caçando tres días con el cuidado que podéis entender, y luego se tornó adonde la reina estava, y al parescer de todos con alegre semblante, ahunque el coraçón sentía lo que en tal caso devía sentir. Y en descavalgando, se fue a la cámara de la reina. Y como ella era una de las nobles y cuerdas del mundo, por le no dar más passión, viendo que con ella poco se remediava su desseo, mostrósele mucho más consolada. Pues el rey llegado, mandó que todos saliessen fuera de la cámara, y assentándose con ella en su estrado, assí le dixo:

—En las cosas de poca sustancia que por acidente vienen tienen las personas alguna facultad y licencia para mostrar alguna passión y malenconía, porque assí como sobre pequeña causa vienen, así livianamente con pequeño remedio se

pueden dello partir. Pero en las muy graves que mucho due-
len, especialmente en los casos de honra, es por el contrario, que destas tales ha de ser y se ha de mostrar la graveza
pequeña, y la vengança y el rigor muy grande. Y viniendo
al caso, vos, reina, avéis sentido mucho la ausencia de vuestra fija, como es costumbre de las madres; y sobre ello avéis
mostrado mucho sentimiento, assí como en semejantes casamientos por otros muchos se suele fazer. Pero por dicho me
tenía que en breve tiempo se pusiera en olvido; mas lo que
desto sucede es de cualidad que, no mostrando sobrado
enojo, con mucha diligencia y coraçón grande se ha de buscar la emienda dello. Sabed que los romanos que a vuestra
hija llevaron con toda su flota son destruidos y presos, y
muertos dellos muchos con su príncipe Salustanquidio, y ella
con todas sus dueñas y donzellas tomada por Amadís y por
los cavalleros que en la Insola Firme están, donde con mucha
vitoria y plazer la tienen; assí que bien se puede dezir que
cosa tan señalada en grandeza como ésta no es en memoria
de hombres que en el mundo aya passado. Y por esto es menester que vos con mucha discreción como muger, y yo con
gran esfuerço como rey y cavallero, pongamos el remedio
que más con obra que con demasiado sentimiento a vuestra
honestidad y a mi honra poner se deve.

Oído esto por la reina, estuvo una pieça que no respondió. Y como ésta fuesse una de las dueñas del mundo que
más a su marido amasse, pensó que en cosa tal como ésta y
con tales hombres más era menester de poner concordia que
de encender la discordia, y dixo:

—Señor, ahunque vos tengáis en mucho lo que ha passado y sabéis de vuestra fija, si lo juzgardes considerando aquel
tiempo que fuistes cavallero andante, pensaréis que según los
clamores y dolores de Oriana y de todas sus donzellas, y el
grande espacio de tiempo que en ello turaron, donde se dio
causa de ser por muchas partes publicados, que paresciendo
en boz de todos, ahunque lo no fuesse una grandíssima fuerça, que no se deve hombre maravillar que aquellos cavalleros, como hombres que en otro estilo no tengan sino acorrer
dueñas y donzellas cuando algún tuerto y desaguisado reciben, se atreviessen a lo que han fecho. Y comoquiera, señor,
que vuestra fija sea, ya la entregastes aquellos que por parte
del emperador por ella vinieron; y la fuerça o injuria más a
él que a vos toca, y agora al comienço se deve tomar con

aquella templança que no paresca ser vos el cabo desta afruenta; que de otra manera se faziendo, muy mal se podría desimular.

El rey le dixo:

—Agora, dueña, tened vos memoria de lo que a vuestra honestidad, como dicho tengo, conviene, que en lo que a mí toca, con ayuda de Dios, se tomará la emienda que a la grandeza de vuestro estado y mío se requiere.

Con esto se partió della, y se fue a su palacio. Y mandó llamar al rey Arbán de Norgales y a don Grumedán, y a Guilán el Cuitador, que ya de su dolencia mejor estava. Y apartado con ellos les dixo todo el negocio de su hija, y de lo que con la reina avía passado, porque estos tres eran los cavalleros de todo su reino de quien él más confiava. Y rogóles y mandóles que mucho en ello pensassen y le dixessen su parescer, porque tomasse lo que más a su honra cumpliesse, y que por entonces sin más deliberación no quería que nada le respondiessen.

Así estovo el rey pensando algunos días lo que devía fazer. La reina quedó con gran pensamiento y congoxa por ver la reguridad del rey su marido, y tenerla contra aquellos que bien sabía que antes perderían las vidas que un punto de sus honras, lo cual assí mismo del rey esperava; assí que ningunas afruentas que le oviessen venido, ahunque muy grandes fueron, como esta gran istoria vos lo ha contado, en comparación désta no las tenía en ninguna cosa.

Pues, estando en su cámara rebolviendo en su sentido muchas y infinitas cosas para procurar el remedio de tanta rotura, entró una donzella que le dixo cómo Durín, hermano de la donzella de Denamarcha, era allí llegado de la Insola Firme, y que la quería fablar. La reina mandó que entrasse, y él fincó los inojos y le besó las manos, y le dio una carta de Oriana su fija, que paresce ser que como Oriana vio la determinación de los cavalleros de la Insola Firme, que fue de embiar a don Cuadragante y a Brian de Monjaste al rey su padre con el mandado que ya oístes, acordó que sería bueno para endereçar su embaxada que antes que ellos llegassen a la corte del rey su padre de escrevir a la reina su madre con este Durín una carta y así lo fizo. Pues recebida la reina la carta, viniéronle las lágrimas a los ojos con soledad de su fija y porque no la podía cobrar si Dios por su misericordia no lo remediasse sin gran peligro y afruenta del rey su señor. Y assí estuvo una pieça callada, que no pudo dezir a Durín ninguna cosa; y antes que más le preguntasse, abrió la carta para la leer, la cual dezía assí:

CAPÍTULO XCV

DE LA CARTA QUE LA INFANTA ORIANA EMBIÓ A LA REINA BRISENA, SU MADRE, DESDE LA INSOLA FIRME, DONDE ESTAVA

«MUY poderosa reina Brisena, mi señora madre: yo la triste y desdichada Oriana, vuestra hija, con mucha humildad mando besar vuestros pies y manos. Mi buena señora, ya sabéis cómo la mi adversa fortuna, queriendo me ser más contraria y enemiga que a ninguna muger de las que fueron ni serán, no lo meresciendo yo, dio causa a que de vuestra presencia y reinos desterrada fuesse con tanta crueza del rey mi señor y padre, y tanto dolor y angustia de mi triste coraçón, que yo misma me maravillo cómo sólo un día la vida puede sostener. Pues no contenta mi gran desaventura con lo primero, veyendo cómo antes a la cruel muerte que a contradezir el mandamiento del rey mi padre, con la obediencia que con razón o sin ella le devo, estava dispuesta a la complir, quiso darme el remedio muy más cruel para mí que la passión y triste vida que en lo primero tener esperava; porque en fenescer y yo, sola fenescía una triste donzella que según sus grandes fortunas mucho más conveniente y aplazible la muerte le fuera que la vida. Mas de lo que agora se esperava, si, después de Dios, vos, señora, haviendo piedad de mí no procuráis el remedio, no solamente yo, mas muchas otras gentes que culpa no tienen, con muy crueles y amargas muertes fenescerán sus vidas. Y la causa dello es que, o por permissión de Dios, que sabe el gran tuerto y agravio que se me faze, o porque mi fortuna, como dicho tengo, lo ha querido, los cavalleros que en la Insola Firme se fallaron desbaratando la flota de los romanos con grandes muertes y prisiones de los que defenderse quisieron, yo fue tomada con todas mis dueñas y donzellas, y llevada a la misma ínsola, donde con tanta reverencia y honestidad como si en vuestra real casa estuviesse me tienen ooy tratada. Y porque ellos embian al rey mi señor y mi padre ciertos cavalleros con intención de paz si en lo que a mí toca algún medio se

diesse, acordé de antes que ellos allá llegassen escrevir esta
carta, por la cual y por las muchas lágrimas que con ella se
derramaron y sin ella se derraman, suplico yo a vuestra gran
nobleza y virtud ruegue al rey mi padre que aya manzilla y
compassión de mí, dando más lugar al servicio de Dios que
a la gloria y honra perescedera deste mundo, y no quiera
poner en condición el gran estado en que la movible fortuna hasta aquí con mucho favor le ha puesto, pues que mejor
él que otro alguno sabe la gran fuerça y sinjusticia que, sin
lo yo merescer, se me fizo.»

Acabada la carta de leer, la reina mandó a Durín que sin
su respuesta no se partiesse, porque convenía ante fablar con
el rey. Y dixo que así lo faría como lo mandava, y díxole
cómo todas las infantas y dueñas y donzellas que con su señora quedaban le besavan las manos. La reina embió a rogar
al rey que sin otro alguno se viniesse a su cámara, porque le
quería hablar, y él así lo fizo. Y como en la cámara solos
quedaron, fincó la reina los inojos delante dél llorando, y díxole:

—Señor, leed esta carta que vuestra hija Oriana me ha
embiado, y aved piedad della y de mí.

El rey la levantó por las manos y tomó la carta y leyóla,
y por darle algún contentamiento díxole:

—Reina, pues que Oriana escrive aquí que aquellos cavalleros embían a mí, podrá ser tal embaxada que con ella se
satisfaga la mengua recebida. Y si tal no fuere, aved por vos
mejor que con algún peligro sea sostenida mi honra, que sin
él sea menoscabada mi fama.

Y rogándola mucho que remitiéndolo todo a Dios, en
cuya mano y voluntad estava, se dexasse de tomar más congoxas, y con esto se partió della y se tornó a su palacio. La
reina mandó llamar a Durín, y díxole:

—Amigo Durín, vete y di a mi fija que fasta que essos
cavalleros vengan, como por su carta escrive, y se sepa la
embaxada que traen, que no ay qué le pueda responder ni
el rey su padre se sabe determinar; y que venidos si camino
de concordia se puede fallar, que con todas mis fuerças lo
procuraré. Y salúdamela mucho y a todas sus dueñas y donzellas, y dile que agora es tiempo en que se deve mostrar
quién es; lo principal en su fama, que sin ésta ninguna cosa
que de preciar ni estimar fuesse le quedaría, y lo otro, en

sufrir las angustias y passiones como persona de tan alto lugar; que así como Dios los estados y grandes señoríos a las personas da, assí sus angustias y cuidados son muy diferentes en grandeza de los de las otras más baxas personas; y que la encomiendo yo a Dios que la guarde y traya con mucha honra a mi poder.

Durín le besó las manos y se tornó por su camino; del cual no se dirá más porque en este viaje no llevó concierto alguno, ni Oriana, con la respuesta de la reina su madre quedó con esperança de lo que ella desseava.

La istoria dize que el rey Lisuarte estando un día después de aver oído missa en su palacio con sus ricos hombres queriendo comer, que entró por la puerta un escudero y dio una carta al rey, la cual era de creencia; y el rey la tomó, y leyéndola le dixo:

—Amigo, ¿qué es lo que queréis, y cúyo sois?

—Señor —dixo él—, yo soy de don Cuadragante de Irlanda, que vengo a vos con su mandado.

—Pues dezid lo que queréis —dixo el rey—, que de grado os oiré.

El escudero dixo:

—Señor, don Cuadragante y Brian de Monjaste son llegados de la Insola Firme en vuestro reino con mandado de Amadís de Gaula y de los príncipes y cavalleros que con él están; y antes que en vuestra corte entrassen, quisieron que lo supiéssedes, porque, si ante vos pueden venir seguros, dezirvos han su embaxada, y si no, publicarlo han por muchas partes y bolverse han adonde vinieron. Por ende, señor, respondedme lo que vos plazerá porque no se detengan.

Oído esto por el rey, estuvo un poco sin nada dezir, lo cual todo gran señor deve hazer por dar lugar al pensamiento. Y considerando que de las embaxadas de los contrarios siempre se sigue mas provecho que otro inconveniente alguno, porque si lo que traen es su servicio, tómanlo, y si al contrario, les quedan grandes avisos; y también porque paresce poco sufrimiento rehusar de no oír a los semejantes. Dixo el escudero:

—Amigo, dezid a essos cavalleros que con toda seguridad mientra en mi reino estuvieren pueden venir a mi corte, y que yo los oiré todo lo que me dezir querrán.

Con esto se tornó el mensajero. Y sabida la respuesta del rey, salieron de la nave don Cuadragante y Brian de Monjaste armados de muy ricas armas, y al tercero día llegaron a la villa cuando el rey acabava de comer. Y como ivan por las calles mucho los miravan todos, que muy bien los conoscían; y dezían unos a otros:

—¡Malditos sean los traidores que con sus mezclas falsas hizieron perder tales cavalleros y otros muchos de gran valor a nuestro señor el rey!

Pero otros, que más sabían de cómo avía passado, toda la culpa cargavan al rey que quiso sojuzgar su discreción a hombres escandalosos y embidiosos. Así fueron por la villa hasta que llegaron al palacio; y entrados en el patín, descavalgaron de sus cavallos y entraron donde el rey estava, y salváronlo con mucha cortesía, y él los recibió con buen talante. Y don Cuadragante le dixo:

—A los grandes príncipes conviene oír los mensajeros que a ellos vienen quitada y apartada de sí toda passión, porque si la embaxada que les traen les contenta, mucho alegres deven ser averla graciosamente recebido; y si al contrario, más con fuertes ánimos y rezios coraçones deven poner el remedio que con respuestas desabridas. Y a los embaxadores se requiere dezir honestamente lo que les es encomendado sin temer ningún peligro que dello les pueda venir. La causa de nuestra venida a vos, rey Lisuarte, es por mandado y ruego de Amadís de Gaula y de otros muchos grandes cavalleros que en la Insola Firme quedan, los cuales vos hazen saber cómo andando por las tierras estrañas buscando las aventuras peligrosas, tomando las justas y castigando las contrarias assí como la grandeza de su virtud y fuertes coraçones requiere, supieron de muchos cómo vos, más por seguir voluntad que razón y justicia, no curando de los grandes amonestamientos de los grandes de vuestros reinos ni de las muchas lágrimas de la gente más baxa, ni aviendo memoria de lo que a Dios de buena conciencia se deve, quesistes deseredar a vuestra fija Oriana, successora de vuestros reinos después de vuestra vida, por heredar otra vuestra hija menor; la cual con muchos llantos y dolores muy doloridos sin ninguna piedad entregastes a los romanos, dándola por muger al emperador de Roma contra todo derecho y fuera de la voluntad, assí suyo como de todos vuestros naturales. Y como estas tales cosas sean muy señaladas ante Dios, y El sea el remediador dellas, quiso permitir que, sabido por nosotros, pusiéssemos remedio en cosa que tan gran tuerto se hazía contra su servicio. Y assí se hizo, no con voluntad ni intención de injuriar, mas de quitar tan gran fuerça y desaguisado, de la cual sin mucha vergüença nuestra no nos podíamos partir, que vencidos los romanos que la levavan, fue por nosotros tomada y levada con tan gran acatamiento y reverencia como a la su nobleza y real estado convenía a la Insola Firme, donde acompañada de muchas nobles señoras y grandes cavalleros la dexamos. Y porque nuestra intención no fue sino servir a Dios y mantener derecho, aquellos señores y grandes cavalleros acuerdan de vos requerir que en lo que aquella noble infanta toca queráis dar algún medio cómo, cessando el grande agravio y tan conoscida fuerça, sea restituida en vuestro amor con aquellas firmezas que a la verdad y buena conciencia se requieren dar. Y si por ventura vos, rey, algún sentimiento de nosotros tenéis, quede para su tiempo, porque no sería razón que lo cierto d'aquella princesa con lo dudoso de nosotros se mezclasse.

El rey, después que don Cuadragante ovo acabado su razón, respondió en esta guisa:

—Cavalleros, porque las demasiadas palabras y duras respuestas no acarrean virtud ni de los coraçones flacos fazen fuertes, será mi respuesta breve y con más paciencia que vuestra demanda lo meresce. Vosotros avéis complido aquello que según vuestro juizio más a vuestras honras satisfaze con más sobrada sobervia que con demasiado esfuerço, porque no a gran gloria se deve contar saltear y vencer a los que sin ningún recelo y con toda seguridad caminan, no teniendo en las memorias cómo yo, seyendo lugarteniente de Dios, a El y no a otro ninguno soy obligado de dar la cuenta de lo que por mí fuere fecho. Y cuando la emienda desto tomada fuere, se podía fablar en el medio que por vos se pide; y porque lo demás será sin ningún fruto, no es menester replicación.

Don Bilan de Monjaste le dixo:

—Ni a nosotros otra cosa conviene sino que, sabida vuestra voluntad y la cuenta que de lo passado a Dios devemos, pongan cada una de las partes en exsecución aquello que más a su honra cumple.

Y despedidos del rey, cavalgaron en sus cavallos y salieron del palacio; y don Grumedán con ellos, a quien el rey mandó que los aguardasse hasta que de la villa saliessen. Cuando don Grumedán se vio con ellos fuera de la presencia del rey, díxoles:

—Mis buenos señores, mucho me pesa de lo que veo, porque yo, conosciendo la gran discreción del rey y la nobleza de Amadís y de todos vosotros, y los grandes amigos que acá teníades, mucha esperança tenía que este enojo avría algún buen fin; y parésceme que, siendo todo al contrario, agora más que nunca dañado lo veo fasta que a nuestro Señor plega poner en ello aquella concordia que menester es. Pero tanto os ruego que me digáis cómo se falló en la Insola Firme Amadís a tal tiempo, que mucho ha que dél no se supieron nuevas ningunas, ahunque muchos de sus amigos lo han buscado con grandes afanes por tierras estrañas.

Don Brian de Monjaste le dixo:

—Mi señor don Grumedán, en lo que dezís del rey y de nosotros no será menester a vos, que tan sabido lo tenéis, daros la cuenta muy larga, sino que conoscido está la gran fuerça qu'el rey a su hija hizo, y la razón que a nosotros nos obliga de la quitar, y ciertamente, dexando su enojo y nuestro a parte, plazer oviéramos que algún medio se tomara en lo que a él y a la infanta Oriana toca. Mas, pues todavía con mucho rigor le plaze proceder contra nosotros, más que con justa causa, él verá que la salida dello le será más trabajosa que la entrada le paresce. Y a lo que, mi buen señor, preguntáis de Amadís, sabréis que fasta qu'él desta corte fue, llamándose el Cavallero Griego, y levó consigo aquella dueña por quien los romanos fueron vencidos, y la corona ganada de las donzellas, nunca ninguno de nosotros supimos nuevas dél.

—¡Santa María, val! —dixo don Grumedán—. ¿Qué me dezís? ¿Es verdad qu'el Cavallero Griego que aquí vino era Amadís?

—Verdad sin dubda ninguna es —dixo don Brian.

—Agora os digo yo —dixo don Grumedán—, que me tengo por hombre de mal conoscimiento, que bien deviera yo pensar que, cavallero que tales estrañezas fazía en armas sobre todos los otros, que no deviera ser sino él. Agora vos pregunto, los dos cavalleros que aquí dexó que me ayudassen en la batalla que tenía aplazada con los romanos, ¿quién eran?

Don Brian le dixo riendo:

—Vuestros amigos Angriote d'Estraváus y don Bruneo de Bonamar.

—A Dios merced —dixo él—, que si yo los conosciera, no

temiera tanto mi batalla como la temía; y agora conozco que gané en ella muy poco prez, pues que con tales ayudadores no tuviera en mucho vencer a dos tantos de los que fueron.

—Sí Dios me vala —dixo don Cuadragante—, yo creo que si por vuestro coraçón se juzgasse, vos solo bastávedes para ellos.

—Señor —dixo don Grumedán—, cualquier que yo sea, soy mucho en el amor y voluntad de todos vosotros, si a Dios pluguiesse de dar algún cabo bueno en esto sobre que venís.

Assí fueron fablando fasta salir de la villa y una pieça más adelante. Y queriéndose don Grumedán despedir dellos, vieron venir a Esplandián, el fermoso donzel, de caça, y Anbor, fijo de Angriote d'Estraváus, con él; y él traía un gavilán, y cavalgando en un palafrén muy fermoso y ricamente guarnido que la reina Brisena le avía dado, y vestido de ricos paños, que assí por su fermosura tan estremada como por lo que dél Urganda la Desconoscida avía scripto al rey Lisuarte, como la tercera parte desta istoria más largo lo cuenta, el rey y la reina le mandava dar complidamente lo que menester avía. Y cuando llegó donde ellos estavan, salvólos, y ellos a él. Y Brian de Monjaste preguntó a don Grumedán quién era aquel tan fermoso donzel, y él le dixo:

—Mi señor, éste se llama Esplandián, y fue criado por grande aventura, y muy grandes cosas dél escrivió Urganda al rey de lo que dél será.

—Valme Dios —dixo con Cuadragante—, mucho emos allá en la Insola Firme oído dezir deste donzel; y bien será que lo llaméis y oiremos lo que dize.

Entonces don Grumedán lo llamó, que ya era passado, y díxole:

—Buen donzel, tornad, y embiaréis encomiendas al Cavallero Griego, que con vos de tanta cortesía usó en daros los romanos que para matar tenía.

Entonces Esplandián se tornó, y dixo:

—Mi señor, mucho alegre sería en saber de aquel tan noble cavallero dónde gelas pudiesse embiar, como lo vos mandáis y él lo meresce.

—Estos cavalleros van donde él está —dixo don Grumedán.

—Dízevos verdad —dixo don Cuadragante—, que nosotros llevaremos vuestro mandado al que se llamava el Cavallero Griego, y agora se llama Amadís.

Cuando Esplandián esto oyó, dixo:

—¡Cómo, señores!, ¿es éste Amadís de que todos tan altamente fablan de sus grandes cavallerías, y tan estremado es entre todos?

—Sí, sin falta —dixo don Cuadragante— éste es.

—Yo os digo, ciertamente —dixo Esplandián—, en mucho se deve tener su gran valor, pues tan señalado es entre tantos buenos. Y la embidia que dél se tiene no pone osadía a muchos de se fazer sus iguales, pues no menos deve ser loado por su gran mesura y cortesía; que ahunque yo le tomé con gran ira y saña, no dexó por esso de me fazer gran honra, que me dio aquellos cavalleros que vencidos tenía, de que gran enojo avía recebido, lo cual mucho le gradezco. Y plega a Dios de me llegar a tiempo que con tanta honra como lo él fizo, con otra tal gelo pueda pagar.

Mucho fueron contentos aquellos cavalleros de lo que le oyeron dezir, y por estraña cosa tenían su gran hermosura y lo que dél les havía dicho don Grumedán, y sobre todo la gracia y discreción con que con ellos fablava. Y don Brian de Monjaste le dixo:

—Buen donzel, Dios os faga hombre bueno, assí como os hizo fermoso.

—Muchas mercedes —dixo él— por lo que me dezís; mas si algún bien me tiene guardado, agora lo quisiera para poder servir al rey mi señor, que tanto ha menester el servicio de los suyos. Y señores, a Dios quedéis encomendados, que ha gran pieça que de la villa salí.

Y don Grumedán se despidió dellos y se fue con él, y ellos se fueron a entrar en su nave para se tornar a la Insola Firme. Mas agora dexa la historia de fablar dellos, y torna al rey Lisuarte.

CAPÍTULO XCVI

CÓMO EL REY LISUARTE DEMANDÓ CONSEJO AL REY ARBÁN DE NORGALES, Y A DON GRUMEDÁN Y A GUILÁN EL CUIDADOR, Y LO QUE ELLOS LE RESPONDIERON

DESPUÉS que aquellos cavalleros del rey Lisuarte se partieron, mandó llamar al rey Arbán de Norgales, y a don Grumedán y a Guilán el Cuidador, y díxoles:

—Amigos, ya sabéis en lo que estoy puesto con estos cavalleros de la Insola Firme, y la gran mengua que dellos he recebido; y ciertamente, si yo no tomasse la emienda de manera que aquel gran orgullo que tienen no sea quebrantado, no me ternía por rey, ni pensaría que por tal ninguno me toviesse. Y por dar aquella cuenta de mí que los cuerdos deven dar, que es fazer sus cosas con gran consejo y mucha deliberación, quiero, como vos huve dicho, me digáis vuestro pareçer; porque sobre ello yo tome lo que más a mi servicio cumple.

El rey Arbán, que era buen cavallero y muy cuerdo, y que mucho desseava la honra del rey, le dixo:

—Señor, estos cavalleros y yo hemos mucho pensado y fablado, como nos lo mandastes, por vos dar el mejor consejo que nuestros juizios alcançaren, y fallamos que, pues vuestra voluntad es de no venir en ninguna concordia con aquellos cavalleros, que con mucha diligencia y gran discreción se deve buscar el aparejo para que sean apremiados y su locura refrenada; que nosotros, señor, de una parte vemos que los cavalleros que en la Insola Firme están son muchos y muy poderosos en armas, como vos lo sabéis; que ya por la bondad de Dios todos ellos fueron mucho tiempo en vuestro servicio. Y demás de lo que ellos pueden y valen, somos certificados que han embiado a muchas partes por grandes ayudas, las cuales creemos que hallarán, porque son de gran linaje, assí como fijos y hermanos de reyes y de otros grandes hombres, y por sus personas han ganado otros muchos amigos. Y cuando assí vienen gentes de muchas partes prestamente se llega gran hueste. Y de la otra parte, señor, vemos vuestra casa y corte muy despojada de cavalleros, más que en ningún tiempo que en la memoria tengamos. Y la grandeza de vuestro estado ha traido en os poner en muchas enemistades que agora mostrarán las malas voluntades que contra vos tienen, que muchas dolencias déstas acostumbran a descobrir las necessidades que con las bonanças están suspensas y calladas. Y assí por estas causas como por otras muchas que dezir se podrían sería bien que vuestros servidores y amigos sean requeridos, y se sepa lo que en ellos tenéis, en especial el emperador de Roma, a quien ya más que a vos toca esto, como la reina vos dixo. Y visto el poder que se os apareja, assí, señor, podéis tomar el rigor, o el partido que se vos ofreçe.

El rey se tuvo por bien aconsejado, y dixo que assí lo

quería hazer. Y mandó a don Guilán que él tomasse cargo
de ser el mensajero para el emperador, que a tal cavallero
como él convenía tal embaxada. Él le respondió:

—Señor, para esto y mucho más está mi voluntad presta
a vos servir. Y a Dios plega por la su merced que assí como
lo yo desseo se cumpla en acreçentamiento de vuestra honra
y gran estado; y el despacho sea presto, que vuestro mandamiento será puesto luego en exsecución.

El rey le dixo:

—Con vos no será menester sino creencia, y es ésta: que
digáis al emperador cómo él de su voluntad me embió a Salustanquidio y Brondajel de Roca, su mayordomo mayor, con
otros asaz cavalleros que con ellos vinieron, a demandar mi
fija Oriana para se casar con ella; que yo, por le contentar y
le tomar en mi deudo, contra la voluntad de todos mis naturales teniendo a ésta por señora dellos después de mis días,
me dispuse a gela embiar, comoquiera que con mucha piedad mía y mucho dolor y angustia de su madre por la ver
apartar de nosotros en tierras tan estrañas; y que recebida
por los suyos con sus dueñas y donzellas, y entrados en la
mar fuera de los términos de mis reinos, que Amadís de
Gaula con otros cavalleros sus amigos salieron con otra flota
de la Insola Firme, y que desbaratados todos los suyos y
muerto Salustanquidio, fue por ellos tomada mi hija con todos
los que bivos quedaron, y levada a la misma ínsola, donde
la tienen; y que han embiado a mí sus mensajeros, por los
cuales me profieren algunos partidos; pero que yo, conoçiendo que a él más que a mí toca este negocio, no he querido
venir con ellos en ninguna contratación hasta gelo fazer saber,
y que sepa que con lo que yo más satisfecho sería es que allí
donde ellos la tienen, por nosotros cercados fuessen, de tal
suerte que diéssemos a todo el mundo a conoçer que ellos
como ladrones y salteadores y nosotros como grandes príncipes avíamos castigado este insulto tan grande, que tanto nos
toca. Y vos dezilde lo que en este caso vos pareçiere allende
desto; y si en esto acuerda, que se ponga luego en exsecución, porque las injurias siempre creçen con la dilación de
la emienda que dellas se deve tomar.

Don Guilán le dixo:

—Señor, todo se hará como lo mandáis; y a Dios plega
que mi viaje aya aquel efecto que en mi voluntad está de os
servir.

Y tomando una carta por do creído fuesse, se partió a entrar en la mar, y lo que hizo la historia lo contará adelante.

Esto fecho, mandó el rey llamar a Brandoivas, y mandóle que fuesse a la Insola de Mongaça a don Galvanes, que luego con toda la gente de la ínsola para él se viniesse; y desdende se passasse en Irlanda al rey Cildadán y le dixesse otro tanto, y trabajasse con él cómo con el mayor aparejo de guerra que haver podiesse se viniesse a él donde supiesse que estava. Y assí mesmo mandó a Filispinel que fuesse a Gasquilán, rey de Suesa, y le dixesse en lo que estava, y pues que era cavallero tan famoso y tanto se agradava y procurava hazañas, que agora tenía tiempo de mostrar la virtud y ardimiento de su coraçón. Y assí embió a otros muchos sus amigos, aliados y servidores, y a todo su reino, que estuviessen apercebidos para cuando estos mensajeros tornassen. Y mandó buscar muchos cavallos y armas por todas partes para hazer la más gente de cavallo que pudiesse.

Mas agora dexaremos esto, que no se dirá más fasta su tiempo, por dezir lo que Arcaláus el Encantador hizo. Cuenta la historia que estando Arcaláus el Encantador en sus castillos, esperando siempre de hazer algún mal, como él y todos los malos de costumbre lo tienen, llególe esta gran nueva de la discordia y gran rotura que entre el rey Lisuarte y Amadís estava, y si dello ovo plazer no es de contar, porque éstos eran los dos hombres del mundo a quien el más desamava, y nunca de su pensamiento ni cuidado se partía pensar en cómo sería causa de su destruición; y pensó qué podría hazer en tal coyuntura como ésta con que dañar les pudiesse, que su coraçón no se podía otorgar de ser en ayuda de ninguno dellos. Y como en todas las maldades era muy sotil, acordó de trabajar en que se juntasse otra, tercera hueste, assí de los enemigos del rey Lisuarte como de Amadís, y ponerla en tal parte, que si batalla oviessen, que muy ligeramente pudiessen los de su parte vencer y destruir los que quedassen. Y con este pensamiento y desseo cavalgó en su cavallo, tomando consigo los servidores que menester havía, y fuese por sus jornadas, assí por tierra como por la mar al rey Arávigo, que tan maltrecho havía quedado de la batalla qu'él y los otros seis reyes sus compañeros ovieron con el rey Lisuarte, como lo cuenta la parte tercera desta historia del gran daño y mengua que en ella de Amadís y de su linaje havía recebido; y como a él llegó, le dixo:

—Ó rey Arávigo, si aquel coraçón y esfuerço que a la grandeza de tu real estado se requiere tener tienes, y aquella discreción con que governar lo deves, aquella contraria fortuna qu'el tiempo passado te fue tan enemiga, con mucho arrepentimiento dello te quiere dar la emienda tal, que con doblada vitoria el gran menoscabo de tu honra sea satisfecha; lo cual, si sabio eres, conoçerás ser en tu mano el remedio dello. Y tú, rey, sabrás cómo yo, estando en mis castillos con gran cuidado de pensar en tu pérdida y buscar cómo reparada fuesse, porque el acreçentamiento de tu real estado ocurre a mí, como a servidor tuyo, muy grandíssimo provecho, supe por nueva muy cierta cómo los tus grandes enemigos y míos, el rey Lisuarte y Amadís de Gaula, son en todo el estremo de rotura el uno contra el otro, y sobre causa de tal calidad, que ningún medio ni remedio se espera ni puede haver sino gran batalla y cuestión con destruición de uno dellos, o por ventura, de entrambos; y si mi consejo quisierdes tomar, es cierto que no solamente será remedio de la pérdida que por el passado de mí oviste, mas para que con muchos más señoríos tu estado será creçido, y después de todos aquellos que tu servicio queremos.

El rey Arávigo cuando esto le oyó, y vio Arcaláus llegar de tan lueñes tierras y con tanta priessa, dixo:

—Amigo Arcaláus, la grandeza del camino y la fatiga de vuestra persona me dan causa a que vuestra venida en mucho tenga, y creer todo aquello que me dixierdes; y quiero que por estenso me sea declarado esto que me dizes, porque mi voluntad nunca por tiempo adverso dexara de seguir lo que a la grandeza de mi persona conviene.

Estonces Arcaláus le dixo:

—Sabrás, rey, que el emperador de Roma, queriendo tomar muger, embió al rey Lisuarte que le diesse a su hija Oriana; el cual, viendo su grandeza, ahunque esta infanta es su derecha heredera de la Gran Bretaña, se dispuso a gela dar, y entrególa a un primo cormano del mismo emperador llamado Salustanquidio, príncipe muy poderoso, y llevándola con gran compaña de romanos por la mar, salió a ellos Amadís de Gaula con muchos cavalleros sus amigos. Y muerto este príncipe y destruida toda su flota, y presos y muertos otros muchos de los que en ella fallaron, fue robada y tomada Oriana, y llevada a la Insola Firme, donde la tienen. La mengua que desto viene al rey Lisuarte y al emperador ya lo puedes conoçer. Y quiero que sepas que este Amadís de quien te fablo es uno de los cavalleros de las armas de las sierpes que contra ti fueron, y contra los otros seis reyes que contigo estuvieron en la gran batalla que con el rey Lisuarte oviste. Y éste fue el que el yelmo dorado traía, que por virtud de su alta proeza y gran esfuerço la vitoria de las tus manos fue quitada. Assí que por esto que te digo el rey Lisuarte de un cabo y Amadís del otro llaman la más gente que pueden; donde con razón se deve y puede juzgar que el mismo emperador por vengar tan gran lástima de su coraçón y mengua de su honra, verná en persona; pues de aquí puedes juzgar haviendo batalla qué daño della les puede ocurrir. Y si tú quieres llamar tus compañas, yo te daré por ayudador a Barsinán, señor de Sanseña, hijo del otro Barsinán que el rey Lisuarte hizo matar en Londres; y darte he más a todo el gran linaje del buen cavallero Dardán el Sobervio, que Amadís en Vindelisora mató, que será gran compaña de muy buenos cavalleros. Y assí mismo faré venir al rey de la Profunda Insola, que contigo escapó de la batalla; y con toda esta gente nos podremos poner en tal parte, donde por mí serán guiados, que dada la batalla por ellos, assí a los vencidos como a los vencedores llevarás muy seguramente en las manos sin ningún peligro de tus gentes; pues ¿qué puede de aquí redundar, sino que, demás de ganar tan gran vitoria, toda la Gran Bretaña te será sujeta y tu real estado puesto en la más alta cumbre que de ningún emperador del mundo? Agora, mira, rey poderoso, si por tan pequeño trabajo y peligro quieres perder tan gran gloria y señorío.

Cuando el rey Arávigo esto oyó, mucho fue alegre, y díxole:

Mi amigo Arcaláus, gran cosa es esta que me havéis dicho, y comoquiera que mi voluntad tenga de no tentar más la fortuna, gran locura sería dexar las cosas que con mucha razón a dar grande honra y provecho se ofreçen; porque si como se espera salen, y la misma razón las guía, reciben los hombres aquel fruto que su trabajo mereçe. Y si al contrario les sale, hazen aquello que por virtud son obligados, dando la cuenta de sus honras que dar se deve, no teniendo en tanto las desaventuras passadas, que el remedio dellas, cuando el caso se ofreçe, dexen de provar sin los tener somidos, abati-

dos, y deshonrados todos los días de su vida. Y pues que
assí es, lo que en mí será de mis gentes y amigos, perded
cuidado; en lo otro proveed con aquella afición y diligencia
que veis que para semejante caso conviene.

Arcaláus, tomada esta palabra del rey, se partió para Sansueña, y fabló con Barsinán, trayéndole a la memoria la
muerte de su padre y de su hermano Gandalod, el que venció don Guilán el Cuidador y lo llevó preso al rey Lisuarte,
el cual le mandó despeñar de una torre, al pie de la cual su
padre fuera quemado. Y assí mesmo le dixo cómo en aquel
tiempo le tenía su fecho acabado para que su padre fuesse
rey de la Gran Bretaña, que tenía preso al rey Lisuarte y a
su hija, y como por el traidor de Amadís le fuera todo quitado; que agora tenía tiempo de no solamente ser vengado de
sus enemigos a su voluntad, mas que aquel gran señorío que
su padre errado havía él estava en disposición de lo cobrar,
y que tuviesse coraçón, que sin él las grandes cosas pocas
vezes se podían alcançar, y que si la fortuna a su padre fue
tan contraria, que dello arrepentida a él quería hazer la satisfación del daño recebido. Y assí mesmo le dixo cómo el
rey Arávigo con todo su poder se aparejava, porque veía la
cosa tan vencida, que se no podía errar en ninguna manera,
y todas las otras ayudas que para este negocio tenía ciertas,
y otras cosas muchas, como aquel que tal oficio siempre havía
usado, y muy gran maestro de maldades havía salido.

Como Barsinán fuesse mancebo muy orgulloso, y en lo
malo a su padre pareçiesse, con poca premia y trabajo le
traxo a todo lo que quiso; y con coraçón muy ardiente y sobervia muy demasiada le respondió que con toda afición y
voluntad sería en este viaje, llevando consigo toda la más
gente de su señorío, y de fuera dél todos los que seguirle
quisiessen. Arcaláus, cuando oyó estas razones, fue muy alegre de cómo fallava aparejo al contentamiento de su voluntad, y díxole que luego fuesse todo apercebido para cuando
él el aviso embiasse, porque esto era muy necessario que fuesse mirado con diligencia.

Y desde allí fue muy prestamente y con coraçón muy
alegre al rey de la Profunda Insola, y razonó con él muy gran
pieça. Y tanto le dixo y tales razones le dio, que assí como a
éstos, le fizo mover y apercebir toda su gente muy en orden
como aquel que delo tal necessidad tenía.

Esto hecho, se tornó a su tierra y habló con los parientes

de Dardán el Sobervio, por cuanto creía a todos con la semejante habla venir mucho provecho; y lo más secreto que pudo se concertó con ellos, diziéndoles el grande aparejo que tenía. Assí estuvo esperando al tiempo para poner en obra lo que havéis oído.

Mas agora no habla la historia dél hasta su tiempo, y torna a contar lo que les acaeçió a don Cuadragante y a don Brian de Monjaste después que de la corte del rey Lisuarte partieron.

CAPÍTULO XCVII

CÓMO DON CUADRAGANTE Y BRIAN DE MONJASTE CON FORTUNA SE PERDIERON EN LA MAR, Y CÓMO LA VENTURA LES HIZO HALLAR A LA REINA BRIOLANJA, Y LO QUE CON ELLA LES AVINO

DON Cuadragante y don Brian de Monjaste, después que de don Grumedán se partieron, como la historia lo ha contado, anduvieron por su camino hasta que llegaron al puerto donde su nave tenían, en la cual entraron por se ir a la Insola Firme con la respuesta que del rey Lisuarte levavan. Y todo aquel día les fue la mar muy agradable con viento próspero para su viaje; mas la noche venida, la mar se començó a enbraveçer con tanta fortuna y tan reziamente, que de todo pensaron ser perdidos y anegados. Y fue la tormenta tan grande, que los marineros perdieron el tino que levavan con tanto desconcierto, que la fusta iva por la mar sin ningún governalle, y assí anduvieron toda la noche con harto temor, porque a semejante caso no bastan armas ni coraçón. Y cuando el alva del día pareçió, los marineros pódieron más reconoçer; hallaron que estavan mucho allegados al reino de Sobradisa, donde la muy hermosa reina Briolanja reina era. Y en aquella hora la mar començó en más bonança, y queriendo bolver a su derecho camino, ahunque a muy gran traviessa havían de tornar, vieron a su diestro venir una nao muy grande a maravilla. Y como su nave fuese muy ligera que de aquélla no podría recebir ningún daño, ahunque de enemigos fuesse, acordaron de la esperar, y como cerca fueron y la vieron más a su voluntad, pareçíales la más hermosa que nunca vieron, assí de grandeza como de rico

atavío, que las velas y cuerdas eran todas de seda y guarne-
çida, todo lo que ver se podía, de muy ricos paños. Y al
borde della vieron cavalleros y donzellas que estavan fablando, muy ricamente vestidas. Mucho fueron maravillados don
Cuadragante y Brian de Monjaste de la ver, y no podían
pensar qué en ella viniesse. Y luego mandaron a un scudero
de los suyos que en un batel fuesse a saber cúya era aquella
gran nao y quién en ella venía. El escudero assí lo fizo, y
preguntando a aquellos cavalleros que por cortesía jelo dixessen, ellos respondieron que allí venía la reina Briolanja, que
passava a la Insola Firme.

—A Dios merced —dixo el escudero—, con tan buenas nuevas, que mucho plazer havrán de las saber aquellos que acá
me embiaron.

—Buen scudero —dixeron las donzellas—, dezidnos, si os
plaze, quién son estos que dezís.

—Señoras —dixo él—, son dos cavalleros que este mismo
camino lievan que vosotras, y la fortuna de la mar los ha
echado a esta parte donde, según lo que fallan, será para su
trabajo gran descanso. Y porque ellos se vos mostrarán tanto
que yo buelva, no es menester de mí saber más.

Con esto que oídes se tornó, y díxoles:

—Señores, mucho os deve plazer con las nuevas que trayo,
y por bien empleada se deve tener la tormenta passada, y el
rodeo del camino, pues tenéis tal compaña para ir donde queréis. Sabed que en la nao viene la reina Briolanja, que a la
Insola Firme va.

Mucho fueron alegres aquellos dos cavalleros con lo que
el escudero les dixo, y luego mandaron endereçar su nave
para se llegar a la nao. Y cuando ellos más cerca fueron, las
donzellas los conoçieron, que ya otra vez los vieran en la
corte del rey Lisuarte cuando la reina, su señora, allí algún
tiempo estuvo; y muy alegres lo fueron dezir a su señora
cómo allí estavan dos cavalleros mucho amigos de Amadís,
qu'el uno era don Cuadragante y el otro don Brian de Monjaste. La reina, cuando lo oyó, fue muy leda, y salió de su
cámara con las dueñas que consigo traía para los recebir, que
Tantiles, su mayordomo, le havía dicho cómo los dexava en
la Insola Firme de camino para ir al rey Lisuarte. Y cuando
ella salió, ya ellos estavan dentro en la nao, y fueron para le
besar las manos, mas ella no quiso; antes los tomó a entrambos cada uno con su braço y assí les tovo un rato abraçados

con mucho plazer; y desque se levantaron los tornó abraçar, y díxoles:

—Mis buenos señores y amigos, mucho gradezco a Dios porque vos hallé, que no me pudiera venir agora cosa con que más me pluguiera que con vosotros, sino fuesse ver Amadís de Gaula, aquel a quien yo con tanto derecho y razón devo amar, como vosotros sabéis.

—Mi buena señora —dixo don Cuadragante—, gran razón sería si assí no fuesse como lo dezís; y el plazer que con nosotros havéis Dios os lo gradezca, y nos lo serviremos en lo que mandardes.

—Muchas mercedes —dixo ella—; agora me dezid cómo aportastes en esta tierra.

Ellos le dixeron cómo havían partido de la Insola Firme con mandado de aquellos señores que allí estavan para el rey Lisuarte, y todo lo que con él havían passado, y cómo quedavan sin ningún concierto en toda rotura, que no faltó nada; y que queriéndose tornar, la gran tormenta dessa noche los havía echado aquella parte, donde davan por muy bien empleada su fatiga y su trabajo, pues que en aquel camino la podían servir y guardar hasta la poner donde quería. La reina les dixo:

—Pues yo no he estado muy segura, ni sin grande spanto de la tormenta que dezís, que, ciertamente, nunca pensé que pudiéramos guareçer; pero como esta mi nao es muy gruessa y grande, y las áncoras y maromas muy rezias, plugo a la voluntad de Dios que nunca la fortuna las pudo quebrar ni arrancar. Y en esto del rey Lisuarte que me dezís, yo supe de mi mayordomo Tantiles cómo vosotros ívades a él con esta embaxada; y bien me tuve por dicho que como éste sea un rey tan entero y que tan complidamente la fortuna le ha favoreçido y ensalçado en todas las cosas, que, teniendo en mucho el caso de Oriana, querrá antes tentar y provar su poder que dar forma de ningún assiento. Y por esta causa yo acordé de juntar todo mi reino y otros mis amigos que de fuera dél son, y con mucha afición les rogar y mandar que estén prestos y aparejados de guerra para cuando mi carta vean. Y a todos dexo con gran voluntad de me servir, y mi mayordomo con ellos para que los guíe y traya. Y entre tanto pensé que sería bien de ir yo a la Insola Firme a estar con la infanta Oriana, y passar con ella la aventura que le Dios diere. Esto es la causa por donde aquí me falléis, y soy muy alegre porque iremos juntos.

—Mi señora —dixo don Brian de Monjaste—, de tal señora y fermosa como vos no se espera sino toda virtud y nobleza, assí como por obra pareçe.

La reina les rogó que mandassen ir su nave cabe la suya y ellos se fuessen con ella; y assí se fizo, que los aposentaron en una muy rica cámara, y siempre con ella y a su mesa comían, fablando en las cosas que les más agradavan.

Pues assí como os digo, fueron por su mar adelante contra la Insola Firme. Agora sabed aquí que al tiempo que Abiseos, tío desta reina, fue muerto con los dos sus fijos en vengança de la muerte qu'él fizo a su hermano el rey, padre de Briolanja, y le havía tomado el reino, por Amadís y Agrajes, como más largamente lo cuenta el primero libro desta historia, que dél quedó otro fijo pequeño que un cavallero mucho suyo le criava. Este moço era ya cavallero muy rezio y esforçado, según havía pareçido en las cosas de grandes afrentas que se falló. Y como fasta allí havía seído muy moço, no pensava, ni discreción le dava lugar, sino en seguir más las armas que en procurar las cosas de provecho. Y como ya de mayor edad fuesse, ovo algunos de los servidores de su padre que fuídos andavan, que a la memoria le traxeron la muerte de su padre y de sus hermanos, y cómo aquel reino de Sobradisa de drecho era suyo, y aquella reina jelo tenía forçosamente, y que si el coraçón tuviesse para el reparo de cosa que tanto le cumplía como para las otras cosas, que con poco trabajo podría recobrar aquella gran pérdida y ser gran señor, agora tornando al reino o sacando tal partido, que honradamente como fijo de quien era pudiesse passar. Pues este cavallero, que Trion havía nombre, como ya fuesse codicioso de señorear, siempre estava pensando en esto que aquellos criados de su padre le dezían y aguardando tiempo convenible para el remedio de su desseo. Y como agora supiesse esta tan gran discordia que entre el rey Lisuarte y Amadís estava, pensó que tanto ternía que fazer Amadís en aquello que de lo otro no ternía memoria. Y puesto que la tuviesse, que su poder no bastaría para socorrer a todas partes según con tan grandes hombres estava rebuelto; que este cavallero era el mayor entrevallo qu'él fallava; y sabiendo la partida de la reina Briolanja cómo tan desacompañada fuesse, que en toda su nao no llevava veinte hombres de pelea, y ninguno dellos de mucha afruenta, salió luego de un castillo muy fuerte que de su padre Abiseos le avía quedado, del cual y no de más era señor cuando a su hermano el rey mató, y fue por casa de sus amigos, y no les diziendo el caso allegó fasta cincuenta hombres bien armados y algunos ballesteros y archeros. Y guarneçiendo dos navíos, se metió a la mar con intención de prender la reina y con ella sacar gran partido, y si tal tiempo viesse, le tomar todo el reino. Y sabiendo la vía que llevava, una tarde le salió a la delantera sin sospecha que dél se toviesse; y como de lueñe los de la nao viessen aquellos dos navíos, dixéronlo a la reina, y salieron luego don Cuadragante y Brian de Monjaste al borde de la nao, y vieron cómo derechamente venían contra ellos, y fizieron armar essos que ende estavan, y ellos se armaron y no curaron sino ir su camino, y assí los otros que venían llegaron tan cerca, que bien se podían oír lo que dixessen. Estonces Trion dixo en una boz alta:

—Cavalleros que en essa nao venís, dezid a la reina Briolanja que está aquí Trion, su cormano, que la quiere hablar, y que mande a los suyos que se no defiendan, si no, que uno dellos no escapará de ser muerto.

Cuando la reina esto oyó, huvo gran miedo y spanto, y dixo:

—Señores, éste es el mayor enemigo que yo tengo, y pues agora se atrevió a fazer esto, no es sin gran causa y sin gran compaña.

Don Cuadragante le dixo:

—Mi buena señora, no temades nada, que plaziendo a Dios muy presto será castigado de su locura.

Estonces mandó a uno que le dixesse que si él solo quería entrar donde la reina estava, que de grado lo recibiría. Y dixo él:

—Pues assí es, y yo la veré mal su grado y de todos vosotros.

Estonces mandó a un cavallero, criado de su padre, que con la una nave acometiesse la nao por la otra parte y que punasse de la entrar, y él assí lo fizo. Como don Brian de Monjaste los vio apartar, dixo a don Cuadragante que masse de aquella gente lo que le pluguiesse y guardasse la una parte, y que él con lo otro defendería la otra, y assí lo fizieron, que don Cuadragante quedó a la parte donde Trion quería combatir, y Brian de Monjaste, a la del otro cavallero. Don Cuadragante mandó a los suyos que estoviessen adelante, y él quedó lo más encubierto que pudo tras ellos; y díxoles que si Trion quisiesse entrar, que gelo no estorvassen.

Estando assí el negocio, la nao fue acometida por ambas partes y muy reziamente, porque los que la combatían sabían muy bien cómo en ella no havía defensa ni peligro para ellos, que de los dos cavalleros de la Insola Firme ninguna cosa sabían. Y como llegaron, Trion, con la sobervia grande que traía y la gana de acabar su fecho, en llegando saltó en la nao sin ningún recelo, y la gente de la reina se començó a retraer como les era mandado. Don Cuadragante, como dentro lo vio, passó por los suyos, y como era muy grande de cuerpo, como la historia vos lo ha contado en la parte segunda, y le vio Trion, bien conoçió que aquél no era de los qu'él sabía; pero por esso no perdió el coraçón; antes se fue para él con mucho denuedo, diéronse tan grandes golpes por cima de los yelmos qu'el fuego salió dellos y de las spadas. Mas como don Cuadragante era de mayor fuerça y le dió a su voluntad, fue Trion tan cargado del golpe, que la spada se le cayó de la mano y cayó de rodillas en el suelo. Y don Cuadragante miró y vio cómo los contrarios entravan en la nao a más andar. Dixo a los suyos:

—Tomad este cavallero.

Estonces passó a los otros, y al primero que delante sí halló diole por cima de la cabeça tan gran golpe, que no huvo menester maestro. Los otros, cuando vieron preso su señor y aquel cavallero muerto y los grandes golpes que don Cuadragante dava a unos y a otros, punaron cuanto pudieron por se tornar a su nave. Y con la priessa que don Cuadragante y los suyos les dieron algunos se salvaron y otros murieron en el agua, assí que en poca de hora fueron todos vencidos y echados de la nao, que ya como suya tenían. Estonces miró a la otra parte donde Brian se combatía, y vio cómo estava dentro en la nao con los enemigos, y que fazía gran estrago en ellos, y embióle de los que él tenía que lo fuessen ayudar, y él quedó con los otros atendiendo a los contrarios si le querían acometer. Y con esta ayuda que a don Brian le llegó, y con los que él tenía, muy prestamente fueron todos vencidos, porque aquel cavallero, su capitán, fue allí muerto, y vieron cómo la nave de Trion se apartava como cosa vencida. Estonces los que estavan bivos demandavan merced, y don Brian mandó que ninguno muriesse, pues que se no defendían. Y assí se fizo que los tomaron presos y se apoderaron de la nao.

La reina Briolanja en toda esta rebuelta estovo metida en su cámara con todas sus dueñas y donzellas, rogando a Dios, hincadas de rodillas, que las guardasse d'aquel peligro y a aquellos cavalleros que la ayudavan y defendían. Assí estando, llegó uno de los suyos, y dixo:

—Señora, salid fuera, y veréis cómo Trion es preso y toda su compaña maltrecha y desbaratada, que estos cavalleros de la Insola Firme han fecho grandes maravillas de armas, las cuales ningunos otros pudieran hazer.

Cuando la reina esto oyó fue tan alegre como podéis pensar, y alçó las manos y dixo:

—Señor Dios todopoderoso, bendito vos seáis, porque en tal tiempo y por tal aventura me traxistes estos cavalleros, que de Amadís y sus amigos no me puede venir sino toda buena ventura.

Y salida de la cámara, vio cómo los suyos tenían preso a Trion, y que don Cuadragante guardava que los enemigos no llegassen a combatir; y vio cómo la nao que don Brian de Monjaste havía ganado, estavan los suyos apoderados della. Y llegóse a don Cuadragante, y díxole:

—Mi señor, mucho gradezco a Dios y a vos lo que por mí havéis hecho, que ciertamente yo estava en gran peligro de mi persona y de mi reino.

Él le dixo:

—Mi buena señora, veis ende a vuestro enemigo; mandad dél hazer justicia.

Trion, cuando esto oyó, no estuvo seguro de la vida, y hincó los inojos ante la reina y dixo:

—Señora, demándoos merced que no muera, y mirad a vuestra gran mesura, y que soy de vuestra sangre; y si vos he enojado algún tiempo, os lo podré servir.

Como la reina era muy noble, ovo piedad dél, y dixo:

—Trion, no por lo que vos merecéis, mas por lo que a mí toca, yo vos seguro la vida hasta que más con estos cavalleros sobre ello vea.

Y mandó que lo metiessen en su cámara y lo guardassen.

Assí estando don Brian de Monjaste se vino a la reina, y ella le fue abraçar, y díxole:

—Mi buen señor, ¿qué tal venís?

Él le dixo:

—Señora, muy bueno, y mucho alegre de haver avido tal

dicha que en alguna cosa os pudiesse servir. Una herida trayo, mas, merced a Dios, no es peligrosa.

Estonces mostró el escudo, y vieron cómo una saeta gelo havía passado con parte del braço en que lo tenía. La reina con las sus hermosas manos gelo quitó lo más passo que pudo, y le ayudó a desarmar, y curáronjela como otras muchas vezes otras mayores le havían curado, que sus escuderos, assí dél como de todos los otros cavalleros andantes, siempre andavan apercebidos de las cosas que para de presto eran necessarias a las feridas. Todos fueron muy alegres d'aquella buena dicha que les vino; y cuando quisieron ir tras la nave de Trion, vieron cómo estava muy lueñe, y dexáronse dello. Y alçaron sus velas y fuéronse su camino derechamente a la Insola Firme sin ningún entrevallo que les viniesse.

Acaeçió, pues, que a la hora que ellos al puerto llegaron que Amadís y todos los más de aquellos señores andavan en sus palafrenes folgando por una gran vega que debaxo de la cuesta del castillo estava, como otras muchas vezes lo hazían. Y como viessen aquellas fustas al puerto llegar, fuéronse hazia allá por saber cúyas fuessen; y llegando a la mar, hallaron los escuderos de don Cuadragante y de don Brian de Monjaste, que salían de un batel y ivan a les hazer saber su venida y de la reina Briolanja porque la saliessen a recebir. Y como vieron Amadís y aquellos cavalleros, dixéronles el mandado de sus señores, con que muy alegres fueron; y llegáronse todos a la ribera de la mar y los otros desde la nao, se saludaron con mucha risa y gran alegría. Y don Brian de Monjaste les dixo:

—¿Qué vos parece cómo venimos más ricos que de aquí fuemos? No lo havéis assí hecho vosotros, sino estar encerrados como gente perdida.

Todos se començaron a reír, y le dixeron que, pues tan hufano venía, que mostrasse la ganancia que havía hecho. Estonces echaron en la mar una barca asaz grande, y entraron en ella la reina y ellos ambos, y otros hombres que los pusieron en tierra. Y todos aquellos cavalleros se apearon de sus palafrenes y fueron a besar las manos a la reina, mas ella no las quiso dar; antes, los abraçó con mucho amor. Amadís llegó a ella y quísole besar las manos; mas cuando lo vio, tomóle entre sus muy fermosos braços, y assí lo tuvo un rato que le nunca dexó, y las lágrimas le vinieron a los ojos, que le caían por sus muy fermosas hazes con el plazer que huvo en lo ver, porque desde la batalla que el rey Lisuarte huvo con el rey Cildadán, que lo vio en Fenusa, aquella villa donde el rey estava, no lo havía visto. Y ahunque ya su pensamiento fuesse apartado de pensar de lo haver por casamiento, y ninguna esperança dello toviesse, éste era el cavallero del mundo que ella más amava y por quien ante pornía su persona y estado en peligro de lo perder. Y cuando le dexó, no le pudo hablar, tanto estava turbada de la gran alegría. Amadís le dixo:

—Señora, muchas gracias a Dios doy que me traxo donde os pudiesse ver, que mucho lo desseava, y agora más que en otro tiempo, porque con vuestra vista daréis mucho plazer a estos cavalleros, y mucho más a vuestra buena amiga, la infanta Oriana, que creo que ninguna persona le pudiera venir que tanta alegría le diesse como vos, mi buena señora, le daréis.

Ella respondió y dixo:

—Mi buen señor, por esso partí yo de mi reino, principalmente por os ver, que era la cosa del mundo que yo más desseava; y Dios sabe la congoxa que hasta aquí he tenido en passar tan largo tiempo sin que de os, mi señor, yo pudiesse saber ningunas nuevas, ahunque mucho lo he procurado. Y agora cuando mi mayordomo me dixo de vuestra venida y me dio vuestra carta, luego pensé, dexando todo lo que mandastes a buen recaudo, de me venir a vos y a esta señora que dezís, porque agora es tiempo que sus amigos y servidores le muestren el desseo y amor que le tienen. Mas si no fuera por Dios y por estos cavalleros que por gran ventura comigo juntó, mucho peligro de mi persona pudiera passar en este viaje; lo cual ellos dirán como quien lo remedió por su gran esfuerço, y esto quedo para más espacio.

Después que la reina salió, salieron todas sus dueñas y donzellas y cavalleros, y sacaron las bestias que traían, y para la reina un palafrén tan guarnido como a tal señora convenía. Y cavalgaron todos y fuéronse al castillo donde Oriana estava, la cual, como su venida supo, uvo tan gran plazer que fue cosa estraña; y rogó a Mabilia y a Grasinda, y a las otras infantas que a la entrada de la huerta la saliessen a recebir, y ella quedó con la reina Sardamira en la torre. Cuando la reina Sardamira vio el plazer que todos mostravan con las nuevas que les traxeron, dixo a Oriana:

—Mi señora, ¿quién es esta que viene que tanto plazer ha dado a todos?

Oriana le dixo:

—Es una reina la más hermosa, assí de su parescer como de su fama, que yo en el mundo sé, como agora la veréis.

Cuando la reina Briolanja llegó a la puerta de la huerta y vio tantas señoras y tan bien guarnidas, mucho fue maravillada, y uvo el mayor plazer del mundo por aver allí venido. Y bolvióse contra aquellos cavalleros y díxoles:

—Mis buenos señores, a Dios seáis encomendados, que aquellas señoras me quitan que no quiera vuestra compañía más.

Y riendo muy hermoso, se hizo apear, y se metió con ellas, y luego la puerta fue cerrada. Todas vinieron a ella y saludáronla con mucha cortesía, y Grasinda fue mucho maravillada de su hermosura y gran apostura. Y si a Oriana no oviera visto, que ésta no tenía par, bien creyera que en el mundo no avía muger que tan bien como aquélla paresciesse. Así la llevaron a la torre donde Oriana estava; y cuando se vieron, fueron la una a la otra los braços tendidos, y con mucho amor se abraçaron. Oriana la tomó por la mano y llególa a la reina Sardamira, y díxole:

—Reina señora, hablad a la reina Sardamira, y hazelde mucha honra, que bien lo meresce.

Y ella así lo fizo, que con gran cortesía se saludaron, guardando cada una dellas lo que a sus reales estados convenía; y tomando a Oriana en medio, se assentaron en su estrado, y todas las otras señoras al derredor dellas. Oriana dixo a la reina Briolanja:

—Mi buena señora, gran cortesía ha sido la vuestra en me venir a ver de tan lueñe tierra, y mucho vos lo gradezco, porque tal camino no se pudo hazer sino con sobra de mucho amor.

—Mi señora —dixo la reina—, gran desconoscimiento y muy mal comedimiento me deviera ser contado, si en este tiempo en que estáis no diesse a entender a todo el mundo el desseo que tengo de vuestra honra y de crescer vuestro estado, especialmente seyendo este cargo tan principal de Amadís de Gaula, a quien yo tanto amo y devo, como vos, mi señora, sabéis. Y cuando esto supe de Tantiles que aquí se halló, luego mandé apercebir todo mi reino que vengan a lo que él mandare; y parescióme que entre tanto devía hazer este camino para os compañar o ver a él, que ver mucho desseava, más que a ninguna persona deste mundo, y estar, mi señora, con vos hasta que vuestro negocio se despache, que a nuestro Señor plega que sea como vos lo desseáis.

—Assí le plega a Él —dixo Oriana— por su santa piedad, y esperança tengo que don Cuadragante y don Brian de Monjaste traerán algún assiento con mi padre.

Briolanja, que sabía la verdad, que ninguno traían, no gelo quiso dezir. Así estuvieron hablando gran pieça en las cosas que más plazer les davan. Y cuando fue ora de cenar, la donzella de Denamarcha dixo a Oriana:

—Acuérdeseos, señora, que la reina viene de camino, y querrá cenar y descansar, y es ya tiempo que os passéis a vuestro aposentamiento, y la llevéis con vos, pues es vuestra huéspeda.

Oriana le preguntó si estava todo endereçado. Ella dixo que sí. Entonces tomó a la reina Briolanja por la mano y despidióse de la reina Sardamira y de Grasinda, las cuales se fueron a sus aposentamientos, y fuese con ella a su cámara mostrándole mucho amor. Y desque fueron llegadas, Briolanja preguntó quién era aquella tan bien guarnida y fermosa dueña que cabe la reina Sardamira estava. Mabilia le dixo cómo se llamava Grasinda, y que era muy noble dueña y muy rica, y díxole la causa por que avía venido a la corte del rey Lisuarte y la grande honra que allí Amadís le hizo ganar, y la honra que ella le hizo no le conosciendo. Y contóle muy por estenso todo lo que avía passado con Amadís, que ella mucho amava, llamándose el Cavallero de la Verde Espada, y cómo llegó al punto de la muerte cuando mató al Endriago, y le sanó un maestro que esta dueña le dio, el mejor que en gran tierra se podría hallar; todo gelo contó, que no faltó ninguna cosa. Cuando la reina esto oyó, dixo:

—Mesquina de mí, porque ante no lo supe, que llegó a me fablar, y passé por ella muy livianamente. Pero remedio avrá, que, ahunque su merescimiento no lo meresciesse, sólo por aver hecho tanta honra con tanto provecho a Amadís soy yo mucho obligada de la honrar y hazer plazer todos los días de mi vida, porque después de Dios no tengo yo otro reparo de mis trabajos, ni que a mi coraçón contentamiento dé, sino este cavallero; y en cenando la mandad llamar, porque quiero que me conozca.

Oriana dixo:

—Reina, mi amiga, no sola sois vos la que por esta causa honrar la deve, que véisme a mí aquí, que si por esse cavallero que avéis dicho no fuesse, yo sería oy la más perdida y desventurada muger que nunca nasció, porque estaría en tierras estrañas con tanta soledad que me no fuera sino la muerte, y deseredada de aquello de que Dios me hizo señora. Y como ya avréis sabido, este noble cavallero socorredor y amparador de los corridos, sin a ello le mover otra cosa sino su noble virtud, se ha puesto en esto que veis porque mi justicia sea guardada.

—Amiga señora —dixo la reina—, no hablemos en Amadís, que éste no nasció sino para semejantes cosas; que así como Dios lo estremó y apartó en gran esfuerço de todos los del mundo, assí quiso que fuesse en todas las otras bondades y virtudes.

Pues sentadas a la mesa, fueron de muchos manjares y diversos servidas, assí como convenía a tan grandes princesas, y hablavan en muchas cosas que les agradava. Y desque ovieron cenado, mandaron a la donzella de Denamarcha que fuesse por Grasinda y le dixesse que la reina la quería hablar. La donzella así lo hizo, y Grasinda vino luego con ella; y cuando entró donde ellas estavan, la reina Briolanja la fue abraçar, y díxole:

—Mi buena amiga, perdonadme que no supe quién érades cuando aquí vine, que si lo supiera, con más amor y afición os recibiera, porque vuestra virtud lo meresce; y por la gran honra y buena obra que de vos Amadís recibió somos sus amigos mucho obligados a vos lo agradescer, y de mí vos digo que nunca en tiempo seré que lo pueda pagar, que lo no haga, porque ahunque de lo mío lo dé, de lo suyo lo doy, que todo lo que yo tengo es suyo y por suyo lo tengo.

—Mi buena señora —dixo Grasinda—, si alguna honra hize a este cavallero que dezís, yo soy tan satisfecha y contenta dello como nunca persona lo fue de persona a quien plazer oviesse hecho; y lo que me dezís gradezco yo mucho más a vuestra virtud que a la deuda en que él me sea, que pluguiesse a Dios que lo demás en que él me ha pagado lo que de mí recibió me dé lugar a que yo gelo sirva.

Entonces Mabilia le dixo:

—Mi buena señora, dezidnos, si vos pluguiere, cómo ovistes conoscimiento de Amadís, por qué causa en vos halló tan buen acogimiento, pues que lo no conoscíades ni sabíades su nombre.

Ella gelo contó todo como la tercera parte desta istoria más largo lo cuenta. Y mucho rieron de Bradansidel, el que hizo ir en el cavallo cavalgando aviessas y la cola en la mano. Y díxoles cómo lo avía tenido mal llagado en su casa algunos días, y cómo, antes que en aquella tierra fuesse, avía oído dezir dél muy grandes y estrañas cosas en armas que avía hecho por todas las ínsolas de Romanía y de Alemaña, donde todos los que las sabían eran maravillados de cómo por un solo cavallero fueran tales cosas tan peligrosas acabadas, y de los tuertos y grandes agravios que avía emendado por muchas dueñas y donzellas, y otras personas que su ayuda y acorro ovieron menester; y cómo lo avía conoscido por el enano y por la verde espada que traía, cuyo nombre él se llamava. Y así mesmo les contó toda la batalla que con don Garadán uvo, y la que después passó con los otros onze cavalleros, y que por los vencer quitó al rey de Boemia de muy cruda guerra con el emperador de Roma, y otras muchas cosas les contó que dél en aquellas partes avía sabido, que serían largas de escrevir. Y entonces les dixo:

—Por estas cosas que dél oía, y por lo que dél vi en presencia quiero, señoras, que sepáis lo que comigo mesma me contesció. Yo fue tan pagada dél y de sus grandes hechos que comoquiera que yo fuesse para en aquella tierra asaz rica y grand señora, y él anduviesse como un pobre cavallero sin que dél más noticia oviesse sino lo dicho, toviera por bien de lo tomar en casamiento y pensara yo que en tener su persona ninguna reina de todo el mundo me fuera igual. Y como le vi tan mesurado y con grandes pensamientos y congoxas, y sabiendo la fortaleza de su coraçón, sospeché que aquello no lo venía sino por causa de alguna muger que él amasse. Y por más me certificar hablé con Gandalín, que me paresció muy cuerdo escudero, y preguntégelo, y él, conosciendo donde mi pensamiento tirava, por una parte me lo negó y por otra me dio a entender que no sería su cuita por ál sino por alguna que amasse; y bien vi yo que lo dixo porque me quitasse de aquel pensamiento, y no procediesse más adelante, pues que dello no avría fruto ninguno. Yo gelo gradescí mucho, y de aquella hora adelante me aparté de más pensar en ello.

Briolanja, cuando esto le oyó, miró contra Oriana riendo, y díxole:

—Mi señora, parésceme que este cavallero por más partes que yo pensava anda sembrando esta dolencia; y acuérdeseos lo que os uve dicho en este caso en el castillo de Miraflores.

—Bien se me acuerda —dixo Oriana.

Esto fue que la reina Briolanja, yendo a ver a Oriana a este castillo de Miraflores, como el segundo libro lo dize, le dixo cuasi otro tanto que con Amadís le avía acaescido.

Pues assí en aquello como en otras cosas estuvieron hablando fasta que fue ora de dormir; y Grasinda se despidió dellas y se tornó a su cámara, y ellas quedaron en la suya. Y a la reina Briolanja hizieron en la cámara de Oriana una cama cabe la suya, porque ella y Mabilia dormían juntas, y allí se echaron a dormir, donde aquella noche descansaron y folgaron.

CAPITULO XCVIII

DE LA EMBAXADA QUE DON CUADRAGANTE Y BRIAN DE MONJASTE TRAXERON DEL REY LISUARTE, Y LO QUE TODOS LOS CAVALLEROS Y SEÑORES QUE ALLÍ ESTAVAN ACORDARON SOBRE ELLO

OTRO día de mañana todos aquellos señores y cavalleros se juntaron a oír missa, y a la embaxada que don Cuadragante y don Brian de Monjaste del rey Lisuarte traían. Y la missa oída, estando allí todos juntos, don Cuadragante les dixo:

—Buenos señores, nuestro mensaje y la respuesta dél fue tan breve, que no os podemos dezir otra cosa sino que devéis dar gracias a Dios porque con mucha justicia y razón, y ganando gran prez y fama, podéis esperimentar la virtud de vuestros nobles coraçones, que el rey Lisuarte no quiere otro medio sino el rigor.

Y con esto les dixo todo lo que con él avían passado, y cómo sabían cierto que embiava al emperador de Roma y a otros sus amigos. Agrajes, a quien nada desto pesava, ahunque por el mandado y ruego de Oriana hasta allí mucho se templasse, dixo:

—Por cierto, buenos señores, yo tengo creído que, según el estado en que este negocio está, que muy más dificultoso

sería buscar seguridad para esta princesa y para la fama de
nuestras honras que remedio para esta guerra; y fasta aquí,
porque ella con gran afición me mandó y rogó que en lo
que pudiesse templasse vuestras sañas y la mía, me he escusado de hablar tanto como mi coraçón desseava. Pero agora
que se sabe el cabo de su esperança, que era pensar que con
el rey su padre se podría tomar algún medio, y no se halla,
yo quedo libre de lo que más por la servir que por mi voluntad le avía prometido; y digo, señores, que en cuanto a
mi querer y gana toca, que soy mucho más alegre de lo que
traéis que si el rey Lisuarte otorgara lo que de nuestra parte
le pedistes, porque pudiera ser que so color de paz y concordia se pusiera con nosotros en contrataciones cautelosas
donde pudiéramos recebir algún engaño, porque el rey Lisuarte y el emperador, como poderosos, con poca pena pudieran muy presto llegar sus gentes, lo que nosotros así no
pudiéramos fazer, por cuanto las nuestras han de venir de
muchas partes y muy lueñes tierras. Y ahunque el peligro
de nuestras personas, por estar en esta fortaleza tan fuerte, fuera seguro y sin daño, haziéndonos alguna sobra, no lo
fuera el de nuestras honras. Y por esto, señores, tengo por
mejor la guerra conoscida que los tratos y concordia simula-
da, pues que por ello, como he dicho, a nosotros más que a
ellos daño venir podría.

Todos dixeron que dezía gran verdad y que luego se
devía poner recaudo en que la gente viniesse, y darle la batalla dentro en su tierra. Amadís, que muy sospechoso estava y con gran recelo que la concordia por alguna manera se
podría fazer, y avría de entregar a su señora, y ahunque su
honra della y la de todos ellos se assegurasse y guardasse
por entero, que el desseo de su cuitado coraçón quedava en
tanta estremidad de dolor y tristeza, poniéndola en parte
donde la ver no pudiesse, que sería ya impossible de poder
sostener la vida, cuando oyó lo que los mensajeros traían y
lo que su cormano Agrajes dixo, ahunque del mundo todo
le hiziera señor, no le pluguiera tanto, porque ninguna afruenta, ni guerra ni trabajo, no lo tenía él en nada en comparación de tener a su señora como la tenia; y dixo:

—Señor cormano, siempre vuestras cosas han sido de cavallero, y assí las tienen todos aquellos que vos conoscen, y
mucho devemos agradescer a Dios los que de vuestro linaje
y sangre somos por aver echado entre nosotros cavallero que

en las afruentas tal recaudo de su honra, y en las cosas
de consejo con tanta discreción la acresciente. Y pues que
assí vos como estos señores vos avéis determinado en lo
mejor, a mí escusado será sino seguir lo que vuestra voluntad
y suya fuere.

Ángriote de Estraváus, como era un cavallero muy cuerdo y muy esforçado, y que mucho lealmente a Amadís
amava, bien conosció que ahunque se no adelantava a fablar y se remitía a la voluntad de todos, que bien le plazía
de la discordia; y esto más lo atribuía él a su gran esfuerço
que se no contentava sino con las semejantes afruentas, que
aquello era, que no otra cosa alguna que dél supiesse; dixo:

—Señores, a todos deve plazer con lo que vuestros mensajeros traxeron y con lo que Agrajes dixo, porque aquello
es lo cierto y seguro. Pero dexándolo uno y otro aparte, digo,
señores, que la guerra nos[90] es mucho más honrosa que la
paz; y porque las cosas que para esto podría dezir son tantas
que, diziéndolas, mucho enojo vos daría, solamente quiero
traeros a la memoria que desque fuistes cavalleros hasta agora
siempre vuestro deseo fue buscar las cosas peligrosas y de
mayores afruentas, porque vuestros coraçones con ellas estremadamente de los otros fuessen exercitadas y ganassen
aquella gloria que por muchos es desseada y alcançada por
muy pocos. Pues si esto con mucha afición y aflición de vuestros ánimos es procurado, ¿cuándo ni en cualquier tiempo
de los passados tan complidamente lo alcançastes como en
el presente? Que por cierto, ahunque en cualidad déste a muchas dueñas y donzellas ayáis socorrido, en cuantidad no es
en memoria que por vosotros ni por vuestros antecessores aya
sido otro semejante alcançado, ni aun será en los venideros
tiempos sin que muchos dellos passen. Y pues que la fortuna ha satisfecho nuestro desseo tan complidamente, dando
causa que, assí como nuestras ánimas en el otro mundo son
inmortales, lo sean nuestras famas en éste en que bivimos,
póngase tal recaudo como lo que ella a ganar nos ofresce por
nuestra culpa y negligencia no se pierda.

Avido por bueno todo lo que estos cavalleros dixeron, y
poniendo en obra su parescer, acordaron de embiar luego
llamar toda la gente de su parte, y con esto se fueron a
comer. Y dexa la istoria por agora de hablar dellos, y torna a

90.   *No es, Z*, fol. 222 rº; *nos es,* P.; *nos es,* CB. 1491.

los mensajeros que avían embiado, como dicho es y la istoria lo ha contado.

CAPÍTULO XCIX

De cómo el maestro Elisabad llegó a la tierra de Grasinda, y de allí passó al emperador de Constantinopla con el mandado de Amadís y de lo que con él recaudó

DIZE la istoria que el maestro Elisabad anduvo tanto por la mar hasta que llegó a la tierra de Grasinda, su señora. Y allí mandó llamar a todos los mayores del señorío, y mostróles los poderes que della traía, y rogóles muy afincadamente que luego aquello se cumpliese, los cuales con gran voluntad le respondieron que todos estavan prestos para lo cumplir mucho mejor que si ella presente estuviesse. Y luego dieron orden cómo se hiziesse gente de cavallo, y ballesteros y archeros, y otros hombres de guerra, y se adereçassen muchas fustas, y otras se hiziessen de nuevo. Y como el maestro vio el buen aparejo, dexó para el recaudo dello un cavallero, su sobrino mancebo que Libeo se llamava; y rogándole que con mucho cuidado en ello trabajasse, se metió a la mar y se fue al emperador de Constantinopla. Y como llegó, se fue a su palacio, y dixéronle cómo estava hablando con sus hombres buenos. El maestro entró en la sala, y se llegó a besar las manos, las rodillas en el suelo, y el emperador lo recibió beninamente porque de antes le conoscía y tenía por buen hombre. El maestro le dio la carta de Amadís, y como el emperador la leyó mucho fue maravillado que el Cavallero de la Verde Espada fuesse Amadís de Gaula, a quien grandes días mucho havía desseado conoscer por las cosas estrañas que muchos de los que le avían visto le dixeran dél; y díxole:

—Maestro, mucho soy quexoso de vos si supistes el nombre deste cavallero, y no me lo dexistes; porque corrido estoy que hombre de tan alto estado y linaje, y tan famoso por todo el mundo, a mi casa viniesse y no recebiesse en ella la honra que él merescía, sino solamente como un cavallero andante.

El maestro le dixo:

—Señor, yo juro por las órdenes que tengo que fasta que él se dexó de llamar el Cavallero Griego y se hizo conoscer a Grasinda, mi señora, y a nosotros todos, nunca supe que él fuesse Amadís.

—¡Cómo! —dixo el emperador—; ¿el Cavallero Griego se llamó después que de aquí fue?

El maestro le dixo:

—¿Luego, señor, no han llegado a vuestra corte las nuevas de lo que hizo llamándose el Cavallero Griego?

—Ciertamente —dixo el emperador— nunca lo oí si agora no.

—Pues oiréis grandes cosas —dixo él—, si a la vuestra merced pluguiere que las diga.

—Mucho lo tengo por bien —dixo el emperador— que lo digáis.

Entonces el maestro le contó de cómo, después que de allí avían partido, llegaron donde su señora Grasinda estava; y cómo, por el don que el Cavallero de la Verde Espada le avía prometido, la llevó por la mar a la Gran Bretaña; y por cuál razón y cómo, ante que allá llegasse, mandó que lo no llamassen sino el Cavallero Griego; y las batallas que en la corte del rey Lisuarte hizo con Salustanquidio y los otros dos cavalleros romanos que contra él avían tomado la batalla por las donzellas, y cómo los venció tan ligeramente. Y assí mesmo le contó las grandes sobervias que los romanos, ante que a la batalla saliessen, dezían, y cómo dixeron al rey Lisuarte que a ellos les diessen aquella empresa contra el Cavallero Griego, que en sabiendo que se avía de combatir con ellos no les osaría esperar, porque los griegos temían como al fuego a los romanos y tan bien le contó la batalla de don Grumedán, y cómo el Cavallero Griego le dexó allí dos cavalleros sus amigos y cómo vencieron a los tres romanos. Todo gelo contó, que no faltó nada, assí como aquel que presente avía sido a todo ello. Todos cuantos allí estavan fueron mucho maravillados de tal bondad de cavallero, y muy alegres de cómo avía quebrantado la gran sobervia de los romanos con tanta deshonra suya. El emperador le estuvo loando mucho, y dixo:

—Maestro, agora me dezid la creencia, que vos yo oiré.

El maestro le dixo todo el negocio del rey Lisuarte y de su hija, y por cuál causa fue tomada en la mar por Amadís y por aquellos cavalleros, y las cosas que los naturales del

reino avían passado con el rey Lisuarte, y de cómo Oriana
se avía embiado a quexar a todas partes de aquella tan gran
sin justicia que el rey su padre con tanta crueldad le hazía,
deseredándola sin ninguna causa de un reino tan grande y
tan honrado, donde Dios la avía hecho eredera; y cómo no
curando de conciencia ni usando de ninguna piedad, queriendo heredar en sus reinos otra hija menor, la entregó a
los romanos con muchos llantos y dolores, así della como
de todos cuantos la veían; y cómo sobre estas quexas y grandes clamores de aquella princesa se juntaron muchos cavalleros andantes de gran linaje y de muy alto hecho de armas,
de los cuales le contó todos los nombres de los más dellos;
y cómo allí en la Insola Firme los avía hallado Amadís, que
desto nada no sabía; y allí él con ellos ovieron consejo de
cómo esta infanta fuesse socorrida, y ante ellos no passasse
tan gran fuerça como aquélla; que si era verdad que ellos
fuessen obligados a reparar las fuerças que a las dueñas y
donzellas se hazían, y por ellas avían sofrido fasta allí muchos afanes y peligros, que mucho más les obligava aquella
tan señalada y tan manifiesta a todo el mundo, y que si aquella no socorriessen, que no solamente perdían la memoria
del socorro y amparo que a las otras avían hecho, mas que
quedavan deshonrados para siempre y no les cumplía parescer donde hombres buenos oviesse. Y contóle cómo fue la
flota por la mar, y la gran batalla que con los romanos ovieron, y cómo al cabo fueron vencidos, y muerto Salustanquidio, el cormano del emperador, y preso Brondajel de Roca,
y el duque de Ancona y el arçobispo de Talancia, y los otros
presos y muertos; y cómo llevaron aquella princesa con todas
sus dueñas y donzellas, y la reina Sardamira, a la Insola
Firme; y que desde allí avían embiado mensajeros al rey Lisuarte requiriéndole y rogándole que, dexando de fazer tan
gran crueldad y sin justicia a su fija, la quisiese tornar a su
reino sin rigor ninguno, y quedando tal seguridad cual en tal
caso convenía a vista de otros reyes, gela embiarían luego
con todo el despojo y presos que avían tomado; y que lo
que él de parte de Amadís le suplicava era que, si caso fuesse que el rey Lisuarte no se quisiesse llegar a lo justo estando todavía en su mal propósito de no querer dél salir, y el
emperador de Roma en su ayuda con gran juntamiento de
gentes contra ellos, que a su merced como a uno de los más
principales ministros de Dios que en la tierra havía dexado

para mantener justicia, cuanto más ser tan conoscida ésta, tan grande que a esta tan virtuosa princesa se le fazía, que muy justa causa era de ser dél socorrida, y allende desto dar algún socorro aquel noble cavallero Amadís para apremiar a los que la justicia no quisiessen, ayudasse a que no passasse tan gran fuerça y tuerto como en aquello se fazía; y que demás de servir a Dios en ello y fazer lo que devía, Amadís y todo su linaje y amigos le serían obligados a gelo servir todos los días de su vida.

Cuando esto todo oyó el emperador, bien vio que el caso era grande y de gran fecho, assí por ser de la cualidad que era como porque sabía la gran bondad del rey Lisuarte y en cuánto su honra y fama siempre avía tenido, y también porque conoscía la sobervia del emperador de Roma, que era más fecho a su voluntad que a seguir seso ni razón. Y bien creía que esto no se podía curar sino con gran afruenta, y en mucho lo tuvo; pero considerando la gran justicia que aquellos cavalleros tenían, y cómo Amadís avía venido de tan lueñe tierra a le ver, y le avía dado palabra, ahunque liviana fuesse y no dicha aquella parte que la él tomó, quiso mirar a su grandeza acordándose de algunas sobervias que el emperador de Roma en los tiempos passados le avía fecho; y respondió al maestro Elisabad, y díxole:

—Maestro, grandes cosas me avéis dicho, y de tan buen hombre como vos sois todo se puede y deve creer; y pues que el esforçado Amadís ha menester mi ayuda, yo gela daré tan complidamente que aquella palabra que él de mí tomó, ahunque en alguna manera liviana paresciesse, la falle muy verdadera y muy complida, como palabra de tan gran hombre como yo soy, dada a tan honrado cavallero y tan señalado como él es; porque nunca en cosa me ofrescí que al cabo no acabasse.

Y todos cuantos allí estavan ovieron muy gran plazer de lo que el emperador respondió, y sobre todos Gastiles, su sobrino, aquel que ya oístes que fue por Amadís, llamándose el Cavallero de la Verde Espada cuando mató al Endriago. Y luego se fincó de rodillas ante el emperador su tío, y dixo:

—Señor, si a la vuestra merced pluguiere y mis servicios lo merescen, hágaseme por vos esta señalada merced: que sea yo embiado en ayuda de aquel noble y virtuoso cavallero que tanto ha honrado la corona de vuestro imperio.

El emperador, cuando oyó esto, le dixo:

—Buen sobrino, yo os lo otorgo, y así me plaze que sea, y desde agora vos mando a vos y al marqués Saluder que toméis cargo de guarnescer una flota que sea tal y tan buena como a la grandeza de mi estado requiere, porque en otra manera no me podría venir dello honra. Y si fuere menester, vos y él iréis en ella y podréis dar batalla al emperador de Roma como cumple.

Gastiles le besó las manos y gelo tuvo en muy gran merced. Y así como lo él mandó lo fizieron él y el marqués. Cuando el maestro Elisabad esto vio, bien podréis creer el plazer que dello sintiera; y dixo al emperador:

—Señor, por esso que me avéis dicho os beso las manos de parte de aquel cavallero, y por ser yo el que tal recaudo llevo, le beso los pies; y porque por el presente me queda mucho de fazer, sea la vuestra merced de me dar licencia. Y si el emperador de Roma llegare su gente, pues que es hombre de muy gran sentimiento para semejantes cosas, y si él las llegare, que así mesmo por conseguiente vos mandéis llamar las vuestras, porque a un tiempo leguen a los que las esperaren.

El emperador le dixo:

—Maestro, id con Dios, y desso dexad a mí el cargo, que si menester será, allá veréis quién yo soy, y en lo que Amadís tengo.

Assí el maestro se despidió del emperador, y se tornó a la tierra de su señora Grasinda.

CAPÍTULO C

CÓMO GANDALÍN LLEGÓ EN GAULA, Y FABLÓ AL REY PERIÓN LO QUE SU SEÑOR LE MANDÓ, Y LA RESPUESTA QUE UVO

SABED que Gandalín llegó en Gaula, donde con mucho plazer fue recebido por las buenas nuevas que de Amadís llevava, de quien mucho tiempo avía que las no avían sabido. Y luego apartó al rey y díxole todo cuanto su señor le mandó que le dixiesse, así como ya oístes. Y como éste fuesse un rey tan esforçado que ninguna afruenta, por grande que fuesse, temía, en especial tocando aquel hijo que era un espejo luziente en todo el mundo, y que él tanto amava, dixo:

—Gandalín, esto que de parte de tu señor me dezís se fará luego; y si ante que yo lo vieres, dile que le no toviera por cavallero, si aquella fuerça dexara passar, porque a los grandes coraçones es dado las semejantes empresas. Y yo te digo que si el rey Lisuarte no se quiere llegar a razón, que será por su daño. Y cata que te mando que nada desto no digas a mi fijo Galaor, que aquí tengo muy doliente, tanto que muchas vezes le he tenido más por muerto que por vivo, y ahún agora tiene mucho peligro; ni a su compañero Norandel, que por le ver es aquí venido, que a él yo gelo diré.

Gandalín le dixo:

—Señor, como mandáis se fará, y mucho me plaze por ser dello avisado, que yo no mirara en ello y pudiera errar.

—Pues vete a lo ver —dixo el rey—, y dile nuevas de su hermano, y guarda no te sienta nada a lo que vienes.

Gandalín se fue a la cámara donde Galaor estava, tan flaco y tan malo que él fue maravillado de lo ver. Y como entró, fincó los inojos por le besar las manos, y Galaor le miró y conosció que era Gandalín, y las lágrimas le venieron a los ojos con plazer, y dixo:

—Mi amigo Gandalín, tú seas bien venido; ¿qué me dizes de mi señor y hermano Amadís?

Gandalín le dixo:

—Señor, él queda en la Insola Firme sano y bueno, y con mucho desseo de vuestra vista; y no sabe, señor, de vuestro mal, ni yo lo sabía fasta que el rey mi señor me lo dixo, que yo vine aquí con su mandado para le fazer saber a él y a la reina su venida. Y cuando él sepa el estado de vuestra salud, mucho pesar dello avrá, como de aquel a quien ama y precia más que a persona de su linaje.

Norandel, que allí estava, le abraçó y le preguntó por Amadís qué tal venía, y él le dixo lo que havía dicho a don Galaor, y les contó algunas cosas de las que en las ínsolas de Romanía y en aquellas estrañas tierras les havían acaescido. Norandel dixo a don Galaor:

—Señor, razón es que con tales nuevas como éstas toméis esfuerço y desechéis vuestro mal, porque vamos a ver aquel cavallero, que sí Dios me ayude, él es tal que ahunque por ál no fuesse sino por le ver, todos los que algo valen devrían tener en poco el trabajo de su camino, ahunque muy largo fuesse.

Estando assí fablando y preguntando Galaor a Gandalín

muchas cosas, entró el rey y tomó a Norandel por la mano,
y fablando entre otras cosas, le sacó de la cámara. Y cuando
fueron donde don Galaor no los pudiesse oír, el rey le dixo:

—Mi buen amigo, a vos conviene que luego os vayáis a
vuestro padre, el rey, porque, según he sabido, os avrá menester, y a todos los suyos. Y no vos empachéis en otras demandas, porque yo sé cierto que será muy servido con vuestra ida. Y desto no digáis nada a don Galaor, vuestro amigo,
porque sería ponerle en gran alteración, de que mucho daño
venir le podría, según su flaqueza.

Norandel le dixo:

—Mi señor, de tan buen hombre como vos sois no se deve
tomar sino el consejo sin más preguntar la causa, porque cierto soy que assí será como lo dezís; y yo me despidiré esta
noche de don Galaor, y mañana entraré en la mar, que allí
tengo mi fusta, que cada día me espera.

Esto fizo el rey porque Norandel cumpliesse lo que a su
padre obligado era, y también porque no viesse que él mandava adereçar su gente y apercebir sus amigos.

Assí estuvieron aquel día más alegres con don Galaor, porque lo él estava con las nuevas de su hermano. Gandalín
dixo a la reina lo que Amadís le suplicava, y ella le dixo
que todo se faría como él lo cnbiava a dezir.

—Mas Gandalín, amigo —dixo la reina—, mucho estoy turbada destas nuevas, porque entiendo que mi fijo estará en
gran cuidado, y después en gran peligro de su persona.

—Señora —dixo Gandalín—, no temáis, que él avrá tanta
gente que el rey Lisuarte ni el emperador de Roma no lo
osen acometer.

—Assí plega a Dios —dixo la reina.

Venida la noche, Norandel dixo a don Galaor:

—Mi señor, yo acuerdo de me ir porque veo que vuestra
dolencia es larga, y para yo no aprovechar en ella, mejor
será que en otras cosas entienda, porque, como vos sabéis,
ha poco que soy cavallero, y no he ganado tanta honra como
me sería menester para ser tenido entre los buenos por hombre de algún valor, y lo que supe de vuestro mal me estorvó
de un camino en que estava puesto cuando de casa de mi
padre el rey salí, y agora me conviene de ir a otra parte
donde es menester mi ida, y Dios sabe el pesar que mi coraçón siente en no poder andar en vuestra compañía. Mas
plaziendo a Dios, en este comedio de tiempo en que yo cum-

pla lo que escusar no puedo, seréis más mejorado, y yo terné cargo de me venir a vos, y iremos de consuno a buscar algunas aventuras.

Don Galaor, como esto oyó, sospiró con gran congoxa y díxole:

—El dolor que yo, mi buen señor, siento en no poder ir con vos no lo sé dezir; mas, pues assí plaze a Dios, no se puede ál fazer, y conviene que su voluntad se cumpla assí como Él quiere. Y a Dios vais encomendado, y si caso fuere que veáis al rey vuestro padre y mi señor, besalde las manos por mí, y dezilde que quedo a su servicio, ahunque más muerto que bivo, como vos, señor, vedes.

Norandel se fue a su cámara, y muy triste por el mal de don Galaor, su leal amigo. Y otro día de mañana oyó missa con el rey Perión, y despidióse de la reina, y de su hija y de todas las dueñas y donzellas; y la reina le encomendó a Dios, y su hija y todas las otras dueñas y donzellas le acomendaron a Dios, como aquellas que lo mucho amavan, y así entró luego en la mar. Y aquí no cuenta de cosa que le acaesciese sino que con muy buen tiempo llegó en la Gran Bretaña, y se fue donde el rey su padre estava, y fue así dél como de los otros todos muy bien recebido como buen cavallero que él era.

CAPÍTULO CI

DE CÓMO LASINDO, ESCUDERO DE DON BRUNEO DE BONAMAR, LLEGÓ CON EL MANDADO DE SU SEÑOR AL MARQUÉS Y A BRANFIL, Y LO QUE CON ELLOS FIZO

LASINDO, escudero de don Bruneo de Bonamar, llegó adonde el marqués estava; y como le dixo el mandado de su señor a él y a Branfil, Branfil se congoxó tanto por no se fallar en lo passado con aquellos cavalleros, y no aver sido en la tomada de Oriana, que se quería matar. Y fincó los inojos delante su padre, y muy afincadamente le pidió por merced que mandasse poner en obra lo que su hermano embiava a demandar. El marqués, como era buen cavallero, y sabía la gran amistad que sus hijos tenían con Amadís y con todo su linaje, de que gran honra y estima les crescía, díxole:

—Fijo, no te congoxes, que yo lo faré tan complidamente, y te embiaré, si menester es, con tan buena compaña que la tuya no sea la peor.

Branfil le besó las manos por ello; y luego se dio orden cómo la flota se adereçasse y la gente para ella, que este marqués era muy gran señor y muy rico, y avía en su señorío muy buenos cavalleros y de otra gente de guerra mucha y bien armada.

CAPÍTULO CII

CÓMO ISANJO LLEGÓ CON EL MANDADO DE AMADÍS AL BUEN REY DE BOHEMIA, Y EL GRAN RECAUDO QUE EN ÉL FALLÓ

ISANJO, el cavallero de la Insola Firme, llegó al reino de Bohemia, y dio la carta de Amadís y la creencia al rey Tafinor. No vos podría hombre dezir el plazer que con ello uvo cuando lo vio; y dixo:

—Cavallero, vos seáis bien venido, y mucho gradezco a Dios este mensaje que me traéis; y por lo que se fará podréis ver con la voluntad que se recibe, y si vuestro camino es bien empleado.

Y llamando a su hijo Grasandor, le dixo:

—Hijo Grasandor, si yo soy obligado a tener conoscimiento de las grandes ayudas y provechos que el Cavallero de la Verde Espada me fizo estando en este mi reino, tú lo sabes; que demás de ser por él guardada y acrescentada la honra de mi real corona, él me quitó de la más cruda y peligrosa guerra que nunca rey tuvo, assí por la tener con hombre tan poderoso como el emperador de Roma, como por él ser en sí mismo tan sobervio y fuera de toda razón, donde no se esperava otra fin sino ser yo y tú perdidos y destruidos, y por ventura al cabo muertos. Y aquel noble cavallero, que Dios por mi bien a mi casa traxo, lo reparó todo a mi honra y de mi reino, como tú viste. Y assí como testigo dello te mando que veas esta carta que me embía, y lo que este cavallero de su parte me ha dicho, y con toda diligencia te aparcja para que aquel gran beneficio que de aquel cavallero recebimos de nosotros sea satisfecho. Y sabe que este cavallero se llama Amadís de Gaula, aquel de quien tales cosas tan famosas por todo el mundo se cuentan, y por no ser conoçido se llamó el Cavallero de la Verde Spada.

Grasandor tomó la carta y oyó lo que Isanjo le dixo, y respondió a su padre diziendo:

—¡O señor, qué descanso tan grande recibe mi coraçón en que aquel noble cavallero haya menester el favor y ayuda de vuestro real estado, y en ver el conoçimiento y gradeçimiento que de las cosas passadas por él hechas vos, señor, tenéis! Solamente queda para satisfación de mi voluntad que a la merced vuestra plega que, quedando el conde Galtines para llevar la gente si menester fuere, a mí me dé licencia con veinte cavalleros, y luego me vaya a la Insola Firme; porque ahunque en esta cuistión algún atajo se dé, gran honra será para mí estar en compaña de tal cavallería como ayuntada allí está.

El rey le dixo:

—Fijo, yo tuviera por bien que esperaras a ver el fin desto, y llevaras aquel aparejo que a la honra mía y tuya convenía levar; mas, pues assí esto te plaze, hágase como lo pides, y escoje los cavalleros que más te plazerá, y yo mandaré que luego sea aparejada una nave en que vayas. Y a Dios plega de te dar tan buen viaje y tanto en honra de aquel noble cavallero que con todo nuestro estado le paguemos la deuda que él con su persona sola nos dexó.

Esto se hizo luego. Y este Grasandor, infante heredero deste rey Tafinor de Bohemia, tomó consigo los veinte cavalleros que le más contentaron, y se metió a la mar, y fue su vía camino de la Insola Firme.

CAPÍTULO CIII

Cómo Landín, sobrino de don Cuadragante, llegó en Irlanda, y lo que con la reina recaudó

CON el mandado de su señor llegó Landín, sobrino de don Cuadragante, en Irlanda, y secretamente fabló con la reina, y díxole el mandado de su señor. Y como ella oyó tan gran rebuelta y tan peligrosa, comoquiera que sabía ser su padre, el rey Abiés de Irlanda, muerto por la mano de Amadís, como el primero desta historia lo cuenta, y siempre en su coraçón aquel rigor y enemistad que en semejante caso se suele tener, con él tuviesse, consideró que mucho mejor era acorrer y poner remedio en los daños presentes que en los passados, que cuasi como olvidados estavan. Y fabló con algunos de quien se fiava y con ellos tuvo tal manera que, sin que el rey su marido lo supiesse, don Cuadragante su tío fue mucho ayudado con intención que, creçida la parte de Amadís, el rey Lisuarte sería destruído y su marido, el rey Cildadán, con su reino salido de le ser sujeto y tributario.

Pues assí como os havemos contado, todas estas gentes quedaron apercibidas con aquella voluntad y desseo que se requiere tener a los vencedores. Mas agora dexa la historia de fablar dellos por contar lo que los mensajeros del rey Lisuarte hizieron.

CAPÍTULO CIV

CÓMO DON GUILÁN EL CUIDADOR LLEGÓ EN ROMA CON EL MANDADO DEL REY LISUARTE, SU SEÑOR, Y DE LO QUE HIZO EN SU EMBAXADA CON EL EMPERADOR PATÍN

DON Guilán el Cuidador anduvo tanto por sus jornadas, que a los veinte días después que de la Gran Bretaña partió, fue en Roma con el emperador Patín, el cual falló con muchas gentes y grandes aparejos para recebir a Oriana, que cada día sperava, porque Salustanquidio, su cormano, y Brondajel de Roca le havían scripto cómo ya lo tenían despachado, y que presto serían con él con todo recaudo, y estava mucho maravillado cómo tardavan. Y don Guilán entró assí armado como venía, sino las manos y la cabeça, en el palacio, y fuese donde el emperador stava, y hincó los inojos y besóle las manos, y diole la carta que le levava. Y el emperador le conoció muy bien, que muchas vezes le viera en casa del rey Lisuarte al tiempo que él allí estuvo, cuando se bolvió muy mal herido del golpe que Amadís le dio de noche en la floresta, como el libro segundo desta historia lo cuenta, y díxole:

—Don Guilán, vos seáis muy bienvenido. Entiendo que venís con Oriana, vuestra señora; dezidme dónde queda, y mi gente que la trae.

—Señor —dixo él—, Oriana y vuestra gente quedan en tal parte donde ni a vos ni a ellos convenía.

—¿Cómo es esso? —dixo el emperador.

El le dixo:

—Señor, leed essa carta, y cuando os pluguiere, deziros he a lo que vengo, que mucho hay más de lo que pensar podéis.

El emperador leyó la carta, y vio que era de creencia; y como en todas las cosas fuesse muy liviano y desconcertado, sin más mirar a otro consejo, le dixo:

—Agora me dezid la creencia desta carta delante de todos estos que aquí están, que me no podría más sufrir.

Don Guilán le dixo:

—Señor, pues assí vos plaze, assí sea. El rey Lisuarte, mi señor, os faze saber cómo Salustanquidio y Brondajel de Roca, y otros muchos cavalleros con ellos, llegaron en su reino, y de vuestra parte le demandaron a su fija Oriana para ser vuestra muger; y él, conoçiendo vuestra virtud y grandeza, ahunque esta infanta fuesse su derecha heredera y la cosa del mundo que él y la reina su mujer más amassen, por os tomar por fijo y ganar vuestro amor, contra la voluntad de todos los de sus reinos jela dio con aquella compaña y atavíos que a la grandeza de vuestro estado y suyo convenía; y que entrados en la mar, fuera de los términos de su reino, salió Amadís de Gaula con otros muchos cavalleros, con otra flota, y desbaratados los vuestros, y muertos muchos con el príncipe Salustanquidio, y preso Brondajel de Roca y el arçobispo de Talancia y el duque de Ancona, y otros muchos con ellos, fue Oriana tomada con todas sus dueñas y donzellas y la reina Sardamira, y todos los presos y despojos fueron levados a la Insola Firme, donde la tienen; y que desde allí le han embiado mensajeros con algunos conciertos, pero que los no ha querido oír fasta que os, señor, a quien este fecho tanto toca, lo sepáis, y vea cómo lo sentís, faziéndole saber que si assí como a él le pareçe que deven ser castigados, os pareçe a vos, que sea tan breve, que el tiempo largo no haga la injuria mayor.

Cuando el emperador esto oyó, fue mucho spantado, y dixo con gran dolor de su coraçón:

—¡O cativo emperador de Roma, si tú esto no castigas, no te cumple sola una hora en este mundo bivir!

Y tornó y dixo:

—¿Es cierto que Oriana es tomada y mi cormano muerto?

—Cierto sin ninguna duda —dixo don Guilán—, que todo ha passado como os he dicho.

—Pues agora, cavallero, os bolved —dixo el emperador— y dezid al rey vuestro señor que esta injuria, y la vengança della, yo la tomo a mi cargo, y que él no entienda en otra cosa sino en mirar lo que yo faré; que si deudo con él yo quiero, no es para darle trabajo ni cuidado, sino para le vengar de quien enojo le fiziere.

—Señor —dixo don Guilán—, vos respondéis como gran señor que sois y cavallero de gran esfuerço; pero entiendo que lo havéis con tales hombres, que bien será menester lo d'allá con lo de acá. Y el rey mi señor hasta agora está bien satisfecho de todos los que enojado le han, y assí lo estará de aquí adelante. Y pues que tan bien recaudo en vos, señor, fallo, yo me partiré; y mandad poner en obra lo que cumple, y muy presto, con tal aparejo como es menester para tomar vengança sin que el contrario se reciba.

Con esto se despidió don Guilán del emperador, y no muy contento, que como éste fuesse un muy noble cavallero y muy cuerdo y esforçado, y viesse con tan poca autoridad y liviandad fablar aquel emperador, gran pesar en su coraçón llevava de ver al rey su señor en compaña de hombre tan desconcertado, donde no le podía venir, si por muy gran dicha no fuesse, sino toda mengua y desonra. Y assí se bolvió por su camino llorando muchas vezes la gran pérdida que el rey su señor por su gran culpa havía hecho en perder a Amadís, y a todo su linaje y a otros muchos que tanto valían y que por su causa estavan en su servicio, y agora le eran tan grandes enemigos.

Pues con mucho trabajo llegó a la Gran Bretaña, y fue bien recebido del rey y de todos los de la corte. Y luego fabló con él y le dixo todo lo que en el emperador fallado havía, y cómo se aparejava para venir con gran priessa; y con esto le dixo.

—Quiera Dios, señor, que del deudo deste hombre os venga honra; que sí Dios me ayude, muy poco contento vengo de su autoridad, y no puedo creer que gente que tal caudillo traya faga cosa que buena sea.

El rey le dixo:

—Don Guilán, mucho soy alegre de veros venido bueno y con salud, y teniendo yo a vos y a otros tales que me han de servir, solamente havremos menester la gente del emperador; que ahunque él no la rija ni la guíe, vosotros bastáis para governar a él y a mí; y pues él assí lo toma, menester es que acá nos falle con tal recaudo, que veyéndolo no tenga en tanto su poder como lo agora tiene.

Assí estuvo el rey adreçando todas las cosas que convenían con mucha diligencia, que bien sabía que sus contrarios no dexavan de llamar cuantas gentes podían haver, qu'él supo cómo el emperador de Costantinopla, y el rey de Bohemia, y el rey Perión, y otros muchos llamavan sus gentes para las embiar a la Insola Firme; y por dicho se tenía, según la bondad de Amadís y de todos aquellos cavalleros que con él estavan, que viéndose con aquellos tan grandes poderes no se podrían sofrir de lo no buscar dentro en su reino. Y por esta causa nunca cessava de buscar ayudas de todas partes, pues veía que les serían menester; y también supo cómo el rey Arávigo y Barsinán, señor de Sansueña, y otros muchos con ellos, adreçavan gran armada, y no podía pensar adónde acudirían.

Estando en esto, llegó Brandoivas y díxole cómo el rey Cildadán se aparejava para complir su mandado, y que don Galvanes le suplicava que le no mandasse ser contra Amadís y Agrajes, su sobrino, y que si desto contento no fuesse, que él le dexaría libre y desembargada la ínsola de Mongaça, como havía quedado al tiempo que dél la recibió: que mientra él la tuviesse, fuesse su vassallo, y cuando no lo quisiesse ser, que dexándole la ínsola quedasse libre. El rey, como era muy cuerdo, ahunque su necessidad fuesse grande, bien vio que don Galvanes tenía razón, y embióle a dezir que quedasse, que ahunque en aquella jornada no le sirviesse, ende vernía tiempo en que se pudiesse emendar.

Pues dende a pocos días llegó Filispinel del rey Gasquilán de Suesa, y dixo al rey cómo le havía recebido muy bien, y que con gran voluntad le vernía ayudar, y combatirse con Amadís por complir lo que tanto desseava.

Sabido por el rey el gran aparejo que tenía, acordó de no dilatar, y mandó llamar a su sobrino Giontes, y díxole:

—Sobrino, es menester que luego vayáis lo más presto que ser pudiere al Patín, emperador de Roma, y le digáis que yo estoy contento de lo que de su parte don Guilán me dixo, y que yo me voy a la mi villa de Vindelisora, porque es cerca del puerto donde él ha de desembarcar, y que allí llegaré todas mis compañas; y estaré en el campo en real esperando su venida; que le ruego yo mucho que sea lo más presto qu'él pudiere, porque según su gran poder y el mío, si luego en el comienço a nuestros contrarios sobramos de gentes, muchas ayudas les faltarán de las que vernían poniendo dilación; y vos, sobrino, no os partáis dél fasta venir en su compaña, que vuestra ida le porná mayor gana y cuidado para su venida.

Giontes le dixo:

—Señor, por mí no quedará de ser complido lo que mandáis.

El rey se partió luego para Vindelisora, y mandó llamar todas sus gentes. Y Giontes se metió a la mar en una fusta guarnida y guisada de lo que para semejante viaje convenía, assí de marineros como de viandas, para ir a Roma.

CAPÍTULO CV

CÓMO GRASANDOR, HIJO DEL REY DE BOHEMIA, SE ENCONTRÓ CON GIONTES, Y LO QUE LE AVINO CON ÉL

DICHO os havemos cómo Grasandor se partió de casa de su padre, el rey de Bohemia, en una fusta con veinte cavalleros para se ir a la Insola Firme. Pues navegando por la mar la ventura que le guió, topóse una noche con Giontes, sobrino del rey Lisuarte, que con su mandado iva a Roma al emperador, como ya oístes. Y viéndose cerca los unos de los otros, Grasandor mandó a sus marineros que endereçassen contra aquella nave para la tomar. Y Giontes, como no levava otra compaña sino la que necessaria era para el governar de la fusta, y algunos otros servidores, y iva en cosa que tanto complía al rey su señor, no pensó en ál sino en se quitar de toda afruenta y cumplir su viaje según le era mandado. Mas tanto no se pudo arredrar que tomado no fuesse y traído ante Grasandor assí armado como estava, y preguntóle quién era. Y él le dixo que era un cavallero del rey Lisuarte, que iva con su mandado al emperador de Roma, y que si él por cortesía le mandasse soltar, y podiesse complir su camino, que mucho gelo gradecería, pues que causa ni razón ninguna havía para lo detener. Grasandor le dixo:

—Cavallero, comoquiera que yo espere de ser muy presto contra esse rey que dezís en ayuda de Amadís de Gaula, y por esto no sea obligado a tratar bien ninguno de los suyos, quiero usar con vos de toda mesura y dexaros ir a tal partido que me digáis vuestro nombre y el mandado que al emperador lleváis.

Giontes le dixo:

—Si por no deziros mi nombre y a lo que voy, ganasse más honra y el rey, mi señor, fuesse más servido, escusado sería preguntármelo, pues que sería en vano. Pero porque mi embaxada es pública, y en dezirla con quien yo soy cumplo más lo que devo, haré lo que me pedís. Sabed que a mí llaman Giontes, y soy sobrino del rey Lisuarte, y el mensaje que lievo es traer al emperador con todo su poder lo más presto que pueda, para que se junte con el rey mi tío y vayan contra aquellos que a la infanta Oriana tomaron en la mar, como entiendo que havréis sabido, porque cosa tan grande no se puede escusar de ser pública en muchas partes. Agora os he dicho lo que saber queréis; dexadme ir, si vos pluguiere, mi camino.

Grasandor le dixo:

—Vos lo havéis dicho como cavallero. Yo vos suelto que os vayáis dos quisierdes, y venid presto con esse que dezís, que prestos hallaréis los que buscáis.

Assí se fue Giontes su camino; y Grasandor mandó a uno de aquellos cavalleros que con él iva, que en una barca que allí llevavan se tornasse a su padre y le dixesse aquellas nuevas, y que pues el fecho estava en tal estado, que le pedía por merced se avisasse cuando el emperador o su gente moviesse para ir al rey Lisuarte, y que, sin otro llamamiento que le fuesse hecho, embiasse toda su gente a la Insola Firme con el conde Galtines, porque lo suyo, seyendo lo primero, en mucho más sería tenido. Y assí se fizo, que este rey de Bohemia, sabido por él esta nueva, luego mandó partir su flota con mucha gente y bien armada, como aquel que con mucha afición y amor estava de acreçentar la honra y provecho de Amadís.

Grasandor tiró por su mar adelante, y sin ningún entrevallo llegó al puerto de la Insola Firme; y como algunos de los de la ínsola los vieron, dixéronlo a Amadís, y él mandó que fuessen a saber quién venía en la nave, y assí se hizo. Y cuando le dixeron que era Grasandor, hijo del rey de Bohemia, ovo muy gran plazer, y cavalgó y fuese a la posada de don Cuadragante; y tomaron consigo Agrajes y fuéronlo a recebir. Y cuando llegaron al puerto, ya era salido de la mar

Grasandor y sus cavalleros, y estavan todos a cavallo; y cuando él vio venir Amadís contra sí, adelantóse de los suyos y fuelo abraçar, y Amadís a él; y díxole:

—Mi señor Grasandor, vos seáis muy bien venido, y mucho plazer he con vuestra vista.

—Mi buen señor —dixo él—, a Dios plega por su merced que siempre comigo plazer hayáis, y que sea tan creçido como lo yo trayo en saber que el rey mi padre y yo vos podemos pagar algo de aquella gran deuda en que nos dexastes. Y bien será que sepáis unas nuevas que en el camino por donde vengo hallé, y con tiempo pongáis el remedio que cumple.

Estonces les contó todo lo que de Giontes supo, assí como ya oístes que lo prendió, y cómo desde allí embió a su padre para que en sabiendo que la gente del emperador movía, que él sin otro llamamiento embiasse luego toda su gente; en lo cual no pusiesse duda alguna, sino que vernía antes que lo de los contrarios, y que de allí perdiesse cuidado del llamamiento. Don Cuadragante dixo:

—Si todos nuestros amigos con tal voluntad nos ayudan como este señor, no temeremos mucho esta afruenta.

Assí se fueron al castillo, y Amadís llevó a su posada a Grasandor, y hizo aposentar los suyos y mandóles dar todo lo que oviessen menester. Y embió a todos aquellos señores que viniessen a ver aquel príncipe tan honrado que les era venido; y assí lo fizieron, que luego vinieron todos a la posada de Amadís assí vestidos de paños de guerra muy preciados, como siempre en los lugares que algún reposo tenían lo havían acostumbrado. Y cuando Grasandor los vio, y vio tantos cavalleros, y de quien su fama por todas las partes del mundo tan sonada era, mucho fue maravillado, y por muy honrado se tuvo en se ver en compaña de tales hombres. Todos llegaron con mucha cortesía a lo abraçar y él a ellos, y le mostraron mucho amor. Amadís les dixo:

—Buenos señores, bien será que sepáis lo que este cavallero nos dixo de lo que del rey Lisuarte supo.

Estonces gelo contó todo como lo ya oístes, y todos dixeron que sería bien que fuessen embiados otros mensajeros a llamar la gente que apercebida estava, y assí se fizo. Y porque muy larga y enojosa sería esta scriptura, si por estenso se dixessen las cosas que en estos viajes passaron, solamente vos contaremos que, llegados estos mensajeros adonde ivan, las gentes por sus señores fueron llamadas, y metidos en sus naves, caminaron todos a la Insola Firme, cada uno con los que aquí se dirán:

El rey Perión traxo de los suyos y de sus amigos tres mil cavalleros. El rey Tafinor de Bohemia embió con el conde Galtines mil y quinientos cavalleros. Tantiles, mayordomo de la reina Briolanja, traxo mil y dozientos cavalleros. Branfil, hermano de don Bruneo, traxo seis cientos cavalleros. Landín, sobrino de don Cuadragante, traxo de Irlanda seis cientos cavalleros. El rey Ladasán de España embió a su hijo don Brian de Monjaste dos mil cavalleros. Don Gandales traxo del rey Languines de Escocia, padre de Agrajes, mil y quinientos cavalleros. La gente del emperador de Costantinopla que traxo Gastiles, su sobrino, fueron ocho mil cavalleros. Todas estas gentes que la historia cuenta llegaron a la Insola Firme. Y el primero que allí vino fue el rey Perión de Gaula por la priessa que se dio, y porque su tierra estava más cerca que ninguna de las otras; y si él fue bien recebido de sus hijos y de todos aquellos señores, no es necessario dezirlo, y assí mesmo el gran plazer que él con ellos hovo; y por él fue acordado que toda la gente de la Insola Firme saliessen con sus tiendas y aparejos a una vega que debaxo de la cuesta del castillo estava muy llana y muy hermosa, cercada de muchas arboledas y en que havía muchas fuentes, y assí se hizo, que desde allí adelante todos estavan en real en el campo, y assí como la gente venía, assí luego era allí aposentada. Y desque todos fueron juntos, ¿quién vos podría dezir qué cavalleros, qué cavallos, y armas allí eran? Por cierto, podéis creer que en memoria de hombres no era que gente tan escogida, y tanta como aquélla, fuesse en ninguna sazón junta en ayuda de ningún príncipe como ésta lo fue.

Oriana, a quien mucho pesava desta discordia, no hazía sino llorar y maldezir su ventura, pues que la havía traído a tal estado que tan gran perdición de gentes, si Dios no lo remediasse, a su causa fuesse venida. Pero aquellas señoras que con ella estavan con mucha piedad y amor le davan consuelo, diziendo que ni ella ni los que en su servicio estavan eran en cargo de nada desto ante Dios, ni ante el mundo; y ahunque no quiso, la hizieron subir a lo más alto de la torre, de donde toda la vega y gente se pareçía. Y cuando ella vio todo aquel campo cubierto de gentes, y tantas armas reluzir, y tantas tiendas, no pensó sino que todo el mundo era allí asonado; [91] y cuando todas estavan mirando, que en ál no entendían, Mabilia se llegó a Oriana y le dixo muy passo:

—¿Qué vos pareçe, señora? ¿Hay en el mundo quien tal servidor ni amigo como tenéis tenga?

Oriana dixo:

—¡Ay, mi señora y verdadera amiga! ¿Qué haré?, que mi coraçón no puede sofrir en ninguna manera lo que veo; que desto no me puede redundar sino mucha desventura, que de un cabo está este que dezís, que es la lumbre de mis ojos y el consuelo de mi triste coraçón, sin el cual sería impossible poder yo bivir; y del otro estar mi padre, que ahunque muy cruel le he hallado, no le puedo negar aquel verdadero amor que como hija le devo. Pues ¡cuitada de mí!, ¿qué haré? Que cualquiera déstos que se pierda, siempre seré la más triste y desventurada, todos los días de mi vida, que nunca muger lo fue.

Y començó a llorar, apretando las manos una con otra. Mabilia la tomó por ellas y díxole:

—Señora, por Dios vos pido que dexéis estas congoxas y tengáis buena esperança en Dios, el cual muchas vezes, por mostrar su gran poder, trae las cosas semejantes de gran espanto con muy poca esperança de se poder remediar, y después, con pensado consejo les pone el fin al contrario de lo que los hombres piensan; y assí, señora, puede acaeçer en esto, si a Él le pluguiere. Y puesto caso que la rotura por Él permitida esté, havéis de mirar que una fuerça tan grande como es la que vos hazen, que sin otra mayor no se podría remediar. Pues dad gracias a Dios que no es a cargo vuestro, como estos señores vos han dicho.

Oriana, como muy cuerda era, bien entendió que dezía verdad, y algún tanto fue consolada. Pues assí estovieron gran pieça mirando, y después acogiéronse a sus aposentamientos.

El rey Perión, de que vio toda la gente aposentada, tomó consigo a Grasandor, fijo del rey de Bohemia, y Agrajes, y dixo que quería ver a Oriana; y assí se fue con ellos al castillo, y mandó a Amadís y a don Florestán que quedassen con la gente. Oriana, cuando supo la venida del rey, mucho le plugo, porque después que él por su ruego hizo cavallero a Amadís de Gaula llamándose el Donzel del Mar, estando en casa del rey Languines de Escocia, padre de Agrajes, assí

91. *Asomado*, Z, fol. 227 rº; *asonado*, P.; *asonado*, CB. p. 1423.

como el primero libro desta historia lo cuenta, nunca lo havía visto; y juntó consigo todas aquellas señoras para lo recebir. Pues el rey y aquellos caballeros, llegados a su aposentamiento, entraron donde Oriana estava, y el rey la saludó con mucha cortesía, y ella a él muy humilmente, y después a la reina Briolanja y a la reina Sardamira, y a todas las otras infantas y señoras. Y Mabilia vino a él y hincó los inojos, y quísole besar las manos, mas él las tiró a sí, y abraçóla con mucho amor, y díxole:

—Mi buena sobrina, muchas encomiendas os trayo de la reina vuestra tía y de vuestra cormana Melicia, como aquella a quien mucho aman y precian, y Gandalín vos traerá su mandado, que quedó para venir con Melicia, que será agora aquí con vos y hará compañía a esta señora, que tan bien lo mereçe.

Mabilia le dixo:

—Dios gelo gradezca por mí lo que, señor, me dezís, y yo gelo serviré en lo que a mi mano venga. Y mucho soy leda de la venida de mi cormana, y assí lo hará esta princesa, que ha gran tiempo que la dessea ver por las buenas nuevas que della se dizen.

El rey se tornó a Oriana, y díxole:

—Mi buena señora, la razón que me ha dado causa de sentir y me pesar mucho de vuestra fatiga, aquella misma con mucho desseo me obliga de procurar el remedio della, y por esto soy aquí venido, donde a nuestro Señor plega me dé lugar que las cosas de vuestro servicio y honra sean acreçentadas como yo desseo y vos, mi buena señora, desseáis. Y mucho maravillado soy del rey vuestro padre, seyendo tan cuerdo y tan complido en todas las buenas maneras que rey deve tener, que en este caso, que tanto a su honra y fama toca, tan cruda y cortamente se haya havido, y ya que lo primero tanto errado fuesse, deviéralo emendar en lo segundo, que me dizen estos cavalleros que con mucha cortesía le han requerido, y que no los quiso oír. Si alguna escusa para su desculpa tiene, no es salvo que los grandes yerros tienen esta dolencia, que no saben bolver las espaldas para se tornar al buen conoçimiento; antes, estando rigurosos en su porfía, piensan con otros yerros y insultos mayores dar remedio a los primeros. Pues el provecho y honra que desto se le apareja, Dios, que es el verdadero sabidor y juez de la gran sin justicia que os haze, lo sabe, que en esta cosa tan señalada muy señaladamente mostrará su poder. Y vos, mi señora, en Él tened mucha esperança que Él vos ayudará y tornará en aquella grandeza que vuestra justicia y gran virtud mereçe.

Oriana, como muy entendida era, y todas las cosas mejor que otra muger conoçiesse, mirava mucho al rey, y pareçióle tan bien, assí en su persona como en su habla, que nunca vio otro que assí lo pareçiesse. Y bien conoçió que aquel mereçió ser padre de tales hijos, y que con mucha razón era loado y corría su fama por todas las partes del mundo por uno de los mejores cavalleros que en él havía; y fue tan consolada en lo ver, que si el amor que a su padre havía tan grande no fuera, que en muy grandes congoxas y cuidados la tenía puesta, no tuviera en nada que todo el mundo fuera contra ella, teniendo de su parte tal caudillo con la gente que él governar esperava; y díxole:

—Mi señor, ¿qué gracias vos puede dar desto que me havéis dicho una pobre cativa desheredada donzella, como lo yo soy? Por cierto, no otras ningunas sino las que vos han dado todas aquellas a quien con mucho peligro fasta aquí socorrido havéis, que son servir a Dios en ello y ganar aquella gran fama y prez que entre las gentes havéis ganado. Una cosa demando que por mí se haga demás de tan grandes benefiçios que de vos, mi buen señor, recibo, que es que en todo lo que la concordia se pudiere poner se ponga con el rey mi padre; porque no solamente nuestro Señor será servido en se escusar muertes de tantas gentes, mas yo me ternía por la más bienaventurada muger del mundo si acabar se pudiesse.

El rey le dixo:

—Las cosas son llegadas en tal estado que muy dificultoso sería poderse fallar la igualeza de las partes; pero muchas vezes acaeçe que en el estremo de las roturas se falla la concordia que con mucho trabajo allí hallar no se pudo, y assí en esto puede acaeçer. Y si tal se hallasse, podéis vos, mi buena señora, ser cierta que, assí por el servicio de Dios como por el vuestro, con toda afición será por mi voluntad otorgado, como aquel que dessea mucho serviros.

Oriana gelo gradeçió con mucha humildad, como aquella en quien toda virtud reinava más que en otra muger.

En este comedio que el rey Perión con Oriana fablava, Agrajes y Grasandor hablavan con la reina Briolanja, y con la reina Sardamira y Olinda y las otras señoras. Y cuando

Grasandor vio a Oriana y aquellas señoras tan estremadas en hermosura y gentileza de todas cuantas él havía visto ni oído, estava tan espantado, que no sabía qué dezir, y no podía creer sino que Dios por su mano las havía hecho. Y comoquiera que a la fermosura de Oriana y la reina Briolanja y Olinda ninguna se podía igualar, si no fuesse Melicia, que por venir estava, tan bien le pareçió el buen donaire y gracia y gentileza de la infanta Mabilia, y su gran honestidad, que desde aquella hora adelante nunca su coraçón fue otorgado de servir ni amar a ninguna mujer como aquella. Y assí fue preso su coraçón que mientra más la mirava, más afición le ponía, como en semejantes tiempos y autos suele acaeçer.

Pues estando assí cuasi como turbado, como cavallero mancebo que nunca del reino de su padre havía salido, preguntó a Agrajes que por cortesía le quisiesse dezir los nombres de aquellas señoras que allí con Oriana estavan. Agrajes le dixo quién eran todas y la grandeza de sus estados; y como ahún Mabilia estoviesse con el rey Perión y con Oriana, también le preguntó por ella. Y Agrajes le dixo cómo era su hermana, y que creyesse que en el mundo no havía muger de mejor talante ni más amada de cuantos la conoçían. Grasandor calló, que no dixo nada, y bien juzgó por su coraçón que Agrajes dezía verdad; y assí era, que todos cuantos a esta infanta Mabilia conoçían la amavan por la gran humildad y gracia que en ella havía.

Assí estando con mucho plazer, por gele dar a Oriana, que alegrar no se podía, la reina Briolanja dixo a Agrajes:

—Mi buen señor y gran amigo, yo he menester de hablar con don Cuadragante y Brian de Monjaste delante vos sobre un caso, y ruégoos mucho que los hagáis venir ante que os vayáis.

Agrajes le dixo:

—Señora, esso luego se hará.

Y mandó a uno suyo que los llamasse, los cuales vinieron. Y la reina los apartó con Agrajes y les dixo:

—Mis señores, ya sabéis el peligro en que me vi, donde, después de Dios, la bondad de vosotros me libró, y cómo metistes en mi poder aquél mi cormano Trion, el cual yo tengo preso. Y pensando mucho qué haré dél, de un cabo veo ser éste hijo de Abiseos, mi tío, que a mi padre a tan gran tuerto y traición mató, y que la simiente de tan mal hombre devría pereçer porque, sembrada por otras partes, no pudiesse nascer della semejantes traiciones; y de otro constriñiéndome el gran deudo que con él tengo, y que muchas veces acaeçe ser los hijos muy diversos de los padres, y que el acometimiento que éste hizo fue como mançebo por algunos malos consejeros, como lo he sabido, no me sé determinar en lo que haga. Y por esto vos hize llamar, para que como personas que en esto y en todo vuestra gran discreción alcança lo que hazer se deve, me digáis vuestro pareçer.

Don Brian de Monjaste le dixo:

—Mi buena señora, vuestro buen seso ha llegado tanto al cabo lo que en este caso dezir se podría, que no queda que consejar salvo traeros a la memoria que una de las causas por donde los príncipes y grandes son loados, y sus estados y personas seguras, es la clemencia, porque con ésta siguen la dotrina de Aquel cuyos ministros son; al cual, faziendo las personas lo que deven, se deve referir todo lo restante. Y sería bien que, porque más vuestra duda se aclarasse en determinar el un camino de los que, señora, havéis dicho, lo mandássedes aquí venir, y hablando con él por la mayor parte se podría juzgar algo de lo que ver ni adevinar por el cabo en ausencia suya se podría.

Todos lo tovieron por bien, y assí se fizo, que la reina rogó al rey Perión que se detuviesse alguna pieça hasta que con aquellos cavalleros tomasse conclusión de un caso en que mucho le iva. Venido Trion, pareçió ante la reina con mucha humildad, y con tal presencia que bien dava a entender el grande linaje donde venía. La reina le dixo:

—Trion, si yo tengo causa de os perdonar, o mandar poner en exsecución la vengança del yerro que me hezistes. Vos lo sabéis, pues también vos es notorio lo que vuestro padre al mío fizo. Pero como quiera que las cosas hayan passado, conoçiendo que el mayor deudo que en este mundo yo tengo sois vos, soy movida, no solamente haver piedad de vuestra juventud, haviendo en vos el conoçimiento que de razón haver devéis, mas a vos tener en aquel grado y honra que si de enemigo que me havéis seído me fuéssedes amigo y servidor. Pues yo quiero que delante destos cavalleros me digáis vuestra voluntad, y sea tan enteramente que, buena o al contrario, parezca sin temor en vuestra boca aquella verdad que hombre de tan alto lugar dezir deve.

Trion, que otra peor nueva esperava, dixo:

—Señora, en lo que a mi padre toca, no sé responder, porque la tierna edad en que yo quedé me escusa; en lo mío cierto es que, assí por mi querer y voluntad como por la de otros muchos que me consejaron, yo quisiera poneros en tal estrecho, y a mí en tanta libertad, que pudiera alcançar el estado que la grandeza de mi linaje demanda. Pero pues que la fortuna, assí en lo primero de mi padre y mis hermanos como en este segundo, me ha querido ser tan contraria, no queda para mí reparo salvo conoçiendo ser vos la derecha heredera de aquel reino que de nuestros abuelos quedó; y la gran piedad y merced que me haze, alcançe con muchos servicios, y por vuestra voluntad, lo que por fuerça mi coraçón alcançar deseava.

—Pues si vos, Trion —dixo la reina—, assí lo hazéis y me sois leal vasallo, yo vos seré no solamente cormana mas hermana verdadera, y de mí alcançaréis aquellas mercedes con que vuestra honra sea satisfecha y vuestro estado contento.

Estonces Trion hincó los inojos y besóle las manos. Y de allí adelante este Trion le fue a esta reina tan leal en todas las cosas que assí como ella misma todo el reino mandava; donde los grandes deven tomar enxemplo para ser inclinados a perdón y piedad en muchos casos que se requiere tener con todos, y muy mejor con sus deudos, gradeçiendo a Dios que seyendo de una sangre, de un avolorio, los hizo señores dellos y a ellos sus vassallos, y ahunque algunas vezes yerren, sofrir el enojo, considerando el gran señorío que sobre ellos tienen.

La reina le dixo:

—Pues apartando de mí todo enojo y dexándovos en vuestro libre poder, quiero que tomando cargo de governar y mandar esta mi gente hagáis aquello que la voluntad de Amadís fuere.

Mucho loaron aquellos cavalleros lo que esta muy hermosa y apuesta reina hizo, y de allí adelante este cavallero por ellos fue muy allegado y honrado, como adelante más largamente se dirá, y por todos los otros que su bondad y gran esfuerço conoçieron.

El rey Perión se despidió de Oriana y de aquellas señoras, y con aquellos cavalleros se tornó al real. Y la reina Briolanja encargó mucho Agrajes que hiziesse conoçer a Trion su cormano con Amadís y le dixesse todo lo que con él havía passado, y assí se hizo, que todo ge lo contó por estenso.

Pues llegado el rey Perión al real, falló que estonces llegava allí Baláis de Carsante con veinte cavalleros de su linaje muy buenos y muy bien armados y aparejados para servir y ayudar a Amadís. Y quiero que sepáis que este cavallero fue uno de los cavalleros que Amadís sacó de la cruel prisión de Arcaláus el Encantador con otros muchos, y el que cortó la cabeça a la donzella que juntó Amadís y a su hermano don Galaor para que se matassen. Y por cierto si por éste no fuera, al uno dellos convenía morir, o entrambos, así como el primero libro desta istoria lo cuenta. Este Baláis dixo al rey y aquellos cavalleros cómo el rey Lisuarte estava en real cerca de Vindilisora, y que según le avían dicho, que podría tener fasta seis mill de cavallo y otras gentes de pie, y que el emperador de Roma era llegado al puerto con gran flota, y toda la gente salía de la mar, y assentavan su real cerca del rey Lisuarte; y que assí mesmo era venido Gasquilán, rey de Suesa, y que traía ocho cientos cavalleros de buena gente, y el rey Cildadán era ya allá passado con dozientos cavalleros; y que creía que en essos quinze días no moverían de allí, porque la gente venía muy fatigada de la mar. Esto pudo muy bien saber este Baláis de Carsante, porque un castillo muy bueno que él tenía era en el señorío del rey Lisuarte, y estava en tal comarca donde sin mucho trabajo podría saber las nuevas de la gente.

Assí passaron aquel día holgando por aquellos campos, adereçando todos sus armas y cavallos para la batalla, ahunque las armas todas eran fechas de nuevo, tan ricas y tan luzidas como adelante se dirá.

Otro día de gran mañana llegó al puerto el maestro Elisabad con la gente de Grasinda, en que venían quinientos cavalleros y archeros. Y cuando Amadís lo supo, tomó consigo a Angriote y a don Brunco, y fuelo a recebir con aquella voluntad y amor que la razón le obligava. Y fizieron salir toda la gente de la mar, y aposentáronla en el real con otro, y Libeo, sobrino del maestro, con ello como su capitán. Y ellos tomaron al maestro entre sí, y con mucho plazer lo llevaron al rey Perión; y Amadís le dixo quién era y lo que por él avía fecho, como la tercera parte desta istoria lo cuenta, en la muerte del Endriago, y cómo no les pudiera venir a tal tiempo persona que tanto les aprovechasse. El rey lo recibió bien y de buen talante, y díxole:

—Mi buen amigo, quede para después de la batalla, si bivos fuéremos, la disputa a quién deve agredescer más Amadís mi hijo: a mí, que después de Dios de nada le fize, o a vos, que de muerto lo tornastes bivo.

El maestro le besó las manos, y con mucho plazer le dixo:

—Señor, assí sea como lo mandáis, que fasta que más se vea no quiero daros la ventaja de a quién es más obligado.

Todos uvieron plazer de lo que el rey dixo y de la respuesta del maestro Elisabad. Y luego dixo al rey:

—Mi señor, os trayo dos nuevas que os cumple saber; y son: que el emperador de Roma es ya partido con su flota, en la cual, según fue certificado de personas que allá embié, lleva diez mill de cavallo; y assí mesmo me llegó mandado de Gastiles, sobrino del emperador de Constantinopla, cómo ya era dentro en la mar con ocho mill de cavallo que su tío embía en ayuda de Amadís, y que a su creer ese tercero día sería en el puerto.

Todos cuantos lo oyeron fueron mucho alegres y muy esforçados con tales nuevas, especial la gente de más baxa condición. Pues assí como oís estava el rey Perión con toda aquella compaña atendiendo la gente que venía, aderesçando las cosas necessarias a la batalla.

CAPÍTULO CVI

Cómo el emperador de Roma llegó en la Gran Bretaña con su flota, y de lo que él y el rey Lisuarte fizieron

DIZE la istoria que Giontes, sobrino del rey Lisuarte, después que de Grasandor se partió, como avéis oído, él se fue derechamente a Roma, y assí con su priessa, como con la que el emperador se dava, muy prestamente fue armada gran flota, y guarnescida de aquellos diez mill cavalleros que vos ya contamos, y luego el emperador se metió a la mar. Y sin ningún embargo que en el camino oviesse, llegó en la Gran Bretaña aquel puerto de la comarca de Vindilisora, donde sabía que el rey Lisuarte estava. Y como él lo supo, cavalgó con muchos hombres buenos, y con aquellos dos reyes, el rey Cildadán y Gasquilán, fuelo a recebir. Y cuando llegó, ya toda la más de la gente era de la mar salida, y el emperador con ella. Y como se vieron, fuéronse abraçar, y recibiéronse con mucho plazer. El emperador le dixo:

—Si alguna mengua o enojo vos, rey, avéis por mi causa recebido, yo estó aquí, que con doblada vitoria vuestra honra será satisfecha; y assí como yo solo fue la causa dello, assí querría que sólo con los míos se me diesse lugar para tomar la vengança, porque a todos fuesse enxemplo y castigo que a tan alto hombre como yo soy ninguno se atreviesse enojar.

El rey le dixo:

—Mi buen amigo y señor, vos y vuestra gente venís maltrecha de la mar, según el largo camino; mandaldos salir y aposentar, y refrescarán del trabajo passado. Y entretanto avremos aviso de nuestros enemigos, y sabido podréis tomar el lugar y consejo que os más plazerá.

El emperador quisiera que luego fuera la partida, mas el rey, que mejor que él sabía lo que necessario era y con quién la cuistión, detúvolo fasta el tiempo convenible, que bien vía que en aquella batalla estava todo su hecho. Así estovieron en aquel real bien ocho días allegando la gente que de cada día venía al rey.

Pues así acaesció que, andando un día el emperador y los reyes y otros muchos cavalleros cavalgando por aquellas vegas y prados al derredor del real, que vieron venir un cavallero armado en su cavallo y un escudero con él que le traía las armas; y si alguno me preguntasse quién era, yo le diría que Enil, el buen cavallero, sobrino de don Gandales. Y como al real llegó, preguntó si estava allí Arquisil, un pariente del emperador Patín, y fuele dicho que sí y que cavalgava con el emperador. El, cuando esto oyó, fue muy alegre, y fuese donde vio andar la gente, que bien cuidó que allí estaría; y cuando a ellos llegó, falló que el emperador y aquellos reyes estavan fablando en un prado cerca de una ribera en las cosas que a la batalla pertenescían. Y Enil supo que con ellos estava Arquisil, y él se fue para ellos y saludólos muy humilmente, y ellos le dixeron que fuesse bien venido y qué demandava. Enil, cuando esto oyó, dixo:

—Señores, vengo de la Insola Firme con mandado de aquel noble cavallero Amadís de Gaula, mi señor, fijo del rey Perión, a un cavallero que se llama Arquisil.

Cuando esto oyó Arquisil, que por él preguntava, dixo:

—Cavallero, yo soy el que vos demandáis; dezid lo que quisierdes, que oído vos será.

Enil le dixo:

—Arquisil, Amadís de Gaula os faze saber cómo llamándose el Cavallero de la Verde Espada, estando en la corte del rey Tafinor de Bohemia, llegó allí un cavallero llamado don Garadán con otros onze cavalleros a le acompañar, de los cuales vos fuistes el uno; y que él uvo batalla con el dicho don Garadán, en la cual fue vencido y muerto como vos vistes; y que luego otro día la uvo con vos y con vuestros compañeros, él y otros onze cavalleros como se assentó, y que siendo vos y ellos vencidos, os tomó en su prisión, de la cual a ruego vuestro os hizo libre; y que le prometistes como leal cavallero que cada que por él fuéssedes requerido, vos tornaríades en su poder. Y agora por mí vos llama que compláis lo que hombre de tan alto lugar y tan buen cavallero como vos sois deve complir.

Arquisil dixo:

—Cierto, cavallero, en todo lo que avéis dicho avéis dicho verdad, que assí passó como dezís. Solamente queda si aquel cavallero que se llamava de la Verde Espada, si es Amadís de Gaula.

Algunos cavalleros de los que allí estavan le dixeron que sin duda lo podía creer. Entonces Arquisil dixo al emperador:

—Oído avéis, señor, lo que este cavallero me pide, de que me no puedo escusar, sino cumplir lo que soy obligado, porque podéis creer que él me dio la vida y me quitó que me no matassen aquellos que gran voluntad lo tenían. Y por esto, señor, os suplico no os pese de mi ida, que si la dexasse en tal caso, no era razón que hombre tan poderoso y de tan alto linaje como vos me toviesse por su deudo ni en su compañía.

El emperador, como era muy acelerado, y las más vezes mirava más al contentamiento de su passión o afición que a la honestidad de la grandeza de su estado, dixo:

—Vos, cavallero que de parte de Amadís avéis venido, dezilde que harto deve estar de me hazer los enojos que los pequeños suelen a los grandes fazer, que de otra guisa bien apartado está, y que venido es el tiempo en que él sabrá quién yo soy y lo que puedo, y que me no escapará en ninguna parte, ni en essa cueva de ladrones en que se acoge, que no me pague lo que me ha fecho con las setenas a la satisfación de mi voluntad. Y vos, Arquisil, complid lo que os piden, que no tardará mucho que vos no meta en mano este de quien sois preso, para que fagáis dél lo que os plazerá.

Enil, cuando aquello oyó, fue sañudo, y pospuesto todo temor, dixo:

—Bien creo, señor, que Amadís os conosce, que ya otra vez os vio, más como cavallero andante que como gran señor, y assí mesmo vos a él, que no os partistes de su presencia tan livianamente. Pues en lo de agora, assí como vos venís de otra forma, assí él viene a vos buscar. Lo passado júzguelo quien lo sabe, y Dios lo por venir, que a Él sin otro alguno es dado.

Como el rey Lisuarte aquello vio, uvo recelo que por mandado del emperador aquel cavallero algún daño recibiesse, de lo cual él sintiría gran pesar, y así lo avía avido de todo lo que le avía oído dezir, porque muy apartado era de su condición sino como rey ser honesto en la palabra, y en la obra muy riguroso. Y antes qu'el emperador nada dixesse, tomóle por la mano y díxole:

—Vayamos a nuestras tiendas, que es tiempo de cenar, y este cavallero goze de la libertad que los mensajeros suelen y deven tener.

Así se fue el emperador tan sañudo como si el enojo fuera con otro tan grande como él. Arquisil llevó a Enil a su tienda, y fízole mucha honra; y luego se armó, y cavalgando en su cavallo fue con él.

Pues aquí no cuenta de cosa que le acaesciesse, sino que llegaron a la Insola Firme en paz y concordia. Y como cerca del real fueron, y Arquisil vio tanta gente, que ya la del emperador de Constantinopla era llegada, y fue mucho maravillado de lo ver; y calló, que no dixo nada, antes, mostró que lo no mirava. Y Enil lo llevó a la tienda de Amadís, donde assí dél como de otros muchos nobles cavalleros fue muy bien recebido.

Pues allí estuvo Arquisil cuatro días que Amadís le traía consigo, y le mostrava toda la gente, y los señalados cavalleros y dezíale sus nombres, los cuales por sus bondades y grandes fechos de armas eran muy conoscidos por todas las partes del mundo. Mucho se maravillava de ver tal cavallería, en especial de aquellos muy famosos cavalleros; que bien

creía que si algún revés el emperador avía de aver, no era
sino por éstos, que de la otra gente no temía mucho, ni se
curava dellos si tales caudillos no tuviessen, que el esfuerço
déstos era bastante de fazer esforçados todos los de su parte.
Y bien vio que el emperador su señor avía menester gran
aparejo para les dar batalla, y teníase por mal aventurado
ser en tal tiempo preso; que si muy lexos estuviesse, oyendo
dezir de una cosa tan señalada y tan grande como aquélla,
venía por ser en ella; pues en ella estando y no lo poder
ser, teníase por el más desventurado cavallero del mundo; y
cayó en tal pensamiento que, sin lo sentir ni querer, las lágrimas le caían por las fazes. Y con esta gran congoxa acordó de tentar la virtud y nobleza de Amadís. Assí fue que,
estando el esforçado Amadís y otros muchos grandes señores y esforçados cavalleros en la tienda del rey Perión, y Arquisil con ellos, que ahún no le era dicho donde avía de tener
prisión, él se levantó donde estava, y dixo al rey:
—Señor, la vuestra merced sea de me oír delante estos
cavalleros con Amadís de Gaula.
El rey le dixo que de grado le oiría todo lo que él tuviesse por bien de dezir. Entonces Arquisil contó allí todo lo que
le contesció en la batalla que don Garadán y él y los otros
sus compañeros ovieron con Amadís y con los cavalleros del
rey de Bohemia, y cómo fueran vencidos y maltrechos y
muerto don Garadán, y cómo Amadís por su gran mesura le
quitó a él de las manos de aquellos que gran sabor y intención tenían de lo matar, y cómo a ruego y petición suya le
soltó y dexó ir porque pudiesse dar algún reparo a sus compañeros, que muy llagados estavan, dexándole en prendas
su fe y palabra como su preso de le acudir cada que por él
fuese requerido, como más largo lo cuenta la parte tercera
desta istoria, y que agora fuera por Amadís llamado, y era
venido como todos veían para complir su palabra y estar en
aquella parte donde por él le fuesse mandado y señalado;
pero que si Amadís, usando con él de aquella liberalidad que
su gran mesura y virtud con todos los que su gracia y ayuda
avían menester acostumbrado tenía, en le dar licencia para
que él en aquella batalla que se esperava dar tan señalada
en el mundo pudiesse al emperador su señor servir como
devía, que él prometía como leal y buen cavallero delante
dél y de todos los que allí presentes seían, si bivo quedasse,
de venir donde le fuesse mandado a complir su prisión. Ama-

dís, que a la sazón en pie con él estava por le honrar, le respondió:

—Arquisil, mi buen señor, si yo oviesse de mirar a las sobervias y demasiadas palabras del emperador vuestro señor, con mucho rigor y gran crueza trataría todas sus cosas sin temer que por ello en ninguna desmesura cayesse. Mas como vos sin cargo seáis, y el tiempo nos aya traído a tal estado que la virtud de cada uno de nos será manifiesta, tengo por bien de venir en lo que pedido avéis, y do vos licencia que podáis ser en esta batalla, de la cual sin peligro saliendo, seáis en esta ínsola dentro de diez días a complir lo que por mí y los de mi parte vos fuere mandado.

Arquisil gelo gradesció mucho, y assí lo prometió.

Algunos podrán dezir que por cuál razón se faze tanta mención de un cavallero tal como éste, tan poco nombrado, en esta tan gran istoria. Digo que la causa dello es assí: porque en lo passado éste con mucho esfuerço trató todas las afruentas que por él passaron, como en lo que adelante oiréis; que por su gran linaje y noble condición llegó a ser emperador de Roma, y siempre tuvo Amadís que fue la principal causa de alcançar tan gran señorío, en lugar de verdadero hermano, como cuando sea tiempo y sazón más largo se recontará.

Pues de allí salidos aquellos señores, recogidos en sus tiendas y alvergues, Arquisil se armó, y cavalgando en su cavallo se despidió de Amadís y de todos los que con él estavan, y se tornó por el camino que viniera. Y no cuenta la istoria de cosa que le acaesciesse, sino que llegó a la hueste del emperador donde dio a todos mucho plazer con su venida. Y ahunque muchas cosas le preguntaron, no quiso dezir sino solamente la gran cortesía que de aquel muy noble cavallero Amadís havía recebido, que bien podía creer que sus cortesías eran tales y tantas, que a duro en ningún cavallero en aquel tiempo se podrían hallar.

Y quiero que sepáis que la causa por qué estos cavalleros caminavan tan largos caminos sin aventura fallar como en los tiempos passados era porque no entendían todos en ál salvo en aderençar y aparejar las cosas necessarias para la batalla; que les semejava, según la grandeza de aquella afruenta, que entremeterse en las otras demandas que a ésta empachassen era caso de menosvaler.

Llegado Arquisil al real, fabló con el emperador a parte,

y díxole la verdad de todo, assí de la gran gente de sus contrarios como de los cavalleros señalados que allí estavan, de los cuales le contó por nombre todos los más dellos, y cómo Amadís de Gaula le avía dado licencia para ser en aquella batalla; y que en ello mucho no le penava, y que en lo que avía sabido era que, en sabiendo que él movía de allí con la hueste, movería luego para él sin ningún temor; y que de todo le avisava porque fiziesse lo que más cumplía a su servicio. El emperador, cuando esto oyó, ahunque muy sobervio y desconcertado fuesse, como oído avéis, y assí lo era cierto en todas las cosas que fazía, y él conosciendo la bondad deste cavallero, por la cual él no le tenía mucho amor, que le no diría sino verdad, cuando esto oyó, fue desmayado, así como lo suelen ser todos aquellos que su esfuerço despienden más en palabras que en obras; y no quisiera ser puesto en aquella demanda, que bien conosció la gran diferencia de la una gente a la otra, y nunca él pensó que, según el gran poder suyo junto con lo del rey Lisuarte, que Amadís tuviera facultad ni aparejo para salir de la Insola Firme, y que allí lo cercaran assí por la tierra como por mar, de manera que o por hambre, o por otro partido alguno, podiera cobrar a Oriana y la falta y mengua que sobre su honra tenía. Y de allí adelante mostrando más esperança y esfuerço que en lo secreto tenía, procuró de se conformar con la voluntad del rey Lisuarte y de aquellos hombres buenos.

Assí estuvieron en aquel real quinze días tomando alarde y recibiendo los cavalleros que de cada día les venían, assí que fallaron que eran por todos estos que se siguen: el emperador traxo diez mill de cavallo; el rey Lisuarte seis mill y quinientos; Gasquilán, rey de Suesa, ochocientos; el rey Cildadán, dozientos.

Pues todo adereçado, mandó el emperador y los reyes que el real moviesse, y la gente fuesse detenida en aquella gran vega por donde avían de caminar. Y assí se fizo, que puestos todos en sus batallas, el emperador hizo de su gente tres hazes. La primera dio a Floyán, hermano del príncipe Salustanquidio, con dos mill y quinientos cavalleros. La segunda dio Arquisil con otros tantos, y él quedó con los cinco mill para les fazer espaldas. Y rogó al rey Lisuarte que toviesse por bien que él levasse la delantera, y assí se fizo; ahunque él más quisiera llevarla a su cargo, porque no tenía en mucho aquella gente, y avía miedo que del desconcierto

dellos les podría venir algún gran revés; pero otorgólo por le
dar aquella honra, lo cual en semejantes casos es mal mirado, que apartada toda afición, se deve seguir lo que la razón
guía.

El rey Lisuarte fizo de sus gentes dos hazes; en la una
puso con el rey Arbán de Norgales tres mill cavalleros, y
que fuessen con él Norandel su fijo y don Guilán el Cuidador, y don Cendil de Ganota y Brandoivas. Y dio de su gente
mill cavalleros al rey Cildadán y a Gasquilán, con los otros
mill que ellos tenían, que fuese otra haz. Y los otros tomó
consigo, y dio el su estandarte al bueno de don Grumedán,
que con mucho pesar y angustia de su coraçón mirava aquel
troque tan malo que el rey Lisuarte avía fecho en dexar la
gente que contraria tenía por la que llevava. Pues fecho esto
y concertadas las hazes, movieron por el campo tras el fardaje, que iva assentar real con los aposentadores.

¿Quién os podría dezir los cavallos y armas tan ricas y
tan luzidas y de tantas maneras como allí ivan? Por cierto
muy gran trabajo sería en lo contar; solamente se dirán de
las que el emperador y los reyes y otros algunos señalados
cavalleros levavan. Pero esto será cuando el día de la batalla
se armaren para entrar en ella. Mas agora no hablaremos
dellos hasta su tiempo, y contar se ha de lo que fizo el rey
Perión y aquellos señores que con él estavan en el real cabe
la Insola Firme.

CAPÍTULO CVII

CÓMO EL REY PERIÓN MOVIÓ LA GENTE DEL REAL CONTRA SUS ENEMIGOS, Y CÓMO REPARTIÓ LAS HAZES PARA LA BATALLA

DIZE la historia que este rey Perión, como fuese un cavallero muy cuerdo y de gran esfuerço, fasta allí siempre
la fortuna le avía ensalçado en le guardar y defender su
honra, y se viesse en una tan señalada afrenta, en que su
persona y fijos y todo lo más de su linaje se avían de poner,
y conosciesse al rey Lisuarte por tan esforçado y vengador
de sus injurias, que al emperador ni a su gente no lo preciava tanto como nada en saber su condición, que siempre estava pensando en lo que menester era, porque bien se tenía

por dicho que, si la fortuna contraria les fuesse, que aquel
rey, como can ravioso, no daría a su voluntad contentamiento con el vencimiento primero; antes, con mucha diligencia
y rigor, no teniendo en nada ningún trabajo, los buscaría dondequiera que fuessen, como él tenía pensado siendo vencedor de lo fazer. Y a buelta de las otras cosas que eran necessarias de proveer, tenía siempre personas en tales partes de
que supiesse lo que sus enemigos fazían, de los cuales luego
fue avisado cómo la gente venía ya contra ellos, y en qué
ordenança.

Pues sabido esto, luego otro día de mañana se levantó, y
mandó llamar todos los capitanes y cavalleros de gran linaje,
y díxogelo, y cómo su parescer era que el real se llevantas-
se, y la gente junta en aquellos prados, se fiziesse repartimiento de las hazes porque todos supiessen a qué capitán y
seña avían de acudir, y que hecho esto, moviessen contra
sus enemigos con gran esfuerço y mucha esperança de los
vencer con la justa demanda que levavan. Todos lo tuvieron
por bien, y con mucha afición le rogaron que assí por su
dignidad real y gran esfuerço y discreción tomasse a su cargo
de los regir y governar en aquella jornada, y que todos le
serían obedientes. El lo otorgó, que bien conosció que le pedían guisado, y no se podía con razón escusar dello. Pues
mandándolo poner en obra, el real fue levantado, y la gente
toda armada y a cavallo puesta en aquella gran vega. El buen
rey se puso en medio de todos en un cavallo muy fermoso y
muy grande, y armado de muy ricas armas, y tres escuderos
que las armas levavan y diez pajes en diez cavallos, todos
de una devisa, que por la batalla anduviessen y socorriessen
a los cavalleros con ellos que los menester oviessen. Y como
él era ya de tanta edad que lo más de la cabeça y barva toviesse blanco y el rostro incendido con el calor de las armas
y de la orgüelleza del coraçón, y como todos sabían su gran
esfuerço, parescía tan bien, y tanto esfuerço dio a la gente
que lo estava mirando, que les fazía perder todo pavor, que
bien cuidavan que después de Dios, aquel caudillo sería causa
de les dar la gloria de la batalla. Y estando, miró a don Cuadragante y díxole:

—Esforçado cavallero, a vos encomiendo la delantera; y
tú, mi hijo Amadís, y Angriote d'Estraváus y don Gavarte
de Valtemeroso, y Enil y Baláis de Carsante y Landín, que
le fagáis compañía con los quinientos cavalleros de Irlanda y

mill y quinientos de los que yo traxe. Y vos, mi buen sobrino Agrajes, tomad la segunda haz; y vayan con vos don Bruneo de Bonamar y Branfil su hermano con la gente suya y con la vuestra, en que seréis mil y seis cientos cavalleros. Y vos, honrado cavallero Grasandor, que toméis la haz tercera; y tú, mi fijo don Florestán, y Dragonís y Landín de Fajarque, y Elián el Lozano, con la gente de vuestro padre el rey, y con Trion y la gente de la reina Briolanja, que seréis dos mill y setecientos cavalleros, le fazed compañía.

Y dixo a don Brian de Monjaste:

—Y vos, honrado cavallero mi sobrino, aved la cuarta haz con vuestra gente, y con tres mill cavalleros de los del emperador de Constantinopla, así que llevaréis cinco mill cavalleros; y vayan con vos Mancián de la Puente de la Plata y Sadamón y Urlandín, fijo del conde de Urlanda.

Y mandó a don Gandales que tomasse mill cavalleros de los suyos y socorriesse a las mayores priessas. Y el rey tomó consigo a Gastiles con la gente que del emperador le quedava, y púsose debaxo de su seña; y rogó a todos que así mirassen por ella como si el mismo emperador allí en persona estuviesse.

Concertadas las hazes como avéis oído, movieron todos en sus ordenanças por aquel campo tocando muchas trompetas y otros muchos instrumentos de guerra. Oriana y las reinas, y las infantas y dueñas y donzellas, estávanlos mirando, y rogavan a Dios de coraçón los ayudasse, y si su voluntad fuesse, los pusiesse en paz.

Mas agora dexa la istoria de fablar dellos, que se ivan a juntar contra sus enemigos como oídes, y torna a Arcaláus el Encantador.

CAPÍTULO CVIII

CÓMO, SABIDO POR ARCALÁUS EL ENCANTADOR CÓMO ESTAS GENTES SE ADEREÇAVAN PARA PELEAR, EMBIÓ A MÁS ANDAR A LLAMAR AL REY ARÁVIGO Y SUS COMPAÑAS

ARCALÁUS el Encantador, así como oído avéis, tenía apercebido al rey Arávigo y a Barsinán, señor de Sansueña, y al rey de la Profunda Insola, que avía escapado de la batalla de los siete reyes, y a todos los parientes de Dardán el

sobervio; y como supo que las gentes eran venidas al rey
Lisuarte y a Amadís, embió con mucha priessa un cavallero
su pariente, que se llamava Garín, fijo de Grumén, el que
Amadís mató cuando a él y a otros tres cavalleros con Arcaláus el Encantador les tomó a Oriana, así como el libro primero desta istoria lo cuenta. Y mandóle que no folgase día
ni noche fasta lo fazer saber a todos estos reyes y cavalleros,
y les diesse mucha priessa en su venida. Y él quedó en sus
castillos llamando a sus amigos y los del linaje de Dardán, y
llegando la más gente que podía.

Pues este Garín llegó al rey Arávigo, el cual falló en la
su gran cibdad llamada Aráviga, que era la más principal de
todo su reino, del nombre de la cual todos los reyes de allí
se llamavan arávigos, y porque su señorío alcançava gran
parte en la tierra de Aravia; y fabló con él todo lo que Arcaláus le fazía saber, y con todos los otros que sus gentes tenían apercebidas; y sabido por ellos aquella nueva, luego sin
más tardar las llamaron; y fueron todos, unos y otros, juntos
y asonados cerca de una villa muy buena del señorío de Sansueña, la cual havía nombre Califán. Y asentaron sus tiendas en aquellos campos, y serían por todos fasta doze mill
cavalleros. Y allí concertaron toda su flota, que fue asaz grande y de buena gente, con las más viandas que aver pudieron, como aquellos que ivan a reino estraño. Y con mucho
plazer y tiempo endereçado fueron por su mar adelante, y a
los ocho días aportaron en la Gran Bretaña a la parte donde
Arcaláus tenía un castillo muy fuerte, puerto de mar. Arcaláus tenía ya consigo seis cientos cavalleros muy buenos, que
todos los más dellos desamavan mucho al rey Lisuarte y a
Amadís; porque, como a malos siempre los avían corrido, y
muerto muchos de sus parientes, y estos todos los más andavan fuidos.

Cuando aquella flota allí aportó, no vos podría dezir el
gran plazer que los unos con los otros ovieron; y sabido por
las espías de Arcaláus cómo ya las gentes del rey Lisuarte y
de Amadís ivan unas contra otras, y el camino que llevavan,
luego ellos movieron con toda su compaña. La delantera uvo
Barsinán, que era mancebo y rezio cavallero, muy deseoso
de vengar la muerte de su padre y de su hermano Gandalot,
y de mostrar el esfuerço y ardimiento de su coraçón, con
dos mill cavalleros y algunos archeros y ballesteros. Arcaláus uvo la segunda haz, que podéis creer que en esfuerço y

gran valentía no era peor que él; antes, ahunque la media mano derecha tenía perdida, en gran parte no se fallaría mejor cavallero en armas que él era, ni más valiente, sino que sus malas obras y falsedades le quitavan todo el prez que su esfuerço ganava; éste llevava los seis cientos cavalleros, y el rey Arávigo le dio dos mill y cuatrocientos de los suyos. La tercera haz uvo el rey Arávigo, y el otro rey de la Profunda Insola con toda la otra gente, y levava consigo seis cavalleros parientes de Brontaxar d'Anfania, el que Amadís mató en la batalla de los siete reyes, cuando traía el yelmo dorado, assí como lo cuenta el tercero libro desta istoria. Y este Brontaxar d'Anfania era tan valiente, assí de cuerpo como de fuerça, que con él esperavan vencer los de su parte; y ciertamente, assí lo fuera si no porque Amadís vio el gran daño que en las gentes del rey Lisuarte fazía, y que si mucho durasse, qu'él bastava para dar la honra de la batalla a los de su parte; y fue para él, y de un golpe solo lo tollió de manera que cayó en el campo, donde fue muerto.

Estos seis cavalleros que vos cuento vinieron de la Insola Sagitaria, donde se dize que al comienço los sagitarios hazían su habitación; y eran tan grandes de cuerpo y de fuerça como aquéllos, que de derecho linaje venían de los mayores y más valientes gigantes que en el mundo uvo.

Pues éstos supieron esta gran batalla que se ordenava y pusieron en sus voluntades de ser en ella, assí por vengar la muerte de aquel Brontaxar, que era el más principal hombre de su linaje, como por se provar con aquellos cavalleros de que tan gran fama oían. Y por esa causa se venieron al rey Arávigo, al cual mucho plugo con ellos, y rogóles que fuessen en su batalla, y así lo otorgaron contra su voluntad, que más quisieran que los mandara poner en la delantera.

En este comedio llegó allí el duque de Bristoya, que es moquiera que él fuera por Arcaláus requerido, no avía osado demostrarse, teniendo por liviana cosa lo que le dezía; mas cuando vio el gran aparejo de gente que avía juntado, tovo por buen partido de se ir para ellos, por si podría vengar la muerte de su padre, que mataron don Galvanes y Agrajes con Olivas, assí como el libro primero desta istoria lo cuenta, y por cobrar su tierra que el rey Lisuarte le avía tomado, diziendo que su padre moriera por alevo; y consideró que si al rey Lisuarte le fuesse mal, que él podría ser restituido en lo suyo, y si Amadís, que se vengava d'aquellos que tanto mal le havían fecho. Y como llegó, y el rey Arávigo y aquellos señores lo vieron, y les dixeron quién era, gran plazer ovieron con él y mucho los esforçó con su venida porque en más tenían aquel que era natural de la tierra y tenía en ella algunas villas y castillos con lo que traía, que a otro que estraño fuesse con mucho más. Este duque fue sobresaliente con los suyos y con quinientos cavalleros que el rey Arávigo le dio.

Pues con tal compaña como oídes y en tal ordenança partieron aquellas compañas por una traviessa con las mayores guardas que poner pudieron, con acuerdo de se poner en tal parte donde estuviessen seguros y saliessen cuando fuesse sazón a dar en sus enemigos.

CAPÍTULO CIX

CÓMO EL EMPERADOR DE ROMA Y EL REY LISUARTE SE IVAN CON TODAS SUS COMPAÑAS CONTRA LA INSOLA FIRME BUSCAR A SUS ENEMIGOS

L A istoria dice que el emperador de Roma y el rey Lisuarte partieron del real que cabe Vindilisora tenían con aquellas compañas que dicho os avemos; y acordaron de andar mucho de espacio, porque las gentes y cavallos fuessen folgados, y aquel día no anduvieron más de tres leguas, y asentaron su real cerca de una floresta en un gran llano y folgaron allí aquella noche. Y otro día al alva del día partieron en su ordenança, como vos contamos, y assí continuaron su camino fasta que supieron de algunas personas de la tierra cómo el rey Perión y sus compañas venían contra ellos, y que los dexavan dos jornadas de donde ellos estavan. Y luego el rey Lisuarte mandó proveer que Ladasín el Esgremidor que se llamava, primo cormano de don Guilán, con cincuenta cavalleros fuesse descobriendo la tierra siempre delante de la hueste tres leguas; y al tercero día se toparon con la guarda del rey Perión, que assí mesmo lo avía proveído con Enil y cuarenta cavalleros con él. Y allí pararon los corredores unos y otros, y cada uno lo fizo saber a los suyos, y no osavan pelear, porque así les era mandado; y las huestes llegaron de un cabo y de otro, tanto que no avía en medio más espacio de media legua de un campo grande y muy llano. En estas huestes venían muchos cavalleros grandes sabidores de guerra, de manera que muy poca ventaja se podían llevar los unos a los otros; y no paresció sino que de acuerdo de las partes la una gente y la otra fizieron fortalescer con muchas cavas y otras defensas sus reales para allí se socorrer si mal les fuesse.

Assí estando estas huestes como oís, llegó Gandalín, escudero de Amadís, que con Melicia de Gaula a la Insola Firme avía venido, y avíase aquexado mucho por llegar antes que la batalla se diesse, y la causa dello fue ésta:

Ya sabéis cómo Gandalín era fijo de aquel buen cavallero don Gandales que Amadís crió, y su hermano de leche; y desde el día que Amadís fue cavallero, llamándose Donzel del Mar, supo que no era su hermano, que fasta allí por hermanos se avían tenido. Y desde aquella ora siempre Gandalín le aguardó como su escudero: y comoquiera que por él muchas vezes avía seído importunado que le fiziese cavallero, Amadís no se atrevía a lo hazer, porque éste era el mayor remedio de sus amores. Este era el que muchas vezes le quitó de la muerte, que según las angustias y mortales desseos que por su señora Oriana passava, y contino atormentavan y aflegían su coraçón, si en este Gandalín no fallara el consuelo que siempre falló, mill vezes fuera muerto; que como éste fuesse el secreto de todo y con otro ninguno pudiesse fablar, si por alguna manera de sí lo apartara, no era otra cosa salvo apartar de sí la vida. Y como él supiesse que faziéndole cavallero no podían estar en uno, porque luego le convernía ir a buscar las aventuras donde honra ganasse, ahunque la razón a ello mucho le obligava, como esta gran istoria lo ha contado, assí por la parte de su padre, que le crió y sacó de la mar, como por el que le sirvió mejor que nunca cavallero de escudero fue servido, no se atrevía a lo apartar de sí. Y Gandalín aviendo este conoscimiento, que muy cuerdo era, y con el demasiado amor que le tenía, comoquiera que mucho desseasse ser cavallero por se mostrar hijo del buen cavallero Gandales y criado de tal hombre, no le osava afincar mucho por le ver en tan gran necessidad. Pero agora veyendo cómo ya tenía en poder a su señora Oriana, que por grado o por fuerça no la avía de quitar de sí sin la vida perder, acordó que con mucha razón le podía demandar cavallería, y en especial en una cosa tan grande y tan señalada como aquella batalla sería. Y con este pensamiento, después

de le aver dado las encomiendas de la reina su madre, y de
le aver dicho de la venida de su hermana Melicia y del plazer que Oriana y Mabilia y todas aquellas señoras con ella
avían avido, y cómo era la más hermosa cosa del mundo
ver juntas a Oriana y la reina Briolanja y Melicia, en quien
toda la fermosura del mundo encerrada estava, y así mesmo
cómo don Galaor su hermano algo mejor quedava, y las encomiendas que dél le traía, tomóle un día por aquel campo
donde ninguno oír les pudiesse, y díxole:

—Señor, la causa por que yo he dexado de os pedir con
aquella afición y voluntad que me convenía, que me fiziéssedes cavallero, porque pudiesse complir con la honra y gran
deuda que a mi padre y a mi linaje devo, vos lo sabéis, que
aquel desseo que siempre he tenido de os servir, y el conoscimiento de la necessidad en que siempre avéis estado de
mi servicio, han dado lugar que, ahunque mi honra fasta aquí
aya sido menoscabada, que antes a lo vuestro socorriese que
a lo mío que tan tenudo era. Agora que puede ser escusado,
porque en vuestro poder veo aquella que tanta congoxa nos
dava, ni para comigo, ni menos para con otros ninguna escusa que honesta fuesse podría hallar, dexando de seguir la
orden de cavallería. Porque vos suplico, señor, por me fazer
merced, que ayáis plazer de me la dar, pues sabé cuánta deshonra no la teniendo de aquí adelante se me seguirá, que en
cualquier manera y parte donde yo fuere, so vuestro para
vos servir con el amor y voluntad que de mí siempre conoçistes.

Cuando Amadís esto le oyó, fue tan turbado que por una
pieça no le pudo fablar; y díxole:

—¡O mi verdadero amigo y hermano, qué tan grave es a
mí complir lo que pides! Por cierto, no en menos grado lo
siento que si mi coraçón de mis carnes se apartasse, y si con
algún camino de razón apartarlo pudiesse, con todas mis fuerças lo haría. Mas tu petición veo ser tan justa que en ninguna guisa se puede negar; y siguiendo más la obligación en
que te soy que la voluntad de mi querer, yo me determino
que assí como lo pides se haga; solamente me pena por ante
no lo haver sabido, porque con aquellas armas y cavallo que
tu honra mereçe se cumpliera esta honra que tomar quieres.

Gandalín hincó los inojos por le besar las manos, mas
Amadís lo alçó y lo tovo abraçado, veniéndole las lágrimas
a los ojos con el mucho amor que le tenía, que ya tenía en

sí figurado la gran soledad y tristeza en que se vería no le
teniendo consigo, y díxole:

—Señor, desso no hayáis cuidado, que don Galaor por su
bondad y mesura, diziéndole yo cómo quería ser cavallero,
me mandó dar su cavallo y todas sus armas, pues que a él
poco con su mal le aprovechavan. Y yo gelo tove en merced, y le dixe que tomaría el cavallo, porque era muy bueno,
y la loriga y el yelmo; mas que las otras armas havían de
ser blancas, como a cavallero novel convenían. Dávame su
espada y yo, señor, le dixe que vos me daríades una de las
que la reina Menoresa en Grecia vos diera. Y mientra allí
estuve, fize hazer todas las otras armas que convienen con
sus sobreseñales, y aquí lo tengo todo.

—Pues que assí es —dixo Amadís—, será bien que, la noche
antes del día que la batalla hoviéremos de haver, veles armado en la capilla de la tienda del rey mi padre; y otro día
cavalga en tu cavallo assí armado. Y cuando quisiéremos
romper contra nuestros enemigos, el rey te fará cavallero, que
ya sabes que en todo el mundo no se podría fallar mejor
hombre, ni de quien más honra recibas en este auto.

Gandalín le dixo:

—Señor, todo cuanto dezís es verdad, y a duro fallaría
hombre otro tal cavallero como el rey; pero yo no seré cavallero sino de vuestra mano.

—Pues que assí quieres —dixo Amadís—, assí sea. Y faz lo
que te digo.

—Todo se fará como lo mandáis —dixo él—, que Lasindo,
escudero de don Bruneo, me dixo agora cuando llegué que
ya tenía otorgado de su señor que le fiziesse cavallero; y él
y yo velaremos las armas juntos. Y Dios por su piedad me
guíe cómo yo pueda complir las cosas de su servicio y las
de mi honra assí como la orden de cavallería lo manda, y
que en mí parezca la criança que de vos he recebido.

Amadís no le dixo más, porque sentía gran congoxa en
le oír aquello, y muy mayor en pensar que havía de llegar a
efeto. Assí se fue Amadís donde el rey su padre andava faziendo fortaleçer el real y adereçar las cosas convenientes a
la batalla como sus enemigos fazían. Assí estuvieron las huestes dos días, que en ál no entendían salvo en adreçar todas
las gentes, cada uno en su cargo, por estar muy prestos para
la batalla. Y al segundo día en la tarde llegaron las espías
del rey Arávigo suso en la montaña que cerca de allí stava,

y no se quisieron mostrar, porque assí les fue mandado; y vieron los reales tan cerca como os diximos uno de otro, y luego lo fizieron saber al rey Arávigo, el cual con todos aquellos cavalleros acordó que las escuchas se tornassen donde bien podiessen ver lo que se hazía, y ellos quedassen encubiertos lo más que ser podiesse, y en tal parte que, ahunque aquellas gentes se aviniessen y los quisiessen demandar, que los no temiessen, y que por la sierra se pudiessen acoger a sus naos, si en tal estrecho fuessen que lo oviessen menester; y si ellos peleassen, que saldrían de allí sin sospecha y darían sobre los que quisiessen a su salvo. Y assí lo fizieron, que se pusieron en un lugar muy áspero y fuerte además, y tomaron todos los passos y subidas de la montaña, y fortalecióló, de manera que tan seguro stava como en una fortaleza; y allí esperaron el aviso de sus escuchas. Pero no se pudieron ellos encubrir tanto que antes que allí llegassen, que el rey Lisuarte no fuesse avisado de cómo desembarcaran en su tierra, y la gente que venían. Y por esta causa mandó alçar todas las viandas, assí de ganados como de todo lo otro, a la parte de aquella comarca, y que la gente de las aldeas y lugares flacos se acogiessen a las cibdades y villas, y las velassen y rondassen, y se no partiessen de allí hasta que la batalla passasse. Y dexó en ellas algunos de sus cavalleros, que le hazían harta mengua para en lo que estava; mas no supo más de lo que havían hecho, ni donde havían parado.

El rey Perión tan bien supo de aquella gente, y recelávase dellos, mas no sabía dónde estavan, assí que a ambas las partes ponían temor.

Pues estando assí la cosa como oís, a cabo de tres días que los reales se assentaron, el emperador Patín se aquexava mucho porque la batalla se diesse, que, vencido o vencedor, no veía la hora de ser tornado a su tierra; porque assí acontece muchas vezes a los hombres acidentales que apresuradamente hazen sus cosas, que tan presto las aborreçen, como éste con su liviandad fazía.

Amadís y Agrajes y don Cuadragante, y todos los otros cavalleros, assí mesmo aquexavan mucho al rey Perión que la batalla se diesse, y que Dios fuesse juez de la verdad. Pues el rey no lo quería menos que todos, mas havíalos detenido hasta que las cosas estuviessen en dispusición cual convenía. Y luego mandaron a pregonar que todos al alva del día oyessen missa y se armassen, y cada gente acudiesse a su capitán, porque la batalla se daría luego. Y assí mesmo se hizo por los contrarios, que luego lo supieron.

Pues venida el alva, las trompas sonaron, y tan claro se oían los unos a los otros como si juntos estuviessen. La gente se començó armar y ensillar sus cavallos, y por las tiendas a oír missas y cavalgar todos y se ir para sus señas. ¿Quién sería aquel de tal sentido y memoria que, puesto caso que lo viesse y mucho en ello metiesse todas sus mientes, que podiesse contar ni screvir las armas y cavallos con sus devisas y cavalleros que allí juntos eran? Por cierto, mucho loco sería y fuera de todo saber el hombre que aqueste pensamiento en sí tomasse. Y por esto, dexando lo general, algo de lo particular se dirá aquí, y començaremos por el emperador de Roma, que era valiente de cuerpo y fuerça, y asaz buen cavallero si su gran sobervia y poca discreción no gela gastassen.

Este se armó de unas armas negras, assí el yelmo como el escudo y sobreseñales, salvo que en el escudo llevava figurada una donzella de la cinta arriba a semejança de Oriana, fecha de oro muy bien labrada, y guarnida de muchas piedras y perlas de gran valor, pegada en el escudo con clavos de oro; y por sobre lo negro de las sobrevistas llevava texidas unas cadenas muy ricamente bordadas, las cuales tomó por devisa, y juró de nunca las dexar fasta que en cadenas llevasse preso a Amadís y a todos los que fueron en le tomar a Oriana. Y cavalgó en un cavallo hermoso y grande, y su lança en la mano; assí salió del real y se fue donde estava acordado que se juntassen sus gentes. Luego tras él salió Floyán, hermano del príncipe Salustanquidio, armado de dunas armas amarillas y negras a cuarterones, y no havía otra cosa en ellas, salvo que iva muy estremado y señalado entre los suyos. Tras él salió Arquisil; éste levava unas armas azules y blancas, de plata de por medio, y todas sembradas de unas rosas de oro. Assí iva muy señalado. El rey Lisuarte levava unas armas negras y águilas blancas por ellas, y una águila en el escudo sin otra riqueza alguna; pero al cabo bien salieron de gran valor, según lo que su dueño en aquella batalla fizo. El rey Cildadán levó unas armas todas negras, que después que fue vencido en la batalla de los ciento por ciento que con el rey Lisuarte ovo, donde quedó su tributario, nunca otras traxo. De Gasquilán, rey de Suesa, no se dirá las armas que levava hasta su tiempo, como adelante oiréis.

El rey Arbán de Norgales y don Guilán el Cuidador y don Grumedán no quisieron levar sino armas más de provecho que de pareçer, mostrando la tristeza que tenían en ver al rey su señor puesto en mucha afruenta con aquellos que ya fueron en su casa y a su servicio, y que tanta honra le havían dado.

Agora vos diremos las armas que levava el rey Perión y Amadís y algunos de aquellos grandes señores que de su parte estavan. El rey Perión se armó de unas armas, el yelmo y escudo limpios y muy claros, de muy buen azero, y las sobreseñales de una seda colorada de muy biva color, y en un gran cavallo que le dio su sobrino don Brian de Monjaste, que su padre, el rey de España le embió veinte dellos muy hermosos, que por aquellos cavalleros repartió; y assí salió con la seña del emperador de Costantinopla. Amadís fue armado de unas armas verdes tales cuales las levava al tiempo que mató a Famongomadán y a Basagante su hijo, que eran los dos más fuertes gigantes que en el mundo se hallavan, todas sembradas muy bien de leones de oro. Y con estas armas tenía él mucha afición, porque las tomó cuando salió de la Peña Pobre y con ellas fue a ver a su señora al castillo de Miraflores, como el segundo libro desta historia lo cuenta. Don Cuadragante sacó unas armas pardillas, y flores de plata por ellas, y en un cavallo de los de España. Don Bruneo de Bonamar no quiso mudar las suyas, que eran una donzella figurada en el escudo, y un cavallero hincado de rodillas delante, que pareçía que le demandava merced. Don Florestán, el bueno y gran justador, levó unas armas coloradas con flores de oro por ellas, y un cavallo grande de los de España. Agrajes, sus armas eran de un fino rosado, y en el escudo una mano de una donzella, que tenía un coraçón apretado con ella. El bueno de Angriote no quiso mudar sus armas de veros azules y de plata. Y todos los otros, de que se no haze mención por no dar enojo a los que lo leyeren, llevavan armas muy ricas, de sus colores como les más agradava; y assí salieron todos al campo en buena ordenança.

Pues la gente toda junta, cada uno con sus capitanes según havéis oído, movieron muy passo por el campo a la hora que el sol salía, que les dava en las armas, y como todas eran nuevas y frescas y luzidas, resplandeçían de tal manera que no era sino maravilla de los ver.

Pues a esta hora llegaron Gandalín y Lasindo, escudero

de don Bruneo, armados de armas blancas como convenía a cavalleros noveles. Gandalín se fue donde su señor Amadís estava, y Lasindo, a don Bruneo. Cuando Amadís le vio assí venir, salió de la batalla a él, y rogó a don Cuadragante que detoviesse la gente hasta que él hiziesse aquel su escudero cavallero. Y tomóle consigo, y fuese donde el rey Perión, su padre, estava, y por el camino le dixo:

—Mi verdadero amigo, yo te ruego mucho que hoy en esta batalla te quieras haver con mucho tiento, y no partas de mí, porque cuando menester será, te pueda acorrer; que ahunque has visto muchas batallas y grandes afruentas, y a tu pareçer piensas que sabrás hazer lo que cumple, y que no te falte para ello sino solamente el esfuerço, no lo creas, que muy gran diferencia es entre el mirar y el obrar, porque cada uno piensa, veyendo las cosas, que muy mejor recaudo en ellas daría que el que las trata, si en el caso estoviesse; y después que en ello se vee, muchos embaraços delante se le ponen, que por lo no haver usado le ofenden, y grandes mudanças hallan que de antes no las tenían pensadas. Y esto es porque todo está en la obra, ahunque algo por la vista aprender se puede. Y como tu comienço sea en un tan alto hecho de armas como al presente tenemos, y de tantos te hayas de guardar, es menester que assí para guardar tu vida como tu honra, que más preciada es y en más tener se deve, que con mucha discreción y buen saber, no dando tanto lugar al esfuerço que el seso te turbe, te ayas y acometas a nuestros enemigos; y yo terné mucho cuidado de mirar por ti en cuanto pudiere, y assí lo faz tú por mí, cada que vieres que es menester.

Gandalín, cuando esto le oyó, dixo:

—Mi señor, todo se hará como lo mandáis en cuanto yo pudiere y el saber me alcançare, y a Dios le plega que assí sea; que harto será para mí ponerme en los lugares donde vuestro socorro haya menester.

Assí llegaron donde el rey Perión estava, y Amadís le dixo:

—Señor, Gandalín quiere ser cavallero, y mucho me pluguiera que lo fuera de vuestra mano; pero, pues a él plaze de lo ser de la mía, vengo a vos suplicar que de vuestra mano haya la espada, porque, cuando le fuere menester, haya memoria desta grande honra que recibe, y de quién gela da.

El rey miró a Gandalín, y conoció el cavallo de don Galaor su hijo, y las lágrimas le vinieron a los ojos, y dixo:

—Gandalín, amigo, ¿qué tal dexaste a don Galaor cuando te dél partiste?

Y él le dixo:

—Señor, mucho mejorado en su dolencia, mas con gran dolor y pesar de su coraçón, que por mucho que se le encubrió vuestra partida, bien la supo, ahunque no la causa della; y a mí me conjuró que le dixesse la verdad si lo sabía; y yo le dixe, señor, que de lo que yo aprendiera dello, que ívades ayudar al rey de Escocia, padre de Agrajes, que tenía cuestión con unos vezinos suyos. Y no le quise dezir la verdad, porque en tal caso y en tal afruenta como él está, pensé que aquello era lo mejor.

El rey sospiró muy de coraçón, como aquel a quien amava y en sus entrañas tenía; y pensava que después de Amadís no havía en el mundo mejor cavallero que él, assí de esfuerço como de todas las otras maneras que buen cavallero devía tener, y dixo:

—¡O mi buen hijo!, a nuestro Señor plega que no vea yo la tu muerte, y con honra te vea quitado desta tan grande afición que con el rey Lisuarte tienes, porque quedando libre, libremente puedas ayudar a tus hermanos y a tu linaje.

Estonces Amadís tomó una spada que le traía Durín, hermano de la donzella de Denamarcha, a quien havía mandado que le aguardasse, y diola al rey; y él hizo cavallero a Gandalín besándole y poniéndole la espuela diestra, y el rey le ciñó la espada; y assí se cumplió su cavallería por la mano de los dos mejores cavalleros que nunca armas traxeron. Y tomándole consigo se bolvió a don Cuadragante; y cuando a él llegaron, salió abraçar a Gandalín por le dar honra, y díxole:

—Mi amigo, a Dios plega que vuestra cavallería sea en vos tan bien empleada como hasta aquí ha sido la virtud y buenas maneras que buen escudero devía tener; y creo que assí será, porque el buen comienço todas las más vezes trae buena fin.

Gandalín se homilló, teniéndole en merced la honra que le dava.

Lasindo fue cavallero por mano de su señor, y Agrajes le dio la espada. Y podéis creer que estos dos noveles fizieron en su comienço tanto en armas en esta batalla, y sufrieron tantos peligros y trabajos, que para todos los días de su vida ganaron honra y gran prez, assí como la historia os lo contará más largamente adelante.

Yendo las batallas como digo, no anduvieron mucho que vieron a sus enemigos contra ellos venir en aquella orden que de suso oístes. Y cuando fueron cerca los unos de los otros, Amadís conoçió que la seña del emperador de Roma traía la delantera, y huvo muy gran plazer porque con aquéllos fuessen los primeros golpes; que comoquiera que al rey Lisuarte desamasse, siempre tenía en la memoria haver sido en su corte, y de las grandes honras que dél había recebido; y sobre todo, lo que más tenía y dudava, ser padre de su señora, a quien él tanto temor tenía de dar enojo. Y en su coraçón llevava puesto, si hazer lo pudiesse sin mucho peligro suyo, de se apartar de donde el rey Lisuarte anduviesse, por no topar con él ni dar ocasión de lo enojar, ahunque él bien sabía, según las cosas passadas, que aquella cortesía no la esperava dél, sino que como a mortal enemigo le buscaría la muerte.

Pero de Agrajes vos digo que su pensamiento estava muy alexado de lo de Amadís, que nunca rogava a Dios sino que le guiasse para que él pudisse llegarlo a la muerte y destruir todos los suyos, que siempre tenía delante sus ojos la descortesía y poco conoçimiento que les havía hecho en lo de la ínsola de Mongaça, y lo que contra su tío don Galvanco y los de su parte había hecho; que ahunque lo mismo ínsola le havía dado, más por deshonra que por honra lo tenía, pues fue sobre ser vencidos, donde toda la honra quedava con el rey. Y si él aquel tiempo allí se fallara, no la consintiera tomar a su tío; antes le diera otro tanto en el reino de su padre. Y con esta gran ravia que tenía, muchas vezes se oviera de perder en aquella batalla por se meter en las mayores priessas por matar o prender al rey Lisuarte; mas como el otro fuesse esforçado y usado de aquel menester, no dava mucho por él, ni dexava de se combatir en todas las otras partes donde convenía, como adelante se dirá.

Estando las batallas para romper unas con otras, solamente sperando el son de las trompas y añafiles, Amadís, que en la delantera estava, vio venir un escudero en un cavallo a más andar de la parte de los contrarios, y a grandes bozes preguntava si estava allí Amadís de Gaula. Amadís le dio de la mano que se llegasse a él. El escudero assí lo hizo, y llegando a él le dixo:

—Escudero, ¿qué queréis?, que yo soy el que vos demandáis.

El escudero le miró, y a su pareçer en toda su vida havía visto cavallero que assí pareçiesse armado ni a cavallo; y díxole:

—Buen señor, yo creo bien lo que me dezís, que vuestra presencia da testimonio de vuestra gran fama.

—Pues agora dezid lo que me queréis —dixo Amadís.

El escudero le dixo:

—Señor, Gasquilán, rey de Suesa, mi señor, vos faze saber cómo en el tiempo passado cuando el rey Lisuarte tenía guerra con vos y con don Galvanes y otros muchos cavalleros que de vuestra parte y de la suya estavan sobre la ínsola de Mongaça, que él vino a la parte del rey Lisuarte con pensamiento y desseo de se combatir con vos, no por enemistad que vos tenga, sino por la gran fama que oyó de vuestras grandes cavallerías; en la cual guerra estuvo fasta que mal ferido se bolvió a su tierra, sabiendo que vos no estávades en parte donde este su desseo efecto pudiesse haver; y que agora el rey Lisuarte le fizo saber desta guerra en que estáis, donde, según la causa della, no se podrá escusar gran cuistión o batalla; y que él es venido a ella con aquella misma gana, y dízeos, señor, que antes que las batallas se junten, rompáis con él dos o tres lanças, que él de grado lo hará, porque si las batallas se juntan, no os podrá topar a su voluntad, que havrá estorvo de otros muchos cavalleros.

Amadís le dixo:

—Buen escudero, dezid al rey vuestro señor que todo lo que por vos me embía dezir, yo lo supe en aquel tiempo que en aquella guerra no pude ser, y que esto que él quiere, antes lo tengo a grandeza de esfuerço que a otra enemistad ni malquerencia, y que, ahunque mis obras no sean tan complidas como la fama dellas, yo me tengo por muy contento en que hombre de tal gran guisa y de tanta nombradía me tenga en tan buena possessión, y que, pues esta demanda es más voluntaria que necessaria, querría, si a él pluguiesse, que mi bien o mi mal lo provasse en cosa de más su honra y provecho. Pero si a él lo que me embía dezir más le agrada, que yo lo faré como lo pide.

El escudero dixo:

—Señor, el rey mi señor bien sabe lo que vos acaeçió con Madarque el jayán de la Insola Triste, su padre, y cómo le vencistes por salvar al rey Cildadán y a don Galaor, vuestro hermano; y que comoquiera que esto le tocasse como a cosa de padre a quien tanto deudo es, que sabiendo la gran cortesía que con él usastes, antes sois dino de gracias que de pena; y que si él ha gana de se provar con vos, no es ál salvo la grande embidia que de vuestra gran bondad tiene, que haze cuenta que si vos vence, será su loor y fama sobre todos los cavalleros del mundo; y si él fuere vencido, que le no será denuesto grande ni vergüença serlo por mano de quien tantos cavalleros y gigantes y otras cosas fieras fuera de la natura de los hombres ha vencido.

—Pues que assí es —dixo Amadís—, dezilde que si, como he dicho, esto que pide más le contenta, que yo estoy presto de lo hazer.

CAPÍTULO CX

CÓMO DA CUENTA POR QUÉ CAUSA ESTE GASQUILÁN, REY DE SUESA, EMBIÓ A SU ESCUDERO CON LA DEMANDA QUE OÍDO HAVÉIS A AMADÍS

CUENTA la historia por qué causa este cavallero vino dos vezes a buscar a Amadís por se combatir con él; que sin razón sería que un tan gran príncipe como éste, que con tal empressa viniesse de tan lueñe tierra como lo era su reino, no fuesse sabido y publicado su buen desseo. Ya la historia tercera vos ha contado cómo este Gasquilán es hijo de Madarque, el jayán de la Insola Triste, y de la hermana de Lancino, rey de Suesa, por parte de la cual fue allí tomado por rey, porque él murió sin heredero. Y como éste fuesse valiente de cuerpo como hijo de jayán y de gran fuerça, en muchas cosas de armas que se provó, las passó todas a su honra tan enteramente, que en todas aquellas partes no se fablava de ninguna bondad de cavallero tanto como de la suya, ahunque era mancebo.

Éste fue enamorado en gran manera de una princesa muy fermosa llamada la fermosa Pinela, que después de la muerte del rey, su padre, por señora de la Insola Fuerte quedó, que con el reino de Suesa confinava, y por su amor emprendió grandes cosas y afruentas, y passó muchos peligros de su persona para la atraer a que le amasse. Mas ella, conociendo ser de linaje de gigantes y muy follón y sobervio, nunca fue otorgada a le dar esperança ninguna de sus desseos. Pero algunos de los grandes de su señorío, temiendo la grandeza y sobervia deste Gasquilán, que viendo no tener remedio en sus amores, y el gran amor no se tornasse en desamor y enemistad, como algunas vezes acaeçe, y que donde estavan en paz no se les bolviesse en cruel guerra, tovieron por bien de la aconsejar que no assí esquivasse tan crudamente sus embaxadas, y con alguna infintosa sperança le detoviesse lo más que pudiesse ser. Pues con este acuerdo, cuando esta señora se vio muy aquexada dél, embióle dezir que, pues Dios la havía fecho señora de tan gran tierra, su propósito era, y assí lo havía prometido a su padre al tiempo de su finamiento, de no casar sino con el mejor cavallero que se pudiesse fallar en el mundo, ahunque de gran estado no fuesse; y que ella havía procurado mucho por saber quién lo fuesse, embiando sus mensajeros a muchas tierras estrañas, los cuales le havían traído nuevas de uno que se llamava Amadís de Gaula, que éste era estremado entre todos los del mundo por el más esforçado y valiente cavallero, acabando y emprendiendo las cosas peligrosas que los otros acometer no osavan, y que si él, pues, tan valiente y tan esforçado era, con este Amadís se combatiesse y lo venciesse, que ella, compliendo su desseo y la promesa que a su padre hizo, le daría su amor y le haría señor de sí y de su reino, que bien creía que después de aquél no le quedaría par de bondad. Esto respondió esta hermosa princesa por se quitar de sus recuestas, y también porque, según de los suyos que Amadís vieron y oyeron sus grandes hechos, supo que no era igual la bondad de Gasquilán a la suya con gran parte. [92]

Como esto le fue dicho a Gasquilán, assí por el gran amor que a esta princesa tenía, como la presumción y sobervia suya, le pusieron en buscar manera cómo esto que le era mandado pudiesse poner en obra. Y por esta causa que oís vino estas dos vezes de su reino a buscar a Amadís; la primera a la guerra de la ínsola de Mongaça, donde bolvió herido de un gran golpe que don Florestán le dio en la batalla que con él y con el rey Arbán de Norgales ovieron; la se-

92. Es un motivo artúrico: ofrecerse en matrimonio sólo después del combate con el mejor, que en la novela francesa del XIII suele ser Gauvain. El motivo fue renovado en *el Meliador* de J. Froissart (segunda mitad del siglo XIV), donde constituye el armazón de toda la estructura narrativa (véase Introducción, II, p. XLIII).

gunda agora en esta cuistión del rey Lisuarte, porque hasta allí nunca pudo saber nuevas de Amadís, porque él anduvo desconoçido, llamándose el Cavallero de la Verde Spada, por las ínsolas de Romanía y por Alemaña y Costantinopla, donde fizo las estrañas cosas en armas que la parte tercera desta historia cuenta.

El escudero deste Gasquilán tornó a él con la respuesta de Amadís tal cual la havéis oído; y como gela dixo, dixole:

—Amigo, agora traes aquello que yo mucho tengo desseado, y todo viene a mi voluntad. Y hoy entiendo ganar el amor de mi señora si yo soy aquel Gasquilán que tú conoçes.

Estonces demandó sus armas, las cuales eran desta manera: el campo de las sobreseñales y sobrevistas pardillo, y grifos dorados por él; el yelmo y escudo eran limpios como un espejo claro, y en medio del escudo, clavado con clavos de oro, un grifo guarnido de muchas piedras preciosas y perlas de gran valor, el cual tenía en sus uñas un coraçón que con ellas le atravesava todo, dando a entender por el grifo y su gran fiereza la esquiveza y gran crueldad de su señora, y que assí como tenía aquel coraçón atravesado con las uñas, assí el suyo lo estava de los grandes cuidados y mortales desseos que della continuamente le venían; y aquestas armas pensava él traer hasta que a su señora oviesse, y también porque considerando traerlas en su remembrança le davan esfuerço y gran descanso en sus cuidados.

Pues, armado como oís, tomó una lança en la mano, gruessa y de un hierro grande y limpio, y fuese adonde el emperador estava, y pidióle por merced que mandasse a su gente que no rompiesse hasta que él hoviesse una justa que tenía concertada con Amadís, y que le no toviesse por cavallero si del primero encuentro no gele quitasse de su estorvo. El emperador, que mejor que él le conoçía y le havía provado, ahunque lo no mostró, bien tenía creído que más duro le sería de acabar de lo que pensava; assí se partió dél y passó por las batallas. Todos estovieron quedos por mirar la batalla destos dos tan famosos cavalleros y tan señalados.

Assí llegó Gasquilán a la parte donde Amadís estava aparejado para lo recebir, y ahunque él sabía que éste fuesse un valente cavallero, teníalo por tan follón y sobervio que no temía mucho su valentía, porque a estos tales en el tiempo que más piensan hazer y más menester lo han, allí Dios les

quebranta su gran sobervia porque los semejantes tomen enxemplo. Y como lo vio venir, endereçó su cavallo contra él,
y cubrióse de su escudo lo mejor que supo, y diole de las
espuelas y fue lo más rezio que pudo ir contra él. Y Gasquilán assí mesmo iva muy desapoderado cuanto el cavallo lo
podía llevar. Y encontráronse en los escudos, de manera que
las lanças fueron en pedaços por el aire, y al juntar uno con
otro fue el golpe tan duro, que todos pensaron que ambos
eran hechos pieças; y Gasquilán fue fuera de la silla, y como
era valiente de cuerpo, y el golpe fue muy grande, dio tan
gran caída en el campo duro que quedó tan desacordado que
se no pudo levantar; y huvo el braço diestro sobre que cayó
quebrado, y assí quedó en el campo tendido como muerto.
El cavallo de Amadís huvo la una espalda quebrada y no se
pudo tener, y Amadís fue ya cuanto desacordado, pero no
de manera que dél no saliesse luego, antes que cayesse con
él. Y assí a pie se fue donde Gasquilán yazía por ver si era
muerto. El emperador de Roma, que la batalla mirava, como
le vio muerto, que assí él como todos los otros lo pensaron,
y Amadís a pie, dio bozes a Floyán, que la delantera tenía,
que socorriesse con su batalla, y assí lo hizo. Y como don
Cuadragante esto vio, puso las espuelas a su cavallo y dixo
a los suyos:

—¡Feridlos, señores, y no dexéis ninguno a vida!

Estonces fueron los unos y otros a se encontrar, mas Gandalín, como vio a su señor Amadís a pie, y que las hazes
rompían, huvo gran recelo dél, y fue delante todos una pieça
por le acorrer. Y vio venir a Floyán, delante todos los suyos,
y fuese para él, y encontráronse ambos de rezios golpes; y
Floyán cayó del cavallo, y Gandalín perdió las estriberas
ambas, mas no cayó. Estonces llegaron muchos romanos por
socorrer a Floyán, y don Cuadragante a Amadís; y cada uno
puso al suyo a cavallo, que en ál no entendieron. Pero como
los romanos llegaron muchos, y muy presto cobraron a Gasquilán, que algo más acordado stava, y sacáronlo de la priessa a gran trabajo, don Cuadragante en su llegada, antes que
la lança perdiesse, derribó a tierra cuatro cavalleros, y del
primero que derribó fue tomado el cavallo por Angriote d'Estraváus, y gelo traxo prestamente a Amadís, y Gavarte del
Valtemeroso y Landín siguieron la vía de don Cuadragante
y hizieron mucho daño en los enemigos, como aquellos que
en tal menester eran usados.

Estos que vos digo llegaron delante de su haz; pero cuando la una y la otra batalla se juntaron, el ruido y las bozes fue tan grande, que se no oían unos a otros. Y allí viérades cavallos sin señores y los cavalleros dellos muertos y dellos heridos; y passavan sobre ellos los que más podían. Y Floyán, como era valiente y desseoso de ganar honra y de vengar la muerte de Salustanquidio, su hermano, como a cavallo se vio, tomó una lança y fue contra Angriote, que vio hazer cosas estrañas en armas; y encontróle por el un costado tan reziamente, que por muy poco no le derribó del cavallo, y quebró la lança, y puso mano a su spada y fue a herir a Enil, que delante sí halló, y diole por cima del yelmo tan gran golpe que las llamas salieron dél. Y passó tan rezio por entrambos al través de las batallas, que ninguno dellos le pudo herir, tanto que se maravillaron de su ardimiento y gran prez. Y antes que a los suyos llegasse, topó con un cavallero de Irlanda, criado de don Cuadragante, y diole tal golpe por cima del ombro que le cortó fasta la carne y los huessos, y fue tan maltrecho que le fue forçado de salir de la batalla.

Amadís en este tiempo tomó consigo a Baláis de Carsante y a Gandalín, y con gran saña, viendo que los romanos tan bien se defendían, entró lo más rezio que pudo por el un costado de la haz y aquellos que le seguían, y dio tan grandes golpes de la espada, que no havía hombre que lo viesse que mucho no fuesse espantado; y mucho más lo fueron aquellos que le esperavan, que tan gran miedo les puso, que ninguno le osava atender; antes, se metían entre los otros como haze el ganado cuando de los lobos son acometidos.

Y yendo assí sin fallar defensa, salió a él al encuentro un hermano bastardo de la reina Sardamira que Flamineo havia nombre, muy buen cavallero en armas. Y como vio a Amadís fazer tales maravillas y que ninguno le osava esperar, fue para él y encontróle en el escudo con su lança que gelo falsó, y la lança fue quebrada en pieças; y al passar Amadís le cuidó herir en el yelmo, mas como passó rezio, no pudo; y herió al cavallo en el lomo junto con los arzones de çaga, y cortóle todo lo más del cuerpo y de las tripas, y dio con él en el suelo gran caída, tanto que pensó que lo havía abierto por las espaldas. Don Cuadragante y los otros cavalleros, que por la otra parte se combatían, apretaron tanto los contra-

rios que, si no fuera porque llegó Arquisil con la segunda
haz en su socorro, todos fueran destroçados y vencidos. Mas
como éste llegó, todo fueron reparados y cobraron gran esfuerço. Y por su llegada cayeron a tierra de los cavallos más
de mil cavalleros de los unos y de los otros.

Este Arquisil se encontró con Landín, sobrino de don
Cuadragante, y diéronse tan grandes golpes de las lanças, y
los cavallos uno con otro, que ambos cayeron en tierra. Floyán, que a todas partes andava, havía socorrido con cincuenta cavalleros a Flamíneo, que estava a pie, y le diera un cavallo, que Amadís, después que lo derribó, no miró por él
porque vio venir la segunda haz; y por ser el primero en la
recebir, dexólo en poder de Gandalín y de Baláis, los cuales
pensaron que muerto quedava, y fueron herir en la haz de
Arquisil, porque los suyos en su llegada no recibiessen daño,
que llegavan muy holgados. Y como Floyán vio a pie a Arquisil, que se combatía con Landín, dio muy grandes bozes
diziendo:

—¡O cavalleros de Roma, socorred a vuestro capitán!

Estonces él arremetió muy bravo, y más de quinientos
cavalleros con él; y si no fuera por Angriote y por Enil y
Gavarte de Valtemeroso, que lo vieron y dieron bozes a don
Cuadragante, que con mucha priessa socorrieron, y muchos
cavalleros de los suyos con ellos, Landín fuera aquella hora
muerto o preso. Mas como éstos llegaron, herieron tan reziamente que era maravilla de ver. Flamíneo, que, como
dicho es, estava ya a cavallo, tomó los más que pudo y socorrió como buen cavallero a los suyos.

¿Qué vos diré? La priessa fue allí tan grande, y tantos
cavalleros muertos y derribados, que todo aquel campo donde
ellos se combatían estava ocupado de los muertos y de los
heridos. Mas los romanos, como eran muchos, tomaron Arquisil a pesar de sus enemigos, y don Cuadragante y sus compañeros a Landín, y assí salvó cada uno al suyo, y los fizieron cavalgar en sendos cavallos, que muchos havía por allí
sin señores.

Amadís andava a la otra parte haziendo maravillas de
armas; y como ya lo conoçían, todos los más dexávanle la
carrera por donde quería ir. Pero todo era menester, que
como los romanos eran muchos más, si no fuera por los cavalleros señalados de la otra parte, a su voluntad los traxeran. Mas luego socorrió Agrajes y don Bruneo de Bonamar

con su haz; y llegaron tan rezios y tan juntos que, como los romanos anduviessen todos barajados, muy prestamente los hizieron dos partes, de manera que ningún remedio tenían si el emperador con su batalla, en que traía cinco mil cavalleros, no socorriera. Esta gente, como era mucha, dio tan gran esfuerço a los suyos, que muy prestamente cobraron todo lo que havían perdido.

El emperador llegó en su gran cavallo y armado como es dicho, y como era grande de cuerpo y venía delante de los suyos, pareçió tan bien a todos los que lo veían que era maravilla, y fue mucho mirado. Y al primero que delante halló fue Baláis de Carsante, y encontróle en el escudo tan reziamente, que quebró la lança, y topóle con el cavallo, que venía muy folgado; y como el de Baláis cansado anduviesse, no pudo sofrir el duro golpe y cayó con su señor de tal manera que fue muy quebrantado. El emperador, cuando tal encuentro fizo, tomó en sí gran orgullo, y metió mano a la spada y començó a dezir a grandes bozes:

—¡Roma, Roma; a ellos, mis cavalleros, no vos escape ninguno!

Y luego se metió por la priessa dando muy grandes y fuertes golpes a todos los que delante sí hallava, a guisa de buen cavallero; y yendo assí faziendo gran daño, encontróse con don Cuadragante, que assí mesmo andava con la espada en la mano firiendo y derribando cuantos alcançava. Y como se vieron, fue el uno contra el otro muy rezio, las espadas altas en las manos, y diéronse tales golpes por cima de los yelmos, que el fuego salió dellos y de las espadas: mas como don Cuadragante era de más fuerça, el emperador fue tan cargado del golpe que perdió las estriberas y úvose de abraçar al cuello del cavallo, y quedó ya cuanto desacordado. Açaesció que aquella hora se falló allí Constancio, hermano de Brondajel de Roca, que era buen cavallero mancebo; y como vio al emperador su señor en tal guisa, ferió el cavallo de las espuelas y fue para don Cuadragante con la lança a sobremano, y diole una gran lançada en el escudo que gelo falsó, y ferióle un poco en el braço; y en tanto que don Cuadragante bolvió a lo ferir con la espada, el emperador uvo lugar de se tornar a la parte donde los suyos estavan.

Constancio, como vio que era en salvo, no paró, mas antes, como llegava holgado él y su cavallo, salióse muy presto y fue a la parte donde Amadís andava; y cuando vio las cosas estrañas que fazía y los cavalleros que dexava por el suelo por doquiera que iva, fue tan espantado, que no podía creer que fuesse sino algún diablo que allí era venido para los destruir. Y estándole mirando, vio cómo salió a él un cavallero que fue governador del principado de Calabria por Salustanquidio, y firióle de la espada en el cuello del cavallo. Y Amadís le dio por cima del yelmo tal golpe, que así el yelmo como la cabeça le fizo dos partes, y luego cayó muerto en el suelo, de que Constancio uvo gran dolor, porque muy buen cavallero era; y luego llamó a Floyán a grandes bozes, y dixo:

—¡A éste, a éste tolled o matad, que éste es el que nos destruye sin ninguna piedad!

Entonces ambos juntos vinieron a él, y diéronle grandes golpes de las espadas. Mas Amadís a Constancio, que delante halló, dio tal golpe en el brocal del escudo, que gelo fizo dos pedaços, y no se detuvo allí la espada; antes, llegó al yelmo, y el golpe fue tan grande, que Constancio fue atordido, que cayó del cavallo abaxo. Como los romanos que a Floyán aguardavan lo vieron con Amadís, y a Constancio en el suelo, juntáronse más de veinte cavalleros y dieron en él, mas no le pudieron derrivar del cavallo, y no osavan parar con él, que al que alcançava no avía menester más de un golpe.

Estando assí la batalla en que los romanos, como eran muchos en demasía, tenían algo de la ventaja, socorrió Grasandor y el esforçado de don Florestán, y llegaron a tiempo que los romanos tenían cercados a Agrajes y don Bruneo y Angriote, que les avían muerto los cavallos; y avíanlos socorrido Lasindo y Gandalín y Gavarte de Valtemeroso y Branfil, que acaso se fallaron juntos; mas la muchedumbre de la gente que sobre ellos estava era tanta que estos que digo, ahunque muchos cavalleros derribaron y mataron y passaron mucho peligro, no pudieron llegar a ellos. Y como don Florestán llegó y vio allí tan gran priessa, bien cuidó que no sería sin mucha causa; y como llegó, conosció aquellos cavalleros que socorrían a Agrajes y a sus compañeros. Y como Lasindo lo vio, dixo:

—¡O señor don Florestán, socorred aquí! Si no, perdidos son vuestros amigos.

Como él esto oyó, dixo:

—Pues llegad vos a mí, y firamos los que no osaran atender.

Entonces se metió por la gente, derribando y matando cuantos alcançava fasta que la lança quebró. Y puso mano a su espada y dio tan grandes golpes con ella que espanto ponía a todos los que allí estavan. Y aquellos cavalleros que vos dixe fueron teniendo con él fasta que llegaron donde Agrajes y sus compañeros estavan a pie, como avéis oído. ¿Quién vos podría dezir lo que allí passaron en aquel socorro y lo que avían fecho los que estavan cercados? Y por cierto, no se puede contar, que tan pocos como ellos eran se pudiessen defender a tantos como los querían matar. Pero ahún con todo, todos ellos estavan en gran peligro de sus vidas, si la ventura no traxiera por allí a Amadís, al cual Floyán y los suyos havían dexado, porque de los veinte cavalleros que vos dixe que socorrieron a Costancio, avía él muerto y derribado los seis; y como vio que lo dexavan y se apartavan dél, y oyó las grandes bozes que en aquella priessa se davan, acudió allí. Y como llegó, luego los conoció en las armas, y començó a llamar a los suyos, y juntáronse con él más de cuatrocientos cavalleros. Y como allí fuesse la mayor priessa que en todo el día avía sido, acudieron también de la parte de los romanos Floyán y Arquisil y Flamineo con la más gente que pudieron, y començóse la más brava batalla, y más peligrosa, que hombre vio. Allí viérades fazer maravillas a Amadís, las cuales nunca fueran vistas ni oídas que cavallero pudiesse fazer; tanto que assí a los contrarios como a los suyos hazía mucho maravillar, assí de los que matava como de los que derribava. Como las bozes eran muchas y el ruido muy grande, assí el emperador como todos los más que en la batalla andavan acudieron allí. Don Cuadragante, que a otra parte andava, fuele dicho por un ballestero de cavallo la cosa cómo estava, y luego a gran priessa juntó consigo más de mill cavalleros que le aguardavan de su haz, y díxoles:

—Agora, señores, paresca vuestra bondad y seguidme, que mucho es menester nuestro socorro.

Todos fueron con él, y él delante; y cuando llegaron a la priessa, avía tanta gente de un cabo y de otro que a penas podían llegar a los enemigos. Y como esto él vio, assí con su gente como la traía junto, que era muy buena y de buenos cavalleros, dio por el un costado tan reziamente, que en su llegada fueron por el suelo más de dozientos cavalleros, y

bien vos digo que los que él a derecho golpe alcançava que
no avían menester maestro.

Amadís, cuando vio a don Cuadragante lo que él y su
gente hazían, fue muy maravillado, y metióse tan desapoderadamente por los contrarios dando tales golpes y tan pesados,
que no dexava hombre en silla. Pero aquella ora Arquisil y
Floyán y Flamíneo, y otros muchos con ellos, se combatían
tan esforçadamente, que pocos avía que mejor lo fiziessen; y
punavcuanto podían de llegar a la muerte a Agrajes y sus
compañeros que con él a pie estavan, y a don Florestán y a
los otros que vos diximos que cabe ellos estavan para los defender; que después que passaron la gran priessa de la gente
y llegaron a ellos, nunca por gente que viniesse, ni por golpes
que les diessen, los pudieron de allí quitar. Y como vieron
éstos lo que los suyos hazían, y tan gran daño en sus enemigos, apretaron tan rezio a los romanos, assí por la parte de
don Cuadragante como de la de Amadís, y de don Gandales, que sobrevino con fasta ochocientos cavalleros de los que
traía en cargo, que, a mal de su grado, ahunqu'el emperador
dava muy grandes bozes, que después que don Cuadragante
le dio aquel gran golpe de la espada, más entendió en governar la gente que en pelear, los fizieron perder el campo, de
manera que Agrajes y Angriote y don Bruneo, que mucho
afán y peligro avían passado, pudieron cobrar cavallos en que
cavalgaron; y luego se metieron en la priessa contra los romanos que ivan de vencida, y así los llevaron fasta dar en la
batalla del rey Arbán a tal ora que era ya puesto el sol, y
por esto el rey Arbán los recogió consigo y no quiso romper, que assí gelo embió mandar el rey Lisuarte por ser la
ora tal, y porque de sus contrarios quedava mucha gente por
entrar en la buelta, y uvo recelo de recebir dellos algún revés;
que bien cuidava que para los primeros bastava el emperador con los suyos. Y así por esto como por la noche que
sobrevino, que fue la causa más principal, recogieron a los
romanos, y los contrarios se detuvieron, que los no siguieron
más, de manera que la batalla se partió con mucho daño de
ambas las partes, ahunque los romanos recibieron el mayor.

Amadís y los de su parte, como por ellos quedó el campo,
fizieron llevar todos los feridos de los suyos, y su gente des-
pojó todos los otros, y quedaron en el campo los feridos y
muertos de la parte de los romanos, que los no quisieron
matar, de los cuales muchos murieron por no ser socorridos.

Pues bueltas las gentes, assí de un cabo como de otro, a sus reales, uvo algunos hombres del orden que en las batallas venían para reparar las ánimas de los que menester lo oviessen, que como vieron tan gran destroço y las bozes que los feridos davan demandando piedad y misericordia, acordaron, assí de un cabo como de otro, de se poner por servicio de Dios en trabajar porque alguna tregua oviesse en que los feridos se reparassen y los muertos fuessen soterrados. Y assí lo fizieron, que éstos fablaron con el rey Lisuarte y con el emperador, y los otros con el rey Perión; y todos tovieron por bien que la tregua se assentasse por el día siguiente. Aquella noche passaron con grandes guardas, y curaron de los feridos y los otros descansaron del gran trabajo que avían pasado. Venida la mañana, fueron muchos a buscar a sus parientes, y otros a sus señores; y allí viérades los llantos tan grandes de ambas las partes, que de oírlo pone gran dolor, cuanto más de lo ver. Todos los bivos llevaron al real del emperador, y los muertos fueron soterrados, de manera que el campo quedó desembargado.

Así passaron aquel día endereçando sus armas y curando de sus cavallos, y a don Cuadragante curaron de la ferida del braço, y vieron que era poca cosa; pero ahun otro cavallero que la tuviera, que no fuera tal como él, no se pusiera en armas ni en trabajo, él no quiso por esso dexar de ayudar a sus compañeros en la batalla siguiente.

Venida la noche todos se acogieron a sus alvergues, y al alva del día se llevantaron al son de las trompas y oyeron missas, y luego toda la gente fue armada y puesta a cavallo, y cada capitán recogió los suyos. Y assí de la una parte como de la otra fue acordado que las delanteras tomassen las batallas que no avían peleado, y assí se hizo.

CAPÍTULO CXI

CÓMO SUCCEDIÓ EN LA SEGUNDA BATALLA A CADA UNA DE LAS PARTES, Y POR QUÉ CAUSA LA BATALLA SE PARTIÓ

PUSO en la delantera el rey Lisuarte al rey Arbán de Norgales y a Norandel, y don Guilán el Cuidador, y los otros cavalleros que ya oístes. Y él con su batalla y el rey Cildadán les fizieron espaldas, y tras ellos el emperador y todos los suyos, cada uno en su haz y con sus capitanes según y por la ordenança que tenían.

El rey Perión dio la delantera a su sobrino don Brian de Monjaste, y él y Gastiles con la seña del emperador de Constantinopla les fazían espaldas, y todas las otras batallas en su concierto, de manera que las que más desviadas estovieron el primero día que pelearon agora ivan más cerca.

Con esta ordenança movieron los unos y los otros, y cuando fueron cerca, tocaron las trompas de todas partes, y las hazes de Brian de Monjaste y del rey Arbán de Norgales se juntaron tan bravamente, que de la primera fueron por el suelo más de quinientos cavalleros, y sus cavallos sueltos por el campo. Don Brian se falló con el rey Arbán, y diéronse muy grandes encuentros, assí que las lanças fueron quebradas, mas otro mal no se fizieron. Y metieron mano a sus espadas y començáronse a ferir por todas las partes que más daño se podían fazer, como aquellos que muchas vezes lo avían fecho y usado. Norandel y don Guilán firieron juntos en la gente de sus contrarios; y como eran muy valientes y muy esforçados, fizieron mucho daño, y más fizieran si no por un cavallero pariente de don Brian, que con la gente de España avía venido, que avía nombre Fileno, que tomó consigo muchos de los españoles que era buena gente de guerra, y firió tan rezio aquella parte donde don Guilán y Norandel andavan, que así a ellos como a todos los que delante sí tomaron los llevaron una pieça por el campo, pero allí fazían cosas estrañas Norandel y don Guilán por reparar los suyos. Al rey Arbán y a don Brian despartieron de su batalla, ansí los unos como los otros, por la gran priessa que a la otra parte avía, y cada uno dellos començó a esforçar los suyos firiendo y derribando en los contrarios. Pero como la gente de España fuesse más y mejor encavalgados, ovieron tan gran ventaja que si no porque el rey Lisuarte y el rey Cildadán socorrieron con sus hazes, no les tovieran campo, y todos fueran perdidos; mas en la llegada destos reyes fue todo reparado. El rey Perión, como vio la seña del rey Lisuarte, dixo a Gastiles:

—Agora, mi buen señor, movamos, y toda vía mirad por esta seña, que yo ansí lo faré.

Entonces fueron derancadamente contra sus enemigos. El rey Lisuarte los recibió como aquel a quien nunca fallesció coraçón ni esfuerço, que sin duda podéis creer que en su tiempo nunca uvo rey que mejor ni más endonadamente su cuerpo aventurasse en las cosas que a su honra tocavan, assí como por esta gran istoria podéis ver en todas las batallas y afruentas en que se falla.

Pues bueltas assí estas gentes en número tan crescido, ¿quién os podría contar las cavallerías que allí se fizieron? Sería impossible al que verdad quisiesse dezir, que tantos buenos cavalleros fueron allí muertos y llagados que casi los cavallos no podían andar sino sobr'ellos. Deste rey Lisuarte os digo que, como hombre lastimado no teniendo su vida tanto como en nada, se metía entre sus enemigos tan esforçadamente que pocos fallava que le osassen atender. El rey Perión, yendo por otra parte faziendo maravillas, a caso se encontró con el rey Cildadán, y como se conoscieron, no quisieron acometerse; antes, passaron el uno por el otro y fueron ferir en los que delante sí fallaron, y derribaron muchos cavalleros muertos y llagados a tierra.

Como el emperador vio tan gran rebuelta, y le paresció estar los de su parte en gran peligro, mandó a sus capitanes que con todas sus hazes rompiessen lo más denodadamente que ser pudiesse y que él assí lo faría; lo cual fue fecho, que todas las batallas juntas con el emperador dieron en los contrarios. Mas antes que ellos llegassen, las otras de la parte contraria, de que los vieron venir, así mismo todos juntos derrancaron por el campo, assí que todos fueron mezclados unos con otros, de manera que no podían aver concierto ni guardar ninguno a su capitán. Mas andavan tan embueltos y tan juntos, que se no podían ferir ni ahún con las espadas, y travávanse a braços, y derribávanse de los cavallos; y más eran los que murieron de los pies dellos que de las feridas que se davan. El estruendo y el ruido era tan grande, assí de las bozes como del reteñir de las armas, que todos aquellos valles de la montaña fazían reteñir que no parescia sino que todo el mundo era allí asonado; y por cierto assí lo podéis creer, que no el mundo, mas todo lo más de la cristiandad y la flor della estava allí, donde tanto daño en ella se recibió aquel día que por muchos y largos tiempos no se pudo reparar; assí que esto se puede dar por enxemplo a los reyes y grandes señores, que antes que las cosas hagan, las miren y pensen primero con la buena conciencia, mirando mucho los inconvenientes que dello se pueden seguir, porque no a su cargo y por sus yerros y aficiones lazeren y mueran los que culpa no tienen, como muchas vezes acaesce, que puede ser que la inocencia destos tales lleve sus ánimas a buen lugar. Así que por mayor muerte y muy más peligrosa se puede contar, ahunque al presente las vidas les queden, a los causadores de tal destruición como esta aquí dio ocasión este rey Lisuarte, ahunque muy discreto y sabido en todas las cosas era, como oído avéis; pero causólo esto no querer estar a consejo de otro alguno sino del suyo propio.

Pues dexando todo esto a parte, que según la gran sobervia y la ira que sobre nosotros están muy enseñoreadas para nos poner en muchas passiones, en grandes tribulaciones, donde crea que los amonestamientos son escusados, tornaremos al propósito; y digo que, como las batallas assí anduviessen y muriessen muchas gentes, la priessa era tan grande que no se podían valer los unos a los otros, que todos estavan ocupados y delante sí hallavan con quien pelear. Agrajes siempre tenía el cuidado de mirar por el rey Lisuarte, y no le avía visto con la gran priessa y muchedumbre de gente; y yendo por entre las batallas, viole que acabava de derribar de un encuentro a Dragonís, en que quebró la lança, y tenía la espada en la mano para lo ferir. Y Agrajes fue para él con su espada, y díxole:

—A mí, rey Lisuarte, que yo soy el que te más desamo.

El, como lo oyó, bolvió la cabeça y fue para él, y Agrajes a él, y tan rezios llegaron el uno al otro que se no pudieron ferir; y Agrajes soltó la espada en la cadena con que la traía, y abraçóse con él, que como ya es dicho en otras partes desta istoria, este Agrajes fue el más acometedor cavallero y de más bivo coraçón que en su tiempo uvo; y si así la fuerça como el esfuerço le ayudara, no oviera en el mundo mejor cavallero que él; y assí era uno de los buenos que en gran parte se podrían fallar.

Pues estando abraçados, cada uno punava cuanto podía por derribar al otro; y Agrajes se viera en gran peligro, porque el rey era más valiente de cuerpo y de fuerça, si no por el buen rey Perión, que sobrevino; con el cual vinieron don Florestán y Landín y Enil y otros muchos cavalleros. Y cuando assí vio Agrajes, punó de lo socorrer; y de la otra parte acudió don Guilán el Cuidador, y Norandel y Brandoivas y Giontes, sobrino del rey; que éstos, ahunque en otras partes fazían sus espolonadas y grandes cavallerías, siempre tenían ojo a mirar por el rey, que assí lo tenían en cargo. Pues como éstos llegaron, firieron de las espadas, que las lanças quebradas eran, todos tan bravamente, que cosa estraña era de ver, y llegávanse de entrambas partes por socorrer cada uno al suyo. Mas el rey y Agrajes estavan tan asidos que los no podían quitar ni tampoco derribarse el uno al otro, porque los de su parte los tenían en medio y los sostenían que no cayessen. Como aquí fuesse la más priessa de la batalla y el mayor ruido de las grandes bozes ocurrieron allí muchos cavalleros de cada una de las partes, entre los cuales vino don Cuadragante. Y como llegó y vio la rebuelta y al rey abraçado con Agrajes, metióse muy rezio por todos y echó mano del rey tan bravamente, que por poco oviera derribado a entrambos, que no osó ferir al rey por no dar Agrajes, y porque le dieron muchos golpes los que al rey defendían, nunca le soltó. El rey Arbán de Norgales, que venía con el emperador de Roma, que avía pieça que no avía al rey visto, llegó allí; y como lo vio en tan gran peligro, fue muy desapoderado, y abraçóse con don Cuadragante muy apretadamente. Assí estavan todos cuatro abraçados y al derredor dellos el rey Perión y los suyos, y de la otra parte Norandel y don Guilán y los suyos, que nunca cessavan de se combatir.

Pues assí estando la cosa en tan gran rebuelta y peligro, sobrevino de la parte del rey Lisuarte el emperador y el rey Cildadán con más de tres mill cavalleros, y de la otra Gastiles y Grasandor con otras muchas compañas; y llegaron unos y otros tan rezios a la priessa y con tan gran estruendo que por fuerça hizieron derramar los que se combatían, y los que estavan abraçados ovieron por bien de se soltar, y quedaron todos cuatro a cavallo, pero muy cansados, que cuasi en las sillas tener no se podían. Y tanta fue la gente que a la parte del rey Lisuarte cargó, que en muy poco estuvo el negocio de se perder, si no fuera por la gran bondad del rey Perión y de don Cuadragante, y de don Florestán y los otros sus amigos, que como esforçados cavalleros sufrieron tanto que fue gran maravilla.

Assí estando en esta priessa como oídes, llegó aquel muy esforçado cavallero Amadís, que avía andado a la diestra parte de la batalla, y avía muerto de un solo golpe a Constancio y desbaratado todo lo más de aquella parte; y traía en su mano la su buena espada tinta de sangre hasta el puño. Y vinieron con él el conde Galtines y Gandalín y Trion. Y como vio tanta gente sobre su padre, y sobre los suyos vio

estar al emperador delante, combatiéndose como en cosa que
ya por vencida tenía, puso las espuelas a su cavallo que entonces avía tomado a un donzel de los de su padre, que venía
folgado, y metióse tan rezio y tan denodado por la gente que
fue maravilla de lo ver. Floyán, que lo conosció en las sobreseñales, uvo recelo que si al emperador llegasse, que todos
no serían tan poderosos de gelo defender ni amparar; y lo
más presto que pudo se puso delante, aventurando su vida
por salvar la suya del emperador. Don Florestán, que aquella parte se falló, entrava a la par con Amadís; y como vio a
Floyán, fue para él lo más presto que pudo, y diéronse muy
grandes golpes de las espadas por cima de los yelmos. Mas
Floyán fue desacordado, que se no pudo tener en el cavallo,
y cayó en tierra y allí fue muerto, assí del gran golpe como
de la mucha gente que sobre él anduvo.

Amadís no curó de su batalla; antes, como llevava los ojos
puestos en el emperador, y más en el coraçón de lo matar si
pudiese, que ya entre los suyos estava, metióse con muy gran
ravia entre ellos por le ferir; y como quiera que de todas
partes grandes golpes le diessen por gele defender, nunca
tanto pudieron fazer los contrarios que le estorvassen de se
juntar con él. Y como a él llegó, alçó la espada y firióle de
toda su fuerça, y diole tan gran golpe por encima del yelmo,
que le desapoderó de toda su fuerça y le hizo caer el espada
de la mano. Y como Amadís vio que iva a caer del cavallo
diole muy prestamente otro golpe por cima del ombro que
le cortó todas las armas y la carne fasta lo hueco, de manera
que todo aquel cuarto con el braço le quedó colgado, y cayó
del cavallo tal, que dende a poco fue muerto.

Cuando los romanos que muy cerca dél estavan lo vieron, dieron muy grandes bozes, de manera que se llegaron
muchos, y tornóse abivar la batalla, que acudieron allí muy
presto Arquisil y Flamíneo, y llegaron con otros muchos cavalleros donde Amadís y don Florestán estavan, y diéronles
muy grandes y fuertes golpes de todas partes. Mas el conde
Galtines y Gandalín y Trion dieron bozes a don Bruneo y
Angriote que se juntassen con ellos para los socorrer, y todos
cinco a pesar de todos llegaron en su ayuda, faziendo mucho
daño.

El rey Perión estava con don Cuadragante y Agrajes y
otros muchos cavalleros a la parte del rey Lisuarte, del rey
Cildadán y otros muchos que con ellos estavan, y comba-

tíanse muy reziamente; assí que allí fue la más brava batalla que en todo el día avía sido, y mayor mortandad de gente. Mas a esta hora sobrevino don Brian de Monjaste y don Gandales, que avían recogido de los suyos hasta seis cientos cavalleros, y dieron en los enemigos tan bravamente a la parte donde Amadís y sus compañeros estavan, que a mal de su grado los traxieron una gran pieça. A estas grandes bozes que entonces se dieron, Arbán, rey de Norgales, bolvió la cabeça y vio cómo los romanos perdían el campo, y dixo al rey Lisuarte:

—Señor, retraedvos; si no, perderos heis.

Cuando el rey esto oyó, miró y bien conosció que dezía verdad. Entonces dixo al rey Cildadán que le ayudasse a retraer los suyos en son que se no perdiessen, y assí lo hizieron, que siempre bueltos a los contrarios y dándose muy grandes golpes, con ellos se retraxeron fasta se poner en igual de los romanos, y allí se detuvieron todos, porque Norandel y don Guilán y Cendil de Ganota y Ladasín, y otros muchos con ellos, se passaron a la parte de los romanos, que era lo más flaco, para los esforçar; pero todo era nada, que ya la cosa iva de vencida.

Estando la batalla en tal estado como oís, Amadís vio cómo la parte del rey Lisuarte iva perdida sin ningún remedio, y que, si la cosa passasse más adelante, que no sería en su mano de lo poder salvar, ni aquellos grandes amigos suyos que con él estavan. Y sobre todo, le vino a la memoria ser éste padre de su señora Oriana, aquella que sobre todas las cosas del mundo amava y temía; y las grandes honras que él y su linaje los tiempos passados avían recebido, las cuales se devían ante poner que los enojos, y que toda cosa que en tal caso se fiziesse sería gran gloria para él, contándose más a sobrada virtud que a poco esfuerço. Y vio que muchos de los romanos llevavan a su señor faziendo gran duelo, y que la gente se esparsía. Y porque venía la noche, acordó, ahunque afruenta passasse de alguna vergüença, de provar si podría servir a su señora en cosa tan señalada. Y tomó consigo al conde Galtines, que cabo sí tenía, y fuese cuanto pudo por entrambas las batallas a gran afán, porque la gente era mucha y la priessa grande, que los de su parte, como conoscían la ventaja, apretavan a sus enemigos con gran esfuerço; y en los otros ya casi no avía defensa sino por el rey Lisuarte, el rey Cildadán y los otros señalados cavalleros.

Y llegaron él y el conde al rey Perión su padre, y díxole:

—Señor, la noche viene, que a poca de ora no nos podríamos conoscer unos a otros; y si más durasse la contienda, sería gran peligro, según la muchedumbre de la gente, que assí podríamos matar a los amigos como a los enemigos y ellos a nosotros. Parésceme que sería bien apartar la gente, que según el daño que nuestros enemigos han recebido, bien creo que cras no nos osarán atender.

El rey, que gran pesar en su coraçón tenía en ver morir tanta gente sin culpa ninguna, díxole:

—Hijo, fágase como te paresce, assí por esso que dezís como porque más gente no muera; que aquel Señor que todas las cosas sabe bien vee que esto más se dexa por su servicio que por otra ninguna causa, que en nuestra mano está toda su destruición según son vencidos.

Agrajes estava cerca del rey, y Amadís no le avía visto, y oyó todo lo que pasaron; y vino con gran furia a Amadís, y dixo:

—¡Cómo, señor cormano!; ¿agora que tenéis a vuestros enemigos vencidos y desbaratados, y estáis en disposición de quedar el más honrado príncipe del mundo, los queréis salvar?

—Señor cormano —dixo Amadís—, a los nuestros querría yo salvar, que con la noche no se matassen los unos a los otros, que a nuestros enemigos por vencidos los tengo, que no ay en ellos defensa ninguna.

Agrajes, como muy cuerdo era, bien conosció la voluntad de Amadís, y díxole:

—Pues que no queréis vencer, no queréis señorear, y siempre seréis cavallero andante, pues que en tal coyuntura os vence y sojuzga la piedad. Pero fágase como por bien tovierdes.

Entonces el rey Perión, y don Cuadragante, a quien desto no pesava, por el rey Cildadán, con quien tanto deudo tenía y a quien él mucho amava, por una parte, y Amadís y Gastiles por la otra, començaron apartar la gente, y hiziéronlo con poca premia, que ya la noche los partía.

El rey Lisuarte, que estava sin esperança ninguna de poder cobrar lo perdido, y determinado de morir antes que ser vencido, cuando vio que aquellos cavalleros apartavan la gente, mucho fue maravillado y bien creyó que no sin algún gran misterio aquello se fazía. Y estuvo quedo hasta ver qué dello podría redundar. Y como el rey Cildadán vio lo que los contrarios hazían, dixo al rey:

—Parésceme que aquella gente no nos seguirá, y honra nos faze; y pues que assí es, recojamos la nuestra y vamos a descansar, que tiempo es.

Assí se fizo, que el rey Arbán de Norgales y don Guilán el Cuidador, y Arquisil y Flamíneo con los romanos retraxeron toda la gente. Assí se partió esta batalla como oídes; y por cuanto el comienço de toda esta gran istoria fue fundado sobre aquellos grandes amores que el rey Perión tuvo con la reina Elisena, que fueron causa de ser engendrado este cavallero Amadís, su hijo, del cual y de los que él tiene con su señora Oriana, ha procedido y procede tanta y tan gran escriptura, ahunque algo parezca salir de propósito, razón es que, assí para su desculpa destos que tan desordenadamente amaron como para los otros que como ellos aman, se diga qué fuerça tan grande es sobre todas la de los amores, que en una cosa de tan gran fecho como éste fue y tan señalada por el mundo, donde tales y tantas gentes de grandes estados se juntaron y tantas muertes uvo, y la honra tan grandíssima que ganavan los vencedores, que dexándolo todo a parte allí entre la ira y la saña y gran sobervia, con tan antigua enemistad, que la menor déstas es bastante para cegar y turbar a cualquiera que muy discreto y esforçado sea, allí tuvo tanta fuerça el amor que este cavallero tenía con su señora que, olvidando la mayor gloria que en este mundo se puede alcançar, que es el vencer, pusiesse tal embaraço, por donde sus enemigos recebiessen el beneficio que avéis oído, que sin duda ninguna podéis creer que en la mano y voluntad de Amadís y de los de su parte estava toda la destruición del rey Lisuarte y de los suyos sin se poder valer.

Pero no es razón que se atribuya sino aquel Señor que es reparador de todas las cosas, que bien se puede creer que assí fue por El permitido que se fiziesse, según la gran paz y concordia que desta tan gran enemistad redundó, como adelante vos contaremos.

Pues las gentes apartadas y tornadas a sus reales, pusieron treguas por dos días, porque los muertos eran muchos. Y acordóse que seguramente cada una de las partes pudiesse llevar los suyos. El trabajo que passaron en los soterrar y los llantos que por ellos fizieron, será escusado dezirlo, porque la muerte del emperador, según lo que por ella se fizo, puso olvido en los restantes. Pero lo uno y lo otro se dexará de contar, así porque sería prolixo y enojoso, como por no salir del propósito començado.

CAPÍTULO CXII

CÓMO EL REY LISUARTE FIZO LEVAR EL CUERPO DEL EMPE-
RADOR DE ROMA A UN MONESTERIO, Y CÓMO FABLÓ CON LOS
ROMANOS SOBRE AQUEL FECHO EN QUE ESTAVA,
Y LA RESPUESTA QUE LE DIERON

A su tienda llegó el rey Lisuarte y rogó al rey Cildadán que allí se apease y desarmasse porque antes de más reposo diessen orden cómo el cuerpo del emperador se pusiesse donde convenía estar. Y como desarmados fueron, ahunque muy quebrantados y cansados estavan, llegaron entrambos a la tienda del emperador donde muerto estava, y fallaron todos los mayores de sus cavalleros enderedor dél faziendo gran duelo; que ahunque este emperador de su propio natural fuesse sobervio y desabrido, por la cual causa con mucha razón los que estas maneras tienen deven ser desamados, era muy franco y liberal en fazer a los suyos tantos bienes y mercedes que con esto encubría muchos de sus defectos; porque, ahunque naturalmente todos tengan mucho contentamiento de los que con gracia y cortesía reciben a los que a ellos llegan, mucho más lo tienen de los que, ahunque con alguna aspereza, ponen por obra las cosas que les piden, porque el efecto verdadero está en obrar la virtud y no en la platicar.

Llegados allí estos dos reyes, quitaron aquellos cavalleros de hazer su duelo, y rogáronles que fuessen a sus tiendas y se desarmassen y curassen de sus llagas, que ellos no se quitarían de allí hasta que aquel cuerpo fuesse puesto a donde se requería estar tan gran príncipe. Pues idos todos, que no quedaron sino los oficiales de la casa, mandó el rey Lisuarte que aparejassen al emperador como luego pudiessen caminar con él, y lo llevassen a un monesterio que a una jornada de allí estava, cabe una su villa que avía nombre Lubaina, porque desde allí se pudiesse con más reposo a Roma llevar, a la capilla de los emperadores.

Esto assí fecho, tornáronse los reyes a la tienda donde

avían salido, y allí les tenían adereçado de cenar; y cenaron, y al parescer de los que allí estavan, con buen semblante; pero alguno avía que en lo secreto no era assí, antes, su espíritu estava muy aflegido y con mucho cuidado, el cual era el rey Lisuarte, porque salida la tregua, no esperava ningún remedio a su salud; que según la ventaja que sus enemigos le avían tenido en las dos batallas passadas, y la flaqueza grande que en sus gentes conoscía, especial en los romanos, que era la mayor parte, y aviendo conoscimiento del gran esfuerço de los contrarios, por dicho se tenía que no era parte para sostener la tercera batalla, y no esperava otra cosa salvo en ella ser desonrado y vencido, ahunque lo más cierto era muerto, porque él no desseava más la vida de cuanto la honra sostener pudiesse. Y aviendo cenado, el rey Cildadán se fue a su tienda, el rey Lisuarte quedó en la suya.

Assí passaron aquella noche, poniendo grandes guardas en su real; y venida la mañana, el rey se levantó; y desque ovo oído missa, llevó consigo al rey Cildadán, y fuese a la tienda del emperador, el cual avían ya llevado, y a Floyán con él, al monesterio que os devisé; y fizo llamar a Arquisil y a Flamíneo, y a todos los otros grandes señores que allí de su compaña estavan; y venidos ante él, hablóles en esta guisa:

—Mis buenos amigos, el dolor y pesar que yo tengo de la pérdida que nos es venida, y la gana y voluntad de la vengar, no otro alguno sino Dios lo sabe. Pero como estas sean cosas muy comunes en el mundo y que escusar no se pueden, assí como cada uno de vos avrá visto y oído, no queda otro remedio sino que, dexando a parte los muertos, los bivos que quedan pongan tal remedio a sus honras, que no parezca que de la muerte natural dellos redunda otra muerte artificial en los que biven. Lo passado es sin remedio; para lo presente y por venir, por la bondad de Dios, tantos quedamos que si con aquel amor y voluntad a que los buenos son tenidos y obligados nos ayudamos, yo fío en Él que con mucha gloria y ventaja cobraremos aquello que hasta aquí se ha perdido. Y quiero que de mí sepáis que si todo el mundo en contrario tuviesse, y los que comigo están me dexassen, no partiré deste lugar sino vencedor o muerto. Assí que, mis buenos amigos, mirad quién sois y del linaje donde venís, y fazed en esto de manera que a todo el mundo se dé a conoscer que en la muerte del señor no estava la de todos los suyos.

Acabada el rey Lisuarte su fabla, como Arquisil fuesse el más principal de todos ellos, assí en esfuerço como en linaje, porque, como muchas vezes se os ha dicho, a éste venía de derecho la sucessión del imperio, se levantó donde estava, y respondió al rey diziendo:

—A todo el mundo es notorio desde que Roma se fundó, las grandes hazañas y afruentas que los romanos en los tiempos passados a su muy gran honra acabaron; de las cuales las istorias están llenas, y en ellas señalados sus fechos famosos entre todos los del mundo, así como el luzero entre las estrellas. Y pues de tan ecelente sangre venimos, no creáis vos, buen señor rey Lisuarte, ni otro ninguno, sino que agora mejor que de primero y con más esfuerço y cuidado, posponiendo todo el peligro y temor que nos avenir pudiesse, seguiremos aquello que los nuestros famosos antecessores siguieron, por donde dexaron en este mundo fama tan loada con perpetua memoria. Y como los virtuosos lo deven seguir y vos no os dexéis caer ni a vuestro coraçón deis causa de flaqueza, que por todos estos señores me profiero, y por los otros que aquéllos y yo tenemos en cargo de governar y mandar, que la tregua salida, tomaremos la delantera de la batalla, y con más esfuerço y coraçón resistiremos y apremiaremos a nuestros enemigos que si el emperador nuestro señor delante estuviesse.

Mucho pareçió bien a todos cuantos allí estavan lo que este cavallero dixo, principalmente al rey Lisuarte; y bien dio a entender que con mucho derecho mereçía la honra y gran señorío que Dios le dio, como adelante se dirá. Con esta respuesta se fue muy contento el rey Lisuarte, y dixo al rey Cildadán:

—Mi buen señor, pues que tal recaudo hallamos en los romanos, y con tan buena voluntad nos ayudan, lo cual de mí creído assí no era, y teniendo tan buen cavallero y tan esforçado por caudillo como este Arquisil, gran razón es y cosa muy aguisada que nosotros, pospuesto todo peligro, tomemos este negocio según la razón nos obliga.

Y de mí os digo que salida la tregua, no havrá otra cosa sino luego la batalla, en la cual, si Dios la vitoria no me da, no quiero que me dé la vida, que la muerte me será más honra.

El rey Cildadán, como fuesse muy buen cavallero y de gran esfuerço, ahunque su coraçón siempre llorasse aquella

tan gran lástima que sobre sí tenía en se ver tributario de
aquel rey, mirando más a lo que su promessa y juramento
era obligado que al contentamiento de su voluntad ni querer, le dixo:

—Mi señor, mucho soy alegre de lo que en los romanos
se falla, y mucho más en haver conoçido el esfuerço de vuestro coraçón; que las cosas semejantes que son passadas, y
las presentes que se esperan son el toque donde se conviene descubrir su virtud. Y en lo que a mí toca, tened fiuza,
que bivo o muerto donde vos quedardes quedará este mi
cuerpo.

Cuando el rey esto le oyó, mucho gelo gradeçió, y lo tuvo
en tanto que desde aquella hora, según después por él se
supo, propuso en su voluntad, que comoquiera que la fortuna próspera o adversa le viniesse, de le soltar el señorío que
sobre él tenía; lo cual assí se hizo, como adelante oiréis.

Esta cosa es muy señalada y mucho de notar a quien la
leyere, que solamente por conoçer el rey Lisuarte con la gran
afición que este rey se le profirió a morir en su servicio, ahunque el efecto no vino, tovo por bien de le dexar libre de
aquel vasallaje que sobre él tenía; por donde se da a entender que la buena y verdadera voluntad, assí en lo spiritual
como en lo temporal, mereçe tanto gualardón como si la propia obra passasse, porque della naçe el efecto de lo bueno y
de la contraria de lo malo.

Llegados estos reyes a sus tiendas, comieron y descansaron, dando orden en las cosas necessarias para dar fin en
esta afruenta tan grande y tan señalada que sobre sus honras
y vidas tenían.

Mas agora dexaremos a los unos y otros en sus reales,
como havéis oído, esperando que en la tercera batalla estava la gloria y vencimiento de la una parte, ahunque la certidumbre de la una muy conoçida y clara estuviesse, y contarvos hemos lo que en este medio tiempo acaeçió; por donde
conoçeréis que la sobervia y gran saña, y el peligro tan junto
y tan cercano que estas gentes tenían unas de otras, no podieron estorvar aquello que Dios, poderoso en todas las cosas,
tenía prometido que se hiziesse.

CAPÍTULO CXIII

Cómo, sabido por el santo hermitaño Nasciano que a Esplandián, el hermoso donzel, crió, esta gran rotura destos reyes, se dispuso a los poner en paz, y de lo que en ello hizo

CUENTA la historia que aquel santo hombre Nasciano que a Esplandián criara, como la tercera parte desta historia lo cuenta, estando en su hermita en aquella gran floresta que ya oístes, más havía de cuarenta años; que, según era el lugar muy esquivo y apartado, pocas vezes iva allí ninguno, que él siempre tenía sus provisiones para gran tiempo; y no se sabe si por gracia de Dios o por las nuevas que dello pudo oír supo cómo estos reyes y grandes señores estavan en tanto peligro y afruenta, assí de sus personas como de todos aquellos que en su servicio ivan; de lo cual mucho dolor y gran pesar en su coraçón huvo. Y porque a la sazón estava tan doliente que andar ni se levantar podía, siempre rogava a Dios que le diesse salud y esfuerço para qu'él pudiesse ser reparo destos que eran en su santa ley; porque, como él oviesse confessado a Oriana y della supiesse todo el secreto de Amadís, y ser Esplandián su hijo, bien conoçió el gran peligro que se aventurava en haverla de casar con otro. Y por aquí pensó que, pues Oriana stava en tal parte donde la ira de su padre no podía temer, que sería bien, ahunque él muy viejo y cansado fuesse, de se poner en camino y llegar a la Insola Firme, porque con su licencia della, que de otra guisa no podía ser, pudiesse desengañar al rey Lisuarte de lo que no sabía, y toviesse tal manera que, poniendo la paz y concordia, allegasse el casamiento de Amadís y della.

Con este pensamiento y desseo, cuando algún poco aliviado se sintió, tomó consigo dos hombres de aquel lugar do su hermana bivía, que era la madre de Sarguil, el que andava con Esplandián, y encima de su asno se metió al camino, ahunque con mucha flaqueza, y con pequeñas jornadas y mucho trabajo anduvo tanto, que legó a la Insola Firme al tiempo que el rey Perión y toda la gente era ya partida para la batalla, de lo cual mucho pesar huvo. Pues allí llegado, hizo saber a Oriana su venida. Como ella lo supo, fue

muy alegre por dos cosas: la primera, porque este santo hermitaño havía criado y dado, después de Dios, la vida a su
hijo Esplandián; y la otra, por tomar consejo con él de lo
que a su alma y buena conciencia se requería. Y luego mandó
a la donzella de Denamarcha que saliesse a él y lo traxesse
donde ella estava, y assí lo hizo. Cuando Oriana le vio entrar por la puerta, fue para él y hincó los inojos delante, y
començó de llorar muy reziamente, y díxole:

—¡O santo hombre, dad vuestra bendición a esta muger
malaventurada y muy pecadora, que por su malaventura y
de otros muchos fue nascida en este mundo!

Al hermitaño le vinieron las lágrimas a los ojos de la piedad que della huvo, y alçó la mano y bendíxola; y díxole:

—Aquel Señor que es reparador y poderoso en todas las
cosas os bendiga y sea en la guarda y reparo de todas vuestras cosas.

Estonces la tomó por las manos y alçóla suso, y díxole:

—Mi buena señora y amada fija, con mucha fatiga y gran
trabajo soy venido por os hablar; y cuando os pluguiere,
mandadme oír, porque yo no me puedo detener, ni el estilo
de mi bivir y ábito me da licencia para ello.

Oriana, assí llorando como estava, le tomó por la mano
sin ninguna cosa le responder, que los grandes solloços no
le davan lugar, y se metió en su cámara con él, y mandó
que allí solos los dexassen. Assí fue hecho. Cuando el hermitaño vio que sin recelo podía dezir lo que quisiesse, dixo:

—Mi buena señora, yo estando en aquella hermita donde
ha tanto tiempo que he demandado a Dios nuestro Señor
que haya piedad de mi ánima, poniendo en olvido todo lo
mundanal por no recebir algún entrevallo en mi propósito,
fue sabidor cómo el rey vuestro padre y el emperador de
Roma con muchas gentes son venidos contra Amadís de
Gaula, y assí mesmo él, con su padre y otros príncipes y
cavalleros de gran estado, va a les dar batalla. Lo que de
aquí se puede seguir, quien quiera lo conoçerá; que por cierto, según la muchedumbre de las gentes y el gran rigor con
que se demandan y buscan, no puede de aquí redundar sino
en mucha perdición dellos y en gran ofensa de Dios nuestro
Señor. Y porque la causa, según me dizen es el casamiento
que vuestro padre quiere juntar de vos y del emperador de
Roma, yo, señora, me dispuse a hazer este camino que veis,
como persona que sabe el secreto de cómo vuestra concien-

cia en este caso está, y el gran peligro de vuestra persona y
fama si lo que el rey vuestro padre quiere oviesse efecto. Y
porque de vos, mi buena hija, en confessión lo supe, no he
tenido licencia de poner en ello aquel remedio que a tan gran
daño como aparejado está convenía. Agora que veo el estado en que las cosas están, será más pecado callarlo que dezirlo. Vengo a que vos, amada hija, hayáis por mejor que
vuestro padre sepa lo passado, y que no vos puede dar otro
marido sino el que tenéis; que no lo sabiendo, pensando que
lo que él quiere justamente se puede complir, su porfía sea
tal que con gran destruición de los unos y de los otros siguiesse su propósito, y al cabo sea publicado, assí como el
Evangelio lo dize: que ninguna cosa pueda oculta ser que
sabida no sea.

Oriana, que algún tanto más el spíritu reposado tuviesse,
le tomó por las manos y gelas besó muchas vezes contra su
voluntad dél, y díxole:

—¡O muy santo hombre y siervo de Dios!, en vuestro querer y voluntad pongo y dexo todos mis trabajos y angustias
para que hagáis aquello que más al bien de mi ánima cumple; y aquel Señor a quien vos servís, yo tanto tengo ofendi-
do le plega por su santa piedad de lo guiar, no como yo
muy pecadora lo merezco, mas como El por su infinita bondad lo suele hazer con aquellos que mucho le han errado, si
de todo coraçón, como yo agora lo hago, merced le piden.

El hombre bueno con mucho plazer le respondió:

—Pues, amada hija, en este Señor que dezís que a ninguno
falta en las grandes necessidades, si con verdadero coraçón
y contrición le llaman, tened mucha fiuza; y a mí conviene,
como aquel que con más honestidad lo puede y deve hazer,
poner aquel remedio que su servicio sea, y vuestra honra sea
guardada con aquella seguridad que a la conciencia de vuestra ánima se requiere. Y porque de la dilación mucho daño
y mal se puede seguir, conviene que luego por vos, mi buena
señora, me sea dada licencia, porque el trabajo de mi persona, si ser pudiere, alcançe algo del fruto que yo desseo.

Oriana le dixo:

—Mi señor Nasciano, aquel donzel que, después de Dios,
distes la vida, os encomiendo que le roguéis por él; y si acá
tornardes, hazed mucho por le traer con vos; y a Dios vayáis encomendado que vos guíe de manera que vuestro buen
desseo se cumpla al su santo servicio.

Assí el santo hermitaño se despidió, y con mucha fatiga de su spíritu y grande sperança de complir su buena voluntad entró en el camino por donde supo que la gente iva. Pero como él fuesse tan viejo como la historia lo cuenta, y no pudiesse andar sino en su asno, su caminar fue tan vagaroso que no pudo llegar hasta que las dos batallas ya dadas eran, como dicho es; assí que estando las huestes en tregua soterrando los muertos y curando de los feridos, llegó este muy santo hombre al real del rey Lisuarte; y como vio tantas gentes muertas y otros muchos heridos de diversas feridas, por los cuales muy grandes llantos a todas partes hazían, fue mucho spantado, y alçó las manos al cielo, llorando con mucha piedad, y dixo:

—¡O Señor del mundo!, a ti plega, por la tu santa piedad y passión que por nosotros pecadores passaste, que, no mirando a nuestros muy grandes yerros y pecados, me des gracia cómo yo pueda quitar tan gran mal y daño que entre estos tus siervos aparejado está.

Pues, entrando en el real, preguntó por las tiendas del rey Lisuarte, a las cuales, sin en otra parte reposar, se fue. Y como allí llegó, descavalgó de su asno y entró dentro donde el rey estava. Cuando el rey lo vio, conoçiólo luego y fue mucho maravillado de su venida, porque, según su edad grande, bien tenía creído que ahun de la hermita no pudiera salir. Y luego sospechó que tal hombre como aquél, tan pesado y de vida tan santa, que no venía sin alguna causa grande, y fue contra él a lo recebir; y como a él llegó, hincó las rodillas y dixo:

—Padre Nasciano, amigo y siervo de Dios, dadme vuestra bendición.

El hermitaño alçó la mano y dixo:

—Aquel Señor a quien yo sirvo y todo el mundo es obligado a servir os guarde y dé tal conoçimiento, que no teniendo en mucho las cosas pereçederas dél, antes las despreciando, hagáis tales obras por donde vuestra ánima haya y alcançe aquella gloria y reposo para que fue criada, si por vuestra culpa no lo pierde.

Estonçes le dio la bendición y lo alçó por las manos, y él hincó los inojos para jelas besar; mas el rey lo abraçó y no quiso, y, tomándole por la mano, le fizo sentar cabe sí. Y mandó que luego le traxessen de comer, y assí fue fecho; y desque ovo comido, apartóse con él en un retraimiento de

la tienda y preguntóle la causa de su venida, diziéndole que
se maravillava mucho, según su edad y gran retraimiento,
poder ser venido en aquellas partes a tan lexos de su morada. El hermitaño le respondió y dixo:

—Señor, con mucha razón se deve crer todo lo que dezís,
que por cierto, según mi gran vejez, assí del cuerpo como
de la voluntad y condición, no estoy ya más de para salir de
mi celda al altar. Pero conviene a los que quieren servir a
nuestro Señor Jesú Christo, y dessean seguir sus santas dotrinas y carreras, que en ninguna sazón de su edad por trabajos ni fatigas que les vengan hayan de afloxar sólo un momento dello, que acordándose de cómo seyendo Dios verdadero Criador de todas las cosas, sin a ello ninguna cosa le
constriñir sino solamente su santa piedad y misericordia,
quiso venir por nos dar el paraíso, que cerrado teníamos en
este mundo, donde con tantas injurias y deshonras de tan deshonrada gente recibió muerte y tan cruda passión. ¿Qué podemos fazer nosotros, por mucho que le sirvamos, que pueda
llegar a la correa de su çapato, como aquel su grande amigo
y servidor lo dixo? Y esto considerando, pospuesto el temor
y peligro de mi poca vida, pensando que más aquí que en la
parte donde estava podía seguir su servicio, me dispuse con
mucho trabajo de mi persona y gran voluntad de mi desseo
de fazer este camino, en el cual a El plega de me guiar y a
os, mi señor, de recebir mi embaxada, quitada a parte toda
saña y passión, y sobre todo la malvada sobervia, enemiga
de toda virtud y conciencia, para que siguiendo su servicio
se olviden aquellas cosas que en este mundo al pareçer de
muchos valen algo, y en el otro, que es el más verdadero,
son aborreçidas. Y viniendo, mi señor, acaso, digo que estando en aquella hermita donde la ventura vos guió, metida
en aquella espessa y áspera montaña, donde comigo hablastes todas las cosas que tocavan aquel muy hermoso y bien
criado donzel Esplandián, supe desta muy gran afruenta y
cruda guerra donde vos hallo, y también la razón y causa
por qué se mueve. Y porque yo sé muy cierto que lo que
vos, mi buen señor, queríades, que es casar a vuestra hija
con el emperador de Roma, por quien tanto mal y daño es
venido, no se podía hazer, no solamente por lo que muchos
grandes y otros menores de vuestro reino muchas vezes vos
dixeron, diziendo ser esta infanta vuestra legítima heredera
y sucessora después de la fin de vuestros días, que era y es

muy legítima causa para que con mucha razón y buena conciencia se deviera desviar; mas por otra que a vos y a otros es oculta y a mí manifiesta, que con más fuerça, según la ley divina y humana lo desvía, por donde en ninguna manera se puede hazer; y esto es porque vuestra hija es junta al matrimonio con el marido que nuestro Señor Jesú Christo tuvo por bien, y es su servicio que sea casada.

El rey, cuando esto le oyó, pensó que, como este hombre bueno era ya de muy gran edad, que el seso y la discreción se le turbavan, o que alguno le havía informado muy bien de aquello que havía dicho. Y respondióle y dixo:

—Nasciano, mi buen amigo, mi hija Oriana nunca tuvo marido, ni agora tiene, salvo aquel emperador que le yo dava, porque con él, ahunque de mis reinos apartada fuesse, en mucha más honra y mayor estado la ponía. Y Dios es testigo que mi voluntad nunca fue de la desheredar por heredar a la otra mi hija, como algunos lo dizen, sino porque hazía cuenta que, este mi reino junto en tanto amor con el imperio de Roma, la su santa fe cathólica podía ser mucho ensalçada; que si yo supiera o pensara en las grandes cosas que desto han redundado, con muy poca premia bolviera mi querer y voluntad en tomar otro consejo. Pero pues que mi intención fue justa y buena, entiendo que lo passado ni por venir se puede ni deve imputar a mi cargo.

El buen hombre le dixo:

—Mi señor, y ahún por esso vos dixe que lo que a vos era oculto a mí es manifiesto. Y dexando a parte lo que me dezís de vuestra sana y noble voluntad, que, según vuestra gran discreción y la honra tan alta en que Dios os ha puesto, assí se deve y puede creer, quiero que sepáis de mí lo que muy a duro de otro saber podríades, y digo que el día que por vuestro mandado llegué a las tiendas en la floresta donde la reina y su hija Oriana con muchas dueñas y donzellas, y vos con muchos cavalleros estávades, cuando levé comigo aquel bienaventurado donzel Esplandián, que la leona por la traílla levava, a quien el Señor tiene tanto bien prometido como os, mi buen señor, lo havéis oído dezir, la reina y Oriana hablaron comigo todo el secreto de sus conciencias, para que en nombre de Aquel que las crió y las ha de salvar les diesse la penitencia que a la salud de sus ánimas convenía. Supe de vuestra hija Oriana cómo desde el día que Amadís de Gaula la tiró a Arcaláus el Encantador y a los cuatro cavalleros que con él la levavan presa al tiempo que vos fuestes enartado por la donzella que de Londres vos sacó por el don que la prometistes, y fuestes preso y en gran peligro de perder vuestro cuerpo y todo vuestro señorío, de lo cual don Galaor su hermano vos libró con gran peligro de su vida, que assí por aquel gran servicio que le fizo como ahun más por el que su hermano vos fizo a vos, que en gualardón dello ella prometió casamiento a aquel noble cavallero, reparador de muchos cuitados, flor y espejo de todos los cavalleros del mundo, assí en linaje como en esfuerço y en todas las otras buenas maneras que cavallero deve tener; donde se siguió que por gracia y voluntad de Dios fuesse engendrado aquel Esplandián que tan estremado y señalado le quiso hazer sobre cuantos biven, que con verdad podemos dezir ser muchos y grandes tiempos passados, y en los por venir passarán, que por hombres no se supo que persona mortal fuesse con tan maravilloso milagro criado; pues lo que de sus hechos públicamente demuestra aquella gran sabidora Urganda la Desconoçida, vos, señor, muy mejor que yo lo sabéis; assí que podemos dezir que ahunque aquello por accidente fue fecho, según en lo que pareçe no fue sino misterio de nuestro Señor, que le plugo que assí passasse. Y pues que a El tanto agrada, a vos, mi buen señor, no deve pesar; antes, considerando ser esta su voluntad, y la nobleza y gran valor deste cavallero, haver por bien de lo tomar con todo su gran linaje por su servidor y hijo, dando orden, como darse puede, que vuestra honra guardada se aparte el presente peligro, y en lo por venir se tenga tal forma que personas de buena conciencia determinen lo que sea servicio de aquel Señor para servicio del cual nascimos, y vuestro, que después d'El sois su ministro en lo temporal. Y agora, gran rey Lisuarte, quiero ver si es en vos bien empleada aquella gran discreción de que Dios vos ha querido guarneçer, y el creçido y gran estado en que, más por su infinita bondad que por vuestros mereçimientos, os ha puesto. Y pues El ha hecho con os más de lo que le merçéis, no tengáis en mucho seguir algo de lo que las sus santas dotrinas vos enseñan.

Cuando esto fue oído por el rey, mucho fue maravillado, y dixo:

—¡O padre Nasciano!, ¿es verdad que mi hija es casada con Amadís?

—Por cierto, verdad es —dixo él— que él es marido de vuestra hija, y el donzel Esplandián es vuestro nieto.

—¡O santa María, val! —dixo el rey—. ¡Qué mal recaudo tenérmelo tanto tiempo secreto!, que si lo yo supiera o pensara, no fueran muertos y perdidos tantos cuitados como sin lo mereçer lo han sido. Y quisiera que vos, mi buen amigo, en tiempo que remediar se pudiera me lo fiziérades saber.

—Esso no pudo ser —dixo el hombre bueno—, porque lo que en confessión se dize no deve ser descubierto; y si agora lo fue, ha sido con licencia de aquella infanta, de la cual yo agora vengo, que le plugo que se dixesse; y yo fío en aquel Salvador del mundo, que si en lo presente se da tal remedio, que su servicio sea que con poca penitencia lo passado perdonará, pues que más la obra que la intención pareçe ser dañada.

El rey estuvo una gran pieça pensando sin ninguna cosa dezir, donde a la memoria le ocurrió el gran valor de Amadís y cómo mereçía ser señor de grandes tierras, assí como lo era, y ser marido de persona que del mundo señora fuesse; y assí mesmo el grande amor que él havía a su fija Oriana, y cómo usaría de virtud y buena conciencia en la dexar por heredera, pues de derecho le venía; y el amor que él siempre tuvo a don Galaor, y los servicios que él y todo su linaje le hizieron, y cuántas vezes, después de Dios, fue por ellos socorrido en tiempo que otra cosa sino la muerte y destruición de todo su estado esperava; y sobre todo ser su nieto aquel muy hermoso donzel Esplandián, en quien tanta espe rança tenía, que si Dios le guardasse y llegasse a ser cavallero, según lo que Urganda le scrivió, no ternía par de bondad en el mundo; y assí mesmo cómo en la misma carta le scrivió que este donzel pornía paz entre él y Amadís; y tanbién le vino a la memoria ser muerto el emperador, y que si con él y con su deudo ganava honra, que mucho más con el deudo de Amadís la ternía, assí como por la esperiencia muchas vezes lo havía visto, y con esto, demás de recebir descanso, assí en su persona como en su reino, creçería en tanta honra que ninguno en el mundo su igual fuesse; y después que de su cuidado acordó, dixo:

—Padre Nasciano, amigo de Dios, comoquiera que mi coraçón y voluntad de la sobervia sojuzgado estuviesse, y no desseasse otra cosa sino recebir muerte, o darla a otros muchos porque mi honra fuesse satisfecha, vuestras santas palabras han seído de tanta virtud, que yo determino de retraer mi querer en tal manera que si la paz y concordia no viniera en efecto, seáis vos testigo ante Dios no ser a mi culpa ni cargo. Por ende no dexéis de hablar con Amadís, y no le descubráis nada de mi propósito; tomad su pareçer de lo que en este caso quiere, y aquello me dezid. Y si es tal que con el mío se conforme, poderse ha dar tal orden como lo presente y porvenir se ataje en aquella manera que a provecho y honra de ambas las partes se conviene.

Nasciano hincó los inojos llorando ante él de gran plazer que hovo, y dixo:

—¡O bienaventurado rey, aquel Señor que nos vino a salvar vos gradezca esto que dezís, pues que yo no puedo!

El rey le levantó y díxole:

—Padre, esto que vos he dicho tengo determinado sin haver aí ál.

—Pues conviéneme —dixo el buen hombre— partirme luego; y antes que la tregua salga, trabajar cómo en esto en que tanto nuestro Señor será servido se dé conclusión.

Assí se salieron el rey y él a la gran tienda donde muchos cavalleros y otras gentes estavan; y queriendo el hermitaño despedirse dél, entró por la puerta de la tienda aquel hermoso donzel su criado Esplandián, y Sarguil su collaço con él, que la reina Brisena le embiava por saber nuevas del rey su señor. Cuando el buen hombre le vio tan creçido, entrado ya en talle de hombre, ¿quién os podría contar el alegría que hovo? Por cierto sería impossible. Pues assí como estava con el rey se fue contra él lo más apriessa que pudo a lo abraçar. El donzel, ahunque havía muy gran tiempo que visto no le havía, conoçiólo luego, y fue hincar los inojos delante dél, y encomençóle de besar las manos. Y el hombre santo le tomó entre sus braços y besóle muchas vezes con tan grandíssima alegría que cuasi del todo le tenía fuera de sentido, y assí desta manera lo tuvo gran rato, que se no podía apartar dél, diziéndole desta manera:

—¡O mi buen hijo, bendita sea la hora en que tú nasciste, y bendito y alabado sea aquel Señor que por tal milagro te quiso dar la vida y llegarte a tal estado como mis ojos agora te veen!

Y cuando en esto estava, todos estavan mirando lo que el hombre bueno hazía y dezía, y el gran plazer que le dava la vista de aquel su criado. Y los coraçones se les movían a piedad en ver tanto amor.

Mas sobre todos, no ahunque lo no mostró, fue el plazer que el rey Lisuarte ovo; que ahunque de antes en mucho lo tuviesse y lo amasse por lo que dél esperava y por su gran fermosura, no era nada en comparación de saber cierto que su nieto fuesse, y no podía partir los ojos dél; que tan grande fue el amor que súpito le vino que toda cuanta passión y enojo que hasta allí de las cosas passadas tenía, assí fue dél partido y tornado al revés, como en el tiempo que más amor a Amadís tovo. Y luego conoçió ser gran verdad lo que Urganda la Desconoçida le havía scripto: que éste pornía paz entre él y Amadís, y assí creyó verdaderamente que sería cierto todo lo otro.

Pues que el hombre bueno con tanto amor lo tuvo abraçado, soltóle de los braços con que lo tenía, y el donzel fue hincar los inojos ante el rey y diole una carta de la reina, por la cual le suplicava mucho por la paz y concordia, si a su honra hazerse pudiesse, y otras muchas cosas que no es necessario dezirlas. El hombre bueno dixo al rey:

—Mi señor, mucha merced recibiré, y gran consolación de mi spíritu, que deis liçençia a Esplandián que me faga compañía mientra por aquí anduviere, porque tenga espacio de lo mirar y hablar con él.

—Assí se haga —dixo el rey—, yo le mando que de vos no se parta en cuanto vuestra voluntad fuere.

El hombre bueno gelo gradeçió mucho, y dixo:

—Mi buen hijo bienaventurado, id comigo, pues el rey lo manda.

El donzel le dixo:

—Mi buen señor y verdadero padre, muy contento soy dello, que gran tiempo ha que os desseava ver.

Assí se salió de la tienda con aquellos dos donzeles Esplandián y Sarguil su sobrino, y cavalgó en su asno, y ellos en sus palafrenes, y fuese camino donde Amadís tenía su real, hablando con él muchas cosas en que havía sabor, y rogando siempre a Dios que le diesse gracia cómo pudiesse dar cabo en aquello sobre que iva, tal que fuesse a su santo serviçio.

Pues con esta compaña que oídes llegó aquel santo hombre hermitaño al real, y se fue derechamente a la tienda de Amadís, donde halló tantos cavalleros y tan bien guarnidos, que fue mucho maravillado. Amadís no le conoçió, que le nunca viera, y no pudo pensar qué demandava hombre tan viejo y tan pesado. Y miró a Esplandián, y violo tan hermoso que no pudiera creer que persona mortal tanto lo fuesse. Y tampoco le conoçió, que ahunque habló con él cuando le demandó los dos cavalleros romanos que tenía vencidos, y gelos dio como esta historia lo ha contado, fue tan breve aquella vista que le fizo perder la memoria dél. Mas don Cuadragante, que allí estava, conoçiólo luego y fue para él, y díxole:

—Mi buen amigo, abraçaros quiero. ¿Y acuérdasevos cuando vos hallamos don Brian de Monjaste y yo, que nos distes encomiendas para el Cavallero Griego? Yo gelas di de vuestra parte.

Estonces dixo contra Amadís:

—Mi buen señor, veis aquí el hermoso donzel Esplandián, de quien don Brian de Monjaste y yo vos deximos el mandado.

Cuando Amadís oyó nombrar Esplandián, luego lo conoçió, y si de verlo hovo plazer, esto no es de contar, que assí perdió los sentidos con la gran alegría que huvo que apenas pudo responder, ni de sí mesmo se acordava. Y si alguno en ello parara mientes, muy claro viera su alteración, mas no havía sospecha en tal cosa; antes, todos tenían creído que ninguno, si Urganda no, otro no sabía quién su padre fuesse. Pues teniéndole don Cuadragante por la mano, Amadís le quiso abraçar; mas Esplandián le dixo:

—Buen señor, hazed antes honra a este hombre santo Nasciano, que vos demanda.

Y como todos oyeron dezir ser aquél Nasciano, de quien tanta fama de su santidad y estrecha vida por todas las partes era manifiesta, llegáronse a él con mucha humildad, y las rodillas en el suelo le rogaron que les diesse su bendición. El hermitaño dixo:

—Ruego a mi Señor Jesú Christo que, si bendición de tan pecador como yo soy puede aprovechar, que esta mía abaxe la gran saña y sobervia que en vuestros coraçones está, y vos ponga en tanto conoçimiento de su servicio que, olvidando las cosas vanas deste mundo, siguáis las verdaderas del que verdadero es.

Estonces alçó la mano y bendíxolos. Amadís se bolvió a Esplandián y abraçóle. Y Esplandián le fizo el acatamiento y reverencia, no como a padre, que lo no sabía que lo fuesse, mas como al mejor cavallero de quien nunca oyera hablar.

Y por esta causa le tenía en tanto, y le contentava su vista, que los ojos no podía dél partir; y desde el día que le vio vencer los romanos, siempre su desseo fue de andar en su compaña sirviéndole por ver sus grandes cavallerías y aprender para adelante. Y agora que se veía en más edad y cerca de ser cavallero, mucho más lo desseava; y si no fuera por la gran división que el rey su señor con Amadís tenía, ya le oviera demandado licencia para se ir a él; mas esto lo detovo hasta estonces.

Amadís, que a duro los ojos dél podía partir, veía cómo el donzel le mirava tan ahincadamente, y sospechó que algo devía saber. Mas el buen hombre hermitaño, que la verdad sabía, mirava al padre y al hijo, y como los veía juntos y tan hermosos, estava tan ledo como si en el paraíso stuviesse. Y en su coraçón rogava a Dios por ellos, y que fuesse su servicio de le dar lugar a él cómo entre estos todos, que era la flor del mundo, pudiesse poner mucho amor y concordia. Pues estando assí todos al derredor del santo hombre, él dixo contra don Cuadragante:

—Mi señor, yo tengo de hablar algunas cosas con Amadís; tomad con vos este donzel, pues más que ninguno destos señores le havéis conoçido y hablado.

Estonces tomó por la mano a Amadís, y apartóse con él bien desviado, y dixole:

—Mi hijo, antes que la causa principal de mi venida se vos manifieste, quiero traeros a la memoria en el cargo tan grande, más que otro ninguno de los que hoy biven sois a Dios nuestro Señor, que en la hora que nascistes fuestes echado en la mar, cerrado en una arca sin guardador alguno; y aquel Redenptor del mundo, haviendo de vos piedad, miraglosamente vos traxo a vista de quien tan bien vos crió. Este Señor que vos digo vos ha hecho el más fermoso y el más fuerte, y más amado y honrado de cuantos en el mundo se saben. Por vos, dándoos El su gracia, han seído vencidos muchos valientes cavalleros, y gigantes y otras cosas fieras y dessemejadas que en este mundo muy gran daño fizieron. Vos sois hoy en el mundo estremado de cuantos en él son. Pues quien tanto ha fecho por vos, ¿qué es razón que fagáis vos por El? Por cierto, si el enemigo malo no vos engañasse, con más humildad y paciencia que otro alguno devéis mirar por su servicio; y si assí no lo fazéis, todas las gracias y mercedes que de Dios havéis recebido serán en daño y menoscabo de vuestra honra, porque assí como su santa piedad es grande en aquellos que le obedeçen y conoçen, assí su justicia es mayor sobre aquellos que d'El mayores bienes han recebido, no haviendo dellos conoçimiento ni gradescimiento. Y agora, mi buen fijo, sabréis cómo poniendo este cansado y viejo cuerpo a todo peligro de su salud queriendo seguir aquel propósito por donde quise dexar las cosas deste mundo pereçedero, soy venido con gran trabajo y cuidado de mi spíritu, con ayuda de Aquel que sin ella nada se puede hazer que bueno sea, a poner paz y amor donde tanta rotura y desventura está como al presente pareçe. Y porque yo he fablado con el rey Lisuarte, y en él hallo aquello en que todo buen rey ministro de Dios obedeçer deve, quise saber de os, mi buen señor, si ternéis conoçimiento más a Aquel que os crió que a la vanagloria deste mundo. Y porque sin recelo ni temor alguno podáis hablar comigo, vos hago saber cómo, antes que aquí viniesse, fue a la Insola Firme; y con licencia de la infanta Oriana, de quien yo en confessión sé todo su coraçón y grandes secretos, tomé este cuidado en que puesto me veis.

Amadís, como esto le oyó dezir, bien creyó que le dezía verdad, porque éste era un hombre santo, y por ninguna cosa diría sino lo cierto, y respondióle en esta manera:

—Amigo de Dios y santo hermitaño, si el conoçimiento que tengo de los bienes y mercedes que de mi Señor Jesú Christo he recebido toviesse de poner en obra los servicios a que obligado le soy, yo sería el más bienaventurado cavallero que nunca nasció; mas recibiendo d'El todo y mucho más de lo que dicho havéis, y yo no solamente no lo conoçer ni pagar, mas ofenderlo cada día en muchas cosas, téngome por muy pecador y errado contra sus mandamientos. Y si agora en vuestra venida puedo emendar algo de lo passado, mucho alegre y contento seré en que se haga. Porende dezid lo que es en mi mano, que aquello con toda afición se complirá.

—¡O bienaventurado hijo —dixo el buen hombre—, cuánto havéis esta mi pecadora ánima alegrado, y consolado mi desconsuelo en ver tanto mal; y aquel Señor que vos ha de salvar os dé el gualardón por mí! Y agora sin ningún temor, quiero que sepáis lo que yo sé después que a esta tierra vine.

Estonces le contó cuanto había hablado con Oriana, y cómo por su mandado vino al rey su padre y todas las cosas que con él fabló, y cómo claramente le dixo que Oriana era casada con él, y que el donzel Esplandián era su nieto, y cómo el rey lo havía tomado con mucha paciencia, y que estava muy llegado a la paz; y que pues él, con la ayuda de Dios, en tal estado lo havía puesto, que él diesse orden cómo, quedando casado con aquella princesa, se concertasse la paz entre ellos ambos. Amadís, cuando esto oyó, el coraçón y las carnes le temblavan con la gran alegría que huvo en saber que por voluntad de su señora era descubierto el secreto de sus amores, teniéndola él en su poder donde peligro alguno se aventurava; y dixo al hermitaño:

—Mi buen señor, si el rey Lisuarte desse propósito está, y por su hijo me quiere, yo le tomaré por señor y padre, para le servir en todo lo que su honra sea.

—Pues que assí es —dixo el buen hombre—, ¿cómo vos pareçe que se puede juntar del todo estas dos voluntades sin que más mal venga?

Amadís respondió:

—Paréçeme, padre, que devéis fablar con el rey Perión mi señor, y dezirle la causa y desseo de vuestra venida, y si terná por bien que viniendo el rey Lisuarte en lo que don Cuadragante y don Brian de Monjaste de parte de nosotros le demandaren sobre el hecho de Oriana, de se llegar a la paz con él, y yo fío tanto en la su virtud que hallaréis todo el recaudo que desseáis. Y dezilde que algo dello me hablastes, pero que yo lo remito todo a su voluntad.

El hombre bueno tuvo que dezía guisado, y assí lo fizo; que luego se partió de la tienda de Amadís con sus donzeles y compaña, y fuese a la del rey Perión, del cual, sabido quién era, fue con mucho amor y voluntad recebido. Miró el rey a Esplandián, que le nunca viera, y fue mucho maravillado en ver criatura tan hermosa y tan graciosa, y preguntó al santo hombre hermitaño quién era. El santo hombre le dixo cómo era su criado que Dios gelo diera por muy gran maravilla. El rey Perión le dixo:

—Cuánto más, padre, si es este donzel el que traía la leona con que caçava, y que vos criastes en la selva donde es vuestra morada, y de quien muchas cosas y estrañas la gran sabidora Urganda la Desconoscida ha embiado a dezir que le avernán si Dios bevir lo dexa. Y parésceme que contándomelo dizen que embió dezir al rey Lisuarte por un escripto que este donzel pornía mucha paz y concordia entre él y mi hijo Amadís; y si assí es, todos le devemos mucho amar y honrar, pues que por su causa tanto bien puede venir, como vos, padre, veis.

El santo hombre bueno Nasciano le dixo:

—Mi señor, verdaderamente es este que vos dezís. Y si agora tenéis razón de le amar, mucho más la ternéis adelante, cuando más de su hecho supierdes.

Entonces dixo a Esplandián:

—Hijo, besad las manos al rey, que bien lo meresce.

El donzel fincó los inojos por le besar las manos, mas el rey le abraçó y le dixo:

—Donzel, mucho devéis gradescer a Dios la merced que vos fizo en darvos tanta hermosura y buen donaire, que sin conoscimiento que de vos se tenga, atraéis a todos que vos amen y vos precien. Y pues a El plugo de os dotar de tanta gracia y hermosura, si le fuerdes obediente, mucho más vos tiene prometido.

El donzel no le respondió ninguna cosa; antes, con gran vergüença de se oír loar de tal príncipe, se le embermejeció el rostro, lo cual paresció muy bien a todos en lo ver con tanta honestidad como su edad lo demandava, y mucho se maravillavan de persona tan señalada que no se conoscía padre ni madre. El rey preguntó al santo hombre Nasciano si sabía cúyo hijo fuesse. El buen hombre le dixo:

—De Dios, que haze todas las cosas, ahunque de hombre y muger mortales nasció y fue engendrado. Pero según su comienço y el cuidado que de guardarlo tuvo y criar bien, paresce que como a hijo lo ama; y a El plazerá por su sancta clemencia y piedad que antes de mucho tiempo sabréis más de su fazienda.

Entonces le tomó por la mano y se apartó, y díxole:

—Rey bienaventurado en todas las cosas deste mundo y en el otro, si a Dios temierdes y mirardes por todas las cosas que sean de su servicio, yo soy venido a estas partes, con esta persona tan flaca y cansada de sobrada vejez, con propósito que Dios mi señor me dará gracia que yo le pueda servir en quitar tanto mal como aparejado está, y mis dolencias y grandes fatigas no dieron lugar a que antes viniesse; y he fablado con el rey Lisuarte, el cual, como siervo de Dios, querrá venir en paz si con honra de las partes se puede hazer. Y dél he venido a vuestro hijo Amadís, y remitiéndome a vos y a seguir vuestro mandamiento se escusó de responder a lo que le dixe; de manera que en vos, mi señor, queda la paz o la guerra, pues cuánto seáis obligado a desviar las cosas contrarias al servicio de aquel muy alto Señor, todos lo saben, según de los bienes deste mundo, así de muger, como hijos y reinos, vos ha proveído. Y agora es tiempo que El conozca cómo gelo gradescéis y desseáis servir.

El rey, como siempre estuviesse inclinado a la paz y sosiego, por la parte del daño que de la guerra se podría seguir, assí como aquel que allí tenía a Amadís, que era la lumbre de sus ojos, don Florestán y Agrajes, y otros muchos cavalleros de su linaje, le respondió y dixo:

—Padre Nasciano, Dios es testigo de la voluntad que en esta gran rotura yo he tenido, y cómo lo oviera escusado si camino para ello pudiera hallar; mas el rey Lisuarte ha dado ocasión a que ningún medio en ella se pudiesse fallar, porque mucho contra Dios y su conciencia quiso deseredar a su hija Oriana, como todo el mundo sabe; la cual, como avréis sabido, fue reparada. Y ahún después ha sido amonestado y rogado que quiera venir en lo que justo sea, y que todo se haría a su ordenança: pero él, como príncipe poderoso, y más en este caso soberbio que razonable, pensando que teniendo al emperador de Roma todo el mundo le havía de ser sujecto, nunca quiso, no solamente ponerse en justicia, mas ni oírla; pues lo que desto se le ha seguido y ganado, Dios lo sabe y todos lo veen. Mas si agora quiere aver el conocimiento que hasta aquí no ha tenido, yo fío tanto en estos cavalleros que de mi parte están, que harán y seguirán mi parescer, que no es otro sino que estos males sean atajados. Y porque vos, padre, veáis en cuán poco la porfía está, solamente que en lo de Oriana su hija se diesse medio, era el remedio para todo.

El buen hombre le dixo:

—Mi buen señor, Dios le dará, y yo en su lugar; por ende hablad con vuestros cavalleros, y nombrad personas que el bien quieran; que por el rey Lisuarte assí será hecho, y yo estaré con ellos como siervo de Iesú Christo para soldar y reparar lo que se rompiere.

El rey Perión lo tuvo por bien, y díxole:

—Esso luego se hará, que yo daré dos cavalleros que con todo amor y voluntad se lleguen a lo que justo fuere.

El hombre bueno con esto se tornó muy contento y pagado al real del rey Lisuarte. El rey Perión mandó llamar a

su tienda todos los más principales cavalleros, y juntos assí
les dixo:

—Nobles príncipes y cavalleros, assí como todos somos
muy obligados en defendimiento de nuestras honras y estados a poner las personas en todo peligro por las defender y
mantener justicia, assí lo somos para sin toda saña y sobervia de nos bolver y recoger en la razón cuando manifiesta
nos fuere; porque ahunque al comienço con justa justicia sin
ofensa de Dios las cosas se pueden tomar, pero procediendo
en la causa si con fantasía y mal conoscimiento no nos llegássemos a lo razonable, lo justo primero con lo postrimero
injusto se haría igual; así que conviene que la honra y estima, estando por la mayor parte en su perfición, si camino
de concordia, como al presente paresce, se descubriere, que,
dexando las cosas passadas a parte, se tome por servicio del
alto Señor y reparo de nuestras ánimas, a quien tan tenudos
somos. Agora sabréis cómo a mí es venido este sancto hombre hermitaño, amigo y siervo de Dios; y según dize, nuestros contrarios querrán paz más conforme a buena conciencia que a puntos de honra, si assí la queremos. Solamente
demanda para el efeto dello se nombren personas de ambas
las partes, que con buena voluntad, apartada la injusta passión, lo determinen. Parescióme cosa muy aguisada lo sepáis
y deis el voto que mejor vos paresciere, porque aquél se siga.

Todos callaron por una gran pieça. Angriote de Estraváus
se levantó y dixo:

—Pues que todos calláis, diré yo mi parescer.

Y dixo al rey:

—Señor, assí por vuestra dinidad real y gran valor de vuestra persona, y más por el muy gran amor que estos príncipes y cavalleros vos tienen, tovieron por bien de os tomar
en esta jornada por su mayor, para que las cosas de la guerra y paz sean por vuestro consejo guiadas, conosciendo que
ningún temor ni afición terná parte de vos sojuzgar. Y yo fío
por su virtud que lo que por vos se determinasse, por ninguno dellos sería contradicho, assí que para lo uno y otro es
vuestro poder bastante. Pero pues que a la vuestra merced
plaze de oír lo que cada uno dezir querrá, quiero que mi
voto se sepa; el cual es que, pues por nosotros se tiene la
princesa Oriana con todo lo que con ella se uvo, que sería
gran sinrazón queriendo nuestros contrarios la paz, estando
nuestras honras tan crescidas, avérgela de negar en esta de-

manda que tan poco aventuramos. Y pues que al comienço fueron nombrados don Cuadragante y don Brian de Monjaste, que assí agora lo deven ser; que su discreción y virtud es tan crescida que en la ora en que agora lo tomaren, en aquélla y ahún más allende lo dexarán con assiento de paz o rotura de guerra.

Assí como este cavallero lo dixo se concertó por el rey y por aquellos señores que estos dos cavalleros con acuerdo y consejo del rey determinassen lo que avían de hazer adelante.

CAPÍTULO CXIV

DE CÓMO EL SANTO HOMBRE NASCIANO TORNÓ CON LA RESPUESTA DEL REY PERIÓN AL REY LISUARTE, Y LO QUE SE CONCERTÓ

TORNÓ el hombre bueno Nasciano al rey Lisuarte como oístes, y díxole lo que avía hablado con el rey Perión, y como todos por él se mandavan, que le parescía que la obra devría seguir y concertar con las palabras tan buenas que le avía dicho. Como ya el rey determinado estuviesse, y muy ganoso de no dar más parte al enemigo malo de la que fasta allí avía tenido, donde tanto daño redundado avía, díxole:

—Padre, pues por mí no quedará, assí como lo veréis; y quedad vos aquí con vuestra compaña en esta mi tienda, y yo iré a fablar con estos reyes que tanto mal y peligro han recebido por sostener mi honra.

Entonces se fue a la tienda de Gasquilán, rey de Suesa, que ahún en la cama estava de la batalla que con Amadís uvo, como ya oístes, y fizo llamar al rey Cildadán y a todos los mayores cavalleros, assí de los suyos como de los romanos; y díxoles lo que aquel bueno de hermitaño le avía dicho, así al comienço de su venida como agora en la respuesta; que del rey Perión traía, guardando lo que tocava de Amadís y su hija, que no quiso que por entonces fuesse manifiesto, y rogóles mucho que le dixessen su parescer; porque, si la salida de aquel concierto buena fuesse o al contrario, a todos su parte alcançasse. En especial quería saber el voto de los romanos, porque según la gran pérdida que en perder a su señor avían havido, mucho le obligava a él, negando su propia voluntad, la suya seguir. El rey Cildadán le dixo:

—Mi señor, gran razón es que a estos cavalleros de Roma se les dé la parte que dezís y tenéis por bien; y el buen comedimiento vuestro les obliga en la fin seguir lo que vuestra voluntad fuere, assí como yo y todos los otros que somos en vuestra obediencia lo avemos de fazer, juntos con este noble rey de Suesa, que para esto su querer no será diverso del nuestro; y agora digan ellos lo que quisieren.

Entonces aquel buen cavallero Arquisil se levantó y dixo:

—Si el emperador mi señor fuesse bivo, assí por su grandeza como por aver sido a causa suya esta contienda, a él convenía según su querer y voluntad, tomar la paz o dar la guerra; mas pues él es muerto, puédese dezir que con él murió aquello a que obligado era, que nosotros, los que de su sangre somos, y todos sus vasallos a quien mandar y governar havemos, no somos ya más parte de aquélla que vos, mi buen señor rey Lisuarte, que como su igual en la misma causa, quisierdes tomar; para lo cual ya se vos dixo y agora se vos dize que fasta que uno de nosotros bivo no quede, nunca dexaremos de seguir el propósito que vuestra voluntad fuere, assí que para lo uno y lo otro a vos, como más principal y que ya más esto presente atañe que a ninguno, dexamos el cargo que hazer se deve.

Mucho fue el rey pagado deste cavallero, y todos cuantos allí eran, porque su respuesta fue muy conforme a toda discreción con gran esfuerço, lo cual pocas vezes en uno concuerdan; y díxole:

—Pues que en mí lo dexáis, yo lo tomo; y si en algo se errare, mía sea la parte mayor, assí como acertando, la de la honra.

Con esto se fue a su tienda; y mandó al rey Arbán de Norgales y don Guilán el Cuidador que ellos tomassen cargo de hablar con los que el rey Perión nombrasse, y con su consejo se diesse orden en la determinación. Y luego dixo al hermitaño:

—Padre, parésceme, pues que el negocio es llegado a tal punto, que será bueno que tornéis al rey Perión y le digáis cómo yo tengo señalados estos dos cavalleros para que con los suyos contraten; y que será bien, porque las cosas semejantes siempre traen dilación, y estando en estos reales los feridos no pueden ser curados, ni los mantenimientos para las gentes y bestias havidos, que los reales a hun punto se levanten, y él, con todos los suyos , se retraya una jornada por donde vino, y yo a otra, que será a mi villa de Lubaina, para dar orden en reparo desta gente que mal trecha está, y fazer llevar al emperador a su tierra, y que nuestros mensajeros fablen en lo que fazer se deve, y él y yo vernemos en lo mejor, y que él diga su voluntad a los suyos. Yo assí faré a los míos, y vos estaréis en medio para ser testigo de aquel que a la razón no se llegare, y que, si menester será, él y yo con menos gente nos podremos ver donde a vos os paresciere.

Al hermitaño plugo mucho desto, porque bien vio que, ahunque el concierto no se fiziesse, que el peligro estava más alexado estándolo las gentes; que comoquiera que este santo hombre fuesse de orden y de tan estrecha vida en lugar tan esquivo, primero fue cavallero y muy bueno en armas en la corte del rey su padre del rey Lisuarte, y después, de su hermano el rey Falangrís, de manera que assí como en lo divinal tan acabado fuesse, no dexava porende de entender bien en lo temporal, que mucho lo avía usado. Y dixo al rey:

—Mi buen señor, bien me paresce lo que dezís. Solamente queda que a día cierto sean vuestros mensajeros y los suyos aquí en este lugar que es el medio camino; y podrá ser que con ayuda de aquel Señor, que sin El ninguna cosa puede ser ayudada, se dará tal forma entre ellos que vos y el rey Perión vos veáis como havéis dicho y se atajen las dilaciones que por las terceras personas suelen acaescer. Y yo me bolveré luego, y vos embiaré a dezir a la ora y sazón que el real podéis mandar levantar, que por aquélla se levante el otro.

Assí se tornó el buen hombre al rey Perión, y le dixo todo el concierto, que nada faltó. Al rey plugo dello, pues que a tan gran ventaja suya los reales se alçavan; y con acuerdo de don Cuadragante y don Brian de Moniaste mandó apregonar que otro día bien de mañana fuessen todos prestos en quitar sus tiendas y otros aparejos para levantar de allí. El buen hombre assí lo embió dezir al rey Lisuarte, y a lo más presto que él pudiesse sería con él.

Pues la mañana venida, las trompas fueron sonadas por los reales, y alçadas las tiendas y con mucho plazer de los unos y de los otros movidos los reales, cada uno donde devía ir. Mas agora los dexaremos ir por sus caminos, y contarvos emos del rey Arávigo, que suso en la montaña estava, como ya oístes.

CAPÍTULO CXV

Ya vos havemos contado cómo el rey Arávigo y Barsinán, señor de Sansueña, y Arcaláus el Encantador, y sus compañas estavan metidos en lo más bravo y más fuerte de la montaña, aguardando el aviso de las escuchas que continuamente muy secreto sobre los reales tenían; las cuales vieron muy bien las batallas passadas, y assí mismo la fortaleza de los reales, donde ninguna de las partes podía recebir de noche ningún daño; y como fasta allí no oviesse avido vencimiento ninguno, antes siempre los reales parescían estar enteros, no se atrevió el rey Arávigo a salir de allí, pues que no avía disposición para contentar a su desseo, y siempre su pensamiento fue de esperar a lo postrimero; que bien cuidava que, ahunque alguna pieça se detoviessen los unos con los otros, que al cabo la una parte havía de ser vencida, y mucho plazer tomava consigo, porque de la primera no se mostrava el vencimiento, que turando la porfía más se acrescentava el daño; que a la fin quedarían tales que con poco trabajo y menos peligro despacharía a los que quedassen, y quedaría señor de toda la tierra sin aver en ella quien gelo contradixesse; y con mucho plazer abraçava muchas vezes a Arcaláus loándole y agradesciéndole aquello que avía pensado, y prometiéndole grandes mercedes, diziéndole que ya no se podía errar de no ser restituidos en los daños passados con mucho más acrescentamiento que lo perdido.

Pues assí estando con mucho plazer y alegría, vinieron las escuchas y dixéronle cómo las gentes havían alçado los reales y armados se bolvían por los caminos que avían allí venido; que no podían pensar qué cosa fuesse. Oído esto por el rey Arávigo, luego pensó que sobre alguna avenencia se podrían partir. Acordó de antes acometer al rey Lisuarte que a Amadís, porque aquél muerto o preso, Amadís ternía poco cuidado del bien ni del mal del reino, y que assí lo podría todo ganar. Pero dixo que no sería bien acometerlos fasta la noche, porque los tomarían más descuidados y a su salvo; y mandó a un sobrino suyo que avía nombre Esclavor, hombre muy sabido de guerra, que con diez de cavallo muy encubiertamente siguiesse el rastro y mirasse bien dónde se aposentavan; el cual assí lo fizo, que por lo más encubierto de aquella sierra iva mirando la gente que por el llano iva.

El rey Lisuarte, que iva por su camino, siempre tuvo recelo de aquella gente, ahunque no sabía dónde cierto estuviesse, pero que algunos de los de la tierra le avían dicho cómo siempre veían gente en aquella montaña a la parte de la mar; mas ninguno allá acostarse osava, ni el rey avía tenido tiempo de proveer en ello lo que menester era, tanto tenía que hazer en lo que delante sí tenía. Y yendo por su camino como dicho es, fue avisado de algunos de la comarca cómo avían visto gente de cavallo ir encubiertos por encima de los cerros de aquella sierra. El rey, como fuesse muy apercebido y de bivo coraçón, luego pensó lo que vino, que se no podría partir de aquella gente, si a su parte acostassen, sin gran batalla, la cual por entonces temía por ver su gente tan maltrecha de las batallas passadas. Pero con su fuerte coraçón no tardó de poner el remedio que complía; y llamando al rey Cildadán y a los capitanes todos, les dixo las nuevas que avía sabido de aquellas gentes, y que les rogava toviessen todos sus gentes armadas y en buena ordenança, porque si menester fuesse, los fallassen con aquel recaudo que convenía a cavalleros. Todos le respondieron que assí como lo mandava se cumpliría por ellos, y que creyesse que antes que mengua ni daño recebiessen perderían las vidas. Algunos uvo que secretamente le dixeron que lo devía hazer saber al rey Perión, porque aquella gente era mucha y folgada, y la suya estava toda al contrario, y que avían recelo que se no podría sin gran peligro dellos partir; que mirassen que todos eran sus enemigos; que si la ventura contraria le fuesse, que no avría en ellos piedad, ni dexarían de fazer el mal que pudiessen. Estos fueron don Grumedán y Brandoivas, que hazían cuenta, si esto se fiziesse, que el rey su señor no avría de quien temer y que por este camino la paz sería más firme y abreviada entre ellos.

Mas el rey, como muchas vezes vos emos dicho, siempre temió más la pérdida de la honra que el seguramiento de la vida, respondióles que las cosas no estavan tanto al cabo del bien que quisiesse encargarse de sus contrarios, que podría ser que lo que agora se les figurava gran afruenta, que al fin

saliría al contrario, y que no pensassen en ál sino en ferir
reziamente en los enemigos si viniessen como siempre en
las cosas de mayores afruentas que aquélla era en que se
avían visto lo fizieran. Y luego mandó a Filispinel que con
veinte cavalleros se acostasse a la montaña, y lo más cuerdamente que pudiesse ser, de manera que se no perdiesse,
tomasse algún aviso; y assí lo fizo como lo él mandó. Entretanto fizo reposar la gente, que havría ya andado fasta cuatro leguas, y que las bestias refrescassen, porque si ser pudiesse, llegassen a Lubaina sin más reparar; porque él más
temía de ser acometido de noche que de día, y si la gente
reparasse, que no sería en su mano, según estavan fatigados,
de les poder escusar que se no desarmassen y no durmiessen, de manera que asaz poca gente le podría desbaratar. Y
cuanto una pieça reposaron, mandó que cavalgassen, y llevó
delante sí todo el fardaje y los feridos, ahunque en aquellos
días de la tregua avía embiado todos los más aquella villa.

Filispinel se fue derecho a la montaña, y con gran recaudo que puso sintió luego las espías y la gente de Esclavor; y
quedando él con los más de los que llevava a vista de los
contrarios, embió el aviso al rey, faziéndole saber cómo avía
fallado aquellos pocos cavalleros que siempre ivan atalayan-
do, y que creía que la otra gente no estaría muy lexos. El
rey no fazía sino andar su camino con harta priessa, porque
la afruenta, si viniesse, le tomasse cerca de aquella su villa,
que fazía cuenta que ahunque bien cercada no estuviesse, que
mejor en ella que en el campo se podría reparar. Assí que
en poco de ora se alexó gran pieça de la montaña.

Esclavor, sobrino del rey Arávigo, como vido que lo avían
descubierto, embió lo fazer saber a su tío, y que su parescer
era que sin detenencia alguna devría descendir de la montaña a lo llano; que pues descobiertos eran, que el rey Lisuarte no querría parar sino en parte que su ventaja fuesse.

Cuando este mensajero llegó, el rey Arávigo y toda su
gente estavan de buen reposo aparejando para la noche sin
pensamiento alguno de acometer a sus enemigos de día, y
no pudieron tan presto se armar y cavalgar; que como la
gente mucha fuesse, que gran pieça no tardassen, y lo que
más embaraço les puso fue los malos passos de la montaña;
que assí como para se defender avían escogido lo más áspero y fuerte, así para ofender lo hallavan muy contrario.

Pues assí como oís, esta gente començó seguir al rey Lisuarte; pero antes que de la montaña saliessen, él iva ya tan gran trecho que por mucho que después que a lo llano salieron y aguijaron tras él, no lo pudieron alcançar fasta bien cerca de la villa. Mas Arcaláus, como sabía la tierra, iva diziendo al rey Arávigo que se no aquexasse, porque la gente no se fatigasse; pues a vista los llevavan, no era possible podérseles ir; y que no toviesse en nada que se le acogiessen a la villa, qu'él la sabía muy bien, y que más peligroso estaría en ella que en el campo, según sus pocas fuerças.

En este comedio acaesció que por voluntad de Dios, porque aquella mala gente su mal desseo no pusiesse en efeto, que el buen hombre y santo hermitaño embió a Esplandián su criado y a Sarguil su sobrino al rey Lisuarte a le fazer saber cómo el negoció estava en buen estado y que lo más presto que él pudiesse sería con él en Lubiana para dar orden cómo los cuatro cavalleros de ambas partes se juntassen.

Cuando estos donzeles llegaron al real del rey, falláronlo partido pieça avía y ellos siguieron la vía que llevava; y anduvieron tanto, que llegaron al lugar donde el rey avía reposado, y allí supieron cómo iva con recelo y con más priessa, y apressuraron s camino por lo alcançar. Y antes que la hueste del rey viessen, vieron descendir la gente de la montaña a gran andar, y luego pensaron que era la del rey Arávigo; que estando con la reina Brisena oyeron dezir de aquella gente, y vieron cómo la reina Brisena oyeron dezir de aquella gente, y vieron cómo la reina embiava algunas gentes de unos lugares a otros a la parte donde se dezía estar aquellas compañas. Y como assí lo viessen ir con tanto poder, y el rey su señor con tan poco, y tan fatigada su gente que los no podría sofrir y se vería en gran peligro de lo cual Esplandián mucho dolor y pesar uvo, y dixo a Sarguil:

—Hermano, sígueme y no holguemos fasta que, si ser pudiere, el rey mi señor sea socorrido porque aquella mala gente no le puedan empecer.

Entonces bolvieron las riendas a los palafrenes y tornaron por el camino que venían al más andar que pudieron todo lo que del día les fincó y toda la noche, que nunca pararon; y otro día al alva llegaron al real del rey Perión, que aquel día no avía andado más de cuatro leguas, y fallolo asentado su real en una ribera de muchos árboles y huertas. Y tenía a la parte de la montaña su guarda de muchos cavalleros porque también uvo nueva de unos pastores de aquella gente; y como movían del lugar donde estavan, recelóse dellos, y por esta causa mandó poner gran guarda. Y como allí llegaron, fuese Esplandián derechamente a la tienda de Amadís y falló al buen hombre hermitaño, que se levantava y quería caminar. Y cuando assí con tanta priessa vio el donzel, díxole:

—Mi buen fijo, ¿qué venida tan apressurada es ésta?

El le dixo:

—Mi señor padre, tanto es de priessa que fasta que con Amadís hable no os lo puedo contar.

Entonces descavalgó del palafrén y entró a la cama donde Amadís estava armado, que estuvo toda la noche en la guarda del campo y al alva se vino a dormir y reposar; y despertándole le dixo:

—¡O buen señor! si en algún tiempo vuestro noble coraçon desseó grandes hazañas, venida es la ora donde su grandeza mostrar puede; que, ahunque fasta aquí por muy grandes afruentas y muy peligrosas aya pasado, ninguna tan señalada como ésta ser pudo. Sabréis, buen señor, cómo la gente que se ha dicho estar en la montaña con el rey Arávigo va cuanto más puede sobre el rey Lisuarte, mi señor. Y creo, señor, que, según la muchedumbre della y la poca y mal reparada del rey, no se le puede escusar gran peligro. Así que, después de Dios, el solo remedio vuestro es el suyo.

Amadís, como aquello oyó levantóse muy presto y dixo:

—Buen donzel, esperadme aquí, que si yo puedo, vuestro trabajo no será en balde.

Entonces se fue luego a la tienda del rey Perión su padre, y contándole aquellas nuevas le suplicó mucho que le diesse licencia para hazer aquel socorro, del cual mucha honra y gran prez podría recebir, y sería muy loada en todas las partes donde se supiesse; y esto le pidió Amadís hincados los inojos, que nunca levantarse quiso fasta que el rey, como era llegado a toda virtud y nunca su tiempo passó sino en semejantes cosas de gran fama, le dixo:

—Hijo, fágase como tú lo quieres, y toma la delantera con la gente que te plazerá, que yo te seguiré; que si con este rey Lisuarte hemos de tener paz, esto lo hará más firte; y si guerra, más vale que por nos sea destruido que por otros que por ventura serían más nuestros enemigos que agora lo es él.

Y luego mandó tocar las trompas y los añafiles; y como

la gente estava toda armada y sospechosa de rebato, luego a cavallo fueron, cada uno con su capitán. El rey Perión y Amadís avían fecho cavalgar a Gastiles, el sobrino del emperador de Constantinopla, y con su seña se salieron del real, tras la cual salieron todas las otras. Y como todos fueron en el campo, el rey les dixo las nuevas que avía sabido, y rogóles mucho que no mirando a lo passado quisiessen mostrar su virtud en socorrer aquel rey, que con tan mala gente en tan gran necessidad estava. Todos lo tuvieron por bien, y dixeron qu como lo él mandasse se faría.

Entonces Amadís tomó consigo a don Cudragante y a don Florestán su hermano, y Angriote d'Estraváus y Gavarte del Valtemeroso, y Gandalín y Enil, y cuatro mill cavalleros, y al maestro Elisabad; que assí en esta jornada como en las batallas passadas hizo cosas maravillosas de su oficio dando la vida a muchos de los que haver no la pudieran sino por Dios y por él.

Con esta compaña tomó el camino, y el rey su padre y todos los otros en sus batallas ordenadas tras él.

Con esta compaña tomó el camino, y el rey su padre y todos los otros en sus batallas ordenadas tras él.

Mas agora dexa el cuento de hablar dellos, que se ivan a más andar, torna a contar lo que los reyes en este medio tiempo hizieron.

CAPÍTULO CXVI

De la batalla que el rey Lisuarte uvo con el rey Arávigo y sus compañas; y cómo fue el rey Lisuarte vencido, y socorrido por Amadís de Gaula aquel que nunca faltó de socorrer al menesteroso

CONTADO vos avemos cómo el rey Lisuarte fue avisado de los cavalleros que a la montaña embió cómo avián visto ya las atalajas de la gente del rey Arávigo, cómo él con gran priessa se iva por llegar a la su villa de Lubaina, porque, si afruenta alguna le viniesse, allí se pudiesse reparar; que según la gente llevava mal parada de las batallas passadas que ya oístes, bien tenía creído que aquel gran poder de sus enemigos no lo podría sufrir. Pues assí fue, que él yendo su camino, las compañas del rey Arávigo le siguieron fasta que fue noche y siempre llevavan a Esclavor con los diez de cavallo y otros cuarenta que el rey su tío le embió junto consigo; y según la gente de la montaña anduvo después que al llano baxaron, bien lo pudieran alcançar. Mas la noche fazía tan escura, que no se veían los unos a los otros, y por esta causa y también por lo que Arcaláus dixera de la poca fuerça de la villa donde ellos llevavan esperança, no curaron de pelear con ellos, mas fueron todavía a sus espaldas, y sus corredores casi embueltos con los del rey Lisuarte. Assí anduvieron hasta que vino el alva del día que muy cerca unos de otros se vieron, y a poco trecho de la villa.

Entonces el rey Lisuarte como esforçado príncipe, reparó con todos los suyos, y hizo de su gente dos hazes. La primera dio al rey Cildadán, y con él Norandel, su hijo, y el rey Arbán de Norgales, y don Guilán el Cuidador, y Cendil de Ganota, y con ellos fasta dos mill cavalleros. En la segunda fue Arquisil y Flamíneo, romanos, y Giontes, su sobrino, y Brandoivas y otros muchos cavalleros de su mesnada, y con ellos fasta seis mill cavalleros; que si estas dos batallas estuvieran reparadas de armas y cavallos holgados, no tuvieran mucho que temer a sus enemigos; mas todo lo tenían al revés, que las armas eran todas rotas por muchos lugares de las batallas passadas, y los cavallos muy flacos y cansados, assí del trabajo grande passado como del presente, que en todo aquel día y noche no avían parado sino muy poco, de lo cual mucho daño se les siguió, como adelante oiréis.

El rey Arávigo traía en la delantera a Barsinán, señor de Sansueña, que como es dicho era un cavallero mancebo esforçado, ganoso de ganar honra y de vengar la muerte de su padre y de Gandalod, su hermano, el que don Guilán venció y llevó preso al rey Lisuarte, y lo mandó en Londres despeñar de una torre al pie de la cual fue su padre quemado, como lo cuenta el primero libro desta istoria; y llevava consigo dos mil cavalleros, y las otras batallas tras él, como dicho es.

Pues como el día fue claro y se viessen cerca unos de otros, fuéronse acometer reziamente, de manera que de los encuentros primeros muchos cavallos fueron sin señores, y Barsinán quebró su lança y puso mano a su espada y dio grandes golpes con ella, como aquel que era valiente y estava con gran saña.

Norandel, que delante los suyos venía, encontróse con un tío deste Barsinán, hermano de su madre, que fue governador de la tierra después que su padre Barsinán fue muerto fasta que este su sobrino entró en edad de la saber regir; y diole tan gran encuentro, que le falsó el escudo y la loriga, y passó la lança a las espaldas y dio con él muerto en la tierra sin detenimiento ninguno.

El rey Cildadán derribó otro cavallero que venía con éste, que era de los buenos de la compaña de Barsinán, y assí hirieron de grandes golpes don Guilán y el rey Arbán de Norgales, y los otros que con ellos venían, que eran todos muy señalados y escogidos cavalleros; de manera que la haz de Barsinán fuera desbaratada si no porque Arcaláus socorrió. Y ahunque él tenía perdida la meitad de la mano derecha, que Amadís le cortó llamándose Beltenebrós cuando mató a Lindoraque, su sobrino, que con el grande uso de las armas se mandava ya con la mano siniestra como con la otra. Y en su llegada fueron los de su parte muy esforçados, y tomaron a cobrar gran ardimiento en sus coraçones, de manera que muchos de los del rey Lisuarte fueron muertos y mal llagados, y derribados de los cavallos. Arcaláus se metió entre ellos, y hazía grandes cosas en armas, assí como aquel que era valiente y esforçado. Pero a esta ora viérades hazer maravilla al rey Cildadán, y a Norandel, y a don Guilán, y a Cendil de Ganota, que éstos eran escudo y amparo de todos los suyos; pero todo no valiera nada si el rey Lisuarte no socorriera, que los contrarios, como fuessen más y más holgados, ya los traian de vencida. Mas el rey Lisuarte, que nunca perdió punto en lo que hazer devía en las grandes afrentas que se halló, fue delante los suyos más ganoso de recibir muerte que dexar de hazer lo que era obligado; y al primero que delante sí halló fue un hermano de Alumas, el que mató don Florestán sobre las donzellas que los enanos guardavan a la fuente de los Olmos, que era primo cormano de Dardán el Sobervio; y encontróle y falsóle todas sus armas y dio con él muerto en tierra, y su gente hirió tan rezio en los otros, que les hizieron perder gran pieça del campo.

El rey metió mano a su espada y dava tan grandes golpes con ella, que a cualquiera que alcançava a derecho golpe no avía menester maestro, y aquella ora tomó consigo tan gran saña, que olvidando todo peligro se metió entre los enemigos, hiriendo y matando en ellos. Arcaláus, que de antes avía sabido las armas que traía por le conoscer y nuzir en cualquiera manera que él mejor pudiesse, que tales eran sus maneras, cuando assí lo vio tan desviado de los suyos, fue para Barsinán y díxole:

—Barsinán, ves delante ti tu enemigo; que si éste muere, despachado es todo. ¿No miras lo que hace el rey Lisuarte?

Barsinán tomó diez cavalleros de los suyos que le aguardavan, y dixo a Arcaláus:

—Agora a él y muera, o muramos todos.

Entonces fueron para el rey y encontráronle de todas partes, assí que le derribaron del cavallo. Filispinel andava siempre junto con los veinte cavalleros que ya oístes con que fue a tentar la sierra, y se avían prometido compañía en aquella batalla. Como assí vieron derribar al rey, díxoles:

—¡O señores, agora es tiempo de morir con el rey!

Entonces movieron todos y llegaron donde el rey estava, y hallaron que le tenían dos cavalleros abraçado, que se avían derribado sobre él antes que se levantasse, y le avían tomado la espada. Y hirieron en Barsinán, y en Arcaláus y los suyos, que mal de su grado los apartaron de allí. Mas ya la gente cargava tanta de los contrarios a las bozes que Arcaláus dava llamando a los suyos, que, si la ventura no traxera por allí al rey Cildadán, y Arquisil y Norandel, y Brandoivas con pieça de cavalleros que socorrieron, el rey fuera perdido. Mas éstos mataron tantos, que por fuerça de armas cobraron al rey, que Norandel, como llegó, se dexó derribar del cavallo y hirió de duros golpes a los que le tenían, y cobró la espada del rey y púsogela en la mano; y díxole:

—A este mi cavallo vos acoged.

El rey assí lo hizo, y no partió de allí hasta que Brandoivas dio otro cavallo a Norandel y le hizo cavalgar. Y luego fueron ayudar a los suyos, que se combatían tan reziamente, que los contrarios no los osavan esperar. Arcaláus dixo a un cavallero de los suyos:

—Di al rey Arávigo que por qué nos dexa matar.

Este cavallero llegó al rey Arávigo y díxogelo, y él le dixo:

—Bien veo que pieça ha que era razón de los socorrer, mas dexávalo porque los contrarios se apartassen más de la villa. Pero pues que lo quiere, assí se haga.

Entonces tocaron las trompas, y fue con toda su gente, y con él los seis cavalleros de la Insola Sagitaria. Y como los halló rebueltos y cansados, firió a su salvo y hizo gran estrago en ellos. Aquellos seis cavalleros que vos digo fizieron cosas estrañas en derribar y matar cuantos alcançavan; assí que, con lo que ellos hizieron como con la mucha gente holgada que con el rey Aravigo llegó, los del rey Lisuarte no los pudieron sufrir y començaron a perder el campo assí como gente vencida. El rey Lisuarte, que su hecho vio perdido, y que en ninguna manera se podía cobrar, tomó consigo al rey Cildadán, y a Norandel, y a don Guilán, y Arquisil, y otros de los más escogidos, y púsose ante los suyos y mandó a la otra gente que se retraxiessen a la villa que tenían cerca. ¿Qué vos diré?, que en esta huida y vencimiento hizo tanto el rey en defender los suyos, que nunca tanto su bondad y esfuerço se mostró después que cavallero fue como estonces; assí mesmo todos aquellos cavalleros que con él se fallaron.

Pero al cabo con gran menoscabo de su gente, assí muertos como muchos presos y otros heridos, fueron por fuerça embarrados por las puertas de la villa dentro. Y como la gente se començó apretar, y los enemigos ya como cosa vencida a cargar sobre ellos, fueron muchos más los que allí se perdieron. Y allí fueron derribados de los cavallos el rey Arbán de Norgales y don Grumedán con la seña del rey Lisuarte, y presos de los contrarios. Y assí lo fuera el rey, si no porque algunos de los suyos se abraçaron con él y por fuerça lo metieron dentro en la villa, luego las puertas fueron cerradas, y la gente que allí entró fue muy poca.

Los contrarios se tiraron afuera porque los tiravan con arcos y con ballestas, y levaron consigo al rey Arbán y a don Gramedán con la seña del rey. Arcaláus quisiera que luego fueran muertos, mas el rey. Arcaláus quisiera que luego fueran muertos, mas el rey Arávigo no lo consintio, diziéndole que se sufriesse, que presto avrían al rey Lisuarte y a todos los otros, y que con acuerdo dél y de los otros grandes señores que allí estavan se haría dellos justicia. Y mandólos levar a ciertos hombres de los suyos que los guardassen muy bien.

Assí como vos digo fue el rey Lisuarte vencido y desbaratado, y su gente toda la más perdida, muertos y presos, y él y los otros con él encerrados en aquella flaca villa, donde, si la muerte no, otra cosa no esperava. Pues, ¿qué diremos que lo hizo? ¿Dios y su ventura? Por cierto, no, salvo él mismo por tener las orejas abiertas y aparejadas más para recebir las palabras dañosas en creer lo que aquellos malos Brocadán y Gandandel le dixeron de Amadís que lo que él con sus propios ojos veía. Y más diose a las maldades de aquellos que a las bondades de Amadís y de su linaje, por los cuales era puesto en la mayor altura de fama que ningún príncipe del mundo. Pues dexando a Dios nuestro Señor aparte, ¿quién le socorrerá? ¿Por ventura será reparado su daño y peligro por Brocadán y Gandandel y de su linaje, o de aquellos que tal oficio, sin tener conciencia, como ellos, tenían y tienen, que es aver imbidia de los virtuosos y de los esforçados que, por seguir virtud, se ponen a los peligros, y no imbidia para dessear de seguir lo que ellos siguen sino para lo dañar y afear con todas sus fuerças? Pues paréçeme que si a éstos esperasse, que prestamente sería vengada la muerte de Barsinán, señor de Sansueña, y la gran pérdida que el rey Arávigo huvo en la batalla de los siete reyes, y la saña de Arcaláus. Pues ¿de quién será remediado y socorrido? Por cierto, de aquel famoso y esforçado Amadís de Gaula, del cual otras muchas vezes lo fue, como esta grande istoria lo ha demostrado. Pues ¿tenía mucha razón para ello, dexando el sevicio de su señora aparte? Antes digo que, según los grandes, provechosos, servicios le havía hecho y el mal conoçimiento y gradescimiento que dél huvo, con mucha razón y causa deviera ser en su total destruición. Mas como este cavallero fuesse nacido en este mundo para ganar la gloria y la fama dél, no pensava sino en autos nobles y de gran virtud, assí como oiréis que lo hizo con este rey vencido, encerrado, y puesto en el hilo de la muerte, y su reino perdido.

Pues tornando al propósito, digo que, después que el rey Lisuarte fue encerrado en aquella su villa, el rey Arávigo se apartó en el campo donde estava con aquellos grandes señores, y demandóles su pareçer para dar cabo en aquel negocio. Entr'ellos huvo muchos acuerdos, unos en contra de otros, assí como suele acaescer entre los que la ventura les es favorable, que tanto es el bien, que no saben escoger de lo bueno lo mejor. Algunos dellos dezían que sería bueno descansar alguna pieça y fazer aparejos para el combate y poner entre tanto grandes guardas porque el rey no se fuesse. Otros dezían que luego sería bien combatirlos antes que más remedio fazer pudiessen para su defensa, y como estavan perdidos y medrosos, que presto serían entrados y tomados. Oído todo esto por el rey Arávigo, todos speravan

de seguir su determinación porque él era el mayor y cabo
de todos ellos; y dixo:

—Buenos señores y honrados cavalleros; siempre oí dezir
que los hombres deven seguir la buena ventura cuando les
viene, y no buscar entrevallos ni achaques para lo dexar;
antes, con más coraçón y diligencia tomar junto el trabajo
porque junto venga el plazer. Y por ende digo que sin más
tardar Barsinán y el duque de Bristoya, con la gente que ellos
querrán, se passen luego del cabo de la villa; y yo y Arcaláus, con el rey de la Profunda Insola y estos otros cavalleros, quedemos desta otra. Y con el aparejo que tenemos, que
es éste con que peleamos, sean luego acometidos nuestros
enemigos, antes que la noche venga, que no fincan dos horas
del sol. Y si deste combate no los entramos, quitarnos hemos
afuera, y la gente podrá refrescar algún tanto, y al alva del
día tornemos a combatir. Y de mí vos digo, y assí lo diré a
todos los míos y a los otros que me seguir querrán, que no
folgaré fasta morir, o los tomar antes que coma ni beva, y
assí lo prometo como rey, que mi muerte o la suya de mañana no faltará.

Grande esfuerço y plazer dio el rey Arávigo aquellos señores, y assí como lo él dixo y prometió lo otorgaron todos.
Y luego mandaron traer de sus provisiones muchas que
traían, y fizieron comer y bever todas sus gentes, esforçándolos para el combate y diziéndoles que al cabo tenían para
ser ricos y bienaventurados si por su poco coraçón no lo perdiessen. Esto hecho, Barsinán, señor de Sansueña, y el duque
de Bristoya con la meitad de la gente se passaron del cabo
de la villa, y el rey Arávigo y lo otro quedó a la otra parte.
Y luego se apearon todos y aparejaron para combatir en
oyendo el son de las trompas.

El rey Lisuarte, assí como en la villa fue, no quiso folgar,
que bien vio su perdimiento; y ahunque conoció estar en
parte donde mucho tiempo defender no se podía, acordó de
poner todas sus fuerças hasta el cabo de la malaventura, y
morir como cavallero antes que ser preso de aquellos tanto
sus enemigos mortales. Y cuando comió algo que los de la
villa le dieron, y a los suyos, luego repartió todos los cavalleros con los de la villa en las partes del muro donde más
flaqueza estava, amonestándoles y diziéndoles que, después
de Dios, la salud y vida stava en el defendimiento de sus
manos y coraçones. Pero ellos eran tales que no havían me-

nester quien buenos los hiziesse; que cada uno por sí esperava morir como el rey su señor.

Pues assí estando como oídes, los enemigos se vinieron de rondón al combate con aquel esfuerço que los vencedores suelen tener; y sin ningún temor, cubiertos de sus escudos y sus lanças en las manos, las que sanas pudieron haver, y los otros con sus espadas, y los ballesteros y archeros a sus espaldas, llegaron al muro. Los de dentro los recibieron con muchas piedras y saetas, assí de ballesteros como de archeros; y como la cerca era muy baxa y en algunos lugares rota, assí se juntaron los unos con los otros como si en el campo estuviessen; mas con aquel poco defensa que los de dentro tenían, y más con su gran esfuerço se defendieron tan bravamente, que los contrarios, perdido aquel ímpetu y arrebatimiento con que llegaron, luego los más començaron afloxar, y desviávanse, y otros se combatían reziamente, de manera que de ambas las partes huvo muchos muertos y heridos.

El rey Arávigo y todos los otros capitanes que a cavallo andavan nunca cessavan de meter la gente delante, y ellos llegavan a la cerca sin ningún recelo porque los suyos llegassen; y desde los cavallos davan con las lanças a los de encima del muro, assí que en muy poco estuvo el rey Lisuarte de ser entrado; mas quísole Dios guardar en que la noche vino con grande escurana. Estonces la gente se tiró afuera porque les fue mandado, y curaron de los heridos; y los otros se repartieron al derredor de la villa y pusieron muy gran guarda. Y bien se tenían por dicho que otro día al primero combate era despachado el negocio, como lo fue.

Mas agora vos contaremos lo que Amadís y sus compañeros hizieron después que del rey Perión se partieron en socorro deste rey Lisuarte.

CAPÍTULO CXVII

CÓMO AMADÍS IVA EN SOCORRO DEL REY LISUARTE, Y LO QUE LE CONTEÇIÓ EN EL CAMINO ANTES QUE A ÉL LLEGASSE

CONTADO vos hemos ya cómo aquel hermoso donzel Esplandián con gran priessa llegó al real del rey Perión y hizo saber a Amadís de Gaula la gran afrenta y peligro en que el rey Lisuarte, su señor, estava; y cómo luego el rey Perión con toda la gente movió en su acorro, trayendo la delantera

Amadís con aquellos cavalleros que ya oístes. Pues agora vos diremos lo que hizieron. Amadís, después que de su padre se apartó, se aquexó mucho por llegar a tiempo, que por él pudiesse ser hecho aquel socorro y su señora Oriana conociesse cómo con razón o sin ella siempre la tenía delante sus ojos para la servir. Y por gran priessa que a la gente dio, como el camino era largo, que desde donde él partió fasta el real donde el rey Lisuarte havía estado cuando las grandes batallas huvieron avía cinco leguas, y desde allí fasta la villa de Lubaina ocho, assí que eran por todas xiii leguas, no pudo tanto andar que la noche no le tomasse a más de tres leguas de la villa. Y con la gran escuridad y porque Amadís mandó a las guías que se acostassen siempre a la parte de la montaña por atajar al rey Arávigo que se le no pudiesse acoger a algún lugar fuerte, erróse el camino, que las guías desatinaron y no sabían dónde ir ni si havían passado la villa o si la dexavan atrás, lo cual dixeron luego a Amadís. Y como lo oyó, huvo tan gran pesar, que se quería todo deshazer de congoxa; y comoquiera que él fuesse el hombre del mundo más sofrido y que mejor sabía sojuzgar su saña en cualquiera cosa de passión, no se pudo estonces tanto refrenar, que se no maldixesse muchas veses a él y a su ventura, que tan contraria le era; y no havía hombre que le hablar osasse. Don Cuadragante, a quien también mucho pesava por el rey Cildadán, que él mucho amava y con quien tanto deudo tenía, se llegó a él y díxole:

—Buen señor, no toméis tanta congoxa, que Dios sabe cuál es lo mejor; y si El es servido que por nosotros este beneficio se faga a aquellos reyes y cavalleros tanto nuestros amigos, El nos guiará; y si su voluntad no es, ninguno tiene poder de hazer otra cosa.

Y, ciertamente, según lo que después ocurrió, si aquel yerro no haviera, no se diera tal salida ni tan honrosa para ellos, según se dio como adelante oiréis.

Pues assí estando parado y que no sabían qué se fazer, preguntó Amadís a las guías si la montaña estava cerca. Dixéronle que creían que sí, según ellos siempre avían guiado acostándose hazia ella como les él mandara. Entonces dixo a Gandalín:

—Toma uno déstos y trabaja por hallar alguna cuesta y sube en ella; que si la gente en real está, fuegos ternán; y atina bien si algo vieres.

Gandalín assí lo fizo, que como la sierra a la mano siniestra estoviesse, no fizieron sino andar toda vía sobre aquella mano, y a cabo de una pieça halláronse al pie de la montaña. Y Gandalín subió cuanto más pudo, y miró ayuso a la parte de lo llano y vio luego los fuegos de la gente, de que uvo muy gran plazer; y llamó a la guía y mostrógelos, y díxole si sabría allí atinar. El dixo que sí. Estonces se tornaron a más andar a donde Amadís y la gente estava, y contárongelo, de que uvo gran plazer, y dixo:

—Pues que assí es, guiad y andemos lo más presto que ser pueda, que ya gran pieça de la noche es passada.

Assí fueron todos tras la guía lo más ordenadamente que pudieron, que ellos no sabían del rey Perión, ni él dellos. Mas de cuanto seguía el rastro tanto anduvieron, y se acercaron a la villa, que vieron los fuegos del real, que eran muchos. Y si dello les plugo, no es de contar, especialmente aquel esforçado de Amadís, que en toda su vida nunca tanto en cosa se desseó fallar, porque el rey Lisuarte conoçiesse que él era siempre el reparo de todas sus afruentas, y que, después de Dios, por él se assegurava su vida y todo su estado; que bien cuidava que de vencido o muerto désta no podía escapar, según la poca gente suya y la mucha de sus contrarios, y que sin ver ni hablar se tornaría.

Y a esta hora començava a romper el alva, y ahún estarían de la villa una legua. Pues el día venido, el rey Arávigo y todos aquellos cavalleros se aparejaron para el combate con muy gran esfuerço y plazer. Y como armados fueron, llegaron todos al muro y a los portillos de la cerca, mas el rey Lisuarte con los suyos se les defendían muy bravamente. Mas al cabo, como la gente era mucha y esforçada con la próspera fortuna, y los del rey pocos y los más dellos heridos y desmayados, no pudieron tanto resistir ni defender, que los contrarios no los entrassen por fuerça con muy grande alarido, assí que el ruido era muy grande por las calles por las cuales el rey y los suyos se defendían reziamente, y desde las ventanas les ayudavan las mugeres y moços y otros que no eran para más afruenta de aquélla. La rebuelta de las cuchilladas y lançadas y pedradas era tan grande, y el sonido de las bozes, no havía persona que lo viesse que mucho no fuesse spantado.

Como el rey Lisuarte y aquellos cavalleros sus criados se vieron perdidos, como ya en más toviessen ser presos que muertos, no se vos podrían dezir las maravillas grandes que allí hizieron y los duros golpes que davan, que los contrarios no osavan llegar a ellos, sino con la fuerça de las lanças y piedras los ivan retrayendo. Pues el rey Cildadán y Arquisil, y Flamíneo y Norandel, que a la otra parte del rey Arávigo se fallaron, podéis bien creer que no estarían de balde, y con éstos fue una brava batalla; que el rey Arávigo entró en la villa, y Arcaláus con él, y llevaron consigo los seis cavalleros de la Insola Sagitaria que ya dezir oístes, los cuales siempre el rey tenía cabe sí que le aguardassen. Y como vio la cosa en tal estado, embió los dos dellos por una traviessa de una calle a la parte donde Barsinán y el duque de Bristoya peleavan, y los otros cuatro metió consigo por aquella parte del rey Cildadán, y díxoles:

—Agora, mis amigos, es tiempo de vengar vuestras sañas y la muerte de aquel noble cavallero Brontaxar d'Anfania, que veis ende los que le mataron. Herid en ellos, que no tienen defensa ninguna.

Estonces estos cuatro cavalleros, como se fallaron libres del rey, ponían mano a sus cuchillos grandes y fuertes, y con gran furia passaron por todos los suyos, apartándolos y derribándolos por el suelo, hasta que llegaron adonde el rey Cildadán y sus compañeros estavan; el cual, como los vio tan grandes y desmesurados, no era tan ardid ni esforçado que mucho temor no oviesse. Y luego dixo a los suyos:

—Hea, señores, que con éstos es la muerte bien empleada, pero sea de tal suerte que, si pudiere ser, ellos vayan ante nos.

Estonces van unos a otros tan cruda y tan bravamente como aquellos que no desseavan otro medio sino morir o matar. El uno déstos llegó al rey Cildadán y alçó el cuchillo por le dar por cima del yelmo, que bien pensó de le hazer dos pedaços la cabeça. Y el rey, como vio el golpe venir, alçó el escudo en que lo recibió, y fue tan grande que la espada entró por él fasta el medio y le cortó el arco o cerco de azero. Al tirar del cuchillo no le pudo sacar, y llevó el escudo tras él. El rey Cildadán, como era de gran esfuerço y muchas vezes se havía visto en tal menester, no perdió aquella hora el coraçón ni el sentido; antes le dio con su espada en el braço, que con el peso del escudo no le pudo tan presto tirar a sí, y cortóle la manga de la loriga y el braço todo, sino en muy poco que quedó colgado, y cayó a sus pies el cuchillo metido por el escudo. Este se tiró afuera como hombre tollido, y el rey ayudó a sus compañeros, que con los tres se combatían bravamente. Y assí con el golpe que aquél dio como con su ayuda, los otros desmayaron ya cuanto, de manera que por aquella parte se defendía la calle muy bien sin recebir mucho daño, ahunque el rey Arávigo estava tras ellos dándoles bozes que no dexassen hombre a vida. Los otros dos cavalleros, que por la otra parte fueron, llegaron a la pelea, y en su llegada fue el rey Lisuarte y los suyos retraídos fasta la traviessa de otra calle, donde algunas de sus gentes estavan sin pelear porque no cabían en la calle, y allí se detuvieron. Mas todo no valía nada, que tanta gente cargava por todas partes sobre ellos y les tomavan las espaldas que si Dios por su misericordia no socorriera con la venida de Amadís, no tardaran media hora de ser todos muertos y presos, según las feridas tenían y las armas todas hechas pedaços. Pero aunque todo estuviera sano y reparado, no montava nada, que ya eran vencidos y muertos, que por tales ellos mismos se contavan; mas a esta ora llegó Amadís y sus compañeros con aquella gente que ya oístes; que después que el día vino aguijó cuanto pudo, porque ante que se apercibiessen los pudiesse tomar. Y como llegó a la villa y vio la gente dentro y otros algunos que andavan de fuera, dio luego un torno al derredor, y firieron y mataron cuantos pudieron alcançar. Y él por una puerta y don Cuadragante por la otra entraron con la gente diziendo a grandes bozes:

—¡Gaula, Gaula; Irlanda, Irlanda!

Y como fallavan las gentes desmandadas y sin recelo, mataron muchos y otros se les encerraron en las casas. Los delanteros que peleavan oyeron las bozes y el gran roído que con los suyos andavan, y los apellidos. Luego pensaron qu'el rey Lisuarte era socorrido, y desmayaron mucho, que no sabían qué fazer, si pelear con los que tenían delante o ir a socorrer los otros.

El rey Lisuarte, como aquello oyó y vio que sus contrarios afloxavan, cobró coraçón y començó a esforçar los suyos; y dieron en ellos tan bravamente, que los levaron hasta dar en los que venían huyendo de Amadís y de los suyos; assí que no tuvieron otro medio sino poner espaldas con espaldas y defenderse. El rey Arávigo y Arcaláus, como vieron la cosa perdida, metiéronse en una casa, que no tuvieron esfuerço para morir en la calle; mas luego fueron tomados y presos.

Amadís dava tan duros golpes que ya no fallava quien lo esperasse, si no fueron aquellos dos cavalleros de la Insola Sagitaria, que ya oístes que aquella parte peleavan, que vinieron para él. Y él, ahunque los vio tan valientes, como la historia lo ha ante dicho, no se espantó dellos; antes, alçó la su muy buena spada y dio al uno dellos tan gran golpe por cima del yelmo, que ahunque muy fuerte era, no tuvo poder que no hincasse las rodillas ambas en el suelo. Y Amadís, como assí lo vio, llegó rezio y diole de las manos, y hízole caer de espaldas y passó por él. Y vio cómo don Florestán su hermano y Angriote d'Estraváus havían derribado al otro y dexado en poder de los que detrás venían; y passando todos tres donde stava Barsinán, y el duque de Bristoya, los cuales fueron luego rendidos, que Barsinán se vino abraçar con Amadís, y el duque de Bristoya con don Florestán, porque el rey Lisuarte los apretava de manera que ya no havía en ellos sino la muerte, y demandáronles merced. Amadís miró adelante y conoçió al rey Lisuarte; y como vio que por allí no havía con quien pelear, tornóse lo más que pudo por donde havía venido, y llevó consigo a Barsinán y al duque. Y quiso ir a la parte donde havía entrado don Cuadragante, y dixéronle cómo ya havía despachado el negocio, y que tenía presos al rey Arávigo y Arcaláus. Como esta nueva supo, dixo a Gandalín:

—Ve y di a don Cuadragante que yo me salgo de la villa, y que pues esto es despachado, que será bien que nos vamos sin ver al rey Lisuarte.

Y luego fue por la calle fasta que llegó a la puerta de la villa por donde havía entrado. Y fizo cavalgar la gente que con él iva, y él cavalgó en su cavallo.

El rey Lisuarte, como tan presto vio el socorro de su vida, y sus enemigos muertos y destroçados, estava de tal manera que no sabía qué dezir; y llamó a don Guilán, que cabe sí tenía, y dixo:

—Don Guilán, ¿qué será esto, o quién son estos que tanto bien han fecho?

—Señor —dixo él—, ¿quién puede ser sino quien suele? No es otro sino Amadís de Gaula, que bien oístes cómo nombravan su apellido. Y bien será, señor, que le deis las graçias que mereçe. —Estonces el rey dixo:

—Pues id vos delante, y si él fuere, deteneldo, que por vos bien lo hará; y yo luego seré con vos.

Estonces fue por la calle; y cuando don Guilán llega a la puerta de la villa, luego supo que era Amadís y ya havía cavalgado y se iva con su gente, que no quiso sperar a don Cuadragante porque lo no detuviessen. Y don Guilán le dio bozes que tornasse, que stava allí el rey. Amadís, como lo oyó, ovo gran empacho, que conoció muy bien aquel que lo llamava, a quien él preçiava mucho y lo amava. Y vio el rey cabe él estar, y bolvió. Y cuando fue más cerca miró al rey, y tenía todas las armas despedaçadas y llenas de sangre de sus feridas, y ovo gran piedad de assí lo ver; que aunque su discordia tan creçida fuesse, siempre tenía en la memoria ser éste el más cuerdo, más honrado, más esforçado rey que en el mundo oviesse. Y como fue más cerca, descavalgó del cavallo y fue para él, y hincó los inojos y quísole besar las manos. Mas él no las quiso dar; antes, lo abraçó con muy buen talante y lo alçó suso.

Estonces llegó don Cuadragante, que tras Amadís venía, el rey Cildadán, y otros muchos con ellos que salían por detener Amadís, que se no fuesse hasta que viesse al rey. Y llegaron él y don Florestán y Angriote a le besar las manos. Amadís se fue al rey Cildadán, y abraçáronse muchas vezes. ¿Quién os podría contar el plazer que todos havían en se ver assí juntos con destruición de sus enemigos? El rey Cildadán dixo a Amadís:

—Señor, tornadvos al rey, y yo quedaré con don Cuadragante, mi tío.

Y él assí lo fizo. Estando en esto, llegó Brandoivas con gran afán, que muchas heridas tenía, y dixo al rey:

—Señor, los vuestros y los de la villa matan tantos de los contrarios que se metieron en las casas, que todas las calles andan corriendo arroyos de sangre; y ahunque sus señores aquello mereçiessen, no lo mereçen los suyos. Por ende, mandad lo que se haga en tan cruel destruición.

Amadís dixo:

—Señor, mandaldo remediar, que en las semejantes afruentas y vencimientos se muestran y pareçen los grandes ánimos.

El rey mandó a Norandel su hijo y a don Guilán que fuessen allá y no dexassen matar de los que bivos fallassen, pero que los tomassen a prisión y los pusiessen a buen recaudo; y assí se fizo.

Amadís mandó a Gandalín y a Enil que con Gandales su

amo pusiessen recaudo en el rey Arávigo y Arcaláus, y Barsinán y el duque de Bristoya, y se no partiessen dellos; y assí lo hizieron. El rey Lisuarte tomó por la mano a Amadís y díxole:

—Señor, bien será, si a vos pluguiere, que demos orden de descansar y folgar, que bien nos haze menester, y entremos a la villa y sacarán la gente muerta.

Amadís le dixo:

—Señor, sea la vuestra merced de nos dar licencia porque nos podamos con tiempo tornar yo y estos cavalleros al rey Perión mi señor, que con toda la otra gente viene.

—Por cierto, essa licencia no os daré yo, que, ahunque en virtud ni esfuerço ninguno os pueda vencer, en esto quiero que seáis de mí vencido y que aquí esperemos al rey vuestro padre, que no es razón que tan brevemente nos partamos sobre cosa tan señalada como agora passó.

Estonces dixo al rey Cildadán:

—Tened este cavallero, pues que yo no puedo.

El rey Cildadán le dixo:

—Señor, fazed lo qu'el rey vos ruega con tanta afición, y no passe por hombre tan bien criado como vos tal descortesía.

Amadís se bolvió a su hermano don Florestán, y a don Cuadragante y a los otros cavalleros, y díxoles:

—Señores, ¿qué haremos en esto que el rey manda?

Ellos dixeron que lo qu'él por bien tuviesse. Don Cuadragante dixo que pues allí havían venido para le ayudar y servir, y en lo más lo havían fecho, que en lo menos se fiziesse.

—Pues que a vos, señor, vos pareçe, assí se haga como lo mandáis —dixo Amadís.

Estonces mandaron a la gente que descavalgassen y posiessen los cavallos por aquel campo, y buscassen algo de comer. Estando en esto vieron venir al rey Arbán y a don Grumedán, que las guardas que los tenían los havían dexado; y traían atadas las manos, y fue maravilla cómo los no mataron. Cuando el rey los vio, huvo gran plazer, que por muertos los tenia, y assí fuera si no por el socorro que vino. Ellos llegaron y besáronle las manos y luego fueron a Amadís con aquel plazer que podéis pensar que havrían los mayores amigos suyos que se podrían fallar. Todos dixeron al rey que tomasse consigo aquellos cavalleros y se aposentasse en el monesterio hasta que la villa fuesse despachada de los muertos. Estando en esto, llegó Arquisil, que havía dado recaudo a Flamíneo, que estava mal herido; y como vio a Amadís, le fue abraçar, y díxole:

—Señor, a buen tiempo nos acorristes, que si algunos de los nuestros nos havéis muerto, otros muchos más havéis salvado.

Amadís le dixo:

—Señor, mucho plazer recibo en vos le dar a vos, que podéis creer y estar seguro de mi voluntad, que sin engaño vos ama.

Pues queriendo ir el rey Lisuarte al monesterio, vieron venir las batallas de la gente que el rey Perión traía, que venían a más andar. Y don Grumedán dixo al rey:

—Señor, buen socorro es aquél, mas si el primero se tardara, tardárase nuestro bien de todo punto.

El rey le dixo riendo y de buen talante:

—Quien se pusiesse con vos, don Grumedán, en debate sobre las cosas de Amadís si son bien hechas o no, muy luenga demanda sería para él, y mayor el peligro que dende le vernía.

Amadís dixo:

—Señor, gran razón es que todos los cavalleros amemos y honremos a don Grumedán, porque él es nuestro espejo y guía de nuestras honras. Y porque sabe él con qué obediencia haría yo lo qu'él mandasse, me quiere bien, y no porque de mí haya recebido ninguna obra buena sino la buena voluntad.

Assí estavan con mucho plazer, aunque algunos dellos con hartas heridas; pero todo lo tenían en nada en ser escapados de aquella muerte tan cruel que ante sus ojos tenían. El rey Lisuarte demandó un cavallo, y dixo al rey Cildadán que tomasse otro, y que irían a recebir al rey Perión. Amadís le dixo:

—Señor, por mejor avría si por bien lo toviéredes que descanséis y curen de vuestras heridas, que el rey mi señor no dexará de venir su camino hasta vos ver.

El rey le dixo que en todo caso quería ir. Entonces cavalgó en un cavallo, y el rey Cildadán y Amadís en los suyos, y fueron contra donde el rey Perión venía. Amadís mandó a toda su gente que estoviessen quedos hasta que él bolviesse, y a Durín que passasse delante dellos y hiziesse saber a su padre la ida del rey Lisuarte.

Assí fueron como oídes, y muchos d'aquellos cavalleros con ellos. Y Durín anduvo más y llegó a las batallas, y en las delanteras le dixeron cómo el rey y Gastiles trahían la reçaga. Estonces passó por ellas y llegó al rey y díxole el mandado de Amadís. Y él tomó consigo a Gastiles y a Grasandor, y a don Brian de Monjaste y a Trion, y rogó a Agrajes que él se viniesse con la gente. Y esto hizo por la saña que conocía tener con el rey Lisuarte, y por le no poner en afrenta. A Agrajes plugo dello; y como el rey Perión passó adelante, fuesse él deteniendo con la gente por no haver razón de hablar al rey Lisuarte.

El rey Perión llegó con la compaña que vos digo al rey Lisuarte; y como se vieron, salieron entrambos adelante el uno al otro, y abraçáronse con buen talante. Y cuando el rey Perión le vio assí llagado y mal parado, y las armas despedaçadas, díxole:

—Paréçeme, buen señor, que no partistes del real tan mal trecho como agora vos veo, ahunque allá vuestras armas no estuvieron en las fundas ni vuestra persona a la sombra de las tiendas.

—Mi señor —dixo el rey Lisuarte—, assí tove por bien que me viéssedes porque sepáis qué tal estava a la hora que Amadís y estos cavalleros me socorrieron.

Estonces le contó todo lo más de la gran afruenta en que avía estado. El rey Perión ovo muy gran plazer en saber lo que sus fijos avían fecho con la buena ventura y honra tan grande que dello se les seguía; y dixo:

—Muchas gracias doy a Dios porque assí se paró el pleito, y porque vos, mi señor, seáis servido y ayudado de mis hijos y de mi linaje; que ciertamente, comoquiera que las cosas ayan pasado entre nosotros, siempre fue y es mi desseo que os acaten y obedezcan como a señor y a padre.

El rey Lisuarte dixo:

—Dexemos agora esto para más espacio, que yo fío en Dios que antes que de en uno nos partamos quedaremos juntos y atados con mucho deudo y amor para muchos tiempos.

Estonces miró y no vio a Agrajes a quien mucho tenía, assí por su bondad como por el deudo grande de aquellos señores; y porque ya en su voluntad estava determinado de hazer lo que adelante oiréis, no quiso que rastro de enojo ninguno quedasse, que bien sabía cómo Agrajes más que otro ninguno se agraviava dél y publicava quererlo mal; y preguntó por él, y el rey Perión le dixo cómo por ruego suyo havía quedado con las batallas porque no oviesse el desconcierto que entre la gente mucho suele haver no haviendo persona a quien teman y que los rija.

—Pues hazelde llamar —dixo el rey— que no partiré de aquí fasta lo ver.

Estonces Amadís dixo a su padre:

—Señor, yo iré por él.

Y esto hizo porque bien cuidó que si por su ruego no viniesse, que otro no le trahería. Y assí lo hizo, que luego se fue donde la gente estava, y habló con Agrajes, y díxole todo lo que havían hecho y cómo havían desbaratado y destruido toda aquella gente, y los presos que tenían, y cómo, viniéndose sin hablar al rey Lisuarte, havía salido tras él, y lo que havían passado, y que, pues aquella enemistad iva tanto al cabo para ser amistad, quedando su honra tan creçida, que le rogava mucho se fuesse con él porque el rey Lisuarte no quería partir de allí sin le ver. Agrajes le dixo:

—Mi señor cormano, ya sabéis vos que mi saña ni plazer no ha de durar más de cuanto vuestra voluntad fuere; y este acorro que havéis fecho a este rey, quiera Dios que os sea mejor gradeçido que los passados, que no fueron pocos. Pero entiendo que la pérdida y el daño sobre él ha venido, que assí ha plazido a Dios que sea, porque su mal conoçimiento lo mereçía; y assí le acaeçerá adelante si no muda su condición. Y pues vos plaze que le vea, hágase.

Y mandó a la gente que estuviessen quedos hasta que su mandado oviessen.

Assí se fueron entrambos, y llegando al rey, Agrajes le quiso besar las manos, mas él no gelas dio, antes le abraçó y tóvole una pieça, y dixo:

—¿Cuál ha sido para vos mayor afruenta, estar agora comigo abraçado, o cuando lo estávamos en la batalla? Entiendo que ésta tenéis por mayor.

Todos rieron de aquello que el rey dixo, y Agrajes con mucha mesura le dixo:

—Señor, más tiempo será menester para que con determinada verdad pueda responder a esto que me preguntáis.

—Pues luego bien será —dixo el rey— que nos vamos a reposar. Y vos, mi buen señor —dixo al rey Perión—, iréis a ser mi huésped con estos cavalleros que con vos vienen, y vuestra gente entren, los que cupieren, en la villa, y los otros por estos prados podrán alvergar. Y nosotros aposentarnos hemos en el monesterio, y mandaré que todas las recuas de provisión que de mi tierra vienen al real se vengan aquí porque no falte lo que oviéremos necessario.

El rey Perión gelo gradeció mucho, y díxole que le diesse licencia, pues que ya no los havía menester. Mas el rey Lisuarte no quiso; antes, le ahincó tanto, y el rey Cildadán con él, que lo huvo de fazer; y assí juntos se bolvieron al monesterio, donde fueron bien aposentados.

Pues allí al rey Lisuarte curaron de sus feridas los maestros que él traía, pero todos no sabían ninguna cosa ante el maestro Elisabad, que éste assí al rey como a todos los otros curó y sanó, que fue maravilla de lo ver, y también a Amadís y algunos de los de su parte que algunas heridas tenían, ahunque no grandes. Pero el rey Lisuarte más estuvo de diez días que de la cama no se levantó, y cada día estavan allí con él el rey Perión y todos aquellos señores hablando en cosas de mucho plazer sin tocar a cosa que de paz ni de guerra fuesse, sino solamente hablando y riendo de Arcaláus, cómo, siendo un cavallero de baxa condición y no de grande estado con sus artes havía rebuelto tantas gentes como haveis oído. Y allí se traxo a la memoria de cómo encantó a Amadís, y cómo prendió al rey Lisuarte y huvo por grande engaño a su fija Oriana, y murió por su causa Barsinán, señor de Sansueña, y cómo después fizo venir a los siete reyes a la batalla contra el rey Lisuarte, y cómo tuvo al rey Perión y a Amadís y a don Florestán en la prisión, que fueron engañados por su sobrina Dinarda, y después cómo se scapó de don Galaor y de Norandel llamándose Granfiles, primo cormano de don Grumedán, y agora cómo havía tornado a traer al rey Aravigo y aquellos cavalleros, y cómo tenía su fecho acabado y si se no estorvara por tan gran aventura de se hallar tanto a la mano aquel socorro, y otras muchas cosas que dél contavan en burla, que en poco estuvieron de salir de verdad, de las cuales mucho reían. Estonces don Grumedán, que, como en esta gran historia se vos ha mostrado, en todas sus cosas era un cavallero muy entendido en todo, dixo:

—Vedes aquí, buenos señores, por qué muchos se atreven a ser malos, porque mirando algunas buenas dichas que con sus malas obras el diablo les haze alcançar, con aquella dulçura que en ellas sienten no se curan, ni piensan en las caídas tan deshonradas y peligrosas que dello a la fin les ocurre; que si mirássemos lo que deste Arcaláus havemos dicho que en su favor contar se puede, a estar agora preso y viejo y manco, a la merced de sus enemigos, él solo bastava para ser enxemplo que ninguno se desviasse del camino de la virtud por seguir aquello que tanto daño y desaventura trae. Mas como las virtudes son ásperas de sufrir, y ay en ellas muy ásperos senderos, y las malas obras al contrario, y como todos naturalmente seamos más inclinados al mal que al bien, seguimos con toda afición aquello que más al presente nos agrada y contenta, y descuidámosnos de lo que, ahunque al comienço sea áspero, la salida y fin es bienaventurada. Y siguiendo más el apetito de nuestra mala voluntad que la justa razón, que es señora y madre de las virtudes, venimos a caer cuando más ensalçados estamos donde ni el cuerpo ni el alma repararse pueden, como este malo de malas obras Arcaláus el Encantador lo ha hecho.

Mucho paresció bien al rey Perión lo que este cavallero dixo, y por hombre discreto le tuvo. Y mucho preguntó después por él, que bien conosció que tal cavallero como aquél dino y mereçedor era de estar cabe los reyes.

En este medio tiempo llegó el hombre bueno santo Nasciano, con que todos ovieron gran plazer; que assí como hasta allí con la discordia todas las cosas a los unos y a los otros con grandes sobresaltos y fatigas del espíritu les avían venido, assí agora tornado todo al revés con la paz, descansavan y reposavan sus ánimos con gran plazer. Cuando el buen hombre los vio juntos en tanto amor donde no avía tres días que se matavan con tanta crueza, alçó las manos al cielo y dixo:

—¡O Señor del mundo, qué tan grande es la tu santa piedad, y cómo la embías sobre aquellos que algún conoscimiento del tu santo servicio tienen!; que estos reyes y cavalleros ahún la sangre no tienen enxuta de las feridas que se hizieron, causándolo el enemigo malo. Y porque yo en el tu nombre y con tu gracia les puse en comienço de buen camino queriendo ellos aver conoscimiento del yerro tan grande en que puestos estavan, tú, Señor, los as traído a tanto amor y buena voluntad cual nunca por persona alguna pensar se pudo. Pues assí, Señor, te plega que, permitiendo el cabo y la fin desta paz, yo como tu siervo y pecador, antes que dellos me parta, los dexe en tanto sosiego que, dexando las cosas contrarias al tu servicio, entiendan en acrescentar en la tu santa fe cathólica.

Este santo hombre hermitaño nunca hazía sino andar de los unos a los otros, poniéndoles delante muchos enxemplos y dotrinas porque siguiessen y diessen buen cabo en aquello en que él les avía puesto, así que sus duros coraçones ponía en toda blandura y razón.

Pues estando un día todos juntos en la cámara, el rey Lisuarte preguntó al rey Perión de quién avían sabido las nuevas de la gente que fue sobre él. El rey Perión le dixo cómo el donzel Esplandián lo avía dicho a Amadís, y que no sabía más. Entonces mandó llamar a Esplandián, y preguntóle cómo fue él sabidor de aquella gente. El le dixo cómo veniendo por mandado del buen hombre su amo a él al real, le falló partido, y que siguiendo su camino avía visto descendir toda la gente de la montaña a la parte donde él iva, y que luego pensó, según la muchedumbre della y lo poco y mal parado que él llevava, que se no podía quitar dellos sin mucho peligro; y que luego él y Sarguil a más correr de sus palafrenes avían andado toda la noche sin parar, y lo hizieron saber a Amadís. El rey Lisuarte le dixo:

—Esplandián, vos me hezistes gran servicio, y yo fío en Dios que de mí vos será bien galardonado.

El hombre bueno dixo:

—Fijo, besad las manos al rey vuestro señor por lo que vos dize.

El donzel llegó y fincó los inojos, y besóle las manos. El rey le tomó por la cabeça y llególe así y besóle en la faz y miró contra Amadís. Y como Amadís tenía los ojos puestos en el donzel y en lo que el rey hazía, y vio que a tal sazón le mirava, enbermejecióle el rostro, que bien conosció que el rey sabía ya todo el hecho dél y de Oriana, y de cómo el donzel era su hijo. Y tanto le contentó aquel amor que el rey a Esplandián mostró, y assí lo sintió en el coraçón, que le acrescentó su desseo de le servir mucho más que lo tenía, y esso mismo hizo al rey; que la vista y gracia de aquel moço era tal para su contentamiento, que mientra en medio estuviesse no podría venir cosa que les estorvasse de se querer y amar.

Gasquilán, rey de Suesa, havia quedado en el real mal trecho de la batalla que con Amadís uvo, y su gente con el, aquella que de las batallas avía escapado. Y cuando el rey

Lisuarte se partió dél, rogóle mucho que se fuesse en andas, y desviado por otro camino, a la mano diestra lo más que pudiesse de la montaña; y dexó con él personas que muy bien le guiassen. Y así lo hizo, que tomó por una vega ayuso ribera de un río, el cual metió entre sí y la montaña; y alvergó aquella noche so unos árboles, y otro día anduvo su camino, pero de grande espacio, assí que con el rodeo que levó no pudo ser en Lubaina desos cinco días, y llegó al monesterio donde los reyes estavan, que no sabía nada de lo passado. Y cuando gelo dixeron fue muy triste por estar en disposición de no se hallar en cosa tan señalada; y como era muy follón y sobervio, dezía algunas cosas quexándose con grande orgullo que los que lo oían no lo tenían a bien.

Como el rey Perión y el rey Cildadán y aquellos señores supieron de su venida, salieron a él a la puerta del monesterio donde en sus andas estava, y ayudáronle a descendir della, y cavalleros le tomaron en sus braços y lo mitieron donde el rey Lisuarte estava echado, que assí gelo embió él a rogar. Y allí en la cámara donde el rey estava le hizieron otra cama donde le pusieron. Estando allí Gasquilán miró a todos los cavalleros de la Insola Firme, y violos tan hermosos y tan bien tallados y guarnidos de atavíos de guerra, que a su parescer nunca avía visto gente que tan bien le paresciesse; y preguntó cuál daquéllos era Amadís, y mostrárongelo. Y como Amadís vio que por él preguntava, llegóse a él teniendo por la mano al rey Arbán de Norgales, y dixo:

—Mi buen señor, vos seáis muy bien venido, y mucho me pluguiera de vos hallar sano, más que assí como estáis, que en tan buen hombre como vos sois mal empleado es el mal; mas plazerá a Dios que presto avréis salud, y lo que con desamor entre vos y mí ovo con buenas obras será emendado.

Gasquilán, como le vio tan hermoso y tan sosegado y con tanta cortesía, si no conosciera tanto de su bondad, assí por oídas como por lo aver provado, no lo tuviera en mucho; que a su parescer más aparejado era para entre dueñas y donzellas que entre cavalleros y autos de guerra; que como el fuesse valiente de fuerça y coraçón, assí se preciava de lo ser en la palabra, porque tenía creído que el que muy esforçado avía de ser, en todo era necessario que lo fuesse, y si algo dello le faltasse, que le menoscabava en su valor mucho. Y por esto no tenía él por tacha ser sobervio, antes dello se preciava mucho; en lo cual si engaño recebía, quienquiera lo puede juzgar. Y respondió Amadís y díxole:

—Mi buen señor Amadís, vos sois el cavallero del mundo que yo más ver desseava, no para bien vuestro ni mío, antes para me combatir con vos hasta la muerte; y si como agora con vos me avino os aviniera comigo, y aquello que de vos recebí recibiérades de mí, demás de me tener por el más honrado cavallero del mundo, cobrara por ello el amor de una señora que yo mucho amo y quiero, por mandamiento de la cual vos demandé hasta agora; y assí me avino que no sé cómo ante ella parescer pueda, assí que mi mal mucho más es lo que se no vee que lo que es claro y público a todos.

Amadís, que esto oyó, le dixo:

—Desso de vuestra amiga os deve mucho pesar. Assí mesmo lo haze a mí, que de todo lo que se ganara en me vencer no devéis tener mucho cuidado, que según los vuestros hechos son tan grandes y famosos por todo el mundo y tan señalados en armas, no ganaredes mucho en sobrar a un cavallero de tan poca nombradía como lo yo soy.

Entonces el rey Cildadán dixo al rey Lisuarte riendo:

—Mi señor, bien será que echéis el bastón entre estos dos cavalleros.

Y fuese en plazer para ellos y metiólos en otras burlas. Assí estovieron estos reyes y cavalleros en el monesterio muy viciosos de todo lo que avían menester, que como el rey Lisuarte estoviesse en su tierra, hizo allí traer muchas viandas tan abastadamente, que a todos dava gran contentamiento. El rey Perión le rogó muchas vezes que le dexasse con la gente ir a la Insola Firme, y que luego haría allí venir los dos cavalleros como estava acordado entr'ellos, mas el rey Lisuarte nunca lo quiso hazer; y díxole que, pues Dios le avía allí traído, que en ninguna manera por su voluntad le dexaría ir hasta que todo fuesse despachado, assí que el rey Perión uvo empacho de más gelo rogar. Y assí aguardó a ver en qué pararía aquella tan buena voluntad que el rey Lisuarte mostrava.

Arquisil habló con Amadís, diziendo que qué le mandava hazer en su prisión, que presto estava de complir la promessa que le tenía hecha. Amadís le dixo que él hablaría con él, assí en aquello como en otras cosas que avía pensado, y que a la mañana en oyendo missa hiziesse traer su cavallo, que en el campo le quería hablar; lo cual assí se hizo, que luego otro día cavalgaron en sus cavallos y saliéronse passeando al rededor de la villa. Y cuando de todos fueron alongados, Amadís le dixo:

—Mi buen señor, todos estos días passados que aquí he estado os quisiera hablar, y con la ocupación que avéis visto no he podido. Agora que tenemos tiempo quiero deziros lo que tengo pensado de vos. Yo sé que, según la liña derecha de vuestra sangre, que muerto el emperador de Roma, como lo es, no queda en todo el imperio ningún derecho successor ni heredero sino vos; y también sé que de todos los del señorío sois muy amado. Y si de alguno no lo érades, no fue sino de aquel vuestro pariente emperador, que la embidia de vuestras buenas maneras le dava causa a que su mala condición vos desamasse. Y pues el negocio es venido en tal estado, gran razón sería que se tomasse cuidado de una cosa de tan gran hecho como ésta. Vos tenéis aquí los más y los mejores cavalleros del señorío de Roma, y yo tengo en la Insola Firme a Brondajel de Roca y al duque de Ancona, y al arçobispo de Talancia con otros muchos que en la mar fueron presos. Yo embiaré luego por ellos, y fablemos en ello; y antes que de aquí partan se tenga manera cómo vos juren por su emperador. Y si algunos vos lo contrallaren, yo vos ayudaré a todo vuestro derecho; assí que, buen amigo, pensad y trabajad en ello; conosced el tiempo que Dios vos da, y por vuestra culpa no se pierda.

Cuando Arquisil esto le oyó, ya podéis entender el plazer que dello avría, que no esperava sino que le quería mandar tener prisión en algún lugar donde por gran pieça de tiempo salir no pudiesse; y díxole:

—Mi buen señor, no sé por qué todos los del mundo no procuran por vuestro amor y conoscencia y no son en crecer vuestra honra y estado. Y de mí os digo que agora podiendo se hazer lo que dezís o no se haziendo, comoquiera que la ventura lo traya, nunca seré en tiempo que esta merced y gran honra que de vos recibo no lo pague hasta perder la vida; y si gracias podiessen bastar a tan gran beneficio, darlas ía. Pero ¿cuáles pueden ser? Por cierto, no otras sino mi persona misma, como lo he dicho, con todo lo que Dios y mi dicha me pudiere dar, y desde agora dexo en vuestras manos todo mi bien y honra. Y pues tan bien lo avéis dicho, dalde cabo, que más es vuestro que mío lo que se ganare.

—Pues yo lo tomo a mi cargo —dixo Amadís—, y con ayuda de Dios vos iréis de aquí emperador o yo no me ternía por cavallero.

Con esto se partieron de su habla, y Amadís le dixo:

—Antes que al monesterio bolvamos entremos a la villa, y mostrarvos he el hombre del mundo que peor me quiere.

Assí entraron en Lubaina y fuéronse a la posada de don Gandales, donde tenía presos al rey Arávigo y Arcaláus y los otros cavalleros que ya oístes. Y como en ella entraron, fuéronse luego a la cámara donde el rey Arávigo y Arcaláus solos estavan, y halláronlos vestidos y sentados en una cama, que desque fueron presos nunca se quisieron desnudar. Y Amadís conosció luego a Arcaláus, y díxole:

—¿Qué fazéis, Arcaláus?

Y él le dixo:

—¿Quién eres tú que lo preguntas?

—Yo soy Amadís de Gaula, aquel que tú tanto deseavas ver.

Entonces Arcaláus lo miró más que de antes, y díxole:

—Por cierto, verdad dizes, que ahunque la distancia del tiempo ha sido larga en que te no he visto, la memoria no pierde de conoscer ser tú aquel Amadís que yo tuve en mi poder en mi castillo de Valderín. Y aquella piedad que de tu tierna joventud y dessa gran fermosura entonces ove, aquélla después por luengos tiempos me ha puesto en muchas y grandes tribulaciones, hasta que en el cabo me ha traído en tal estrecho que me conviene demandarte misericordia.

Amadís le dixo:

—Si la yo oviesse de ti, ¿cessarías de hazer aquellos grandes males y cruezas que hasta aquí as hecho?

—No —dixo él—, que ya la edad, tan luengamente abituada en ello, por su voluntad no se podría retraer de lo que tanto tiempo por vicio he tenido; mas la necessidad, que es muy duro y fuerte freno para hazer mudar toda mala costumbre de buena en mala y de mala en buena según sobre la persona y causa que viene, me faría hazer en la vejez aquello que la joventud y libertad no quisieron ni podieron.

—Pues, ¿qué necessidad te podría yo poner —dixo Amadís—, si libre y suelto te dexasse?

—Aquella —dixo Arcaláus— que por la sostener y acrescentar ha hecho mucho mal a mi conciencia y fama, que es mis castillos, los cuales te mandaré dar a entregar con toda mi tierra, y no tomaré dello más de lo que por virtud darme quisieres, porque al presente no me puedo en otra cosa poner. Y podrá ser que esta gran premia y la bondad tuya grande harán en mí aquella mudança que fasta aquí la razón no ha podido hazer en ninguna suerte.

Amadís le dixo:

—Arcaláus, si alguna esperança tengo que tu fuerte condición será emendada, no es otra salvo en conoscimiento que tienes en te tener por malo y pecador. Por ende, esfuérçate y toma consuelo, que podrá ser que esta prisión del cuerpo en que agora estás y tanto temes será llave para soltar tu ánima, que tan encadenada y presa tanto tiempo has tenido.

Y Amadís, queriéndose ir, le dixo Arcaláus:

—Amadís, mira este rey sin ventura, que poco ha que estava muy cercano de ser uno de los mayores príncipes del mundo, y en un momento la misma fortuna que para ello le fue favorable, aquélla le ha derribado y puesto en tan cruel cativerio. Séate enxemplo a ti y a todos los que honra y grande estado tienen o dessean; y quiérote traer a la memoria que en los fuertes ánimos y coraçones consiste el vencer y perdonar.

Amadís no le quiso responder, pues que le tenía preso; que bien hazía contra él esta razón, que, ahunque por armas y sus encantamientos avía vencido a muchos, nunca supo a ninguno perdonar. Pero por esso no dexó de conoscer que avía dicho hermosa razón.

Assí se salieron él y Arquisil de la cámara, y cavalgaron en sus cavallos y fuéronse al monesterio. Y luego Amadís mandó llamar a Ardián, el su enano, y mandóle que fuesse a la Insola Firme y dixesse a Oriana y aquellas señoras todo lo que avía visto. Y diole una carta para Isanjo, que luego le embiasse allí a buen recaudo a Brondajel de Roca, y al duque de Ancona, y al arçobispo de Talancia con todos los otros romanos que allí presos estavan, lo más presto que venir pudiessen. El enano uvo mucho plazer en llevar esta nueva, porque della esperava gran honra y mucho provecho. Y cavalgó luego en su rocín, y anduvo de día y de noche sin mucho parar, tanto que llegó a la Insola Firme, donde nada desto postrimero se sabía, que Oriana no avía avido otras nuevas sino de las dos batallas y de cómo Nasciano el santo hermitaño los tenía en tregua, y cómo era muerto el emperador de Roma, de lo cual no poco plazer uvo. Mas de las

cosas de allí adelante no supo cosa alguna; antes, siempre
estava con mucha angustia pensando que aquel hombre
bueno Nasciano no bastaría a poner paz en tan gran rotura.
Y nunca hazía sino rezar y hazer muchas devociones y ro-
merías por las iglesias de la ínsola, y rogar a Dios por la paz
y concordia dellos. Y como el enano llegó, fuese luego derechamente a la huerta donde Oriana posava, y dixo a una
dueña que la puerta guardava que dixesse a Oriana cómo
estava allí y le traía nuevas. La dueña gelo dixo, y Oriana le
mandó entrar, mas, esperando qué diría, no tenía el coraçón
assossegado; antes, con gran sobresalto, porque no las podía
oír sino a provecho de la una parte, y daño de la otra, y
como de un cabo toviesse a su amigo Amadís y del otro al
rey su padre, ahunque el daño de Amadís temiesse tanto que
ser más no podía, de cualquiera que a su padre viniesse havría
mucho dolor. Y como el enano entró, dixo contra Oriana:

—Señora, albricias os demando no como quien yo soy,
mas como quien vos sois y las grandes nuevas que os trayo.

Oriana le dixo:

—Ardián, mi amigo, según tu semblante bien va a la parte
de tu señor; mas dime si mi padre es bivo.

El enano dixo:

—¿Cómo, señora, si es bivo? Es bivo y sano, y más alegre que lo nunca fue.

—¡Ay, Santa María! —dixo Oriana—, dime lo que sabes;
que si Dios me da algún bien, yo te haré bien aventurado
en este mundo.

Entonces el enano le contó todo el hecho como avía passado, y cómo el rey su padre estando en punto de perder la
vida vencido y encerrado de sus enemigos sin ningún remedio, que el donzel muy hermoso Esplandián lo hizo saber a
Amadís, y cómo luego partió con la gente, y todas las cosas
que le acaescieron en el camino, a lo cual él avía sido presente; y cómo llegó Amadís a la villa, y de la manera que el
rey su padre estava; y cómo en su llegada todos sus enemigos fueron destruidos, muertos y presos, y preso el rey Arávigo y Arcaláus el Encantador, y Barsinán, señor de Sansueña, y el duque de Bristoya; y después cómo el rey su padre
salió tras Amadís, que sin le ver se tornava; y cómo llegó el
rey Perión. Finalmente le contó todo lo passado, y de cómo
estavan en aquel monesterio con mucho plazer todos juntos
como aquel que lo avía visto. Oriana, que de lo oír estava

como fuera de sentido del gran plazer que avía, fincó los inojos en tierra, y alçó las manos y dixo:

—¡O Señor poderoso, reparador de todas las cosas, el tu
sancto nombre sea bendito! Y como tú, Señor, seas el justo
juez y sabes la gran sinrazón que a mí se me haze, siempre
tuve esperança en la tu misericordia, que con mucha honra
mía y de los que de mi parte fuessen se avía de atajar este
negocio. Y bendito sea aquel muy hermoso donzel que de
tanto bien fue causa, y que assí quiso hazer verdadera la profecía de Urganda la Desconoscida que dél escrivió, por donde
se puede y deve creer todo lo ál que se dixo. Y yo soy muy
obligada de lo querer y amar más que ninguno pensar puede,
y de le galardonar la buenaventura que por él me viene.

Todas pensavan que por aver sido causa de aquel socorro que a su padre el rey hizo lo dezía, pero lo secreto salía
de las entrañas como de madre a hijo. Entonces se levantó
y dixo al enano si se bolvería luego. El dixo que sí, que Amadís le avía mandado que, después que aquellas nuevas dixesse a ella y aquellas señoras que allí estavan, diesse una
carta a Isanjo que le traía, en que le mandava que luego le
embiasse los romanos que allí tenía presos.

—Pues Ardián, mi amigo —dixo Oriana—, dime qué gozes
que se dize allá que querrán fazer.

—Señora —dixo él—, yo no lo sé cierto, sino que el rey
vuestro padre detiene al rey Perión y a mi señor, y a todos
los señores y cavalleros que de aquí fueron, y dize que no
quiere que d'allí se vayan hasta que todo sea despachado con
mucha paz que entr'ellos quede.

—Assí plega a Dios que sea —dixo Oriana.

Entonces le preguntaron la reina Briolanja y Melicia, que
estavan juntas, que les dixesse d'aquel muy fermoso donzel
Esplandián qué tal era y en qué avía tenido el rey Lisuarte
aquel gran servicio que le hizo; y él les dixo:

—Buenas señoras, estando yo con Amadís en la cámara
del rey, vi llegar a Esplandián a le besar las manos por las
mercedes que le prometía; y vi cómo el rey le tomó con sus
manos por la cabeça y le besó los ojos. Y de su fermosura
os digo que, ahunque él es hombre y vosotras presumís de
muy hermosas, si delante dél os falláredes, asconderos íades
y no osaríades parescer.

—Por esso está bien —dixeron ellas— que estamos aquí encerradas donde no nos verá.

—No curéis desso —dixo él— que él es tal que, ahunque más encerradas estéis vosotras y todas las que hermosas son saldréis a lo buscar.

Mucho rieron todas con las buenas nuevas que oían y con lo que el enano respondió. Oriana miró a la reina Sardamira y díxole:

—Reina señora, alegradvos, que aquel Señor que ha dado remedio a las que aquí estamos no querrá que vos quedéis olvidada.

La reina dixo:

—Mi señora, tal esperança tengo yo en El y en vos que miraréis por mi reparo, ahunque no os lo merezca.

Entonces preguntó al enano qué tales avían quedado aquellos desdichados y sin ventura romanos que con el rey Lisuarte estavan.

El dixo:

—Señora, assí dellos como de los otros faltan muchos, y los que son bivos están mal llagados. Mas después de la muerte del emperador y Floyán y Constancio no falta ningún hombre de cuenta dellos, que yo vi bueno Arquisil y fablar mucho con mi señor Amadís; y Flamíneo, vuestro hermano, queda ferido pero no mal, según se dezía.

La reina dixo:

—A Dios plega que pues en los muertos no ay remedio, que lo aya en los bivos y le dé gracias que, no curando de las cosas passadas, queden amigos y con mucho amor en lo presente y porvenir.

El enano dixo a Oriana si mandava algo, que quería ir a recaudar el mandado de su señor. Ella dixo que, pues no traxera carta, que le encomendasse mucho al rey Perión y Agrajes, y a todos aquellos cavalleros.

Con esto se fue a Isanjo y le dio la carta de Amadís; y cómo vio lo que por ella mandava, sacó luego de una torre aquellos señores de Roma por quien embiava y dioles bestias, y un hijo suyo y otras personas que los levassen y guiassen, les hiziessen dar viandas y todas las cosas que oviessen menester. Y soltó todos los otros que estavan presos, que serían hasta dozientos hombres, y embiólos a Amadís.

Así anduvieron por su camino hasta que llegaron al monesterio donde el rey Lisuarte estava; y besáronle las manos, y el rey los recibió con mucho plazer, ahunque otra cosa en lo secreto sintiesse, por no les dar más congoxa que en sí tenían. Mas cuando vieron Arquisil, no pudieron escusar que las lágrimas no les vinieron a los ojos, así a ellos como a él. Amadís les fabló con mucha cortesía, y los allegó mucho y levó a su aposentamiento, donde dél recibieron mucha honra y consolación. Pues allí llegados, después que del camino algo descansaron, Amadís se apartó con ellos sin Arquisil, y díxoles:

—Buenos señores, yo vos hize aquí venir porque me paresció que, según las cosas van a buen fin, que es cosa muy razonable que estoviéssedes presentes a todo lo que se hará, que de hombres tan honrados con mucha razón se deve hazer cuenta, y también por vos hazer saber cómo yo tengo palabra de Arquisil, como creo que avréis oído, que terná prisión donde por mí le fuere señalado. Y conosciendo el gran linaje donde viene, y la nobleza suya que le acarrea a merescer muy gran merescimiento, acordé vos hablar, pues que en el imperio de Roma no vos queda quien tanto con derecho como este cavallero lo deva aver, que se tenga manera cómo, así por vosotros como por todos los que aquí se fallen, sea jurado y tomado por señor. Y en esto haréis dos cosas: la primera, complir con qué obligados sois en dar el señorío a cuyo es de derecho, y cavallero tan complido en todas bondades, y que muchas mercedes vos hará; y la otra, que en cuanto a la prisión suya y vuestra, yo avré por bien de os dexar libres que sin entrevalo alguno vos podáis ir a vuestras tierras; y siempre vos seré buen amigo mientra vos pluguiere, que yo precio mucho a Arquisil y le tengo gran amor tanto como a hermano verdadero, y assí gelo guardaré, si por él no se pierde, en esto que vos he fablado y en todo lo ál que le tocare.

Oído esto por aquellos señores romanos, rogaron a Brondajel de Roca, que era muy principal y muy razonado entre ellos, que le respondiesse, el cual le dixo:

—En mucho tenemos, señor Amadís, vuestra graciosa habla, y mucho vos dever ser gradescida; pero, como este hecho sea tan crescido y para ello es menester el consentimiento de muchas voluntades, no podríamos assí al presente responder, hasta que con los cavalleros que aquí son se platique; porque, ahunque de muchos de los que aquí vienen no se faze cuenta, muy principales son para esto, señor, que nos dezís, porque en nuestra tierra tienen muchas fortalezas y cibdades y villas del imperio, y otros oficios de communidades que tocan mucho a la eleción del imperio. Y por esto, si vos pluguiere, nos daréis lugar que veamos a Flamíneo, que es un cavallero muy honrado, que nos han dicho que está ferido; y en su presencia serán por nosotros todos llamados, y se vos podrá dar deliberadamente la respuesta.

Amadís lo tovo por bien, y les dixo que respondían como cavalleros cuerdos y lo que devían, y que les rogava, porque creía que su partida de allí sería breve, no oviesse dilación. Ellos le dixeron que así se haría, que la tardança sería para ellos más grave.

Pues luego cavalgaron todos tres, y se entraron en la villa, que ya de los muertos estava desembargada, que el rey Lisuarte mandó venir de las comarcas muchas gentes que los enterraron. Y como llegaron a la posada do Flamíneo estava, descavalgaron y entraron en su cámara. Y como se vieron fueron muy ledos en sus voluntades, ahunque los continentes muy tristes por la gran desventura que les avía venido, y luego le dixeron cómo era menester que hiziesse llamar todos los alcaides y personas señaladas que avían quedado bivos de los que allí estavan, porque era necessario que supiessen una habla que Amadís les avía hecho en que estava su deliberación, o prisión para siempre. Flamíneo los mandó llamar; y venidos los que venir pudieron, estando juntos, Brondajel de Roca les dixo:

—Honrado cavallero Flamíneo y vosotros buenos amigos, ya sabéis las malas dichas y grandes fortunas que sobre todos los de Roma son venidas después que por mandado del nuestro emperador, que Dios perdone, venimos en esta isla de la Gran Bretaña; y porque tan notorias son a vosotros será escusado repetirlas agora. Nosotros estando presos en la Insola Firme, Amadís de Gaula tuvo por bien de nos fazer venir aquí donde nos veis; el cual con mucho amor y buena voluntad nos ha traído y hecho muchas honras, y nos ha fablado largamente diziendo que pues nuestro imperio romano está sin señor, y de derecho, más que a otro alguno, le viene la sucesión dél a Arquisil, que él será agradable en que por vosotros y nosotros sea por señor y emperador tomado, y que no solamente nos dará por libres de la prisión que sobre nosotros tiene, mas que nos será fiel amigo y ayudador en todo lo que menester le oviéremos. Y paresciónos, según el afición a esto que vos dezimos mostró, que tiene por dicho que si con voluntad de nosotros se hiziesse, que

nos dará las gracias que oístes; y si no, de se poner con sus
fuerças para que por otra vía se haga. Así que, buen señor,
y vos, buenos amigos, esto es lo que para que aquí fuistes llamados. Y porque vuestras voluntades se determinen sabiendo
las nuestras, es mucha razón que se vos declaren; lo cual es
que hemos platicado entre nos mucho sobre esto, y hallamos que lo que este cavallero Amadís nos pide y ruega es lo
que nos havíamos con mucha afición de rogar y pedir a él;
porque, como sabéis, aquel tan gran señorío de Roma no
puede estar sin señor. Pues, ¿quién más por derecho, por es-
forço, por virtudes, que este Arquisil lo meresce? Por cierto, a mi ver, ninguno. Este es nuestro natural, criado entre
nosotros. Sabemus sus buenas costumbres y maneras; a éste
sin empacho podemos pedir por fuero lo que, seyendo derecho, otro por ventura que estraño fuesse nos lo negaría.
Demás desto, ganamos en amistad a este famoso cavallero
Amadís, que assí como seyendo enemigo tanto poder tuvo
de nos dañar, seyendo amigo con aquel mismo mucha honra
y bien nos puede hazer, y emendar todo lo passado. Agora
dezid lo que vos plaze, y no miréis en nuestra prisión ni fatiga, sino solamente a lo que la razón y justicia os guiare.

Como las cosas justas y honestas tengan tanta fuerça que
ahún los malos sin gran empacho negar no las puedan, assí
estos cavalleros, como personas discretas y de buen conoscimiento, veyendo ser mucho justo y a lo que eran obligados
lo que aquel cavallero Brondajel de Roca dixo, no le pudieron contradezir, ahunque, como siempre acaesce en las muchas voluntades aver diversas discordias, tantos uvo allí que
a la razón miraron y la siguieron que los que otra cosa quisieran, no uvo lugar su desseo, y todos juntamente dixeron
que assí como Amadís lo demandava se hiziesse, y con su
emperador se tornassen a sus casas sin se más detener en
aquellas tierras donde mal andantes avían sido, y que a ellos
como a muy principales dexavan a cargo de lo que Arquisil
avía de jurar y prometer. Y con este assiento se tornaron a
Amadís al monesterio, y dixéronle todo lo que estava concertado, de que uvo gran plazer. Pues finalmente juntos todos
los cavalleros y grandes señores de los romanos, y las otras
gentes más baxas del imperio, dentro en la iglesia juraron a
Arquisil por su emperador y le prometieron vasallaje; y él
les juró todos sus fueros y costumbres, y les hizo y dio todas
las mercedes que con razón le pidieron.

Así que por esto podemos dezir que algunas vezes vale más ser sojuzgados y apremiados de los buenos fuera de nuestra libertad que con ella servir y obedescer a los malos, porque de lo bueno bueno se espera en la fin sin duda en ello poner, y de lo malo, ahunque algún tiempo tenga flores, al cabo han de ser secas con las raízes; donde procede que este Arquisil fue criado con hombre de su sangre que fue el emperador Patín, al cual muchos señalados servicios hizo en honra de su corona imperial; y en lugar de aver conoscimiento dello le traxo desviado, casi desterrado y maltratado de donde él estava, temiendo que la virtud y buenas mañas deste cavallero, por donde avía de ser querido y amado y hechas muchas mercedes, le avían de quitar el señorío; y seyendo preso de su enemigo donde no esperava gracia ni honra ninguna, antes todo al contrario, déste, por ser tan diverso y acabado en la virtud que al otro fallescía, le vino aquella tan gran honra, tan gran estado, como ser emperador de Roma; en lo cual deven tomar todos enxemplo y llegarse a los virtuosos y cuerdos, porque de lo bueno su parte les alcance, y apartarse de los malos escandalosos, embidiosos de poca virtud y de muchos vicios, porque assí como ellos dañados no sean.

CAPÍTULO CXVIII

DE CÓMO EL REY LISUARTE HIZO JUNTAR LOS REYES Y GRANDES SEÑORES Y OTROS MUCHOS CAVALLEROS EN EL MONESTERIO DE LUBAINA, QUE ALLÍ CON ÉL ESTAVAN, Y LES DIXO LOS GRANDES SERVICIOS Y HONRAS QUE DE AMADÍS DE GAULA AVÍA RECEBIDO, Y EL GALARDÓN QUE POR ELLOS LE DIO

Así como avéis oído, fue tomado por emperador de Roma este virtuoso, esforçado cavallero Arquisil a causa de su buen amigo Amadís de Gaula. Agora cuenta la istoria que todos estos reyes, príncipes y cavalleros estuvieron muy viciosos a su plazer en aquel monesterio y en la villa de Lubaina hasta que el rey Lisuarte fue en mejor disposición de salud y se levantó de la cama, y otros muchos de sus nobles cavalleros que heridos avían estado, curando dél y dellos aquel maestro grande Elisabad. Y como assí el rey Lisuarte se viesse, hizo un día llamar a los reyes y grandes señores de ambas partes, y junto con ellos en la iglesia de aquel monesterio, les dixo:

—Honrados reyes y famosos cavalleros, muy escusado me paresce traeros a la memoria las cosas passadas, pues que así como yo las avéis visto; en las cuales, si atajo no se diesse, los bivos que somos de los muertos iguales nos haríamos. Pues dexándolas aparte, conosciendo el gran daño que assí al servicio de Dios como a nuestras personas y estados ocurrería en ellas procediendo, he detenido al noble rey Perión de Gaula y a todos los príncipes y cavalleros de su parte para que en presencia suya y vuestra se diga lo que oiréis.

Entonces bolviéndose a Amadís, le dixo:

—Esforçado cavallero Amadís de Gaula, según la fin y propósito de mi habla, fuera de mi condición, que es no loar a ninguno en presencia, y de vuestro querer, que siempre dello empacho rescibe, me será forçado delante destos reyes y cavalleros reduzir a sus memorias las cosas passadas entre vos y mí desde el día que en mi corte quedastes por cavallero de la reina Brisena mi muger. Y ahunque a todos ellos sean notorias, veyendo que así como ellas passaron por mí son conocidas, ternían a bien y a honesta causa el galardón que a su merescimiento por mí se quiere dar. Cierto, estando vos en mi casa después que vencistes a Dardán el Sobervio, y aviéndome traído para mi servicio a vuestro hermano don Galaor, que fue el mayor don que nunca a rey se hizo, yo fue enartado, y mi hija Oriana, por este malo Arcaláus el Encantador, y assí ella como yo presos sin que de todos mis cavalleros pudiesse ser defendido ni socorrido, costreñidos a guardar mi palabra que gelo defendió, donde teníamos ella y yo en peligro de muerte y de cruel prisión las personas, y mis reinos en aventura de ser perdidos. Pues a este tiempo veniendo vos y don Galaor de donde la reina vos avía embiado, sabiendo en el estado que mi hazienda estava, poniendo entrambas vuestras vidas en el punto de la muerte por remediar las nuestras, fuimos remediados y socorridos, y mis enemigos los que presos nos llevavan muertos y destroçados. Y luego por vos fue socorrida la reina mi muger, y muerto Barsinán, padre deste señor de Sansueña, que la tenía cercada en mi cibdad de Londres, de manera que así como con mucho engaño y gran peligro fue preso, así con mucha honra y seguridad mía y de mis reinos por vos fue restituido. Esto passado, dende algún espacio de tiempo fue aplazada batalla entre mí y el rey Cildadán, que presente está, de ciento por ciento cavalleros; y antes que a ella viniéssemos, vos me quitastes de mi estorvo a este cavallero don Cuadragante, y a Famongomadán y Basagante su hijo, los dos más bravos y fuertes jayanes que en todas las ínsolas del mar avía. Y les tomastes a mi hija Leonoreta con sus dueñas y donzellas y diez cavalleros de los buenos de mi mesnada, que los levavan presos en carretas donde con todo mi poder nunca la pudiera cobrar, pues según la gente que el rey Cildadán a la batalla traxo, assí de fuertes jayanes como de otros muy valientes cavalleros, si por vos no fuera, que de un golpe matastes al fuerte Sardamán el León, y de otro me librastes de las manos de Madanfabul, el jayán de la Torre Bermeja, que desapoderado de todas mis fuerças sacándome de la silla debaxo el braço me levava a meter en sus barcas, y por otras muchas cosas famosas que en la batalla fezistes, conoscido es que no oviera yo la vitoria y gran honra que allí uve. Pues junto con esto vencistes aquel muy valiente y famoso en todo el mundo Ardán Canileo el Dudado, por donde mi corte fue muy honrada en se hallar en ella lo que en ninguna de las qu'él anduvo pudo hallar, que en ellas ni en todas las partes que él fue, uno, ni dos, ni tres, ni cuatro cavalleros le pudieron ni osaron tener campo. Pues si queremos dezir que a todo esto érades obligado, pues que vos halládevedes en mi servicio y que la gran necessidad y la obligación que sobre vuestra honra teníades vos constreñía a lo hazer, dígase lo que por mí havéis hecho después que, más a mi cargo por haver dado lugar a malos consejeros que al vuestro, de mi casa más como contrario y enemigo que como amigo ni servidor vos partistes; que, sabido por vos, en el tiempo que más enemigos estávamos, la gran batalla que con este rey Arávigo y otros seis reyes y otras muchas estrañas gentes y naciones yo huve, que venían de propósito y esperança de sojuzgar mis reinos, tovistes manera con el rey vuestro padre y con don Florestán vuestro hermano cómo a ella viniéssedes en mi ayuda; donde con más razón y justa causa, según el rigor y saña nuestra, me deviérades ser contrarios; y cuasi por la bondad de vos todos tres, aunque de mi parte hovo muy buenos y muy preciados cavalleros, yo alcançé tan gran vencimiento, que destruyendo todos mis enemigos asseguré mi persona y real estado con mucha más honra y grandeza que la que de antes tenía. Agora viniendo al cabo, yo sé que a vuestra causa en la segunda batalla que ovimos fue quitada y reparada la gran afrenta en que yo y todos los de mi parte estávamos, como ellos saben, que entiendo que cada uno sintió en sí lo que yo, pues en este socorro postrimero bien será escusado traerlo a la memoria, que aún la sangre de nuestras llagas corre y las ánimas no han tenido lugar de tornar a sus moradas, según ya de nosotros eran alexadas y despedidas. Agora, buenos señores, me dezid, ¿qué galardón se puede dar que a la igualeza de tan grandes servicios y cargos satisfazer pueda? Por cierto, ninguno salvo que honrada y acatada está mi persona mientra que sus días duraren, que estos mis reinos y señoríos que juntos con ella tantas vezes por la mano y bondad deste cavallero han sido socorridos y amparados, los haya en casamiento con Oriana mi hija; y que assí como por voluntad ellos dos son juntos en matrimonio sin lo yo saber, assí sabiéndolo, queriéndolo, queden por mis hijos sucessores herederos de mis reinos.

Amadís, cuando oyó el consentimiento que el rey tan público dava para que a su señora oviesse, que en comparación della todas las otras cosas por él contadas y dichas no tenía tanto como en nada, fue al rey y hincó los inojos, y aunque no quiso, le besó las manos, y le dixo:

—Señor, si a la vuestra merced pluguiera, todo esto que en loor mío se ha dicho se pudiera escusar, porque, según las mercedes y honras que yo y mi linaje de vos recebimos, a mucho mayores servicios éramos obligados. Y por esto, señor, no vos quiero dar gracias ningunas; pero por lo postrimero, no digo de la herencia de vuestros grandes señoríos, mas darme por su voluntad a la infanta Oriana, os serviré todos los días que biva con la mayor obediencia y acatamiento que nunca hijo a padre ni servidor a señor lo hizo.

El rey Lisuarte lo abraçó con muy grande amor y le dixo:

—Pues en mí hallaréis aquel amor tan entrañable como con vos lo tiene este rey que vos engendró.

Todos fueron mucho maravillados cómo el rey en su habla atajó aquellos grandes huegos de enemistades que tan gran tiempo havían durado, sin quedar cosa alguna en que fuesse necessario de entender. Y si dello les plugo, escusado será dezirlo; porque, aunque al comienço los unos y otros con gran sobervia se demandassen según las muertes de los suyos avían visto y las suyas tan cercanas, mucho estavan ledos de aver paz. Y preguntávanse unos a otros si sabían por qué el rey dixiera que Amadís y Oriana estavan juntos en matrimonio, porque después que la tomaron en la mar y la levaron a la Insola Firme nunca en ellos tal cosa sintieron, pues de antes mucho menos. Mas el rey, que lo sintió, rogó al santo hombre Nasciano que assí como a él gelo havía dicho, gelo dixesse a aquellos señores porque supiessen el poco cargo que Amadís tenía en la aver tomado en la mar, y también cómo él estava sin culpa no lo sabiendo en la dar al emperador; y cómo si su hija sin su licencia y sabiduría lo fizo, la gran causa y razón que a ello la obligó. Entonces el hombre bueno gelo contó todo como ya avéis oído que al rey Lisuarte lo dixera en el real en su tienda.

Cuando el donzel Esplandián, que el hombre bueno por la mano cabe sí tenía, oyó cómo aquellos dos reyes eran sus abuelos y Amadís su padre, si dello le plugo no es de preguntar. Y luego el hermitaño se hincó con él de inojos ante ambos reyes y ante su padre, y le hizo que les besasse las manos y ellos que le diessen su bendición. Amadís dixo al rey Lisuarte:

—Señor, assí como de aquí adelante me plaze y conviene que os sirva, assí será forçado de vos demandar mercedes. Y la primera sea, que pues el emperador de Roma no tiene mujer y es en disposición de la haver, qe os plega darle a la infanta Leonoreta vuestra hija; y a él ruego yo que la reciba porque sus bodas y mías sean juntas y juntos quedemos por vuestros hijos.

El rey lo tuvo por bien de lo tomar en su deudo, y luego le otorgó a Leonoreta por muger. Y el emperador la recibió con mucho contentamiento.

El rey Lisuarte preguntó al rey Perión si havía sabido algunas nuevas de don Galaor su fijo. El le dixo que después de su venida viniera Gandalín, que lo dexara algo mejor, y que estava con mucho cuidado de su mal y con gran temor de algún peligro.

—Yo vos digo —dixo el rey— que ahunque él es vuestro hijo, que lo no tengo yo menos; y si no fuera por las diferencias que a tal sazón vinieron, yo por mi persona le oviera visitado. Y mucho os ruego que embiéis por él, si stuviere en disposición de venir, porque yo me partiré luego a Vindilisora, donde la reina mandé venir, y quiero por honra de Amadís con ella y con Leonoreta mi hija bolverme luego a vosotros a la Insola Firme, donde se farán las bodas suyas y del emperador, y veremos las cosas estrañas que allí Apolidón dexó. Y si a don Galaor ende hallo, mucho plazer me dará su vista, que gran tiempo le he desseado.

El rey Perión le dixo que assí se haría luego como lo quería. Amadís besó las manos al rey Lisuarte por la merced y honra que le dava. Y Agrajes le pidió mucho ahincado que embiasse por don Galvanes su tío, y por Madasima, y los traxiesse consigo. El rey Lisuarte dixo que le plazía dello y que assí se haría sin falta, y que luego de mañana se quería partir por se tornar presto, que ya era tiempo que aquellos cavalleros y sus gentes se bolviessen a sus tierras a descansar, que bien menester les fazía según los trabajos por ellos havían passado; y que todos hiziessen levar sus navíos al puerto de la Insola Firme porque de allí embarcassen todos para sus caminos.

El emperador rogó mucho al rey Lisuarte que mandasse venir su flota a la Insola Firme, y que pues él y la reina avían de bolver allí, que le diesse licencia, que se quería ir con Amadís, que le avía de hablar mucho en su hazienda; y el rey assí gelo otorgó.

CAPÍTULO CXIX

Cómo el rey Lisuarte llegó a la villa de Vindilisora, donde la reina Brisena, su muger, estava, y cómo con ella y con su hija acordó de se bolver a la Insola Firme

Consigo tomó el rey Lisuarte al rey Cildadán y a Gasquilán, rey de Suesa, y toda su gente, y bolvióse a la su villa de Vindilisora, donde havía embiado a mandar a la reina Brisena, su muger, que le esperasse. Pues no se cuenta más de cosa que le acaeçiesse, sino que a los cinco días llegó a la villa, mostrando mejor semblante que alegría levava en el coraçón, que bien conoscía que, aunque Amadís quedava por su hijo y muy honrada su hija con él, y que assí dél como del emperador de Roma y del rey Perión y de todos los otros grandes señores quedava por mayor, y ellos todos a su ordenança, no estava en su voluntad satisfecho, porque toda esta honra y ganancia le vino sobre ser vencido y estrechado como se vos ha contado, y que Amadís, contra quien él iva como contra enemigo mortal, se levava toda la gloria. Y tan gran tristura se le havía assentado en el coraçón que en ninguna manera se podía alegrar. Mas como ya en edad creçida fuesse, y stoviesse muy cansado y enojado de ver tantas muertes y grandes males, y todo entre christianos, y que las causas por donde venían eran mundanales, pereçederas, y que a él como príncipe muy poderoso era dado de las quitar a su poder ahunque algo de su honra se menoscabasse, lo cual havía siempre seguido todo al contrario, teniendo en tanto la honra del mundo que de todo punto le havía fecho olvidar el reparo de su ánima, y que con justa causa Dios le havía dado tan grandes açotes, especial el postrimero que ya oístes, consolávase y desimulava como hombre de gran discreción, porque ninguno sintiesse que su pensamiento estava en ál sino en se tener por señor y mayor de todos, y que con mucha honra lo havía ganado.

Pues con esta alegría fingida y con gesto muy pagado llegó donde la reina estava con sus dueñas y donzellas muy ricamente vestidas, levando por la mano al donzel Esplandián, que las cosas passadas, assí de peligro como de plazer, ya ella las sabía por Brandoivas, que de parte del rey del monesterio delante avía venido a le dar plazer. Como el rey entró en la sala, la reina vino a él y fincó los inojos y quísole besar las manos, mas él las tiró a sí, y levantándola con mucho amor la abraçó como aquella a quien de todo coraçón amava. Y en tanto que las dueñas y donzellas llegaron a besar las manos al rey, la reina tomó entre sus braços al donzel Esplandián, que de inojos delante della estava, y començóle de besar muchas vezes; y dixo:

—¡O mi hermoso hijo bienaventurado! Bendita sea aquella ora en que naciste, y la bendición de Dios hayas y la mía, que tanto bien por tu causa me ha venido. Y a El plega por la su santa piedad que me dé lugar que este servicio tan grande que al rey mi señor heziste en ser causa, después de Dios, de le dar la vida, ya lo puede satisfazer.

Estonces llegaron el rey Cildadán y Gasquilán, rey de Suesa, a hablar a la reina, y ella los recibió con mucha cortesía, como aquella que era una de las cuerdas y bien criadas dueñas del mundo, y después a todos los otros cavalleros que llegaron a le besar las manos. A esta sazón era ya tiempo de cenar, y quedaron con el rey aquellos dos reyes y otros muchos cavalleros, a quien dieron en la cena muchos y diversos manjares, como en mesa de tal hombre y que tantas vezes lo havía dado y por costumbre lo tenía.

Después que cenaron, el rey fizo quedar en su palacio aquellos reyes en muy ricos aposentamientos, y él se acogió a la cámara de la reina; y estando en su cama le dixo:

—Dueña, si por ventura os havéis maravillado de las nuevas que vos han dicho de Oriana vuestra hija y de Amadís de Gaula, también lo hago yo, que ciertamente bien creo que de vos y de mí estava aquel pensamiento alexado y sin ninguna sospecha dello. No me pesa sino porque ante no lo supimos, que escusarse pudieran tantas muertes y daños como de la causa de lo no saber han succedido. Agora que a nuestra noticia viene, y ningún remedio se pudiera buscar ni dar que con más desonra no fuesse, tomemos por remedio que Oriana quede con el marido que le plugo tomar, pues quitada la saña y passión d'en medio, y conosciendo lo verdadero y justo, no hay hoy en el mundo emperador ni príncipe que a él se pueda igualar; y no solamente igualar, mas que con su sobrada discreción y gran esfuerço, siéndole la fortuna más favorable que a ninguno de los nacidos, estando como un cavallero andante pobre tiene hoy a su mandar toda la flor de los grandes y pequeños que en el mundo biven; y Leonoreta será emperatriz de Roma, que assí lo dexo yo otorgado. Assí que es menester que, pues yo de mi propia voluntad por honra de Amadís di palabra que seríamos vos y yo y Leonoreta en la Insola Firme, donde nos aguardan para dar cabo en todo, os adrecéis según que conviene, y mostrando el rostro con tanta alegría, dexando de hablar en las cosas passadas, como en los tales autos se conviene y deve fazer.

La reina le besó las manos porque assí quiso forçar su saña y fuerte coraçón y venir en lo assentado; y sin más le replicar le dixo que como lo mandava se pornía en obra, y que pues tales dos fijos le quedavan, y todos los otros por causa dello a su servicio, que lo toviesse por bien y diesse muchas gracias a Dios porque assí lo quiso hazer, ahunque la forma dello no hoviesse sido conforme mucho a su voluntad.

Assí folgaron aquella noche. Y otro día se levantó el rey, y mandó al rey Arbán de Norgales, su mayordomo, que fiziesse aparejar muy prestamente todas las cosas necessarias para aquella ida. Y la reina assí lo hizo, porque su hija fuesse como convenía a emperatriz de tan alto señorío.

CAPÍTULO CXX

CÓMO EL REY PERIÓN Y SUS COMPAÑAS SE TORNARON A LA
INSOLA FIRME, Y DE LO QUE HIZIERON ANTES QUE EL REY
LISUARTE ALLÍ CON ELLOS FUESSE

AHORA dize la historia que el rey Perión y sus compañas,
después que el rey Lisuarte dellos se partió para Vindilisora, donde la reina Brisena su muger estava, cavalgaron
todos con sus batallas concertadas como allí havían venido,
y con mucho plazer y alegría de sus coraçones se fueron camino de la Insola Firme. El emperador de Roma siempre
posó con Amadís en su tienda, y entrambos dormían en una
cama, que nunca una hora eran partidos de en uno. Y toda
su gente y tiendas y atavíos eran en guarda de Brondajel de
Roca como su mayordomo mayor, assí como lo fuera del
emperador Patín, su antecessor. Las jornadas que andavan
eran muy pequeñas, y siempre hallavan sus posadas en lugares muy solazosos y aplazibles. Y cuanto hazían algún poco
de compaña al rey Perión en su tienda, luego se recogían
todos juntos a las tiendas de Amadís, y otras vezes a las del
emperador; y como todos los más fuessen mancebos y de
gran guisa y criança, nunca estavan sino jugando y burlando
en cosas de plazer, assí que llevavan la mejor vida que tovieran grandes tiempos havía.

Pues assí llegaron a la Insola Firme, donde hallaron a
Oriana, y a todas las grandes señoras que allí estavan, en la
huerta, tan hermosa y ricamente vestidas, que maravilla era
de las ver; que no creáis que parecían personas terrenales ni
mortales, sino que Dios las havía techo en el cielo y las havía
allí embiado. La grande alegría que los unos y otros ovieron
en se ver assí juntos y sanos con tanta honra y concierto de
paz no se vos podría en ninguna manera dezir. El rey Perión iva delante, y todas le fizieron muy grande acatamiento, y con mucha humildad le saludaron las que assí les convenía hazer, y las otras le besaron las manos. Amadís llevava por la mano al emperador, y llegóse a Oriana y díxole:

—Señora, hablad a este cavallero y gran príncipe que vos
nunca vio, y vos mucho ama.

Ella, como ya sabía que era emperador y havía de ser

marido de su hermana, llegó a él y quiso hincar los inojos y besarle las manos; mas él se abaxó con muy gran acatamiento y la levantó, y dixo:

—Señora, yo soy el que me devo humillar ante os y ante vuestro marido, porque él es señor de mi tierra y de mi persona; que podéis sin falta, señora, creer que de lo uno ni otro no se fará sino lo que su voluntad y vuestra fuere.

Oriana le dixo:

—Mi señor, esso consiento yo cuanto al buen gradeçimiento vuestro mas al acatamiento que a la virtud y grandeza vuestra se deve, yo soy la que con mucha obediencia vos devo tratar.

El le rendió muchas gracias por ello.

Agrajes y don Florestán, y don Cuadragante y don Brian de Monjaste, se fueron a la reina Sardamira y a Olinda y Grasinda, que estavan juntas; y don Bruneo de Bonamar a la su muy amada señora Melicia, y los otros cavalleros a las otras infantas y donzellas muy hermosas y de gran guisa que allí estavan; y con mucho plazer hablaron con ellas en lo que más sabor havían. Amadís tomó a Gastiles, sobrino del emperador de Costantinopla, y a Grasandor, fijo del rey de Bohemia, y llególos a la infanta Mabilia su cormana, y díxole:

—Mi buena señora, tomad estos dos príncipes y hazeldes honra.

Ella los tomó por las manos y sentóse entre ambos. A Grasandor plugo mucho desto, porque, como vos hemos contado, el día primero que la vio fue su coraçón otorgado de la amar. Y conoçiendo quién ella era, y su gran bondad y gentileza y el gran deudo y amor que la tenía Amadís, determinado estava de la demandar por muger, y desseava mucho verla hablar, tratarla en alguna contratación, y por esto huvo mucho plazer de se ver tan cerca della. Pero como esta infanta fuesse una donzella tan stremada en toda bondad y honestidad y gracia con gran parte de hermosura, tan pagado fue Grasandor della que muy mayor afición que de ante tenía le puso.

Assí como oídes, estavan todos aquellos señores gozando de aquello que más desseavan sino Amadís, que havía gran desseo de hablar a su señora Oriana, y no podía con el emperador. Y como vio a la reina Briolanja, que stava cabe don Bruneo y su hermana Melicia, fue para ella, y tráxola por la mano y dixo al emperador:

—Señor, fablad a esta señora y fazelde compaña.

El emperador bolvió el rostro, que ahún fasta allí nunca havía quitado los ojos de Oriana, que de ver su gran hermosura estava espantado; y como vio la reina tan loçana y tan fermosa, y a las otras señoras que con aquellos cavalleros estavan hablando, mucho se maravilló de ver personas tan estremadas de todas cuantas hoviesse visto; y dixo a Amadís:

—Mi buen señor, yo creo verdaderamente que estas señoras no son nacidas como las otras mujeres, sino que aquel gran sabidor Apolidón por su gran arte las hizo y las dexó aquí en esta ínsola, donde las fallastes, y no puedo pensar sino que ellas o yo estemos encantados; que puedo dezir, y es verdad, que si en todo el mundo tal compaña como ésta se buscasse, no sería possible poderse hallar.

Amadís le abraçó riendo, y díxole si avía en alguna corte, por grande que fuesse, visto otra tal compaña. El le dixo:

—Por cierto, yo ni otro alguno la pudo ver, si no fuesse en la del cielo.

Ellos assí estando como oís, llegó a ellos el rey Perión, que avía estado hablando gran pieça con la muy hermosa Grasinda, y tomó por la mano a la reina Briolanja, y dixo al emperador:

—Buen señor, estemos vos y yo, si a vos plazerá, con esta fermosa reina, y Amadís hable con Oriana, que bien creo que con ella gran plazer havrá.

Assí quedaron ambos con la reina Briolanja, y Amadís se fue con gran alegría a su señora Oriana, y con gran humildad se sentó con ella a una parte y díxole:

—¡O señora! ¿Con qué servicios puedo pagar la merced que me havéis hecho, en que por vuestra voluntad se han descubierto nuestros amores?

Oriana dixo:

—Señor, ya no es tiempo que por vos se me diga tanta cortesía, ni yo la reciba, que yo soy la que tengo de servir y seguir vuestra voluntad con aquella obediencia que mujer a su marido deve. Y de aquí adelante en esto quiero conoscer el gran amor que me tenéis en ser tratada de vos, mi señor, como la razón lo consiente y no en otra manera; y en esto no se hable más sino tanto quiero saber qué tal queda mi padre y cómo tomó esto nuestro.

Amadís dixo:

—Vuestro padre es muy cuerdo, y ahunque otra cosa en

lo secreto tuviesse, en lo que a todos pareçió muy contento queda, y assí se partió de nosotros. Ya, señora, sabéis cómo ha de venir aquí, y la reina y vuestra hermana.

—Ya lo sé —dixo ella—, y el plazer que mi coraçón siente no lo puedo dezir. A nuestro Señor plega que assí como está assentado se cumpla, sin que en ello haya alguna mudança; que podéis, mi señor, creer que después de vos no hay en el mundo persona que yo tanto ame como a él, ahunque su gran crueza deviera dar causa que con mucha razón toviera lo contrario. Agora me dezid de Esplandián qué tal queda, y qué os pareçe dél.

—Esplandián —dixo Amadís— en su pareçer y costumbres es vuestro fijo, que no se puede más dezir; y mucho quisiera el sancto hombre Nasciano traérosle; el cual será agora aquí, que no quiso venir con la gente; mas el rey vuestro padre le rogó que gelo dexase levar a la reina para que lo viese, y que'él gelo traería.

En esto y en otras cosas estuvieron hablando hasta que fue ora de cenar, que el rey Perión se levantó y tomó al emperador, y se fueron a Oriana y dixéronle:

—Señora, tiempo es que nos acojamos a nuestras posadas.

Ella les dixo que se hiziesse como más les contentasse. Assí se salieron todos, y ellas quedaron tan alegres y contentas que maravilla era.

Todos cenaron aquella noche en la posada del rey Perión, que Amadís mandó que allí lo aparejassen, donde fueron muy bien servidos y abastados de todo lo que a tal menester convenía donde tantos y tan grandes señores estavan. Después que cenaron vinieron trasechadores que hizieron muchos juegos, de que hovieron gran plazer hasta que fuera ya tiempo de dormir, que se fueron todos a sus posadas salvo Amadís, a quien el rey su padre mandó quedar porque le quería hablar algunas cosas.

Pues todos idos, el rey se acogió a su cámara y Amadís con él, y estando solos le dixo:

—Fijo Amadís, pues que a Dios nuestro Señor plugo que con tanta honra tuya estas afrentas y grandes batallas passassen, que ahunque en ellas muchos príncipes de gran valer y grandes cavalleros hayan puesto sus personas y estados, a ti por la bondad de Dios se refiere la mayor gloria y fama, assí como de lo contrario tu honra y gran fama aventurava el mayor peligro, como conoscido lo tienes. Ya otra cosa no queda sino con aquel cuidado y tan gran diligencia que al comienço desta tan creçida afrenta, costriñéndote tan gran necessidad, allegaste y animaste a ti todos estos honrados cavalleros, que agora estando fuera della lo tengas mayor para te les mostrar muy gradeçido, remitiendo a sus voluntades lo que fazer se deve, assí en estos presos que son tan grandes príncipes y señores de grandes tierras como, pues que tú ya tienes muger, que ellos las hayan juntamente contigo, porque parezca que como en los males y peligros te fueron ayudadores, que assí en los bienes y plazeres te sean compañeros. Y para esto yo remito a tu querer mi hija Melicia, que la des aquel en que bien empleada sea su virtud y gran fermosura; y lo semejante hazer puedes de Mabilia tu cormana; pues bien entiendo que la reina Briolanja no saldrá ni seguirá sino tu pareçer. También te acordarás de poner con éstas a tu amiga Grasinda, y ahún a la reina Sardamira, pues aquí está el emperador que la mandar puede. Si a ellas les agrada casar en esta tierra no faltará igualeza de cavalleros a sus estados y linaje; y acuérdate de tus hermanos, que son ya en disposición de aver mujeres en que puedan dexar generación que sostenga la vida y remembrança de sus memorias. Y esto se faga luego, porque las buenas obras que con pena y dilación se fazen muy gran parte pierden de su valor.

Amadís hincó los inojos ante él, y besóle las manos por lo que le dixo y que assí como lo mandava se faría. Con este acuerdo se fue Amadís a su posada. Y en la mañana se levantó y fizo juntar todos aquellos señores en la posada de su cormano Agrajes, y assí juntos les dixo:

—Mis buenos señores, las grandes fatigas passadas, y la honra y prez que con ellas havéis ganado, vos dan licencia para que con mucha causa y razón a vuestros atanados spíritus algún descanso y reposo deis. Y pues Dios ha querido que con vuestro deudo y amor las cosas que yo más en este mundo desseava alcançasse, assí quería que las que por vosotros se desean, si algo en mi mano es, os fuessen restituidas. Por ende, mis señores, no ayáis empacho que vuestra voluntad manifiesta me sea, assí en lo que a vuestros amores y desseos toca, si algunas destas señoras amáis y por mujeres las quisierdes, como en lo que fazer se deve destos presos que por la gran virtud y esfuerço de vuestros coraçones vencistes; porque cosa muy aguisada es, que como por causa suya muchas feridas con gran afrenta recebistes, que agora ellos padeçiendo gozéis y descanséis en aquellos grandes señoríos que ellos posseyeron.

Mucho gradeçieron todos aquellos señores lo que por Amadís se les profería, y muy contentos fueron dél. Y en lo que a sus casamientos tocava luego allí se señalaron, Agrajes el primero, que tomaría a Olinda su señora; y don Bruneo de Bonamar le dixo que bien creía que sabía él que toda su esperança y buena ventura tenía en Melicia su señora. Grasandor dixo que nunca su coraçón fuera otorgado a ninguna muger de cuantas viera sino a la infanta Mabilia, y que aquélla amava y la demandava por mujer. Don Cuadragante le dixo:

—Mi buen señor, el tiempo y la juventud hasta aquí me han sido muy contrarios a ningún reposo ni tener otro cuidado sino de mi cavallo y armas. Mas ya la razón y edad me conbidan a tomar otro estilo; y si Grasinda le pluguiere casar en estas partes, yo la tomaré por mujer.

Don Florestán le dixo:

—Señor, comoquiera que mi desseo fuesse, acabadas estas cosas en que hemos estado, de luego passar en Alemaña, donde de parte de mi madre natural soy, assí por la ver como a todo mi linaje que, según el gran tiempo que de allá salí, apenas los conoçería; si acá se puede ganar la voluntad de la reina Sardamira, podríase mudar mi propósito.

Los otros cavalleros le dixeron que le gradeçían mucho su voluntad, pero que, assí porque por estonces sus coraçones estavan libres de ser sujetos a ningunas de aquellas señoras ni a otras algunas, como por ser mançebos y no de mucha nombradía, que la edad no les havía dado más lugar para ganar más honra, de propósito stavan de no se entremeter en otras ganancias ni reposo sino en buscar las aventuras donde sus cuerpos exercitar pudiessen, y que, assí en lo de aquellas señoras que aquellos cavalleros demandavan como en lo que de los presos les dezía, ellos se desestían de todo ello, y él lo repartiesse por ellos, pues que ya vida de más reposo y costa les plazía tomar, y a ellos en las cosas de las armas y afrentas los pusiesse donde él pensasse que más fama y prez podrían ganar.

Amadís les dixo:

—Mis buenos señores, yo fío en Dios que esto que pedís será su servicio, y con su ayuda se hará. Y pues estos cavalleros mancebos en vos todo lo dexan, yo quiero luego repartirlo como mi juizio lo tiene determinado. Y digo que vos, señor don Cuadragante, que sois fijo de rey y hermano de rey, y vuestro estado no iguala con gran parte con vuestro linaje y gran merecimiento, que hayáis el señorío de Sansueña; que pues el señor en vuestro poder está, sin mucho trabajo lo podéis haver. Y vos mi buen señor don Bruneo de Buenamar, demás de vos otorgar desde agora a mi hermana Melicia, avréis el reino del rey Arávigo con ella; y el señorío que del marqués, vuestro padre, speráis lo traspasséis en Branfil vuestro hermano. Don Florestán mi hermano havrá a esta reina que pide, y más de lo que ella posee, que es la isla de Cerdeña: el emperador a mi ruego le dará todo el señorío de Calabria que fue de Salustanquidio. Vosotros, mis señores Agrajes y Grasandor, contentaos por el presente con los grandes reinos y señoríos que después de las vidas de vuestros padres esperáis; y yo con este rinconcillo desta Insola Firme hasta que nuestro Señor traya tiempo en que podamos haver más.

Todos otorgaron y loaron mucho lo que Amadís determinó, y mucho le rogaron que assí se hiziesse como lo señalava. Y porque, si se oviesse de contar las cosas que sobre estos casamientos passó con aquellas señoras y con el emperador en lo de la reina Sardamira, sería a la scriptura gran prolixidad, solamente sabréis que assí como aquellos cavalleros lo pidieron, assí Amadís lo complió todo, y el emperador lo que para don Florestán le pidió, y mucho más adelante, como la istoria lo contará. Y fueron luego desposados por mano de aquel santo hombre Nasciano, quedando las bodas para el día que Amadís y el emperador las fiziessen.

CAPÍTULO CXXI

COMO DON BRUNEO DE BONAMAR Y ANGRIOTE D'ESTRAVÁUS Y BRANFIL FUERON EN GAULA POR LA REINA ELISENA Y POR DON GALAOR, Y LA AVENTURA QUE LES AVINO A LA VENIDA QUE BOLVIERON

AMADÍS dixo al rey Perión su padre:
—Señor, bien será que embiéis por la reina mi señora y por don Galaor mi hermano, para el cual tengo yo guardado a la hermosa reina Briolanja, con que será siempre

bienaventurado, porque cuando el rey Lisuarte venga, como quedó acordado, se fallen aquí.

—Assí se faga —dixo el rey—, y yo serviré a la reina, y embía tú lo que quisieres.

Don Bruneo se levantó y dixo:

—Yo quiero este viaje si a la vuestra merced plazerá, y llevaré comigo a mi hermano Branfil.

—Pues esse camino no se fará sin mí —dixo Angriote d'Estraváus.

El rey Perión dixo:

—En vos, Angriote y Branfil, consiento, que don Bruneo no lo dize de verdad, que quien de cabe su amiga le quitare no sería su amigo, y porque yo siempre lo he sido y por lo no perder, no le daré la licencia.

Don Bruneo le respondió riendo:

—Señor, ahunque ésta es la mayor merced de cuantas de vos he recebido, todavía quiero servir a la reina mi señora, porque de allí viene el contentamiento a todo lo otro.

—Assí sea —dixo el rey—, y quiera Dios, mi buen amigo, que halléis a don Galaor, vuestro hermano, en disposición de poder venir.

Isanjo, que allí estava, dixo:

—Señor, bueno está ya, que yo lo supe de unos mercaderes que venían de Gaula y passavan a la Gran Bretaña, y por se asegurar vinieron por aquí, que ovieron miedo de la guerra que a la sazón havía; y yo les pregunté por don Galaor, y me dixeron que lo vieran levantado y andar por la cibdad, pero harto flaco.

Todos ovieron mucho plazer con aquellas nuevas, y el rey más que ninguno, que siempre su coraçón traía afligido y congoxado con el mal de aquel hijo, y tenía gran temor, según la dolencia era larga, de le perder.

Pues luego otro día estos tres cavalleros que oístes mandaron adreçar una nao de todo lo que ovieron menester para aquel camino, y hizieron en ella meter sus armas y cavallos, y con sus escuderos y marineros que los guiassen se metieron a la mar. Y como el tiempo fazía bueno, en poco spacio passaron en Gaula, donde fueron de la reina muy bien recebidos. Mas de don Galaor vos digo que, cuando los vido, tan gran plazer tuvo, que assí flaco como estava fue corriendo a los abraçar a todos tres, y assí los tuvo una pieça, y las lágrimas le vinieron a los ojos, y díxoles:

—¡O mis señores y grandes amigos! ¿Cuándo querrá Dios que yo ande en vuestra compaña tornando a las armas, que tanto tiempo por mi desventura tengo desamparadas?

Angriote le dixo:

—Señor, no os congoxéis, que Dios lo complirá todo como vos lo desseáis. Y dexaos de todo sino solamente de saber las grandes nuevas y de mucha alegría que vos traemos.

Estonces contaron a la reina y a él todas las cosas que havedes oído que passaran, assí el comienço como la buena fin que en ello se dava. Cuando don Galaor lo oyó fue muy turbado, y dixo:

—¡O santa María! ¿Y es verdad que todo esso ha passado por el rey Lisuarte, mi señor, sin que yo con él me hallasse? Agora puedo dezir que Dios me ha fecho señalada merced en me dar en tal sazón tan gran dolencia que por cierto, ahunque de la otra parte estava el rey mi padre y mis hermanos, no pudiera escusar de no poner por su servicio este mi cuerpo fasta la muerte. Y cierto que si hasta aquí lo supiera, según mi flaqueza, de congoxa fuera muerto.

Don Bruneo le dixo:

—Señor, mejor está assí, que con honra de todos, y vos ganando por muger aquella muy fermosa reina Briolanja que vuestro hermano Amadís vos tiene, ésta la paz fecha, como lo veréis cuando allá llegardes.

Estonces dieron la carta a la reina, y dixéronle cómo su venida era para la llevar porque fuesse presente a las bodas de todos sus fijos, y viesse a la reina Brisena y a Oriana, y a todas aquellas grandes señoras que allí stavan. Como esta reina fuesse muy noble y amasse a su marido y a sus fijos, y de tan grande afruenta y peligro los viesse en tanto sosiego de paz, dio muchas gracias a Dios y dixo:

—Mi fijo don Galaor, mira esta carta y toma esfuerço y ve a ver al rey tu padre y a tus hermanos, que según me parece, allá hallarás al rey Lisuarte con más honra de tu linaje qu'él desseava.

Angriote le dixo:

—Señora, esso podéis os muy bien dezir, que vuestro hijo Amadís es hoy toda la flor y la fama del mundo, y en su voluntad y querer está la de todos los grandes que en el mundo biven y más valen; lo cual, buena señora, veréis por vuestros ojos, que en su casa y a su mandar son juntos emperadores y reyes y otros príncipes y grandes cavalleros que mucho le aman y le tienen en aquel grado que su valor mereçe. Y por esto es menester que lo más presto que ser pueda sea vuestra ida, que bien creemos que ya será allí el rey Lisuarte, y la reina Brisena su mujer con su fija Leonoreta, para la entregar por mujer al emperador de Roma; al cual vuestro fijo Amadís ha puesto en aquel gran señorío, que ya por suyo lo tiene.

Ella les dixo con muy grande alegría:

—Mis buenos amigos, luego se fará como lo dezís, y mandaré adereçar naos en que vaya.

Assí se detovieron aquellos cavalleros con la reina ocho días, en cabo de los cuales las fustas fueron aparejadas de todas las cosas necessarias al viaje; y luego entraron en ellas con muy gran alegría de sus ánimos, y començaron a navegar la vía de la Insola Firme.

Pues yendo por la mar como vos digo con muy buen tiempo que les fazía, al tercero día vieron venir a su diestro un navío a vela y remos, y acordaron de lo esperar por saber quién dentro venía, y también porque derechamente venía a la parte donde ellos ivan. Y cuando cerca llegó, salió contra ella un escudero de don Galaor en un batel, y preguntó quién venía en el navío. Uno de los que dentro estavan le dixo muy cortésmente que una dueña que iva a la Insola Firme con muy gran priessa. El escudero, cuando esto oyó, díxole:

—Pues dezilde a essa dueña que dezís que esta flota que aquí veis va allá y que no aya recelo de se llegar a ella, que en ella van tales personas con que havrá mucho plazer de ir en su compañía.

Cuando esto oyó, muy prestamente fue, y muy alegre, aquel hombre y díxolo a su señora. Y ella mandó echar un batel en el agua y un cavallero en él, y que supiesse si era verdad lo que aquél dezía. Este llegó a la nao donde la reina estava, y dixo a aquellos cavalleros:

—Señores, por la fe que a Dios devéis, que me digáis si aquella nao que allí está, en que una dueña viene de gran guisa, que va a la Insola Firme, si podrá seguramente llegarse aquí, porque este escudero dixo que vosotros ívades este mismo camino.

Angriote le dixo:

—Amigo, verdad vos ha dicho el escudero, y essa dueña que dezís puede venir segura, que aquí no va ninguno de quien daño reciba; antes, de quien havrá toda ayuda que justamente se le fazer pudiere contra quien mal la querrá hazer.

—A Dios merced —dixo el cavallero. —Agora vos pido por cortesía que la atendáis, y yo luego la faré venir a vos, que pues sois cavalleros, gran dolor havréis cuando supierdes su hazienda.

Luego se tornó a la nao, y como dixo lo que avía fallado, derechamente se fueron a la nao donde la reina stava, que aquélla les paresció de más rico aparato. Pues allí llegados, salió una dueña, toda cubierta de un paño negro la cabeça y el rostro, y preguntó quién venía en aquellas naos. Angriote le dixo:

—Dueña, aquí viene una reina señora de Gaula, que va a la Insola Firme.

—Pues, señor cavallero —dixo la dueña—, mucho vos pido, por lo que sois a virtud obligado, que tengáis manera cómo yo con ella hable.

Angriote le dixo:

—Esso luego se hará, y entrad en esta nao, que ella es tal señora que avrá plazer con vos assí como lo ha con todos los otros que la demandan.

La dueña entró en la nao, y Angriote la tomó por la mano y la metió a la reina, y dixo:

—Señora, esta dueña vos quiere ver.

—Ella sea bien venida —dixo la reina—. Y pregúntovos, Angriote, que me digáis quién es.

Entonces la dueña se llegó a ella y la salvó, y dixo:

—Mi señora, a esso no sabrá responder esse buen cavallero, porque lo no sabe. Mas de mí lo sabréis, y no será poco de contar, según la desastrada ventura y gran fatiga que sin lo merescer es sobre mí venida. Pero quiero, mi buena señora, sacar fiança de vos si seré segura, y toda mi compaña, si lo que dixere por ventura vos mueva antes a sana que a piedad.

La reina respondió que seguramente podía dezir lo que quisiesse. Entonces la dueña començó de llorar muy agramente, y dixo:

—Mi buena señora, ahunque de aquí no lieve otro reparo sino descansar en contar mis desdichas a tan alta señora como vos, será algún descanso a mi atribulado coraçón. Vos sabréis que yo fue casada con el rey de Dacia, y en su compaña me vi muy bienaventurada reina, del cual uve dos hijos y una hija. Pues esta hija, que por mi mala ventura fue por

mí engendrada, el rey su padre y yo la casamos con el duque
de la provincia de Suecia, un gran señorío que con nuestro
reino confina; las bodas de los cuales, assí como con mucho
plazer y grandes fiestas y alegrías fueron celebradas, así después muy grandes llantos y dolores han traído: que como
este duque sea mancebo codicioso de señorear comoquiera
que lo aver pudiesse, y el rey, mi marido, fuesse entrado en
días, fizo cuenta que matando a él y tomando a los dos mis
hijos, que son moçuelos, que el mayor passa de catorze años,
prestamente podría por parte de su muger ser rey del reino.
Y assí como lo pensó lo puso en obra; que fingiendo que se
venía a folgar a nuestro reino y que nuestra honra era venir
muy acompañado, saliendo el rey mi marido con mucho plazer a lo recebir y con sana voluntad, el malo traidor le mató
por su mano. Y Dios, que quiso guardar a los moços, como
venían detrás en sus palafrenes, se acogeron a la cibdad donde avían salido, y con ellos todos los más de nuestros cavalleros y otros que después con mucha afrenta y peligro assí mesmo entraron, porque aquel traidor luego los
cercó y assí los tiene. Pues a la sazón yo avía ido a una ro-
mería que tenía prometida, que es una iglesia muy antigua
de nuestra Señora que está en una roca cuanto media legua
metida en la mar. Allí fue avisada de la mala ventura que
tenía sin la saber; y como me viesse sola, no tuve otro remedio sino que en este navío en que allí me avía pasado me
acogí. Como, señora, vengo con intención de me ir a la Insola Firme a un cavallero que se llama Amadís, y a otros
muchos de gran cuenta que me dizen ser allí con él, y con-
tarles he esta tan gran traición donde tanto mal me viene, y
pedirles he que ayan piedad de aquellos infantes y no los
dexen matar a tan gran tuerto; que solamente algunos que
fuessen que esforçassen los míos y los acaudilassen, aquel malo
malo no osaría allí estar mucho tiempo.

La reina Elisena y aquellos cavalleros fueron maravillados de tan gran traición y ovieron mucha piedad de aquella
reina; y luego la reina la tomó por la mano y la hizo seer
cabe sí, y díxole:

—Mi buena señora, si no vos he hecho el acatamiento que
vuestro real estado meresce, perdonadme, que vos no conoscía ni sabía el estado de vuestra hazienda como agora lo sé.
Y podéis creer que vuestra pérdida y fatiga me ha puesto
gran piedad y congoxa en ver que la contraria fortuna a es-

tado ninguno perdona, por grande que sea, y aquel que más contento y ensalçado se vee, aquél deve más temer sus mudanças; porque, cuando más seguros a su parescer están entonces les viene aquello que a vos, mi buena señora, ha venido. Y pues Dios aquí os traxo, tengo por bien que vais en mi compañía hasta la Insola Firme; y allí hallaréis el recaudo que vuestra voluntad dessea, como lo hallan cuantos lo han avido menester.

—Ya lo sé, mi buena señora —dixo la reina de Dacia—, que al rey mi señor contaron unos cavalleros, los que passavan en Grecia, las cosas que son passadas sobre que Amadís tomó la hija del rey Lisuarte, que la deseredava por otra hija menor y la embiava al emperador de Roma por muger. Y esto me dio causa de buscar este bienaventurado cavallero, socorredor de los cuitados que tuerto reciben.

Cuando Angriote y sus compañeros oyeron lo que la reina Elisena dixo, todos tres se le fincaron de rodillas delante y la suplicaron mucho que les diesse licencia para que por ellos fuesse aquella reina socorrida y vengada, si la voluntad de Dios fuesse, tan gran traición; y que esto se podía muy bien hazer, porque ya estava muy cerca de la Insola Firme, donde embaraço alguno por razón no se [93] esperava. La reina quisiera que primero llegaran donde estava el rey su marido, mas ellos lo afincaron tanto, que lo uvo de otorgar.

Pues luego se metieron en su nave con sus armas y cavallos y servidores, y dixeron a la reina de Dacia que les diesse quien los guiasse, y que ella se fuesse con la reina Elisena a la Insola Firme. Ella les respondió que no quedaría, antes quería ir con ellos, que su vista valdría mucho para reparar y remediar el negocio. Assí se fueron de consuno, pues vieron su voluntad.

Y la reina Elisena y don Galaor se fueron su camino, y sin cosa que les acaesciesse llegaron una mañana al puerto de la Insola Firme. Y cuando fue sabida su venida, cavalgaron el rey su marido y sus hijos con el emperador, y con todos los otros cavalleros para la recebir. Oriana quisiera con aquellas señoras ir con ellos, mas el rey la embió a rogar que lo no hiziesse, ni tomasse aquel trabajo, que él la levaría luego para ella, y assí quedó.

---

93. *Por razón se*, Z, fol. 265 vº; *por razón no se*, P.; *por razón no se*, CB. p. 1586.

Pues la reina y don Galaor salieron de la mar a tierra, y
allí fueron con mucho plazer recebidos. Amadís, después que
besó las manos a su madre, fue abraçar a don Galaor; y él
le quiso besar las manos, más él no quiso; antes, estuvo una
pieça preguntándole por su mal, y don Galaor diziendo que
estava mucho mejorado y que más lo estaría de allí adelante, pues que los enojos y saña d'entre él y el rey Lisuarte
eran atajados.

Después que el emperador y todos los otros señores salvaron a la reina, pusiéronla en un palafrén y fuéronse al castillo al aposentamiento de Oriana, que estava ella y las reinas y grandes señoras con muy ricos atavíos para la recebir
a la puerta de la huerta. El emperador la levava de rienda, y
no quiso que descavalgasse sino en sus braços. Pues cuando
entró donde Oriana estava, ella tenía por las manos a las reinas Sardamira y Briolanja, y con ellas llegó a la reina Elisena, y todas tres se le hincaron de inojos delante con aquella
obediencia que a verdadera madre se devía. La reina las
abraçó y besó, y las levantó por las manos. Entonces llegaron Mabilia y Melicia y Grasinda, y todas las otras señoras,
y besáronle las manos; y tomándola en medio se ivan con
ella a su aposentamiento. En esto llegó don Galaor, y no se
vos podría dezir el amor que Oriana le mostró, porque después de Amadís no avía en el mundo cavallero que ella más
amasse, assí por la parte de su amigo, que sabía que mucho
le amava, como por el amor tan grande que el rey Lisuarte
su padre le tenía tan verdadero, y el desseo de don Galaor
de le servir contra todos los del mundo, assí como por la
obra muchas vezes avía parescido. Todas las otras señoras
le recibieron muy bien. Amadís tomó a la reina Briolanja
por la mano, y díxole:

—Señor hermano, esta hermosa reina os encomiendo,
que ya otras vezes vistes y la conoscéis.

Don Galaor la tomó consigo sin ningún empacho, como
aquel que se no espantava ni turbava en ver mugeres; y dixo:

—Señor, a vos tengo en gran merced que me la dais, y a
ella porque me toma y quiere por suyo.

La reina no dixo nada; antes, se enbermesció el rostro,
que la hizo muy más hermosa. Galaor, que la mirava, que
desde que se partió de Sobradisa cuando allí traxo a don Florestán su hermano, y después un poco de tiempo en la corte
del rey Lisuarte cuando vino a buscar Amadís, nunça avía

visto, y aquella sazón era muy moça; mas agora estava en su perfición de edad y hermosura, y pagóse tanto della y tan bien le paresció que ahunque muchas mugeres avía visto y tratado, como esta historia donde dél habla lo cuenta, nunca su coraçón fue otorgado en amor verdadero de ninguna, sino desta muy hermosa reina. Y assí mesmo ella lo fue dél, que sabiendo su gran valor, así en armas como en todas las otras buenas maneras que el mejor cavallero del mundo devía tener, todo el grande amor que a su hermano Amadís tenía puso con este cavallero que ya por marido tenía. Y como assí sus voluntades tan enteramente entonces se juntaron, assí permanesciendo en ello después que a su reino se fueron, tovieron la más graciosa y honrada vida, y con más amor que se vos no podría enteramente dezir. Y ovieron sus hijos, muy hermosos y muy señalados cavalleros, que acabaron grandes cosas y peligrosas en armas, y ganaron grandes tierras y señoríos, assí como lo contaremos en un ramo desta istoria que se llama LAS SERGAS DE ESPLANDIÁN, porque aí enteramente esto será contado, con el cual gran compañía tovieron antes que emperador de Constantinopla fuesse y después que lo fue.

Pues hecho este recibiendo a esta noble reina Helisena, y aposentada con aquellas señoras, donde otro ninguno entrava sino el rey Perión, que assí estava acordado hasta que el rey Lisuarte y la reina Brisena y su hija viniessen, y se hiziessen los casamientos de Oriana y de todas las otras en su presencia, todos se fueron a sus posadas a folgar en muchos passatiempos que en aquella ínsola tenían, especialmente los que eran aficionados a monte y a caça, porque fuera de la ínsola, en la tierra firme cuanto una legua, avía las más fermosas arboledas y matas de montes muy espessos; que como la tierra estava muy guardada, todo era lleno de venados y puercos y conejos, y otras bestias salvajes, de las cuales muchas matavan, assí con canes y redes como corriéndolas a cavallo en sus paradas. Avía también para caçar con aves muchas liebres y perdizes y otras aves de ribera; assí que se puede dezir que en aquel rinconcillo tan pequeño era junta toda la flor de la cavallería del mundo y quien en mayor alteza la sostenía, y toda la beldad y hermosura que en él se podía hallar, y después los grandes vicios y deleites que vos avemos dicho, y otros infinitos que se no pueden contar, así naturales como artificiales hechos por encantamentos de aquel muy gran sabidor Apolidón que allí los dexó.

Mas agora dexa el cuento de hablar destos señores y señoras que estavan esperando al rey Lisuarte y a su compaña por contar lo que acaesció a don Bruneo y Angriote y a Branfil, que se ivan con la reina de Dacia, como ya oístes.

CAPÍTULO CXXII

De lo que acontesció a don Bruneo de Bonamar en el socorro que ivan a hazer con la reina de Dacia, y Angriote d'Estraváus y a Branfil

DIZE la istoria que Angriote d'Estraváus y don Bruneo de Bonamar y Branfil, su hermano, después que de la reina Elisena se partieron, que fueron por la mar adelante, por donde los guiavan aquellos que el camino sabían. Y la reina con su turbación, como con el plazer de aver hallado ayudadores para su priessa, nunca les preguntó de dónde ni quién eran. E yendo assí como vos digo, un día les dixo:

—Buenos señores y amigos, ahunque en mi compaña vos llevo, no sé más de vuestra hazienda de lo que antes que os hallasse ni viesse sabía. Mucho os ruego, si os pluguiere, me lo digáis, porque sepa trataros en aquel grado que a vuestra honra y mía conviene.

—Buena señora —dixo Angriote—, comoquiera que en saber nuestros nombres, según el poco conoscimiento de nosotros ternéis, no acrescienta ni mengua en vuestro descanso ni remedio, pues que vos plaze saberlo, dezírvoslo hemos. Sabed que estos dos cavalleros son hermanos, y al uno llaman don Bruneo de Bonamar y al otro Branfil; y don Bruneo es en deudo de hermandad por su esposa con Amadís de Gaula, aquel a quien ívades demandar. Y yo he nombre Angriote d'Estraváus.

Cuando la reina oyó dezir quién eran, dixo:

—¡O mis buenos señores! Muchas gracias doy a Dios porque a tal tiempo vos hallé, y a vosotros por el descanso y plazer que a mi afligido espíritu avéis dado en me hazer sabidora de quién érades, que ahunque vos no conozco, que nunca vos vi, vuestras grandes nuevas suenan por todas partes, que aquellos cavalleros de Grecia que a la reina Elisena dixe que por mi tierra havían passado, al rey mi marido dixeron y contaron las grandes batallas passadas entre el rey Lisuarte y Amadís. Aquéllos, contándole las cosas que avían visto, le dixeron los nombres de todos los más principales cavalleros que en ellas fueron, y muchas de las grandes cavallerías por ellos hechas. Y acuérdome que entre los mejores fuistes allí contados, lo cual mucho gradezco a nuestro Señor, que ciertamente con mucho cuidado he venido en vos ver tan pocos y no saber el recaudo que para esta tan gran necessidad traía. Mas agora iré con mayor esperança que mis hijos serán remediados y defendidos de aquel traidor.

Angriote dixo:

—Señora, pues que esto está ya a nuestro cargo, no se puede en ello más poner de todas nuestras fuerças con las vidas.

—Dios vos lo gradezca —dixo ella—, y me llegue a tiempo que mis hijos y yo lo paguemos en acrescentamiento de vuestros estados.

Assí fueron por la mar sin entrevalo alguno hasta que llegaron en el reino de Dacia. Pues allí llegados, tomaron por acuerdo que la reina quedasse en su navío dentro en la mar hasta ver cómo les iva. Y ellos hizieron sacar sus cavallos y armáronse, y sus escuderos consigo, y dos cavalleros desarmados que con la reina se hallaron al tiempo que en la mar entró, que los guiaron; y fueron su camino derecho a la cibdad donde los infantes estavan, que de allí sería una buena jornada. Y mandaron a sus escuderos que les llevassen de comer y cevada para los cavallos porque no entrarían en poblado.

Assí como vos digo, fueron estos tres cavalleros, y anduvieron todo el día hasta la tarde. Y reposaron en la valda de una floresta de matas espessas, y allí comieron ellos y sus cavallos. Y luego cavalgaron y anduvieron tanto de noche, que llegaron una hora antes que amanesciesse al real, y acercáronse lo más encubierto que pudieron por ver dónde estava el mayor golpe de la gente por se desviar dello y passar por más flaco fasta entrar en la villa; y assí lo hizieron, que mandaron a sus escuderos y a los dos cavalleros, que con ellos ivan, que en tanto quedavan en la guarda, punassen de se passar a la villa.

Todos tres juntos dieron sobre fasta diez cavalleros que delante sí hallaron, y de los primeros encuentros derribó cada uno el suyo, y quebraron las lanças. Y pusieron manos a las espadas y dieron en ellos tan bravamente, que assí por los grandes golpes que les davan como porque pensaron que era más gente, començaron a fuir, dando bozes que les socorriessen. Angriote dixo:

—Bien será que los dexemos y vamos a esforçar los cercados.

Lo cual assí se hizo, que con su compaña se llegaron a la cerca, donde al ruido de su rebato se avían llegado algunos de los de dentro. Los dos cavalleros que allí venían llamaron y luego fueron conoscidos, y abrieron un postigo pequeño por donde algunas vezes salían a sus enemigos, y por allí entraron Angriote y sus compañeros. Los infantes acudieron allí, que al alboroço se levantaron, y supieron cómo aquellos cavalleros venían en su ayuda y cómo la reina, su madre, quedava buena y a salvo, que hasta entonces no sabían si era presa o muerta, de que ovieron muy gran plazer. Y todos los del lugar fueron mucho esforçados con su venida cuando supieron quién eran, y hiziéronlos aposentar con los infantes en su palacio, donde se desarmaron y descansaron gran pieça.

En el real del duque se hizo gran rebuelta a las bozes que los cavalleros que fuyendo ivan dieron, y con mucha priessa salió toda la gente así a pie como a cavallo, que no sabían qué cosa fuesse; y antes que se apaziguassen vino el día. El duque supo de los cavalleros lo que les contesció, y cómo no avían visto sino hasta ocho o diez de cavallo, ahunque avían pensado que más fuessen, y que se entraran en la villa. El duque dixo:

—No serán sino algunos de la tierra que se avrán atrevido a entrar dentro. Yo lo mandaré saber; y si sé quién son, perderán todo cuanto acá de fuera dexan.

Y luego mandó a todos que se desarmassen y se fuessen a sus posadas y él assí lo hizo.

Angriote y sus compañeros, desque ovieron dormido y descansado, levantáronse y oyeron missa con aquellos donzeles, que los aguardavan. Y luego les dixeron que mandassen venir allí los más principales hombres de los suyos, y assí se hizo. Y dellos quisieron saber qué gente tenían por ver si avría copia para salir a pelear con los contrarios, y rogáronles mucho que los hiziessen armar a todos, y juntos en una gran plaça que ende avía los verían; y assí lo hizieron. Pues salidos allí todos, y sabido por cierto la gente que el duque tenía, bien vieron que no estava la cosa en disposición de se sofrir con ellos si por alguna manera de las que en las guerras se suelen buscar no fuesse; y avido todos tres su consejo, acordaron que essa noche saliessen a dar en los enemigos con mucho tiento, y que don Bruneo con el infante menor, que avía hasta doze años, punasse de salir por otra parte, y no entendiessen en ál sino en passarse por los contrarios y se ir a algunos lugares que cerca en essa comarca estavan, que, como avían visto muerto al rey y cercados sus señores y la reina fuída, no osavan mostrarse; antes, mucho contra su voluntad embiavan viandas al real del duque; y que allí llegados, que viendo al infante y al esfuerço que don Bruneo les daría, que llegarían alguna gente para poder ayudar a los cercados; y que si tal aparejo fallassen, que de noche les hiziessen ciertas señales, y que saliendo ellos a dar en el real, don Bruneo vernía con la gente que tuviesse por la otra parte donde ningún recelo tenían, y que assí podrían hazer gran daño en sus enemigos.

Esto les paresció buen acuerdo, y consultáronlo con algunos de aquellos cavalleros que más valían y en quien se tenía y ponía mayor fiança que serverían a los infantes en aquella afruenta y peligro tan grande cómo estavan. Todos lo tovieron por bien que assí se hiziesse.

Pues venida la noche y passada gran parte della, Angriote y Branfil con toda la gente del lugar salieron a dar en sus enemigos, y don Bruneo salió por otra parte con el infante, como vos diximos. Angriote y Branfil, que delante todos ivan, entraron por una calle de unas huertas que esse día avían mirado, la cual salía adonde el real estava en un gran campo. Y allí no avía estancia ninguna de día, salvo que de noche guardavan en ella fasta veinte hombres; en los cuales dieron tan bravamente ellos y su compaña, que luego fueron desbaratados, y passaron adelante tras ellos. Y algunos quedaron muertos y otros feridos, que como fuessen gente de baxa manera y estos cavalleros tan escogidos, muy presto fueron tollidos y destroçados todos. Las bozes fueron muy grandes y el ruido de las feridas, mas Angriote y Branfil no hazían sino passar adelante y dar en los otros que allí acudian del real y de las otras estancias, y dexavan muchos dellos en poder de los suyos, que no hazían sino prender y matar hasta que salieron al campo donde el real estava.

Aquella hora ya el duque estava a cavallo; y como vio
los suyos destroçados por tan pocos de sus enemigos, uvo en
sí gran saña. Y puso las espuelas a su cavallo y fue ferir en
ellos, y toda su gente la que allí se halló con él, tan reziamente que como era de noche, no parescía sino que todo
aquel campo se fundía, de manera que la gente de la cibdad
fueron puestos en gran espanto, y todos se acogieron al callejón por donde avían entrado, assí que no quedaron de
fuera sino aquellos dos cavalleros Angriote y Branfil, que toda
la furia del duque esperaron. Mas tanta gente dio sobre ellos,
que por mucho que en armas fizieron, y dieron señalados
golpes a los delanteros y derribaron al duque del cavallo, por
fuerça les convino de se retraer a la calle donde los suyos se
acogieran; y allí, como el lugar era angosto, se detovieron.
El duque no fue ferido ahunque cayó, y luego de los suyos
fue muy presto socorrido y puesto en el cavallo. Y vio a sus
contrarios metidos en la calle; y como llegó a ellos, ovo gran
pesar que dos cavalleros solos a tanta gente como él traía se
defendiessen y toviessen aquel passo. Y dixo a una boz que
todos lo oyeron:

—¡O mal andantes cavalleros a quien yo doy lo mío! ¿Qué
vergüença es esta que vuestro poder no baste para vencer
dos cavalleros solos?, que ya no lo avéis con más.

Entonces arremetió y otros muchos con él, y llegaron tantos y con tan gran priessa, que a mal de su grado de Angriote y Branfil a ellos y a todos los suyos metieron una pieça
por el callejón adelante. El duque pensó que ya ivan de vencida, y que allí con la priessa podría matar muchos y entrar
a buelta de los otros en la villa. Y como vencedor adelantóse de los suyos y llegó con su espada en la mano a Angriote, que delante halló, y diole un gran golpe por encima del
yelmo. Mas no tardó de llevar el pago, que como Angriote
siempre por él mirava, desque le oyó denostar a los suyos,
alçó la espada, y de toda su fuerça lo firió en el yelmo de
tal golpe, que le desapoderó de toda su fuerça, y dio con él
a los pies de su cavallo. Y como assí lo vio, dio bozes a los
suyos que le tomassen, qu'el duque era; y Branfil y él salieron adelante contra los otros y firiéronlos de muy grandes
golpes y pesados, de guisa que los no osavan atender; que
como aquel lugar donde se combatían era angosto, no les
podían ferir sino por delante. En este comedio fue el duque
tomado y preso de los de la villa, pero tan desacordado y

fuera de sentido, que no sabía si lo llevavan los suyos o los contrarios.

Como los suyos assí le vieron, que pensaron que muerto era, retraxéronse hasta salir de aquella angostura. Angriote y Branfil, como aquello vieron, así porque el duque era muerto o preso como porque los contrarios eran muchos y no era guisado de los cometer en tan gran plaça acordaron de se tornar y aver por bien lo que en la primera salida avían recaudado. Y así lo hizieron, que muy passo se bolvieron a los suyos muy contentos de cómo avía el negocio passado, ahunque con algunas feridas pero no grandes, y sus armas mal paradas. Mas los cavallos a poco rato fueron muertos de las llagas que tenían; y recogida su gente, se bolvieron a la villa. Y fallaron a la puerta al infante Garinto, que assí avía nombre; el cual, cuando los vio venir sanos y al duque, su enemigo, preso, ya podéis entender el plazer que sintiría en ello. Entonces se acogieron todos al lugar faziendo grandes alegrías porque assí levavan a su enemigo mortal, el cual, como dicho es, ahún no estava en su acuerdo, ni en todo lo que quedó de la noche ni otro día hasta medio día lo estuvo.

Don Bruneo, que por la otra parte salió, no supo nada desto sino solamente las bozes y el gran ruido que oía. Y como todo lo más de la gente de fuera allí acudió, no quedaron aquella parte sino pocos y de pie; de los cuales, según andavan derramados y no avía quién los rigiesse, él pudiera matar algunos; mas dexólo por no perder al infante que a su cargo levava, y passó por ellos sin embargo alguno. Y anduvieron todo lo que quedó de la noche tras un hombre que los guiava, que iva en un rocín; y venida la mañana, vieron a ojo una villa adonde la guía los llevava, que era asaz buena, que se llamava Alimonta, y venían della dos cavalleros armados que el duque avía embiado a saber quién fueran los que avían entrado en la villa, y así lo avían fecho a otras partes, y no avían hallado rastro ni razón alguna dello. Y tornávanse a lo dezir, y assí mesmo mandaron de parte del duque, so grandes penas, a los de la villa que embiassen toda la más vianda que pudiessen al real. Y don Bruneo, que los vio, preguntó aquel hombre si sabía quién fuessen aquellos dos cavalleros y de cuál parte.

—Señor —dixo el hombre—, de la parte del duque son, que yo los he visto con aquellas armas muchas vezes andar al derredor de la villa en compañía de los otros sus compañeros.

Entonces dixo don Bruneo:

—Pues vos mirad por este donzel y no vos partáis del, que yo ver quiero qué tales son los cavalleros que a tan mal señor aguardan.

Entonces se adelantó ya cuanto y fue al encuentro dellos, que dél no se curavan pensando que de los del real fuesse. Y como llegó cerca dixo:

—Malos cavalleros que con aquel duque traidor bevís y sois sus amigos, guardadvos de mí, que yo vos desafío fasta la muerte.

Ellos le respondieron:

—Tu gran sobervia te dará el pago de tu locura, que pensando que eras de los nuestros te queríamos dexar. Pero agora pagarás con essa muerte que dizes lo que como hombre de poco seso osas acometer.

Luego se fueron unos contra otros al más correr de sus cavallos, y hiriéronse reziamente en los escudos, así que las lanças fueron en pieças; mas el uno de los cavalleros que don Bruneo encontró fue en tierra sin detenimiento alguno y dio tan gran caída en el campo, que era duro, que no bullía con pie ni mano, antes, estava tendido como si muerto fuesse. Y puso mano a su espada con muy bivo coraçón que él tenía, y fue para el otro, que assí mesmo con la espada en la mano estava y bien cubierto de su escudo atendiéndole, y diéronse muy grandes y duros golpes. Pero como don Bruneo fuesse de más fuerça y que más aquel menester avía usado, cargóle de tantos golpes que le hizo perder la espada de la mano y ambas las estriberas, y abraçóse al cuello del cavallo; y dixo:

—¡O señor cavallero, por Dios no me matéis!

Don Bruneo se sufrió de lo ferir, y dixo:

—Otorgadvos por vencido.

—Otórgolo —dixo él— por no morir y perder el alma.

—Pues apeaos del cavallo —dixo don Bruneo— fasta que os mande.

El assí lo hizo, mas tan desatentado estava que se no pudo tener, y cayó en el suelo. Y don Bruneo le hizo mal su grado levantar, y díxole:

—Id aquel vuestro compañero y mirad si es muerto o bivo.

El, assí como mejor pudo, lo hizo, y llegóse a él y quitóle el yelmo de la cabeça. Y como el aire le dio, cobró huelgo y acordó ya cuanto. En esto miró don Bruneo por el donzel y violo una pieça de sí, que el hombre, no teniendo tanta fuzia en su bondad, avíase alexado dellos con él. Y llamólos con el espada que se viniessen a él, y assí lo hizieron; y como el donzel llegó, estuvo espantado de lo que don Bruneo avía hecho. Y como era niño y nunca cosa semejante viera, estava todo demudado. Y díxole don Bruneo:

—Buen donzel, hazed matar estos vuestros enemigos, ahunque será pequeña vengança a la gran traición que su señor a vuestro padre hizo.

El donzel le dixo:

—Señor cavallero, por ventura éstos están sin culpa de aquella traición; y mejor será, si vos pluguiere, que los llevemos bivos que matarlos.

Don Bruneo lo tuvo por bien, y pagóse de lo que el infante dixo, y pensó que sería hombre bueno si biviesse. Entonces mandó aquel hombre que con ellos venía que ayudasse al otro cavallero, y pusiessen aquel que más desacordado estava atravesado en la silla de su cavallo, que el otro cavalgasse, y se irían a la villa; y assí se hizo.

Y cuando allá llegaron salieron muchos por los ver, y maravillávanse cómo assí traían aquellos cavalleros dos que de allí avían partido essa mañana. Assí fueron por la rúa del lugar fasta la plaça, donde mucha gente se llegó. Y como vieron al infante, vinieron a él a le besar las manos llorando, y dezíanle:

—Señor, si nuestros coraçones osassen poner en obra lo que las voluntades dessean y viéssemos aparejo para ello, todos seríamos en vuestro servicio hasta morir. Mas no sabemos qué remedio tomar, pues no ay entre nos caudillo ni mayor que mandarnos repa.

Don Bruneo les dixo:

—¡O gente de poco esfuerço!, ahunque fasta aquí ayáis sido honrados, ¿no se acuerda que sois vasallos del rey su padre deste donzel y del infante que rey será, su hermano? ¿Cómo les pagáis aquello que como súbditos y naturales les devéis, veyendo muerto a traición tan grande a vuestro señor, y a sus fijos encerrados y cercados de aquel duque traidor, su enemigo?

—Señor cavallero —dixo uno de los más honrados de la villa—, vos dexís gran verdad; mas como no tengamos quién

nos guíe y nos mande, y seamos todos gentes que más por
las haziendas que por las armas bevimos, no nos sabemos
dar el recaudo que a nuestra lealtad conviene. Pero agora
que aquí está este nuestro señor, y vos en su guarda, ved lo
que devemos y podemos fazer, y luego se porná en obra a
todo nuestro poder.

—Vos lo dezís como bueno —dixo don Bruneo—, y es gran
razón qu'el rey vos haga mercedes y a todos los que este
vuestro voto y parescer siguieren; y yo vengo a vos guiar y
a morir o bivir con vosotros.

Entonces les dixo el recaudo que en la villa con el otro
infante dexava, y cómo avían venido con la reina su señora,
y dónde la dexavan, y cómo yendo a la Insola Firme la avían
fallado en la mar; y que no temiessen, que con poca de su
ayuda sus enemigos serían muy presto destruidos y muertos. Cuando éste oyó aquella gente, tomaron en sí gran esfuerço y coraçón, y alborotáronse todos; y dixeron:

—Señor cavallero de la Insola Firme, que allí nunca uvo
cavallero que bienaventurado no fuesse después que aquel
famoso Amadís de Gaula la ganó, mandad y ordenad de nos
todo lo que devemos fazer, y luego se porná en obra.

Don Bruneo gelo gradesció mucho, y hizo al infante que
gelo gradesciesse; y díxoles:

—Pues mandad luego cerrar las puertas deste lugar y
poner guardas, que de ninguno de aquí no sean avisados
nuestros enemigos. Y yo os diré lo que hazer se deve.

Esto fue luego hecho, y díxoles:

—Pues id a vuestras casas y comed, y adereçad vuestras
armas, cualesquiera que sean, y estad prestos y guardad vuestra villa; y no ayáis miedo de aquella mala gente, que allá
tienen harto en que entender, según el recaudo con el infante queda. Y cuanto comamos y descansen nuestros cavallos,
el infante y yo nos passaremos a otra villa que esta guía que
trayo me dize que es a tres lleguas desta. Y tomaremos toda
aquella gente y vernemos por aquí, y yo os levaré de manera que vuestros enemigos, si esperan, serán perdidos y maltrechos y en vuestro poder.

Ellos le dixeron que así lo harían, y luego fueron todos
con mucha gana a lo fazer como lo él mandava. Y al infante
y don Bruneo dieron de comer, y muy bien, en un palacio
que del rey era. Y desque ovieron comido, que passava ya
el medio día, queriendo cavalgar para se ir, llegaron dos peo-

nes que venían a más andar a la puerta de la villa; y dixeron a las guardas que los dexassen entrar, que traían nuevas de su plazer. Las guardas los llevaron al infante y a don Bruneo, y preguntáronles qué dezían. Ellos dixeron:

—Señores, nosotros no veníamos sino a los desta villa, que no sabíamos de la venida del infante ni de vos, que os nunca vimos. Y las nuevas que traemos son tales, que assí vosotros como ellos avréis gran plazer de las saber. Agora sabed que esta noche passada salieron de la villa mucha gente y dieron en las guardas, y mataron y prendieron muchos de los del duque. Y como el duque lo supo, acudió allí y falló dos cavalleros estraños que maravillas dizen dellos, que matavan los suyos; y él por los socorrer combatióse con el uno dellos, y de un golpe solo derribó al duque del cavallo, y quedó en poder de los de la villa, no saben si muerto o si bivo. Toda la gente del real no saben qué hazer sino andar a corillos en consejos; y paresciónos que aparejavan para levantar de allí de gran temor que tienen de aquellos cavalleros estraños que vos dezimos. Y nosotros somos de una aldea de aquí cerca, que teníamos en el real provisión; y como vimos esto, acordamos de lo dezir a estos señores desta villa, porque se pongan a recaudo, que como gente que va huyendo no les hagan mal o algún robo.

Don Bruneo, como esto oyó, salió cavalgando y el infante con él a la plaça, y hizo a los peones que contassen las nuevas a todos los que allí se juntaron, porque tomassen en sí esfuerço y coraçón; y díxoles:

—Mis buenos amigos, yo acuerdo que no devo de passar más adelante, que según estas nuevas bien bastamos vosotros y yo para lo que dexé concertado. Por ende conviene que seáis todos armados en anocheciendo y partamos de aquí, que gran sinrazón sería que los de la villa llevassen la gloria deste vencimiento sin que nuestra parte nos quepa.

—Todo se hará luego como vos, señor, lo mandáis —dixeron ellos.

Assí estuvieron todo el día adreçando sus armas con tanta voluntad que no veían la ora de estar embueltos con ellos, porque ya los tenían por desbaratados, y querían vengarse de los males y daños que dellos avían recebido.

Venida la noche, don Bruneo se armó y cavalgó en su cavallo, y sacó toda la gente al campo. Y rogó al infante que le esperasse allí, mas él no quiso sino ir con él. Pues assí fueron todos, como oídes, la vía del real: y don Bruneo, después que pieça de la noche passó, mandó a la guía que con él viniera que hiziesse la señal a los de la villa desde donde la viessen, como quedó acordado, y él assí lo hizo. Y tanto que por ellos fue vista, luego cuidaron que buen recaudo tenía don Bruneo, y luego se aparejaron para salir ante que amanesciesse a dar en el real. Mas los del real acordaron en otra cosa, que como vieron al duque su señor en poder de sus enemigos y vieron fazer aquellas señales de huegos de noche, y porque tenían perdida la esperança de lo cobrar, antes, si más allí se detuviessen, les sería gran peligro, en passando parte de la noche recogieron toda la gente y fardaje y los heridos, y muy secreto, sin que sentidos fuessen, alçaron el real y movieron camino de su tierra, de manera que antes que su ida fuesse sentida, anduvieron gran pieça.

Pues venida la hora que los de la villa salieron y don Bruneo llegó por el otro cabo, no hallaron nada; antes no se conosciendo, como era de noche, oviera de aver entre ellos gran rebuelta, cada uno pensando por los otros que fuessen los contrarios, de que ninguna gente en medio se hallava. Pero de que se conoscieron, ovieron muy gran pesar porque assí se les avían ido; y luego siguieron el rastro, mas mucho a duro, que con la noche no podían, y andavan a tiento hasta qu'el alva vino. Y entonces los vieron muy claro, por lo cual los de cavallo mucho se apressuraron y alcançaron todo el fardaje y los peones y feridos; que la otra gente, como ya ivan de vencida, no quisieron aguardar desque el día vino, porque ahún ivan por tierra de sus enemigos.

D'éstos, pues, tomaron muchos y otros prendieron, y cobraron muy grande aver, y con mucha alegría y gloria se bolvieron a la villa. Y luego embiaron cavalleros que traxessen a la reina; y como vino y vio sus hijos sanos y buenos, y a su enemigo preso, ¿quién puede dezir el plazer grande que sintió?

Angriote y sus compañeros, como sabían el concierto de la Insola Firme y que los havían de esperar aquellos grandes señores, demandaron licencia a la reina diziéndole que a día señalado havían de ser en la Insola Firme, que pues ya no eran menester, que querían andar su camino.

La reina les rogó que por su amor se detuviessen dos días, porque quería en su presencia alçar a su fijo Garinto por rey, y fazer justicia d'aquel traidor del duque muy cruel. Ellos le dixeron que a lo de su fijo les plazía estar, pero que a la justicia del duque no; que pues en su poder quedava, que después dellos idos fiziesse dél a su guisa. La reina mandó fazer luego en la plaça un gran cadahalso de madera cubierto de muy ricos y graciosos paños de oro y de seda, y mandó venir allí todos los mayores de su reino que más cerca se hallaron; y subieron en él al infante Garinto y a los tres cavalleros. Y traxeron al duque, assí mal parado como estava, encima de un roçín sin silla, y delante dél tocaron muchas trompas, llamando al infante rey de Dacia. Y Angriote y don Bruneo le pusieron en la cabeça una muy rica corona de oro con muchas perlas y piedras.

Assí estuvieron en aquellas fiestas gran parte del día con mucho dolor y angustia de aquel duque que lo mirava, al cual la gente dezían muchas injurias y denuestos. Pero aquellos cavalleros rogaron a la reina que lo mandasse llevar de allí, o que ellos se irían, que no querían ver que ningún hombre preso y vencido en su presencia recibiesse injuria. La reina lo mandó llevar a la prisión, pues vio que les pesava en estar allí, y rogóles que tomassen joyas ricas que allí fizo traer para les dar. Mas ellos, por ruego que les fiziesse, ninguna cosa quisieron tomar sino solamente, porque sabían que en aquella tierra havía muy fermosos lebreles y sabuesos, que su merced fuesse de les mandar dar algunos para los montes de la Insola Firme. Luego les traxeron allí más de cuarenta en que escogiessen los más fermosos que más les agradassen. Cuando la reina vio que se querían ir, díxoles:

—Mis amigos y buenos señores, pues que de mis joyas no queréis llevar, forçado es que llevéis una que es la que yo más en este mundo amo, y ésta es el rey mi hijo, que de mi parte le deis a Amadís porque en su compaña y de sus amigos cobre la criança y buenas maneras que a cavallero convienen, que de los bienes temporales asaz es abastado. Y si Dios a edad complida le llega, mejor de su mano que de otro alguno podrá ser cavallero. Y dezilde que assí por sus nuevas como por la bondad de vosotros, que este reino que me hezistes ganar, que para él y para vos se ganó.

Ellos jelo otorgaron de que vieron que con tanta afición lo quería, y porque mucha honra era tener en su compaña un rey tal como aquél, que seyendo de tan gran estado procurava su compañía por valer más.

La reina le fizo guarneçer una fusta muy ricamente, como a rey convenía, assí de grandes atavíos como de joyas muy ricas y preciadas, para que las diesse a los cavalleros y a otras personas qu'él quisiesse, y su ayo con otros servidores. Y fuesse con ellos fasta la mar, y de allí se tornó; y llegada a la villa, con mucha desonra mandó enforcar al duque porque todos viessen el fruto que las flores de la traición llevavan.

Ellos entraron en sus fustas y caminaron tanto fasta que llegaron aquel gran puerto de la Insola Firme, donde con mucho deseo los esperavan. Llegados al puerto, embiaron dezir a Amadís cómo traían consigo al rey de Dacia, la razón por qué, que viesse lo que se devía fazer en la venida de tal príncipe. Amadís cavalgó, y no levó consigo sino Agrajes; y a la meitad de la cuesta del castillo encontraron con los cavalleros y con el rey, el cual ricamente vestido venía en un palafrén guarnido a maravilla. Amadís se fue a él y lo saludó, y el niño a él, con mucha cortesía, que ya le avían dicho cuál era. Después se abraçaron todos con risa y plazer que de sí ovieron; y assí juntos se fueron al castillo, donde aquel rey fue aposentado en companía de don Bruneo fasta que otros donzeles viniessen que esperavan.

Assí estavan aquellos señores en aquella ínsola esperando al rey Lisuarte, que por contar dél dexaremos éstos hasta su tiempo.

CAPÍTULO CXXIII

CÓMO EL REY LISUARTE Y LA REINA BRISENA,[94] SU MUJER, Y
SU FIJA LEONORETA VINIERON A LA INSOLA FIRME, Y CÓMO
AQUELLOS SEÑORES Y SEÑORAS LOS SALIERON A RECEBIR

COMO es dicho, el rey Lisuarte, después que llegó a Vindilisora, mandó a la reina que se adereçasse de las cosas necessarias a ella y a su hija Leonoreta; y al rey Arbán de Norgales, su mayordomo mayor a lo que a él convenía. Y todo fecho y aparejado según su grandeza. Partió con su compaña. Y no quiso llevar sino al rey Cildadán, y a don Galvanes y a Madasima su muger, que estonces allí por su mandado llegaran de la ínsola de Mongaça, y otros algunos de

94. *Elisena*, Z. fol. 265 vº; *Brisena*, P. p. 1215, 1; *Brisena*, CB. p. 1604.

sus cavalleros ricamente vestidos, que Gasquilán, rey de Suesa, desde allí se tornó en su reino.

Pues con mucho plazer fueron por sus jornadas fasta que llegaron a dormir a cuatro leguas de la ínsola; lo cual fue sabido luego por Amadís y por todos los otros príncipes y cavalleros que con él estavan. Y acordaron que todos juntos, y aquellas señoras con ellos, lo saliessen a recebir a dos leguas de la ínsola; y assí se hizo, que otro día salieron todos y todas las reinas tras la reina Elisena. Los vestidos y riquezas que sobre sí y sobre sus palafrenes llevavan, no bastaría memoria para lo contar, ni manos para lo screvir; tanto, os digo, que antes ni después nunca se supo que una compaña de tantos cavalleros de tan alto linaje y de tanto esfuerço, y tantas señoras, reinas, infantas, y otras de gran guisa, tan fermosas y tan bien guarnidas oviesse havido en el mundo.

Assí juntos fueron por aquella vega fasta que llegaron a vista del rey Lisuarte; el cual, cuando vio tanta gente que contra él iva, luego pensó lo que era; y con toda su compaña anduvo tanto, que se encontró con el rey Perión y el emperador, y todos los otros cavalleros que delante venían. Allí pararon todos para se abraçar. Amadís venía más detrás hablando con don Galaor su hermano, que ahún estava muy flaco, que apenas podía andar cavalgando, y como llegó cerca del rey, apeóse de su cavallo. Y el rey le dio bozes que lo no hiziesse, mas él no lo dexó por eso y llegó a pie; y ahunque no quiso, le besó las manos. Y passó a la reina, que Esplandián, aquel fermoso donzel, de rienda traía; y la reina se abaxó del palafrén por le abraçar, mas Amadís le tomó las manos y se las besó. Don Galaor llegó al rey Lisuarte; y cuando le vio tan flaco, fuelo abraçar, y las lágrimas les vinieron a entrambos a los ojos. Y túvolo assí el rey un rato, que se nunca pudieron fablar, tanto, que algunos dixeron que este sentimiento fue del plazer que de se ver ovieron, pero otros lo juzgaron diziendo que teniendo en las memorias las cosas passadas, y no se aver en ellas fallado juntos como sus coraçones desseavan, avía traído aquellas lágrimas. Esto se eche a la parte que os pluguiere, pero de cualquiera manera que fuese, era porque mucho se amavan.

Oriana llegó a la reina su madre después que la reina Elisena la saludó. Y como su madre la vio, que era la cosa que más amava, fue a ella y tomóla entre sus braços, y cayeran ambas a tierra si no por cavalleros que las sostovieron;

y començóla a besar por los ojos y por el rostro, diziendo:
—¡O mi fija, a Dios plega por la su merçed que, los trabajos y fatigas que esta tu gran hermosura nos ha dado, que ella sea causa de los remediar con mucha paz y alegría de aquí adelante!

Oriana no fazía sino llorar de plazer y ninguna cosa le respondió. En esto llegaron las reinas Briolanja y Sardamira, y quitárongela d'entre los braços; y hablaron a la reina, y después todas las otras con mucha cortesía, que esta dueña tenían por una de las mejores y más onradas reinas del mundo. Leonoreta llegó a besar las manos a Oriana, y ella la abraçó y besó muchas vezes; y así lo hizieron todas las dueñas y donzellas de la reina su madre, que la amavan de coraçón más que a sí mismas; que como se os ha dicho, esta princesa fue la más noble y más comedida para onrar a todos que en su tiempo fue; y por esta causa era muy amada de todos y todas cuantas la conoçían.

Hecho el recibimiento, no como fue, que sería imposible dezirlo, mas como a la orden del libro conviene, movieron todos juntos para la ínsola. Cuando la reina Brisena vio tantos cavalleros y tantas dueñas y donzellas de tan alta guisa, a quien ella muy bien conocía, y sabía dó llegava su gran valor, y que todos estavan a la voluntad y ordenança de Amadís, fue tan espantada, que no sabía qué dezir. Y fasta allí bien pensava que en el mundo oviese igual casa ni corte a la del rey su marido; pero visto esto que vos digo, no figurava su estado sino de un baxo conde. Y mirava a todas partes y vía que todos andavan tras Amadís y lo acatavan como a señor, y el que más cerca dél iva se tenía por más honrado, y doquiera qu'él iva ivan todos. Maravillávase cómo pudo ganar tal alteza un cavallero que nunca alcançó sino armas y cavallo; y comoquiera que por marido de su fija lo toviesse y muy entero en su servicio, no pudo escusar de no aver dello gran embidia, porque aquel gran estado quisiera ella para su marido, y de allí lo heredava Amadís con su fija; pero como lo veía ser al revés, no se podía alegrar con ello. Mas como era muy cuerda, fizo que lo no mirava ni entendía, y con rostro alegre y coraçón turbio fablava y reía con todos aquellos cavalleros y señoras que al derredor de sí levava, que el rey, después que fabló a don Galaor, nunca dél se partió en todo aquel camino fasta que a la ínsola llegaron.

Pues yendo por el camino Oriana no podía partir los ojos de Esplandián, que lo mucho amava, assí como la razón lo mandava. Y la reina su madre, que lo vio, dixo:

—Fija, tomad este donzel que vos lleve.

Oriana estuvo queda, y el donzel llegó con muy gran humildad a le besar las manos. Oriana tenía gran desseo de le besar, mas el grande empacho que uvo la hizo sofrir. Mabilia se llegó a él y díxole:

—Mi buen amigo, también quiero yo parte de vuestros abraços.

El bolvió el rostro con un semblante tan gracioso que maravilla era de le mirar, y conocíala luego, y él fablóla con mucha cortesía. Assí lo llevaron en medio entrambas, fablando con él en lo que más les contentava, y pagávanse mucho de cómo él respondía, que la graciosa fabla y donaire suyo las hazía a ellas alegrarse. Y mirávanse Oriana y Mabilia una a otra, y miravan al donzel; y Mabilia dixo:

—¿Paréceos, señora, si era esta preciosa vianda para la leona y para sus fijos?

—¡Ay, mi señora y amiga —dixo Oriana—, por Dios no me lo trayáis a la memoria!, que ahún agora se me aflige el coraçón en lo pensar.

—Pues entiendo —dixo Mabilia— que no menos peligro passó su padre, tan pequeño como él, en la mar. Mas Dios le guardó para esto que veis; y assí lo fará, si le pluguiere, a este que pasará de bondad a él y a todos los del mundo.

Oriana se rió muy de coraçón, y dixo:

—Mi verdadera ermana, no pareçe sino que me queréis tentar por ver en cuál dellos otorgaré. Pues no quiero dezir que así plega a Dios, sino que a entranbos los faga tales que no tengan par, como fasta aquí cada uno en su edad no la han tenido.

En esto y en otras cosas mucho de plazer hablando, todos llegaron al castillo de la Insola Firme, donde al rey Lisuarte y a la reina su mujer aposentaron muy bien donde Oriana posava, y al rey Perión y su mujer donde la reina Sardamira. Oriana con todas las novias que avían de ser tomaron lo más alto de la torre. Amadís havía mandado poner las mesas en aquellos portales muy ricos de la huerta; y allí fizo comer toda aquella compaña muy ricamente con tanta abundancia de viandas y vinos y frutas de todas maneras que muy gran maravilla era de lo ver. Cada uno según su estado lo mere-

çía, y todo era fecho mucho por orden. Don Cuadragante
llevó consigo al rey Cildadán, que él mucho amava, y assí
lo hizieron todos los otros cavalleros cada uno de los del
rey, según lo amavan. Amadís llevó consigo al rey Arbán de
Norgales y a don Grumedán y a don Guilán el Cuidador.
Norandel posó con su gran amigo don Galaor. Assí passaron aquel día con el plazer que pensar podéis. Mas lo que
Agrajes hizo con su tío y con Madasima no se podría contar
en ninguna manera, ni pensar, que a éste tenía en tanto acatamiento y reverencia como al rey su padre siempre tuvo; y
hizo quedar a Madasima con Oriana y con aquellas reinas y
señoras grandes que allí estavan, y él llevó a don Galvanes consigo a su posada. Esplandián se llegó luego al rey de
Dacia, que era de su edad y le pareció muy bien, y tan grande amor se les siguió desde la hora que se vieron, que todos
los días de su vida les turó; assí que por muy grandes tiempos anduvieron juntos en compañía después que cavalleros
fueron, y passaron muy grandes hechos de armas en muy
gran peligro de sus personas como cavalleros muy esforçados. Este rey fue todo el secreto de los amores de Esplandián; por sus consejos buenos fue quitado muchas vezes de
grandes angustias y mortales cuidados que de su señora le
venían fasta le llegar al hilo de la muerte. Este rey que os
digo se puso a muy grandes afanes por fablar esta señora y
le dezir lo que por su amor este cavallero padeçía, y que
oviesse piedad de su dolorosa muerte. Estos dos príncipes
que os cuento, por amor desta señora, tomando consigo a
Talanque, fijo de don Galaor, y a Maneli el Mesurado, hijo
del rey Cildadán, que en las sobrinas de Urganda los ovieron cuando estavan presos, como el segundo libro desta historia más largo lo cuenta, y Ambor, hijo de Angriote d'Estraváus, todos noveles cavalleros, passaron la mar por parte
de Costantinopla a la tierra de los paganos, y ovieron grandes recuestas, assí con fuertes gigantes como con otras naciones estrañas de muchas guisas, las cuales passaron a su
gran honra; por donde sus altas proezas y grandes cavallerías fueron por todo el mundo sonadas; assí como más largo
vos lo contaremos en aquel ramo que de Esplandián es llamado, que desta historia sale, que fabla de los grandes fechos y de los amores que con la flor y fermosura de todo el
mundo tuvo; que fue aquella estrella luziente que ante ella
toda fermosura escureçía, Leonorina, fija del emperador de

Costantinopla, aquella que su padre Amadís dexó niña en Grecia cuando allá passó y mató el fuerte Endriago, como os ya contamos.

Pero dexemos agora esto fasta su tiempo, y tornemos al propósito de nuestra historia. Pues passado aquel día que llegaron y otro para descansar del camino, los reyes se juntaron para dar orden en los casamientos, cómo se hiziessen, con mucho plazer, y se tornassen a sus tierras, que mucho les quedava de fazer: los unos en ir a ganar los señoríos de sus enemigos, y los otros en les dar ayuda para ello.

Y estando juntos debaxo de unos árboles cabe las fuentes que ya oístes, oyeron grandes bozes que las gentes davan de fuera de la huerta, y sonava gran murmullo. Y sabido qué cosa fuesse, dixéronles que venía la más espantable coça y más estraña por la mar de cuantas havían visto. Estonces los reyes demandaron sus cavallos y cavalgaron, y todos los otros cavalleros, y fueron al puerto. Y las reinas y todas las señoras se subieron a lo más alto de la torre, donde gran parte de la tierra y de la mar se parecía. Y vieron venir un humo por el agua, más negro y más espantable que nunca vieran. Todos estuvieron quedos fasta saber qué cosa fuesse. Y dende a poco rato que el fumo se començó a esparzir, vieron en medio dél una serpiente mucho mayor que la mayor nao ni fusta del mundo, y traía tan grandes alas, que tomavan más espacio que una echadura de arco, y la cola enroscada hazia arriba, muy más alta que una gran torre. La cabeça y la boca y los dientes eran tan grandes, y los ojos tan espantables, que no havía persona que la mirar osasse; y de rato en rato echava por las narizes aquel muy negro fumo, que fasta el cielo subía y de que se cubría todo. Dava los roncos y silvos tan fuertes y tan espantables, que no parecía sino que la mar se quería hundir. Echava por la boca las gorgoçadas del agua tan rezio y tan lexos, que ninguna nave, por grande que fuesse, a ella se podía llegar que no fuesse anegada.

Los reyes y cavalleros, comoquiera que muy esforçados fuessen, mirávanse unos a otros y no sabían qué dezir, que a cosa tan spantable y tan medrosa de ver no fallavan ni pensavan que resistencia alguna podría bastar; pero estuvieron quedos. La gran serpiente, como ya cerca llegasse, dio por el agua al través tres o cuatro bueltas, haziendo sus bravezas y sacudiendo las alas tan rezio, que más de media legua sonava al cruxir de las conchas. Como los cavallos en que aquellos señores estavan la vieron, ninguno fue poderoso de tener el suyo; antes, con ellos ivan huyendo por el campo fasta que de fuerça les convino apearse dellos. Algunos dezían que sería bueno armarse para atender; otros dezían que como fuesse bestia fiera de agua, que no osaría salir en tierra; y puesto caso que saliesse, espacio havría para se meter en la ínsola, y que ya ella, de que vía la tierra, començava a reparar.

Pues estando assí todos maravillados de tal cosa, cual nunca oyeran ni vieran otra semejante, vieron cómo por el un costado de la serpiente echaron un batel cubierto todo de un paño de oro muy rico, y una dueña en él que a cada parte traía un donzel, muy ricamente vestidos, y sofríase con los braços sobre los ombros dellos, y dos enanos muy feos en estraña manera con sendos remos, que el batel traían a tierra. Mucho fueron maravillados aquellos señores de ver cosa tan estraña; mas el rey Lisuarte dixo:

—No me creáis si esta dueña no es Urganda la Desconoçida, que bien se os deve acordar —dixo a Amadís— del miedo que nos puso estando en la mi villa de Fenusa cuando con los huegos vinos por la mar.

—Yo lo he pensado assí —dixo Amadís— después que el batel vi, que de antes no creía sino que aquella serpiente era algún diablo con que tuviéramos harto que hazer.

En esto llegó el batel a la ribera; y como cerca fue, conoçieron ser la dueña Urganda la Desconoçida, que ella tuvo por bien de se les mostrar en su propia forma, lo cual pocas vezes fazía; antes, se demostrava en figuras estrañas: cuando muy vieja demasiada, cuando muy niña, como en muchas partes desta historia se ha contado. Assí llegó con sus donzeles muy hermosos y muy guarnidos, que sus vestiduras eran en muchos lugares guarneçidas y labradas de piedras preciosas de gran valor. Los reyes y grandes señores se fueron assí a pie como estavan, acostando a la parte donde ella salía. Y como llegada fue, salió del batel teniendo por las manos a sus hermosos donzeles, y fue luego al rey Lisuarte por le besar las manos; mas el rey la abraçó y no jelas quiso dar, y assí lo fizieron el rey Perión y el rey Cildadán. Estonces se bolvió ella al emperador y díxole:

—Buen señor, ahunque me no conoçéis, ni yo vos aya visto, mucho sé de vuestra hazienda, assí de quién sois y el valor de vuestra noble persona como de vuestro grande estado. Y por esto y por algún servicio que antes de mucho tiempo de mí recibiréis, junto con la emperatriz, quiero quedar en vuestro amor y buena conoçencia para que se os acuerde de mí, cuando en vuestro imperio estuvierdes, en me mandar algo en que le pueda servir; que ahunque vos pareçe estar esta tierra donde mi habitación es muy lexos de la vuestra, no sería para mí gran trabajo andar el camino todo en un día natural.

El emperador le dixo:

—Mi buena amiga señora, por más contento me tengo de haver ganado vuestro amor y buena voluntad que gran parte de mi señorío. Y pues por vuestra virtud a ello me havéis combidado, no se os olvide lo que me prometistes; que si en mi coraçón y voluntad está assentado de la gradeçer con todas mis fuerças, vos muy mejor que yo lo sabéis.

Urganda le dixo:

—Mi señor, yo os veré en tiempo que por mí vos será restituido el primer fruto de vuestra generación.

Estonces miró contra Amadís, que no avía havido tiempo de le poder hablar, y díxole:

—Pues de vos, noble cavallero, no se deve perder el abraçado; ahunque, según la favorable fortuna en tanta grandeza os ha ensalçado y puesto en la cumbre, ya no ternéis en mucho los servicios y plazeres de los que poco podemos, porque estas mundanales cosas, muy prestamente siguiendo la orden del mundo, con pequeña causa y ahún sin ella podrían variar. Agora que vos pareçe que más sin cuidado podréis passar vuestra vida, special teniendo la cosa del mundo por os más desseada en vuestro poder, sin la cual todo lo restante os fuera causa de dolorosa soledad, agora es más necessario sostenerlo con doblado trabajo; que la fortuna no es contenta cuando en semejantes alturas fiere y muestra sus fuerças, porque muy mayor mengua y menoscabo de vuestra gran honra sería perder lo ganado que sin ello passar antes que ganado fuesse.

Amadís le dixo:

—Según los grandes beneficios que de vos, mi buena señora, yo tengo recebidos con el gran amor que siempre me tuvistes, ahunque para la satisfación de mi voluntad muy poderoso me hallasse, muy pobre me sentiría para lo poner en las cosas que vuestra honra tocassen que por vos me fuessen mandadas; que no puede ser ello tanto, ahunque el mundo fuesse, que mucho más no sea razón de lo aventurar en lo que digo.

Urganda le dixo:

—El gran amor que vos tengo me causa dezir desvaríos y dar consejo donde menester no es.

Estonces llegaron todos aquellos cavalleros y la saludaron. Y dixo a don Galaor:

—A vos, mi buen señor, ni al rey Cildadán no digo agora nada, porque yo moraré aquí con vos algunos días, y ternemos tiempo de hablar.

Y bolviéndose a sus enanos, les mandó que se tornassen a la gran serpiente y traxessen en una barca un palafrén, y sendos para sus donzeles, lo cual fue luego fecho. Los reyes y señores tenían sus cavallos allexados de allí, que el temor de aquella fiera bestia no les dava lugar que a ellos se llegasse. Y dexaron allí hombres que la pusiessen en el palafrén, y ellos se fueron a pie a tomar los suyos.

Ella les dixo que les rogava mucho que oviessen por bien que ninguno la levasse sino aquellos dos donzeles sus enamorados, y assí se hizo, que todos fueron delante al castillo y ella a la postre con su compaña. Y anduvieron hasta llegar a la huerta donde las reinas estavan, y señoras grandes, que no quiso posar en otra parte. Y antes que con ellas entrasse, dixo contra Esplandián:

—A vos, muy hermoso donzel, encomiendo yo este mi thesoro que lo guardéis, que en gran parte no se fallaría tan rico.

Estonces le entregó los donzeles por la mano, y entróse en la huerta, donde fue de todas tan bien recebida cual nunca muger en ninguna parte lo fuera. Cuando ella vio tantas reinas, tantas princesas y infinitas otras personas de gran estima y valor, mirólas a todas con mucho plazer y dixo:

—¡O coraçón mío!, ¿qué puedes d'aquí adelante ver que causa de gran soledad no te sea?, pues en un día has visto los mejores y más virtuosos cavalleros y más esforçados que en el mundo fueron, y las más honradas y hermosas reinas y señoras que nunca nascieron. Por cierto puedo dezir que de lo uno y otro es aquí la perfeción; y ahún más digo, que assí como aquí es junta toda la gran alteza de las armas y la beldad del mundo, assí es mantenido amor con la mayor lealtad que lo nunca fue en ninguna sazón.

Assí se metió en la torre con ellas, y demandó licencia a las reinas para que pudiesse posar con Oriana y con las que con ella estavan, las cuales la subieron luego a su aposentamiento. Pues metidas en su cámara, no podía partir los ojos de mirar a Oriana y a la reina Briolanja, y a Melicia y Olinda, que a la hermosura déstas ninguna se igualava, y no hazía sino abraçar a la una y a la otra. Assí estava con ellas como fuera de sentido de plazer, y ellas le fazían tanta honra como si señora de todas fuesse.

CAPÍTULO CXXIV

CÓMO AMADÍS HIZO CASAR A SU CORMANO DRAGONÍS CON LA INFANTA ESTRELLETA, Y QUE FUESSE A GANAR LA PROFUNDA INSOLA DONDE FUESSE REY

DIZE agora la historia que Dragonís, cormano de Amadís y de don Galaor, era un cavallero mancebo muy honrado y de gran esfuerço, assí como lo mostró en las cosas passadas, especial en la batalla que el rey Lisuarte ovo con don Galvanes y sus compañeros sobre la ínsola de Mongaça; donde este cavallero, después que don Florestán y don Cuadragante y otros muchos nobles cavalleros fueron tollidos y presos por don Galaor y el rey Cildadán y Norandel, y por toda la gran gente de su parte que sobre ellos cargó, y don Galvanes llevado a la dicha ínsola muy mal herido, quedó con los pocos que de su parte quedaron y con los cavalleros que de su padre allí tenía, por escudo y amparo de todos ellos; donde por causa de su discreción y buen esfuerço fueron reparados, assí como más largo el tercero libro desta historia lo cuenta. Este no se falló en la Ínsola Firme al tiempo que Amadís hizo los casamientos de sus hermanos y de los otros cavalleros que ya oístes, porque desd'el monesterio de Lubaina se fue con una donzella a quien él de antes havía prometido un don, y combatióse con Angrifo, señor del valle del Fondo Piélago, que preso tenía al padre della por haver dél una fortaleza que a la entrada del Valle tenía. Y Dragonís ovo con él una cruel y gran batalla, porque aquel Angrifo era el más valiente cavallero que en aquellas montañas donde él morava se podría fallar; pero al cabo fue vencido por Dragonís,

como hombre que se a derecho combatía, y sacó de su poder
al padre de la donzella. Y mandó a Angrifo que dentro de
veinte días fuesse en la Insola Firme y se pusiesse en la merced de la princesa Oriana; y porque se falló cerca de la Insola de Mongaça, quiso ver a don Galvanes y Madasima, y,
estando con ellos, llegó el mensajero del rey Lisuarte a los
llamar para llevarlos a la Insola Firme, assí como prometiera Agrajes; y fuese con ellos a Vindilisora, donde fueron con
mucho amor y grande honra recebidos. Y desde allí se fueron con el rey y con la reina a la Insola Firme, como ya
oístes, donde falló Dragonís el concierto de los casamientos
y el repartimiento de los señoríos, como es contado, de que
uvo gran plazer. Y loava mucho lo que Amadís su cormano
avía fecho, y aparejávase cuanto podía para ser en aquella
conquista, que bien creído tenía que se no podía acabar sin
grandes fechos d'armas. Pero Amadís, como le amasse de
todo su coraçón, consideró que mucha sinrazón sería y gran
vergüença suya, si tal cavallero quedasse sin gran parte de
lo que él avía ayudado con tanto trabajo a ganar; y un día,
apartándole por aquella huerta, assí le dixo:

    —Mi señor y buen cormano, aunque vuestra joventud y
gran esfuerço de coraçón, desseando acreçentar onra en las
grandes afrentas, vos quite desseo de más estado y reposo
del que fasta aquí tovistes, la razón, a quien todos obligados
somos de nos llegar como fuente principal donde la virtud
mana, y el tiempo que se os ofreçe, quieren que vuestro propósito mudado sea, y sigáis el consejo de mi poco saber y gran
voluntad, que assí como a mi propio coraçón vos ama. Yo he
sabido cómo, al tiempo que socorrimos en Lubaina al rey Lisuarte, con los que de los contrarios al principio fuyeron fue
el rey de la Profunda Insola, que ferido stava; y agora sé
por un escudero del rey Arávigo que aquí es venido, cómo
entrando en la mar luego fue muerto. Pues aquella ínsola
donde él fue señor tengo yo por bien que sea vuestra y della
seáis llamado rey; y Palomir vuestro hermano se le quede el
señorío de vuestro padre; y seáis casado con la infanta Estrelleta, que como sabéis viene de ambas partes de reyes, y a
quien Oriana mucho ama. Y esto tengo por bueno y me plaze
que se faga, porque más quiero forçar vuestra voluntad so-
metiéndola a la razón, que passar tal vergüença en no haver
vos, mi buen cormano, parte del bien que Dios me ha dado,
assí como vos, más que otro alguno del mal havido lo ha.

Dragonís, comoquiera que su desseo fuesse de ir con don Bruneo y don Cuadragante a les ayudar con su persona fasta que aquellos señoríos oviessen, y si de allí bivo quedasse, de se passar a las partes de Roma buscando algunas aventuras y estar alguna temporada con el rey de Cerdeña, don Florestán, por lo ver y saber si lo havía menester para alguna cosa, como hombre que en tierra estraña se fallava, y de allí tornarse a ver a Amadís a la Insola Firme, o donde estuviesse. Y pensava que en estos caminos mucha honra y gran fama podría ganar, o morir como cavallero. Veyendo con el amor tan grande que Amadís aquello le dixo, huvo gran empacho de le responder otra cosa sino que lo remitió todo a su voluntad, que en aquello y en todo lo que le mandasse le sería obediente; assí que luego fue desposado con aquella infanta y señalada para él la Profunda Insola que ya oístes, de que luego se llamó rey y lo fue con muy gran honra, como adelante se dirá.

Esto assí hecho como oís, Amadís demandó al rey Lisuarte el ducado de Bristoya para don Guilán el Cuidador, que lo él mucho amava, y se casasse con la duquesa, que él tanto amava, y qu'él le entregaría al duque que allí tenía preso. El rey, assí por su amor de Amadís como porque tenía muchos cargos y grandes de don Guilán, y porque el duque le havía sido traidor, otorgólo de buena voluntad. Amadís le besó las manos por ello, y don Guilán gelas quiso besar a él, mas Amadís no quiso, antes lo abraçó con grande amor, que éste fue el cavallero del mundo de su tiempo que más comedido y más manso y humano fue con sus amigos.

CAPÍTULO CXXV

CÓMO LOS REYES SE JUNTARON A DAR ORDEN EN LAS BODAS DE AQUELLOS GRANDES SEÑORES Y SEÑORAS, Y LO QUE EN ELLO SE HIZO

LOS reyes se tornaron a juntar como de ante, y concertaron las bodas para el cuarto día y que durassen las fiestas quinze días, en cabo de los cuales todas las cosas despachadas fuessen para se tornar a sus tierras.

Venido el día señalado, todos los novios se juntaron en la posada de Amadís, y se vistieron de tan ricos y preciados paños como su gran estado en tal auto demandava. Y assí mesmo lo hizieron las novias; y los reyes y grandes señores los tomaron consigo, y cavalgando en sus palafrenes muy ricamente guarnidos, se fueron a la huerta, donde fallaron las reinas y novias assí mesmo en sus palafrenes. Pues assí salieron todos juntos a la iglesia, donde por el santo hombre Nasciano la missa aparejada estava. Passado el auto de los matrimonios y casamientos con las solenidades que la santa iglesia manda, Amadís se llegó al rey Lisuarte y díxole:

—Señor, quiero demandaros un don que vos no será grave de lo dar.

—Yo lo otorgo —dixo el rey.

—Pues, señor, mandad a Oriana que, antes que sea hora de comer, pruebe el arco encantado de los leales amadores y la cámara defendida, que hasta aquí con su gran tristeza nunca con ella acabar se pudo, por mucho que ha sido por nosotros suplicada y rogada; que yo fío tanto en su lealtad y en su gran beldad, que allí donde ha más de cient años que nunca muger, por estremada que de las otras fuesse, pudo entrar, entrará ella sin ningún detenimiento; porque yo vi a Grimanesa en tanta perfición como si biva fuesse donde está hecha por gran arte con su marido Apolidón, y su gran hermosura no iguala con la de Oriana. Y en aquella cámara tan defendida a todas se fará la fiesta de nuestras bodas.

El rey le dixo:

—Buen fijo, señor, liviano es a mí cumplir lo que pedís; mas he recelo que con ello pongamos alguna turbación en esta fiesta, porque muchas vezes conteçe, y todas las más, la grande afición de la voluntad engañar los ojos, que juzgan lo contrario de lo que es; y assí podría acaeçer a vos con mi fija Oriana.

—No tengáis cuidado desso —dixo Amadís—, que mi coraçón me dize que assí como lo digo se complirá.

—Pues assí os plaze, assí sea —dixo el rey.

Estonces se fue a su hija, que entre las reinas y las otras novias estava, y díxole:

—Mi fija, vuestro marido me demanda un don, y no se puede complir sino por vos. Quiero que mi palabra hagáis verdadera.

Ella hincó los inojos delante dél y besóle las manos, y dixo:

—Señor, a Dios plega que por alguna manera venga causa

con que os pueda servir; y mandad lo que os pluguiere, que assí se fará si por mí complir se puede.

El rey la levantó y la besó en el rostro, y dixo:

—Hija, pues conviene que antes de comer sea por vos provado el arco de los leales amadores y la cámara defendida, que esto es lo que vuestro marido me pide.

Cuando esto fue oído de toda aquella gente, a muchos plugo de ver que la prueva se hiziesse, y a otras puso gran turbación, que como la cosa tan grave de acabar fuesse y tantas y tales en ella havían falleçido, bien pensavan que, la gloria que acabándola se alcançava, que assí en ella falleçiendo se aventurava menoscabo y vergüença. Mas pues que vieron qu'el rey lo mandava y Amadís lo demandava, no quisieron dezir sino que se hiziesse.

Pues assí como estavan salieron de la iglesia, y cavalgando llegaron al marco donde de allí adelante a ninguno ni a ninguna era dada licencia de entrar si dinos para ello no fuessen. Pues allí llegados, Melicia y Olinda dixeron a sus sposos que también querían ellas provar aquella aventura, de lo cual gran alegría en los coraçones dellos vino, por ver la gran lealtad en que se atrevían. Pero temiendo algún revés que les venir pudiesse, dixéronles que ellos estavan bien contentos y satisfechos en sus voluntades, y por lo que a ellos tocava, no tomassen en sí aquel cuidado. Mas ellas dixeron que lo havían de provar, que si en otra parte stuviessen, con alguna razón se podrían escusar dello; mas allí donde ninguna bastava no querían que pensassen que por lo que en sí havían sentido lo havían dexado.

—Pues que assí es —dixeron ellos—, no podemos negar que no recibimos en ello la mayor merced que de ninguna otra cosa que venir pudiesse.

Esto dixeron luego al rey Lisuarte y a los otros señores.

—En el nombre de Dios —dixeron ellos—, y a Él plega que sea en tal hora que con mucho plazer se acreçiente la fiesta en que stamos.

Allí descavalgaron todos, y acordaron que entrassen delante Melicia y Olinda; y assí se hizo, que la una tras la otra passaron el marco, y sin ningún entrevallo fueron so el arco y entraron en la casa donde Apolidón y Grimanesa estavan; y la trompa que la imagen encima dél tenía tañó muy dulcemente, assí que todos fueron muy consolados de tal son, que nunca otro tal vieran sino aquellos que ya lo havían visto y provado.

Oriana llegó al marco y bolvió el rostro contra Amadís, y paróse muy colorada, y tornó luego a entrar; y en llegando a la meitad del sitio, la imagen començó el dulce son. Y como llegó so el arco, lançó por la boca de la trompa tantas flores y rosas en tanta abundancia, que todo el campo fue cubierto dellas, y el son fue tan dulce y tan diferenciado del que por las otras se hizo que todos sintieron en sí tan gran deleite, que en tanto que durara tovieran por bueno de se no partir d'allí; mas como passó el arco cessó luego el son. Oriana halló a Olinda y a Melicia, que estavan mirando aquellas figuras y sus nombres, que en el jaspe hallaron escritos; y como la vieron, fueron con mucho plazer contra ella y tomáronla entre sí por las manos, y bolviéronse a las imágenes. Y Oriana mirava con gran afición a Grimanesa, y bien veía claramente que ninguna de aquéllas ni de las que fuera estavan no era tan fermosa como ella; y mucho dudó en la prueva de la cámara, que para aver de entrar en ella la avía de sobrar en hermosura, y por su voluntad dexarse de la provar, que de lo del arco nunca en sí puso duda, que bien sabía el secreto enteramente de su coraçón como nunca fuera otorgado de amar sino su amigo Amadís.

Assí estuvieron una pieça, y estovieran más si no por el día ser tal que las esperavan; y acordaron de se salir assí todas tres juntas como estavan, tan contentas y tan loçanas que a los que las atendían y miravan les paresció que avían gran pieça acrescentado en sus hermosuras; y bien cuidaron que cualquiera dellas era bastante para acabar la aventura de la cámara. Y esto causó, como digo, la gran alegría que en sí traían, que assí como con ella toda hermosura es crescida, assí al contrario con la tristeza se aflige y abaxa. Sus tres maridos, Amadís y Agrajes y don Bruneo, que aquella aventura avían acabado, como ya el segundo libro desta istoria vos lo ha contado, fueron contra ellas, lo cual ninguno de los que allí estavan pudieran hazer. Y como a ellas llegaron, la trompa començó el son y a echar las flores, que les davan sobre las cabeças; y abraçáronlas y besáronlas, y así todos seis se salieron.

Esto hecho, acordaron de ir a la prueva de la cámara; mas algunos avía que gran recelo llevavan de lo no poder acabar. Pues llegando al sitio que en la sala del castillo estava, Grasinda se llegó a Amadís y díxole:

—Mi señor, comoquiera que mi hermosura no me ayude

tanto que el desseo de mi coraçón complir se pueda, no puedo forçar mi locura a que no dessee provarse en esta entrada; que, ciertamente, nunca esta lástima de mí en ningún tiempo sería partida si se acaba sin que la prueve; y comoquiera que avenga, todavía me quiero aventurar.

Amadís, que en ál no estava pensando sino en que todas la provassen antes que su señora, porque complida gloria sobre todas llevasse, que della duda ninguna tenía de lo no poder acabar, como de las otras tenía, le respondió y dixo:

—Mi buena señora, no lo tengo yo esto que dezís sino a grandeza de coraçón en querer acabar lo que tantas hermosas han faltado; y assí se haga.

Entonces la tomó por la mano y la passó adelante, y dixo:

—Señores, esta señora muy hermosa se quiere aquí provar, y assí lo devéis hazer, vosotras señoras Olinda y Melicia, que a gran poquedad se devría tener, aviendo Dios repartido sobre vosotras tan estremada hermosura, que en cosa tan señalada por ningún temor la dexássedes de emplear; y podrá ser que por alguna de vos será acabado, y quitaréis a Oriana del gran sobresalto que tiene.

Esto dezía él en lo público, mas todo era fingido, que bien sabía él, como dicho es, que por ninguna dellas se podía acabar sino por su señora; que nunca Grimanesa en su tiempo, ni después otra ninguna con muy gran parte pudo llegar a la hermosura suya.

Todos dixeron que assí se hiziesse, y luego Grasinda se encomendó a Dios y entró en el sitio defendido, y con poca premia llegó al padrón de cobre. Y passó adelante, y llegando cerca del padrón de mármol fue detenida; mas ella con premia y gran coraçón, que allí mostró mucho más que de muger se esperava, llegó al de mármol; mas de allí fue tomada sin ninguna piedad por los sus muy formosos cavellos y echada fuera del sitio tan desacordada que no tenía sentido. Don Cuadragante la tomó consigo, y ahunque sabía cierto no ser de peligro aquel mal, no podía escusar de le no pesar mucho dello y aver gran piedad; que este cavallero, como ya fuesse en más edad que moço y nunca su coraçón uviesse cativado en amor de ninguna más qu'él lo podía ser; que lo olvidado de antes con la presente avían sobre él cargado de golpe en tal manera, que no diera ventaja a ninguno de los que allí estavan en querer y amar a su señora.

Pues luego llegó Olinda, la mesurada, trayéndola Agrajes

por la mano, que la dava gran esfuerço, ahunque no con mucha esperança que en sí toviesse; que el gran amor ni afición dél a ella no le quitava el conoscimiento de ver que no igualava a la hermosura de Grimanesa; pero bien pensó que llegaría con las más delanteras. Y llegando al sitio dexóla de la mano y ella entró y fuese derechamente al padrón de cobre, y de allí passó al de mármol, que nada sintió. Mas como quiso passar, la resistencia fue tan dura, que por mucho que porfió, no pudo más de una passada passar más adelante, y luego fue echada fuera como la otra.

Melicia entró con gentil continencia y loçano coraçón, que assí era ella muy loçana y muy fermosa. Y passó por los padrones ambos tanto, que cuidaron todos que entraría en la cámara; y Oriana, que así lo pensó, fue toda demudada de pesar. Mas llegando un passo más que Olinda, luego fue tollida y sacada sin ninguna piedad como las otras, tan desacordada como si muerta fuesse; que así como más adelante entravan, mucho más la pena les era dada a cada uno en su grado, y así se hazía a los cavalleros antes que Amadís lo acabasse. Las ravias que don Bruneo por ella hazía a muchos movía a piedad, mas a los que sabían el poco peligro que de allí redundava reíanse mucho de lo ver.

Esto assí fecho, llevó Amadís a Oriana, en quien toda la fermosura del mundo ayuntada era, y llegó al sitio con passos muy sosegados y rostro muy honesto; y santiguóse y encomendóse a Dios y entró adelante, que sin que nada sintiesse passó los padrones. Y cuando a una pasada de la cámara llegó, sintió muchas manos que la puxavan y tornavan atrás, tanto que tres vezes la bolvieron hasta cerca del padrón de mármol. Mas ella no hazía sino con las sus muy hermosas manos desviarlos a un cabo y a otro, y parescíale que tomava braços y manos. Y assí con mucha porfía y gran coraçón, y sobre todo su gran hermosura, que muy más estremada era que la de Grimanesa, como dicho es, llegó a la puerta de la cámara muy cansada, y travó de uno de los umbrales; entonces salió aquel braço y mano que a Amadís tomó, y tomó a ella por la una mano, y oyó más de veinte bozes que muy dulcemente cantando dixeron:

—Bien venga la noble señora, que por su gran beldad ha vencido la fermosura de Grimanesa y hará compaña al cavallero que, por ser más valiente y esforçado en armas que aquel Apolidón que en su tiempo par no tuvo, ganó el señorío desta ínsola, y de su generación será señoreada grandes tiempos con otros grandes señoríos que desde ella ganarán.

Entonces el braço y la mano tiró, y entró Oriana en la cámara, donde se halló tan alegre como si del mundo fuera señora, y no tanto por su hermosura como porque, seyendo su amigo Amadís señor de aquella ínsola, sin empacho alguno le podía hazer compaña en aquella hermosa cámara, quitando la esperança desde allí adelante de se venir a provar ninguna, por hermosa que fuesse. Isanjo, el cavallero governador de aquella ínsola, dixo entonces:

—Señores, los encantamentos desta ínsola a este punto son todos deshechos sin ninguno quedar, que así fue establescido por aquel que aquí los dexó, que no quiso que más durassen de cuanto se hallassen señor y señora que estas aventuras acabassen, como estos señores lo han fecho. Y sin embargo alguno pueden allí entrar todas las mugeres, así como lo hazen los hombres después que por Amadís acabada fue.

Entonces entraron los reyes y reinas, y todos los otros cavalleros, y dueñas y donzellas, cuantas allí estavan. Y vieron la más rica y más sabrosa morada que nunca fue vista; y todas abraçaron a Oriana, como si por luengo tiempo no la ovieran visto. Era tanto el plazer y alegría de todos, que no tenían memoria de comer ni de otra alguna cosa sino de mirar aquella cámara tan estraña. Amadís mandó que luego fuessen en aquella gran cámara traídas las mesas, y así se hizo. Finalmente los novios y novias, y los reyes, y los que allí cupieron, folgaron y comieron en la cámara, donde muchos y diversos manjares y frutas de muchas maneras y vinos fueron muy bien servidos.

Pues venida la noche, después de cenar en aquel muy hermoso destajo de la cámara, que ya vos deximos en el libro segundo que era muy más rico que todo lo otro y era apartado con la pared de cristal, hizieron la cama para Amadís y Oriana donde alvergaron, y al emperador y los otros cavalleros con sus mugeres por las otras cámaras que muchas y muy ricas las avía; donde compliendo sus grandes y mortales desseos, por razón de los cuales muchos peligros y grandes afanes avían sufrido, hizieron dueñas a las que no lo eran, y a las que lo eran no menos plazer que ellas ovieron con sus muy amados maridos.

CAPÍTULO CXXVI

DE CÓMO URGANDA LA DESCONOSCIDA JUNTÓ TODOS AQUE-
LLOS REYES Y CAVALLEROS CUANTOS EN LA INSOLA FIRME
ESTAVAN, Y LAS GRANDES COSAS QUE LES DIXO PASSADAS Y
PRESENTES Y POR VENIR, Y CÓMO AL CABO SE PARTIÓ

CUENTA la istoria que, passadas estas grandes fiestas de
las bodas que en la Insola Firme se hizieron, Urganda
la Desconoscida rogó a los reyes que mandassen juntar todos
los cavalleros y dueñas y donzellas porque delante dellos les
quería dezir la causa y razón de su venida; lo cual mandaron que assí se hiziesse.

Pues todos juntos en una gran sala del alcáçar, Urganda
se assentó aparte, teniendo por las manos aquellos sus dos
donzeles. Y cuando todos callavan estando esperando lo que
diría, dixo:

—Mis señores, yo supe, sin que me fuesse dicho, esta tan
gran fiesta sobre tantas muertes y pérdidas que por vos han
passado; y Dios es testigo, si algo o todo de aquellos males
por mí pudieran ser remediados, que por ningún trabajo de
mi persona dexara de poner en ello mis fuerças. Mas como
de aquel alto Señor permitido estuviesse, fue en mí con su
gracia de lo saber, mas no de lo remediar; porque lo que
por El es ordenado, sin El ninguno es poderoso de lo desviar. Y pues con mi presencia el mal escusar no se podía,
acordé con ella de crescer en el bien como yo cuido, según
el gran amor que con muchos de vosotros tengo, y el que me
tenéis, y también por declarar algunas cosas que antes de
agora vos dixe por encubiertas vías, assí como lo acostumbro fazer. Y creáis que verdad vos dixe, como en otras cosas
que de mí algunas vezes de antes avéis oído.

Entonces miró contra Oriana y dixo:

—Mi buena señora y muy hermosa novia, bien se vos
deve acordar que estando yo con el rey vuestro padre y la
reina vuestra madre en la su villa de Fenusa, acostada con
vos en vuestra cama, me rogastes que os dixesse lo que os
avía de acaescer, y yo vos rogué que saber no lo quisiéssedes; pero porque conoscí vuestra voluntad vos dixe cómo el
león de la Insola Dudada avía de salir de sus cuevas, y de

sus grandes bramidos se espantarían vuestros aguardadores, assí que él se apoderaría de las vuestras carnes, con las cuales daría a su gran hambre descanso; pues esto claro se deve conoscer; que este vuestro marido muy más fuerte y más bravo que ningún león salió desta ínsola que con mucha razón Dudada se puede llamar, donde tantas cuevas y tan escondidas tiene; y con sus fuerças y grandes bozes fue la flota de los romanos que vos aguardavan desbaratada y destroçada, assí que vos dexaron en sus fuertes braços, y se apoderó de essas vuestras carnes, como todos vieron, sin las cuales nunca su raviosa hambre se pudiera contentar ni hartar. Y assí conosceréis que en todo vos dixe verdad.

Entonces dixo contra Amadís:

—Pues vos, buen señor, bien claro conosceréis ser verdad todo lo que a esta sazón vos dixo, en que vuestra sangre daríades por la agena, cuando en la batalla de Ardán Canileo el Dudado la distes por vuestros amigos el rey Arbán de Norgales y Angriote d'Estraváus, que presos estavan; pues la vuestra buena espada, cuando la vistes en mano de vuestro enemigo, con que rebolvía vuestra carne y huessos, bien la quisiérades antes ver en algún lago donde nunca paresciera; pues el galardón que desto se os siguió, ¿cuál fue? Por cierto, no otro sino saña y grande enemistad, que redundó de la Ínsola de Mongaça, que a la sazón ganastes, entre vos y el rey Lisuarte, que presente está, como todos muy claro han visto, que esta ganancia vos dixe que sacaríades dello. Pues las cosas que vos escreví a vos, muy virtuoso rey Lisuarte, al tiempo que a esse muy hermoso donzel Esplandián vuestro nieto en la floresta hallastes caçando con la leona, bien las ternéis en la memoria; y de lo que dixe que es ya passado veréis que lo supe, porque fue criado a tres amas muy desvariadas, assí como la leona y la oveja y la muger, que todas leche le dieron. También vos hize saber que este donzel por ina paz entre vos y Amadís; esto dexo que se juzgue por vos y por él cuánta saña, cuánto rigor y enemistad ha quitado de vuestras voluntades la su graciosa y gran hermosura, y cómo por su causa y gran discreción fuistes de Amadís socorrido en el tiempo que otra cosa sino la muerte esperávades. Pues si tal servicio como éste era dino de quitar enemistad y atraer amor, déxole a estos señores que lo juzguen; pues en las otras cosas que en su tiempo sucederán, así como la carta vos mostró, queden para los que bivieren que las

juzguen, que por lo passado podrán creer lo por venir como
cosa ante de mí sabida. Otra profecía vos dixe muy mayor
que ninguna déstas, en que se contiene todo lo que es acaescido en el entregar de vuestra hija Oriana a los romanos, y
los grandes males y crueles muertos que dello se siguió, la
cual, por vos no traer a la memoria, en días que tanto plazer
se deve tomar, cosa de que congoxa y enojo ayáis, la dexo
para que los que la ver quisieren en el libro segundo por
ella verán claramente ser todas las acaescidas cosas en ella
contenidas y dichas por mí primero. Agora que vos he dicho
las cosas passadas, quiero que sepáis lo presente, de que sabiduría no avéis.

Entonces tomó por las manos a los hermosos donzeles,
Talanque y Maneli el Mesurado, que así avía nombre; y dixo
contra don Galaor y el rey Cildadán:

—Mis buenos señores, si algunos servicios y socorros para
vuestras vidas de mí recebistes, yo me doy por contenta del
galardón que tengo; que harta gloria será para mí, pues que
en mi propia persona ninguna generación engendrarse puede,
que fuesse yo causa que de las agenas tan hermosos donzeles nasciessen como aquí veis que tengo; que sin dubda podéis creer, si Dios los dexa llegar a edad de ser cavalleros y
lograr su cavallería, ellos harán tales cosas en su servicio y
en mantener verdad y virtud, que no solamente serán perdonados aquellos que contra el mandamiento de la santa iglesia los engendraron, y a mí que lo causé, mas sus méritos y
merescimientos serán tan crescidos, que assí en este mundo
como después en el otro alcançarán gran descanso en sus
personas, y a mí más; y porque las cosas que destos donzelles sucederán, por mucho que yo dixesse, no les fallaría cabo,
déxolas para su tiempo que no será muy tardío, según en la
disposición que la edad de sus personas está.

Entonces dixo contra Esplandián:

—Tú, muy hermoso y bienaventurado donzel Esplandián,
que en gran fuego de amor fuiste engendrado por aquellos
de quien muy gran parte dello heredaste, sin que de lo suyo
solo un punto les fallesciesse, que la tu tierna y simple edad
agora encubierto tiene, toma este donzel Talanque, hijo de
don Galaor, y este Maneli el Mesurado, hijo del rey Cildadán, y ámalos así al uno como al otro; que ahunque por ellos
a muchas afrentas peligrosas serás puesto, ellos te socorrerán
en otras que ninguno otro para ella bastaría. Y esta gran

serpiente que aquí me traxo dexo yo para ti, en la cual serás armado cavallero con aquel cavallo y armas que en sí ocultas y encerradas tiene, con otras cosas estrañas que en la orden de tu cavallería al tiempo que se hiziere manifiestas serán. Esta sierpe será guía en la primera cosa que el tu muy fuerte coraçón dará señal de su alta virtud; ésta, entre grandes tempestades y fortunas, sin peligro alguno pasará a ti y a otros muchos del tu gran linaje por la gran mar; donde con grandes afrentas y trabajos pagaréis al Señor del mundo algo de la gran merced que d'El recebís, y en muchas partes el tu nombre no será conoscido sino por Cavallero de la Gran Serpiente, y assí andarás por largos días sin ningún reposo aver; que demás de las afrentas peligrosas que por ti passarán, tu espíritu será en toda aflición y gran cuidado puesto por aquella que las siete letras de la tu siniestra parte encendidas como fuego serán leídas y entendidas. Y aquel gran encendimiento y ardor que hasta allí han posseído traspassara sus entrañas de tanto fuego, que nunca será amatado hasta que las grandes nuvadas de los cuervos merinos [95] passen de la parte de oriente por encima de las bravas ondas de la mar, y pongan en tan gran estrechura al gran aguilocho que ahún en el su estrecho alvergue guarescer no se atreva; y el orguiloso falcón neblí, más preciado y hermoso que todas las caçadoras aves, junte assí muchos del su linaje y otras aves que lo no son, y venga en su socorro y faga tan gran destruición en los merinos cuervos que todo aquel campo quede cubierto de su pluma y muchos dellos parezcan con sus muy agudas uñas, y otros sean afogados en el agua donde de fuerte neblí y de los suyos serán alcançados. Entonces el gran aguilocho sacará la mayor parte de sus entrañas y ponerla ha en las agudas uñas del su ayudador, con que le hará perder y cessar aquella raviosa hambre que de gran tiempo muy atormentado le ha tenido; y haziéndole posseedor de todas sus selvas y grandes montañas, será retraído en el alcándara del árbol de la santa huerta. A este tiempo

---

95.   *cuervos merinos: nin los merinos volar a lo seco,* Juan de Mena, *Laberinto de la Fortuna,* CLXX: «Los cuervos merinos se solían llamar merginos e por luengo uso corrompiose el vocablo e llaman les merinos e dezian los merginos por que en latin les llaman Mergus, estas aves e las caystrios que son aves de mar sintiendo que viene el tiempo tempestuoso salen de la mar a lo seco» (comentario de A. Pérez Gómez a su edición de 1555).

esta gran serpiente, cumpliéndose en ella la ora limitada por la mi gran sabiduría, delante todos será sumida en la gran mar, dando a entender que a ti más en la tierra firme que en la movible agua te conviene passar el venidero tiempo.

Esto dicho, dixo a los reyes y cavalleros:

—Buenos señores, a mí conviene ir a otra parte donde escusar no me puedo; pero al tiempo que Esplandián será en dispusición de recebir cavallería, y todos estos donzeles que junto con él la tomarán, bien sé que aquella sazón, por un caso que a vos es oculto, seréis aquí juntos muchos de los que agora aquí estáis y aquel tiempo yo verné, y en mi presencia se fará aquella gran fiesta de los novelles, y vos diré muy grandes y maravillosas cosas de las que adelante vernán. Y a todos amonesto que ninguno en sí tome tal osadía de se llegar a la serpiente fasta que yo buelva; si no, todos los del mundo no le quitarán de perder la vida. Y porque vos, mi señor Amadís, tenéis aquí preso aquel malo y de malas obras Arcaláus, que se llama el Encantador, y con su mala sabiduría, que nunca fue sino para dañar, vos podría empecer, tomad estos dos anillos; uno será vuestro y otro de Oriana, que mientra en las manos los traxerdes ninguna cosa que por él se haga vos podrá empecer, ni a otro alguno de vuestra compaña, ni sus encantamentos ternán fuerça ninguna mientra preso lo tuvierdes. Y dígovos que lo no matéis porque con la muerte no pagaría nada de los males por él hechos, mas que lo pongáis en una jaula de hierro donde todos lo vean, y allí muera muchas vezes, que muy más dolorosa es la muerte que a la persona biva dexa que no con la que del todo muera y fenesce.

Entonces dio los anillos a Amadís y a Oriana, que eran los más ricos y más estraños que nunca fueran vistos. Amadís le dixo:

—Mi señora, ¿qué puedo yo hazer que vuestra voluntad sea en pago de tantas honras y mercedes que de vos recibo?

—No, nada —dixo ella—, que todo cuanto he hecho y hiziere de aquí adelante me lo pagastes al tiempo que mi saber aprovechar no me podía, y me restituistes aquel muy fermoso cavallero, que es la cosa del mundo que yo más amo, ahunque él lo haze a mí al contrario, cuando por fuerça de armas vencistes los cuatro cavalleros en el castillo de la calçada donde me lo tenían, y después al señor del castillo en la sazón que hezistes cavallero a don Galaor vuestro hermano. Y así como con aquel gran beneficio esta mi vida, que sin él sostener no se pudiera, fue reparada, assí será puesta todos los días que el Señor muy poderoso en este mundo la dexare por las cosas de vuestro acrescentamiento.

Entonces mandó que le traxessen su palafrén, y todos aquellos señores la pusieron en la ribera de la mar, donde sus enanos y batel halló. Pues despedida de todos entró en él, y viéronla cómo a la Gran Serpiente se tornó; y luego el fumo fue tan negro, que por más de cuatro días nunca pudieron ver ninguna cosa de lo que en él estava, mas en cabo dellos se quitó, y vieron la Serpiente como de antes. De Urganda no supieron qué se hizo.

Esto assí hecho, tornáronse aquellos señores a la ínsola a sus juegos y grandes alegrías que en aquellas bodas se hizieron. Finalmente todas las cosas despachadas, el emperador demandó licencia a Amadís porque, si le pluguiesse, quería con su muger tornarse a su tierra a reformar aquel gran señorío que, después de Dios, él le avía dado, y que se fuesse con él don Florestán, rey de Cerdeña, y que luego le entregaría todo el señorío de Calabria, como lo él mandó, y de lo otro partiría con él como con hermano verdadero; lo cual así se hizo, que después que este Arquisil, emperador de Roma, llegó en su gran imperio, de todos con mucho amor fue recebido, y siempre tuvo en su compañía aquel esforçado y valiente cavallero don Florestán, rey de Cerdeña y príncipe de Calabria, por el cual assí él como todo el imperio fue acrescentado y honrado, assí como adelante vos contaremos.

Despedido este emperador de Amadís, ofresciéndole su persona y señorío a su querer y mandado, llevando consigo a su muger, que más que a sí mismo amava, y aquel muy noble y esforçado cavallero don Florestán, que en igual de hermano le tenía, y a la muy fermosa reina Sardamira, y haziendo llevar el cuerpo del emperador Patín y de aquel muy esforçado cavallero Floyán, que en el monesterio de Lubaina estavan, que por mandado del rey Lisuarte allí avían puesto, y el del príncipe Salustanquidio, que al tiempo que Amadís y sus compañeros traxeron allí a la Insola Firme a Oriana, lo mandó muy honradamente poner en una capilla para en su tierra les dar las sepulturas que a su grandeza convenía, y a todos los romanos que presos en la Insola Firme avían estado. Entrado en la gran flota que el emperador Patín

en el puerto de Vindilisora havía dexado, que allí mandó
venir, se bolvió a su imperio.

Todos los otros reyes y señores adereçaron para se ir a
sus tierras. Pero antes de su partida acordaron de dar orden
cómo aquellos cavalleros que avían de ir a ganar aquellos señoríos de Sansueña y del rey Arávigo y la Profunda Insola
fuessen con tal recaudo, que sin contraste alguno acabassen
lo que les convenía.

Amadís habló con el rey Lisuarte, diziéndole que creía,
según el tiempo avía estado fuera de su tierra, que recebía
alguna congoxa, que si assí era, le pedía por merced que por
él mas no se detoviesse. El rey le dixo que antes allí avía
descansado con mucho plazer, pero que ya era sazón de se
hazer como lo él dezía, y que si para aquello que aquellos
cavalleros ivan su ayuda fuesse menester, que de grado gela
daría. Amadís gelo gradesció mucho, y le dixo que, pues los
señores estavan presos, que no sería menester más aparejo
de la gente que con el rey Perión, su señor, allí quedava, y
que si caso fuesse que lo suyo fuesse necessario, que como
de señor a quien todos avían de servir, y para ello aquello
se ganava, lo tomaría. El rey le dixo que, pues assí le parescía, que luego acordava de se partir. Pero antes hizo juntar
todos aquellos señores y señoras en la gran sala, porque les
quería hablar. Pues estando todos juntos, el rey Lisuarte dixo
al rey Cildadán:

—La gran lealtad vuestra que en las cosas passadas de muchos peligros y congoxas me sacó, aquélla me atormenta y
aflige por no saber alcançar en qué satisfazer se pueda; y si
la igualeza del galardón que su gran merescimiento meresce
oviesse de dar, embalde sería buscarlo, pues que hallar no
se podría. Y viniendo a lo possible que es en mi mano, digo
que assí como vuestra noble persona, por lo que a mi servicio tocó, fue puesta en muchas afrentas, assí esta mía, con
todo lo que debaxo de su señorío está, será con voluntad
entera presta a complir las cosas que vuestra honra sean, dexando desde oy en adelante el vassalaje que la contraria fortuna vuestra a mi señorío sometido para que aquello, que fasta
aquí con premia se hazía, de aquí adelante, si vuestro plazer
fuere, sin ella como entre buenos hermanos se haga.

El rey Cildadán le dixo:

—Si esto se deve gradescer o no, déxolo que lo juzguen
aquellos que tovieron por alguna premia causa de seguir más

la voluntad agena que la suya, por donde siempre congoxa y sospiros les acompañaron. Y podéis, mi señor, creer que la voluntad que hasta aquí con desamor por fuerça teníades, que de aquí adelante con amor y mucha más gente y más obediencia y acatamiento se seguirán en las cosas que más agradables vos fueren; y esto quede para el tiempo en que la esperiencia lo pueda mostrar.

Todos aquellos grandes señores tovieron a gran virtud lo que el rey Lisuarte hizo, y mucho gelo loaron; mas sobre todos fue don Cuadragante, que nunca en ál pensava sino en cómo aquella lástima y desaventura tan grande que sobre aquel reino estava, donde él natural era, y en otros tiempos muy honrado y enseñoreado sobre otros fuera, fuesse quitado de aquella tan grande y deshonrada servidumbre. El rey Lisuarte le preguntó qué era su voluntad de hazer, porque él acordava de se bolver a su tierra. El le respondió que si le pluguiesse, quedaría allí para dar orden cómo su tío don Cuadragante fuesse a ganar el señorío de Sansueña, y ahun que si menester fuesse, que iría con él. El rey le dixo que dezía guisado, y que le plazía que se hiziesse, y si algo de su gente oviesse menester, que luego gelo embiaría. El gelo gradesció mucho, y dixo que bien creía que bastava lo que de allí podían embiar, pues que Barsinán estava preso.

Con esto se partió el rey Lisuarte y su compaña; y Amadís y Oriana fueron con él, ahunque él no quiso, cerca de una jornada; donde se bolvieron a dar orden en aquello que avéis oído, lo cual se concertó en esta manera: que por cuanto el reino del rey Arávigo era comarcano al señorío de Sansueña, que don Cuadragante y don Bruneo fuessen juntos, y luego al comienço ganassen lo que en mejor disposición de menos fuerte, y que lo otro sería más ligero de conquerir.

Y don Galaor dixo que él se quería ir, y que Dragonís su hermano se fuesse con él, que pues ya a poco tiempo podría tomar armas, que él con todo lo más que de su reino haver pudiese quería ayudarle a ganar aquella Profunda Insola. Y don Galvanes le dixo que también quería él hazer aquel mismo viaje, y que de la Insola de Mongaça sacaría para ello buena gente.

Con este acuerdo se partió don Galaor con aquella muy hermosa reina Briolanja su muger, y Dragonís con ellos, y don Galvanes y Madasima a su tierra por adereçar lo más presto que pudiessen para aquel camino.

Agrajes, ahunque mucho fue rogado que quedasse en la Insola Firme con Amadís, no lo quiso fazer; antes, dixo que iría con don Bruneo con la gente del rey su padre, y que no se partiría dél fasta que en paz rey lo dexasse: y assí lo hizo don Brian de Monjaste con don Cuadragante y todos los otros cavalleros que allí se fallaron, en especial el bueno y esforçado de Angriote d'Estraváus, que nunca por cosas que Amadís le dixo, porque se fuesse a reposar a su tierra, le pudo quitar de no ir con don Bruneo de Bonamar.

Todos éstos con armas nuevas y coraçones esforçados, llevando consigo la gente d'España, y la de Escocia y de Irlanda, y del marqués de Troque, padre de don Bruneo, y la de Gaula, y la del rey de Boemia, y otras muchas compañas que de allí de otras partes les vinieron, entraron en una gran flota, rogando todos mucho a Grasandor que con Amadís quedasse para le fazer compañía, el cual contra su voluntad quedó, que más quisiera fazer aquel camino. Pero no estuvo acá de balde, ni Amadís tampoco, que muchas vezes salieron y acabaron grandes cosas en armas, quitando muchos tuertos y agravios que a dueñas y a donzellas se hazían, y a otras personas que por sus manos ni facultad se podían valer, de que fueron requeridos, assí como la istoria os lo contará adelante.

El rey Cildadán, como mucho amasse a don Cuadragante, porfió de ir con él cuanto pudo, mas él no lo consintió en ninguna guisa; antes, le rogó que por su amor luego se fuese a su reino por dar alegría y consolar a la reina su muger y a todos los suyos con las buenas nuevas que levava que bien podía dezir; que si haziendo enteramente su dever avía su libertad perdido, que assí cumpliendo con su honra y a lo que obligado era por la promesa y jura que hizo, la avía ganado.

Gastiles, sobrino del emperador de Constantinopla, avía embiado toda su gente con el marqué Saluder, y quedó él por ver el cabo de aquel negocio en qué parava, porque al emperador su señor contarlo supiesse por entero. Y como esto vio que se hazía, habló con Amadís y díxole que mucho le pesava por no tener aparejo de gente para ayudar aquellos cavalleros en tal jornada, pero que si él por bien lo tuviesse, que él iría con su persona y con algunos de los que le avían quedado. Amadís le dixo:

—Mi señor, bastar deve lo hecho, que por causa de vuestro tío y vuestra soy puesto en tanta honra como veis; y a Dios plega por la su merced que me llegue a tiempo que gelo yo sirva. Y vos, mi señor, partíos luego y besalde las manos por mí, y dezilde que todo cuanto se ganó en esto passado lo ganó él, y que siempre será a su servicio y de quien él mandare. Y también os encomiendo que beséis las manos por mí a la muy fermosa Leonorina y a la reina Menoresa, y dezildes que yo cumpliré lo que les prometí y les embiaré un cavallero de mi linaje, de que muy bien se podrán servir.

—Esso creo yo bien —dixo Gastiles—, que tantos ay en él que para todo el mundo podrían bastar.

Con esto se despidió y se metió en su nave, donde por agora no se cuenta más dél fasta su tiempo.

Concertado y aparejado lo que oído avéis, movió la gran flota del puerto por la mar con todos aquellos cavalleros, con aquel esfuerço que sus grandes coraçones les solía dar en las otras afrentas. Amadís quedó en la Insola Firme y Grasandor con él, como dicho es; y con Oriana quedaron Mabilia y Melicia, y Olinda y Grasinda, rogando a Dios que ayudasse a sus maridos. El rey Perión y la reina Elisena, su muger, se tornaron a Gaula. Esplandián y el rey de Dacia y los otros donzelles quedaron con Amadís esperando el tiempo de ser cavalleros y Urganda la Desconoscida, que lo avía de ordenar, como lo prometió y lo dixo.

Mas agora dexa la istoria de hablar de aquellos cavalleros que ivan a ganar aquellos señoríos, y de todas las otras cosas, por contar lo que le avino a Amadís a cabo de algún tiempo que allí estuvo.

CAPÍTULO CXXVII

CÓMO AMADÍS SE PARTIÓ SOLO CON LA DUEÑA QUE VINO POR LA MAR POR VENGAR LA MUERTE DEL CAVALLERO MUERTO QUE EN EL BARCO TRAÍA, Y DE LO QUE LE AVINO EN AQUELLA DEMANDA

Así como avéis oído, quedó en la Insola Firme Amadís con su señora Oriana al mayor vicio y plazer que nunca cavallero estuvo, de lo cual no quisiera él ser apartado porque del mundo le hiziessen señor, que assí como estando ausente de su señora las cuitas y dolores y congoxas de su apassionado coraçón sin comparación le atormentavan, no fallando en ninguna parte reparo ni descanso alguno, así estremadamente se tornava todo al contrario estar en su presencia viendo aquella su gran hermosura que par no tenía; y ansí se le escaescieron todas las cosas passadas de la memoria, que en ál no tenía mientes salvo en aquella buena ventura en que entonces se veía. Pero como en las cosas perescederas deste mundo no aya ni se pueda hallar ningún acabado bien, pues que Dios no lo quiso ordenar, que cuando aquí pensamos ser legados al cabo de nuestros desseos, luego en punto somos atormentados de otros tamaños o por ventura mayores, a cabo de algún espacio de tiempo, Amadís tornando en sí, conosciendo que ya aquello por suyo sin ningún contraste lo tenía, començó acordarse de la vida passada, cuánto a su honra y prez fasta allí avía seguido las cosas de las armas, y cómo estando mucho tiempo en aquella vida se podría escurescer y menoscabar su fama, de manera que era puesto en grandes congoxas, no sabiendo qué fazer de sí. Y algunas vezes lo fabló con mucha humildad con Oriana su señora, rogándola muy afincadamente le diesse licencia para salir d'allí y ir algunas partes donde creía que sería menester su socorro; mas ella, como se viesse en aquella ínsola apartada de su padre y madre y de toda su naturaleza, y otra consolación no tuviesse ni compañía sino a él para satisfazer su soledad, nunca otorgárgelo quiso; antes, siempre con muchas lágrimas le rogava que diesse algún descanso a su cuerpo de los trabajos que fasta allí avía passado, y assí mesmo diziéndole que se le acordasse cómo aquellos sus amigos eran idos a tan gran peligro de sus personas y gentes como por ganar aquellos señoríos se les podría recrescer, y que si algún contraste allá oviessen, que estando allí muy mejor que de otra parte, les podría socorrer, y con esto y otras cosas muchas de grandes amores por le detener. Mas como muchas vezes se vos ha dicho en esta grande istoria que las entrañas deste cavallero desde su niñez fueron encendidas de aquel gran fuego de amor, que desde el primero día que la començó a amar, le vino y juntó con esto el gran temor de en ninguna cosa la enojar ni passar su mandamiento por bien ni por mal que le avenir pudiesse, con muy poca premia, ahunque su desseo gran congoxa passasse, era detenido.

Pues ya determinado a complir lo que su señora le mandava, acordó con Grasandor que, en tanto que algunas nuevas de la flota les venían, que de allí fuera saliessen a correr monte y andar a caça por dar algún exercicio a sus personas; lo cual luego fue aparejado y salían con sus monteros y canes fuera de la ínsola, que, como se os ha dicho en este libro, avía los mejores montes y riberas llenos de ossos y puercos y venados y otras muchas animalias y aves de río que en otra tanta parte hallarse pudiessen. Y caçavan mucho dello, con que a las noches se acogían a la ínsola con gran plazer, assí dellos como dellas, y esta vida tuvieron por algún espacio de tiempo.

Pues así acaesció que estando un día Amadís en una armada en la halda de aquella montaña cerca de la ribera de la mar esperando algún puerco o bestia fiera, teniendo por la traílla un muy hermoso can qu'él mucho amava, miró contra la mar y vio de lueñe venir un batel la vía donde él estava. Y cuando más cerca fue, vio en él una dueña y un hombre que lo remava, y porque le pareçió que devía ser alguna cosa estraña, dexó la armada donde estava y fuese con su can por la cuesta abaxo, colando entre las grandes matas, sin que alguno de su compaña le viesse. Y llegando a la ribera, falló que la dueña y aquel hombre que con ella venía sacavan arrastrando del batel un cavallero muerto armado de todas armas y lo pusieron en tierra, y su escudo cabe él. Amadís, como a ellos llegó, dixo:

—Dueña, ¿quién es esse cavallero, y quién lo mató?

La dueña bolvió la cabeça, y ahunque con paños de monte lo vio, como los cavalleros en tal auto andar suelen, y solo, luego conoçió que era Amadís, y començó a romper sus tocas y vestiduras faziendo muy gran duelo y diziendo:

—¡O señor Amadís de Gaula! acorred a esta triste sin ventura por lo que devéis a cavallería, y porque estas mis manos os sacaron del vientre de vuestra madre y fizieron el arca en que en la mar fuestes echado, porque la vida se salvasse de aquella que os parió; acorredme, señor, pues que para acorrer y remediar los atribulados y corridos en este mundo naçistes en tanta amargura como sobre mí es venida.

Amadís huvo muy gran duelo de la dueña; y como le oyó aquellas palabras, miróla más que ante, y luego conoçió que era Darioleta, la que se halló con la reina su madre al tiempo que él fue engendrado y naçido, de lo cual mucho

más el dolor le creçió. Y llegóse a ella, y quitándole las
manos de los cabellos, que la mayor parte dellos era blanca,
le preguntó qué cosa era aquella por que assí llorava y tan
duramente sus cabellos messava; que gelo dixesse luego y
que no dexaría de poner su vida al punto de la muerte porque su gran pérdida reparada fuesse.

La dueña, cuando esto le oyó, hincóse delante dél de inojos, y quísole besar las manos, mas él no gelas quiso dar; y
ella le dixo:

—Pues, señor, cumple que, sin a otra parte ir donde algún
estorvo hayáis, entréis luego comigo en este batel, y yo vos
guiaré donde mi cuita remediar se puede, y por el camino
la mi desventura os contaré.

Amadís, como tan aquexada la vio y con tanta passión,
bien creyó que la dueña havía passado por gran afrenta. Y
como desarmado se viesse sino solamente de la su muy
buena spada, y que si por sus armas embiasse, Oriana lo de-
ternía de manera que no podría ir con la dueña, acordó de
se armar de las armas del cavallero muerto; y assí lo hizo,
que mandó aquel hombre que lo desarmasse y armasse a él,
lo cual luego fue fecho. Y tomando la dueña consigo y el
hombre que remava, se metió prestamente en el batel. Y queriendo partir de la ribera, a caso llegó un montero de los
de su compaña, que iva tras un venado que iva herido y se
le acogiera aquella parte, que las matas eran muy más espessas; al cual, cuando Amadís le vio, llamólo y díxole:

—Di a Grasandor cómo yo me voy con esta dueña que
aquí agora aportó, y que le demando perdón, que la gran
pérdida y priessa suya me quita que lo no pueda fablar ni
ver; y que le ruego que haga enterrar esse cavallero, y me
gane perdón de Oriana, mi señora, porque sin su mandado
hago este viaje; crea que no he podido hazer ál que gran
vergüença no me fuesse.

Y dicho esto, partió el batel de la ribera a la más priessa
que llevar se pudo; y anduvieron todo aquel día y la noche
por la vía que allí la dueña avía venido. En este comedio
preguntó Amadís a la dueña que le dixesse la priessa y afrenta en que estava para que su acorro tanto havía menester; la
cual llorando muy agramente le dixo:

—Mi señor, vos sabréis que, al tiempo que la reina vuestra madre partió de Gaula para ir a esta vuestra ínsola a las
bodas vuestras y de vuestros hermanos, ella embió un men-

sajero a mi marido y a mí a la Pequeña Bretaña, donde por
su mando estamos por governadores, por el cual nos mandó
que en viendo su carta nos viniéssemos tras ellas a la Insola
Firme, porque no era razón que tales fiestas sin nosotros passassen; y esto le causó la su gran nobleza y mucho amor que
nos tiene, más que nuestros mereçimientos. Pues avido este
mandamiento, luego mi marido y aquel desventurado de mi
fijo que allá dexamos muerto, cuyas essas armas que lleváis
son, y yo entramos con buena compaña de servidores en la
mar en una nave asaz grande. Y navegando con buen tiempo, el cual por la nuestra contraria fortuna se mudó de tal
manera, que nos fizo desviar de la vía que traíamos gran
parte, y nos traxo, a cabo de dos meses y de muchos peligros que con aquella gran tormenta nos sobrevinieron, una
noche por gran fuerça del viento a la Insola de la Torre Bermeja, donde es señor della el gigante llamado Balán, más
bravo y más fuerte que ningún gigante de todas las ínsolas.
Y como al puerto llegamos, no sabiendo en qué parte éramos arribados, cuanto alguna pieça nos detovimos por guareçer allí en aquel puerto, luego en la hora gentes de la ínsola en otras fustas nos cercaron, de manera que fuemos
todos presos y tenidos allí fasta la mañana que al gigante
nos llevaron; el cual, como nos vio, preguntó si venía
entre nos algún cavallero. Mi marido le dixo que sí, que él
lo era y aquel otro que cabe él estava, que era su hijo. «Pues,
dixo el gigante, conviene que passéis por la costumbre desta
ínsola.» «¿Y qué costumbre es?» dixo mi marido. «Que os havéis de combatir comigo uno a uno, dixo el gigante, y si cualquier de vos os pudierdes defender una hora, seréis libres, y
toda vuestra compaña; y si fuerdes vencidos en aquella hora,
seréis mis presos; pero quedarvos ha alguna esperança a vuestra salud pues que como buenos provardes todas vuestras
fuerças; mas si por ventura vuestra covardía fuere tan grande que en esta aventura de tomar la batalla no vos dexe
poner, seréis metidos en una cruel prisión donde passaréis
grandes angustias en pago de haver tomado orden de cavallería teniendo en más la vida que la honra, ni las cosas que
para la tomar jurastes. Agora vos he dicho toda la razón de
lo que aquí se mantiene; escoged lo que más vos agradare.»
Mi marido le dixo: «La batalla queremos, que de balde trac-
ríamos armas si por espanto de algún peligro dexássemos de
fazer con ellas aquello para que fueron estableçidas. Mas ¿qué

seguridad ternemos, si fuéremos vencedores, que nos será guardada la ley que dizes?» «No ay otra, dixo el gigante, sino mi palabra, que por mal ni por bien nunca a mi grado quebrada será; antes me consentiría quebrar por el cuerpo, y assí lo tengo fecho jurar a un mi fijo que aquí tengo y a todos mis servidores y vasallos.» «En el nombre de Dios, dixo mi marido, fazedme dar mis armas y mi cavallo, y a este mi fijo también, y aparejadvos para la batalla.» «Esso, dixo el gigante, luego será fecho.» Pues assí fueron armados ellos y el gigante y puestos a cavallo en una gran plaça que está entre unas peñas a la puerta del castillo, que es muy fuerte. Estonces el mal aventurado de mi fijo rogó tanto a su padre, que a mal de su grado le otorgó la primera justa, en la cual fue del gigante tan duramente encontrado, que assí a él como al cavallo derribó tan crudamente, que el uno y el otro a un punto perdieron la vida. Mi marido fue para él y encontróle en el escudo mas no fue sino como dar en una torre. Y el gigante llegó a él, y travóle tan rezio por el un braço que, comoquiera que él sea dotado de harta fuerça, según su grandeza de cuerpo y de edad, assí lo sacó de la silla como si un niño fuera. Esto fecho, mandó dexar a mi fijo muerto en el campo, y a mi marido y a mí y una nuestra fija, que traíamos para que sirviesse a Melicia vuestra hermana, nos hizo llevar suso al alcáçar, y a nuestra compaña mandó meter en una prisión. Cuando yo esto vi, comencé, como muger fuera de sentido, que assí lo estava en aquella ora, a dar gritos muy grandes y a dezir: «¡O rey Perión de Gaula! agora fuesses tú aquí, o alguno de tus fijos, que bien me cuidaría contigo o con cualquier dellos salir desta tan gran tribulación.» Cuando el gigante esto oyó, dixo: «¿Qué conocimiento tienes tú con este rey? ¿Es éste por ventura el padre de uno que se llama Amadís de Gaula?». «Sí es, por cierto, dixe yo; y si cualquier dellos aquí estuviesse, no serías poderoso de me hazer ningún desaguisado, que ellos me ampararían como aquella que todos mis días gasté y espendí en su servicio.» «Pues si tanta fiança en ellos tienes, dixo él, yo te daré lugar que llames aquel que te más agradare, y más me plazería que fuesse Amadís, que tan preciado es en el mundo, porque éste mató a mi padre Madanfabul en la batalla del rey Cildadán y del rey Lisuarte, cuando so el braço fuera de la silla al mesmo rey Lisuarte levava y se iva con él a las barcas. Y este Amadís, que a la sazón Beltenebrós se llamava, lo siguió, y comoquiera que en defensa de su señor y de los de su parte pudo herir sin que mi padre le viesse, a su salvo, no se le deve contar a gran esfuerço ni valentía, ni a mi padre, a gran desonra. Y si deste que tan famoso es y tanto has servido te quieres valer, toma aquel barco con un marinero que te yo daré para le guiar, y búscalo. Y porque más su saña y gana de te vengar se encienda, llevarás aquel cavallero tu hijo armado y muerto como sta. Y si él te ama como tú piensas, y es tan esforçado como todos dizen, veyendo esta tu gran lástima no se escusará de venir.» Cuando yo esto le oí, díxele: «Si yo fago lo que dizes y trayo aquel cavallero aquesta tu ínsola, ¿por dónde será cierto que le manternás verdad?» «Desso, dixo, no tengas ni él tenga cuidado, que, ahunque en mí haya otras cosas de mal y de sobervia, esto he mantenido y manterné todo el tiempo de mi vida, de antes la perder que mi palabra fallezca de aquello que prometiere; la cual yo te doy para cualquiera cavallero que contigo viniere, y mucho más entera si fuere Amadís de Gaula, que no haya de que se temer sino de mi sola persona a mi grado.» Pues yo, señor, veyendo esto que el gigante me dixo, y a mi hijo muerto, y mi marido y mi señor y mi fija presos con toda nuestra compaña heme atrevido a venir en esta manera, confiando en nuestro Señor y en la buena ventura vuestra, y en la crueza de aquel diablo que tanto contra su servicio es que me dará vengança de aquel traidor con gran prez de vuestra persona.

Amadís, cuando esto oyó, mucho le pesó de la desaventura de la dueña, que mucho de su padre el rey Perión y de la reina su madre y de todos ellos era amada y tenida por una de las buenas dueñas de todo el mundo de su manera. Y assí mesmo tuvo por grande afrenta aquélla, no tanto por el peligro de la batalla, ahunque grande era, según la fama de aquel Balán, como por entrar en su ínsola, y entre gente donde le convenía estar a toda su mesura. Pero poniendo su fecho todo en la mano de aquel Señor que sobre todos la tiene, y haviendo gran piedad de aquella dueña y de su marido, la cual nunca de llorar cessava, pospuesto todo temor, con muy gran esfuerço la iva consolando y diziéndole que muy presto sería reparada y vengada su pérdida, si Dios por bien lo tuviesse que por él se pudiesse acabar.

Pues assí como oís anduvieron dos días y una noche, y al tercero día vieron a su siniestro una ínsola pequeña con un castillo que muy alto pareçía. Amadís preguntó al marinero si sabía cúya fuesse aquella ínsola. El dixo que sí, que era del rey Cildadán y que se llamava la Insola del Infante.

—Agora nos guía allá —dixo Amadís—, porque tomemos alguna vianda, que no sabemos lo que acaeçer podrá.

Estonces bolvió el barco, y a poco rato llegaron a la ínsola. Y cuando fueron al pie de la peña, vieron descendir por la cuesta ayuso un cavallero; y como a ellos llegó, saludólos, y ellos a él. El cavallero de la ínsola preguntó quién eran. Amadís le dixo:

—Yo soy un cavallero de la Insola Firme que vengo por dar derecho a esta dueña, si la voluntad de Dios fuere, de un tuerto y desaguisado que acá delante en otra ínsola recibió.

—¿En qué ínsola fue esso? —dixo el cavallero.

—En la Insola de la Torre Bermeja— dixo Amadís.

—¿Y quién le fizo esse tuerto? —dixo el cavallero.

—Balán el gigante, que me dizen que es señor de aquella ínsola —dixo Amadís.

—Pues, ¿qué emienda le podéis os solo dar?

—Combatirme con él —dixo Amadís—, y quebrantarle la sobervia que a esta dueña ha hecho, y a otros muchos que gelo no mereçieron.

El cavallero se començó a reír, como en desdén, y dixo:

—Señor cavallero de la Insola Firme, no se ponga en vuestro coraçón tan gran follía en querer de vuestra voluntad buscar aquel de quien todo el mundo huye; que si el señor dessa ínsola donde venís, que es Amadís de Gaula, y sus dos hermanos don Galaor y don Florestán, que hoy son la flor y el cabo de los cavalleros del mundo, todos tres viniessen a se combatir con este Balán, les sería tenido a gran locura de aquellos que le conoçen. Por esso yo vos consejo que dexéis este camino, que de vuestro mal y daño havría pesar por ser cavallero y amigo de aquellos a quien tanto ama y precia el rey Cildadán mi señor, que me han dicho que él y el rey Lisuarte son ya concertados con Amadís de Gaula, no sé en qué forma, sino tanto que soy certificado que quedaron en mucho amor y concordia. Y si como lo havéis començado, lo seguís, no es otra cosa salvo ir vos conoçidamente a la muerte.

Amadís le dixo:

—La muerte y la vida en las manos de Dios está, y a los

que quieren ser loados sobre los otros conviene que se pongan y acometan cosas peligrosas y las que los otros no osan acometer, y esto no lo digo yo por me tener por tal, mas porque lo desseo ser. Y por esto vos ruego, cavallero señor, que me no pongáis más miedo del que yo trayo, que no es poco; y si os pluguiere, por cortesía me socorráis con alguna vianda de que nos podamos ayudar, si algún entrevallo viniere.

—Esto haré yo de buen grado —dixo el cavallero de la ínsula—, y mas haré; que por ver cosa tan estraña quiero tenervos compañía hasta que vuestra ventura buena o mala passe con aquel bravo gigante.

CAPÍTULO CXXVIII

Cómo Amadís se iva con la dueña contra la ínsola del gigante llamado Balán, y fue en su compaña el cavallero governador de la Insola del Infante

AQUEL cavallero que la historia dize mandó traer viandas cuanto vio que cumplía, y metióse assí desarmado como estava en una barca con hombres que lo guiavan. Y partieron de aquel puerto juntos contra la ínsola de Balán; y yendo por la mar adelante el cavallero preguntó a Amadís si conoçía al rey Cildadán. Amadís le dixo que sí, que muchas vezes le viera y sus grandes cavallerías en las batallas que el rey Lisuarte huvo con Amadís, y que dél bien podía dezir con verdad que era uno de los esforçados y buenos reyes del mundo.

—Por cierto —dixo el cavallero de la Insola del Infante—, tal es él, si no que la su contraria fortuna le ha sido más adversa que nunca lo fue a hombre del mundo que tanto valiesse, en le poner so el señorío y vassallaje del rey Lisuarte, que tal rey más era para mandar y ser señor que para ser vassallo.

—Ya es fuera desse tributo —dixo Amadís—, que el gran esfuerço de su coraçón y el valor de su persona quitaron de su gran estado aquella lástima que no a su cargo tenía.

—¿Cómo lo sabéis vos esso, cavallero?

—Señor —dixo él—, yo lo sé que lo vi.

Estonces le contó lo que el rey Lisuarte havía hecho en le dar por quito, assí como este libro lo ha contado. El cavallero, cuando esto oyó, hincó los hinojos en la barca y dixo:

—Señor Dios, loado seas tú por siempre jamás, que quesiste dar aquel rey lo que su gran virtud y nobleza mereçían.

Amadís le dixo:

—Buen señor, ¿conoçéis vos este Balán?

—Muy bien —dixo él.

—Mucho os ruego, si os pluguiere, pues en ál no ay neçessidad de hablar, me digáis lo que dél sabéis, special lo que de su persona conviene saber.

—Assí lo haré —dixo el cavallero—, y por ventura no hallaríades otro que por tan entero os lo pueda dezir. Sabed que este Balán es hijo del bravo Madanfabul, aquel gigante que Amadís de Gaula mató, llamándose Beltenebrós, en la batalla que el rey Cildadán huvo con el rey Lisuarte de los ciento por ciento, donde murieron otros muchos gigantes y fuertes cavalleros de su linaje que por esta comarca tenían muchas ínsolas de muy gran valor, los cuales, con el grande amor y afición que al rey Cildadán, mi señor, tuvieron, quisieron ser en su servicio, donde poco menos todos fueron pereçidos. Y este Balán por quien me preguntáis quedó harto mançebo cuando su padre murió, y quedóle esta ínsola que es la mas frutífera de todas las cosas, assí frutas de todas naturas como de todas las más preciadas y estimadas especias del mundo. Y por esta causa ay en ella muchos mercadantes y otros infinitos que seguros a ella vienen, de los cuales redundan al gigante muy grandes interesses. Y dígoos que después que éste fue cavallero se ha mostrado más fuerte que su padre en toda valentía y esfuerço, y su condición y manera, de que vos saber queréis, es muy diversa y contraria a la de los otros gigantes, que de natura son soberbios y follones, y éste no lo es; antes, muy sosegado y muy verdadero en todas sus cosas, tanto que es maravilla que hombre que de tal linaje venga pueda ser tan apartado de la condición de los otros. Y esto piensan todos que le viene de parte de su madre, que es hermana de Gromadaça, la brava giganta, muger que fue de Famongomadán, el del Lago Herviente, no sé si lo oístes ya dezir, y assí como ésta passó de muy gran hermosura a Gromadaça su hermana y a otras muchas que en su tiempo hermosas fueron, assí fue muy diferente en todas las otras maneras de bondad; que la otra fue muy brava, y corajosa en demasía y ésta muy mansa y sometida a toda virtud y humildad. Y esto deve causar que assí como las mujeres que feas son, tomando más figura de hombre que de mujer, les viene por la mayor parte aquella sobervia y desabrimiento varonil que los hombres tienen, que es conforme a su calidad, assí las hermosas, que son dotadas de la propia naturaleza de las mugeres, lo tienen al contrario, conformándose su condición con la boz delicada, con las carnes blandas y lisas, con la gran fermosura de su rostro, que la ponen en todo sosiego y la desvían de gran parte de la braveza, assí como esta gigante muger de Madanfabul, madre deste Balán, lo tiene; de lo cual redunda aquella mansedad y reposo aqueste su fijo. Esta se llama Madasima, y por causa suya pusieron este nombre mismo a una hija muy hermosa que quedó de Famongomadán, que casó con un cavallero que se llamó don Galvanes, hombre de tan alto lugar, y todos los que la conoçen dizen que assí es de muy noble condición y con todos muy humilde. Agora vos quiero dezir cómo yo sé todo esto que digo y mucho más del hecho destos gigantes. Sabed que yo soy gobernador daquella ínsola del Infante donde me fallastes, desde el tiempo qu'el rey Cildadán era infante qu'el señorío della tenía sin tener otro heredamiento alguno. Y más por su gran esfuerço y buenas maneras que por su estado embió por todo el reino de Irlanda para lo casar con la fija del rey Abiés, que aquel reino heredó al tiempo que lo mató Amadís de Gaula, y a mí siempre me dexó en esta governación que tengo. Y como estoy aquí entre estas gentes, y todas tienen mucha afición al rey mi señor, tengo mucha contratación con ellos, y sé que los fijos de aquellos gigantes que en aquella batalla que vos dixe murieron, que son ya hombres, y están con mucho desseo de vengar la muerte de sus padres y parientes si sazón para ello viessen.

Amadís, que estas razones oía, le dixo:

—Buen señor, muy gran plazer he avido de lo que me haveis contado. Solamente me pesa de la muy buena condición deste a quien yo voy a buscar, que más me pluguiera que todo fuera al revés con mucha bramura y sobervia, porque a estos tales no tarda mucho que no les alcança la ira y el castigo de Dios, y no quiero negaros que no llevo más temor que hasta aquí. Pero comoquiera que sea, no dexaré de dar emienda a esta dueña, si puedo, del gran mal y sinrazón que sin lo mereçer ha recebido; y tanto quiero saber de vos si es este Balan casado.

El cavallero de la ínsola le dixo que sí.

—Y con una hija de un gigante que se llama Gandalac,
señor de la Peña de Galtares, de la cual tiene un fijo de hasta
quinze años, que si bive, será heredero deste señorío.

Cuando Amadís esto oyó, turbóse ya cuanto, y pesóle
mucho por lo haver sabido por el grande amor que él havía
a Gandalac y a sus fijos, que era amo de su hermano don Galaor. Todas sus cosas tenía él para las guardar como las suyas
propias. Y dixo al cavallero:

—Cosas me avéis dicho que más que de ante me fazen
dudar.

Y esto era por lo que le dixo de Gandalac. Y el cavallero sospechó que dudava con temor de la batalla, mas no era
assí; que ahunque con el mismo su hermano don Galaor, a
quien más que al gigante dudaría, oviera de ser, no se partiría della en ninguna guisa sin dar derecho y emienda aquella dueña o perder la vida; porque siempre fue su costumbre
acorrer a quien con razón gelo pidiesse.

Pues assí hablando en esto que havéis oído y en otras
muchas cosas anduvieron todo aquel día y noche. Y otro día
a hora de tercia vieron la ínsola de la Torre Bermeja, de que
mucho plazer ovieron, y anduvieron tanto hasta que llegaron cerca della. Amadís la mirava y pareçíale muy hermosa,
assí la tierra de spessas montañas, lo que devisar se podía,
como el assiento del alcáçar con sus muy fermosas y fuertes
torres, special aquella Bermeja que llamavan, que era la
mayor y de más estraña piedra fecha que en el mundo se
podría fallar; y en algunas historias se lee que en el comienço de la población de aquella ínsola y el primer fundador
de la torre y de todo lo más de aquel gran alcáçer que fue
Josefo, el hijo de Josep Abarimatía, que el santo Grial[96] traxo
a la Gran Bretaña; y porque a la sazón todo lo más de aquella tierra era de paganos, que, veyendo la disposición de
aquella ínsola, la pobló de christianos, y hizo aquella gran
torre donde se reparavan él y todos los suyos cuando en alguna gran priessa se veían. Pero después a tiempo fue señoreada de los gigantes fasta venir en este Balán, mas la población siempre quedó de cristianos, como agora lo era; los

96.   *El Roman du Graal* (primera mitad del siglo XIII) fue introducido
en la Península a principios del siglo XIV, aunque en la actualidad sólo
se conservan versiones tardías: la portuguesa del siglo XVI y la castellana, publicada en Sevilla en 1535 (*Demanda del Sancto Grial*).

cuales bivían allí muy sojuzgados y apremiados de los señores, porque todos los más dellos tenían la seta de los paganos. Pero todo lo sufrían y passavan por la gran riqueza de
la tierra; y si en algún tiempo algún descanso tuvieron, no
fue sino en este de Balán, por la su buena condición que
para con ellos tenía, y porque por amor de su padre, que
era más llegado a la ley de Jesú Christo que ninguno de los
otros, y mucho más lo fue adelante como la historia lo contará.

Pues allí llegados, Amadís dixo al cavallero de la Insola
del Infante:

—Mi buen señor, si a vos pluguiere, pues con este Balán
tenéis conoçimiento, que por cortesía vayáis a él y le digáis
cómo la dueña a quien él mató el hijo y prendió el marido
y la hija trae consigo un cavallero de la Insola Firme para le
demandar emienda del daño que le ha hecho, y si la nó
diere, para se combatir con él y al su grado fazérgela dar; y
que saquéis dél fiança que el cavallero será seguro de todos
sino solamente dél solo, comoquiera de bien o de mal le
avenga.

El cavallero le dixo:

—Contento soy de lo assí hazer, y podéis ser cierto que
la promessa qu'él diere no havrá otra cosa.

Estonces el cavallero con sus hombres entró en su barca
y se fue al puerto, y Amadís quedó con su dueña algo desviado.

Pues llegado aquel cavallero, luego fue conoçido de los
hombres del gigante y ant'él levado; el cual lo recibió con
buen talante, que asaz vezes lo havía fablado, y díxole:

—Governador, ¿qué demandas en mi tierra? Dilo, que ya
sabes que te tengo por amigo.

El cavallero lo dixo:

—Assí lo tengo yo, y mucho te lo gradezco; pero mi venida no es por cosa que a mí toque, mas por una cosa estraña que he visto. Y esto es que un cavallero de la Insola Firme
se viene por su voluntad a se combatir contigo, de lo cual
me hago mucho maravillado a tal cosa se atrever.

Cuando esto oyó el gigante, díxole:

—Esse cavallero que dizes, ¿trae una dueña consigo?

—Sí —dixo el cavallero—, sin falta.

—Entiendo —dixo el gigante— que será aquel Amadís de
Gaula, el que de tanto loor y fama por el mundo es loado,

o alguno de sus hermanos, que para traer uno dellos partió
ella de aquí, para lo cual yo le di lugar que ella fuesse.

Estonces dixo el cavallero:

—No sé quién será; mas dígote que es un cavallero muy
hermoso y muy bien tallado de su grandeza, y sosegado en
sus razones; y no puedo entender si su simpleza o gran esfuerço de coraçón le han puesto en esta locura. Véngote a
demandar seguridad por él, que no se temerá sino de ti solo.

El gigante le dixo:

—Ya tú sabes que mi palabra a mi grado nunca será quebrada; tráelo seguramente, y veniendo conoçerás la esperiencia de cuál dessas dos cosas que dixiste toca.

El cavallero se tornó a su barca y se fue para Amadís. Y
como la respuesta oyó, sin ningún recelo se vino luego al
puerto, y salieron luego de sus bateles en tierra. Y Amadís
apartó primero aquel hombre que a la dueña havía guiado
en el barco, y díxole:

—Amigo, yo te ruego que no digas mi nombre a ninguno, que si aquí tengo de morir, ello se descobrirá; y si tengo
de ser vencedor, yo te faré mucho bien por ello.

El marinero jelo prometió. Estonces subieron suso al castillo, y hallaron al gigante desarmado en aquella gran plaça
que delante de la puerta estava. Y como llegaron, el gigante
lo miró mucho, y dixo a la dueña:

—¿Es éste alguno de los hijos del rey Perión que havías
de traer?

La dueña le dixo:

—Este es un cavallero que demandarte ha el mal que me
heziste.

Estonces Amadís dixo:

—Balán, no es necessario a ti saber quién yo soy; bástete
que vengo a te demandar que hagas emienda a esta dueña
del mal tan grande que, sin te lo haver merecido, le heziste
en le matar su hijo y prender a su marido con otra su fija. Y
si la hizierdes, quitarme he de haver contigo debate, y si no,
aparéjate para la batalla.

El gigante le dixo riendo:

—La mayor emienda que le yo puedo dar es darte a ti
por quito y quitarte la muerte; que pues tú veniste con tan
buena voluntad a remediar su pérdida, en tanto deve tener
tu vida como la suya. Y ahunque esto no acostumbro a hazer
a ninguno sin que primero pruebe el filo desta mi spada, ha-

cerle he a ti porque con inorancia has venido a demandar tu daño, no lo conoçiendo.

—Si estas amenazas que me das —dixo Amadís— yo las temiesse tanto como lo tú piensas, escusado me fuera buscarte de tan lueñe tierra. No creas, Balán, que por inorancia te demando, que bien sé que eres uno de los gigantes del mundo más nombrado. Pero como vea que la costumbre que aquí mantienes sea tanto en contra del servicio del muy alto Señor, y la razón que trayo es conforme a su santa ley, no tengo en mucho tu valentía, porque El cumplirá lo que en mí faltare. Y porque yo te tengo en mucho y te amo por otros que te aman, yo te ruego que hagas emienda a esta dueña como sea justa.

Cuando esto oyó el gigante, díxole:

—Tan bien demandas esto que dizes, que si a vergüença no me fuesse reputado, yo haría todo lo que hallarse podiesse para el contentamiento desta dueña; pero primero quiero provar y ver qué tales son los cavalleros de la Insola Firme. Y porque ya es tarde, yo te embiaré de comer, y dos cavallos muy buenos en que escojas a tu voluntad, con dos lanças; y aparéjate con todo tu esfuerço que lo has bien menester, para la batalla de aquí a tres horas. Y por te hazer complazer, si otras armas quisieres yo te las daré mejores; que creo que asaz tengo de los cavalleros que he vencido.

Amadís le dixo:

—Tú lo hazes como buen cavallero, y mientra más cortesía en ti veo, más me pesa que no tengas conocimiento ninguno de lo que hazer deves. Un cavallo y una lança tomaré y no otras armas más de las que trayo, que la sangre de aquel que tan sin causa mataste que en ellas viene me dará más esfuerço de lo vengar.

El gigante se acogió al castillo sin le responder más, y Amadís a su compaña y el cavallero de la Insola del Infante, que dél partir no se quiso por mucho que el gigante le rogó que fuesse con él al castillo. Quedaron debaxo de un portal de un templo que al cabo de aquella plaça estava, y dende a poco espacio les traxeron de comer. Assí holgaron, fablando en algunas cosas que más les contentavan, esperando al plazo qu'el gigante saliesse. Aquel cavallero mirava mucho a menudo el semblante de Amadís por ver si con aquella grande afrenta se mudava, y a su pareçer siempre le veía con más esfuerço, de lo que mucho era maravillado.

Pues venida la hora por el gigante señalada, traxeron a
Amadís dos cavallos muy grandes y hermosos con ricos atavíos para tal menester, y él tomó el que más y mejor le pareçió. Y después de lo mirar, como venía ensillado cavalgó
en él, y puso su yelmo y echó su scudo al cuello; y puesto
en aquella gran plaça mandó al hombre, que los cavallos le
havía traído, que el otro tornasse y dixesse al gigante que lo
esperava y que no dexasse ir el día en vano. Toda la más
de la gente de la ínsola que allí pudo venir estava al derredor de la plaça por ver la batalla, y los adarves y finiestras
del alcáçar llenos de dueñas y donzellas.

Y estando assí como oídes, vio sonar en la gran Torre
Bermeja tres trompas muy acordadas que hazían dulce son,
que era señal qu'el gigante salía a batalla, y assí lo costum-
brava hazer cada que se havía de combatir. Amadís preguntó a los que allí estavan qué era aquello. Ellos le dixeron la
causa por qué se hazía, lo cual muy bien le pareçió, y auto
de gran señor; y vínole en mientes que si estando en la Insola Firme con su señora le viniesse ocasión de hazer alguna
batalla con alguno que allí gela demandasse, que él assí lo
mandaría fazer, porque a su pareçer aquel son era cosa para
creçer el esfuerço del cavallero por quien se fiziesse. Pues
cessando las trompas, abrieron las puertas del alcáçar, y salió
el gigante encima del otro cavallo que havía embiado a Amadís, y su lança en la mano, y armado de unas armas de azero
muy limpio como el espejo, assí el yelmo como el escudo a
su mesura, y unas hojas que todo lo más del cuerpo le cubrían. Y como vio a Amadís, díxole:

—Cavallero de la Insola Firme, agora que me vees armado,
¿osarme has atender?

—Agora te quiero —dixo él— que emiendes a esta dueña
del mal que le heziste; si no, guárdate de mí.

Estonces el gigante movió contra él cuanto el cavallo lo
llevar pudo, y iva tan grande, que no havía cavallero en el
mundo, por esforçado que fuesse, que le no pusiesse gran
pavor. Y como iva muy rezio y con gran codicia de lo encontrar, abaxó tanto la lança por no errar el golpe, assí que
encontró el cavallo de Amadís por mitad de la frente y metió
la lança por la cabeça del cavallo y por el pescueço gran
pieça; pero Amadís, a quien su grandeza ni valentía no turbavan, como aquel que ya sabía qué cosa eran los semejantes, lo encontró en el grande y fuerte escudo tan reziamente,

que por fuerça hizo salir al gigante de la silla, y cayó en el campo, que era muy duro, gran caída, de que fue quebrantado mucho, y el cavallo de Amadís cayó muerto con él en el suelo del cual Amadís salió lo más presto que pudo, ahunque a gran afán, que le tomó la una pierna debaxo, y levantóse; y vio al gigante que se levantava, y estava algo desacordado, pero no tanto que no pusiesse luego mano a una espada de muy fuerte azero que traía, con la cual pensava que no havía en el mundo tan fuerte cavallero, que dos golpes le osasse esperar, que le no tolliesse o matasse.

Amadís puso mano a la su muy buena spada y cubrióse de su escudo, y fuese para él; y el gigante assí mesmo vino contra él, el braço alto por lo herir con gran desatiento, assí con la su gran sobervia como porque el encuentro de la lança que Amadís le dio fue en derecho del coraçón y por tan gran fuerça dado que le juntó el escudo con el pecho tan reziamente, que la carne fue magullada y las ternillas quebradas, de manera que le dava gran dolor y le quitava mucho de la fuerça y del aliento. Amadís, como assí lo vio venir, conoçió que perdido venía, y alçó el escudo cuanto más pudo por recebir en él el golpe. Y el gigante descargó tan rezio, y la espada cortó tan livianamente, que desde el broçal hasta ayuso le levó el un terçio del escudo, que le no alcançó más; assí que si más en lleno le alcançara, tanbién fuera el braço con él a tierra. Amadís, como mucho en aquel menester havía usado, y en casos tan peligrosos se supiesse librar, no perdiendo ni olvidando cosa de lo que fazer devia, antes que el gigante el braço contra sí tirasse, firióle de tal golpe cabe el codo que, comoquiera que la manga de la loriga muy fuerte y de muy gruessa malla era, no le pudo prestar ni estorvar que la su muy buena espada no gela tajasse hasta le cortar gran parte de la carne del braço y la una de las cañillas. El gigante sintió mucho aquel golpe, y tiróse ya cuanto afuera; pero Amadís fue luego a él, y diole otro golpe por cima del yelmo de toda su fuerça, que la llama salió tan grande como si con otra cosa allí gelo encendieran, y torcíale el yelmo en la cabeça, assí que la vista le quitó.

Cuando el cavallero governador de la Insola del Infante, que con Amadís allí havía venido, vio los golpes que Amadís dava, assí el encuentro de la lança, con el cual havía sacado de la silla una cosa tan valiente y tan pesada como era aquel gigante, como los que con la spada le dava, començó-

se a santiguar muchas vezes; y dixo a la dueña, que cabe sí
tenía:

—Dueña, ¿dónde fallastes aquel diablo que tales cosas faze,
cual nunca otro cavallero fizo que mortal fuesse?

La dueña le dixo:

—Si de tales diablos como éste muchos por el mundo anduviessen, no havría tantos cuitados y corridos de los sobervios y malos como ay.

El gigante fue muy prestamente con sus manos al yelmo
por lo endereçar, y sintió que del braço derecho havía perdido mucha fuerça, que apenas la espada podía tener en la
mano, y tiróse más afuera; mas Amadís juntó luego con él
como de cabo, y diole otro gran golpe encima del brocal
del escudo, pensando darle en la cabeça y no pudo; qu'el
gigante, como el golpe vio venir tan rezio, alçó el escudo
para lo en él recebir, y la espada entró tanto por él que cuando Amadís la pensó sacar, no pudo; y el gigante lo pensó
herir, mas no pudo levantar el braço sino muy poco, de manera que el golpe fue flaco. Estonces Amadís tirava por la
spada cuanto podía, y el gigante por el escudo; assí que con
la gran fuerça del uno y del otro convino que las correas
con que lo tenía al cuello quebrassen, y llevó Amadís el escudo con su spada, lo cual le pudiera hazer y atraer gran
peligro, porque por ninguna guisa della se podía ayudar. El
gigante, como assí lo vio, y se vio sin escudo, tomó la espada con la mano izquierda y començó a dar a Amadís grandes golpes con ella; pero él se guardava con mucha ligereza
cubriéndose de su escudo, mas no en tal forma que escusar
pudiesse que los golpes del gigante no le rompiessen en algunas partes la loriga y le llegassen a la carne. Y, ciertamente, si el gigante pudiera herir con la diestra mano, él se viera
en gran peligro de muerte; mas con la izquierda, que los golpes grandes y de gran fuerça fuessen, eran muy desvariados,
que los más dellos faltavan y ivan en vano. Amadís, como
quería alçar la espada para lo herir, subía con ella el escudo
en que metida estava, assí que no entendía en ál sino en se
defender. Pero como se viesse embaraçado y en tanto peligro, acordó en se remediar lo más presto que pudo, y tiróse
ya cuanto afuera y sacó del cuello su escudo y echólo en el
campo entre él y el gigante, y puso el un pie encima del
escudo del gigante y tiró con ambas las manos por la espada tan rezio, que la sacó dél.

En este comedio el gigante tomó con la mano derecha el escudo de Amadís, y ahunque harto liviano era, apenas lo podía levantar ni sostener con el braço, que la ferida fue grande y cabe la coyuntura del codo, y con la mucha sangre que se le avía ido tenía el braço casi muerto, que apenas lo podía alçar ni travar con la mano sino muy flacamente; y lo que más le empedía y fatigava era la carne magullada y los huessos quebrados que sobre el coraçón tenía del encuentro de la lança que ya oístes, que le quitava tanto del aliento que apenas podía resolgar. Pero como él fuesse muy valiente de fuerça y de coraçón, y se viesse en aventura de muerte, sofríase con gran trabajo; y esto fue porque después que la espada de Amadís con el gran golpe quedó metida en el escudo, nunca con ella le avía podido herir ni hazer estorvo; mas como la sacó y se halló libre daquel embaraço, tomó por las embraçaduras el escudo del gigante, que apenas lo podía levantar, según su grandeza y pesadumbre, y fuelo herir de muy grandes golpes provando todo su poder, de manera que el gigante fue tan aquexado, assí con la priessa que Amadís le dava como con la qu'él tomó por se defender y ferir, que se le cerró el coraçón del dolor que en él tenía, y cayó como muerto en el campo.

Cuando los hombres que en el alcáçar estavan mirando esto vieron, dieron muy grandes bozes, y las dueñas y donzellas grandes gritos, diziendo:

—¡Muerto es nuestro señor; muera el traidor que le mató!

Amadís, en cayendo el gigante, fue luego sobre él y quitóle el yelmo, y púsole la punta de la espada en el rostro, y díxole:

—Balán, muerto eres, si a la dueña no satisfazes del daño que le heziste.

Mas él no respondió ni entendió lo que le dixo, que estava como muerto. Entonces llegó el cavallero de la Insola del Infante, que con Amadís allí avía venido, y dixo:

—Señor cavallero, ¿es muerto el gigante?

—Entiendo que no —dixo Amadís—, mas el grande ahogamiento lo tiene tal como veis, qué yo no le veo golpe mortal ninguno.

Y dezía verdad, que el golpe que en el pecho tenía, que el aliento le quitó, no lo avía él visto ni sentido. El cavallero le dixo:

—Señor, por cortesía os pido que lo no matéis hasta que

sea en su acuerdo y tenga juizio para emendar a esta dueña a su voluntad; y también porque si él muere, ninguno será poderoso de os dar la vida.

—Por esso —dixo Amadís— no dexaré yo dél de hazer mi voluntad, mas por amor vuestro y por el deudo que con Gandalac tiene me sofriré de lo matar hasta que dél sepa si querrá venir en lo que le yo pediré.

Estando en esto vieron salir del castillo al hijo del gigante con hasta treinta hombres armados, y venían diziendo:

—¡Muera, muera el traidor!

Cuando Amadís esto oyó, ya podéis entender qué esperança ternía en su vida, veyéndolos todos de rendón venir a lo matar. Pero acordó de se no poner a su mesura, y que la muerte le viniesse sobre aver hecho todo su poder sin faltar cosa de lo que hazer devía. Y miró a un cabo y a otro al derredor, y vio una quiebra entre aquellas peñas de que la plaça era cercada, que aquella plaça fue hecha allí a mano, quitando todos los roquedos y peñas, y al derredor quedaron muchas dellas. Y fuese yendo hazia allá y llevó el escudo del gigante, que muy grande y fuerte era, y púsole a la entrada de aquella quiebra, que por ninguna parte le podían nuzir sino por delante, ni tampoco por encima, que se hazía allí una solapa. Pues la gente llegó, los unos al gigante por ver si era muerto, y los otros contra Amadís. Y tres hombres, que delante llegaron, echaron en él las lanças, mas no le hizieron mal, que como el escudo era, como se os ha dicho, muy grande y fuerte, todo lo más del cuerpo le cobría, y de las piernas, lo cual, después de Dios, le dio la vida. Y destos tres llegó el uno con su espada para lo herir; y como Amadís lo vio cerca, salió para él y diole tal golpe por cima de la cabeça que le hendió fasta el pescueço y derribólo muerto a sus pies.

Cuando los otros le vieron fuera de aquella guarida, llegaron todos por lo matar; mas él se tornó luego allí, y al primero que llegó diole un golpe en el ombro, que las armas no le tuvieron ningún pro, que el braço cayó en el suelo y el hombre muerto del otro cabo. Estos dos golpes los escarmentaron tanto que ninguno fue osado de se a él acostar, y cercáronlo allí por delante y por los lados, que por otra parte no podían; y tirávanle lanças y saetas y piedras tantas que hasta la meitad del cuerpo estava cubierto, pero ninguna cosa le nuzía, qu'el escudo le amparava de todo ello.

En este comedio levaron el gigante al castillo haziendo gran duelo, y pusiéronlo en su lecho tal como muerto sin sentido alguno; y tornáronse luego aquellos que lo llevaron ayudar a sus compañeros. Y como llegaron, vieron que ninguno a él se llegava y cómo tenía los dos hombres muertos cabe sí; y como venían holgados y con gran saña, y no sabían ni avían visto sus golpes tan esquivos, llegáronse a lo herir con las lanças; mas Amadís estuvo quedo, bien cubierto de su escudo, y al uno que llegó más delantero, que con la lança le dio a maniniente en el escudo, diole tal golpe que la cabeça le fizo bolar a lueñe; y luego se desviaron aquéllos con los otros, que ninguno se osava a él llegar.

Pues assí estando sin más hazer, salvo tirándole muchas saetas y piedras infinitas, el cavallero de la Insola del Infante uvo gran piedad de lo assí ver, y bien cuidó que si lo matassen que muría el mejor cavallero que nunca armas traxo; y fuese luego al fijo del gigante, que desarmado estava por su tierna edad, y díxole:

—Bravor, ¿por qué hazes esto contra la palabra y verdad de tu padre, la cual nunca hasta oy se halla ser quebrada? Mira que eres su hijo, y le has de parescer en las buenas maneras. Y mira que tu padre lo aseguró de todos los suyos salvo dél solo, y que si sobre esto le hazes matar, nunca te cumple parescer ante hombres buenos, que siempre serás abiltado y en gran menosprecio tenido.

El moço le dixo:

—¿Cómo sofriré yo ver a mi padre muerto delante mí, y que no tome vengança del que lo hizo?

—Tu padre —dixo él— no es muerto, ni tiene golpe de que morir deva, que yo lo miré estando en el suelo, y aquel cavallero a mi ruego, y porque me dixo que le apreciava mucho por el deudo que con Gandalac tiene, lo dexó de matar, que en su mano estava de lo hazer.

—Pues ¿qué haré? —dixo el moço.

—Yo te lo diré —dixo el cavallero—. Fazlo tener cercado assí como está toda esta noche, sin que daño reciba; y de aquí a la mañana se verá la disposición de tu padre, y según él estuviere, assí tomarás el acuerdo, que en tu mano y voluntad está la vida o la muerte suya, que de aquí no puede salir si lo tú no mandas.

El moço le dixo:

—Mucho te gradezco lo que me consejas, que si éste mu-

riesse y mi padre bivo quedasse, no me cumplía parar en
todo el mundo donde él lo supiesse, que bien cierto soy que
me buscaría para me matar.

—Pues esso conosces —dixo él—, faz lo que te consejo.

—Déxame hablar primero con mi abuela y con mi madre,
y hágase con su consejo.

—Por bien lo tengo —dixo el cavallero—, y entretanto
manda a tus hombres que no hagan más de lo que han hecho.

El moço dixo:

—Por demás será esse mandamiento, que según me paresce que aquel cavallero defiende su vida, que si de hambre no, de otra manera según veo no ay quien matarle pueda,
pero por lo que me consejas faré lo que me dizes.

Entonces les mandó que estuviessen allí y guardassen bien
que aquel cavallero no saliesse de donde estava, sin le hazer
mal ninguno, en tanto que él iva al castillo. Todos los que
allí estavan hizieron su mandado, y él se fue, y habló con
aquellas dueñas; y comoquiera que su passión y tristeza dellas grande fuesse, considerando que el cavallero no se podría ir, y veyendo cómo el gigante iva cobrando huelgo y
algún acuerdo, y temiendo passar su verdad, dixéronle que
assí le hiziesse como aquel cavallero de la Insola del Infante
gelo avía consejado, a lo cual mucho ayudó cuando su madre
deste moço fue sabidora que aquel cavallero amava a su
padre Gandalac, que temió no fuesse don Galaor, aquel que
su padre avía criado y le restituyó en el señorío de la Peña
de Galtares matando Albadán, el gigante bravo que forçado
gelo tenía, como más largo lo cuenta el primero libro desta
istoria, el cual ella mucho bien conoscía y lo amava de coraçón porque se criaron juntos. Y si no fuera porque su marido en tal punto estava que a gran deshonestidad le fuera contado, ella misma por su persona supiera si el cavallero era
don Galaor o alguno de sus hermanos, que a todos ellos avía
visto en casa del rey Lisuarte, donde estuvo algún tiempo en
la sazón que fue la batalla del rey Lisuarte con el rey Cildadán, en la cual su padre y sus hermanos fueron, y hizieron
cosas estrañas en armas en servicio del rey Lisuarte por amor
de don Galaor, como el segundo libro desta istoria más largo
lo cuenta.

Con este acuerdo tornó el moço a tal ora que era ya
noche cerrada, y mandó poner un fuego grande delante
donde Amadís estava, que de su concierto ninguna cosa

sabía; y allí hizo a sus hombres que armados velassen y a buen recaudo, porque el cavallero no saliesse y les fiziesse mal, que lo temía como a la muerte. Amadís estovo en aquel lugar donde antes estava, puesto el canto del escudo en el suelo y la mano sobre el brocal, y la espada en la otra, esperando de morir antes que se dexar prender; que bien pensava que pues sobre tal seguro como de Balán tenía aquellos hombres le acometieron queriéndole matar, que ninguna otra palabra que le diessen le sería guardada, pues pensar demandar merced, esto no lo faría él ahunque supiesse passar mill vezes por la muerte, si a Dios no, a quien él siempre en todas sus cosas se encomendó de gran coraçón, y en aquélla más, donde otro remedio, si el suyo no, tenía ni esperava.

CAPÍTULO CXXIX

De cómo Darioleta hazía duelo por el gran peligro en que Amadís estava

DARIOLETA, la dueña que lo allí hizo venir, cuando así vio cercado a Amadís de todos sus enemigos sin tener ni esperar socorro alguno de ninguna parte, començó a hazer muy gran duelo y a maldezir su ventura, que a tanta cuita y dolor la avía traído, diziendo:

—¡O cativa desventurada!, ¿qué será de mí si por mi causa el mejor cavallero que nunca nasció muere? ¿Cómo osaré parescer ante su padre y madre y sus hermanos, sabiendo que yo fue ocasión de su muerte?; que si a la sazón de su nascimiento yo trabajé por le salvar la vida haziendo y trabajando con mi sabiduría el arca en que escapar pudiesse, de lo cual he avido mucho galardón, que si entonçes muriera, muría una cosa sin provecho, agora no solamente he perdido los servicios passados, mas antes soy dina de morir con las más penas y tormentos que ninguna persona lo fue, porque siendo la flor o la fama del mundo lo he traído a la muerte. ¡O cuitada de mi!, ¿por qué no le di lugar al tiempo que en la ribera de la mar a mí llegó para que pudiera tornar a la Insola Firme y traxera algunos cavalleros que fueran en su ayuda, o a lo menos pudieran con razón morir en su compaña? Mas ¿qué puedo dezir sino que mi liviandad y arebatamiento fue de propia muger?

Assí como oídes estava Darioleta haziendo su duelo debaxo de los portales daquel templo con muy gran angustia de su coraçón, y no con otra esperança sino de ver morir muy presto a Amadís, y ella y su marido y hija ser metidos en prisión donde nunca saliessen.

Amadís estava a la boca de aquella quiebra de las peñas, como vos emos contado, y vio lo que la dueña hazía, que con el gran fuego que delante dél estava toda la plaça se parescía, ahunque asaz grande era, y ovo gran pesar en verla cómo estava llorando y alçando las manos al cielo cómo demandava piedad; assí que la saña le cresció tan grande que le sacó de su sentido. Y pensó que muy más peligro le podría recrescer venido el día que con la noche, porque entonces toda la más de la gente de la ínsola estava sosegada, y solamente se avía de guardar de aquellos que delante tenía; y que la mañana venida que podría cargar mucha más gente sobre él, de manera que no podría escapar de ser muerto; y puesto caso que allí donde estava no le pudiessen nuzir, que el sueño y la fambre le cargaría y se avría de poner en sus manos. Y con esta saña pensó de lo poner todo en aventura, y embraçó su escudo, y con la espada en la mano adereçó para dar en sus enemigos; mas el cavallero de la Insola del Infante, quien mucho pesava de su daño por le aver assegurado de parte del gigante, y assí le aver quebrado la promessa, estava en medio dellos con mucho cuidado que la gente a él no llegasse hasta ver la disposición del gigante, que bien tenía creído que, cuando en su juizio fuesse, que pornía tal remedio y castigo en ello, que su palabra fuesse guardada. Y como vio que Amadís movía para salir contra aquéllos, fue lo más que pudo contra él y díxole:

—Señor cavallero, ruégovos por cortesía que me oyáis un poco ante que aquí salgáis.

Amadís estovo quedo, y el cavallero le contó todo lo que avía hablado con Bravor, hijo del gigante, y cómo le tenía por entonces todo amansado hasta que la mañana viniesse, y que en aquel espacio de tiempo el gigante sería muy mejorado y metido en su acuerdo; y que sin duda creyesse que cumpliría con él todo lo que fuesse obligado, ahunque le viniesse peligro de la muerte, y que quisiesse sofrir tanto, que él fiava en Dios de lo remediar todo, y que lo tomava a su cargo. Amadís, como assí lo vio hablar, bien cuidó que verdad le dizía, porque en aquello poco que le avía tratado lo tenía por hombre bueno; y díxole:

—Por amor vuestro yo me sofriré esta vez; mas dígovos, cavallero, que todo afán que en esto pongáis será perdido si lo primero no es que la emienda de la dueña se haga.

El cavallero le dixo:

—Esso se fará y mucho más, o yo no me ternía por cavallero, ni este gigante por quien siempre he tenido; que creed que en él se falla mucha verdad y virtud.

Amadís estovo quedo en su lugar como ante. Pues assí como oís estava cercado de sus enemigos, metido entre aquellas bravas peñas, esperando assí él como ellos a la mañana.

Agora dize la istoria que después que al gigante llevaron sus hombres al castillo tan desacordado como si muerto fuesse, y lo echaron en su lecho, que assí estuvo todo lo más de la noche sin que fablar pudiesse, y no hazía sino poner la mano en derecho del coraçón y señalar que de allí le venía el dolor. Y como su madre y su muger aquello vieron, hizieron a los maestros que le catassen; y luego hallaron el mal que tenía, en el cual pusieron tantos remedios de melezinas y otras cosas que en él obraron, que antes del alva fue en todo su acuerdo. Y cuando hablar pudo, preguntó que dónde estava. Los maestros le dixeron que en su lecho.

—Pues la batalla que uve con el cavallero —dixo él—, ¿cómo passó?

Ellos le dixeron toda la verdad, que le no osaron mentir en cosa alguna, como es razón que se diga a los hombres verdaderos, contándole todo como avía passado; y cómo teniéndole el cavallero de la Insola Firme en el suelo, que su hijo Bravor, pensando que era muerto, avía salido con sus hombres del castillo, y lo tenían cercado entre las peñas de la plaça donde la batalla fuera, y que esperavan a lo que él mandasse. Cuando el gigante esto oyó, díxoles:

—¿Es bivo el cavallero?

—Sí —dixeron ellos.

—Pues hazed venir aquí mi hijo y a todos los hombres que con él están, y dexen al cavallero en su libertad.

Esto fue luego hecho; y como el gigante vio a su hijo, díxole:

—Traidor, ¿por qué has quebrado mi verdad? ¿Qué honra y qué ganancia desto que heziste se te podía seguir? Que si yo muerto fuera, ya con otra cosa ninguna restituirme podías, y mucho más muerta tu honra quedava, y con más pérdida de mi linaje en quebrar y passar lo que hizieste que la muerte que yo como cavallero, sin faltar alguna cosa de lo que hazer devía, avía recebido. Pues si bivo quedasse, ¿no sabes que en ninguna parte me podías escapar que matar no te hiziesse? Assí que tú y todos aquellos que verdad no mantienen van muy lexos de su propósito, que pensando vengar injurias caen en ellas con mucha más vergüença y deshonra que de antes. Pero yo haré que como malo lo lazeres.

Entonces lo mandó tomar, y hízole atar las manos y los pies, y que lo llevassen a poner delante del cavallero de la Insola Firme, y le dixessen que aquel malo de su hijo avía quebrantado su promessa, que tomasse dél la emienda que le pluguiesse. Assí lo levaron ante Amadís y gelo pusieron a los pies. La madre de aquel moço, cuando esto vio, uvo recelo que el cavallero, como hombre lastimado, le hiziesse algún mal, y como madre se fue, sin que el gigante lo sintiesse, y lo más aína que pudo llegó donde Amadís estava. Y Amadís tenía aquella sazón el yelmo en la mano, que hasta allí, en tanto que la gente lo tenía cercado, nunca de la cabeça lo quitó, y la espada en la vaina, y estava desatando al hijo del gigante para lo soltar. Y como la dueña llegó y le vio el rostro, conosciólo luego que era Amadís, y fue para él llorando sin otra persona alguna, y díxole:

—Señor, ¿conoscéisme?

Amadís, ahunque luego vio que era la hija de Gandalac, amo de don Galaor su hermano, respondióla y dixo:

—Dueña, no vos conozco.

—Pues —dixo ella—, mi señor, bien sé yo que sois Amadís, hermano de mi señor, don Galaor. Y si por bien tuvierdes que vuestro nombre se encubra, assí lo haré; y si queréis que se sepa, no temáis del gigante, pues que vos asseguró. Y en esto que haze veréis si ha talante de guardar su palabra, que aquí vos embía este su hijo y mío, que la quebró, para que dél toméis toda la vengança que os pluguiere, del cual vos demando piedad.

—Mi buena señora —dixo Amadís—, ya sabéis vos cuán obligados somos todos los hermanos y amigos de don Galaor a las cosas de vuestro padre y de sus hijos, y en otra cosa que a vos mucho fuesse lo quisiera yo mostrar, que en ésta no ay que me gradescer, porque sin vuestro ruego ya lo soltava; que yo no tomo vengança sino de aquellos que con las armas quieren defender sus malas obras. Y en esto que me dezís de mi nombre, si terné por bien que se diga o se encubra, digo que antes me plaze que el gigante sepa quién yo soy, y que le digáis que de aquí no partiré en ninguna guisa hasta que la emienda que yo mandare se haga a la dueña que aquí me traxo. Y si él es tan verdadero como todos dizen, dévese se poner assí como lo yo tenía vencido en este campo, para que dél yo haga toda mi voluntad, que si el no tener sentido cuando de aquí lo levaron algo le escusa, que agora, si lo tiene, con ninguna causa que honesta sea se puede escusar.

La dueña gelo gradesció con mucha humildad, y díxole:

—Mi señor, no pongáis duda en mi marido, que él se porná como lo dezís o complirá lo que le mandardes. Y sin ningún recelo vos id comigo donde él está.

—Mi buen amiga señora —dixo él—, de vos sin recelo lo haría yo mi vida, mas témome de la condición de los gigantes, que muy pocas vezes son governados y sometidos a la razón, porque su gran furia y saña en todas las más cosas los tiene enseñoreados.

—Verdad es —dixo la dueña—, mas por lo que déste conozco vos ruego que sin recelo alguno vos vais comigo.

—Pues que así vos plaze —dixo Amadís—, por bien lo tengo.

Entonces puso su yelmo en la cabeça y tomó su escudo, y la espada en la mano, y fuese con ella, considerando que aquello le podría ser más seguro que estar como estava, esperando la muerte sin tener ni esperar socorro alguno; que ahunque él matara todos aquellos hombres que le avían tenido cercado, no se pudiera por ende salvar; que antes que él pudiera aver navío para se poder ir, que todos estavan en poder de los hombres del gigante, la misma gente de la ínsola lo mataran, porque comoquiera que en las otras partes donde los gigantes tenían señoríos por sus sobervias y grandes crueldades eran desamados, no lo era este Balán de los suyos porque a todos los tenía guardados y defendidos sin les tomar cosa alguna de lo suyo. Pues pensar de se poder sostener así solo era impossible, y por estas causas se aventuró sin más seguro del primero que le avían dado y del que la dueña le dava de se meter en aquel grande alcáçar assí armado como estava; y que si lo acometiessen queriéndole burlar, que él haría cosas estrañas antes que lo matassen.

Pues assí como la istoria vos cuenta fue Amadís con la giganta muger de Balán al castillo; y como dentro fue, hiziéronlo saber al gigante cómo allí estava el cavallero que con él se combatiera, que le quería hablar. El mandó que lo traxessen donde él estava en su lecho, y assí se hizo. Entrado Amadís en la cámara, dixo:

—Balán, mucho soy quexoso de ti, que veniendo yo a te buscar y ponerme en tu poder confiando en tu palabra, me combatir contigo sobre el seguro que diste a la dueña que por mí fue, y después al cavallero de la Insola del Infante, tus hombres quebrando tu verdad me han quesido matar malamente. Bien creo que a ti no plaze ni lo mandaste, que no estavas en tal disposición, pero esto no me quitó a mí el peligro, que fue bien cerca de la muerte; mas comoquiera que sea, yo me doy por contento por lo que de tu fijo feziste. Ruégote, Balán, que quieras emendar esta dueña que aquí me traxo; si no, no te puedo quitar la batalla hasta que aya cima, ahunque ya la uvo, que en mí fue de te matar o salvar. Yo te amo y precio más que piensas por el deudo que con Gandalac, el gigante de la Peña de Galtares, tienes, que he sabido que eres con su fija casado. Mas ahunque esta voluntad te tenga, no pudo escusarme de dar derecho a esta dueña de ti.

El gigante le respondió:

—Cavallero, ahunque el dolor y pesar que yo he de me ver vencido de un cavallero solo sea tan grande y tan estraña cosa para mí que lo nunca fasta oy fue, me sea más que la muerte, no lo siento tanto como nada en comparación de lo que mi hijo y mis hombres te hizieron. Y si mis fuerças lugar me diessen que por mi persona lo pudiesse esecutar, tú verías la fuerça de mi palabra, a qué se estendía. Pero no puede más hazer de te entregar aquel que lo hizo, ahunque éste sólo sea el espejo en que su madre y yo nos miramos; y si más quieres, demanda, que tu voluntad será satisfecha.

Amadís le dixo:

—Yo soy contento con lo que heziste. Agora me di ¿qué harás en esto de la dueña?

—Lo que tú vieres que puedo hazer —dixo el gigante—, que su hijo desta dueña no se puede remediar, pues es muerto. Ruégote mucho que me pidas lo possible.

—Assí lo haré —dixo Amadís—, que lo ál sería locura.

—Pues di lo que quieres —dixo él.

—Lo que yo quiero —dixo Amadís— es que luego hagas soltar al marido de aquella dueña, y a su hija, con toda su compaña, restituyéndoles todo lo suyo y su nave; y por el hijo que le mataste que le des el tuyo, que sea casado con aquella donzella; que ahunque tú eres gran señor, yo te digo que de linaje y de toda bondad no te deve nada, pues ahún de estado y grandeza no están muy despojados, que demas de sus grandes possessiones y rentas, governadores de uno de los reinos de mi padre son.

Entonces el gigante le miró más que antes cuando esto oyó, y díxole:

—Ruégote por cortesía que me digas quién eres, que en tanto te as puesto, y quién es tu padre.

—Sabe —dixo Amadís— que mi padre es el rey Perión de Gaula, y yo soy su fijo Amadís.

Cuando esto oyó el gigante, luego levantó la cabeça como mejor pudo, y dixo:

—¿Cómo es eso? ¿Es verdad que eres tú aquel Amadís que a mi padre mató?

—Yo soy —dixo él— el que por socorrer al rey Lisuarte, que en punto de muerte estava, maté un gigante, y dízenme que fue tu padre.

—Agora te digo, Amadís —dixo el gigante—, que esta tan gran osadía en venir a mi tierra, yo no sé a la parte que la eche: o al tu gran esfuerço, o a la fama de ser mi palabra tan verdadera. Pero tu gran coraçón lo ha causado, que nunca temió ni dexó de acometer y vencer todas las cosas peligrosas. Y pues que la fortuna te es tan favorable, no es razón que yo de aquí adelante procure de contradezir sus fuerças, pues que ya me mostró lo que las mías para te nuzir bastavan. Y en esto que me dezís de mi hijo, yo te lo do que hagas dél a tu voluntad, y no por bueno, como lo yo esperava, mas por malo, porque el que no guarda su palabra ninguna cosa que de loar sea le puede quedar. Y assí mesmo doy por quito al cavallero y a su hija con su compaña, como lo mandas; y quiero quedar por tu amigo, para hazer tu mandado en las cosas que menester me ovieres.

Amadís gelo gradesció y le dixo:

—Por amigo te tengo yo, pues que lo eres de Gandalac; y como amigo te ruego que de aquí adelante no mantengas esta mala costumbre en esta ínsola; que si no conformas con el servicio de Dios siguiendo sus santas dotrinas, todas las otras cosas, ahunque alguna esperança de honra y provecho te acarreen, en la fin no te podrán quitar de caer en grandes desventuras. Y por esto lo verás: que El quiso guiarme aquí, lo que yo no pensava, y darme esfuerço para te sobrar y vencer; que según la grandeza de tu cuerpo y demasiado esfuerço de coraçón y valentía, no bastava yo sin la su merced para te fazer ningún daño. Mas agora dexemos esto, que yo pienso que lo harás como lo yo pido. Perdona a tu hijo, assí por su tierna edad, que fue causa de su yerro, como por amor de su madre que como hermana la tengo. Y hazle venir aquí y a la donzella, y luego sean casados.

—Pues que yo estoy determinado —dixo el gigante— de ser tu amigo, todo lo que por bien tuvieres haré.

Entonces mandó allí venir al cavallero marido de la dueña, y a su hija y toda su compaña; que Darioleta con ellos estava con tan gran plazer de lo ver assí atajado como si del mundo la hizieran señora. Y delante dellos y de la madre y abuela del moço los desposaron, y Amadís les mandó que luego hiziessen sus bodas.

Agora vos quiere mostrar la istoria la razón deste casamiento, lo primero por hazeros saber cómo Amadís acabó aquella tan gran aventura a su honra y a la satisfación de aquella dueña que allí lo traxo, venciendo aquel fuerte Balán, atreviéndose, ahunque su enemigo era por el padre que le matara, a se meter a su ínsola, donde passó tan gran peligro como oído avéis; lo otro, porque sepáis que deste Bravor, fijo de Balán, y de aquella hija de Darioleta nasció un hijo que ovo nombre Galeote, que ya éste tomó de la madre, y no fue tan grande ni tan desemejado de talle como lo eran los gigantes. Este Galeote fue señor daquella ínsola después de la vida de Bravor su padre, y casó con una hija de don Galvanes y de la hermosa Madasima su muger. Y déstos nasció otro hijo que ovo nombre Balán como su bisabuelo; assí que vinieron sucediendo unos empós de otros, señoreando siempre aquella ínsola tantos tiempos hasta que dellos descendió aquel valiente y esforçado don Segurades, primo cormano del cavallero anciano que a la corte del rey Artur vino, haviendo ciento y veinte años, y los cuarenta postrimeros que avía por su gran edad dexado las armas, y sin lança derribó a todos los cavalleros de gran nombradía que a la sazón en la corte se hallaron. Pues este Segurades fue en tiempo del rey Uterpadragón, padre del rey Artur, y señor de la Gran Bretaña, y éste dexó un hijo y señor de aquella ínsola a Bravor el Brun; que por ser demasiado bravo le pusieron aquel nombre, que en el lenguaje de entonces por bravo dezían «brun». A este Bravor mató Tristán de Leonís en batalla en la misma ínsola, donde la fortuna de la mar echó a él y a Iseo la Brunda, hija del rey Languines de Irlanda, y a toda su compaña, trayéndola para ser muger del rey Mares de Cornualla, su tío. Y deste Bravor el Brun quedó aquel gran príncipe muy esforçado, Galeote el Brun, señor de las Luengas Insolas, gran amigo de don Lançarote del Lago, assí que por aquí podéis saber, si avéis leído o leyerdes el libro de don Tristán y de Lançarote, donde se faze mención destos Brunes, de donde vino el fundamiento de su linaje. Y porque sucedieron de aquel jayán, fijo de Balán, siempre los llamaron gigantes, ahunque en sus cuerpos no se conformassen con la grandeza dellos por la parte de la muger, así como os lo hemos contado; y también porque todos los de aquel linaje fueron muy fuertes y valientes en armas, y con mucha parte de la sobervia y follonía donde descendían.

Mas agora dexaremos a Amadís en aquella ínsola donde reposó algunos días por se fazer curar las llagas que Balán le avía fecho en la batalla; y porque el gigante y su muger mucho gelo rogaron, donde fue muy bien servido. Y contaros ha la istoria lo que Grasandor fizo después que por el montero le fue dicho el mandato de Amadís, y supo cómo se iva con la dueña en el batel por la mar.

Ya la istoria os ha contado cómo al tiempo que Amadís se partió de la ribera de la mar con la dueña en el batel y se armó de las armas del cavallero muerto, que mandó a un hombre de los suyos que dixesse a Grasandor cómo él se iva, y que fiziesse enterrar a aquel cavallero y le ganasse perdón de su señora Oriana. Pues este hombre se fue luego a la parte donde andava caçando Grasandor, que de la ida de Amadís nada sabía; antes pensava que, como todos los otros, estava con su perro en el armada donde le avían puesto; y díxole el mandado de Amadís. Y cuando Grasandor lo oyó, maravillóse mucho qué causa tan grande fizo a Amadís partirse dél, y mucho más de su señora Oriana, sin que primero los viesse; y dexó luego la caça, y mando al montero que le guiasse donde el cavallero muerto estava. Y allí llegado, vióle yazer en el suelo, mas por la mar no vio cosa alguna, que ya el barco en que Amadís iva traspuesto era; luego fizo cargar el cavallero en un palafrén, y recogida toda la compaña se tornó a la Insola Firme pensando mucho en lo que faría. Y llegado al pie de la peña, mandó a aquellos hombres que con él venían que enterrassen a aquel cavallero en el monesterio que allí estava, que Amadís mandara fazer al tiempo que de la Peña Pobre salió en reverencia de la Virgen María, como el segundo desta istoria lo cuenta; y él se fue donde Oriana y Mabilia, su muger, y aquellas señoras estavan.

Y como solo le vieron, preguntáronle dónde quedava Amadís. El les contó todo lo que le aviniera y dél sabía, que nada faltó, pero con alegre semblante por las no poner en algún sobresalto. Cuando Oriana lo oyó estovo una pieça que no pudo fablar, con gran turbación que ovo. Y cuando en sí tornó, dixo:

—Bien creo que, pues Amadís se fue sin vos, y sin que lo yo supiesse, que no sería sin gran causa.

Grasandor le dixo:

—Mi señora, yo assí lo creo, pero demándoos perdón por él, que assí me lo embió dezir que lo fiziesse con el montero que lo vio ir.

—Mi buen señor —dixo Oriana—, más es menester de rogar a Dios que le guarde por la su merced que de me rogar a mí que lo perdone; que bien sé que nunca me fizo yerro en ninguna sazón que fuesse, ni de aquí adelante lo fará, que tal fiança tengo yo en el grande y verdadero amor que me tiene. Mas, ¿qué os pareçe que se deve fazer?

Grasandor le dixo:

—Paréceme, señora, que será bien de lo ir yo a buscar; y si le fallar puedo, passar aquel bien o mal que él passare; que yo no folgaré día ni noche fasta que lo falle.

Todas aquellas señoras se otorgaron en esto que Grasandor partiesse luego; mas Mabilia toda aquella noche nunca cessó de llorar con él, pensando que de aquel viaje no se le podrían escusar grandes peligros y afruentas. Pero en la fin, queriendo más la honra de su marido que satisfazer su desseo, tovo por bien que assí lo fiziesse.

Pues venida la mañana, Grasandor se levantó y oyó missa; y despidiéndose de Oriana y de Mabilia y las otras dueñas, entró en una barca, levando consigo sus armas y cavallo y dos escuderos con la provisión necessaria, y un ma-

rinero que le guiasse, se metió a la mar por aquella mesma
vía que Amadís avía ido.

Grasandor anduvo por la mar adelante sin saber a cuál
parte pudiesse ir sino donde la ventura lo levase, que otra
certidumbre ninguna no tenía sino tan solamente saber que
aquella vía Amadís avía levado. Pues yendo como oís todo
aquel día y la noche y otro día, navegaron sin fallar persona
alguna que nuevas le pudiesse dezir; y su desdicha, que lo
fizo, que a la segunda noche passó bien cerca de la Ínsola
del Infante, y con la gran escurana no la vieron; que si allí
aportara, no pudiera errar de no fallar a Amadís porque supiera cómo allí aportara y cómo el cavallero governador de
aquella ínsola fuera en su compañía, y luego le guiaran a la
Ínsola de la Torre Bermeja; pero de otra manera le avino,
que aquella noche passó mucho adelante, y anduvo otro día,
y a la noche se falló en la ribera de la mar en una gran playa.
Y allí mandó Grasandor parar el navío fasta la mañana por
saber qué tierra era aquella. Assí estuvieron fasta que el día
vino que pudieron devisar la tierra, y paresdoles que devía
ser tierra firme y muy fermosa de grandes arboledas. Grasandor mandó sacar su cavallo, y armóse y dixo al marinero
que se no partiesse de aquel lugar fasta que él tornase o su
mandado, porque él quería ver dónde avían arribado y procurar de saber alguna nueva de aquel que demandava.

Entonces cavalgó en su cavallo, y sus escuderos a pie con
él, que no traían palafrenes porque la barca más liviana anduviesse. Assí anduvo muy gran parte del día que no falló
persona ninguna; y maravillóse mucho, que le paresció aquella tierra despoblada. Y descavalgó en una falda de la floresta por donde iva cabe una fuente que falló y los escuderos
le dieron de comer, y a su cavallo; y desque ovieron comido, dixéronle:

Señor, tornaos a la barca, que esta tierra yerma deve ser.

Grasandor les dixo:

—Quedad aquí vosotros, que no podrés tener comigo; y
yo andaré fasta que sepa algunas nuevas. Y si las no fallo,
luego me tornaré a vosotros; y si vierdes que tardo, tornad
os a la barca; que si puedo, allí seré yo.

Los escuderos, que ya de cansados no podían andar, lo
acomendaron a Dios, y dixéronle que assí lo farían como lo
él mandava.

Pues Grasandor se fue por aquella floresta, y a cabo de

una pieça falló un valle fondo y muy espesso de árboles; y al un cabo dél vio un monesterio pequeño metido en lo más espesso dél, y fue luego allá; y llegando a la puerta fallóla abierta, y descavalgó de su cavallo, y arrendólo a las aldavas, y entró dentro. Y fuese derechamente a la iglesia y fizo su oración lo mejor que él supo, rogando a Dios que lo guiasse en aquel viaje cómo las cosas dél fuessen a su honra, y le endereçasse donde pudiesse fallar a Amadís. Assí estando de rodillas, vio venir a la iglesia un monje de los blancos; y llamóle y díxole:

—Padre, ¿qué tierra es ésta y de qué señorío es?

El monje le dixo:

—Esta es del señorío de Irlanda, mas no está agora mucho a su mandar del rey porque aquí cerca está un cavallero que se llama Galifón; y con dos hermanos cavalleros muy fuertes así como él, y un castillo de gran fortaleza en que se acoge, ha sojuzgado toda esta montaña de muy buena tierra y lugares assaz ricos, y haze mucho mal a los cavalleros andantes que por aquí passan, que ellos andan todos tres de consuno; y cuando hallan algún cavallero, ascóndense los dos, y el uno solo le acomete. Y si el cavallero del castillo vence, estánse quedos; y si le va mal en la batalla, salen los dos y ligeramente vencen o matan al uno que es solo. Y ayer acaeçió que, viniendo dos monjes desta casa de pedir limosna por estos lugares, vieron cómo todos tres hermanos vencieron un cavallero y lo llagaron muy mal. Y aquellos dos padres gelo pidieron, rogándoles por amor de Dios no lo matassen y gelo diessen, pues que en él ya defensa ninguna no havía. Y tanto les ahincaron que lo ovieron de hazer, y traxéronlo en un asno, y aquí lo tenemos. Y luego a poco rato llegó otro su compañero; y como esto supo, partió de aquí poco ante que vos llegássedes, con intención de morir o vengar a este que está herido. Y, ciertamente, él va a gran peligro de su persona.

Cuando esto oyó Grasandor, dixo al monje que le mostrasse el cavallero ferido. Y él así lo hizo, que le metió a una celda, donde estava en un lecho. Y como lo vio, conoçiólo, que era Eliseo, cormano de Landín, el sobrino de don Cuadragante. Y assí mesmo el cavallero conoçió a él, que muchas vezes se vieran y hablaran en la guerra de entre el rey Lisuarte y Amadís. Y cuando Eliseo lo vio, díxole:

—¡O buen señor Grasandor!, ruégoos por mesura que socorráis a Landín, mi cormano, que va a gran peligro; y después vos diré mi aventura, cómo me avino; que si os detuviesse en lo contar, no le prestaría nada vuestra ayuda.

Grasandor le dixo:

—¿Dónde lo hallaré?

—En passando este valle —dixo Eliseo— veréis un gran llano, y en él un fuerte castillo; y allí lo fallaréis, que va a demandar a un cavallero que es señor dél de quien yo este mal recebí.

Grasandor vio luego que era verdad lo que el monje le dixera. Y acomendólo a Dios y cavalgó en su cavallo, y fue lo más que pudo en aquel derecho que el monje le mostró donde mejor podría ver el castillo. Y como huvo el valle passado, violo luego en un otero más alto que la otra tierra de aderredor, y yendo contra él, llegó al cabo de un monte por do iva, vio a Landín, que estava delante la puerta del castillo dando bozes. Pero no entendía él lo que dezía, que estava algún tanto alexado. Y detuvo el cavallo entre las matas espessas, que no quiso pareçer fasta que viesse si Landín havía menester socorro. Pues assí estando, a poco rato vio salir por la puerta del castillo a la parte donde Landín estava un cavallero assaz grande y bien armado, y fabló un poco con Landín, y luego se apartaron uno de otro una pieça, y fuéronse herir al más correr de los cavallos; y diéronse tan grandes encuentros con las lanças y con los cavallos uno con otro, que ambos les convino caer en tierra grandes caídas. Mas el cavallero del castillo dio muy mayor caída, assí que fue desacordado; pero levantóse lo más toste que pudo, y metió mano a su spada para se defender.

Landín se levantó como aquel que muy ligero y valiente era, y vio como su enemigo estava guisado de lo recebir, y metió mano a su spada, y puso el escudo ante sí y fuese para él, y el otro assí mesmo móvio contra él; y diéronse muy grandes golpes de las spadas por cima de los yelmos, assí que el fuego salía dellos; y rajavan sus escudos y desmallavan las lorigas por muchas partes de guisa que las spadas llegavan a sus carnes, y assí anduvieron una gran pieça faziéndose todo el mal que podían. Mas a poco rato Landín començó a mejorar de tal forma que traía al cavallero del castillo a su voluntad, que ya no entendía salvo en se guardar de los golpes sin él poder dar ninguno. Y cuando assí se vio, començó a llamar con el spada a los del castillo que lo socorriessen, que mucho tardavan. Estonces salieron dos cavalleros a más correr de sus cavallos, con sus lanças en las manos, y diziendo:

—¡Traidor malo, no lo mates!

Cuando Landín assí los vio venir, púsose para los esperar como buen cavallero, sin ninguna alteración de su voluntad, porque ya se tenía él por dicho que, yéndole mal al primero, que havía de ser socorrido de los dos; y díxoles:

—Vosotros sois los malos y traidores, que a mala verdad matáis endonado los buenos y leales cavalleros.

Grasandor, que todo lo mirava, cuando assí los vio venir, puso las espuelas a su cavallo lo más rezio que pudo y fue contra ellos diziendo:

—¡Dexad el cavallero, malos y aleves!

Y herió al uno de los de la lança de tan gran encuentro en el escudo que sin detenimiento alguno lo lançó por cima de las ancas del cavallo, y dio en el campo, que era duro, tan gran caída que el braço diestro, sobre que cayó, fue quebrado, y tan desacordado fue, que se no pudo levantar. El otro cavallero fue por dar una lançada a sobremano a Landín, o lo tropellar con el cavallo; mas no pudo, que él se desvió con tanta ligereza y buen tiento que el otro no le pudo coger; y tan rezio passó con el cavallo, que Landín no le pudo herir, maguer que él cuidó cortarle las piernas al cavallo. Grasandor le dixo:

—Quedad con esse que está a pie, y dexad a mí este de cavallo.

Cuando Landín esto vio, mucho fue alegre, y no pudo entender quién sería el cavallero que a tal sazón lo havía socorrido. Y tornó luego para el cavallero con quien ante se combatía, y diole con la spada muy grandes y peligrosos golpes. Y ahunque el cavallero punó cuanto más pudo de se defender, no le prestó nada, que Landín le traía a toda su voluntad.

Grasandor se hería con el de cavallo, dándose grandes golpes de las spadas, que Grasandor le havía cortado la lança y le havía herido en la mano. Y assí estavan todos cuatro faziendo todo el mayor mal que ellos podían; mas a poco rato Landín derribó el suyo ante sus pies. Y cuando esto vio el otro que ahún a cavallo estava, començó de fuir contra el castillo cuanto más podía, y Grasandor tras él, que lo no dexava. Y como iva desatentado, erró el tino de la puente levadiza, y cayó con el cavallo en la cava, que muy fonda era y llena de agua, assí que con el peso de las armas a poco rato fue afogado, que los del castillo no lo pudieron socorrer porque Grasandor se puso al cabo de la puente, y Landín, que llegó luego encima de otro cavallo de los que en el campo havían quedado.

Y como vieron el pleito parado y que no havía qué fazer, tornáronse entrambos a donde havían dexado los cavalleros por ver si eran muertos. Y Landín dixo:

—Señor cavallero, ¿quién sois que a tal sazón me socorristes haviéndolo tanto menester?

Grasandor le dixo:

—Mi señor Landín, yo soy Grasandor, vuestro amigo, que doy muchas gracias a Dios que os hallé en tiempo que menester me oviéssedes.

Cuando Landín esto oyó, fue mucho maravillado qué ventura lo pudo traer a aquella tierra, que bien sabía cómo quedara en la Insola Firme con Amadís al tiempo que de allí la flota se partió para ir a Sansueña y al reino del rey Arávigo; y díxole:

—Buen señor, ¿quién vos traxo en esta tierra, tan desviado de donde con Amadís quedastes?

Grasandor le contó todo lo que havéis oído, por dónde le conveniera salir a buscar Amadís, y preguntóle si sabía algo dél. Landín le dixo:

—Sabed, señor Grasandor, que Eliseo, mi cormano, y yo venimos de donde queda don Cuadragante, mi tío, y don Bruneo de Bonamar, con aquellos cavalleros que de la Insola Firme vistes partir, con mandado de mi tío para el rey Cildadán a le demandar alguna gente, que allá ovimos una batalla con un sobrino del rey Arávigo, que se apoderó de la tierra cuando supo que el rey su tío era vencido y preso. Y comoquiera que nosotros fuemos vencedores y fezimos gran estrago en los enemigos, recebimos mucho daño, que perdimos mucha gente. Y por esta causa venimos para levar más, y havrá tres días que aportamos a la Insola del Infante, y allí supimos cómo un cavallero que una dueña traía y un hombre solo venían en un batel, y que dixeron que ivan a la Insola de la Torre Bermeja a se combatir con Balán el gigante; y no me supieron dezir por qué causa, sino tanto que el governador de aquella ínsola fue con el cavallero a ver la batalla, porque según se dize, aquel jayán es el más valiente

que hay en todas las ínsolas. Y según vos dezís que Amadís
se partió por la mar con la dueña, creed que no es otro sino
éste, que a él convenía tal empresa.

—Mucho me havéis hecho alegre —dixo Grasandor— con
estas nuevas; mas no me puedo partir de ser muy triste por
me no hallar con él en tal afruenta como aquélla.

—No vos pese —dixo Landín—, que aquél no hizo Dios
sino para le dar por sí solo la honra y gran fama que todos
los del mundo juntos no podrían alcançar.

—Agora me dezid —dixo Grasandor— cómo vos avino, que
yo hallé en un monesterio acá ayuso en un fundo valle a
vuestro cormano Eliseo mal llagado; del cual no pude saber
qué cosa fuesse sino tan solamente que me dixo cómo vos
veníades a combatir con este cavallero. Y los monjes de aquel
monesterio me dixeron la mala orden que él y sus hermanos tenían para vencer y deshonrar a los cavalleros que con
ellos se combatían; y no supe otra cosa por no me detener.

Landín le dixo:

—Sabed que nosotros salimos ayer de la mar por nos ir
por tierra adonde el rey Cildadán está, que estávamos muy
enojados de andar sobre el agua. Y llegando cerca de aquel
monesterio que vistes encontramos con una donzella que
venía llorando, y demandónos ayuda. Yo la pregunté la causa
de su llanto, y que si era cosa que justamente la pudiesse
remediar, que lo haría. Ella me dixo que un cavallero tenía
preso a su esposo contra razón por le tomar una heredad
muy buena que tenía en su tierra, y lo tenía en una torre en
cadenas, que era a la diestra parte del monesterio bien dos
leguas. Y yo tomé fiança de la donzella si me dezía verdad,
la cual me la hizo luego. Y díxele a mi cormano Eliseo que
se quedasse en aquel monesterio, porque venía más enojado
de la mar, en tanto que yo iva con la donzella; y que si Dios
me endereçasse con bien, que luego me tornaría para él. Mas
él porfió tanto comigo, que no pude escusar de lo no levar
en mi compañía. Y yendo por aquel valle entre aquellas
matas espessas, y la donzella que nos guiava con nosotros,
vimos ir un cavallero que ya a lo llano encumbrava armado
en un cavallo. Estonces Eliseo me dixo: «Cormano, ídvos
con la donzella, y yo iré a saber de aquel cavallero.» Assí se
partió de mí, y yo fue con la donzella, y llegué a la torre
donde su esposo estava preso. Y llamé al cavallero que lo
tenía, el cual salió desarmado a hablar comigo. Y como el

rostro me vio, conoçióme luego y preguntóme qué demandava. Yo le dixe todo lo que la donzella me havía dicho, y
que le rogava que hiziesse luego soltar a su esposo y le no
hiziesse mal de allí adelante contra derecho. Y él lo hizo
luego por amor de mí, porque en ninguna manera se quería
combatir comigo, y me prometió de lo hazer como lo yo
pidía. Y maltráxele mucho diziéndole que para hombre de
tan buena suerte no convenía hazer semejantes cosas; y pude
lo fazer porque este cavallero era mi amigo, y anduvimos
cuando noveles cavalleros algún tiempo en uno buscando las
aventuras. Pues esto despachado, bolvíme al monesterio como
quedo, y hallé a Eliseo mal herido, y preguntéle qué fuera
dél. Y él me dixo que yendo tras aquel cavallero cuando de
mí se partió, dándole bozes que tornasse, que a cabo de una
pieça que tornara a él, y que ovieran una brava batalla, y
que a su pareçer le tenía mucha ventaja y cuasi vencido, y
que salieron otros dos cavalleros de la floresta y le encontraron tan fieramente, que le derribaron a él y al cavallo, y lo
firieron muy mal; y que si Dios no le traxera a la sazón por
allí dos monjes de aquel monesterio, que mucho les rogaron
por su vida, que todavía lo acabaran de matar; y por amor
dellos lo dexaron, y que aquellos monjes lo levaron.

—Todo esso sé yo de lo de vuestro cormano, que los monjes me lo dixeron —dixo Grasandor—, mas de lo vuestro no
supe otra cosa sino cómo vos partistes del monesterio para
os combatir con estos malos y desleales cavalleros; mas ¿qué
acordáis que hagamos dellos si muertos no fueren?

Landín le dixo:

—Sepamos en qué disposición están, y assí tomaremos el
acuerdo.

Estonces llegaron donde Galifón, el señor del castillo, estava tendido en el suelo, que nunca tuvo poder de se levantar, pero ya con algo de más aliento y más acuerdo que de
ante. Y assí mesmo fallaron a su hermano, que no era muerto, pero que estava muy maltrecho. Y Landín llamó a dos
escuderos, uno suyo y otro de su cormano, que con ellos venían, y hízoles descender de sus palafrenes; y pusieron aquellos dos cavalleros en las sillas atravessados y los escuderos
en las ancas, y fuéronse contra el monesterio con pensamiento, si Eliseo fuesse muerto o ferido de peligro, de los fazer
matar; y si estuviesse mejorado en salud, que tomarían otro
consejo.

Assí como oídes, llegaron al monesterio y fallaron a Eliseo sin peligro ninguno, que un monje de aquéllos, que sabía de aquel menester, le havía curado y remediado mucho. A esta sazón aquel Galifón, señor del castillo, estava en todo su acuerdo; y como vio a Landín desarmado, conoçiólo; que assí éste como sus hermanos todos eran del rey Cildadán. Mas cuando vieron que se iva ayudar al rey Lisuarte a la guerra que con Amadís tenía, estos tres hermanos quedaron en la tierra, que los no pudo levar consigo. Y en tanto que él se detuvo en aquella cuistión, fizieron ellos mucho daño en aquella comarca, teniendo al rey Cildadán en poco en le ver so el señorío del rey Lisuarte; que cuando la fortuna se muda de buena en mala, no solamente es contraria y adversa en la causa principal, mas en otras muchas cosas que de aquella caída redundan, que se pueden comparar a las circunstancias del pecado mortal. Y díxole:

—Señor Landín, ¿podría yo alcançar de vos alguna cortesía? Y si pensáis que mis malas obras no lo mereçen, merézcanlo las vuestras buenas. Y no miréis a mis yerros, mas a lo que vos, según quien sois y del linaje donde venís, devéis fazer.

Landín le dixo:

—Galifón, no se esperava de vos tan malas hazañas; que cavallero que se crió en casa de tan buen rey, y en compañía de tantos buenos, mucho estava obligado a seguir toda virtud. Y soy maravillado de assí ver estragada vuestra criança siguiendo vida tan mala y tan desleal.

—La codicia de señorear —dixo Galifón— me desvió de lo que la virtud me obligava, assí como lo ha fecho a otros muchos que más que yo valían y sabían; pero en vuestra mano y voluntad está todo el remedio.

—¿Qué queréis que faga? —dixo Landín.

—Que me ganéis perdón del rey mi señor —dixo él—, y yo me porné en la su merced de vuestra parte cuanto pueda cavalgar.

—Será assí como lo dezís —dixo Landín—, que de aquí adelante tomaréis el estilo que conviene a la orden de cavallería.

—Assí será —dixo Galifón— sin duda ninguna.

—Pues yo os dexo libre —dixo Landín—, y a vuestro hermano, tanto que seáis de hoy en veinte días delante del rey Cildadán, mi señor, y fagáis lo que él os mandara; y en este comedio yo os ganaré perdón.

Galifón gelo gradeçió mucho, y assí como lo él mandava gelo prometió.

Pues hecho esto, quedaron allí aquella noche todos juntos. Y otro día de mañana Grasandor oyó missa y despidióse de Landín y de su cormano para se tornar a su barca donde havía dexado en la playa de la mar, y con mucho plazer en su coraçón por las nuevas que Landín le dixera, que por cierto tenía ser Amadís el cavallero que aportó a la Insola del Infante con la dueña y iva para se combatir con el gigante Balán. Assí se tornó por el mismo camino por donde viniera, y llegó a la barca ante que anocheçiesse; donde falló sus escuderos, con que mucho le plugo y a ellos con él.

Grasandor preguntó al marinero si sabría guiar a la ínsola que se llamava del Infante. El dixo que sí, que después que allí llegaron havía atinado bien dónde estavan, lo cual luego que allí llegaron no sabía; y que él lo guiaría a aquella ínsola.

—Pues vamos allá —dixo Grasandor.

Assí movieron de la playa y anduvieron toda aquella noche; y otro día a hora de bísperas llegaron a la ínsola. Y Grasandor salió en tierra y subió suso a la villa, donde le dixeron todo lo que havía acaeçido a Amadís con el gigante, que lo supieran del governador, que allí era llegado. Y Grasandor habló con el por mas ser certificado; el cual le contó todo cuanto viera de Amadís, assí como la historia lo ha contado. Grasandor le dixo:

—Buen señor, tales nuevas me havéis dicho con que he havido gran plazer. Y esto no lo digo porque tenga en mucho haver salido Amadís tanto a su honra desta aventura, que según las grandes cosas y peligrosas que por él han passado, a los que las sabemos no nos podemos maravillar de otras ningunas, por grandes que sean, mas por lo haver fallado; que, ciertamente, yo no pudiera recebir descanso ni tolgança en ninguna parte en tanto que dél no supiera nuevas.

El cavallero le dixo:

—Bien creo que según las grandes cosas suenan deste cavallero por todas las partes del mundo, que muchas dellas havrán visto aquellos que en alguna sazón en su compañía han andado. Pero yo vos digo que si ésta por que agora passó todos la pudieran ver como la yo vi, que bien la contarían entre las más peligrosas.

Estonces se dexaron de hablar más en aquello, y Grasandor le dixo:

—Ruégoos, cavallero, por cortesía que me deis alguno vuestro que me guíe a la ínsola donde Amadís está.

—De grado lo faré —dixo él—, y si alguna provisión havéis menester para la mar, luego se os dará.

—Mucho os lo gradezco —dixo Grasandor—, que yo trayo todo lo que me cumple.

El cavallero de la ínsola dixo:

—Vedes aquí uno que os guiará, que ayer vino de allá.

Grasandor jelo gradeçió y se metió en su fusta con aquel hombre que le guiava, y fue por la mar adelante. Y tanto anduvieron, que llegaron sin contraste alguno al puerto de la Insola de la Torre Bermeja, donde Amadís estava.

Y luego fue tomado por los hombres del jayán, y le preguntaron qué demandava. El les dixo que venía a buscar un cavallero que se llamava Amadís de Gaula, que le dixeron que estava en aquella ínsola.

—Verdad dezís —dixeron ellos—; subid connusco al castillo, que allí lo fallaréis.

Estonces salió de la barca armado como estava y subió suso al castillo con aquellos hombres. Y cuando a la puerta fue, dixeron a Amadís cómo estava allí un cavallero que le demandava. Amadís pensó luego que sería alguno de sus amigos, y salió contra la puerta. Y cuando vio que era Grasandor, fue el más alegre del mundo, y abraçólo con mucha alegría, y Grasandor assí mesmo a él, como si mucho tiempo passara que se no ovieran visto. Amadís le preguntó por su señora Oriana qué tal quedava y si recibiera mucho enojo por su venida. Grasandor le dixo:

—Mi buen señor, ellas y todas las otras quedavan muy buenas; y de Oriana os digo que recibió grande afruenta y mucha turbación cuando por mí lo supo. Mas como su discreción sea tan sobrada, bien cuidó que no sin gran causa fezistes este camino. Y no tengáis creído que ningún enojo ni saña le queda, sino es pensar tan solamente que os no podrá ver tan cedo como lo dessea. Y comoquiera que yo venga a os llamar, plazer havré que por mí vos detengáis aquí cuatro o cinco días porque vengo enojado de la mar.

—Por bien lo tengo —dixo Amadís—, que assí se faga, que yo tanbién lo he menester porque ahún me siento flaco de unas heridas que huve, de que no soy bien sano. Y mucho me fezistes alegre de lo que me dezís de mi señora, que en comparación de su enojo todas las cosas que me podrían venir de grandes afruentas, ni ahún la misma muerte, no las tengo en tanto como nada.

CAPÍTULO CXXX

CÓMO ESTANDO AMADÍS EN LA ÍNSOLA DE LA TORRE BERMEJA SENTADO EN UNAS PEÑAS SOBRE LA MAR FABLANDO CON GRASANDOR EN LAS COSAS DE SU SEÑORA ORIANA, VIO VENIR UNA FUSTA, DE DONDE SUPO NUEVAS DE LA FLOTA, QUE ERA IDA A SANSUEÑA Y A LAS ÍNSOLAS DE LANDAS

Assí como oís, estavan en aquella ínsola de la Torre Bermeja Amadís y Grasandor con mucho plazer; y Amadís siempre preguntava por su señora Oriana, que en ella eran todos sus desseos y cuidados; que ahunque la tenía en su poder, no le falleçía un solo punto del amor que le siempre huvo, antes agora mejor que nunca le fue oojuzgado su coraçón y con más acatamiento entendía seguir su voluntad; de lo cual era causa que estos grandes amores que entrambos tuvieron no fueron por acidente como muchos fazen que más presto que aman y dessean aborreçen, mas fueron tan entrañables y sobre pensamiento tan honesto y conforme a buena conciencia que siempre creçieron, assí como lo fazen todas las cosas armadas y fundadas sobre la virtud. Pero es al contrario lo que todos generalmente seguimos, que nuestros desseos son más al contentamiento y satisfación de nuestras malas voluntades y apetitos que a lo que la bondad y razón nos obligan; lo cual en nuestras memorias y ante nuestros ojos devríamos tener, considerando que si todas las cosas dulces y sabrosas fuessen en nuestras bocas puestas, y en fin de la dulçura un sabor amargo quedasse, no tan solamente lo dulce se perdía, mas la voluntad sería tan alterada que con lo postrimero grande enojo de lo primero sentiría; assí que bien podemos dezir que en la fin es lo más de la gloria y perfición. Pues si esto es assí, ¿por qué dexamos de conoçer que, ahunque las cosas deshonestas, assí amores como de otra cualquiera cualidad, trayan al comienço dulçura y al fin amargura y arepentimiento; que las virtuosas y de buena conciencia, que al comienço passen como aspereza y amargura, la fin siempre da contentamiento y alegría? Pero en lo deste cavallero y de su señora no podemos apartar lo malo de lo bueno, ni lo triste de lo alegre, porque desde su comienço siempre su pensamiento fue en seguir la honesta fin en que agora estavan. Y si cuidados y angustias uno por otro passaron, que no fueron pocas, como esta grande historia lo cuenta, no creáis que en ellas recibían pena ni passión, antes mucho descanso y alegría; porque mientra más vezes a la memoria traían sus grandes amores, tantas eran causa de se tener el uno al otro delante sus ojos como si en efeto passara; lo cual les dava tan gran remedio y consuelo a sus alegres congoxas, que por ninguna guisa quisieran de sí partir aquella sabrosa membrança. Mas dexemos de fablar en esto destos leales amadores, assí porque no tienen cabo como porque muy grandes tiempos passaron y passarán antes que otros semejantes se vean ni de quien con tan grande escriptura memoria quede.

Pues assí fablava Amadís con Grasandor en aquellas cosas que le más agradavan. Y avínoles que, estando entrambos sentados en unas peñas altas sobre la mar, vieron venir una fusta pequeña derechamente a aquel puerto, y no quisieron de allí partir sin que primero supiessen quién en ella venía. Llegada la fusta al puerto, mandaron a un escudero de los de Grasandor que supiesse qué gente era la que allí arribara; el cual fue luego a lo saber. Y cuando bolvió, dixo:

—Señores, allí viene un mayordomo de Madasima, mujer de don Galvanes, que passa a la Insola de Mongaça.

—Pues ¿dónde viene? —dixo Amadís.

—Señor —dixo el scudero—, dizen que de donde está don Galvanes y don Galaor. Y no supe dellos más.

Cuando Amadís esto oyó, descendiéronse él y Grasandor de las peñas y fuéronse al puerto donde la fusta estava. Y como llegaron, conoció Amadís a Nalfón, que assí havía nombre el mayordomo, y díxole:

—Nalfón amigo, mucho soy ledo con vos porque me diréis nuevas de mi hermano don Galaor y de don Galvanes, que después que de la Insola Firme partieron nunca las he sabido.

Cuando el mayordomo lo vio y conoció que era Amadís, mucho fue maravillado por lo hallar en tal parte, que bien sabía él cómo aquella ínsola era del gigante Balán, el mayor enemigo que Amadís tenía, por le haver muerto a su padre. Y luego salió en tierra y hincó los inojos ante él por le besar las manos; mas Amadís lo abraçó y no gelas quiso dar. El mayordomo le dixo:

—Señor, ¿qué aventura fue aquella que aquí os traxo en esta tierra desviada de donde os dexamos?

Amadís le dixo:

—Mi buen amigo, Dios me traxo por un caso que después sabréis; mas dezidme todo lo que de mi hermano y de don Galvanes y Dragonís havéis visto.

—Señor —dixo él—, Dios loado, yo vos lo puedo dezir muy bien, y cosas de vuestro plazer. Sabed que don Galaor y Dragonís partieron de Sobradisa con mucha gente y bien endereçada. Y don Galvanes, mi señor, se juntó con ellos con toda la más gente que haver pudo de la Insola de Mongaça en la alta mar a una roca que por señal tenían, que se llama la Peña de la Donzella Encantadora; no sé si la oístes dezir.

Amadís le dixo:

—Por la fe que a Dios devéis, mayordomo, que si algo de las cosas que en essa peña son sabéis, que me las digáis, porque don Gavarte de Valtemeroso me huvo dicho que, seyendo él mal doliente, veniendo por la mar passó al pie desta peña que dezís, y que su mal le estorvara de subir suso y ver muchas cosas que en ella son; y que le dixeron los que las han visto que entre ellas havía una grande aventura en que falleçían de la acabar los cavalleros que la provavan.

El mayordomo le dixo:

—Todo lo que desto pude aprender, que quedó en memoria de hombres, vos diré de grado. Sabed que aquella peña quedó este nombre porque tiempo fue que aquella roca fue poblada por una donzella que de allí fue señora; la cual mucho trabajó de saber las artes mágicas y nigromancia, y aprendiólas de tal manera que todas las cosas que a la voluntad le venía acabava. Y el tiempo que bivió allí fizo su morada, la cual tenía la más fermosa y rica que nunca se vio, y muchas vezes acaeçió tener al derredor de aquella peña muchas fustas que por la mar passavan desde Irlanda y Noruega y Sobradisa a las Insolas de Landas y a la Profunda Insola. Y por ninguna guisa de allí se podían partir si la donzella no diesse a ello lugar desatando aquellos encantamientos con que ligadas y apremiadas estavan, y dellas tomava lo que le plazía; y si en las fustas venían cavalleros, teníalos todo el tiempo que le agradava, y fazíalos combatir unos con otros hasta que se vencían y ahún matavan, que no havían poder de hazer otra cosa, y de aquello tomava ella mucho plazer. Otras cosas muchas fazía que serían largas de contar. Pero

como sea cosa muy cierta los que engañan ser engañados y
maltrechos en este mundo y en el otro, cayendo en los mismos lazos que a los otros armaron, a cabo de algún tiempo
que esta mala donzella con tanta riqueza y alegría sus días
passava, creyendo penetrar con su gran saber los grandes secretos de Dios, fue, permitiéndolo Él, traída y engañada por
quien nada desto no sabía. Y esto fue que entre aquellos cavalleros que assí allí traxo fue uno natural de la isla de Creta,
hombre fermoso y asaz valiente en armas, de edad de veinte y cinco años. Déste fue la donzella con tanta afición enamorada, que de su sentido la sacava, de manera que su gran
saber ni la gran resistencia y freno, que a su voluntad tan
desordenada y vencida ponía, no la pudieron escusar que a
este cavallero no hiziesse señor de aquello que ahun fasta
allí ninguno posseído havía, que era su persona; con el cual
algún tiempo con mucho plazer de su ánimo passó; y él assí
mesmo con ella más por el interesse que de allí esperava
que por su hermosura della, de la cual muy poco la natura
la havía ornado. Assí estando en esta vida aquella donzella
y el cavallero su amigo, él, considerando que en tal parte
como aquella tan estraña y apartada, siendo del mundo señor
muy poco le aprovechava, començó a pensar qué haría porque de aquella prisión salir pudiesse. Y pensó que la dulce
palabra y el rostro amoroso, con los agradables autos que en
los amores consisten, ahún siendo fengidos, tenían mucha
fuerça de turbar y trastornar el juizio de toda persona que
enamorada fuesse; y començó mucho más que ante a se le
mostrar sojuzgado y apassionado por sus amores, assí en lo
público como en lo secreto, y rogarla con mucha afición que
diesse lugar a que no pensasse que aquello le venía por causa
de las fuerças de sus encantamientos, sino solamente porque
su voluntad y querer a ello le inclinavan. Pues tanto la ahincó que creyendo ella tenerlo enteramente, y juzgando por su
sojuzgado y apremiado coraçón que tan sin engaño como lo
ella amava assí lo hazía él, dexólo libre que de sí pudiesse
fazer a su guisa. Como él assí se vio, desseando más que
ante dexar aquella vida, estando un día hablando con la donzella a la vista de la mar, como otras muchas vezes abraçándola, mostrándole mucho amor, dio con ella de la peña ayuso
tan grande caída que toda fue hecha pieças. Como el cavallero esto hovo fecho, tomó cuanto allí falló y todos los moradores, assí hombres como mujeres; y dexando la isla des-

poblada se fue a la isla de Creta. Pero dexó allí en una cámara del mayor palacio de la donzella un gran thesoro, según dizen, que lo no pudo tomar él, ni otro alguno, por estar encantado hasta el día de hoy. Y algunos que en el tiempo de los grandes fríos, cuando las serpientes se encierran, que se han atrevido a subir en la peña, dizen que han llegado a la puerta de aquella cámara, pero que no han poder de entrar dentro, y que están letras scriptas en la una puerta tan coloradas como sangre, y en la otra otras letras que señalan el cavallero que allí ha de entrar. Y ha de ganar aquel thesoro sacando primero una spada que está metida hasta la empuñadura por las puertas, y luego serán abiertas. Esto es, señor, lo que sé de lo que me preguntastes.

Amadís, desque lo ovo oído, estuvo un poco pensando cómo podría ir él a acabar aquello en que tantos havían falleçido. Y calló, que no dixo nada dello; mas preguntó a Nalfón lo de sus hermanos y sus amigos. El le dixo:

—Señor, pues juntas las flotas allí al pie de aquella peña que oís, tomaron la vía de la Profunda Insola. Mas no pudo ser tan secreta su llegada, que ante no les fuesse a todos manifiesta por algunas personas que por la mar tenían, y toda la ínsola se alborotó con un primo cormano del rey muerto. Y como al puerto llegamos, occurrió allí toda la gente, con la cual ovimos una grande y peligrosa batalla ellos de la tierra y nosotros de los navíos. Mas al cabo don Galaor y don Galvanes y Dragonís saltaron en tierra, a mal su grado de los enemigos, y hizieron tal estrago en ellos, y con otros muchos de los nuestros que les ayudaron, que apartaron por aquel cabo la gente de la ribera; assí que ovimos lugar de salir de las naos; y luego todos de consuno herimos en ellos tan rezio, que no nos pudiendo sufrir bolvieron las espaldas. Pero las cosas que don Galaor hizo no las podría hombre ninguno contar; que allí cobró todo lo que en tanto tiempo con su gran dolencia havía perdido. Y entre los que mató fue aquel capitán, cormano del rey, que dio más aína causa a que toda su gente fuesse por nosotros en la villa encerrada, donde los cercamos por todas partes. Mas como todos fuessen hombres de poca suerte y no tuviessen caudillo, que los más principales de aquella ínsola murieron con el rey su señor en el socorro de Lubaina, y otros muchos presos, y nos vieron señorear el campo y a ellos sin remedio de ser socorridos, movieron trato luego que les assegurassen lo suyo y los dexassen en ello como lo tenían y se darían, y assí se hizo; que no ocho días depués que allí llegamos fue ganada toda la isla y alçado Dragonís por rey. Y porque don Galvanes, mi señor, y don Galaor fueron heridos, ahunque no mal, acordaron de me embiar a mi señora Madasima y a la reina Briolanja a les dezir las nuevas. Y yo, señor, víneme por aquí por ver a Madasima, tía de mi señora, a quien ella mucho precia y ama porque es una señora muy noble y de gran bondad, y no con pensamiento de vos fallar en esta parte.

Amadís huvo gran plazer de aquellas nuevas y dio muchas gracias a Dios porque tal vitoria havía dado a su hermano y aquellos cavalleros que él tanto amava. Y preguntóle si sabían allá algo de lo que don Cuadragante y don Bruneo de Bonamar, y los cavalleros que con ellos fueron, havían hecho.

—Señor —dixo él—, después que la isla ganamos fallamos en ella algunas personas que fuyeron de las ínsolas de Landas y de la ciudad de Aravia, pensando que allí estavan más a salvo, no sabiendo nada de nuestra ida. Y dixeron que, antes que de allá partiessen, havían avido una gran batalla con un sobrino del rey Arávigo y con la gente de la ciudad y de la isla; pero al cabo los de las ínsolas fueron desbaratados y maltrechos, y que de lo demás no sabían cosa alguna.

Con estas nuevas todos con gran plazer subieron al castillo, y Amadís habló con Balán el gigante, que ahún del lecho no era levantado, y díxole que le convenía partir de allí en todo caso, y que le rogava que mandasse dar a Darioleta y a su marido todo lo que les havía tomado, y la fusta en que allí vinieran, porque se fuessen a la Insola Firme; y que tanbién havría plazer que con ellos embiasse a su hijo Bravor, y a su muger, porque los viesse Oriana, y estuviesse con otros donzeles de gran guisa que allí stavan hasta que fuesse sazón de lo armar cavallero; y que él se lo embiaría tan honrado como a hombre de tan alto lugar convenía. El gigante le dixo:

—Señor Amadís, assí como mi voluntad hasta aquí ha estado con desseo de te fazer todo el mal que pudiesse, assí agora al revés de aquel pensamiento, que yo te amo de buen amor y me tengo por honrado en ser tu amigo, y esto que mandas se fará luego, y yo, cuando me levante y esté en dispusición de trabajar, quiero ir a ver tu casa y essa ínsola, y estar en tu compaña todo el tiempo que te agradare.

Amadís dixo.

—Assí como lo dizes se faga, y cree que siempre en mí ternás un hermano por lo que tú vales y por quien eres, y por el deudo que con Gandalac, al cual mis hermanos y yo en lugar de padre tenemos. Y danos licencia, que mañana nos queremos ir; y no pongas en olvido lo que prometes.

Pero quiero que sepáis que este Balán no fizo aquel camino tan cedo como él cuidava; ante, sabiendo que don Cuadragante y don Bruneo tenían cercada la ciudad de Aravia y stavan en alguna necessidad de gente, tomó lo más que pudo haver de la ínsola y de las otras de sus amigos, y fuelos ayudar con tal aparejo, que dio ocasión que aquello que començado está, con gran honra se acabasse. Y nunca dellos se partió fasta que aquellos dos señoríos de Sansueña y del rey Arávigo fueron ganados, como adelante lo contará la historia.

Agora dize la historia que Amadís y Grasandor se partieron un lunes por la mañana de la gran ínsola llamada de la Torre Bermeja, donde aquel fuerte gigante llamado Balán era senor. Y Amadís rogó a Nalfón, mayordomo de Madasima, que le diesse un hombre de los suyos que le guiasse a la Peña de la Donzella Encantadora. Nalfón le dixo que le plazía, y que si él quisiesse subir a la peña, que entonces tenía buen tiempo por ser invierno y en lo más frío dél, y que si le mandava ir con él, que de grado lo faría. Amadís se lo gradesció y le dixo que no era menester que él dexasse lo que le avía mandado, que a él le bastava solamente una guía.

—En el nombre de Dios —dixo el mayordomo— y El vos guíe y enderece en esto y en todo lo otro que començardes, como fasta aquí lo ha fecho.

Entonces se despidieron unos de otros, y el mayordomo fue su camino de Antelia, y Amadís y Grasandor movieron por la mar con la guía que llevavan. Y bien anduvieron cinco días que la peña no pudieron ver, ahunque el tiempo les fazía muy bueno; y al sesto día una mañana viéronla tan alta, que no parescía sino que a las nuves tocava. Pues assí anduvieron fasta ser al pie della, y fallaron allí un barco en la ribera sin persona que lo guardasse, de que fueron maravillados; pero bien creyeron que alguno que a la peña era subido lo dexara allí. Amadís dixo a Grasandor:

—Mi buen señor, yo quiero subir en esta roca y ver lo que el mayordomo nos dixo, si es assí verdad como lo él contó; y mucho vos ruego, ahunque alguna congoxa sintáis, que me aguardéis aquí hasta mañana en la noche, que yo podré venir o fazeros señal desde arriba cómo me va. Y si en este comedio o al tercero día no tornare, podréis creer que mi hazienda no va bien, y tomaréis el acuerdo que vos más agradare.

Grasandor le dixo:

—Mucho me pesa, señor, porque no me tengáis por tal que mi esfuerço baste para sofrir cualquier afrenta que sea, fasta la muerte, en especial fallándome en vuestra compañía; que lo que a vos sobra de esfuerço podría bien suplir lo que a mí faltare, y el mal o bien que desta sobida se podrá seguir quiero que mi parte me quepa.

Amadís le abraçó riendo y dixo:

—Mi señor, no lo toméis a essa parte lo que yo diré, que ya sabéis vos muy bien si soy testigo de lo que vuestro esfuerço puede bastar. Y pues assí os plaze, assí se haga como lo dezís.

Entonces mandaron que les diessen algo de comer, y assí fue hecho; y desque ovieron comido lo que les bastava para tan gran subida a pie, que de cavallo era impossible, tomaron sus armas todas sino las lanças y començaron su camino, el cual era todo labrado por la peña arriba, pero muy áspero de sobir. Y así anduvieron una gran pieça del día, a las vezes andando y otras descansando muchas vezes, que con el peso de las armas recebían gran trabajo. Y a la mitad de la peña fallaron una casa como hermita labrada de canto, y dentro en ella una imajen como ídolo de metal con una gran corona en la cabeça del mesmo metal; la cual tenía arimada a sus pechos una gran tabla cuadrada dorada de aquel metal, y sosteníala la imagen con las manos ambas como que la tenía abraçada. Y estavan en ella escritas unas letras asaz grandes, muy bien fechas, en griego, que se podían muy bien leer, ahunque fueran fechas desde el tiempo que la Donzella Encantadora allí avía estado, que eran passados más de dozientos años; que esta donzella fue fija de un gran sabio en todas las artes, natural de la ciudad de Argos en Grecia, y más en las de la mágica y nigromancia, que se llamava Finetor. Y la hija salió de tan sotil ingenio que se dio aprender aquellas artes, y alcançólas de tal manera, que muy mejor que su padre ni que otro alguno de aquel tiempo las supo. Y vino a poblar aquella peña como dicho es. La forma de cómo lo hizo, por ser muy prolixo, y por no salir del cuento que conviene, lo dexa la istoria de contar.

Cuando Amadís y Grasandor entraron en la hermita, sentáronse en un poyo de piedra que en ella fallaron por descansar, y a cabo de una pieça levantáronse y fueron a ver la imajen, que les parescía muy fermosa. Y miráronla gran rato y vieron las letras, y Amadís las começó a leer; que en el tiempo que anduvo por Grecia aprendió ya cuanto del lenguaje y de la letra griega, y mucho dello le mostró el maestro Elisabad cuando por la mar ivan, y también le mostró el lenguaje de Alemaña y de otras tierras; los cuales muy bien sabía, como aquel que era gran sabio en todas las artes y avía andado muchas provincias. Y las letras dezían assí:

«En el tiempo que la gran ínsola floresçerá y será señoreada del poderoso rey, y ella señora de otros muchos reinos y cavalleros por el mundo famosos, serán juntos en uno la alteza de las armas y la flor de la fermosura, que en su tiempo par no ternán. Y dellos saldrá aquel que sacará la spada con que la orden de su cavallería complida será, y las fuertes puertas de piedra serán abiertas que en sí encierran el gran tesoro.»

Cuando Amadís uvo leído las letras, dixo a Grasandor:

—Señor, ¿avéis leído estas letras?

—No —dixo él—, que no entiendo en qué lenguaje son escritas.

Amadís le dixo todo lo que dezían, y le semejava profecía antigua, y que a su pensar no se acabaría por ninguno dellos aquella aventura; comoquiera que bien pensó que él y Oriana, su señora, podrían ser estos dos de quien se avía de engendrar aquel cavallero que la acabasse. Mas desto no dixo nada. Y Grasandor le dixo:

—Si por vos no se acaba, que sois fijo del mejor cavallero del mundo y aquel que en todo su tiempo en mayor alteza ha tenido y sostenido las armas, y de la reina que, según he sabido, fue una de las más hermosas que en su tiempo uvo, muchos tiempos passarán antes que aya fin. Por esto vamos suso a la peña, y no nos quede cosa alguna por ver y provar; que así como a otros es cosa estraña acabar una grande aventura, assí lo será y mucho más a vos dexar de la acabar. Y si tal acaesçiere, veré yo lo que ninguno hasta oy pudo ver en vuestro tiempo.

Amadís se rió mucho y no le respondió ninguna cosa;

pero bien vio que su dicho valía poco, porque ni la bondad de su padre en armas ni la hermosura de su madre no igualavan con gran parte a lo dél y de Oriana. Y díxole:

—Agora subamos; y si ser pudiere, lleguemos suso antes que sea noche.

Entonces salieron de la hermita y començaron a subir con gran afán, que la peña era muy alta y agra. Y tardaron tanto, que antes que a la cumbre llegassen, les tomó la noche, assí que les convino quedar debaxo de una peña, en la cual toda la noche estuvieron fablando en las cosas passadas, y todo lo más en sus amigas y mugeres, que allí tenían sus coraçones, y en las otras señoras que con ellas estavan. Y Amadís le dixo a Grasandor que si la ira y saña de su señora no temiesse, que en baxando de la peña se irían donde estava don Cuadragante y don Bruneo y Agrajes, y los otros sus amigos, para los ayudar. Grasandor le dixo:

—Assí lo querría yo: pero no conviene que a tal sazón se haga, porque según vos partistes de la Insola Firme con tanta presurança y yo con ella os vine a demandar, si acá nos tardamos, gran tristeza y dolor se causaría dello a vuestra amiga, especialmente no sabiendo cómo vos fallé; assí que ternía por bien que aquella ida a la ver, primero que a otra parte que escusar se pueda, se compliesse. Y entre tanto sabremos más nuevas de aquellos cavalleros que dezís, y tomaremos en el mejor acuerdo; y si menester fuera nuestra ayuda, fagámosla con más compaña que con nos vayan.

—Así se faga —dixo Amadís—, y sea nuestro camino por la Insola del Infante, y allí tomaremos un barco para uno destos vuestros escuderos, en que lleve mi carta a Balán el gigante; por la cual le rogaré que desde su ínsola embíe tal recaudo adonde ellos están, que presto podamos ser avisados de lo que fazen en la Insola Firme, donde lo atenderemos.

—Mucho bien será —dixo Grasandor.

Assí estuvieron debaxo de la peña, a las vezes fablando y a las vezes durmiendo, hasta qu'el día vino, que començaron a sobir aquello poco que les quedava. Y cuando fueron en la cumbre, cataron a todas partes y vieron un llano muy grande y muchos edificios de casas derribadas, y en medio del llano estavan unos palacios muy grandes, y gran parte dellos caída. Y luego fueron por los ver, y entraron debaxo de un arco de piedra muy fermoso, en cima del cual estava una imagen de donzella de piedra, hecha en mucha perfición. Y tenía en la mano diestra una péndola de la misma piedra, tomada con la mano, como si quisiesse escrevir; y en la mano siniestra'un rótulo con unas letras en griego que dezían en esta manera:

«La cierta sabiduría es aquella que ante los dioses más que ante los hombres, aprovecha, y la otra es vanidad.»

Amadís leyó las letras y dixo a Grasandor lo que dezían. Y assí mesmo le dixo:

—Si los hombres sabios tuviessen conocimiento de la merced que de Dios resciben en les dar tanta parte de su gracia, que por ellos sean regidos, consejados y governados otros muchos, y quisiessen ocupar su saber en aver cuidado de apartar de su ánima aquellas cosas que apartarla pueden de ir con aquella claridad y limpieza, como en el mundo venir la fizo aquel su muy alto Señor, ¡o cuán bienaventurados serían los tales, y cuán frutuoso y provechoso su saber! Pero siendo al contrario, como generalmente por nuestra mala inclinación y condición nos acaesce, empleamos aquel saber que para nuestra salvación nos fue dado en las cosas que prometiéndonos honras, deleites, provechos mundanales, perescederos deste mundo, nos fazen perder el otro eterno sin fin, assí como lo fizo esta sin ventura donzella que en estas pocas letras tan grandes sentencias y dotrinas muestra. Y tanto su juizio fue dotado y complido de todas las más sotiles artes, y tan poco de su gran saber tuvo conocimiento ni se supo aprovechar. Pero dexemos aora de hablar más en esto, pues que, errando como los passados, hemos de seguir lo que seguieron; y vamos adelante a ver lo que se nos ofresce.

Así passaron por aquel arco y entraron a un gran corral en que avían unas fuentes de agua, cabe las cuales parescían aver avido grandes edificios que ya estavan derribados, y las casas que al derredor otro tiempo allí fueron, no parescía dellas sino tan solamente las paredes de canto que eran quedadas, que las aguas no avían podido gastar. Y así mesmo fallaron entre aquellos casares cuevas muchas de las serpientes que allí se acogían, y bien cuidaron que no podrían ver lo que buscavan sin alguna grande afrenta. Pero no fue assí, que ninguna dellas ni otra cosa que estovo les htzlesse pudieron ver.

Assí entraron por las casas adelante, embraçados sus es-

cudos, y los yelmos en las cabeças y las espadas desnudas
en las manos; y passando aquel coral, entraron en una gran
sala que era de bóveda, que la fortaleza del betún y del canto
pudieron defender que en cabo de tantos años se pudiese
ver gran parte de su rica labor. En cabo desta sala vieron
unas puertas cerradas de piedra tan juntas que no parescía
cosa que dentro estuviesse, y por donde se juntavan estava
metida una espada por ellas fasta la empuñadura. Y luego
vieron que aquella era la cámara encantada donde estava el
tesoro. Mucho miraron el guarnimiento della, mas no pudieron saber de qué fuesse, tan estraño era fecho, especialmente la mançana y la cruz; que lo que el puño cierra semejóles
que era de huesso tan claro como el cristal, y tan ardiente y
colorado como un fino rubí. Y assí mesmo vieron a la parte
diestra de la una puerta siete letras muy bien tajadas, tan coloradas como biva sangre; y en la otra parte estavan otras
letras mucho más blancas que la piedra, que eran escritas en
latín, que dezían assí:

«En vano se trabajará el cavallero que esta espada de aquí
quisiere sacar por valentía ni fuerça que en sí aya, sino es
aquel que las letras de la imajen figuradas en la tabla que
ante sus pechos tiene señala, que las siete letras de su pecho
encendidas como fuego con éstas juntará. Para éste se ha
guardado por aquella que con su gran sabiduría alcançó a
saber que en su tiempo ni después muchos años vernía otro
que igual le fuesse.»

Cuando Amadís esto vio, y miró mucho las letras coloradas, luego le vino a la memoria ser tales aquéllas como las
que su fijo Esplandián tenía en la parte siniestra; y creyó que
para él, como mejor que todos y que a él mesmo de bondad
passaría, estava aquella aventura guardada. Y dixo contra
Grasandor:

—¿Qué os paresce destas letras?

—Parésceme —dixo él— que entiendo bien lo que las blancas dizen, pero las coloradas no las alcanço a leer.

—Ni yo tampoco —dixo Amadís—, ahunque ya a mi parescer en otra parte vi otras semejantes que éstas, y pienso
que las vos vistes.

Entonces Grasandor las tornó a mirar más que de ante,
y dixo:

—¡Santa María val! Estas son las mismas que vuestro fijo
tiene, y a él es otorgada esta aventura. Agora os digo que

iréis de aquí sin la acabar, y quexaos de vos mismo, que fezistes otro que más que vos vale.

Amadís le dixo:

—Creed, mi buen amigo, que cuando leímos las letras de la tabla que la imajen de la hermita por donde passamos tiene, pensó esto que me dezís. Y porque me no tengo yo por tan bueno como allí dize que será el que engendrare aquel cavallero, no os lo osé dezir. Y estas letras me fazen creer lo que avéis dicho.

Grasandor le dixo riendo y de buen talante:

—Descindamos de aquí y tornemos a nuestra compaña; que según me paresce, por un parejo llevaremos de aquí las honras y la vitoria deste viaje. Y dexemos esto para aquel donzel que comiença a subir donde vos descendís.

Assí se salieron entrambos, aviendo plazer el uno con el otro. Y cuando fueron fuera de los grandes palacios, dixo Amadís:

—Miremos si aquella cámara encantada tiene otro lugar alguno por donde a ella con algun artificio la pudiessen entrar.

Entonces anduvieron a la redonda de los palacios a la parte donde la cámara estava, y fallaron que era toda de una piedra sin aver en ella junta ninguna.

—A buen recaudo —dixo Grasandor— está esta hazienda. Bien será que la dexemos a su dueño, y que en fiuza desta espada que venistes a ganar no dexéis essa vuestra que con tantos sospiros y cuidados y grande aflición de vuestro espíritu ganastes.

Esto dezía Grasandor porque la ganó como el más alto y leal enamorado que en su tiempo uvo; que no se pudo aquello alcançar sin que en muchas y fuertes congoxas su ánimo puesto fuesse, como la parte segunda desta istoria lo cuenta.

Entonces se fueron por aquel llano, donde les paresció que avía más población, y fallaron unas alvercas muy grandes cabe unas fuentes, y unos baños derribados, y unas casillas pequeñas muy bien fechas con algunas imágines de metal y otras de piedra, y ansí otras muchas cosas antiguas.

Pues estando assí como oídes, vieron venir a dónde ellos estavan un cavallero armado de todas armas blancas, y su espada en la mano, que subiera por el camino mismo que ellos, que no avía otra subida. Y como a ellos llegó, salvólos, y ellos a él, y el cavallero les dixo:

—Cavalleros, ¿sois vosotros de la Insola Firme?

—Sí —dixeron ellos— ¿por qué lo demandáis?

—Porque fallé acá yuso al pie desta peña unos hombres en una barca, que me dixeron que eran acá suso dos cavalleros de la Insola Firme, y no pude dellos saber sus nombres. Y porque yo assí mesmo lo soy, no querría aver con ninguno que de allí fuesse ninguna contienda si de paz no fuesse, que yo vengo en demanda de un mal cavallero y trayo nueva cómo aquí se acogió con una donzella que forçada trae.

Amadís, cuando esto oyó, dixo:

—Cavallero, por cortesía os demando que digáis vuestro nombre, o que os quitéis el yelmo.

—Si vosotros —dixo él— me dezís y asseguráis en vuestra fe que sois de la Insola Firme, yo os lo diré; de otra manera escusado será preguntármelo.

—Yo os digo —dixo Grasandor— sobre nuestra fe que somos de allí donde os dixeron.

Entonces el cavallero quitó el yelmo de la cabeça y dixo:

—Agora me podréis conoscer si assí es como he dicho.

Como assí lo vieron, conoscieron que era Gandalín. Amadís fue para él, los braços abiertos, y díxole:

—¡O mi buen amigo y hermano! ¡Qué buena ventura ha sido para mí fallarte!

Gandalín estuvo mucho maravillado, que ahún no le conoscía; y Grasandor le dixo:

—Gandalín, Amadís os tiene abraçado.

Cuando él esto oyó, fincó los inojos y tomóle las manos, y besógelas muchas vezes. Mas Amadís lo levantó y lo tornó abraçar como aquel a quien de todo coraçón amava. Entonces se quitaron los yelmos Amadís y Grasandor, y preguntáronle qué ventura lo traxiera allí. Él les dixo:

—Buenos señores, esso mismo os podría yo preguntar, según donde os dexé y el lugar en que agora os fallo tan apartado y esquivo. Pero quiero responder a lo que me preguntáis. Sabed que estando yo con Agrajes y con los otros cavalleros que con él están en aquellas conquistas que sabéis, después de aver vencido una gran batalla en que mucha gente padesció, que con un sobrino del rey Arávigo ovimos, y los encerramos en la gran ciudad de Aravia, un día entró por la tienda de Agrajes una dueña del reino de Nuruega, cubierta toda de negro, que se echó a los pies de Agrajes demandándole muy afincadamente que la quisiesse socorrer en una gran tribulación en que estava. Agrajes la fizo levantar y la sentó cabe sí, y demandóla que le dixiese qué cuita era la suya, que él le daría remedio si con justa causa fazerse pudiese. La dueña le dixo: «Señor Agrajes, yo soy del reino de Nuruega, donde es mi señora Olinda, vuestra muger. Y por ser yo su natural y vasalla del rey su padre, vengo a vos por el deudo y amor, que aquellos señores tenéis a os demandar ayuda de algún cavallero bueno que me haga tornar una donzella mi fija, que por fuerça me tomó un mal cavallero, señor de la gran Torre de la Ribera, porque gela no quise dar por muger, que él no es del linaje ni sangre que mi fija; ante es de poca suerte, sino que alcançó a ser señor de aquella torre; con que sojuzga mucha de aquella parte donde bive, y mi marido fue primo cormano de don Grumedán, el amo de la reina Brisena de la Gran Bretaña; y nunca por cosas que he hecho me la ha querido tornar. Y dize que si por fuerça de armas no, de otra manera no la espere ver en mi compañía.» Agrajes le dixo: «Dueña, ¿cómo el rey vuestro señor no os faze justicia?» «Señor —dixo ella—, el rey es ya muy viejo y doliente, de forma que ni a sí ni a otro puede governar.» «¿Pues es lexos de aquí —dixo Agrajes— donde esse cavallero está?» «No —dixo ella—, que en un día y una noche con buen tiempo pueden llegar allá por la mar.» Como yo esto vi, rogué mucho a Agrajes que me diesse licencia para ir con la dueña, que si Dios me diesse vitoria, luego me bolvería con él. Agrajes me la dio, y mandóme que en otra aventura no me entremetiesse salvo en ésta. Yo assí gelo prometí. Entonces tomé mis armas y mi cavallo, y metíme con la dueña en una nave en que allí avía venido, y andovimos todo lo que de aquel día quedó y la noche. Y otro día a mediodía salimos en tierra, y la dueña salió comigo, y me guió a la parte donde era la torre del cavallero. Y como a ella llegamos, yo llamé a la puerta, y respondióme un hombre de una finiestra diziendo qué demandava. Yo le dixe que dixesse al cavallero señor de aquella torre que diesse luego una donzella que avía tomado aquella dueña que comigo traía, o diesse razón por qué la podía y devia tener; y si lo no fiziesse, que fuesse cierto que no saldría persona de aquella torre que no matasse o prendiessen. El hombre me respondió y dixo: «Por lo que tú puedes fazer muy poco daremos acá; pero espera, que aína avrás lo que pides.» Entonces me aparté de la torre y dende a una

pieça abrieron las puertas, y salió un cavallero asaz grande,
armado de unas armas jaldes y en un gran cavallo, y díxome: «Cavallero amenazador con poco seso, ¿qué traes, qué
es lo que demandas?» Yo le dixe: «No te amenazo ni desafío hasta saber la razón que tienes para tener por fuerça una
donzella, fija desta dueña, que me dize que le tomaste.» «Pues
ahunque la dueña diga verdad —dixo él—, ¿qué puedes tú
fazer sobre ello?» «Tomar de ti la emienda —dixe yo—, si la
voluntad de Dios fuere.» El cavallero dixo: «Pues por esta
punta de la lança te la quiero dar.» Y vínose luego de rondón para mí, y yo para él. Y tovimos nuestra batalla, que
duró gran pieça del día. Mas a la fin, como yo demandava
la verdad y aquél defendía lo contrario, quiso Dios darme la
vitoria, de manera que le tenía tendido a mis pies para le
cortar la cabeça. Y él me pidió merced que le no matasse, y
que faría en todo mi voluntad. Y yo le mandé que diesse la
donzella a su madre y que jurasse de nunca tomar muger
ninguna contra su voluntad, y él assí lo otorgó. Pues esto así
fecho, soltéle, y demandóme licencia para entrar en la torre,
y que él mismo me traería la donzella. Yo tomé dél fiança y
dexéle ir; y dende a poco que en la torre entró, salió por
otra puerta que escontra la mar tenía, y metióse en un batel
con la donzella así armado como estava, y díxome: «Cavallero, no te maravilles si te no mantengo verdad, que gran
fuerça de amor me lo causa fazer; que sin esta donzella no
biviría sola una hora. Y pues que a mí mismo no me puedo
sojuzgar ni governar, no me pongas culpa, yo te ruego, de
cosa que en mí veas. Y porque pierdas esperança de la nunca
aver, ni su madre tampoco, veisme cómo con ella me voy
por esta mar a tal parte donde gran tiempo passe que ninguno de mí ni della sepa.» Y como esto dixo, con un remo
que en sus manos llevava partió de la ribera a más andar y
fuese por la mar adelante, y la donzella llorando con él muy
dolorosamente. Cuando yo esto vi uve tan gran dolor y pesar
que quisiera más la muerte que la vida, porque la dueña que
allí me traxo rompió sus tocas y vestiduras delante de mí,
haziendo el mayor duelo del mundo, que era muy gran dolor
de la ver, diziendo que mayor mal avía de mí recebido que
del cavallero; porque estando en aquel torre su fija, siempre
tenía esperança de la cobrar, la cual agora del todo cessava,
pues que la vía ir a parte donde nunca sus ojos la podrían
ver, de lo cual avía yo sido causa; que comoquiera que supe

vencer al cavallero, no fue mi discreción bastante para dar dél el derecho que ella esperava; y que no solamente no me gradescía lo que por ella avía fecho, mas que a todo el mundo se quexaría de mí. Yo la consolé lo más que pude y le dixe: «Dueña, yo me tengo por muy culpado, pues que no supe dar cabo en esto para que me traxistes; que deviera pensar que cavallero que con tanta deslealtad tenía por fuerça vuestra hija, que assí en todas las otras cosas fuera de poca virtud. Pero, pues que assí es, yo os prometo que nunca fuelgue ni aya descanso hasta que por la mar o por la tierra lo falle y os traya la donzella, o muera en esta demanda. Solamente os ruego, pues quedáis en vuestra tierra, me socorráis con la barca en que venimos y con uno de vuestros hombres que la guíe.» La dueña, algo con esto consolada, dixo que la tomasse; y mandó a un hombre de los suyos que comigo fuesse, y mirasse bien lo que le prometía y lo que fazía en ella. Con esto me despedí della y torné por el camino que allí avía venido. Y cuando a la barca llegué, era ya noche cerrada, assí que uve de esperar a la mañana; la cual venida, tomé la vía que el cavallero con la donzella vi llevar. Y anduve aquel día todo sin dél saber nuevas algunas, y assí he andado otros cinco días navegando a todas partes donde la ventura me llevava. Y esta mañana fallé unos hombres que andavan pescando; y dixéronme que avían visto venir un cavallero en un batel, armado y que traía consigo una donzella, y que llevavan la vía desta peña que se llama de la Donzella Encantadora. Como esta nueva supe, mandé al hombre que me guiava que aquí me traxesse; y cuando fue al pie de la peña, hallé vuestra compaña y un barco vazío desviado dellos, y preguntéles por nuevas del cavallero y de la donzella. Dixéronme que lo no avían visto, sino solamente aquel batel vazío que allí estava; y por esta causa subí acá en cima, que creo sin duda que aquí se acogió este desleal cavallero, y también por provar una aventura que aquellos pescadores me dixeron que en esta peña avía de una cámara encantada, si la pudiesse acabar; y si no, que supiesse dezir nuevas della a los que della no saben.

Grasandor le dixo riendo:

—Mi buen amigo Gandalín, en lo del cavallero y de la donzella se ponga remedio; que en esto que dezís desta aventura quedará para más espacio, que no es tan ligero de acabar.

Entonces le contaron todo lo que les acontesciera, de lo cual Gandalín fue mucho maravillado. Amadís le dixo:

—Nosotros emos andado gran parte deste llano y destas casas, pero no emos visto persona alguna. Mas, pues así es, busquémoslo todo porque satisfagas tu voluntad.

Y luego todos tres començaron a buscar todas aquellas casas derribadas. Y fallaron a poco rato dentro en un baño al cavallero con la donzella; el cual, como los vio, salió luego fuera trayéndola por la mano, y dixo:

—Señores cavalleros, ¿a quién buscáis?

—A vos, don mal hombre —dixo Gandalín—, que ya no os podrán prestar vuestros engaños ni mentiras que me no paguéis la burla que me fezistes y el trabajo que tomé en vos fallar.

El cavallero le conosció luego en las armas blancas que aquél era el que lo tenía vencido, y díxole:

—Cavallero, ya te dixe que el gran amor que a esta donzella tengo me haze que no sea señor de mí. Y si tú o alguno dessos cavalleros sabe qué cosa es amor verdadero, no me culpará de cosa que faga. Tú haz de mí lo que la voluntad te diere, en tal que, si la muerte no, otra cosa no me parta desta muger.

Amadís, cuando esto le oyó dezir, bien conosció por su coraçón, y por los grandes amores que siempre tuviera a su señora, que el cavallero era sin culpa, pues que su poder no bastava para se más forçar, y dixo:

—Cavallero, comoquiera que esso que dezís algo escuse vuestra gran culpa, ni por esso este que os demanda deve dexar de dar derecho de vos a la madre dessa donzella; que si assí no lo fiziesse, con mucha razón sería culpado ante los hombres buenos.

El cavallero le dixo:

—Buen señor, así lo conozco yo; y si a él le pluguiere, yo me pongo en su poder para que me lleve a la dueña que dezís, a cuya recuesta se combatió comigo, que de mí haga su voluntad. Y me sea ayudador, pues que la hija está de mí contenta, que lo esté la madre y me la dé por muger.

Amadís preguntó a la donzella si dezía verdad el cavallero. Ella respondió que sí, que, ahunque fasta allí avía estado en su poder contra toda su voluntad, que, viendo el gran amor que la tenía y a lo que por ella se avía puesto, que ya era otorgado su coraçón de lo querer y amar, y le tomar por marido. Amadís dixo a Gandalín:

—Llévalos entrambos y métevos en mano de aquella dueña; y en lo que pudieres, adereça cómo lo aya por muger, pues que a ella le plaze.

Con esto se descendieron todos de la peña abaxo, y durmieron aquella noche en la hermita de la imagen de metal, y allí cenaron de lo que el cavallero y la donzella para sí tenían. Otro día se baxaron donde sus barcas tenían, y Gandalín se despidió dellos y se fue con el cavallero y con la donzella. Pero antes hablaron Amadís y Grasandor con él, y le dixeron que les encomendasse mucho a Agrajes y aquellos sus amigos, y que si necessidad de gente tuviessen, que se lo fiziessen saber en la Insola Firme; que ellos irían o se lo embiarían luego.

Assí se partieron unos de otros. Y Gandalín, llegado a la casa de la dueña, puso en su mano al cavallero y a su hija; y assí como aquella donzella con el amor que aquel cavallero le mostró fue su propósito mudado como las mugeres lo acostumbran fazer, assí la madre, por ventura siendo de la mesma naturaleza que su fija, mudó el suyo con lo que le Gandalín dixo, y otros algunos que en ello adereçar quisieron, de manera que a plazer y contentamiento de todos fueron casados en uno.

Esto fecho, Gandalín se tornó donde Agrajes estava, que mucho con él le plugo por las nuevas que de Amadís le dixo; y falló que todos estavan muy alegres por las buenas venturas que en aquel cerco les avía venido, porque después que a sus enemigos encerraron en aquella ciudad, como ya oístes, avían avido grandes peleas, en que los más y mejores cavalleros que dentro estavan eran muertos y tollidos; y también con la venida de don Galaor y de don Galvanes, que como dexaron en la Profunda Insola por rey a Dragonís, sin ningún entrevallo muy prestamente entraron en su flota y fuéronles a ayudar; que assí como acaesce que los dolientes, cuando de gran dolencia se levantan y van cobrando salud, nunca piensan sino en las cosas más conformes a su querer y voluntad, y con aquello creen desechar del todo lo que del mal les queda; así este rey de Sobradisa, don Galaor, viéndose escapado de aquella gran dolencia, en que muchas vezes al punto de la muerte llegado se vio, no pensava él de dar contentamiento a su voluntad ni reformar su salud sino con aquellas cosas que su bravo y fuerte coraçón le demandavan; que en esto era todo su vicio y gran plazer, como aquel que desde el día que su hermano Amadís le armó cavallero delante del castillo de la Calçada, siendo presente Urganda la Desconoscida, nunca de su memoria se apartó de querer saber todo lo que a la orden de cavallería tocava, y lo poner en obra, como en todas las partes que esta gran istoria dél face mención lo cuenta; no mirando agora en se ver rey poderoso con aquella tan fermosa reina Briolanja; y que según las proezas que por él passado avían, con mucha causa y razón pudiera por gran espacio de tiempo reposar y dar folgança a su spíritu. Mas considerando que la honra no tiene cabo y que es tan delicada que con muy poco olvido se puede escurescer, en especial a los que en la cumbre della la fortuna les ha puesto, dexándolo todo a parte quiso este esforçado rey tomar la empresa de ayudar a Dragonís, su cormano, como ya oístes, y no ser contento con el cabo de aquella afruenta ni trabajo, sino luego se ir a la mayor priessa que pudo ayudar aquellos cavalleros sus grandes amigos.

¡O cómo devrían esto considerar aquellos que en este mundo fueron nascidos para seguir el auto de la cavallería, y cómo devrían pensar que, ahunque algún tiempo de su honra den buena cuenta, que dexando aquella gran obligación que sobre sí tienen olvidar, no solamente las armas se toman de orín, mas la fama dellos tan cubierta, que por muchos tiempos no lo puede de sí desechar!; que assí como los oficiales de cualquier oficio tratándolo con diligencia son según sus estados en honra sin necessidad puestos, y olvidándolo con floxura y poco cuidado pierden lo ganado, viniendo en pobreza y miseria; assí los cavalleros por el semejante perdiendo el cuidado de lo que fazer deven, sus honras, sus famas y virtudes de gran mengua y miseria son combatidas y derribadas.

Y este noble rey don Galaor por no caer en este yerro, teniendo siempre al rey Perión su padre delante y a sus hermanos, que eran los que avéis oído, en la ora que fue lo de la Profunda Insola despachado se partió, como se os ha dicho, con don Galvanes ayudarle a que lo otro de ganar se acabasse. Y su venida puso tan gran esfuerço a los de su parte y a los contrarios tal espanto, que desde el día que allí llegaron nunca más tuvieron osadía de salir de los muros a fuera, de forma que en poco espacio de tiempo todo aquel reino esperavan ganar.

Mas agora los dexaremos en sus reales acordando de combatir a sus enemigos, que a ellos salir no osavan; y contarvos ha la istoria de Amadís y Grasandor, que de Gandalín se partieron de la peña de la Donzella Encantadora, y se ivan a la Insola Firme. La istoria dize que después que Amadís y Grasandor se partieron de Gandalín al pie de la peña de la Donzella Encantadora, que navegaron tanto por la mar, que sin contraste ni estorvo alguno llegaron al gran puerto de la Insola Firme una mañana; y saliendo de la barca, cavalgaron en sus cavallos assí armados como ivan. Y antes que al castillo subiessen, entraron a fazer oración en el monesterio que al pie de la peña estava, que Amadís mandó fazer a la sazón que de la Peña Pobre salió, assí como lo avía prometido delante de la imagen de la Virgen María que en la hermita estava entonces. Y llegando a la puerta, fallaron allí una dueña vestida de paños negros, y dos escuderos con ella, y sus palafrenes cerca de sí. Ellos la salvaron, y ella assí mesmo salvó a ellos. Y en tanto que Amadís y Grasandor estuvieron de inojos ante el altar, la dueña supo de algunos del monesterio cómo aquél era Amadís, y atendiólo a la puerta de la iglesia. Y como lo vio venir, fue contra él llorando, y fincó los inojos en tierras y díxole:

—Mi señor Amadís, ¿no sois vos aquel cavallero que a los atribulados y mezquinos socorre, en especial a las dueñas y donzellas? Ciertamente, si assí no fuesse, no sería vuestra gran fama por todas partes del mundo con tanta prez divulgada. Pues yo, como una de las más tristes y sin ventura, os demando misericordia y piedad.

Entonces le travó por la falda de la loriga con las manos ambas tan fuerte, que solo un passo no lo dexava andar. Amadís la quiso levantar, mas no pudo; y díxole:

—Buen amiga, dezidme quién sois y para qué queréis mi acorro, que según la gran tristeza vuestra, ahunque a todas las otras dueñas fallesciesse, por vos sola pornía mi persona a todo peligro y afruenta que me venir pudiesse.

La dueña le dixo:

—Quién yo soy no lo sabréis fasta tanto que de vos tenga certidumbre que faréis mi ruego; pero lo que yo demando es que seyendo casada con un cavallero que mucho amo, su gran desventura y mía lo ha traído estar en prisión del mayor enemigo que en este mundo él tiene, y de ella no puede salir ni me puede ser restituido, si por vuestra persona no. Y creed que estas mis rodillas nunca deste suelo serán levantadas, ni quitadas mis manos desta loriga, si con gran desmesura y descortesía no me las fazéis quitar, fasta que por vos me sea otorgado esto que demando.

Cuando Amadís assí la vio estar y oyó lo que le dezía, no sabía qué le responder, que avía miedo de cativar su palabra en cosa que después a gran vergüença se le tornasse. Pero como tan fieramente la vio llorar, y travada tan rezio de su loriga y las rodillas en tierra, fue a tan gran piedad movido, y olvidando de sacar la fiança de la socorrer con justa causa, le dixo:

—Dueña, dezidme quién sois, y yo os prometo de sacar vuestro marido donde preso está y os le dar si por mí acabar se puede.

Entonces la dueña lo travó de las manos y a fuerça gelas besó, y dixo contra Grasandor:

—Señor cavallero, mirad lo que Amadís me promete —y luego dixo—: Sabed, mi señor Amadís, que yo soy muger de Arcaláus el Encantador, el cual vos tenéis preso. Demándoosle que me lo deis y me lo pongáis en tal parte que no tema de le perder esta vez; que vos sois el mayor enemigo que él tiene, y como a enemigo mortal para lo fazer amigo, si puedo, le demando.

Cuando Amadís esto oyó fue muy turbado en se ver engañado de aquella dueña con tal arte; y si camino honesto fallara para lo no complir, de grado lo fiziera, temiendo más el peligro y el daño que de aquel mal cavallero podría redundar a muchos que gelo no merescían, que a lo que dél le podría venir. Pero veyendo la gran causa que aquella dueña tuvo y que con ninguna razón, seyendo tan obligada a la salvación de su marido, la podían culpar, y sobre todo querer que su palabra y verdad por ninguna guisa por dudosa se juzgasse, acordó de fazer lo que le pedía, y díxole:

—Dueña, mucho me avéis pedido, que podéis ser bien cierta que por mayor afruenta tengo el doblar mi voluntad a que en lo que me demandáis consienta, que en esforçar mi coraçón para sacar vuestro marido por fuerça de armas de dondequiera que él estuviesse, por peligro que en ello se aventurasse. Y bien puedo dezir que desde la hora que ca

vallero fue, nunca servicio ni socorro que a dueña ni donzella fiziesse fue contra mi voluntad, si éste no.

Estonces cavalgaron él y Grasandor en sus cavallos, y
Amadís dixo a la dueña que empós dellos se fuesse, y subiéronse al castillo.

Cuando Oriana y Mabilia supieron su venida, el gran plazer y gozo que dello ovieron no se puede dezir. Y luego ellas
y todas aquellas señoras que allí estavan los salieron a recebir a la entrada de la huerta donde ellas posavan. Los autos
y cortesías con que Amadís y su señora se recibieron, será
escusado de dezirlo; porque, comoquiera que hasta aquí como
de enamorados se fazía dellos mención, agora ya como de
casados se deven poner en olvido, ahunque con aquel verdadero amor que siempre fue passen.

Olinda la Mesurada y Grasinda abraçaron a Amadís y a
Grasandor, y juntos todos se acogieron a sus aposentamientos, que en la gran torre que ya oístes tenían, que en aquella
huerta estava, donde folgaron con mucho plazer, como aquellos que de todo su coraçón se amavan.

Amadís mandó aposentar la dueña y le diessen todo lo
que oviesse menester. Y otro día de mañana oyeron todos
missa con Grasinda en su aposentamiento; y luego que fue
dicha la mujer de Arcaláus demandó a Amadís que cumpliesse su promessa. El le dixo que lo tenía por bien. Estonces
fueron todos juntos como allí estavan al alcáçar donde Arcaláus preso estava en la jaula de fierro; que desque Amadís
habló con él en la villa de Lubaina cuando lo prendieron,
nunca más lo quiso ver; ni aquellas señoras le havían visto,
porque si cuando salieron a recebir al rey Lisuarte no, y el
día de las bodas, nunca de aquella huerta havían salido.

Y como llegaron falláronle vestido de una aljuba forrada
en peña de unas animalias que en aquella ínsola se tomavan, que era muy preciada, que don Gandales, su amo de
Amadís, le hiziera dar por ser invierno, y leyendo en un libro
que le embió de muy buenos enxemplos y dotrinas contra
las adversidades de la fortuna. Y tenía la barva muy luenga
y cana; y como era muy grande de cuerpo y feo de rostro, y
siempre lo tenía muy sañudo, y en aquella sazón cuando lo
vio venir contra sí, mucho más; aquellas señoras fueron muy
espantadas de lo ver, y especialmente Oriana, que le vino a
la memoria de cuando por fuerça la levava y la quitó de sus
manos Amadís a él y a otros cuatro cavalleros como lo cuen-

ta el primero libro desta historia. Y cuando llegaron él dexó
de leer y levantóse en pie, y vio a su muger mas no dixo
nada. Amadís le dixo:

—Arcaláus, ¿conoçes esta dueña?

—Sí conozco —dixo él.

—¿Has avido plazer con su venida?

—Si es por mi bien —dixo él—, tú lo puedes juzgar; pero
si otro fruto no trae más del que pareçe, es al contrario; que
como yo esté en mi voluntad determinado de sufrir todo el
mal que venirme puede, y ya a mi coraçón tenga a ello sojuzgado, si no fuesse que su vista me pusiesse esperança de
algún descanso, es causa para mí de mayor dolor.

Amadís le dixo:

—Si con su venida eres libre desta prisión, ¿gradeçerme
lo has y conoçerlo has para delante?

—Si de tu propia voluntad —dixo él— embiaste por ella
para fazer lo que dizes, siempre lo terné en mucho. Mas si
ella se vino sin tu plazer ni sabiduría y si algo le has prometido, no te puedo yo dar gracias, porque las buenas obras
que más costriniendo la necessidad que charidad se hazen
no son dinas de mucho mérito. Y por esso te ruego mucho
que me digas, si por bien lo tuvieres, qué causa le movió a
ella y a ti con estas dueñas de me venir a ver.

Amadís le dixo:

—Yo te diré verdad de todo como ha passado, y mucho
te ruego que assí me la digas en tu respuesta.

Estonces le contó cómo su muger por engaño le havía
demandado un don, y cómo le havía pedido que le soltasse,
y todo lo otro que él le respondió, que no faltó ninguna cosa.
Arcaláus le dixo a Amadís.

—Comoquiera que de mi hazienda avenga, yo te diré la
verdad enteramente de lo que en la voluntad tengo, pues que
la desseas saber. Si, cuando en Lubaina te pedí piedad y misericordia, la ovieras de mí restituyéndome en mi libre poder,
cree verdaderamente que todo el tiempo de mi vida te fuera
obligado y siempre hallaras en mí obras de verdadero amigo.
Mas tú haziéndolo agora no lo desseando ni lo pudiendo escusar, assí como con enemiga me hazes esta buena obra, assí
con ella yo la recibo para la tener en aquel grado que mereçe; que ahún tú me ternías en poco y de muy flaco coraçón,
si por lo que te devo querer mal te diesse gracias.

—Gran plazer he avido —dixo Amadís— de lo que has

dicho, y dizes verdad, que por te sacar de aquí no me deves ser en cargo ninguno, que ciertamente determinado estava de tenerte mucho tiempo, creyendo que más convenible cosa era darte la pena que merecías que no que tú la diesses a muchos que la no mereçieron. Pero por la promesa que a esta tu dueña fize, yo te mandaré sacar dessa prisión y ponerte en salvo. Una cosa te ruego que, ahunque a mí tu voluntad ni obra no perdone y me trates con aquella enemiga que siempre en los tiempos passados me tuviste, que perdones a los otros que te nunca mal hizieron. Y esto fazlo por aquel Señor que, cuando más sin esperança stavas de tu deliberación y yo de te la otorgar, tuvo por bien de poner remedio a tus males, que assí lo faze con su sobrada misericordia con los malos después de los haver tentado, porque con semejante açotes y fatigas pongan fin a las obras que contra su servicio son. Y cuando han este conoçimiento, dales en este mundo buena postrimería y en el otro bienaventurado plazer que es sin fin; y si al contrario lo hazen, al contrario gelo da exsecutando la justicia con la pena que mereçen, sin les quedar esperança alguna ni remedio a sus ánimas después que destos desaventurados cuerpos son salidas.

Arcaláus le dixo:

En lo que a ti toca conoçido está que por ninguna manera te podría querer bien, ni te dexaré de fazer el mal que pudiere. En los otros que dizes no sé lo que haré, porque, según mi costumbre tan enveječida y con ella haya hecho tantos males, poca esperança me queda en aquel Señor que dizes que me dará su gracia sin gelo mereçer; porque sin ella no podría mi condición resistir ni contrastar una cosa tan dura y tan fuera de su querer. Y puesto que bastasse, no lo haría por tu consejo porque comigo no ganasses la gloria que con todos los otros has ganado. Y si alguna merced de Dios he recebido, no es otra salvo no te dar gracia ni te poner en el coraçón; que cuando yo con tanta humildad te lo demandé me soltasses, antes quiso que fuesse a pesar tuyo, y tanto contra tu voluntad, que no quedasse cosa alguna en que en cargo te pudiesse ser.

Mucho fueron espantadas aquellas señoras de oír lo que Arcaláus le dixo, y mucho rogaron a Amadís que lo no soltasse, porque más erraría contra Dios en dar causa que aquel mal hombre estando libre libremente pudiesse exsecutar sus malos desseos, que teniéndolo preso su promessa faltasse.

Amadís les dixo:

—Mis señoras, assí como muchas vezes acaeçe que con las grandes adversidades las personas son corregidas y emendadas, teniendo los ánimos muy fuertes y firmes en la sperança y misericordia de Dios, assí los que desto careçen aquellas mismas son causa de su desesperación, por donde sin ningún remedio son dañados. Y assí podría acaeçer a este Arcaláus si más aquí lo tuviesse, conoçiendo que en él no cabe de ser emendado ni corregido por esta vía. Yo guardaré mi palabra y verdad, y lo ál déxolo aquel Señor que en un momento le puede traer a su santo servicio, como a otros muchos más pecadores lo ha hecho.

Con esto se partieron de su fabla, y la dueña por mandado de Amadís fue metida en la jaula de hierro con su marido porque le hiziesse compañía aquella noche; y él con aquellas señoras se tornó a la torre de la huerta. Y otro día de mañana mandó Amadís llamar a Isanjo, governador de la ínsola; y rogóle que sacasse a Arcaláus y a su muger de la prisión y le diesse un cavallo y armas, y mandasse a sus hijos que con diez cavalleros le pusiessen en salvo donde él fuesse contento y su muger satisfecha de lo que havía demandado; lo cual assí se hizo, que los hijos de Isanjo fueron con él fasta el su castillo de Valderín, que le dexaron. Y queriéndose despedir díxoles Arcaláus:

—Cavalleros, dezid a Amadís que a las bestias bravas y a las animalias brutas suelen poner en las jaulas, que no a los tales cavalleros como yo; que se guarde bien de mí, que yo espero presto vengarme dél, ahunque tenga en su ayuda aquella mala puta, Urganda la Desconoçida.

Ellos le dixeron:

—Por esse camino presto tornaréis a donde salistes.

Y con esto se tornaron.

Puédese creer aquí que como esta dueña, mujer deste Arcaláus, fuesse muy piadosa y temerosa de Dios, y de todas las cosas de muertes y cruezas que su marido fazía, havía ella gran pesar y dolor en su coraçón, escusando dellas todas las que podía, que por sus méritos alcançó esta gracia de sacar a su marido de donde todos los del mundo no lo pudieran hazer. Assí que la buena dueña y devota muger deve ser muy preciada y en mucho tenida, porque por ella muchas vezes nuestro Señor permite que la hazienda, fijos y marido sean de grandes peligros guardados.

Pues como oís estavan Amadís y Grasandor en la Insola Firme con sus mugeres a gran plazer de sus coraçones; donde a poco tiempo llegó Darioleta, y su marido y fija con su marido Bravor, que acreçentaron mucho en su alegría.

Mas agora dexará la historia de fablar dellos, y contará de lo que Balán el gigante señor de la Insola de la Torre Bermeja hizo. Dize la historia que a los quinze días después que Amadís y Grasandor partieron de la Insola de la Torre Bermeja, donde dexaron maltrecho al gigante Balán, qu'el gigante se levantó de su lecho y mandó dar a Darioleta y a su marido, y a su fija, muchas joyas preciadas y una fusta muy buena en que se fuessen. Y embió con ellos a Bravor, su fijo, assí como lo havía prometido a Amadís; y luego que de allí partieron, él hizo aparejar una flota asaz grande, assí de sus fustas, que muchas tenía, como de otras que havía tomado a los que por allí caminavan, y guarneçióla de armas y gentes, y viandas cuantas haver pudo, y metióse a la mar con muy buen tiempo endereçado.

Y tanto anduvo sin contraste alguno, que a los diez días llegó al puerto de una villeta pequeña que havía nombre Licrea, del señorío del rey Arávigo. Y allí supo cómo aquellos señores tenían cercada a la gran ciudad de Aravia, y el cerco muy apretado, specialmente después que allí llegó el rey de Sobradisa, don Galaor, y don Galvanes. Y luego fizo que toda su gente saliesse en tierra, y sacassen sus cavallos y armas, y los ballesteros y archeros, y todos los otros aparejos de real; y dexando en la flota tal recaudo con que segura quedasse, se fue derechamente a la parte donde supo qu'el rey don Galaor y don Galvanes tenían su aposentamiento. Y como ellos supieron su venida por sus mensajeros del gigante, cavalgaron con gran compaña y saliéronlo a recebir. El gigante llegó con su muy buena compaña y él armado de muy ricas armas, encima de un muy hermoso y gran cavallo, assí que pocos pudiera haver que tan bien y tan apuestos como él pareçiessen de su grandeza. Ellos ya sabían lo que le aviniera con Amadís, que Gandalín jelo contó como havía passado, y don Galaor puso adelante a don Galvanes, que, ahunque en señorío no era su igual, era en mucha más edad creçido que no él. Y por esta causa, y también por su gran linaje donde venía, y por las buenas maneras de su condición, siempre Amadís y sus hermanos y Agrajes le cataron mucha cortesía. El gigante no lo conoçía, que lo nunca viera, ahunque sabía muy bien por menudo todo su hecho, porque Madasima, su mujer deste don Galvanes, era sobrina de Madasima, madre deste Balán, como ya se os ha contado. Y como a él llegó, dixo el gigante:

—Mi buen señor, ¿sois vos don Galaor?

—No —dixo él—, sino don Galvanes, que mucho os he desseado.

Estonces el gigante lo abraçó, y díxole:

—Señor don Galvanes, según el deudo tenemos no oviera passado tanto espacio de tiempo sin que me viérades; mas la enemiga que yo tenía, con quien vos tan gran amistad tenéis, dio causa a la tardança dello. Pero ésta ya fuera va por la mano de aquel que en discreción ni esfuerço no tiene par.

El rey don Galaor llegó riendo y de buen talante a lo abraçar y dixo:

—Mi buen amigo, señor, yo soy aquel por quien preguntáis.

Balán lo miró y dixo:

—Verdaderamente buen testigo es dello esse vuestro gesto, según se pareçe con aquel por quien yo vos desseava conoçer.

Esto dezía el gigante porque Amadís y don Galaor se pareçían mucho, tanto que en muchas partes tenían al uno por el otro, salvo que don Galaor era algo más alto de cuerpo y Amadís más espesso. Esto hecho, tomaron al rey don Galaor en medio y fueron a su real; y don Galvanes llevó a Balán a su tienda en tanto que su aposentamiento se fazía; donde fue servido como al uno y al otro lo requería y devía ser.

CAPÍTULO CXXXI

CÓMO AGRAJES Y DON CUADRAGANTE Y DON BRUNEO DE BONAMAR, CON OTROS MUCHOS CAVALLEROS, VINIERON A VER AL GIGANTE BALÁN, Y DE LO QUE CON ÉL PASSARON

AGRAJES y don Cuadragante y don Bruneo de Bonamar, como supieron la venida de aquel gigante, tomaron consigo a Angriote d'Estraváus y a don Gavarte de Valtemeroso, y a Palomir y don Brian de Monjaste, y otros muchos cavalleros de gran prez que allí con ellos estavan para les ayudar a ganar aquellos señoríos que havéis oído, y fueron todos al real del rey don Galaor y de don Galvanes, dondeelgiganteaposentadoestava;yfalláronloenlatiendadedon Galvanes, que era la más rica y bien obrada que ningún emperador ni rey podría tener; la cual huvo con Madasima su mujer, que le quedó de Famongomadán, su padre.

En esta tienda, después que cada año la fazía armar en una vega que delante del castillo del Lago Ferviente estava, fazía sentar en un rico estrado a su fijo Basagante, y todos sus parientes, que muchos eran y le obedeçían como a señor por su gran fortaleza y riqueza. Y sus vasallos, y otras muchas gentes que sojuzgadas por fuerça de armas tenía, le besavan la mano por rey de la Gran Bretaña. Y con este pensamiento embió demandar al rey Lisuarte a Oriana para la casar con aquel su hijo Basagante; y porque se la no quiso dar, le fazía muy cruda guerra al tiempo que Amadís los mató a entrambos, cuando les quitó a Leonoreta, hermana de Oriana, y a los diez cavalleros que con ella presos levavan, como el segundo libro desta historia más largo lo cuenta.

Pues al tiempo que estos cavalleros llegaron, el gigante estava desarmado y cubierto de una capa de seda jalde con unas rosas de oro bien puestas por ella. Y como él era grande y fermoso y en edad floreçiente, pareçióles a todos muy bien, y mucho más después que le fablaron; porque según ellos conoçían la condición tan fuerte de los gigantes, y cómo a natura eran todos muy desabridos y sobervios sin se sojuzgar a ninguna razón, no pensavan que en ninguno dellos podría ser todo esto tanto al contrario como este Balán lo tenía. Y por esta causa lo preciaron mucho más que por su gran valentía; ahunque muchos dellos sabían grandes cosas que en armas havía fecho, teniendo que el grande esfuerço sin buena condición y discreción muchas vezes es aborreçido.

Pues estando todos juntos en aquella gran tienda, el gigante los mirava, y pareçíanle tan bien, que no pudiera creer que en ninguna parte pudiera haver tantos y tan buenos cavalleros. Y como los vio sossegados, díxoles:

—Si por yo venir tan sin sospecha en vuestra ayuda, dello os maravillardes como cosa de que muy poca esperança ni cuidado teníades, assí lo fago yo; porque, ciertamente, no pudiera creer que por ninguna guisa pudiera venir causa que estorvar pudiera de no ser como mortal enemigo en vuestro estorvo hasta la muerte. Pero como la exsecución de los pensamientos sea más en la mano de Dios que en la de aquellos que con gran rigor los quería obrar, entre muchas fuertes y ásperas batallas que a mi honra passé, me sobrevino una, de la cual costreñido al comienço, en la fin della por mi propia voluntad fue mi propósito mudado en tener por honra lo que todos los días de mi vida por deshonra tener pensava fasta haver la vengança dello alcançada. Y cuando la cosa que yo en este mundo más desseava fue a mi voluntad complida, estonces se acabó y cumplió el término de mi gran saña y rigor, no por el camino que yo atendía, mas por aquel que a la mi contraria fortuna más le plugo. Ya havéis sabido cómo yo soy fijo de aquel valiente y esforçado gigante, Madanfabul, señor de la Insola de la Torre Bermeja; al cual Amadís de Gaula, llamándose Beltenebrós en la batalla que ovieron el rey Lisuarte y el rey Cildadán, mató. Y yo como hijo de tan honrado padre y que tanto a la vengança desta muerte obligado era, nunca de mi memoria se partía cómo este gran desseo fuesse esecutado: quitando la vida aquel que a mi padre la quitó. Y cuando más sin esperança dello estuviesse, la fortuna, junto con el gran esfuerço de aquel cavallero, me lo traxo a mis manos dentro en el mi señorío, solo sin persona que le ayudar pudiesse; del cual con mucha fortaleza fue vencido y con mayor cortesía tratado, assí como aquel que lo uno [97] y otro más complido que ninguno de los que biven tiene; de lo cual redundó que aquella grande y mortal enemistad que le yo tenía se tornó en mayor grandeza de amistad y verdadero amor, que ha dado causa de venir, como veis, sabiendo que en alguna necessidad de gente esta hueste estava, creyendo que de la honra y provecho de vosotros ocurre a él la mayor parte.

Estonces les contó desd'el comienço todo lo que con Amadís le acaeçiera, y la batalla que en uno ovieron, y todas las otras cosas que passaron, que nada faltó, assí como la historia os lo ha contado. Y en la fin les dixo que fasta en tanto que aquella guerra se partiesse, él no se partiría de su compaña; y que aquello acabado, se quería ir luego a la Insola Firme, como lo prometiera a Amadís.

Todos aquellos señores ovieron gran plazer de le oír lo que les dixo, porque comoquiera que de Gandalín havían sabido cómo Amadís se combatiera con este gigante y lo ven-

97. *que lo huvo*, Z, fol. 290 vº; *que lo uno*, P.; CB. 1730.

ciera, no supieron la causa dello assí como lo él contó. Y mucho les plugo de su venida, assí por el valor de su persona como por la grande y muy buena gente de guerra que consigo traía: lo cual havían necessario, según lo que en las afrentas passadas perdido avían; y gradeçiéronle mucho su buena voluntad con la obra a que por amor de Amadís se les ofreçía.

CAPÍTULO CXXXII

QUE FABLA DE LA RESPUESTA QUE DIO AGRAJES AL GIGANTE BALÁN SOBRE LA HABLA QUE ÉL HIZO

AGRAJES le respondió y dixo:
—Mi buen señor Balán, quiero yo responderos en lo que a la enemistad de mi señor cormano Amadís toca, pues que estos señores y yo con ellos os hemos rendido las gracias a lo que por os se nos promete; y si mi respuesta no fuere conforme a vuestra voluntad, tomalda como de cavallero; que ahunque en las cosas de las armas n'os sea igual, por ventura por la edad que más tengo, y las haver tratado más, sabré más complidamente que vos lo que para complir con ellas se requiere. Y digo que los cavalleros que con justa causa las afrentas toman y en ellas fazen su dever sin que algo de lo que la razón les obliga mengüe, ahunque en ello cumplen lo que juraron, mucho son de loar, pues que la voluntad y la obra quedaron sin deuda alguna. Pero los que el límite de la razón con fantasía salir quieren, a estos tales los que más el cabo de la honra alcançan, más por sobervios y por desvariados que por fuertes ni esforçados los juzgan. Muy notorio es a todos, y a vos, señor, no deve ser oculto la manera de la muerte de vuestro padre; que assí como si la fortuna la consintiera dando fin a su atrevimiento en levar al rey Lisuarte como lo llevava, fuera su gran loor y fama hasta el cielo, assí la deshonra y menoscabo de los que a este rey servían y ayudavan fuera puesta en los abismos. Y por esto n'os devéis maravillar que Amadís, haviendo gran embidia de la gloria que vuestro padre alcançar esperava, para sí la quisiesse, como todos los buenos lo fazen o devrían fazer. Y tal muerte como ésta, considerando cada uno querer la haver fecho, y con ella pensar aver alcançado gran prez,

no devría por ninguno ser demandada, como aquellas que,
feamente se haziendo, muy gran parte de la honra se aventura en las perdonar. Assí que, mi señor, en lo que de vuestro padre toca, y en lo que con Amadís vos avino no se podría hallar justa causa de quexa, pues que vosotros y él com-
plistes muy enteramente todo lo que cavalleros cumplir
devían. Y si algún cargo imputar se puede, es a la fortuna,
que con más favor a él que a vosotros ayudar y favoreçer le
plugo. Assí que, mi buen amigo, tened vos por bien que, quedando entera y sin ninguna falta vuestra honra, hayáis ganado aquel tan noble cavallero, y todos estos señores y esforçados cavalleros que aquí veis, con otros muchos que ver podríades, si causa en que menester los oviéssedes viniesse.

Cuando esto huvo oído el gigante Balán, díxole:

—Mi señor Agrajes, ahunque para la satisfación de mi
voluntad ningún amonestamiento necessario era, mucho os
gradezco lo que me havéis dicho, porque, ahunque en este
caso escusarse pudiera, no es razón que para los venideros
se escuse. Y dexando de fablar más en esto como cosa olvidada y passada, será bien que entendamos en dar fin en esta
afrenta con aquel esfuerço y cuidado que deven tener aquellos que dexando en recaudo sus tierras quieren conquistar
las ajenas.

Don Galvanes le dixo:

—Buen señor, váyanse estos cavalleros a sus alvergues, que
es hora de cenar; y descansaréis esta noche y mañana, y en
tanto serán vuestras tiendas armadas y aposentada vuestra
gente. Y luego con vuestro consejo se dará la orden de lo
que fazer se deve.

Assí se fueron aquellos señores a sus reales, y quedaron
con el gigante don Galvanes y el rey don Galaor, que con
ellos aquella noche cenó en aquella grande y rica tienda que
ya oístes, con grande plazer. Y la cena acabada, el rey se
fue a sus tiendas y ellos quedaron y durmieron en sus ricos
lechos.

Y venida la mañana, el gigante dixo a don Galvanes que
quería cavalgar y dar una buelta a la ciudad por ver en qué
disposición estava, y por dónde mejor combatir se podría.
Don Galvanes lo fizo saber al rey don Galaor, y entrambos se
fueron con él y rodearon aquella gran ciudad; la cual, assí
como de mucha gente era poblada, assí de muy grandes torres y muros enfortaleçida; que como ésta fuesse cabeça de

todo aquel gran reino y de las ínsolas de Landas, que con ella se contenían, y la más principal morada de los reyes, assí como unos empós de otros venían, assí trabajavan de la acreçentar en mayor número de pueblo y de la enfortaleçer lo más que podían, de manera que en grandeza y fortaleza era muy señalada. Pues de que visto la ovieron, díxoles Balán:

—Mis señores, ¿qué vos pareçe que se podría fazer a tan gran cosa como ésta?

Don Galaor le dixo:

—No ay en el mundo más fuerte ni mayor cosa que el coraçón del hombre; y si los que dentro están esfuerço tienen, mucho dudaría yo que por fuerça tomar se podiesse. Pero como en los muchos siempre aya gran discordia, specialmente seyéndoles la fortuna contraria, y con ella les sobrevenga luego la flaqueza, no pongo duda que, assí como otras cosas impunables por esta causa se perdieron, ésta se perdiesse.

Pues fablando en esto y en otras cosas se fueron todos tres de consuno a los reales de don Cuadragante y don Bruneo, y de los otros sus compañeros; que aquella parte que ellos ivan estavan mirando por donde mejor el combate darse podría. Y cuando cerca de las tiendas de donde Agrajes posava llegaron, vino contra ellos el bueno y esforçado Enil, y dixo:

—Mi señor Balán, Agrajes os ruega que veáis al rey Arávigo, que yo en mi tienda preso tengo, que os quiere fablar; que como vuestra venida le dixeron, embió con mucha afición y grande amor a rogar a Agrajes que a él diesse licencia y a vos rogasse que le viéssedes.

El gigante le dixo:

—Buen cavallero, contento soy de lo hazer; y podrá ser que desta vista se saque más fruto que de otras grandes afrentas donde mayor se esperasse.

Assí fueron todos hasta llegar a la tienda de Enil. Y el rey don Galaor y don Galvanes se fueron a don Bruneo; y el gigante descavalgó de su cavallo y entró en un apartamiento donde el rey Arávigo estava; el cual de ricos tapetes y paños era guarnido, y él vestido de nobles paños; donde por mandado de Agrajes como a rey le servían. Pero tenía unos tan pesados y fuertes grillos que le quitavan de dar solo un passo. Y como el gigante assí lo vio, hincó los inojos ante él y quísole besar las manos; mas el rey las tiró a sí y abraçóle llorando, y díxole:

—Mi amigo Balán, ¿qué te parece de mí? ¿Soy yo aquel gran rey que tu padre y tú muchas vezes vistes, o fállasme en aquella corte acompañado de tan altos príncipes y cavalleros y otros reyes mis amigos, como muchas vezes me hallaste, esperando de conquistar y señorear muy gran parte del mundo? Por cierto, antes creo yo que me juzgarás por un hombre baxo, preso, cativo, desonrado, puesto en poder de mis enemigos como tú bien vees. Y lo que más dolor a mi triste coraçón acarrea es que aquellos de quien yo más remedio esperava, assí como tú y otros muy fuertes gigantes que por mis amigos tenía, y los vea venir a dar fin y cabo en mi total destrución.

Esto dicho, no pudo más fablar con las muchas lágrimas que le sobrevinieron. Balán le dixo:

—Manifiesto es a mí, como mis ojos lo vieron, ser verdad lo que tú, buen rey Arávigo, has dicho, en te ver muy acompañado y honrado, con grandes aparejos y esperanças de conquistar grandes señoríos. Y si agora lo veo tan mudado y trocado, no creas que mi ánimo en ello sienta gran alteración, porque ahunque mi estado muy diferente en grandeza del tuyo sea, no dexo por esso de sentir los crueles y duros golpes de la fortuna; que ya sabes tú, buen rey, cómo aquel muy esforçado Amadís de Gaula a mi padre Madanfabul mató. Y cuando más la vengança yo de su muerte esperava vengar, la mi adversa y contraria fortuna quiso que deste mismo Amadís fuesse vencido y sojuzgado por fuerça de armas, siendo en su libertad de me dar la muerte o la vida. Y porque según la congoxa y gran tristeza tuya en tanto grado te sojuzgan que no te darían lugar a oír relación tan larga como sobre ello contarte podría, bástete saber que como vencido de aquel a quien yo tanto vencer desseava, y matar por mis manos si ser pudiera, soy aquí venido, donde con legítima causa podría pagarte con otras tantas o por ventura más lágrimas que mi presencia te dieron causa de derramar, assí que no menos que tú, yo havría menester consuelo. Pero conociendo las grandes y diversas bueltas del mundo, y como la discreción sea dada para seguir la razón, tomé por partido de ser amigo de aquel tan mi mortal enemigo, que más ser no podía, pues que con justa causa, no quedando cosa alguna por flaqueza de lo que obligado era, lo pude fazer. Y si tú, noble rey, mi consejo tomas, assí lo farás porque muy conoçido tengo te será bién que le tomes; y yo como aquel que en el rigor y discordia te tengo de ser enemigo, podría ser que en la concordia te seré leal amigo.

Él, cuando esto le oyó, díxole:

—¿Qué concordia puedo hazer perdiendo mi reino?

—Contentarte —dixo el gigante— con lo que dél buenamente sacar pudieres.

—¿No vale más —dixo él— morir que verme menguado y deshonrado?

—Como la muerte —dixo Balán— quite toda la esperança, y muchas vezes con la vida y largo tiempo se satisfagan los desseos y las grandes pérdidas se remedien, mucho mejor partido es procurar la vida que dessear la muerte a aquellos que con pérdida de interesse que con deshonra hazerlo pueden.

—Balán, mi amigo —dixo el rey—, por tu consejo quiero ser guiado, y en tu mano dexo todo lo que vieres que fazer devo. Y ruégote mucho que ahunque allá fuera en mis cosas enemigo te muestres en ausencia, que veyéndome en esta prisión en mi presencia como amigo me consejes.

—Assí lo faré —dixo el gigante— sin falta.

Estonces despidiéndose dél y tomando consigo a Enil, se fue a la tienda de don Bruneo de Bonamar, donde falló al rey don Galaor y Agrajes y don Galvanes y otros asaz cavalleros de gran cuenta, los cuales le recibieron y tomaron entre sí con mucho plazer. Y él les dixo que por cuanto havía fablado con el rey Arávigo algunas cosas que devían saber, que viessen si era necessario que a ello otros algunos stuviessen. Agrajes le dixo que sería bueno que don Cuadragante y don Brian de Monjaste, y Angriote d'Estraváus fuessen llamados, y assí se fizo; los cuales vinieron, y con ellos otros cavalleros de gran nombradía. Estonces el gigante les dixo todo lo que con el rey Arávigo havía passado, que nada faltó, y que su pareçer era, dexando a parte que a muerte o a vida los havía de seguir y ayudar, que si el rey Arávigo con alguna de aquellas ínsolas de Landas la más apartada se contentasse, y sin más pérdidas de gentes lo restante mandasse entregar, que la concordia y atajo sería bueno, specialmente quedando ahún por ganar el señorío de Sansueña, que assí de gentes como de fortalezas era muy áspero. Mucho le gradeçieron aquellos señores al gigante lo que les dixo, y por muy cuerdo le tuvieron; que no pudieran pensar ni creer que en hombre de aquel linaje tanta discreción oviesse. Y assí

era guisado de lo cuidar, porque la su grande y demasiada
sobervia no dexava ningún lugar donde la discreción y la
razón aposentarse pudiessen. Pero la diferencia que este Balán
tenía a los otros gigantes era que como su madre Madasima
fue tal y de tan noble condición como la historia ha contado, no teniendo de su marido Madanfabul si este solo fijo
no, trabajó mucho, ahunque contra la voluntad de su marido, que era malo y sobervio, de lo criar so la disciplina de
un gran sabio que de Grecia traxo; con la criança del cual y
con la que de su madre tomó, que era muy noble en todas
las cosas, salió tan manso y tan discreto, que pocos hombres
havían mejor razonados que lo él era, ni de tanta verdad.

Y avido acuerdo aquellos señores entre sí, fallaron que si
lo qu'el gigante les dezía pudiesse haver efeto, que les sería
buen partido y mucho descanso, ahunque alguna parte de
aquel reino al rey Arávigo le quedasse. Y respondiéronle que
conoçiendo el amor y voluntad con que allí avía venido, y
fablando en aquello que stavan, ante por él que por otro alguno doblarían sus voluntades a dar assiento con aquel rey.

Donde aquí se puede notar que faltando en las grandes
roturas personas que con buena intención se muevan a poner
remedio, vienen y se recreçen muertes, prisiones, robos y
otras cosas de infinitos males.

Pues oído esto por el gigante, fabló con el rey Arávigo, y
sobre muchos acuerdos y hablas que escusar de dezir se
deven, assí por su prolixidad como por no salir del propósito començado, fue acordado qu'el rey Arávigo entregasse
aquella gran ciudad con toda la tierra comarcana que debaxo de su señorío estava; y de las tres ínsolas de Landas tomasse para sí una, la más apartada, que Liconia llamavan,
que era a la parte del cierço, y de allí se llamasse rey; y las
otras fuessen assí mesmo con lo otro entregadas, y don Bruneo se llamasse rey de Aravia. Esto fecho y consentido por
el sobrino del rey Arávigo, que el reino defendía, como ya
oístes, y por todos los más principales de la ciudad, entregó-
se todo como señalado stava; y suelto el rey Arávigo, el cual
con harta fatiga y angustia de su coraçón se fue por la mar a
la ínsola de Liconia, y don Bruneo fue alçado por rey con
mucho plazer y grandes alegrías, assí de los de su parte como
de los contrarios, porque, conoçiendo su bondad y gran esfuerço, con él esperavan ser muy honrados y defendidos.

Acabado esto como la historia lo ha contado, a poco tiempo que allí descansaron y holgaron con el rey don Bruneo, ordenaron sus batallas y todas las otras cosas necessarias a su camino, y partieron de allí la vía de la villa de Califán, que era la más cercana de donde ellos havían el real tenido.

Mas los sansones, como supieron que la ciudad de Aravia era tomada, y concertado el rey Arávigo con aquellas gentes, temiendo lo que fue, juntáronse todos, assí cavalleros como peones, en muy gran número de gentes, que aquel señorío era grande y las gentes dél muchas y bien armadas, y sabidoras de guerra, como aquellos que siempre havían tenido los señores muy sobervios y escandalosos, que en muchas afrentas les ponían. Y cuando assí se vieron juntos en tanta cuantidad, creçióles los coraçones con gran sobervia y osadía. Ordenadas sus hazes, llevando por capitanes los más principales del señorío, salieron al encuentro a sus enemigos antes que a la villa de Califán llegassen, donde los unos y los otros se juntaron, y ovieron una muy cruel y brava batalla, que mucho de ambas las partes fue herida; en la cual passaron cosas muy estrañas en armas, y muertes de muchos cavalleros y de otros hombres. Pero lo que allí los cavalleros señalados y aquel bravo y valiente gigante hizieron no se podría en ninguna guisa acabar de contar, sino tanto que por sus grandes fechos y esfuerço de sus bravos coraçones fueron los de Sansueña vencidos y destruidos de tal manera, que los más dellos quedaron muertos y feridos en el campo, y los otros tan quebrantados, que ahun en los lugares que fuertes eran no se atrevieron defender; assí que don Cuadragante con todos aquellos señores y las gentes que de la batalla les fincaron, ahunque fueron muertos y feridos, señorearon el campo sin hallar defensa ni resistencia alguna. Y si la historia no os cuenta más por estenso las grandes cavallerías y bravos y fuertes hechos que en todas aquestas conquistas y batallas que sobre ganar estos señoríos passaron, la causa dello es porque esta historia es de Amadís, y si los sus grandes hechos no, no es razón que los de los otros sean sino cuasi en suma contados; porque de otra manera no solamente la scritura, de larga y prolixa, daría a los leyentes enojo y fastidio, mas el juizio no podría bastar a complir con ambas las partes; assí que con mayor razón se deve complir con la causa principal, que es este esforçado y valiente cavallero Amadís, que con las otras que por su respeto a la historia le convino dellas hazer mención. Y por esto no se dirá más, salvo que vencida esta tan grande y peligrosa batalla a poco spacio de tiempo fue aquel gran señorío de Sansueña sojuzgado, de manera que los lugares flacos de su propia voluntad, no esperando remedio alguno, y los más fuertes costreñidos por grandes combates, a todos les convino tomar por señor a don Cuadragante.

Mas agora los dexaremos muy contentos y pagados de las vitorias que ovieron, y contarvos ha la historia del rey Lisuarte, que ha gran pieça que se no fizo mención.

CAPÍTULO CXXXIII

Cómo después que el rey Lisuarte se tornó desde la Insola Firme a su tierra, fue preso por encantamiento, y de lo que sobre ello acaesció

L A istoria cuenta que después qu'el rey Lisuarte con la reina Brisena, su muger, partió de la Insola Firme, al tiempo que dexó casadas sus hijas y las otras señoras que con ellas casaron, como ya oístes, qu'él se fue derechamente a la su villa de Fenusa, porque era puerto de mar y muy poblada de florestas en que mucha caça se hallava, y era lugar muy sano y alegre donde él solía holgar mucho. Y como allí fue, luego al comienço por dar algún descanso y reposo a su ánimo de los trabajos passados, diose a la caça y a las cosas que más plazer le podrían ocurrir, y assí passó algún espacio de tiempo. Pero como ya esto le enojasse, assí como todas las cosas del mundo que hombre mucho sigue lo fazen, començó a pensar en los tiempos passados y en la gran cavallería de que su corte bastecida fue, y las grandes aventuras que los sus cavalleros passavan, de que a él redundava mucha honra, y tan gran fama que por todas las partes del mundo era nombrado y ensalçado su loor hasta el cielo. Y comoquiera que ya su edad reposo y sosiego le demandasse, la voluntad criada y habituada en lo contrario, de tanto tiempo envegescida, no lo consentía, de manera que teniendo en la memoria la dulçura de la gloria passada y el amargura de la no tener ni poder haver al presente, le pusieron en tan gran estrecho de pensamiento, que muchas vezes estava como fuera de todo juizio, no se podiendo alegrar ni consolar con ninguna cosa que viesse. Y lo que más a su espíritu agraviava era tener en su memoria cómo en las batallas y cosas passadas con Amadís fue su honra tanto menoscabada; y que en boz de todos más constreñido con necessidad que con virtud, vio fin aquel gran debate.

Pues con estos tales pensamientos uvo la tristeza lugar de cargar sobre él de tal forma que este que era un rey tan poderoso, tan gracioso, y tan humano, y tan temido de todos, fue tornado triste, pensativo, retraído sin querer ver a persona alguna como por la mayor parte acaesce aquellos que con las buenas venturas sin recebir contraste ni entrevallos que mucho les duelan passan sus tiempos; y amollentadas sus fuerças, no pueden sufrir ni saben resistir los duros y crueles golpes de la adversa fortuna.

Este rey tenía por estilo cada mañana en oyendo missa de tomar consigo un ballestero, y encima de su cavallo, solamente la su muy buena y preciada espada ceñida, irse por la floresta gran pieça cuidando muy fieramente, y a las vezes tirando con la ballesta, y con esto le parescía recebir algún descanso. Pues un día acaesció que, seyendo alongado de la villa por la espessura de la floresta, que vio venir una donzella encima de un palafrén corriendo a más andar por entre las matas, dando bozes demandando a Dios ayuda. Y como la vio, fue contra ella, y díxole:

—Donzella, ¿qué avéis?

—¡Ay, señor —dixo ella—, por Dios y por merced acorred a una mi hermana, que acá dexo con un mal hombre que la forçar quiere!

El rey uvo della duelo, y díxole:

—Donzella, guiadme, que yo os seguiré.

Entonces bolvió por el mismo camino por donde allí viniera, cuanto el palafrén aguijar pudo. Y anduvieron tanto hasta qu'el rey vio cómo entre unas espessas matas un hombre desarmado tenía la donzella por los cabellos y tirávala reziamente por la derribar, y la donzella dava grandes gritos. El rey llegó en su cavallo dando bozes que dexasse la donzella. Y cuando el hombre cerca de sí lo vio, soltóla y fuyó por entre las más espessas matas. El rey siguiólo con el cavallo, mas no pudo passar mucho adelante con el estorvo de las ramas; y como esto vio, apeóse lo más presto que pudo con gran gana de lo tomar por le dar el castigo que tal insulto merescía, que bien cuidó de su tierra podría ser. Y corrió tras él cuanto pudo llamándolo muy cerca, y passada la espessura de aquel gran mata, halló un prado que descombrado estava, en el cual vio armado un tendejón donde el hombre tras que él iva a gran priessa fue metido. El rey llegó a la puerta del tendejón y vio una dueña, y el hombre que fuía tras ella como que allí pensava guarescer. El rey le dixo:

—Dueña, ¿es este hombre de vuestra compaña?

—¿Por qué lo preguntáis? —dixo ella.

—Porque quiero que me lo deis para fazer dél justicia, que si por mí no fuera, forçara acá donde le yo hallé una donzella.

La dueña le dixo:

—Señor cavallero, entrad y oiré lo que diréis. Y si assí es como dezís, yo os lo daré; que pues yo donzella fue y en mucha estima tuve mi honra, no daría lugar a que otra ninguna deshonrada fuesse.

El rey fue luego contra donde la dueña estava, y al primero passo que dio cayó en el suelo tan fuera de sentido como si muerto fuesse.

Entonces llegaron las donzellas que tras él venían, y la dueña con ellas; y con el hombre que allí tenían tomaron al rey, assí desacordado como estava, en sus braços. Y salieron otros dos hombres de entre los árboles, que tiraron el tendejón; y fuéronse todos a la ribera de la mar, que muy cerca estava, donde tenían un navío enramado, y tan cubierto que apenas dél se parescía, y metiéronse dentro; y pusieron en un lecho al rey, y començaron de navegar. Esto fue tan prestamente fecho y tan encubierto y en tal parte, que persona otra alguna no lo pudo ver ni sentir.

El ballestero del rey, como andava a pie, no le pudo seguir, porqu'el rey se aquexó mucho por socorrer la donzella; y cuando llegó a donde avía el cavallo quedado, mucho se maravilló de lo fallar assí solo. Y metióse cuanto más pudo por las espessas matas buscando a todas partes, mas no falló nada. Y a poco rato fallóse en el prado donde el tendejón avía estado, y desde allí tornóse al cavallo y cavalgó en él, y anduvo gran pieça a hun cabo y a otro buscando por la floresta y por la ribera del mar. Y como no fallasse nada, acordó de se tornar a la villa; y cuando cerca della llegó y algunos que por allí andavan lo vieron, cuidaron qu'el rey le embiava por alguna cosa. Mas él no dezía nada sino andar fasta donde la reina estava. Y descavalgó del cavallo y entró en el palacio con gran priessa. Y como la vio, díxole todo lo que del rey viera y cómo lo buscara con mucha diligencia sin lo poder hallar. Cuando la reina esto oyó, fue muy turbada y dixo:

—¡Ay, Santa María! ¿Qué será del rey mi señor, si le he perdido por alguna desaventura?

Entonces fizo llamar al rey Arbán, su sobrino, y a Cendil de Ganota, y díxoles aquellas nuevas. Ellos mostraron buen semblante, dándole sperança que no temiese, que no era aquello cosa de peligro para el rey, porque muy presto se podía perder por aquella floresta con codicia de dar vengança a la donzella; y que pues él sabía aquella tierra por donde muchas vezes a caça anduviera, que no tardaría de venir; que si el cavallo dexó, no sería sino porque con la espessura de los árboles no se podría dél aprovechar. Pero teniéndolo en la verdad en más de lo que mostravan, fueron luego a se armar y cavalgar en sus cavallos. Y fizieron salir toda la gente de la villa, y lo más presto que ser pudo se metieron por la floresta llevando consigo el ballestero que los guiasse; y la otra gente, que mucha era, se derramó a todas partes. Pero ni ellos ni aquellos cavalleros, por mucho afán que tomaron en lo buscar, nunca dél nuevas supieron.

La reina estuvo todo aquel día alguna nueva esperando con mucha turbación y alteración de su ánimo, pero ninguno fue tan osado que con tan poco recaudo como fallavan bolviessen; antes, assí los que de allí salieron como todos los de la comarca, que las nuevas oían, nunca cessavan de buscar con mucha diligencia. Venida la noche, la reina acordó de embiar mensajeros a más andar, y cartas, a los más lugares que ella pudo. Y en esto passó toda la noche sin sueño dormir. Al alva del día llegaron don Grumedán y Giontes; y cuando la reina los vio, preguntóles si sabían algo del rey su señor. Don Grumedán le dixo:

—No sabemos más de cuanto nos dixeron a Giontes y a mí en la casa donde estávamos caçando, cómo mucha gente lo buscava. Pensando fallar aquí alguna nueva, acordamos de no ir antes a otra parte; pero pues que la no hallamos, meternos emos luego en su demanda.

—Don Grumedán —dixo la reina—, yo no puedo sosegar ni hallo descanso ni remedio, ni puedo pensar qué aya sido esto. Y si aquí quedasse, de gran congoxa sería muerta, y por esto acuerdo de me ir con vos; porque si buena nueva viniere allá, más aína que acá la sabré; y si al contrario, no dexaré fasta la muerte de tomar en trabajo que con razón tomar devo.

Luego mandó que le traxessen un palafrén. Y tomando consigo a don Grumedán y a don Giontes, y una dueña, muger de Brandoivas, se fue por la floresta lo más presto que pudo, y anduvo por ella tres días, que siempre alvergava en poblado, en los cuales si por don Grumedán no fuera, no comiera solo un bocado; mas él con gran fuerza hazía que algo comiesse. Todas las noches dormía vestida debaxo de los árboles, que aunque algunas aldeas pequeñas fallavan, no quería entrar en ellas, diziendo que su gran congoxa no lo consentía. Pues en cabo destos días acaesció que entre las muchas gentes que por la floresta encontraron halló al rey Arbán de Norgales, que venía muy triste y muy fatigado, y su cavallo tan lasso y cansado que ya no le podía traer. Cuando la reina lo vio, díxole:

—Buen sobrino, ¿qué nuevas traéis del rey mi señor?

A él vinieron las lágrimas a los ojos, y dixo:

—Señora, no otras ningunas más de las que sabía cuando de vuestra presencia me partí. Y creed, señora, que tantos somos en su demanda y con tanto trabajo y afición le emos buscado, que sería impossible, si desta parte de la mar estuviesse, no le hallar. Pero yo entiendo que si algún engaño recibió, que no fue para lo dexar en su reino; y ciertamente, señora, siempre me pesó deste apartamiento suyo con tanta esquiveza y mal recaudo de su persona, porque los príncipes y grandes señores, que a muchos han de governar y mandar no pueden usar dello tan justamente y con tanta clemencia, que no sean de los más temidos; y deste tal temor, faltando el amor, luego viene el aborrescimiento. Y por esta causa deven poner tal recaudo en sus personas que los menores no se atrevan a su grandeza; que muchas vezes los tales dan ocasión de recordar a otros lo que no tenían pensado. Y a Dios plega por la su merced de me poner en parte donde le vea y le diga esto y otras muchas cosas; en el cual tengo esperança que El lo hará. Y vos, señora, assí lo tened.

Cuando la reina esto oyó, salió de todo su sentido, y amortescida cayó del palafrén ayuso. Don Grumedán se derribó de su cavallo lo más presto que pudo, y tomóla en sus braços. Así la tuvo por una gran pieça, que más por muerta que por biva la juzgavan. Y cuando acordó, dixo muy dolorosamente con gran abundancia de lágrimas:

—Engañosa y espantable fortuna, esperança de los miserables, cruel enemiga de los prosperados, trastornadora de las mundanales cosas, ¿de qué me puedo loar de ti?: que si en los tiempos passados me feziste señora de muchos reinos, obedescida y acatada de muchas gentes, y sobre todo junta al matrimonio de tan poderoso y virtuoso rey, en un solo momento a él me quitando lo levaste y robaste todo; que si a él perdiendo los bienes mundanos me dexas, no causa en mí esperança de recobrar descanso ni plazer, mas de muy mayor dolor y amargura me serán ocasión; porque si de mí preciados eran y en algo tenidos, no era salvo por aquel que los mandava y defendía. Por cierto, con mucha más causa te pudiera gradescer si, como una destas simples mugeres sin fama, sin pompa, me dexaras; porque yo olvidando los flacos y livianos males míos, assí como ella, por los ásperos y crueles agenos derramara mis lágrimas. Mas ¿por qué me quexaré de ti?, pues que los engaños y fuertes mudanças tuyas derribando los que ensalçaste son tan manifiestos a todos que no de ti, mas de sí mismos, en ti confiando, se deven quexar.

Assí estava esta noble reina haziendo su duelo en la tierra sentada, y su amo, don Grumedán, los inojos fincados, teniéndole las manos, con palabras muy dulces la consolando, como aquel en quien toda virtud y discreción morava, con aquella piedad y amor que en la cuna lo hiziera. Mas consuelo no era menester, que ella se amortescía tantas vezes, que sin ningún sentido y cuasi muerta quedava; que era causa de gran dolor a los que la veían. Y cuando algún tanto su espíritu algunas fuerças fuere cobrando, dixo a don Grumedán:

—¡O mi fiel y verdadero amigo, yo te ruego que assí como estas tus manos en los mis primeros días fueron causa de los crecer, que agora en los postrimeros en ellas mismas reciba la mi muerte!

Don Grumedán, veyendo ser su repuesta escusada según su disposición, calló, que no dixo nada; antes acordó que sería bueno de la levar algún poblado donde se procurasse algún remedio. Así lo hizieron, que él y aquellos cavalleros que allí estavan la pusieron en su palafrén, y don Grumedán en las ancas, teniéndola abraçada, la levaron a unas casas de monteros del rey que en la floresta para la guardar bivían. Y luego embiaron por camas y otros atavíos donde des-

cansasse. Pero ella nunca quiso estar sino en la más pobre
cama que allí se halló. Assí estuvo algunos días sin saber
dónde ir ni qué de sí hiziesse. Y cuando don Grumedán más
reposada la vio, díxole:

—Noble y poderosa reina, ¿dónde es fuída vuestra gran
discreción en el tiempo que más menester la ovistes, que tan
fuera de consejo la muerte procuráis y demandáis, no teniendo en la memoria fenescer con ella todas las mundanales
cosas? ¿Y qué remedio será para aquel vuestro tanto amado
marido ser vuestra ánima desas carnes salida? ¿Por ventura
compráis con ello su salud o ponéis remedio a sus males?
Antes, por cierto, es todo al contrario de lo que los cuerdos
deven hazer, que el coraçón y discreción para semejantes
afrentas fueron establescidos y dotados de aquel muy alto
Señor, y más con grande esfuerço y diligencia que con sobradas lágrimas a las fortunas de los amigos se han de socorrer. Pues si aparejo a esto que digo se os ofresce, quiero que
como yo lo conozco lo sepáis. Bien sabéis, señora, que demás
de los cavalleros y muchos vasallos que en vuestros señoríos
biven, que con gran afición y amor seguirán y complirán
vuestros mandamientos, de la sangre de vuestra real casa
pende oy casi toda la cristiandad, assí en esfuerço como en
grandes imperios y señoríos, sobre todos como el cielo sobre
la tierra; pues ¿quién duda que éstos, sabiendo esta tan gran
fatiga, no quieran como vos misma ser en el remedio della?
Y si el rey vuestro marido en estas partes está, nosotros que
suyos somos daremos el remedio; y si por ventura a la mar
lo passaron, ¿en qué tierra tan áspera, ni qué gente tan brava
podrá resistir que avido no sea? Assí que, mi buena señora,
dexando a parte las cosas que más daño que pro traen, tomando nuevo consuelo y consejo sigamos aquellas que a la
salud y remedio deste negocio aprovechar pueden.

Pues oído por la reina esto que don Grumedán dixo, assí
como de muerte a vida la tornó. Y conosciendo que en todo
verdad dezía, dexando las lágrimas y grandes querellas acordó de embiar un mensajero a Amadís, que más a la mano
estava, confiando en su buenaventura que, assí como en las
otras cosas, en ésta pornía remedio; y luego mandó a Brandoivas que lo más apressuradamente que él pudiesse buscasse a Amadís y le diesse una carta suya, la cual dezía assí:

CARTA DE LA REINA BRISENA A AMADÍS

«Si en los tiempos passados, bienaventurado cavallero, esta real casa por vuestro gran esfuerço fue defendida y amparada, en estos presentes, constreñida más que lo nunca fue, con mucha afición y aflición vos llama. Y si los grandes beneficios de vos recebidos no se gradescieron como vuestra gran virtud lo merescía, contentaos, pues aquel justo Juez, en todo poderoso, en defeto nuestro lo quiso pagar ensalçando vuestras cosas hasta el cielo y las nuestras abatiendo debaxo de la tierra. Sabréis, mi muy amado hijo y verdadero amigo, que assí como el relámpago en la escura noche redobla la vista de los ojos en que fiere, si súpitamente se partiendo, en mayor tenebregura y escuridad que ante los dexa; assí teniendo yo ante los míos la real persona del rey Lisuarte, mi marido y mi señor, que era la luz y lumbre dellos y de todos mis sentidos, seyéndome en un momento arrebatado, los dexó en tanta amargura y abundancia de lágrimas, que muy presto con la muerte perescer esperan. Y porque el caso es tan doloroso que las fuerças ni el juizio podrían star a lo escrevir, remitiéndome al mensajero doy fin en ésta, y en mi triste vida si el remedio dél presto no viere.»

Acabada la carta, mandó a Brandoivas que él por istenso le contasse aquellas malaventuradas nuevas; el cual fue luego partido con aquella voluntad que muy fiel criado como lo él era lo devía hazer.

Pues esto hecho, con aquellos cavalleros se puso luego en el camino de Londres, porque aquella cibdad era la cabeça de todo el reino, y allí mejor que en otra parte, si algún movimiento oviesse, se hallaría. Pero no fue assí; antes, estendiéndose las nuevas a todas partes, la alteración de las gentes fue de tal manera, que grandes y pequenos, hombres y mugeres desampararon los lugares, y como si fuera de sentido estuviessen, andavan dando bozes por los campos llorando y llamando al rey su señor en tanto número de gente, que las florestas y montañas todas dellas eran llenas, y muchas de las dueñas y donzellas de gran guisa descabelladas, haziendo grandes llantos por aquel que siempre en su defensa y socorro hallaron.

¡O, cómo se devrían tener los reyes por bienaventurados

si sus vasallos con tanto amor y tan gran dolor se sintiessen de sus pérdidas y fatigas; y cuánto assí [98] mesmo lo serían los súditos que con mucha causa lo pudiessen y deviessen hazer, seyendo sus reyes tales para ellos como era este noble rey para los suyos! Pero, mal pecado los tiempos de agora mucho al contrario son de los passados, según el poco amor y menos verdad que en las gentes contra sus reyes se halla. Y esto deve causar la costellación del mundo ser más envegeçida; que perdida la mayor parte de la virtud, no puede llevar el fruto que devía, assí como la cansada tierra, que ni el mucho labrar ni la escogida simiente pueden defender los cardos y las espinas con las otras yervas de poco provecho que en ella nascen. Pues roguemos aquel Señor poderoso que ponga en ello remedio; y si a nosotros como indinos oír no le plaze, que oya aquellos que ahún dentro en las fraguas, sin dellas aver salido, se hallan, que los haga nascer con tanto encendimiento de caridad y amor como en aquestos passados avía; y a los reyes que, apartadas sus iras, sus passiones, con justa mano y piadosa los traten y sostengan.

Pues tornando al propósito, cuenta la istoria que estas nuevas bolaron muy presto a todas partes por aquellos que grandes tratos en la Gran Bretaña tenían, de los cuales todo lo más del tiempo por la mar navegavan, assí que muy presto fue sabido en aquellas tierras donde don Cuadragante, señor de Sansueña, y don Bruneo, rey de Aravia, y los otros señores sus amigos estavan; los cuales, considerando la gran parte que desto a Amadís tocava en reparar la pérdida del rey o del reino, si en él algunos escándalos se levantassen, acordaron, pues ya en aquellas conquistas no havía qué hazer y todo estava señoreado, de se ir juntos como estavan a la Insola Firme por se hallar con Amadís y seguir lo que él mandasse. Pues con este acuerdo, dexando don Bruneo en su reino a Branfil, su hermano, y don Cuadragante, a Landín, su sobrino, que poco ante allí era llegado con gente del rey Cildadán en su señorío de Sansueña, levando la más gente que pudieron, y dexando con ellos lo que necessario avían para guardar aquellas tierras, se metieron en sus fustas por la mar, y el gigante Balán con ellos, que de todos muy amado y preciado era.

Tanto anduvieron y con tan próspero viento que a los

98. *y cuando assi*, Z, fol. 295 rº; *y cuánto assí*, CB. 1749.

doze días que de allí partieron legaron al puerto de la Insola Firme. Cuando Balán vio la gran sierpe que allí Urganda avía dexado, como la istoria vos lo ha dicho, mucho fue maravillado de cosa tan estraña, y mucho más lo fuera, si le no contaran la causa della aquellos que con él venían. Al tiempo que estos señores allí aribaron, Amadís estava con su señora Oriana, que della no se osava partir; que como Brandoivas llegasse de parte de la reina Brisena con la carta que ya oístes, y Oriana supiesse lo de su padre, fue su dolor y tristeza tan sobrada, que en muy poco estuvo de perder la vida. Y como le dixeron la venida de aquella flota en que aquellos señores venían, rogó a Grasandor que los recebiesse y les dixesse la causa por qué a ellos no podía salir. Grasandor assí lo hizo, que en su cavallo llegó al puerto y halló que ya salían de la mar el rey de Sobradisa, don Galaor, y el rey de Aravia, don Bruneo, y don Cuadragante, señor de Sansueña, y el gigante Balán, y don Galvanes, y Angriote de Estraváus, y Gavarte de Valtemeroso, y Agrajes y Palomir, y otros muchos cavalleros de gran prez en armas, que sería enojo contarlos. Grasandor les dixo de la forma que Amadís estava, y que se aposentassen y descansassen essa noche, y que otro día saldría para ellos a dar orden en aquel caso, que ya a ellos manifiesto sería. Todos lo tuvieron por bien que assí se hiziesse, y luego subieron al castillo y se aposentaron en sus posadas. Y Agrajes y su tío don Galvanes llevaron consigo a Balán por le hazer toda la honra que ellos pudiessen.

Passada, pues, aquella noche, haviendo oído missa, fuéronse todos a la huerta, donde Amadís estava. Y como él lo supo, dexando a su señora con más sosiego y a su cormana Mabilia y Melicia su hermana, y Grasinda con ella, salió de la torre y vínose para ellos.

Cuando assí juntos los vio hechos reyes y grandes señores, escapados de tantas afrentas y peligros como avían passado con tanta salud, ahunque en el continente tristeza mostrasse por lo del rey Lisuarte, en su coraçón sintió tan gran alegría, mucha más que si para él solo todo aquello se oviera ganado, y fuelos abraçar y todos a él. Mas al que él más amor mostró fue a Balán el gigante, que a éste abraçó muchas vezes, honrándole con mucha cortesía.

Pues estando assí juntos, el rey don Galaor, como aquel que en tanto grado la pérdida del rey Lisuarte sintiesse como del rey Perión su padre, les dixo que sin poner dilación de

ningún tiempo se devía tomar acuerdo de lo que hazer devían en lo del rey Lisuarte, porque él, si Amadís lo otorgasse, luego quería entrar en aquella demanda sin holgar ni aver
reposo día ni noche hasta perder la vida o salvar la suya si
bivo fuesse. Amadís le dixo:

—Buen señor hermano, gran sinrazón sería que aquel rey
que tan bueno fue, y tan honrado y tan socorredor de los
buenos, que los buenos en tan estrema necessidad no le socorriessen, que dexando a parte el gran deudo que yo con él
tengo que a todos obliga hazer lo que dezís, por su sola virtud y gran nobleza merescía ser servido y ayudado en sus
afrentas de todos aquellos en quien virtud y buen conoscimiento oviesse.

Entonces mandaron venir ante ellos a Brandoivas por
saber lo que se avía hecho en buscar al rey, y que les dixesse con qué la reina sería más servida y contenta. El les dixo
todo lo que viera y la gran gente que luego en la ora que el
rey fue perdido salió a lo buscar, y que creyessen que, si en
aquella floresta, y ahun en todo su reino, fuera preso y en
algún lugar detenido, que no era cosa que encubrirse pudiera; mas que el pensamiento de la reina y de todos los otros
no era salvo creer que por la mar lo levaron, o en ella lo
avían afogado; que según el socorro fuera presto, ahun para
lo soterrar no tuvieran tiempo; y que su parescer era, pues
que todo aquel reino avía tanto sentimiento hecho, y con
tanto amor y voluntad todos al servicio de la reina quedavan, no se esperando de otra ninguna parte lo contrario, que
ellos en aquella gran flota que allí tenían se devían partir en
muchas partes, que, según en todas las cosas por ellos començadas siempre la fortuna les avía sido muy favorable, que
en esta que con tanto afán y afición se ponían no querría en
otro estilo mudarse.

A todos aquellos señores les paresció muy buen consejo
el que Brandoivas les dava, y en aquello se otorgaron que
se hiziesse; y rogaron a Amadís que tomasse cuidado de les
señalar la parte de la mar y de las tierras que buscassen, porque ninguna cosa quedasse de lo uno ni de lo otro, y que
luego los levasse ante Oriana, que en sus manos querían jurar
y prometer de nunca cessar la demanda fasta tanto que del
rey su padre nuevas de bivo o de muerto le traxessen; que
con esto pensavan de dar consuelo a su tristeza. Pues fueron
todos para entrar en la torre. Llegó un hombre que les dixo:

—Señores, una dueña sale de la Gran Serpiente, y créese que es Urganda la Desconoscida, que otra no fuera poderosa de allí entrar ni salir.

Cuando Amadís esto oyó, dixo:

—Si ella es, sea muy bien venida, que a tal sazón más con ella que con otra ninguna persona nos deve plazer.

Luego embiaron por sus cavallos para la recebir, pero no se pudo hazer tan presto que ante Urganda de la mar salida no fuesse, y en su palafrén, trayéndola sus dos enanos por las riendas, a la puerta de la huerta llegada. Cuando aquellos señores allí la vieron, fueron contra ella, y el rey don Galaor fue el primero, y la tomó con sus braços del palafrén y la puso en tierra. Todos la salvaron y la honraron con mucha cortesía; y ella les dixo:

—Bien creeréis, mis buenos señores, que de fallaros assí juntos no lo terné por estraña cosa, pues que, cuando de aquí partí vos lo dixe, que sobre un caso a vosotros oculto lo seríades. Mas dexemos agora de fablar en ello, y antes que más os diga, quiero ver y consolar a Oriana, porque sus angustias y dolores más que los míos propios los siento.

Entonces se fueron todos con ella hasta el aposentamiento de Oriana. Cuando Oriana la vio por la puerta entrar, començó a llorar muy agramente y a dezir:

—¡O mi buen amiga señora! ¿Cómo, sabiendo vos todas las cosas antes que vengan, no pusistes remedio en esta tan gran desventura venida sobre aquel rey que tanto vos amava? Agora conozco yo que, pues vos le falleçistes, que todo el mundo le fallesce.

Y dando con sus palmas en el rostro, se dexó caer en su estrado. Urganda se llegó a ella, y fincadas las rodillas, tomándola por las manos le dixo:

—Amada señora fija, no os congoxéis ni aflijáis tanto, pues que los imperios y grandes estados de que vos tan ornada y abastada sois traen siempre consigo las semejantes tribulaciones, y sin esta condición ninguno posseerlos puede; que con mucha razón nos podríamos quexar los que poco tenemos de aquel poderoso Señor si de otra guisa passasse; pues que seyendo todos de una massa, de una naturaleza, obligados a los vicios y passiones y al cabo iguales en la muerte, nos hizo tan diversos en los bienes deste mundo, a los unos señores, a los otros vasallos, con tanta sojeción y humildad, que con razón o sin ella nos convenga sufrir prisiones, muer-

tes, destierros, y otras cosas de innumerábiles penas, así
como la voluntad y querer de los mayores lo mandan. Y si
algún consuelo estos assí sojuzgados y apremiados algún gran
desconsuelo sienten, no es ál, salvo ver estos juegos de la fortuna que traen estas caídas peligrosas; y como esto sea ordenado y permitido de la su real Majestad, assí son todas las
otras cosas que por el mundo se rodean, sin ser a ninguno
poder dado por discreción ni sabiduría que en sí aya de solo
un punto remover dello. Assí que, muy amada señora, com-
pensando lo malo con lo bueno y lo triste con lo alegre daréis mucho descanso a vuestra fatiga. Y en lo que me dezís
del rey vuestro padre verdad es que a mí antes manifiesto
fue, como por palabras encubiertas al tiempo que de aquí
partí lo dixe. Pero no fue en mí tal poder que desviar pudiesse lo que ordenado estava, mas lo que a mí es otorgado
en esta venida se porná en obra; lo cual con ayuda del mayor
Señor será causa de traer el remedio que a esta tan gran
tristeza en que vos hallo conviene.

Entonces la dexó, y se tornó a los cavalleros, que juntos
estavan, por dar orden en el viaje que cada uno avía de
hazer; y díxoles:

—Mis buenos señores, bien se os acordará cómo al tiempo de mi partida desta ínsola, cuando juntos quedastes, vos
dixe que a la sazón que el donzel Esplandián uviesse de recebir cavallería, por un caso a vosotros oculto, todos los más
seríades aquí tornados. Pues si assí se cumplió, la presencia
vuestra da dello testimonio. Agora yo soy venida como lo
prometí, así para aquel auto como por quitar de las afrentas
y grandes trabajos que desta demanda en que todos puestos
estáis vos pueden venir, sin que dellas remedio ninguno de
lo que desseáis vos alcance; que si todos los que en el mundo
son nascidos, con los que por nascer están, que bivos fuessen, procurassen con toda dilgencia de fallar al rey Lisuarte,
sería impossible poderlo acabar, según en la parte donde lo
llevaron. Por ende, mis señores, no entre en vuestros coraçones tan gran follía que con poca discreción, seyendo primero por mí avisados, queráis alcançar a saber aquello que
la voluntad del más poderoso Señor defiende que sabido no
sea; y dexaldo aquel a quien por su especial gracia le es permitido. Y porque de la dilación gran daño se podría causar,
es menester para el efecto de lo que conviene que assí como
estáis, llevando con vosotros al hermoso donzel Esplandián

y a Talanque, y a Maneli el Mesurado y al rey de Dacia, y a Ambor, hijo de Angriote d'Estraváus, seáis mis huéspedes esta noche, con alguna parte del día siguiente, dentro en aquella gran fusta que serpiente paresce.

Cuando aquellos señores oyeron esto que Urganda les dixo, todos callaron, que ninguno supo qué responder, porque, según las cosas passadas della dichas tan verdaderas avían salido, bien creyeron que assí aquella presente sería; y por esta causa, sin más le dezir, acordaron de complir lo que mandava, considerándolo por mejor. Y luego cavalgando en sus cavallos, y ella en su palafrén llevando consigo a Esplandián y los otros donzelles, se fueron a la marina, donde Urganda les dixo que en una de aquellas fustas passassen con ella hasta se meter en la Gran Serpiente, lo cual así fue hecho.

Pues llegados y entrados en aquella gran nao, Urganda se metió con ellos en una grande y rica sala, donde les hizo poner mesas en que cenassen. Y ella con los donzeles se metió a una capilla que en cabo de la sala estava, guarnida de oro y piedras de muy gran valor; y allí cenó con ellos con muchos istrumentos que unas donzellas suyas muy dulcemente tañían. Acabada la cena, Urganda, dexando los donzeles en la capilla, salió a la gran sala donde aquellos señores estavan, y rogóles que a la capilla se fuessen y hiziessen compañía a los noveles. A cabo de una pieça de tiempo tornó Urganda y traía en sus manos una loriga, y tras ella venía su sobrina Solisa con un yelmo, y Julianda, su hermana desta Solisa, con un escudo. Y estas armas no eran conformes a las de los otros noveles, que acostumbravan en el comienço de su cavallería de las traer blancas, mas eran tan negras y tan escuras que ninguna otra cosa tanto lo podía ser. Urganda se fue a Esplandián y díxole:

Bienaventurado donzel mas que otro alguno de tu tiempo, vístete estas armas conformes a la manzilla y negregura del tu fuerte y bravo coraçón que por el rey tu abuelo tienes; que así como los passados que la orden de la cavallería establecieron tovieron por bueno que a la nueva alegría nuevas armas y blancas se diessen, assí lo tengo yo que a tan gran tristeza negras y tristes se den, porque veyéndolas ayas memoria de remediar la causa de su triste color.

Entonces le vistió la loriga, que muy fuerte y bien labrada era. Solisa le puso el yelmo en la cabeça, y Julianda, el escudo al cuello. Entonces miró Urganda contra Amadís y díxole:

—Con mucha razón estos cavalleros podrían preguntar la causa por qué en estas armas la espada falte. Mas vos no, mi buen señor, que sabéis donde la fallaste y de que tan grandes tiempos le está guardada por aquella que en su tiempo par de sabiduría no tuvo en todas las artes, sino solamente en la del engañoso amor de aquel que más que a sí mesma amava, por quien la desastrada y dolorosa fin ovo; pues con aquella encantada espada que fuerça tiene de desatar y disolver todos los otros encantamentos, puesta en el puño del su muy fuerte braço hará tales cosas por donde las que hasta aquí mucho resplandescían en mucha escuridad y menoscabo serán puestas.

Armado Esplandián como oídes, entraron en la capilla cuatro donzellas, cada una con un guarnimiento de cavallero de unas armas tan blancas y tan claras como la luna, orladas y guarnidas de muchas piedras preciosas con unas cruzes negras. Y cada una dellas armó uno de aquellos donzeles; y teniendo a Esplandián en medio, hincados de rodillas delante el altar de la Virgen María, velaron las armas; assí como era en aquel tiempo costumbre, todos tenían las manos y las cabeças desarmadas. Y Esplandián estava entr'ellos tan hermoso, que su rostro resplandescía como los rayos del sol, tanto que hazía mucho maravillar a todos aquellos que lo veían fincado de inojos con mucha devoción y grande humildad rogándola que fuesse su abogada con el su glorioso Hijo, que le ayudasse y endereçasse en tal manera que seyendo su servicio pudiesse complir con aquella tan gran honra que tomava, y le diesse gracia por la su infinita bondad cómo por él, antes que por otro alguno, el rey Lisuarte, si bivo era, en su honra y reino restituído fuesse. Assí estuvo toda la noche sin que en cosa alguna fablasse sino en estas tales rogarias y en otras muchas oraciones, considerando que ninguna fuerça ni valentía, por grande que fuesse, tenía más facultad de la que allí otorgada le fuesse.

Assí passaron aquella noche como avéis oído, velando todos y todas a aquellos noveles. Y venida la mañana, paresció encima de aquella gran serpiente un enano muy feo y muy lasso con una gran trompa en la mano, y tañóla tan reziamente, que el su fuerte son fue oído por la mayor parte de aquella insola; assí que toda la gente hizo alborotar y salir encima de los adarves y torres del castillo, y otros muchos por las peñas y alturas donde mejor pudiessen mirar. Y las dueñas y donzellas que en la gran torre de la huerta estavan subieron suso a la más priessa que pudieron por mirar qué sería aquello que tan fuertemente avía sonado.

Cuando Urganda assí los vio, fizo aquellos señores que allí donde su enano estava se subiessen, y luego ella tomó ante sí a los cuatro noveles y a Esplandián por la mano y subió tras ellos, y empós della ivan ocho donzellas vestidas de negro con seis trompas doradas. Y cuando fueron suso, Urganda dixo contra el gigante Balán:

—Amigo Balán, así como la natura te quiso estremar de todos aquellos que de tu linaje fueron en te hazer tan diverso de sus costumbres, allegándote a conocer razón y virtud, la cual hasta agora en ninguno de tus antecessores fallarse pudo: en que se puede dezir que este don o gracia de la divinal essencia te vino. Assí por aquel amor entrañable que en ti conozco que a Amadís tienes, quiero yo que otra temporal te sea otorgada entre estos tan señalados cavalleros, la cual ninguno antes que nos, ni presentes y por venir alcançaron ni alcançar podrán; y ésta es que de tu mano sea armado este donzel cavallero, que los sus grandes hechos serán testimonio de ser mi palabra verdadera y farán estable la gloria que tú alcanças en dar esta orden a aquel que tan señalado y aventajado sobre tantos buenos será.

El gigante, cuando esto oyó, miró contra Amadís sin nada responder, como que dudava de complir lo que aquella dueña le dezía. Amadís, que assí lo vio, conoció luego que su consentimiento era necessario, y díxole con gran humildança:

—Mi buen señor, hazed lo que Urganda vos dize, que todos hemos de obedescer sus mandamientos sin que en ninguna cosa contradichos sean.

Estonces el gigante tomó por la mano a Esplandián y díxole:

—Fermoso donzel, ¿quieres ser cavallero?

—Quiero —dixo él.

Luego le besó y le puso la espuela diestra, y dixo:

—Aquel poderoso Señor que tanta de su forma y de su gracia en ti puso, más que en ninguno que jamás se viesse, Aquel te haga tan buen cavallero que con mucha razón pueda yo desde agora guardar la cuarta promessa que hago: de nunca ser este auto en otro alguno hecho.

Esto assí acabado, Urganda dixo:

—Amadís, mi señor, si por ventura hay algo en vuestra memoria que a este novel cavallero queráis mandar, sea luego porque presto le conviene de vuestra presencia ser partido.

Amadís, sabiendo las cosas desta Urganda, y cómo aquel amonestamiento sin gran causa no se hazía, dixo:

—Esplandián, hijo, al tiempo que yo passé por las ínsolas de Romanía y llegué en Grecia, yo recebí de aquel grande emperador muchas honras y mercedes, y después que de su presencia me partí muchas más, assí como estos señores en mis necessidades y suyas vieron; por donde le soy obligado a servir todo el tiempo de mi vida, pues entre aquellas grandes honras que allí alcancé fue una la que yo en mucho devo tener. Y ésta es que la muy hermosa Leonorina, hija de aquel emperador, más graciosa y hermosa que en todo el mundo donzella hallarse podría, y la reina Menoresa con otras dueñas y donzellas de muy gran guisa me tuvieron consigo en sus aposentamientos con tanto gozo y alegría y cuidado de a mí me la dar como si hijo de un emperador del mundo yo fuera, no haviendo al presente otra noticia de mí sino de un pobre cavallero; las cuales al tiempo de mi partida me demandaron un don: que, si hazerlo pudiesse, las tornasse a ver, y si ser no pudiesse, les embiasse un cavallero de mi linaje de que servirse pudiessen. Yo les prometí de assí lo hazer. Y porque yo no estoy en disposición de lo cumplir, a ti lo encomiendo; que si Dios por su merced te dexare acabar esto que todos desseamos, tengas memoria de quitar mi palabra donde presa en poder de tan alta señora quedó. Y porque puedan creer ser tú aquel que de mi parte va, toma este hermoso anillo, que de su mano tirado fue, para lo poner con ella en la mía.

Estonces le dio el anillo que aquella infanta le diera con la piedra preciada compañera de la que en la rica corona estava, como lo cuenta la tercera parte desta historia. Esplandián hincó los inojos ante él y besóle las manos, diziendo que como gelo mandava lo cumpliría si Dios por bueno lo tuviesse. Pero esto no se cumplió tan cedo como el uno y el otro lo cuidavan; antes, este cavallero passó por muchas cosas peligrosas por amor desta infanta hermosa, solamente por la gran fama que della oyó, como adelante vos será contado.

Esto assí hecho, Urganda dixo a Esplandián:

—Hijo hermoso, hazed vos cavalleros estos donzeles, que

muy presto vos pagarán esta honra que de vuestra mano reciben.

Esplandián assí como ella lo mandó lo hizo, de guisa que en aquella hora todos cinco recibieron aquella orden de cavallería. Estonces las seis donzellas que ya oístes tocaron las trompas con tan dulce son, y tan sabroso de oír, que todos aquellos señores, cuantos allí estavan y los cinco cavalleros noveles, cayeron adormidos sin ningún sentido les quedar. Y la Gran Serpiente echó por sus narizes el fumo tan negro y tan espesso, que ninguno de los que miravan pudieron ver otra cosa salvo aquella grande escuridad.

Mas a poco rato, no sabiendo en qué forma ni manera, todos aquellos señores se hallaron en la huerta debaxo de los árboles donde Urganda los havía hallado al tiempo que allí llegó. Y esparzido aquel gran fumo, no paresció más aquella Gran Serpiente, ni supieron de Esplandián ni de los otros noveles cavalleros, de que fueron todos muy espantados.

Cuando aquellos señores assí se vieron, mirávanse unos a otros, y semejávales que lo passado fuera como en sueños. Mas Amadís halló en su mano diestra un scripto que dezía assí:

«Vosotros, reyes y cavalleros que aquí estáis, tornadvos a vuestras tierras; dad holgança a vuestros spíritus, descansen vuestros ánimos; dexad el prez de las armas, la fama de las honras a los que comiençan a subir en la muy alta rueda de la movible fortuna; contentaos con lo que della hasta aquí alcançastes, pues que más con vosotros que con otros algunos de vuestro tiempo le plugo tener queda y firme la su peligrosa rueda. Y tú, Amadís de Gaula, que desde el día que el rey Perión, tu padre, por ruego de tu señora Oriana te fizo cavallero, venciste muchos cavalleros y fuertes y bravos gigantes, passando con gran peligro de tu persona todos los tiempos hasta el día de hoy, haziendo temer las brutas y espantables animalias, haviendo gran pavor de la braveza del tu fuerte coraçón, de aquí adelante da reposo a tus afanados miembros; que aquella tu favorable fortuna bolviendo la rueda a éste, dexando a todos los otros debaxo, otorga ser puesto en la cumbre. Comiença ya a sentir los xaropes amargos que los reinados y señoríos atraen, que cedo los alcançarás; que assí como con tu sola persona y armas y cavallo, haziendo vida de un pobre cavallero a muchos socorriste y muchos menester te ovieron, assí agora con los grandes estados, que falsos descansos prometen, te converná ser de muchos socorrido, amparado y defendido. Y tú, que hasta aquí solamente te ocupavas en ganar prez de tu sola persona, creyendo con aquello ser pagada la deuda a que obligado eras, agora te converná repartir tus pensamientos y cuidados en tantas y diversas partes, que muchas vezes querrías ser tornado en la vida primera y que solamente te quedasse el tu enano a quien mandar pudiesses. Toma ya vida nueva con más cuidado de governar que de batallar como hasta aquí heziste. Dexa las armas para aquel a quien las grandes vitorias son otorgadas de aquel alto Juez que superior para ser su sentencia revocada no tiene, que los tus grandes hechos de armas por el mundo tan sonados muertos ante los suyos quedarán, assí que por muchos que más no saben será dicho que el hijo al padre mató. Mas yo digo que no de aquella muerte natural a que todos obligados somos, salvo de aquella que passando sobre los otros mayores peligros, mayores angustias, gana tanta gloria que la de los passados se olvida; y si alguna parte les dexa, no gloria ni fama se puede dezir, mas la sombra della.»

Acabado de leer aquel scripto, hablaron mucho entre sí qué devían o podían hazer; assí que los consejos eran muy diversos, ahunque a un efecto se reduziessen. Mas Amadís les dixo:

—Buenos señores, comoquiera que a los encantadores y sabidores destas tales artes sea defendido de les dar ninguna fe, las cosas desta dueña passadas y vistas por nosotros en esperiencia nos deven poner en verdadera esperança de las venideras, no por tanto que sobre todo no quede el poder a aquel Señor que lo sabe y puede todo, del cual puede ser permitido que antes por esta Urganda sea reparado y manifiesto lo que tanto a duro por otras vías podríamos saber, assí como fasta aquí se ha mostrado en otras muchas cosas. Y por esto, buenos señores, yo ternía por bueno que assí como lo ella conseja y manda, assí por nosotros se cumpla, tornando vos a vuestros señoríos que nuevamente havéis ganado, y mi hermano el rey don Galaor y don Galvanes mi tío, tomando consigo a Brandoivas, se vayan a la reina Brisena, porque dellos sepa con qué voluntad queríamos poner en efecto sus mandamientos, y la causa por qué cessó de se hazer. Y della sabrán lo que más le plazerá que sigamos. Y yo quedaré aquí con mi cormano Agrajes hasta tanto que algunas nuevas nos vengan; y si nuestra ayuda y acorro para ellas fueren menester, mucho más apartados que juntos lo sabremos, y a donde vinieren aquéllos tengan cargo, haziéndolo saber a los otros, de acudir.

A todos aquellos señores y cavalleros paresció ser buen acuerdo este que Amadís les dixo, y assí lo pusieron por obra, que el rey don Bruneo y don Cuadragante, señor de Sansueña, se tornaron a sus señoríos, llevando consigo aquellas sus muy hermosas mugeres Melicia y Grasinda. Y el rey don Galaor y don Galvanes con Brandoivas se fueron a Londres, donde la reina Brisena estava. Y Amadís y Agrajes y Grasandor se quedaron en la Insola Firme, y con ellos aquel fuerte gigante Balán, señor de la Insola de la Torre Bermeja, con voluntad de se no partir de Amadís fasta tanto que del rey Lisuarte nuevas algunas se supiessen, y si fuessen tales que socorro de gente menester fuesse, de passar por aquella ventura y trabajo que le dar quisiessen.

Acábanse los cuatro libros del esforçado y muy virtuoso cavallero Amadís de Gaula, en los cuales se hallan muy por estenso las grandes aventuras y terribles batallas que en sus tiempos por él se acabaron y vencieron, y por otros muchos cavalleros, assí de su linaje como amigos suyos. Fueron empримidos en la muy noble y muy leal ciudad de Çaragoça por George Coci, alemán. Acabáronse a .XXX. días del mes de Otubre del año del nascimiento de nuestro Salvador Jesú Christo mil y quinientos y ocho años.

GLOSARIO [1]

abiltamiento: afrenta.

abolorio: abolengo.

absolvieron: aclararon.

abueltas: juntamente.

acaso: de improviso.

ación: correa del estribo.

acordado (part. pas. de *acordar*): vuelto en su juicio.

adarga: escudo redondo.

adarves: caminos detrás del parapeto, muralla.

aguja: carne del cuarto delantero o trasero del caballo.

aína: pronto.

ál: otra cosa.

alcándara: percha para halcones.

alevosu, traidoru, alevor traición, traidor.

algilbe: cisterna.

aljófar: perla pequeña.

aljuba: vestidura morisca.

almadraques: colchones.

almohares, almófar: capuchón de la lóriga o arnés.

alongávades (imp. ind. 2. de *alongar*): retrasabais.

amades (pres. ind. 2), *amáis*

amollentado: ablandado.

andas: lecho con varas para llevar andando.

añafiles: trompetas.

apellido: voz de llamamiento.

aportados (part. pas. de *aportar*): tomar puerto.

aquexava (se): se angustiaba, daba fatiga; *quexose:* se esforzó en; *quexa:* apremio.

armellas: argolla de hierro de una puerta.

arnés: arma defensiva corporal; sinónimo de *loriga* (con piezas metálicas clavadas).

arrincados: desbandados, ahuyentados.

asonados: reunidos; de *assonar:* levantar gente de guerra.

asta (de la lanza): parte de madera de la lanza.

atender: esperar.

aterrada: echada por tierra, derribada.

aver: riqueza.

averná: sucederá.

aviessas: opuesto a lo que debe ser, al revés.

ayuso: abajo.

barahustó: resbaló*.

bastada: abastecida.

beços: labios.

blasmo: vituperio.

bofordar: lanzar bohordos (varas, cañas).

bozina: cuerno de boyero.

braçales: asas del escudo.

bramura: pasión, orgullo.

---

1. Este glosario se ha realizado a partir de: *Diccionario de Autoridades,* Madrid, Gredos, 1964; Sebastián de Cobarruvias, *Tesoro de la Lengua Castellana o Española,* ed. M. de Riquer, Barcelona, Altafulla, 19; Corominas, *Diccionario Crítico Etimológico Castellano e Hispánico,* Madrid, Gredos, 1980-1983.

brasilado: encarnado.

brocal (del escudo): refuerzo en la parte central de este arma defensiva.

buelta: revuelta.

bullendo: (ger. de *bullir*): meneándose, agitándose.

bulto: rostro, volumen, cuerpo.

burças (cayó de): bruces, boca abajo.

buxeta, boxetas: cajitas de madera de boj.

cabe, cabo: cerca de.

cada que: cuando.

çaga (arzón de): detrás; *reçaga:* retaguardia; *çagueras:* rezagadas.

calafeteada (part. pas.): apretada.

caler: servir, convenir.

canado: candado.

cañillas: canillas, cualquiera de los huesos largos de la pierna o el brazo.

capellinas: cascos.

carreras: caminos.

cativar: comprometer.

cativo: desdichado.

católe (perf. 3 de *catar:* miróle; *cataron (le):* mostraron.

cautela (sin): sin engaño.

cedo: al instante.

cercén: en círculo.

coermano, cormano: primo hermano.

collaço: hermano de leche.

comedio (en este): entretanto.

como: cuando.

connusco: con nosotros.

consiliaria: consejos.

consuno (de): juntamente.

contra: hacia.

contrallar: oponer.

conturbase: alterar el ánimo.

convusco: con vos.

coraças: defensa de metal rígido.

corral: patio.

corridos: afrentados; *corrido (estoy):* avergonzado.

cortar e ían (cond. an. 2): te cortarían.

cras: mañana.

creyo (pres. ind. 1 de *creer*): creo.

criado: nutrido, educado.

cruz (de la espada): arriaz.

cuadra: sala.

cuchilla (de la lanza): punta de hierro de la lanza.

cuenta: calidad; *cuento:* categoría.

cuento (del hacha, de la lanza): contera.

cuento: relato.

cuitando (ger. de *cuitar, cuidar*): pensando; *cuidó (se):* preocupó.

cuxa, cuja: pieza de la armadura protectora del muslo.

cúyo (pron. pos. interrog.): de quién.

defiéndoos: os prohíbo.

derrancaron: acometieron; *derrancaadamente:* precipitadamente.

desafiuziados: desesperanzados.

desatentado: sin tiento.

desconortéis: desconsoléis.

desconoscido: ingrato.

deservicio: deslealtad; *desirviessen* (inf. sub. 2): faltasen a la obligación.

desí: después.

desmallar: hacer caer las mallas de la loriga.

desmamparássedes (imp. sub. 2 de *desmamparar*): desamparaseis.

despartieron: separaron.

despendían: gastaban.

dessemejado: disforme, espantoso.

destajo: apartamiento dividido por un tabique.

devanadera: instrumento para devanar el hilo.

devisado: relatado.

diçió (pret. perf. de *deçir*): descendió.

dino: digno.

dó: donde.

donadas: colmadas de gracia.

donas: regalos.

dudado: (part. pas. de *dudar*): temer; *dubdo* (pres. ind. 1).

dueña: señora.

embargo (alguno): impedimento.

embermegecióle: enrojecióle.

embraçado (part. pas. de *embraçar*) *(el escudo):* pasar el brazo por las asas interiores del escudo o tener el escudo asido (véase *embraçadura*).

embraçadura: asa del escudo.

empacho: obstáculo, vergüenza.

empecer, empeçer: dañar, perjudicar.

enarmonar: empinarse el caballo, encabritar.

enartado: engañado.

ende: de allí, por ello; *fueras ende:* excepto.

endicia: afán.

endonado: libremente; *endonadamente:* voluntariamente.

enemiga: enemistad.

enforcar: ahorcar.

entendía: ponía su esfuerzo.

entrevallo: impedimento.

enxerida: insertada.

enxuga, enxuta (de *enxugar*): quita la humedad, seca.

escaescia: se le olvidaba.

escaescerion: olvidaron.

esgremidores: maestros de esgrima.

espalda: hombro.

espolonadas: arremetidas de la caballería.

estello: columna.

estrañó (gelo): se lo reprendió.

faceldo: hacedlo.

fallescer: faltar.

falsaron (de *falsar*): cortaron, rompieron.

fardaje: impedimenta de guerra.

fieles (de campo): árbitros de campo.

fierro: punta de hierro de la lanza.

finiestra: ventana.

fojas: defensa corporal a base de láminas metálicas; *hojas.*

folgança: descanso.

follía: locura.

follón: cobarde, vil; *follonía:* felonía.

fortuna: borrasca.

fue (perf. ind. 1): fui.

fuelgo, huelgo: aliento.

fusillo: huso.

fusta: galera pequeña.

fuste (de la lanza): asta.

fuzia, fiuza: confianza.

gambax: túnica civil.

gorgoçadas: bocanadas de líquido.

gorguera: defensa de la loriga del cuello.

governalle: timón.

guisa: estado, condición social; manera, modo (a vuestra g.: a vuestra voluntad); *guisado:* justamente.

hacha: antorcha.

harroqueros: recueros, arrieros.

hazes: rostro, mejillas; hazes: columnas.

hazienda: asunto, estado, prestigio.

heriólo: golpeólo.

hondón (contra): hacia el fondo.

hovero: abutardado, color de melocotón.

huego: fuego.

indio: índigo, azul.

infinta (fizo): hacer fingimiento, fingir; *infitosa:* engañosa.

is (pres. ind. 2 de *ir*): vais. *ides, imos:* vamos.

jaldados: de color de jade, amarillentos.

jayán: gigante.

jelo: se lo.

lassa: cansada.

launas: láminas de hierro.

lazeren (pres. sub. 6 de *lazrar* o *lacerar*): sufrir.

leda: alegre, contenta.

legó: llegó.

letuario: medicinas.

lindos: legítimos.

lombarda: bombarda, arma de fuego.

lorigas: camisón de mallas anulares que va desde el cuello a las rodillas.

luego: sin dilación.

lueñe: lejos.

lunar: luz de luna.

luvas, lúas: guantes.

maestro: cirujano.

maguer: aunque.

mamparar: amparar, buscar amparo, escudar.

mançana (de la espada): pomo.

mandardes (fut. sub. 2 de *mandar*): mandareis.

manteniente (a manteniente): de arriba abajo con ambas manos.

manzilla: piedad, lástima.

mañas: grande.

mareantes: marineros.

melezina: medicina.

membréis: recordéis.

menguas: afrentas; *amenguan:* apocan, afrentan.

mercado: negocio, asunto.

mezclador: chismoso; *mezclamiento:* chisme.

morran (pres. sub. 6 de *morrer): mueran.

nuzir: dañar.

ocasión: accidente, daño grave, peligro.

ocurrirían: acudirían.

oístes: oísteis.

omezillo: contienda, riña, enemistad.

oriniento: lleno de orín o moho.

oyo: (pres. 1 de *oír*): oigo.

padrón: columna.

parte (no sabían): no sabían nada.

partida: acabada.

partido (mover otro): proponer otro trato; *partáis:* pactéis.

passito: bajito, en voz baja; *passo:* despacio.

patín: patio pequeño.

pelote: vestido antiguo.

péndolas: plumas.

pieça (en cabo de una): al cabo de un rato; *a gran p.:* a gran distancia.

pleito: acuerdo.

poquedad: pusilanimidad.

poridad: secreto.

porné: pondré.

premia: coacción, violencia.

pressurança: congoja.

prez: estima, precio, valor.

priessa: aprieto; *a gran p.:* con gran prisa, multitud de gente.

prietas: oscuras, negras.

profaçan: hablan mal.

profertas: ofrecimientos; *profiero (me):* me ofrezco.

propincas: próximas.

provaros ía (cond. an. 2): os probaría.

puños (de la espada): gavilanes, hierros horizontales de la espada, arriaz.

quedá: quedad.

quisto (part. de *querer*): querido; (pres. 1. de *quitar*): dejar libre de una deuda; *quitarm' éis* (fut. anal.): me quitaréis.

rachas, rajas (de los escudos): astillas, propias de los escudos.

real: lugar donde está acampado el rey con su ejército.

recadado: recaudado, despachado.

recaudo: cobro, éxito.

recuas: mulos de carga.

recuesta: petición, demanda.

recuesto: pendiente.

reguridad: rigurosidad.

rendón (de): de golpe.

resolgar: respirar.

retratar: criticar.

reutada: retada.

ribaldo: bellaco.

saberlo heis (fut. ant. 2.): lo sabréis.

salvó: saludó.

salirá: saldrá.

seer: estar sentada.

seían (imp. 3): eran.

semejante (por el): de idéntica manera.

setenas: penas, multas.

seyendo: siendo; *seído:* sido.

sí: así.

sinifica: significa.

só (pres. ind. 1 de *ser*): soy.

sobeja: sobrada, muy grande, demasiada.

sobrado: piso alto, desván, azotea.

sobremano (lanza a): lanza en posición horizontal, bajada.

sobreseñales, sobrevista: túnica encima de las armas.

solapa: roca sobresaliente (s. fig.).

somo (en): encima, en lo alto.

súpita: súbita; *súpitamente:* repentinamente.

suso: hacia arriba.

ternía: tendría; *terníades:* tendríais.

ternilla: cartílagos.

tiracol: correa del escudo para colgarlo del cuello.

todavía: a pesar de ello.

tollerás (de *tollir* o *toller*): quitarás; *tollida:* con los miembros encogidos, paralizada; *tollido:* herido.

toste: pronto, rápidamente.

traer: vestimenta.

trabucar: trastornar, trastocar.

traílla: cuerda.

transtornando: dando la vuelta.

trasechadores: prestidigitadores, jugadores.

travando: atando; *travóle:* agarróle.

traviessa: travesía.

trebejaba (perf. ind. de *trebejar*): jugueteaba.

tremedal, tremadal: agua cenagosa.

tremúla (imp. 3): temblábale.

trena: trencilla, galón.

trimiendo: temblando.

troque: cambio.

turó: duro.

vagaroso: con calma.

vegada: vez.

veleño: planta narcótica.

vía: veía.

víades (imp. ind. 2 de *ver*): veíais.

visera (del yelmo): visal; vista, hendidura o raja horizontal.

xara: mata.

xarope: jarabe.

ý: allí.

ÍNDICE DE PERSONAJES

Impreso en Talleres Gráficos
DUPLEX, S. A.
Ciudad de Asunción, 26-D
08030 Barcelona